广东统计年鉴

GUANGDONG STATISTICAL YEARBOOK

2005

（总第21期 No. 21）

广 东 省 统 计 局 编

Compiled by
Guangdong Provincial Bureau of Statistics

中国统计出版社
China Statistics Press

（京）新登字 041 号

ISBN 7-5037-4649-1
9 787503 746499 >

图书在版编目（CIP）数据
广东统计年鉴. 2005：中英文对照/广东省统计局编
北京：中国统计出版社，2005. 6
ISBN 7—5037—4649—1
Ⅰ. 广…
Ⅱ. 广…
Ⅲ. 统计资料 -广东省 -2005 -年鉴 -汉、英
Ⅳ. C832. 65-54
中国版本图书馆 CIP 数据核字（2005）第 052391 号

广东统计年鉴 -2005

作　　者/广东省统计局
责任编辑/蔡启新
E-mail/yearbook@ stats. gov. cn
责任校对/冯位东
装帧设计/孟贤宝
出版发行/中国统计出版社
通信地址/北京市西城区三里河月坛南街 75 号/中国统计出版社
邮　　编/100826
电　　话/（010）63262295
印　　刷/精一印刷（深圳）有限公司
经　　销/新华书店
开　　本/890 × 1240 毫米　　1/16
字　　数/150 万字
印　　张/37.25 印张
印　　数/1- 4000
版　　别/2005 年 8 月第 1 版
版　　次/2005 年 8 月第 1 次印刷
书　　号/ISBN 7—5037— 6649—1/F・2049
定　　价/280. 00 元

2005 编者说明

《广东统计年鉴－2005》(下简称年鉴)是一部反映广东国民经济和社会发展情况的资料性年刊，书中收录了全省、各市、县、区2004年大量统计数据以及建国以来各个主要时期的一些主要统计数据。

《年鉴》分为两大部分。第一部分，概述；第二部分，统计资料。具体分为行政区划和自然资源，综合，要素市场，人口，从业人员和职工工资，固定资产投资，能源生产与消费，财政、金融和保险，物价，人民生活，农业，工业，建筑业，运输邮电，国内贸易，对外经济与旅游，教育、科技、文化、体育、卫生、社会福利、环境和其他、经济地带主要指标、城市主要指标、县（市）区主要经济指标等21部分。此外，《年鉴》附录部分还汇编部份省(市)国民经济主要指标及香港、澳门特别行政区主要统计资料。

本《年鉴》大部份资料来自政府各级统计局的各种定期统计报表及抽样调查资料；部分资料来自中央部属单位和省属各主管部门。附录中的资料是根据国家统计局及有关方面提供的资料整理的。

2004年12月31日全国进行第一次经济普查。由于普查数据审定较迟，为了《年鉴》正常出版发行，本《年鉴》中涉及普查的工业、建筑业、房地产开发、国内贸易2004年数据均为快报数。

资料中所使用的度量衡单位，除耕地、播种面积照顾我国使用习惯继续用“亩”为单位外，其余均采用国际统一标准计量单位。

本《年鉴》中计算的平均每年增长速度，均用“水平法”。

本《年鉴》统计表中的符号使用说明：

“…”表示数据不足本表最小单位数；

“#”表示其中主要项；

“空格”表示该项统计指标数据不详或无该项数据；

“①”表示本表下有注解。

本《年鉴》在整理编辑过程中，得到省直有关部门和单位的大力支持，在此表示感谢!

PREFACE

Guangdong Statistical Yearbook 2005 (abbreviation as the Yearbook below) is an annual statistics publication, which reflects the conditions of national economic and social development in Guangdong Province. It covers plenty of data in 2004 and some selected major data series in historically important years since the founding of the People's Republic of China at provincial level and local levels of city, county and district.

The Yearbook contains two parts: Part One Outline and Part Two Statistics. It includes the following 21 chapters, i.e. Administrative Division and Natural Resources, General Survey, Main Indicators on the Factor Market, Population, Employment and Wages, Investment in Fixed Assets, Production and Consumption of Energy, Government Finance, Banking and Insurance, Price Indices, People's Livelihood, Agriculture, Industry, Construction, Transport, Postal and Telecommunication Services, Domestic Trade, Foreign Trade and Tourism, Main Indicators on Education, Science, Technology and Culture, Sports, Public Health, Social Welfare, Environment Protection and Others, Special Economic Regions, Cities, Counties and Districts. Besides these, in the appendices of the Yearbook are main economic indicators of some other provinces (municipality) in the mainland and main statistics of Hong Kong and Macao Special Administrative Regions.

The data in the Yearbook are mainly obtained from regular statistical reports and sample surveys conducted by the statistical bureaus of all levels of government. Some data are collected from the departments of the central government and the provincial government. Data in the appendices are compiled from statistical publications published by the National Bureau of Statistics and other sources.

The First Economic Census was conducted in China on Dec.31, 2004. Due to the late check of the data from the census, the 2004 data on industry, construction, real estate development and domestic trade in the Yearbook refer to the figures from advance reports to ensure the normal publication of the Yearbook.

The units of measurement used in the Yearbook are internationally standard measurement units, except those on cultivated land and sown areas which are used in "mu" in order to give consideration to the habit of using these data in China.

The method of the calculation of the average annual growth rates in the Yearbook is horizontal method.

Notations used in the Yearbook:

" … " indicates that the figure is not large enough to be measured with the smallest unit in the table;

" # " indicates the major items of the total;

"(blank)" indicates that the data are not available;

" ① " indicates "see footnotes below" .

During the compilation of the Yearbook, we have received the support from some related departments and units of the province. We express our thanks to all of them here.

2005
《广东统计年鉴》编辑委员会

一、编委会

主　编：卜新民

副主编：叶健夫　幸晓维　欧卫东　林万洲

委　员(以姓氏笔划为序)：

丁　宪　王国伟　叶建新　冯位东　刘　非
刘友生　刘寿生　刘智华　陈铭津　陈丽华
邱　俊　姚瑞华　秦定坚　徐汉松　赖国扬
彭启鹏　魏咏梅

二、编辑工作人员

编辑人员（以姓氏笔划为序）：

马建强　王　晴　田志峰　叶丽莎　刘伟平
李新娇　余盛鸿　佘少玲　孟贤宝　陆定国
陈丽芬　陈　强　陈瑞光　陈中兰　杨慧芳
罗健波　洪秀霞　秦言忠　黄　晖　黄平光
黄灿灿　赖秋云　蓝　其　翟　丰

英文审译：杨慧芳

英文翻译：杨慧芳

目　　录
CONTENTS

第一部分　　概　述
PART ONE　　OUTLINE

第二部分　　统计资料
PART TWO　　STATISTICS

一、行政区划和自然资源
Administrative Divisions and Natural Resources

二、综　合
General Survey

三、要素市场主要指标
Main Indicators on the Factor Market

四、人　口
Population

五、从业人员和职工工资
Employment and Wages

六、固定资产投资
Investment in Fixed Assets

七、能源生产和消费

Production and Consumption of Energy

八、财政、金融和保险
Government Finance，Banking and Insurance

九、物价指数
Price Indices

十、人民生活
People's Livelihood

十一、农　　业
Agriculture

十二、工　业
Industry

十三、建　筑　业
Construction

十四、运输、邮电
Transport, Postal and Telecommunication Services

十五、国内贸易
Domestic Trade

十六、对外经济与旅游
Foreign Economy and Tourism

十七、教育、科技、文化
Education，Science & Technology and Culture

十八、体育、卫生、社会福利、环保和其他
Sports，Public Health，Social Welfare，
Environmental Protection and Others

十九、经济地带主要指标
Special Economic Regions

二十、城市主要指标
Cities

二十一、县（市）区主要经济指标
Counties and Districts

附　　录
Appendix

第一部分　概述

PART ONE　OUTLINE

广东省统计局关于2004年国民经济和社会发展的统计公报

2005年3月1日

2004年，广东人民在省委和省政府的正确领导下，以邓小平理论和“三个代表”重要思想为指导，全面贯彻党的十六大、十六届三中、四中全会和胡锦涛总书记视察广东重要讲话精神，牢固树立和落实科学发展观，认真贯彻中央宏观调控政策，团结拼搏、开拓进取，顺利实现了省十届人大二次会议确定的经济和社会发展预期目标。国民经济保持良好发展势头，经济活力明显增强。各项社会事业全面进步，居民生活水平继续提高。改革开放和社会主义现代化建设取得重大进展。

一、综　合

国民经济保持平稳较快增长。初步核算，2004年全省生产总值16039.46亿元，比上年增长14.2%。其中，第一产业增加值1245.42亿元，增长4.2%；第二产业增加值8890.29亿元，增长18.4%；第三产业增加值5903.75亿元，增长10.4%。在第三产业中，其他服务业增长14.6%，运输邮电业增长11.9%，商业饮食业增长7.5%，房地产业增长6.9%，金融保险业增长5.8%。

价格总水平温和上涨。全年居民消费价格总水平上涨3.0%，其中，城市上涨2.6%，农村上涨3.7%。分类别看，食品类上升7.5%，居住类上升3.8%，烟酒及用品类上升1.6%，医疗保健和个人用品类下降0.1%，娱乐教育文化用品及服务类下降0.6%，衣着类下降0.9%，交通和通讯类下降1.2%，家庭设备用品及维修服务类下降1.4%。工业品出厂价格上涨1.7%。原材料、燃料、动力购进价格上涨10.7%。农产品生产价格上涨10.7%。其中，谷物上涨34.6%，畜产品上涨18.1%，油料上涨13.6%，蔬菜上涨5.5%。

城镇就业形势保持稳定。年末全省从业人员4620万人，其中城镇单位从业人员805.17万人。全年新增就业岗位105.4万个，国企下岗失业人员实现再就业25.3万人。年末城镇登记失业人员35.9万人，登记失业率2.7%，比上年下降0.2个百分点。

经济和社会发展中存在的主要问题：转变经济增长方式的任务艰巨；产业结构仍不合理，现代服务业发展相对滞后；农业基础不稳固，粮食增产、农民增收、农业增效难度加大；城乡区域发展不平衡；土地、水、能源等资源约束矛盾突出，有的地区生态环境形势严峻；科技自主创新能力有待增强；就业压力加大，低收入居民生活仍较困难。

二、农　业

农作物种植结构继续调整。全年粮食作物播种面积2789.70千公顷，比上年增长0.6%。糖蔗种植面积128.97千公顷，下降2.4%；油料种植面积316.21千公顷，下降5.5%；蔬菜种植面积1146.67千公顷，下降4.0%。

粮食生产基本稳定。全年粮食产量1390.00万吨，下降2.8%。糖蔗产量940.77万吨，下降1.3%。油料产量77.51万吨，增长5.4%。蔬菜产量2557.65万吨，下降1.0%。水果产量787.85万吨，增长9.6%；其中荔枝产量94.01万吨，增长27.0%。

牧业、渔业生产稳定发展。全年肉类总产量365.32万吨，增长1.9%。其中猪肉产量242.14万吨，增长4.0%；禽肉产量109.61万吨，下降2.2%。全年水产养殖面积599.14千公顷，水产品产量671.38万吨，增长3.5%。其中海水产品产量388.60万吨，淡水产品产量282.78万吨，分别增长1.5%和4.0%。

年末全省农业机械总动力1798.73万千瓦，比上年末增长0.6%；农村用电量748.23亿千瓦时，增长4.8%；化肥施用量（折纯）201.30万吨，增长0.8%；有效灌溉面积1312.56千公顷，下降0.3%。

三、工业和建筑业

工业生产快速增长。全年全部工业增加值8011.15亿元，比上年增长20.0%。其中规模以上工业增加值7086.36亿元，增长22.4%。国有及国有控股企业增加值1666.33亿元，增长20.8%；股份制企业增加值1629.39亿元，增长24.2%；外商及港澳台商投资企业增加值4283.32亿元，增长23.9%；集体工业、股份合作制企业增加值分别增长9.9%和7.0%；民营企业增加值增长24.0%。全年完成轻工业增加值3025.90亿元，增长19.0%；重工业增加值4060.47亿元，增长23.1%。

工业结构调整取得积极进展，支柱产业主导作用增强。全年九大工业产业完成增加值5043.15亿元，比上年增长24.7%，对全省工业增长贡献率75.8%。其中，电子信息、电气机械及专用设备、石油及化学三大新兴支柱产业完成增加值3288.58亿元，增长27.3%；纺织服装、食品饮料、建筑材料三大传统支柱产业增加值1221.56亿元，增长18.4%；森工造纸、医药、汽车三大潜力产业增加值533.01亿元，增长23.5%。其中汽车制造业增加值增长37.0%。高技术产业发展较快。高技术制造业完成工业增加值1935.14亿元，增长24.3%。装备制造业完成增加值2519.14亿元，增长27.0%。

工业品内销和出口保持大幅增长。全年规模以上工业完成内销工业品销售产值14510.79亿元，比上年增长24.7%；完成出口交货值11564.06亿元，增长26.3%。

能源和原材料生产加快。全年发电量2022.53亿千瓦时，比上年增长12.6%；原煤生产量219.35万吨，增长11.2%；天然原油生产量1467.47万吨，增长15.0%；原油加工量2262.57万吨，增长10.5%；钢材产量1141.68万吨，增长19.4%。

工业经济效益继续提高。规模以上工业企业经济效益综合指数155.9，比上年提高9.4点；实现产品销售收入26691.35亿元，增长25.4%；产品销售率97.6%，提高0.4个百分点。全年实现利润总额1274.29亿元，增长25.6%。其中，国有及国有控股企业实现利润347.09亿元，增长32.9%；股份制企业实现利润255.99亿元，增长17.5%；外商及港澳台商投资企业实现利润887.33亿元，增长24.2%。38个工业大类行业中有27个行业利润保持增长，其中通信设备、计算机及其他电子设备制造业、石油和天然气开采业、化学原料及化学制品制造业、石油加工、炼焦及核燃料加工业四大行业新增利润157.35亿元，占全省新增利润的61.0%。

建筑业稳步发展。全年资质等级以上建筑企业完成增加值377.58亿元，比上年增长18.7%；实现利润总额57.58亿元，增长48.9%；利税总额122.99亿元，增长35.5%。

四、固定资产投资

固定资产投资合理增长。全年全社会固定资产投资5983.27亿元，比上年增长19.9%。其中基本建设投资2434.90亿元，增长28.2%；更新改造投资759.42亿元，增长19.7%；房地产开发投资1355.84亿元，增长12.1%。全年商品房销售额1058.97亿元，增长19.0%；商品房销售面积3046.91万平方米，增长9.2%。从投资主体看，全年国有经济投资1758.19亿元，增长16.3%，非国有经济投资4225.08亿元，增长21.5%。其中民营经济投资1965.43亿元，增长20.3%。

投资产业结构调整取得新突破。从三次产业看，农业投资得到加强，全年第一产业投资32.95亿元，增长34.2%。第二产业投资增势强劲，全年完成投资2188.76亿元，增长30.6%。其中工业投资2061.65

亿元，增长30.7%。从工业内部看，九大产业投资力度显著加大。其中电气机械完成投资145.48亿元，增长50.3%；纺织服装完成投资87.59亿元，增长20.9%；建筑材料完成投资81.56亿元，增长106.0%；汽车完成投资61.80亿元，增长24.9%；食品饮料完成投资40.96亿元，增长26.3%。第三产业投资3761.56亿元，增长14.5%。

基础设施和基础产业建设得到加强。全年基础设施建设完成投资2313.19亿元，增长21.3%，拉动全社会投资增长8.1个百分点。其中交通运输完成投资495.39亿元，增长7.9%；电力投资430.92亿元，增长46.8%；公共设施管理投资358.64亿元，增长23.0%；教育投资193.01亿元，增长47.6%；科技投资37.48亿元，增长66.7%；环境管理投资15.28亿元，增长67.8%。

重点工程建设进展顺利。全年141个重点项目累计完成投资855.8亿元，超额完成年度计划。其中竣工投产项目完成投资101.4亿元，续建、新开工项目完成投资754.4亿元。

新增生产能力或工程效益：新建四级以上公路992公里，其中高速公路217公里；改建公路4349公里。新（扩）建港口码头泊位11个，年吞吐量1747万吨。发电机组装机容量373.06万千瓦；11万伏及以上的输电线路长度4092.2公里、变电设备能力2179.55万千伏安。新增固定交换机容量1467.58万门、移动交换机容量542.69万户、长途自动电话交换机容量153.18万路端、数字微波线路长度6423公里。

五、国内贸易

市场销售稳中趋活。全年社会消费品零售总额6370.42亿元，比上年增长13.6%，扣除物价因素，实际增长10.4%。其中县及县以上消费品零售额4578.77亿元，增长14.8%；县以下零售额1791.65亿元，增长10.7%。

分行业看，批发零售贸易业实现零售额5338.79亿元，比上年增长14.1%；餐饮业零售额997.51亿元，增长13.7%；其他行业零售额34.12亿元，下降28.4%。

分类别看，在限额以上贸易企业销售额中，全年石油及制品类零售额300.91亿元，增长41.4%；汽车类实现零售额287.61亿元，增长19.2%；食品饮料烟酒类零售额221.48亿元，增长18.9%；服装鞋帽针纺织品类零售额114.37亿元，增长27.0%；家用电器和音像器材类零售额104.52亿元，增长20.4%；日用品类零售额69.87亿元，增长13.2%。

商品流通规模不断扩大。全年批发零售业实现商品销售额14051.24亿元，比上年增长19.2%。其中批发额8712.45亿元，增长22.7%；零售额5338.79亿元，增长14.1%。全省128家重点企业商品销售收入净额2800.36亿元，增长33.4%；实现利税总额61.92亿元，增长71.4%。

商品市场发展迅速。年末拥有各类商品交易市场6902家，其中亿元商品交易市场293家，实现成交额1589.88亿元，比上年增长6.1%。商品连锁经营企业增势迅猛。全省拥有连锁企业127家，分店4657家，全年实现销售总额736.72亿元，增长42.1%。

六、对外经济

对外贸易跃上新台阶。全年进出口总额3571.33亿美元，比上年增长26.0%。其中出口额1915.58亿美元，增长25.3%；进口额1655.75亿美元，增长26.7%。实现贸易顺差259.83亿美元，比上年增加38.09亿美元。

从类别看，一般贸易出口379.62亿美元，增长30.0%；加工贸易出口1456.18亿美元，增长23.3%。从出口企业性质看，国有企业出口436.66亿美元，增长7.7%；外商投资企业出口1217.11亿美元，增长27.6%；私营企业出口187.78亿美元，增长66.2%。从出口商品看，机电产品出口1297.35亿美元，增长30.1%；高新技术产品出口664.64亿美元，增长38.2%；服装、纺织品出口178.27亿美元，增长8.0%；鞋类、家具、塑料制品等轻纺产品出口分别增长14.9%、23.8%和15.5%。从出口市场看，与主要贸易伙伴的双边贸易保持较快增长。其中与香港的进出口贸易额745.23亿美元、美国547.17亿美元、日本409.44亿美元、欧盟395.24亿美元，东盟322.93亿美元，分别增长25.8%、22.8%、18.3%、29.5%和21.9%。对香港、美国、日本、欧盟、东盟的出口额达1640.90亿美元，增长24.6%，占全省出口总额的85.7%。对非洲、拉丁美洲、俄罗斯等新兴市场出口增势强劲，增速均超过30%。

大类商品和资源性产品进口增长较快。其中机电产品进口962.05亿美元，增长29.9%；高新技术产品进口589.53亿美元，增长29.8%；钢材65.79亿美元，增长18.7%；成品油30.0亿美元，增长38.7%；汽车和汽车底盘8.67亿美元，增长11.7%；农产品42.86亿美元，增长27.1%。

实际利用外资继续增加。全年外商直接投资新签项目8322宗，增长18.2%；合同外资193.6亿美元，增长43.6%；实际使用外资100.12亿美元，增长34.1%。全年新批总投资和净增资超1000万美元的项目844宗，合同外资110亿美元，分别增长34.6%和12.9%。截至2004年底，登记注册的外商投资企业5.53万家。

外商投资产业结构进一步优化。全年第一、二、三产业实际吸收外商直接投资分别为1.3亿美元、77.29亿美元和21.52亿美元。其中服务业新批外商直接投资项目2086宗，比上年增加503宗；合同外资38.29亿美元。外资投入较多的服务业主要有房地产、租赁和商务服务、交通运输仓储及邮政业、信息传输计算机服务和软件业、住宿和餐饮等五大行业，其投资额分别为7.07亿美元、4.97亿美元、2.54亿美元、1.79亿美元和1.62亿美元。

外资来源于香港、英属维尔京群岛、日本等80多个国家和地区。其中香港、英属维尔京群岛、日本、台湾、美国、荷兰、西萨摩亚七个国家和地区的外商投资企业实际投入外资占全省的80%以上。欧盟外商实际到资5.61亿美元，占全省的5.6%，比上年提高0.9个百分点。

对外经济合作稳步发展。全年新签对外承包工程、劳务合作合同12294宗，合同金额19.6亿美元，比上年增长62.9%；完成营业额19.0亿美元，增长73.9%。企业“走出去”步伐加快，全年新批境外企业194家，投资总额11.9亿美元，其中中方投资8.63亿美元。

七、交通、邮电和旅游

全年交通运输和邮电通信业实现增加值1351.62亿元，比上年增长11.9%。

交通运输稳定增长。全年各种运输方式完成货物周转量3938.90亿吨公里，比上年增长7.4%。其中铁路334.02亿吨公里，增长17.2%；公路671.71亿吨公里，增长9.4%；水运2875.32亿吨公里，增长5.7%；民航13.09亿吨公里，增长11.3%；管道44.77亿吨公里，增长23.7%。港口货物吞吐量63024.17万吨，增长21.8%；其中外贸货物吞吐量25188.01万吨，增长18.6%。集装箱吞吐量2255.36万TEU，增长22.7%；其中外贸集装箱吞吐量1950.58万TEU，增长24.7%。

全年完成旅客周转量1724.53亿人公里，增长14.5%。其中铁路307.95亿人公里，增长15.3%；公路1061.33亿人公里，增长7.9%；水运12.90亿人公里，增长13.1%；民航342.35亿人公里，增长40.5%。

邮电通信业快速发展。全年完成邮电通信业务总量1801.72亿元，增长49.8%。其中邮政55.08亿元，增长1.4%；电信1746.64亿元，增长52.1%。新增固定电话用户395.33万户，年末达到2962.33万户。其中城市电话用户2135.47万户，乡村电话用户826.86万户。新增移动电话用户1312.11万户，年末达到5367.07万户。年末全省互联网用户达到1111.15万户。

旅游业发展势头良好。全年经广东口岸入境的国际游客8740.53万人次，比上年增长25.0%。旅游住宿设施接待过夜游客10386.23万人次，增长19.5%。其中国际游客1562.03万人次，国内游客8824.2万人次，分别增长31.6%和17.6%。组团国内游963.61万人次，增长50.4%；出境游161.84万人次，增长29.3%。全年旅游总收入1663.9亿元，增长24.3%。其中旅游外汇收入53.8亿美元，增长26.1%。

八、金融、证券和保险

金融机构存贷款平稳增长。年末全省金融机构本外币各项存款余额33252.01亿元，比上年末增长12.2%。其中，企业存款余额10710.92亿元，增长10.4%；城乡居民储蓄存款余额17631.07亿元，增长13.1%。年末本外币各项贷款余额21955.28亿元，比上年末增长12.7%（可比口径，下同）。其中，短期贷款余额9776.16亿元，增长3.8%；中长期贷款余额9873.90亿元，增长21.2%。人民币个人中长期消费贷款余额3189.90亿元，比年初增加523.74亿元，比上年末增长19.6%。全年现金净投放1036.11亿元，比上年多投放15.87亿元。

证券期货市场稳定发展。全年全省（未含深圳，下同）上市公司筹集资金75.07亿元，比上年增长14.4%。其中首次发行股票筹集资金59.69亿元，比上年增加6.41亿元。全年证券经营机构股票交易金额7617.89亿元，增长34.5%；基金交易金额102.35亿元，国债交易金额310.45亿元。年末全省境内上市公司72家，上市股票76只，其中A股70只，B股6只。上市公司总股本347.43亿股，比上年末增长15.4%；股票市价总值1877.96亿元，其中流通A股市值663.82亿元，流通B股市值56.32亿元。全年期货经纪公司商品期货代理交易额13486.55亿元，增长94.5%。

保险业务快速增长。全年内外资保险公司保费收入435.98亿元，比上年增长15.3%。其中寿险保费收入251.75亿元，增长13.3%；财产险保费收入144.66亿元，增长17.4%；健康险和意外伤害险保费收入39.57亿元，增长20.6%。支付各类赔款及给付106.51亿元，增长10.4%。其中，寿险业务给付26.72亿元，财产险赔款66.21亿元，健康险和意外伤害险赔款及给付13.58亿元，分别增长11.3%、6.8%和28.9%。

九、教育和科学技术

教育事业全面发展。全省研究生教育招生1.48万人，比上年增长27.6%；在校研究生3.7万人，毕业生0.69万人。全省普通高等教育招生26.46万人，增长17.2%；在校生72.69万人，增长23.7%；毕业生12.5万人。各类中等职业教育招生24.65万人，增长5.7%；在校生65.54万人，增长3.9%；毕业生19.0万人。全省普通高中招生50.8万人，在校生131.31万人，毕业生31.8万人，技工学校在校生28.0万人。全省初中招生158.6万人，在校生449.55万人，毕业生131.4万人。普通小学招生168.5万人，在校生1049.62万人。小学学龄儿童入学率99.7%。幼儿园在园幼儿213.2万人。

科技活动队伍不断壮大。年末全省县及县以上国有独立研究与开发机构、科技情报和文献机构共379个，高等院校办科研机构460个，大中型工业企业办技术开发机构700个；从事科技活动人员30.5万人；科技活动经费使用总额385.5亿元，增长16.0%。全省已建立省级工程研究（技术）中心189个；拥有民营科技企业7191家，从业人员85.62万人，技工贸收入3018.34亿元，增长30.0%。

科技研究开发成效显著。全年获省级科学技术奖273项，比上年增长2.2%；获省级重大科技成果684项，增长2.2%。其中基础理论成果44项、应用技术成果631项、软科学成果9项。全年申请专利量52201件，专利授权量31446件，比上年分别增长20.9%和7.6%。全年经各级科技行政部门登记技术合同11328件，技术合同成交金额57.27亿元。高新技术产业发展迅速，全省累计认定高新技术企业3065家，增长32.9%；高新技术产品产值8300亿元，增长28.9%。

全省信息化综合指数64.3，比上年提高10.5个百分点。全省共有产品质量检验机构121个，国家检测中心8个；监督抽检产品57770种，产品抽查合格率86.0%。共有产品质量、体系认证机构4个，截止到2004年6月完成体系认证企业累计10838个。法定计量技术机构165个，强制检定计量器具118万台件，制定、修订地方标准172项。全省共有气象观察站86个，气象天气雷达6部，已建成自动气象观察站584个。测绘部门共测绘各种比例尺地图11839幅，增长53.4%；出版商品性地图及图书232种，增长40.1%。

十、文化、卫生和体育

文化事业日益繁荣。年末全省共有各类艺术表演团体142个，群众艺术馆、文化馆142个，县级及以上公共图书馆128个，博物馆、纪念馆143个。广播电台22座，电视台24座，县级广播电视台75座。广播人口覆盖率和电视人口覆盖率分别达96.1%和96.4%。有线电视用户986.8万户，自制与合制生产电视剧17部。全年出版报纸42.30亿份，各类期刊2.21亿册，图书2.83亿册。

卫生事业稳步发展。年末全省共有各类卫生机构15394个，其中医院、卫生院2372个，卫生防疫和防治机构292个，妇幼卫生保健机构125个。拥有医院、卫生院床位17.80万张，各类卫生技术人员27.81万人。其中执业医师、执业助理医师11.12万人，注册护士9.21万人，卫生防疫和防治机构1.09万人。拥有乡镇卫生院1444个，床位37555张，卫生技术人员6.32万人。农村改水工作进展良好。农村清洁卫生水普及率98.4%，自来水普及率74.4%。全省传染病报告总发病率205.1/10万，碘盐覆盖率88.1%，食品卫生监测合格率92.4%。全年无偿献血81.46万人次。到2004年底，全省共有深圳、珠海、汕头、佛山、中山、惠州、南海、江门、肇庆9个城市被评为国家级卫生城市，38个城市被评为广东省卫生城市。

体育战线捷报频传。全省体育健儿在国内外重大比赛中，6人15人次破10项世界纪录，22人获23项35人次世界冠军，16人获17项23人次亚洲冠军，16人破15项次全国纪录，226人获122项次全国冠军。其中，在雅典奥运会上，7人获6枚金牌，3人获2枚银牌，1人获1枚铜牌。国家体育法、全民健身计划纲要得到有效贯彻实施。

十一、人口、人民生活和社会保障

常住人口总量增大。根据2004年人口变动情况抽样调查结果和2000年人口普查后流动人口的变化情况推算，年末全省常住人口8303.72万人，比上年末增加349.50万人。受常住人口总量增大的影响，全年人口出生率、死亡率和自然增长率均有所下降。其中，出生率13.13‰，死亡率5.12‰，自然增长率8.01‰，分别比上年下降0.53、0.19和0.34个千分点。

居民生活水平继续提高。全年全省城镇居民人均可支配收入13627.65元，农村居民人均纯收入4365.9元，比上年分别增长10.1%和7.7%，扣除价格因素，实际增长7.3%和4.0%。居民家庭恩格尔系数，城市为37.0%，农村为48.8%。全年在岗职工工资总额1703.7亿元，比上年增长12.4%。在岗职工年平均工资21000元，增长8.5%，扣除物价因素，实际增长5.3%。全年城镇竣工住宅面积4373.65万平方米，农村竣工住宅面积4052.48万平方米。

社会保障体系建设积极推进。年末全省参加企业养老保险1225.52万人，比上年增长7.0%；失业保险1005.80万人，增长5.4%；医疗保险1034.16万人，增长17.9%；工伤保险1215.09万人，增长8.5%；生育保险376.73万人，增长13.9%。全年征收社会保险基金552.29亿元，增长18.7%；年末基金累计结余876.12亿元，增长31.2%。

社会福利事业不断发展。全省共投入救灾款1.05亿元，恢复住房1.14万户3.02万间；已保五保对象21万人，比上年增加5632人。城乡居民最低生活保障制度日趋完善。全省纳入低保人数115.9万人，比上年增加12万人，其中城镇37.7万人，农村78.2万人，共发放低保资金6.2亿元。流浪乞讨人员救助管理工作顺利开展。全年共接待求助人员67702人，实际救助62126人。全省共发行销售福利彩票30.66亿元，筹集福利资金10.7亿元。

十二、资源与环境

全年全省建设占用耕地8078.31公顷，灾毁耕地549.27公顷。因农业结构调整减少耕地19390公顷。

土地整理复垦开发补充耕地6122.51公顷。全年净减少耕地21488.67公顷。

水资源供求关系紧张。当年人均水资源1390立方米，比上年下降24.0%。全年平均降水量1314毫米，下降7.7%。年末全省31座大型水库蓄水总量108.50亿立方米，减少0.34亿立方米。全年总用水量454亿立方米。其中生活用水增长4.0%，工业用水增长6.0%，农业用水下降6.0%。

总体水质状况稳定。2004年全省四大水系主要江河水质总体良好，但流经城市江段和水量较小的跨市河流污染仍然严重。109个省控断面中，59个断面为Ⅰ至Ⅲ类水质，在57个省控江段中，水质优良的江段数28个。全省近岸海域以一、二类海水为主，占74.1%，功能区水质达标率为91.0%。

矿产资源勘探取得新进展。全省已发现的矿种为17种。有查明资源储量的矿种共计13种。其中能源矿产3种，金属矿产9种，水气矿产5种。国土资源调查及地质勘查新发现大中型矿产地5处。有1处矿产新增查明资源储量。

城市环保工作有所加强。全省21个地级市中，有19个市空气质量良好，达到国家二级标准，但局部地区空气质量有所下降，城市酸雨污染较严重。全省城市区域和道路交通声环境质量基本稳定，有52.4%的城市区域声环境较好，77.3%的监测路长噪声达标。全省建成烟尘控制区175个，面积3256.7平方公里；环境噪音达标区235个，面积1740.4平方公里。

生态建设和保护力度加大。全年完成宜林荒山造林、迹地更新、低产林改造面积161.29千公顷，义务植树9391.7万株。森林覆盖率57.4%。截止到2004年底，全省建立森林湿地类型自然保护区205个，总面积103.3万公顷，占全省陆地面积的5.8%；建成生态示范区165个，总面积326.5万公顷；全省共有深圳、珠海、中山、汕头、惠州、江门被评为国家环境保护模范城市；深圳被评为全国绿化模范城市。

注：1. 本公报各项统计数据为初步统计数。

2. 公报中生产总值、各产业增加值绝对数按现价计算，增长速度按可比价计算。

2004年广东国民经济运行情况及2005年经济发展初步展望

2004年，广东在党中央、国务院的正确领导下，以树立和落实科学发展观为核心，紧紧围绕“六个更加注重”、促进“五个协调”、实现“四个新突破”要求和结构调整这条主线，坚持一手抓加快发展，一手抓中央加强和改善宏观调控政策措施的贯彻落实，保持了经济社会快速协调健康发展，国民经济在科学发展道路上迈出可喜步伐，提前一年实现“十五”计划的经济增长目标。

2004年广东国民经济运行基本情况

综合来看，2004年广东经济社会发展呈现出十大特征，可概括为“一二三四”，即一个平稳，二大成效，三大突破，四个快速。

一个平稳：国民经济保持平稳快速发展

2004年，广东经济保持了增长速度、物价、就业、进出口状况良好的运行态势，提前一年实现“十五”计划的经济增长目标。一是增长速度较快，没有出现大的波动。初步核算，全年全省完成生产总值16039.46亿元，比上年增长14.2%，增幅与上年大体持平，提前一年实现“十五”计划的2005年比2000年年均增长9%的经济增长目标，经济总量也提前一年基本达到“十五”计划的16300亿元的目标。其中，第一产业增加值1245.42亿元，增长4.2%；第二产业增加值8890.29亿元，增长18.4%；第三产业增加值5903.75亿元，增长10.4%。二是价格基本稳定，居民消费价格总水平上升3%，涨幅处于合理范围。三是就业继续改善，城镇登记失业率保持稳中有降的较低水平。全年新增城镇就业岗位105.4万个，下岗失业人员实现再就业25.3万人，均超额完成全年目标，年末城镇登记失业率2.7%，同比下降0.2个百分点。四是进出口状况良好。进出口总额达3571.3亿美元，增长26%；实现顺差259.8亿美元。与此同时，经济增长方式悄然出现可喜转变。生产能耗明显下降。全省每创造万元工业增加值所需的电力消耗下降6%。投入产出效益得到进一步改善。每百元固定资产投资新增加的GDP为40.3元，继2003年初步扭转了持续多年下滑的局面后，同比提高2.8元。科学技术对经济发展的作用明显增强。目前广东科技进步对工业增长贡献率已近50%，产业结构正由传统的劳动密集型，不断向现代新兴的资金密集、技术密集和知识密集型产业转变。全年规模以上高技术制造业产值为8196.29亿元，增长24.3%，增幅高出全省工业1.5个百分点，占全省工业的30.7%。

二大成效：宏观调控和区域协调发展战略取得重要成效

——宏观调控取得重要成效。主要体现在，固定资产投资过快增长势头得到有效遏制。全年完成全社会固定资产投资5983.27亿元，增长19.9%，增速比一季度大幅回落20.3个百分点。货币信贷得到有效控制。截至12月底，全省金融机构（含外资）本外币各项贷款余额比上年末增长13%，同比少增628亿元。市场物价上涨温和，居民消费价格总水平上升3%。土地市场尤其是开发区清理整顿工作取得显著成效，全省开发区数量由499个减为102个，规划用地面积从34万公顷核减为10.2万公顷，减幅分别达80%和70%；已退回土地42309公顷，复耕土地4736公顷，收回闲置土地5625公顷。

从全国来看，广东经济发展更为健康理性。投资增长比较合理。广东城镇以上固定资产投资增幅（18.3%）比全国平均水平低9.3个百分点，比江苏、浙江、山东、上海分别低5.5、5.8、10和9.2个百分点；其中房地产开发投资增幅（9.9%）明显低于全国（28.1%）、江苏（50.3%）、浙江（32.2%）、山东（19.1%）、上海（30.4%）。物价调控较好。全年广东居民消费价格总水平涨幅（3%）低于全国

(3.9%)，亦低于江苏（4.1%）、浙江（3.9%）和山东（3.6%），在全国各省市中排倒数第8位。金融贷款控制效果较佳。到12月末，广东金融机构人民币贷款余额比年初增长10.7%，低于江苏（20.3%）、山东（14.3%）、浙江（19.6%）和上海（15.1%）。

——区域协调发展战略取得重要成效。从全省各区域发展情况看，在广州、深圳和珠三角经济继续高速增长的同时，我省山区市出现了以工业化和招商引资为龙头的全面快速发展态势。全年珠三角地区生产总值增长16%，其中广州、深圳分别增长15.0%和17.3%，均高于全省平均水平。特别是山区市发展加速。山区5市生产总值增长15.0%，比上年加快1.9个百分点，比全省平均水平快0.8个百分点，地方财政一般预算收入增长26.2%，出口总额增长40.7%，分别比全省平均水平高10.1和15.4个百分点。其中清远、河源市生产总值分别增长19.6%和17.9%，工业增加值增长49.5%和38.3%，增幅均居全省第一和第三位；河源、梅州、云浮、清远市地方财政一般预算收入分别增长38.2%、36.5%、26.2%和22.8%，增幅居全省第一、第二、第三和第五位。东西两翼发展也较快，东翼、西翼地区生产总值分别增长10.2%和12.7%，工业增加值增长19.7%和15.3%。

三大突破：产业发展、区域合作、基础设施建设实现新突破

——产业发展实现新突破。一是支柱产业发展取得突破，现代新兴产业主导作用增强。工业产业竞争力研究成果转化应用取得实效，确定了一批关键领域重点突破项目和重点领域技术创新项目，电子信息、电气机械及专用设备、石油及化学三大新兴支柱产业发展强劲，全年实现工业增加值3288.58亿元，增长27.3%，其中电子信息业保持高速增长，增幅达34.2%；三大传统支柱产业在调整中保持快速增长，实现工业增加值1221.56亿元，增长18.4%；三大潜力产业增长加快，增长23.5%，其中汽车制造业增长37.0%。九大工业产业实现工业增加值5043.15亿元，增长24.7%，增幅高出全省工业2.3个百分点，占规模以上工业增加值比重达71.2%。二是重化工业发展实现新突破，重工业产值比重首次超过50%。重化工趋势明显，规模以上重工业增加值增长23.1%，比轻工业快4.1个百分点，预计在2004年全部工业中，重工业产值所占比重将首次超过50%。广东经济步入工业化中期，处于轻重工业并举、逐步向重化工业转变的新阶段。三是投资产业结构取得新突破。农业投资得到明显加强；第二、三产业占主导地位；房地产开发投资继续有效调整。第一、二、三产业投资分别完成32.95亿元、2188.76亿元和3761.56亿元，增长28.2%、30.6%和14.5%。从工业内部看，原材料和九大产业投资力度显著加大，其中，原材料、石油化工、电子信息、电气机械、建筑材料和汽车投资规模较大、增长最快，分别完成投资385.58亿元、189.02亿元、188.22亿元、145.48亿元、81.56亿元和61.8亿元，增长56.7%、27.8%、23.4%、67.9%、133.8%和59.6%。

——区域合作实现新突破。泛珠三角合作与发展实现新突破。成功举办“泛珠三角区域合作与发展论坛”，共同签署《泛珠三角区域合作框架协议》，泛珠三角区域合作进入全面启动的新阶段。泛珠三角经贸合作洽谈会共签约项目847个，总投资2926亿元，其中投资于广东的金额达666亿元；泛珠三角旅游、劳务、科技、文化、交通、市场管理、生态建设和环境保护等多层面、宽领域的合作取得明显进展；特别是，大珠三角合作更加紧密，跨境大型基础设施建设和零售、物流、旅游、金融等服务业合作水平进一步提升，粤港澳联合对外招商和投资推介取得新成效，泛珠三角合作实现重大突破。这是中国区域合作的一个创举，有利于促进9省区优势互补、增强区域整体实力和香港、澳门的繁荣稳定，也有利于广东拓宽经济腹地和发展空间，提升区域竞争力。与此同时，广东与东北地区、中南协作区等兄弟省市的经贸合作和技术交流进一步加强，并取得积极成果。

——基础设施建设实现新突破。加快推进高速公路、能源建设、天然气、石化、汽车、城市快速交通、环保、高新技术产业、水利、文化等十项工程，加大固定资产投资结构调整力度，基础设施和基础产业建设得到进一步加强。全省基础设施建设完成投资2313.19亿元，增长21.3%，拉动全社会投资增长8.1个百分点，占全社会投资的比重上升为38.7%。其中电力、道路运输和城市公共交通、教育、科技、环境管理投资尤为突出，分别完成投资430.9亿元、301.6亿元、187.3亿元、35.5亿元和14.6亿元，增长66.2%、43.5%、133.3%、56.0%和64.3%。大项目投资明显增多、进展顺利，形成了一大批新的生产能力，经济发展后劲得到增强。计划总投资10亿元以上项目达220个，其中50亿元以上项目达35个，分别比上年增加46个和7个，完成投资增长57.6%和50.8%。全年新增发电装机容量373万千瓦，总装机容量达4293万千瓦；完成镇通行政村公路路面硬化6500公里，新增高速公路通车里程216.5公里，提前一年实现全省地级以上市通高速公路。

四个快速：工业生产、对外贸易、民营经济快速增长，经济效益质量快速提升

——工业生产快速增长。规模以上工业完成增加值7086.36亿元，增长22.4%，增幅同比提高0.5个百分点。其中股份制企业、外商及港澳台投资企业、国有及国有控股工业发展较快，分别完成增加值1629.39亿元、4283.32亿元和1666.33亿元，增长24.2%、23.9%和20.8%。工业对国民经济的主导作用进一步提升。全部工业增加值增长20%，对经济增长的贡献率达68.8%，同比提高1.6个百分点，拉动GDP增长9.8个百分点。

农业生产和粮食播种面积出现积极变化。全年农业增加值增长4.2%，为1998年以来次高增幅。禽流感疫情得到有效处置，猪肉产量保持增长。水果获得好收成，产量增长7.8%。渔业稳步增长。在面对40年一遇的大旱下，早稻喜获丰收，播种面积和产量分别增长0.6%和2.8%；全年粮食种植面积比上年增长0.6%，产量比上年减少2.8%。

——对外贸易快速增长。对外贸易突破3500亿美元，全年进出口总额达3571.33亿美元，增长26.0%，比入世前的2001年翻了一番。其中出口1915.58亿美元，增长25.3%，单月出口首破200亿美元；进口1655.75亿美元，增长26.7%。实现贸易顺差259.83亿美元。在出口中，加工贸易1456.18亿美元，增长23.3%；一般贸易379.62亿美元，增长30%。出口商品技术含量进一步提高，机电产品出口首次超过千亿美元大关，全年达1297.35亿美元，高新技术产品出口664.64亿美元，分别增长30.1%和38.2%，占全省出口总额的67.7%和34.7%。利用外资加快，实际吸收外商直接投资居全国首位。全年外商直接投资合同金额193.60亿美元，增长43.6%；实际吸收外商直接投资100.12亿美元，增长34.1%。

——民营经济快速增长。全年规模以上民营工业实现增加值1141.80亿元，增长24%，增幅高出全省工业1.6个百分点；民营经济投资1965.43亿元，增长31.0%，占全省投资总额的三分之一；私营企业进出口总值358.44亿美元，增长60.1%，其中出口187.78亿美元，增长66.2%，增幅明显高于全省出口总额。特别是，民营科技企业已成为科技创新和高新技术产业加速发展的重要生力军，全省高新技术企业中一半以上为民营企业。成功举办首届中国中小企业博览会，签约项目1.3万多个，总成交320亿元。

——经济效益质量快速提升。工业企业利润继续快速增长。规模以上工业企业实现利润总额1274.29亿元，增长25.6%。其中国有及国有控股工业企业实现利润增长较快，总额为347.09亿元，增长32.9%。财税收入快速增长。全年来源于广东的财政总收入达4343.18亿元，按可比口径计算增长18.1%，全省地方财政一般预算收入1416.87亿元，按可比口径计算增长16.1%；地方财政一般预算支出1852.59亿元，增长9.3%。居民收入快速增长，尤其是农民收入增长较快。城镇居民人均可支配收入达13628元，增长10.1%；农村居民人均纯收入4366元，增长7.7%，增幅为1998年以来最快。城乡居民收入的较快增长促进了市场的活跃繁荣，消费结构继续升级，现代流通业态竞相发展。全年社会消费品零售总额达6370.42亿元，增长13.6%，增幅同比提高1.8个百分点。

从经济运行情况看，2004年年初确定的经济发展预期目标顺利实现。主要经济指标增长见附表。总的来说，2004年广东经济总体上实现了速度与结构、质量效益的协调发展，经济运行中不稳定不健康因素得到有效抑制，薄弱环节得到加强，国民经济在科学发展道路上呈现出增长速度较快、价格总水平上涨较低、活力较强、效益较高的良好发展格局。回顾这些成绩的取得，确实来之不易，这是党中央、国务院正确领导，高屋建瓴，及时、有效地加强和改善宏观调控的结果；是省委、省政府胸怀大局、开拓创新，带领全省人民认真学习贯彻邓小平理论、“三个代表”重要思想和科学发展观，聚精会神搞建设，一心一意谋发展的结果。

当前经济运行中值得关注的问题

我们清醒地认识到，与科学发展观要求和国家宏观调控目标相比，广东除经济结构仍不合理、增长方式还属粗放、经济社会持续健康发展仍面临不少体制机制性阻碍等深层次问题外，当前经济运行中也还存在一些矛盾和问题，对此必须高度重视，认真对待。

1. *煤电油运紧张状况尚未根本化解，资源约束问题明显。*电力供应形势依然不容乐观。据预测，今年广东电力缺口将达450万千瓦。电煤供应仍待改善。铁路运输持续紧张。特别是近年来国际油价飚升，延续甚至加剧了既是耗油大省、又是资源短缺省份的广东的电力供应紧张局势，并对世界经济和广东经济发展预期产生了不利影响。我省经济发展所面临的石油、煤炭、电力和土地等资源约束的问题进一步显现。

2. *粮食增产、农民增收的基础还不稳固，农业生产存在隐忧。*2004年我省旱情相当严重，不少地方灌溉排涝能力下降，旱情有持续困扰我省的势头，据省气象局预测，今年1－4月，全省总体降水将偏少1－2成；化肥、饲料、农药等农资价格全面快速上涨，2004年农业生产资料价格上涨9.4%，饲料价格上涨16%，国产尿素、氯化钾和敌敌畏、杀灭菊脂等价格涨幅均较大，使农业生产成本明显增加，这些情况对今年农业生产特别是粮食生产将产生不利影响。从农民增收的因素看，2004年相当程度上是由政策性因素和价格上涨促动的，而今年这些因素的拉动效应都存在减弱的可能，如何进一步增加农民收入的难度仍然很大。

3. *货币信贷结构不尽合理；企业产成品库存与应收帐款增长较快，两项资金占用进一步上升。*2004年金融机构新增贷款的减少绝大多数集中在短期贷款和票据融资上，而且这两项增量的减少相当明显。截至12月末，金融机构（含外资）本外币各项短期贷款余额同比少增547亿元，票据融资同比少增287.5亿元。一些企业尤其是中小型企业和民营企业的流动资金偏紧。还需重视的是，企业产成品库存逐月上升、增长较快，应收帐款有所加重。2004年年末，工业产成品存货资金增长19.9%，增幅同比上升7个百分点；应收帐款增长19.4%，工业企业产成品库存和应收帐款两项资金合计5287.93亿元，占流动资产的比重达47.0%，比上半年高2个百分点，也明显高于同期全国平均水平。部分企业资金占用偏高、生产经营不够通畅问题有所显现。

4. *粮油等食品价格和部分重要生产资料价格仍在高位运行，价格总水平上涨压力依然存在。*2004年，粮食和油脂类价格分别上涨16.8%和13.2%，肉禽及其制品、蛋类价格上涨12.8%和17.3%。原材料价格涨幅也较高。原材料、燃料、动力购进价格上涨10.7%，涨幅同比扩大6.6个百分点，也是三年来最高的涨幅。特别是受国际原油价格持续高企的影响，12月石油开采、石油加工产品出厂价格大幅上涨，同比涨32.5%和19.8%。与此同时，工业生产的投入产出价格呈“高进低出”态势。2004年，工业品出厂价格上涨1.7%，比原材料购进价格低9个百分点。37个大类行业中有31类的产品出厂价格涨幅低于原材料价格的涨幅。上游产品价格的持续快速上涨，必将进一步加大成本推动型的物价总水平的上涨压力，并将进一步压缩企业的利润空间。

此外，省级财政收入增收压力增大等问题，也值得关注。

2005年经济发展初步展望及政策建议

（一）2005年经济发展的初步展望

展望2005年，“平稳快速”依然是广东经济发展的主旋律，国内外经济环境总体上仍将有利于我省经济发展。

主要有利因素：一是经济的内在增长动力还较强。从2003年开始，广东和全国经济走出通货紧缩的阴影，步入新的增长阶段，这一基本特征没有改变。目前各方面加快发展的积极性仍然较高，微观经济主体对未来经济预期依然向好。2004年第四季度广东企业家信心指数达139.5点，比第三季度上升0.6点，预计今年第一季度继续处于139点的较好景气状态。二是政策环境仍将有利。2004年中央宏观调控的目的是促进经济全面、协调和可持续发展，让经济发展得既快又好。目前正朝预期方向良性发展。因此今年国家政策必然是适时适度而不是“急刹车”，是有保有压而不是“一刀切”。三是宏观调控取得重要成效和经济发展的新成绩，使经济大幅波动的风险明显降低，经济发展的后劲进一步增强，为今年经济发展奠定了较好基础。四是世界经济温和复苏的大趋势不会改变，总体上有利于外向度较高的广东经济发展。据国际货币基金组织最新预测，今年世界经济增速为4.3%，比去年略低0.7个百分点，但仍高于2000－2003年3.5%的平均增长水平；世界贸易量增速为7.2%，比去年低1.6个百分点，但也仍属较快增长。

当前可预期的主要不利因素：国际上，世界经济较快增长基础不稳，国际贸易保护主义加剧，特别是国际油价飚升后的走势及其对广东和全国经济的影响存在较大的不确定性。国内看，今年我国进入加入WTO后过渡期，部分行业尤其是垄断性较高的行业将可能受到新的冲击；经济运行中还存在着一些体制性、结构性和资源性的制约因素；全国上游产品价格上涨较快带来的成本推动压力较大；国内兄弟省市发展势头迅猛，广东当好排头兵的压力加大。

总体而言，2005年有利因素仍是主流，总体环境将继续有利于我省经济保持持续快速协调健康发展。

2005年主要需求和经济增长指标的初步预计

1. *出口需求：继续保持增长，但增速将回落。*2004年，广东外贸出口保持了快速增长势头，但出口超基数地方退税的退付进度相对较慢。2004年，全省地方财政完成新增出口退税额仅为全年预计退税额的63%，加大了今年出口退税增量地方负担部分顺利兑现的难度，加上世界经济增长将减慢、形形色色的国际贸易保护主义日趋明显、出口产品成本因油价和上游产品价格上涨而不断提高、基数高等因素的制约，出口要保持去年较高增长的势头很难。但另一方面，世界信息技术产业市场前景看好，2004年全球半导体销售额发展加快，增幅可望达到29%，明显高于2003年，将有利于我省高新技术产品的出口；今年纺织品服装后配额时代的到来，也将给我省纺织品服装出口带来新的发展空间。初步预计，2005年广东出口增长8%左右。

2. *消费需求：保持大体稳定的增长格局。*2000年以来，广东消费基本保持稳定增长，全省社会消费品零售总额各年实际增幅约在11%～13%之间。从有利方面看，宏观经济形势趋好，城乡居民收入水平不断提高，消费环境进一步改善，以及今年部分进口商品的关税将大幅降低，更多外商零售企业的进入，都将进一步扩大消费。但另方面，近几年持续热销的汽车等“十万元”级商品已有所降温，2004年7、8、9、10四个月，全省限额以上批零贸易业中汽车类当月零售额同比均出现下降，降幅分别为5.1%、19.9%、16.0%和11.9%，期望今年消费出现更快增长可能性也不大。预计2005年社会消费品零售额增长13%左右。

3. *投资需求：增长将有所放缓。*从当前情况看，2004年相当部分的建设项目今年将进入全面建设阶段，如惠州南海石化、广州及深圳地铁、广州南沙开发项目、各类型的电厂等大型项目，以及省政府确定的“十项工程”的部分项目和上年国家新审批的12个重大项目；我省投资环境进一步改善，民营资本准入门槛的降低，私营个体经济投资快速发展，外资继续看好广东和泛珠三角发展的巨大商机，均为扩大投资提供了强大的推动力。另一方面，目前全国投资规模仍然偏大，今年国家将继续加强和改善宏观调控，金融环境仍不宽松，也会抑制投资需求的进一步扩张。根据资金来源和2004年运行情况测算，初步预计2005年固定资产投资增长15%左右。

4. *物价。*考虑粮食和国际原油价格上涨的动力有所减弱，加上去年10月推出的加息措施，宏观调控政策效应将进一步显现；大部分消费品供大于求的格局仍未改变，主要工业消费品价格上升的动力仍不是很足；同时综合考虑去年基数较高的翘尾因素影响和今年一些政策性调价压力的逐渐释放，预计2005年居民消费价格总水平上涨3%左右。但需要密切关注生产资料价格的上涨，因为上游产品价格的上升终究会逐渐传导到下游产品，从而使物价总水平面临新的上涨压力。

综合上述，结合计量模型定量分析，我们初步判断，2005年经济增长有可能延续2004年第三季度以来略有放缓的态势，经济增幅很可能低于2004年，但仍将保持较快的速度，初步预计2005年GDP增长

11% ~12%左右。2005 年其他主要经济指标的初步预计见附表。

（二）对 2005 年经济工作的几点建议

2005 年经济工作要以科学发展观统领经济社会发展全局，把加强和改善宏观调控与深化改革开放、调整优化结构、转变经济增长方式紧密结合起来，不断提高驾驭社会主义市场经济的能力，努力实现加快发展、率先发展、协调发展，更好地发挥排头兵作用，不辜负以胡锦涛同志为总书记的党中央对广东的关怀和重托。重点建议：

1. *科学把握宏观调控的力度和重点，突出做好“三农”工作，密切监测物价变化，保持经济平稳快速健康发展。*坚持发展第一要务，坚持以提高经济发展的质量效益为中心，淡化唯 GDP 是从观念，保持经济既快又好发展。一是认真做好粮食增产政策落实、农田水利等基础设施建设和动物疫病防控工作，进一步推进农村税费改革、调整结构、科技兴农和农业产业化，努力实现粮食增产、农民增收和农业增效。二是高度重视物价走势。对当前因主要食品价格涨幅较大而引致生活困难的家庭，政府应给予必要的扶助，保证其基本生活不受影响；加强市场价格监管，维护价格的基本稳定。三是在国家金融政策指导下，以改善货币信贷投放结构为主的同时，争取适时适度微调投放力度，为经济发展注入必要的血液，防止经济出现大的起伏。截至 2004 年 12 月末，广东金融机构人民币各项贷款余额比年初增长 10.7%，低于 2003 年 18.5% 的增幅，也比经济增速较低年份的 2002 年 16.4% 增幅低 5.7 个百分点。四是注重改善消费环境，挖掘、培育新的消费热点，努力扩大居民消费，为生产持续扩张提供畅达的有效需求空间，提高消费对经济增长的拉动作用。

2. *持续抓好重要战略机遇期，加快产业结构调整升级，以制造业和现代服务业“双轮”推动经济进一步发展。*从世界经济发展形势和我省发展比较优势看，制造业仍是现阶段广东抓住重要战略机遇期、推动经济发展的主要支撑力量。2004 年广东制造业增加值占工业比重达 86.7%，2003 年制造业增加值占全国比重为 14.7%，稳居第一。从当前情况看，广东制造业大仍不够强，第三产业与第二产业之间发展依然不平衡。2004 年 1 - 11 月，广东电子信息业和高技术制造业，增加值率分别为 22.1% 和 23.6%，均低于全省工业的 26.7%；2004 年第三产业增幅为 10.4%，比第二产业和整体经济分别低 8 和 3.8 个百分点。因此，以产业供给层面论，制造业和服务业“双轮”驱动，注重产业技术水平提升，是促进我省经济发展的重要选择。为此，要抓好世界产业大调整、国际资本流动趋于活跃并在中国加入 WTO 后过渡期进一步看好中国的有利一面，重点加强四个方面的工作：一是加强全省重大产业发展的规划布局，着力推进重点企业、重点领域和关键技术的自主创新，着力推进名牌带动战略，提升支柱产业核心竞争力。二是加强重化工业的合理发展，但切莫盲目而上。三是加强现代服务业的发展。顺应居民消费结构的升级趋势，加快扶持和发展连锁经营、中高级批发市场和电子商务等现代流通业态，提升金融保险证券、现代物流、旅游、信息咨询与服务、会计和会展等服务业的水平，以多元化、新兴化、高级化推动第三产业快速协调发展。四是加强产业技术创新的体制改革和环境建设，加快实施科技兴粤战略和人才强省战略，为现代制造业和服务业发展提供体制和智力支撑。

3. *注重消费市场开拓的同时，按照区别对待、有保有压的原则，保持投资适度有效增长。*从当前形势看，今年出口需求增长将出现回落、消费需求将保持基本稳定增长的趋势较为明朗；投资方面，2004 年全省投资增长 19.9%，进入较为合理的增长区间。所以，今年在注重消费市场开拓的同时，善用宏观调控之机，保持投资适度有效增长相当重要，也有现实基础。从计量角度看，按“十五”时期前四年投资与 GDP 增长的平均弹性系数测算，如果 2005 年经济要保持 11% ~12% 的增幅，那么投资增幅相应要达到 16% 左右。关于投资着力点，按照中央“区别对待、有保有压”政策，从产业角度看，按照全省产业规划布局，加强经济社会薄弱环节、十项工程、十项民心工程和现代支柱产业、高新技术产业的投资；从投资主体看，进一步优化投资环境，引导外资投向服务业和高增值制造业，提高利用外资的质量和水平，并努力打破垄断，促进民营经济向“缺位、越位”领域投资。

4. *认真总结再次面对国际石油价格暴涨的经验与教训，加快电力和能源基础产业建设，促进经济社会可持续发展。*2004 年以来，国际石油价格飙升对广东经济增长和物价总水平的负面影响明显。另方面，全省经济正步入工业化中期，处于轻重工业并举、逐步向重化工业转变的新阶段，也势必进入对石油等能源的需求量不断扩大的时期，石油进口量也将日趋增大。据统计，我省20世纪90年代以来原油进口量不断扩大，1991—2003年年均增长33.2%，其中2003年增长14.8%。在这种背景和广东石油等能源资源匮乏的情况下，纵观世界各国应对石油危机的经验，根据目前我省能源消费结构现状，广东应从以下方面认真做好应对工作：其一，在国家总体战略布局基础上，进一步完善和畅通国内国际供给渠道，充分利用好两个市场、两种资源进口我省急需能源，切实做好石油、煤炭等能源的采购和卸运工作，逐步建立石油战略储备，保证石油等能源战略物资的供应安全。其二，立足广东，加快电源和电网建设。根据我国煤炭相对丰富，而石油可采资源量较少，以及本省有利的水资源条件，把握好电源建设的结构优化方向，大力发展或扩建技术先进、环保型的大中型燃煤和新燃料发电机组，关闭污染严重的小型燃油机组；有选择地发展水电项目，加快核能建设步伐。其三，加强重点耗能企业和全社会的节能意识宣传和节能技术的推广应用，适当抑制高耗能行业的过快增长，努力调整能源结构，多管齐下，尽量减少我省电力和经济对外部石油的依赖。其四，广东要走好新型工业化道路，摒弃“先污染、后治理”的老路，坚持能源等资源开发和保护并举，倡导和建立“旨在通过提高资源利用和生产工艺的效率和可持续性，减少资源退化、污染和浪费，处理好经济增长与环境退化问题”的新的可持续性生产方式，大力发展循环经济，加快建设高效的节约型社会，努力构建绿色广东。

（撰稿：卜新民、张汉昌、钮豫玲）

附表： 2004年广东主要经济指标和2005年初步预计

	单位	2004年		2005年预计增长%
		实有数	增长%	
全省生产总值	亿元	16039.46	14.2	11~12左右
第一产业	亿元	1245.42	4.2	
第二产业	亿元	8890.29	18.4	
第三产业	亿元	5903.75	10.4	
规模以上工业增加值	亿元	7086.36	22.4	
全社会固定资产投资	亿元	5983.27	19.9	15.0左右
社会消费品零售总额	亿元	6370.42	13.6	13.0左右
外贸出口总额	亿美元	1915.60	25.3	8左右
外贸进口总额	亿美元	1655.70	26.7	10左右
城镇居民人均可支配收入	元	13628	10.1	10.0左右
农村居民人均纯收入	元	4366	7.7	实增4.0左右
居民消费价格总指数	%	103.00	3.0	3.0左右

注：除特别指明外，城镇居民人均可支配收入和农村居民人均纯收入增长均为名义增长。

广东实践雄辩地证明：发展才是硬道理

1992年以来，广东人民按照邓小平同志“发展才是硬道理”的思想，掀起了新一轮改革开放与加快发展的大潮，社会主义现代化建设取得新的辉煌成就，经济社会发展水平持续居全国前列，21世纪初在科学发展道路上再次迈出可喜步伐，广东实践雄辩地证明，发展才是硬道理。

加快发展：世界走一步 广东跨四步

加快发展，以改革与开放的良性互动实现广东现代化建设历史性飞跃的成功之路，是“发展才是硬道理”伟大思想在广东的最生动的实践。1992年春天，邓小平同志视察广东等地，明确提出“发展才是硬道理”，要求广东改革开放胆子更大一点，步子更快一点，能发展多快就发展多快，力争用20年时间赶上亚洲“四小龙”，为广东二次创业加快发展指明了方向。其后，在江泽民同志、胡锦涛总书记的亲切关怀和殷切期望下，广东努力增创新优势，更上一层楼，加快发展、率先发展、全面协调可持续发展，保持了经济社会持续快速健康成长，实现了世界走一步、广东跨四步的世纪辉煌。全省生产总值从1990年不足1600亿元跃升到2004年超过16000亿元，14年间增加9倍多，按可比价格计算，年均增长14.0%，超出全国同期4.3个百分点，为世界平均增幅的4倍多，成为全国和世界上发展最快的地区之一。

——全省综合经济实力大幅提升，经济社会发展水平持续居全国前列，与世界较发达国家地区差距显著缩小。2003年，广东生产总值13625.87亿元，按可比价格计算比1990年增长4.5倍，13年间共翻了2.4番多，经济总量从1989年首次跃居全国首位至今一直保持不变，2003年占全国的11.7%，比1990年提高3.3个百分点。人均GDP达到17213元，按可比价格计算比1990年增长3.3倍，共翻了2番多。地方一般预算收入1315.5亿元，比1990年增长10.9倍，占全国的13.4%。经济总量按当年汇率折算为1646亿美元，据IMF统计资料，虽比韩国、我国台湾仍存在不小差距，但已明显超过新加坡（913亿美元）、马来西亚（1032亿美元）、泰国（1432亿美元）和以色列（1085亿美元），与我国香港（1586亿美元）、南非（1638亿美元）和希腊（1741亿美元）并驾齐驱。目前，全省生产总值和绝大多数主要经济指标居全国第一位，占全国份额比1990年进一步提高。

——生产力得到极大解放和发展，经济市场化和国际化程度显著提高，改革开放取得丰硕成果。社会主义市场经济体制初步建立并得到逐步完善。公有制经济进一步发展壮大，个体、私营等非公有制经济快速发展，现代企业制度和股份制经济建设取得较大进展。政府职能转变步伐明显加快。经济市场化指数全国第一。全方位、宽领域、多层次的对外开放格局已经形成。大进大出，对外依存度高，总体上有利于充分利用国际国内两种资源、两大市场发展经济的运行机制和通道基本确立。2003年，广东外源型经济创造的增加值占GDP比重达45.4%，其中国外占27.1%，省外占18.3%；内源型经济占54.6%。

——城乡市场繁荣，社会事业全面进步，人民生活总体上达到小康水平并向全面小康稳步推进。商品短缺时代结束，市场物品供应充裕。人民文化素质显著增强，医疗卫生和社会保障事业全面发展。居民收入水平和生活质量大幅提高，数字家电、通讯产品、汽车、住房等高档、大额商品快速进入居民家庭，人民生活更加盈实。2003年，广东城乡居民恩格尔系数分别为37.2%和47.8%，比1990年下降20和9.9个百分点，处于联合国粮农组织30~40%的富裕标准和40~50%的小康标准范围。城镇居民人均可支配收入达12380元，比1990年增加4.4倍；农村居民人均纯收入4055元，比1990年增加2.9倍。城乡居民储蓄存款余额达14062亿元，占全国的13.6%。

——产业结构不断优化升级，城市化水平明显加快，全省经济发展步入工业化中期，处于轻重工业并举、逐步向重化工业转变的新阶段。以IT产业为主体的高新技术产业高速增长，重工业明显提速，交通通讯、金融证券、连锁经营、现代物流、科教文卫和广播影视等新兴服务业快速发展，2003年，一、二、三产业增加值比重由1990年的24.7：39.5：35.8变为8.0：53.6：38.4。高新技术产品产值突破6000亿元，占规模以上工业产值的30%。城镇人口首次超过农村人口，城市化水平从第四次人口普查1990年的36.8%提高到第五次人口普查2000年的55.7%。

——*为中国繁荣富强作出了历史性的特殊贡献*。广东的成功实践，既为全国改革开放和经济发展提供了许多有益的探索和经验，又安排了近2000万外来工就业，为全国财政收入作出了较大贡献。2003年来源于广东的财政总收入达3280亿元，其中国税收入达1989亿元。

世界走一步，中国走三步，广东跨四步。经济持续快速增长，为广东率先实现社会主义现代化奠定了更加厚实的物质和技术基础，也为广东战胜各种困难和风险，继续加快发展、建设全面小康社会起到了极其重要的作用。

蓄势发展：调整奠基 综合经济实力再上新台阶

发展是永恒的，又总是波浪式前进的。上世纪90年代中后期的调整积累，则是经济成长从一个周期收缩阶段转入下一个周期上升阶段的客观机理所决定的。从经济发展进程看，1992、1993年广东经济达到前一个增长周期的波峰以后，伴随国家宏观调控和改革开放深化进入了一个增长相对平稳的调整转型时期。在这个时期，面对原有推动经济高速发展的消费高潮和投资大潮的明显降温后出现的“断层”，面对买方市场形成、有效需求不足的新形势，面对与建立社会主义市场经济体制要求严重滞后的社会就业保障等体系，广东坚持以发展改革的思路解决前进中的各种问题，注重稳中求进，认真调整产业结构，继续主动承接国际产业转移，着力发展以信息技术和服务为主体的高新技术产业，注重开拓国际国内市场，努力激活民营经济、增强各类市场主体活力，经受住了发展中较为复杂的困难和险阻的考验，保持了经济社会的稳定发展。通过这个时期的调整和积累，广东经济摆脱了1998、1999年的调整谷底，从2000年开始步入以2001、2002年为温和复苏阶段的新一轮增长周期。

——*稳妥化解亚洲金融危机等带来的严重影响，经济社会保持稳定较快发展*。面对1997年爆发的亚洲金融危机、1998年中国发生的特大洪涝灾害和2001年世界经济衰退等对全省经济社会发展带来的严重冲击，广东沉着应对，扭住发展这个第一要务不放松，在中央支持下妥善解决了超过1000亿元的地方金融内外债支付风险，保持了经济平稳健康发展。1997－2002年，全省生产总值年均增长10.3%，经济增长的波动幅度只有1.9个百分点，稳定性不断增强，“烫平效果”明显。

——*全省生产总值和城乡居民储蓄存款双双率先实现万亿突破，经济综合实力再上大台阶*。2001年全省生产总值达10647.71亿元，城乡居民本外币储蓄存款达11384亿元，在全国同时率先超万亿元；2002年分别为11735.64亿元和13369亿元，比1994年增长1.3倍和1.9倍。经济社会信息化趋势明显，信息产业得到高速发展。2002年电子信息产品制造业产值达4164亿元，与可比口径的1998年相比，年均增长31.4%。

——*社会主义市场经济体制建设取得明显进展，科技创新体系初步形成*。国有经济结构和布局的战略性调整取得较大进展，国有企业三年改革与脱困目标基本实现。粮食市场全面放开，农业产业化经营稳步推进。电力体制改革在全国率先实现“政企分开，厂网分开”。公共财政体制框架建设、政府机构改革取得重要进展。特别是初步形成了以市场为导向、以企业为主体、以高等院校和科研院所为依托的科技创新体系，促进了经济与科技“两张皮”的转化与融合，推动了整个产业结构的调整和升级。

20世纪90年代中期以来的结构调整优化和市场主体活力的明显增强，奠定了广东经济再次起飞发展的基础。

科学发展：新的时期 美好前景

与时俱进，牢固树立和认真落实科学发展观，是“发展才是硬道理”思想的继承和发展，也是新时期广东开创全面发展新局面、实现全面建设小康社会大跨越的历史选择和必然要求。2003 年春，胡锦涛总书记视察广东首次提出科学发展观，广东坚定地拉开了思想上率先学习科学发展观、工作上率先以科学发展观为核心、实践上率先迈出科学发展可喜步伐的大幕。2003 - 2004 年，广东经济年均增长 14.3%，明显高于 2001 - 2002 年平均增长 10.5% 的水平，进入新一轮增长周期的快速上升期，经济社会发展发生了四个重大新突破：

——*首次人均收入达到世界中等收入国家和地区的平均水平。*按当年汇率折算，2003 年广东人均 GDP 达 2080 美元，首次超过世界中等收入国家地区的平均收入水平；预计 2004 年将接近 2 万元人民币大关，达到 2390 美元。

——*率先在科学发展道路上迈出可喜步伐。*一是在增长速度、物价、就业、进出口状况呈现出良好运行态势的同时，经济增长方式悄然出现可喜转变。2004 年 1 - 11 月，生产能耗明显下降，全省每创造万元工业增加值所需的电力消耗下降 6%；投入产出效益得到进一步改善，每百元固定资产投资新增加的 GDP 继去年初步扭转了持续多年下滑的局面后，同比再提高 7.6 元。科学技术对经济发展的作用明显增强。二是在贯彻中央宏观调控政策取得显著成效的同时，广东经济发展在全国较为健康理性。投资比较合理，广东城镇以上固定资产投资增幅（25.4%）比全国平均低 3.5 个百分点，其中房地产开发投资增幅（16.5%）比全国低 12.7 个百分点；投入产出效果则较强，投资每增长 1% 推动经济增长的百分点，1 - 9月广东为 0.594 个，明显强于全国（0.318 个）；物价调控较好，1 - 11 月，广东居民消费价格总水平涨幅（3%）低于全国（4%），在全国各省市中排倒数第 8 位；金融贷款调控效果也较佳。到 11 月末，广东中外金融机构本外币贷款比上年同期增长 9.9%，低于全国（13.5%）。三是区域协调发展和合作实现重大突破。从省内看，在珠三角经济继续高速增长的同时，我省山区市出现了以工业化和招商引资为龙头的全面加速发展态势。前三季度，山区 5 市生产总值增长 14.1%，与全省基本同步，比上年同期加快 2.8 个百分点。其中清远、梅州市工业增幅居全省第一和第三位，河源、梅州和清远市地方财政一般预算收入增幅居全省第一、第二和第六位。从国内看，泛珠三角合作与发展实现新突破。成功举办“泛珠三角区域合作与发展论坛”，“9 + 2”省区共同签署《泛珠三角区域合作框架协议》。泛珠三角经贸合作洽谈会共签约项目 847 个，总投资 2926 亿元，其中投资于广东的金额达 666 亿元。特别是，大珠三角合作更加紧密。这是中国区域合作的一个创举。

——*提前一年实现“十五”计划的经济增长目标。*初步预计，2004 年，全省生产总值可望达到 16100 亿元，按可比价格计算比上年增长 14.2% 左右。即 2004 年比 2000 年，广东 GDP 增长 59.3%，提前一年完成“十五”计划的 2005 年比 2000 年年均增长 9% 的经济增长目标；2004 年经济总量也提前一年基本达到“十五”计划的经济总量 16300 亿元的总量目标。

——*总体上实现速度与质量效益的同步快速提升。*2003、2004 年，广东在经济增长创近 8 年新高的同时，实现了速度与质量效益的同步提高。2004 年 1 - 11 月，全省规模以上工业企业实现利润总额 1158.41 亿元，增长 26.5%；地方财政一般预算收入 1283.65 亿元，按可比口径计算增长 17.3%；城乡居民收入同时实现较快增长，尤其是农民增收明显，城镇居民人均可支配收入 12536 元，增长 10.8%，扣除物价因素实际增长 7.9%；前三季度农村居民人均现金收入 3265 元，增长 11.4%，扣除物价因素实际增长 7.5%，增幅为 1997 年以来同期最高。

展望未来，春风劲吹，大帆正扬，乘风破浪的广东经济大船正朝着 21 世纪新的目标奋进。虽然航程中仍难免有艰难险阻，但美好发展的曙光已向排头兵呼唤。从 21 世纪前 10 年的经济发展目标看，广东人均 GDP 增长已经完成了 75% 的任务，未来 6 年人均 GDP 只要年均增长 5%，即可达：到 2010 年，全省人均 GDP 比 2000 年翻一番，超过 3450 美元的奋斗目标。开拓创新，广东新的成就将再次证明，“发展才是硬道理”是颠扑不破的真理。

（撰稿：卜新民）

精心打造广东名牌　提升名牌带动能力

2004 年广东名牌企业统计监测报告

名牌企业，本报告特指拥有国家和省级名牌产品或驰（著）名商标的企业。这些企业生产名牌产品，拥有驰（著）名商标从事经营活动，由此看来，名牌企业与名牌产品、驰（著）名商标是三位一体、相辅相成的关系。本报告以名牌企业为统计对象，有助于定量反映名牌带动作用以及更加全面的经济活动。考虑到名牌产品和驰（著）名商标作为统计对象不易操作，难以量化。而以名牌企业为统计对象，统计和主管部门可以利用现行工业企业统计资源，监测到名牌企业的生产、经营、出口、技术开发等发展态势及其对全省的影响。本报告通过超级汇总，得出全省工业类名牌企业统计数据，分析广东名牌企业的经济地位、带动作用及存在问题，并提出几点建议，供有关方面参考。

据统计，2004 年广东拥有名牌企业 691 个，完成工业增加值 1288.23 亿元，比上年增长 22.3%，对全省规模以上工业增长的贡献率为 18.0%，拉动全省工业增长 4.0 个百分点。名牌企业具有发展速度同步加快，劳动生产率高，带动作用稳定等特点，是广东工业企业尤其是内资企业的“排头兵”。但也有部分名牌企业在市场竞争中暂时落后，出现减产和亏损等情况，值得关注。

一、名牌企业的经济地位及行业分布

在全省规模以上工业企业中，名牌企业占有重要的经济地位。其企业个数相对不多，拥有资源也有限，而创造出较大的经济份额。2004 年广东名牌企业个数只占全省规模以上工业的 2.7%，资产总计只占 18.9%，从业人员只占 8.7%，而创造出规模以上工业 18.2% 的工业增加值、20.6% 的利润总额和 31.3% 的税金总额，同时拥有 7.2% 的专利授权量。

（一）经济地位保持稳中趋好。2004 年与 2003 年对比，20 个主要经济指标占规模以上工业的比重变化较小，大部分经济指标比重变化在 1 个百分点以内。比重变化 0 - 1 个百分点的经济指标有 13 个，占 65%；比重变化 1 - 2 个百分点的经济指标有 4 个，占 20%；比重变化 2 - 3 个百分点的经济指标有 3 个，占 15%。比重变化最小的指标是固定资产净值年平均余额、产品销售成本、产品销售费用、从业人员平均人数，只有 0.1 个百分点；比重变化最大的指标是税金总额，也只有 2.3 个百分点。从指标的变化方向看，有 11 个指标向好，8 个指标稍微变差，1 个指标基本持平。这表明，广东名牌企业主要经济指标正处于发展变化之中，其所占比重保持基本稳定（详见表 1 - 1）。

（二）增加值全员劳动生产率大大高于全省。2004 年名牌企业增加值全员劳动生产率为 181606 元/人，是全省规模以上工业的 2.1 倍。构成名牌企业增加值全员劳动生产率高的主要原因：一是从分子看，增加值的两个要素即利润和税金，增长幅度大大高于全省。名牌企业利润总额为 261.89 亿元，同比增长 31.3%，增幅高出全省规模以上工业 5.7 个百分点；产品销售税金及附加为 101.33 亿元，增长 32.4%，增幅高出全省规模以上工业 6.0 个百分点；应交增值税为 149.76 亿元，增长 27.5%，增幅高于全省规模以上工业 9.4 个百分点。二是从分母看，名牌企业全部从业人员平均人数增幅与全省相差不大。名牌企业全部从业人员为 70.94 万人，增长 9.7%，其增幅虽略高于全省规模以上工业 0.9 个百分点，但相对于利润和税金来说，分子增量大而分母增量小，使名牌企业增加值劳动生产率大大高于全省平均水平。分企业看，华为技术有限公司等 20 名盈利大户和广州卷烟二厂等 20 名纳税大户，是名牌企业中的佼佼者，共创利润总额 172.69 亿元，税金总额 184.73 亿元，分别占名牌企业的 65.9% 和 73.6%（表 1 - 2 略、表1 - 3略）。

（三）专利授权量占全省比重略有提高。2004 年，名牌企业三种专利授权量累计为 12351 件，占全省的 7.2%，所占比重同比提高 0.2 个百分点。在名牌企业中，发明专利为 1107 件，占名牌企业的 9.0%，比重提高4.2个百分点;实用新型专利2384件,占名牌企业的19.3%,比重略低0.1个百分点;外观设计8860件,占名牌企业的71.7%,比重减少4.1个百分点。三种专利授权量的消长,表明名牌企业拥有的专利正向发明的方向发展,拥有核心技术的份额正在提高。

表1-1　　2004年名牌企业主要指标占全省比重　　单位:亿元、%

指　　标	2003年		2004年		比重变化百分点
	绝对量	比　重	绝对量	比　重	
工业总产值	3818.43	17.8	4608.33	17.2	-0.6
工业增加值	1035.66	18.2	1288.23	18.2	0.0
应收帐款净额	461.21	14.7	566.37	15.1	0.4
产成品存货	302.26	23.5	387.80	25.2	1.6
流动资产平均余额	1951.18	20.3	2360.93	20.8	0.5
固定资产净值年平均余额	942.19	14.3	1017.57	14.2	-0.1
资产总计	3483.31	18.3	4113.79	18.9	0.5
负债总计	1950.18	18.3	2394.82	18.9	0.6
产品销售收入	3666.00	17.2	4531.18	17.0	-0.2
产品销售成本	2880.52	16.1	3632.34	16.0	-0.1
产品销售费用	236.65	29.4	286.59	29.5	0.1
产品销售税金及附加	76.54	49.4	101.33	51.8	2.3
管理费用	205.10	22.2	220.69	21.6	-0.7
财务费用	41.41	22.9	39.50	20.7	-2.3
#利息支出	34.50	23.5	32.57	22.0	-1.5
利润总额	199.46	19.7	261.89	20.6	0.9
#亏损企业亏损额	5.51	3.6	7.79	4.9	1.3
税金总额	194.04	29.0	251.09	31.3	2.3
应交增值税	117.46	22.8	149.76	24.7	1.8
全部从业人员平均人数(人)	644282	8.6	709354	8.7	0.1

(四)名牌企业分布较广,集中在电子、电气行业。2004年,在38个大类行业中,名牌企业分布在32个行业,占工业行业的84.2%。从工业增加值所占比重看,名牌企业生产份额主要集中在通讯设备、电子计算机及其他电子设备制造业、电气机械及器材制造业这两大行业,增加值分别为313.39亿元和225.96亿元,比重各占24.3%和17.5%。其后,增加值比重排列3-5位的行业为:烟草制品业增加值97.74亿元,占7.6%;石油加工、炼焦及核燃料加工业增加值92.50亿元,占7.2%;化学原料及化学制品制造业增加值73.17亿元,占5.7%(详见表1-4)。

二、名牌企业的带动作用

观察名牌带动战略的实施效果,可从两个方面入手:一是定性观察,如名牌企业创造的经验对全省企业的示范作用(详见《广东名牌工作经验汇编》);二是定量观察,采用的综合指标为:名牌企业增加值贡献率(份额)及其对全省工业增长的拉动幅度。当名牌企业增加值同比增幅大于全省工业增幅时,名牌企业增加值贡献率相应提高,对全省工业的拉动作用增大。反之,当名牌企业增加值增幅小于全省工业增幅时,名牌企业增加值贡献率相应减少,对全省工业的拉动作用降低。而当名牌企业工业增加值增幅与全省工业增幅持平时,名牌企业增加值贡献率趋于稳定,对全省工业的拉动作用也基本同步。以此定量评价广东名牌企业的带动作用,可观测到以下特点:

表 1-4　　　　2004 年名牌企业增加值分行业比重　　　　单位:万元

主要行业	2004 年	比重(%)
总计	12882318	100.0
非金属矿采选业	8587	0.1
农副食品加工业	199762	1.6
食品制造业	336649	2.6
饮料制造业	264712	2.1
烟草制品业	977446	7.6
纺织业	152134	1.2
纺织服装、鞋、帽制造业	118180	0.9
皮革、毛皮、羽毛(绒)及其制品业	41665	0.3
木材加工及木、竹、藤、棕、草制品业	39630	0.3
家具制造业	74947	0.6
造纸及纸制品业	128338	1.0
印刷业和记录媒介的复制	4808	0.0
文教体育用品制造业	55987	0.4
石油加工、炼焦及核燃料加工业	924995	7.2
化学原料及化学制品制造业	731693	5.7
医药制造业	412028	3.2
化学纤维制造业	61841	0.5
橡胶制品业	70402	0.5
塑料制品业	139752	1.1
非金属矿物制品业	440444	3.4
黑色金属冶炼及压延加工业	378032	2.9
有色金属冶炼及压延加工业	285584	2.2
金属制品业	292973	2.3
通用设备制造业	71185	0.6
专用设备制造业	73051	0.6
交通运输设备制造业	285498	2.2
电气机械及器材制造业	2259583	17.5
通信设备、计算机及其他电子设备制造业	3133946	24.3
仪器仪表及文化、办公用机械制造业	166999	1.3
工艺品及其他制造业	64357	0.5
电力、热力的生产和供应业	92363	0.7
水的生产和供应业	306	0.0

(一)工业增加值基本同步增长,拉动作用保持稳定。2004 年,广东名牌企业增加值增长 22.3%,比规模以上工业增幅略低 0.1 个百分点,接近同步增长。对规模以上工业增长的贡献率达 18.0%,拉动规模以上工业增长 4.0 个百分点。换言之,2004 年全省规模以上工业增加值的增量达 1406.25 亿元,其中有 18.0% 是由名牌企业完成的;全省规模以上工业增加值增幅达 22.4%,其中有 4.0 个百分点是有名牌企业的增量实现的。从总体看,名牌企业增加值增幅与全省基本同步,名牌企业增加值占全省比重也接近持平,表明名牌企业与全省工业企业正处于同步发展的状态,是全省工业增长的稳定因素。从分组数据看,名牌企业在各方面的拉动作用呈现不同特点(详见表 2-1)。

表 2－1　　　2004 年名牌企业增加值对全省规模以上工业增长贡献率、拉动幅度

	增长率(%)	贡献(%)	拉动幅度(百分点)
工业增加值(现价)	22.3	18.0	4.0
1. 按轻重工业分组			
在全省总计中：轻工业	22.1	21.2	4.0
重工业	22.5	16.2	3.7
2. 按经济类型分组			
在全省总计中：国有及国有控股企业	21.5	54.1	11.3
民营企业	23.5	29.1	7.0
在全省总计中：集体企业	24.8	16.6	1.6
股份合作企业		－14.3	－1.0
股份制企业	23.5	49.2	11.9
外商及港澳台商投资企业	18.1	6.5	1.5
3. 按企业规模分组			0.0
大型企业	23.9	38.5	9.5
大中型企业	21.7	26.0	5.6
中小型企业	19.7	8.8	1.9

1. 分轻重工业看，轻工业拉动作用大于重工业。2004 年，名牌企业中轻工业增加值增长 22.1%，贡献率为 21.2%，拉动全省规模以上轻工业增长 4.0 个百分点；重工业增加值增长 22.5%，贡献率为 16.2%，拉动全省规模以上重工业增长 3.7 个百分点。名牌企业轻工业的贡献率、拉动幅度分别大于重工业 5.0 个百分点和 0.3 个百分点。

2. 分经济类型看，股份制企业、国有及国有控股企业拉动作用名列前茅。2004 年，股份制名牌企业工业增加值增长 23.5%，贡献率为 49.2%，拉动全省规模以上股份制企业增长 11.9 个百分点；国有及国有控股名牌企业工业增加值增长 21.5%，贡献率为 54.1%，拉动全省国有及国有控股工业增长 11.3 个百分点；民营名牌企业也有良好表现，工业增加值增长 23.5%，贡献率为 29.1%，拉动全省规模以上民营企业增长 7.0 个百分点。集体名牌企业、外商及港澳台投资名牌企业的拉动作用较小，只有 1.6 个百分点和 1.5 个百分点。各经济类型名牌企业的拉动作用与其构成密切相关，2004 年名牌企业工业增加值构成以股份制企业、国有及国有控股企业和民营企业为主，其拉动作用相应较大；而全省规模以上工业增加值构成是以外商及港澳台投资企业为主，在全省的拉动作用也较大。可以认为，外商及港澳台投资企业在全省工业发展中占有突出优势，而名牌企业则在内资企业中，正在发挥中流砥柱的作用。

3. 分企业规模看，大型名牌企业拉动作用明显。2004 年，大型名牌企业工业增加值增长 23.9%，贡献率为 38.5%，拉动全省规模以上大型企业增长 9.5 个百分点；中小型名牌企业工业增加值增长 19.7%，贡献率 8.8%，拉动全省规模以上中小型企业增长 1.9 个百分点。大型名牌企业比中小型名牌企业的拉动幅度大 7.6 个百分点。

（二）*名牌企业主要经济指标多数呈现积极拉动作用*。如果名牌企业经济指标的贡献率（份额）优于其所占比重，则这些经济指标起到积极的拉动作用；反之，如果名牌企业经济指标贡献率（份额）差于其所占比重，那么这些经济指标起到拉后作用。在名牌企业 18 个主要经济指标中，有 11 个指标的贡献率（份额）优于这些指标占全省规模以上工业的比重，分别是：工业总产值增长 18.7%，贡献率为 18.0%，高于占全省比重 0.8 个百分点；流动资产平均余额增长 21.0%，贡献率为 23.8%，高于占全省比重 3.0 个百分点；资产总计增长 18.1%，贡献率为 22.6%，高于占全省比重 3.7 个百分点；产品销售成本增长 26.1%，贡献率为 15.5%，低于占全省比重 1.1 个百分点（负方向指标）；产品销售税金及附加增长 32.4%，贡献率为 60.7%，高于占全省比重 8.9 个百分点；管理费用增长 7.6%，贡献率为 15.5%，低于占

全省比重6.1个百分点(负方向指标);利润总额增长31.3%,贡献率为24.0%,高于占全省比重3.4个百分点;税金总额增长29.4%,贡献率42.6%,高于占全省比重11.3个百分点;应交增值税增长27.5%,贡献率为34.9%,高于占全省比重10.2个百分点;财务费用、利息支出分别下降4.6%和5.6%,贡献率分别为-17.9%和-164.8%,比其占全省比重更低。由于上述指标贡献率的发展方向良好,因此,其拉动作用也是积极的(详见表2-2)。

表2-2　2004年名牌企业主要指标对全省规模以上工业增长贡献率、拉动幅度

主要指标	增长率(%)	贡献率(%)	拉动幅度(百分点)
工业总产值	18.7	18.0	4.1
应收帐款净额	22.8	17.3	3.3
产成品存货	28.3	33.5	6.7
流动资产平均余额	21.0	23.8	4.3
固定资产净值平均余额	8.0	13.0	1.1
资产总计	18.1	22.6	3.3
负债总计	22.8	22.2	4.2
产品销售收入	23.6	16.0	4.1
#产品销售成本	26.1	15.5	4.2
产品销售费用	21.1	29.8	6.2
产品销售税金及附加	32.4	60.7	16.0
管理费用	7.6	15.5	1.7
财务费用	-4.6	-17.9	-1.1
#利息支出	-5.6	-164.8	-1.3
利润总额	31.3	24.0	6.2
#亏损企业亏损额	41.2	35.1	1.5
税金总额	29.4	42.6	8.5
应交增值税	27.5	34.9	6.3

(三)名牌企业专利授权量对全省有一定拉动作用。2004年,名牌企业专利授权量增加2461件,增长24.9%,对全省专利授权量增长贡献率为7.9%,拉动全省专利授权量增长1.7个百分点。

三、名牌企业面临的问题

名牌企业在全省工业企业中扮演着重要的角色,起到了积极的拉动作用。可以认为,名牌企业是全省工业企业特别是内资企业的"排头兵"。由于当前市场竞争激烈,名牌企业也在发展变化之中。部分名牌企业正在做强做大,也有部分企业在竞争中暂时落后。面临的问题主要是:

(一)部分名牌企业出现负增长或低增长,抵消了名牌企业的拉动作用。在名牌企业中,停产企业3个,分别是佛山分析仪器厂、中山市咀香园食品有限公司和惠州雷士照明有限公司。工业总产值负增长的名牌企业达177个,占名牌企业的25.6%,其产值下降幅度为20.8%,拉低名牌企业工业总产值增幅5.1个百分点。工业总产值增幅小于10%的名牌企业有125个,占名牌企业的18.1%,其产值增长幅度为3.6%,处于拉动乏力状态(详见表3-1)。分企业看,减产大户前20名企业共减产91.68亿元,拉低名牌企业工业总产值增幅2.2个百分点(表3-2略)。

表 3－1　　2004 年名牌企业工业总产值情况表　　单位:亿元

	企业数（个）	2003 年	2004 年	比上年同期增减(%)
总计	691	3818.42	4608.33	18.7
负增长	177	637.56	513.41	－20.8
增幅小于 10%	125	570.65	601.18	3.6
增幅大于 10% 小于 18.7%	100	939.15	1089.31	14.1
增幅大于 18.7%	289	1671.06	2404.54	41.5

（二）部分名牌企业亏损或利润下降，拉低了名牌企业的经济效益。在名牌企业中，亏损企业 74 个，亏损面为 10.7%，亏损额达 7.79 亿元，比上年增长 41.2%。利润下降的名牌企业 230 个，占名牌企业的 33.3%；其利润为 44.0 亿元，比上年下降 34.4%（详见表 3－3）。分企业看，亏损大户前 20 名企业共亏损 6.66 亿元，拉低名牌企业利润总额增幅 3.3 个百分点（表 3－4 略）。

表 3－3　　2004 年名牌企业工业利润情况表　　单位:亿元

	企业数（个）	2003 年	2004 年	比上年同期增减(%)
总计	691	199.52	261.75	31.2
亏损	74	－5.51	－7.79	41.2
负增长	230	67.06	44.0	－34.4
增幅小于 10%	54	23.6	24.55	4.0
增幅大于 10% 大于 20%	41	17.42	19.81	13.7
增幅大于 20% 大于 31.5%	34	46.1	57.84	25.5
增幅大于 31.5%	210	49.13	121.16	146.6
扭亏	38	－1.79	1.83	

（三）拥有核心技术和实用技术的名牌企业仍然偏少，影响到名牌企业的竞争力。在名牌企业中，拥有专利授权的企业共 377 个，占名牌企业的 56.85。其中，拥有发明专利的企业 72 个，仅占 10.8%；拥有实用新型专利的企业 176 个，仅占 26.5%；拥有外观设计专利的企业 326 个，占 49.1%。名牌企业由于拥有发明和实用新型的专利偏少，在市场竞争中缺乏明显优势。

此外，名牌企业出口量偏少。2004 年，名牌企业出口交货值达 978.56 亿元，比上年增长 50.1%，增幅虽大大超过全省规模以上工业 23.8 个百分点，但出口交货值仅占全省规模以上工业的 8.5%，贡献率为 13.6%，拉动全省规模以上工业出口 3.6 个百分点。贡献率及拉动作用偏低的原因，主要是国有及国有控股名牌企业中相当部分是资源性企业及能源企业，如石油、钢铁等，这些企业以内销为主。

四、打造“名牌”的几点建议

分析表明，广东名牌企业正在发展变化之中，不进则退。名牌企业具有内资比重大、稳步发展的优势，但与“三资”企业相比，竞争优势较弱，发展后劲不足。要将广东名牌企业打造成为广东企业界的“排头兵”，以至冲刺世界知名品牌，发挥名牌企业的带动作用，建议抓好以下工作：

（一）要深化对打造广东名牌的认识。相对于全省企业个数来说，广东名牌企业仍然偏少，其中具有核心竞争力的企业更是少之又少。在经济全球化的浪潮中，“三资”品牌风起云涌进入我省，且迅速占领市场，这一方面促进了广东经济的腾飞，另一方面也冲击了广东本地品牌的成长。加快打造广东名牌，对于发展内源性经济，保护和壮大本地工业，具有深远的战略意义。打造广东名牌，应落在实处，在认识上解决好“名”与“实”的辩证关系。企业取得名牌，表明企业拥有了优质产品，在市场上具有一定的知名度，具有进一步发展的资本和潜力，应充分发挥企业产品质量好、知名度高的良性效应，让名牌企业做强做大。但企业取得名牌后不是一劳永逸的，如果在技术进步、市场竞争中不能保持竞争优势，创新乏力，或者经营不善，造成停产、减产和亏损，使名牌企业变得名不副实，或有名无实，终将会被市场淘汰，更谈不上发挥带动作用。因此，应当用发展的眼光看待名牌，实事求是地评价名牌，扬长避短、对症下药地打造名牌。广东“威力”洗衣机被摘掉全国名牌产品称号，这一案例值得我们深思。

（二）要采取有力措施提高名牌企业的带动作用。在与“三资”企业的竞争中，广东名牌企业在发展速度上做到与时俱进，稳住了对全省工业增长的贡献率，这实属不易。我们认为，应从多方面入手，解决名牌企业扩张力偏弱、带动能力不强问题。一是名牌企业自身应改善经营管理。针对当前的经营状况，主要抓好：减少产存品存货、追回应收帐款，减少负债，盘活资本存量，降低产品销售费用、提高产品销售收入，减少亏损企业亏损额、实现扭亏增盈等，以改善企业经济运行的质量，提高经济效益。二是要扶持名牌企业加快进行技术改造和技术创新，扭转目前核心技术落后状况，进一步提升技术水平，增强发展后劲。三是研究出台税收返还政策。2004 年广东名牌企业的税负水平（税金总额/产品销售收入）为 5.54%，是全省工业企业税负水平（3.01%）的 1.84 倍，是“三资”企业（2.02%）的 2.74 倍，如此高税负导致名牌企业资金积累相对减少，自我发展能力降低，难以与“三资”企业进行竞争。同时，对于享受国民待遇的“三资”企业，建议国家择机统一取消优惠政策，让各种经济类型的企业得以公平竞争。四是鼓励名牌企业扩大市场份额。产品只要适销对路，有订货合同，就要扩大生产，提高发展速度，以发挥其带动作用。

（三）建立健全优胜劣汰机制，确保广东名牌的质量。当前广东名牌企业中减产和亏损的比重仍然偏大，甚至有停产企业，明显降低了名牌企业的“含金量”。对此，我们认为要把好两关：一是继续把好入门关。重点吸纳生产规模大、增长速度高、经济效益好、发展潜力大的本省企业作为广东名牌，对于申请企业提供的数据，应与统计部门核实，防止一些企业弄虚作假骗取名牌称号。二是把好淘汰关。建议工商、质监部门在复审（评）名牌企业时，下决心淘汰已经停产和连年亏损的名牌企业，暂停这些企业使用广东名牌的资格。对于连年减产的企业，要列入观察对象，给予“黄牌”警告；对于连年亏损而又能继续生产的企业，主管部门应联合税务部门进行检查，防止企业作假帐逃漏所得税。通过加强对名牌企业的管理，实行优胜劣汰，使名牌的含金量得到提升，带动能力得到有效增强。

（四）进一步完善统计监测机制，为实施名牌带动战略提供科学依据。目前，工业类名牌企业监测机制已经初步建立起来，但有 22 个企业没有报表，是否停产企业，有待查核；农业类名牌产品的统计制度正在建立，商贸服务业名牌企业还缺乏定期快报。有鉴于此，必须进一步完善统计监测机制。统计部门和主管部门要通力合作，建立和维护统一使用的广东名牌企业名录库，将广东名牌企业不重不漏地纳入统计。按主管部门职能，分工调查和汇总，定期交流信息，实现信息共享，全面反映广东实施名牌带动战略的实际作用，为制定有关政策、措施提供真实可信的依据。

（撰稿：邱俊、李良胜、马彦君）

广东农村全面小康进程现状

改革开放以来，中国发生了翻天覆地的变化，人民生活总体上达到了小康水平。在新的世纪，党的十六大提出了全面建设小康社会的宏伟目标，中国的未来更加充满希望。

一、国家农村全面小康标准的制定

全面建设小康社会最艰巨、最繁重的任务在农村。没有农村的全面小康，就没有全国的全面小康；没有农村的现代化，就没有全国的现代化。农村全面小康的建设是全国全面小康建设的关键。

为了科学地监测和评估农村全面建设小康社会的进程，推动农村经济、政治、文化和社会的进步，国家统计局与中央政策研究室成立联合课题组，经过深入基层调研和多次召开国务院有关部门专家、领导参加的咨询会和论证会，并在征求了全国200多位县领导意见的基础上，共同研究制定了国家农村全面小康标准（以下简称国家标准）。该标准在制定时参考了五个方面的情况：一是“三步走”战略构想的基本目标；二是2000年前后世界中等收入国家有关指标的平均水平；三是目前我国农村20%最高收入人口中有关指标的平均水平；四是2000年城镇居民有关指标的平均水平；五是部分大城市郊区有关指标的平均水平。国家标准共分6大类18个具体指标（见附表）。

二、目前广东农村全面小康进程现状

广东省农调队按照上述国家标准，根据抽样调查资料和有关部门提供的数字，对近三年广东农村全面小康进程状况进行了初步测评。广东省统计局与广东省委农办、广东省发改委也联合召集有关部门对测评结果进行了研究和评估。

按照国家标准和计分方法，广东2003年农村全面小康得分为43.1分。在国家标准六大类指标中，广东实现程度依次为经济发展为55.5%、民主法制为55%、生活质量为40.8%、社会发展为38.9%、人口素质为37.0%、资源环境为14.3%。

在国家标准18项具体评价指标中，广东农村居民基尼系数、森林覆盖率和万元农业GDP用水量的实现程度最高，均达到100%。农村居民养老保险覆盖率、恩格尔系数、农民文化娱乐消费支出比重和农村合作医疗覆盖率等指标的实现程度较低，2003年分别只有5.5%、12.2%、13.3%和25.5%。常用耕地面积变动幅度的实现程度最差，为-100%。

按照国家统计局的测算，我国2003年农村全面小康实现程度为16.9%。得分排前十位的省（市、自治区）依次为：上海（85.2分）、北京（76.2分）、天津（64.2分）、浙江（51.1分）、广东（43.1分）、江苏（41.4分）、山东（37.5分）、福建（33.6分）、辽宁（26.1分）和河北（24.4分）。

广东排在浙江之后江苏之前，列第5位。3个直辖市农村耕地面积小，农业所占比重低，真正从事农业的农民数量少，与广东农村可比性差。而我省与浙江的差异主要是：广东大片山区和东、西两翼地区，经济发展比较慢，农民收入比较低；地区差异、城乡差异和农民之间的差异均比浙江大。江苏、山东和福建省的小康得分与广东的差距分别为1.7分、5.6分和9.5分。这些“追兵”的农村经济发展势头强劲，大有“后来居上”之势，广东农村如不加快发展，就有可能被他们超越。

按照国家标准和计分方法，广东农村全面小康2000~2003年各年的得分分别为29.0、33.3、38.4和43.1分，实现程度分别为29.0%、33.3%、38.4%和43.1%，平均每年提高4.7个百分点。按此速度发展预计,2013 年广东农村全面小康实现程度可达到 90% 以上,即可以基本实现农村全面小康目标。

三、广东农村全面小康建设的五大难点

由于实行城乡不同的户籍、教育、就业、国土管理和社会保障制度,中国农村与城市的差距、农民与市民的收入差距越来越大。这是中国国情的现实,广东也不例外。广东要基本实现国家农村全面小康标准,存在五个难点:

(一)经济发展不平衡,农民收入增长缓慢。国家标准中,"经济发展"占 29% 的权重。目前我省县域经济总体上说比较薄弱,城乡发展不协调、区域发展不平衡的问题比较突出,东西两翼和粤北山区成为广东农村全面小康建设的两大滞后点。据抽样调查资料计算,2003 年东西两翼和粤北山区农村全面小康实现程度分别比珠江三角洲低 33 和 30 个百分点。另外,还存在着农民外出打工人数增幅放缓,外出务工收入增加缓慢;近两年农产品价格上升,但农民得到的好处大半被农资价格上涨或中间环节抵消;农业产业化水平低,单家独户小规模经济仍是广东农业生产的主要模式;农村水利建设长期失修,农业抵御自然灾害的能力越来越低等问题。上述种种原因,使得我省 2000 ~ 2003 年农民人均纯收入平均每年只增长 3.5%,增长比较缓慢。

(二)农村社会保障刚起步,保障水平比较低。国家标准中,社会保障指标占 12% 的权重。2003 年广东农村养老保险覆盖率为 5%,实现程度只有 5.5%,广东虽然 1994 年就出台了全省养老保险办法,但除部分农村干部和珠江三角洲部分农民外,参加养老保险的人数相当有限。由于农村幅员广阔,人口众多,农村社会保障发展起步艰难,农民老有所养、贫有所扶、病有所医的问题难予有效解决,与城市居民差距甚远。广东农村合作医疗覆盖率也不高,2003 年为 30.4%,实现程度只有 25.5%。农村合作医疗覆盖的农民,医疗保障的程度也非常低。

(三)农村基础教育设施落后,人口素质提高不易。国家标准中,农村人口受教育程度占 12% 的权重。据抽样调查资料,2003 年广东农村人口平均受教育年限只有 7.87 年,仅相当于初中二年级的水平;农村 7 ~ 15 岁儿童在学率为 96.5%,仍有少部分适龄儿童失学和辍学。一方面是由于农村中基础教育设施比较落后、合格师资不足,农村儿童接受的教育有欠缺;另一方面是农业中缺少高学历职位,接受过高等教育的人材大部分都流出农村。因此要整体提高农民的文化素质还需要较长的过程。

(四)农民消费习惯偏重于"吃",文化娱乐消费支出较少。国家标准中,农民生活质量指标占 23% 的权重。广东人以"吃"为主,酒楼茶馆遍布城乡,其数量之多和营业时间之长在全国屈指可数。广东农民食品消费支出所占比重一直居高不下,不仅影响了恩格尔系数的下降幅度,也影响了农村居民文化娱乐消费支出比重的上升。

(五)在城市化和工业化进程中,保证耕地面积动态平衡的任务相当繁重。国家标准中,要求常用耕地面积变动幅度大于或等于零(即保持增长或不减少)。虽然该指标只占 3% 的权重,但我省要实现该指标难度非常大。据有关资料,1980 年到 2003 年,广东耕地面积由 2750.71 千公顷下降到 2133.97 千公顷,减少了 22.4%;平均每年递减 1% 左右。2000 ~ 2003 年,广东常用耕地面积变动幅度的实现程度均为 -100%,是 18 项具体指标中唯一连续四年实现程度为负值的指标。

四、加快广东农村全面小康社会建设的看法

最近,广东省委和政府召开了全省统筹城乡发展工作现场会,总结了广东推进农村工业化、城镇化和农业产业化、从根本上解决"三农"问题的经验,部署了今后统筹城乡产业发展、城乡规划建设管理、城乡体制改革、城乡居民就业以及社会保障等五大方面的任务。这是广东在新世纪的新思路和新举措,是面对重重困难而又必须进行的新的"长征",也是基本实现现代化、全面建设小康社会的必由之路。为了早日实现广东农村全面小康目标,我们应当做好以下工作:

（一）千方百计提高农民收入。农民收入在全面小康标准中占20%的权重，是最为关键的指标。农村税费改革对农民来说，主要是“少取”。在提高农民收入方面，各级政府和有关部门可以有所作为，应该有所作为，也必须有所作为。

（二）加快农村社会保障体系的建设。各地要努力建立与当地经济社会发展水平相适应、城乡对接、多层次的农村社会保障体系。包括建立覆盖城乡居民的最低生活保障制度、失地农民的基本生活保障制度、农村新型合作医疗制度，有条件的地方还应建立基本养老保险制度。

（三）加大对农村教育的扶持力度。一是各级政府应调整财政支出结构，加大财政对农村教育的扶持力度；二是要加大监督力度，制止变相收费的情况发生，同时确保省财政每年用于资助农村困难家庭子女义务教育阶段书杂费的资金落到实处。

（四）优化农村的消费环境。近年广东农村的基础设施和生活环境有了较大的改善，但公路、卫生院、电影院、学校等基础设施还远落后于城市，这在一定程度上制约了农村居民文化娱乐的消费支出。因此，政府应加强对农村基础设施的建设，不断优化农村的消费环境，丰富农民的文体活动。

（五）采取严格措施依法保护耕地。各级党委、政府要提高认识，进一步树立科学的发展观和正确的政绩观，正确处理好经济社会发展与保护耕地的关系，加强对耕地的管理。一方面，要严格禁止违规占用耕地搞工业园区和经济开发区；另一方面，要想方设法开垦新的耕地和减少丢荒，实现耕地占补平衡。

附表：　　按国家标准计算的2003年广东农村全面小康情况

指　　标	权数	单位	总　体 小康值	全　　面 小康标准	2003年 实际值	实现程度 （%）	综合分值
一、经济发展	29					55.5	16.1
1. 农村居民人均可支配收入	20	元/人	2200	≥6000	3977	46.8	9.4
2. 第一产业劳动力比重	5	%	5	0≤35	36.8	88.0	4.4
3. 农村小城镇人口比重	4	%	16	≥35	27.1	58.4	2.3
二、社会发展	20					38.9	7.8
1. 农村合作医疗覆盖率	8	%	10	≥90	30.4	25.5	2.0
2. 农村养老保险覆盖率	4	%	1.8	≥60	5.0	5.5	0.2
3. 万人农业科技人员数	4	人	1	≥4	2.1	38.0	1.5
4. 农村居民基尼系数	4		0.35	0.3～0.4	0.337	100	4.0
三、人口素质	15					37.0	5.5
1. 农村人口平均受教育年限	12	年	7.4	≥9	7.9	29.4	3.5
2. 农村人口平均预期寿命	3	年	69.5	≥75	73.2	37.3	2.0
四、生活质量	23					40.8	9.4
1. 恩格尔系数	4		49	≤40	47.9	12.2	0.5
2. 居住质量	11	%	18	≥75	47.8	52.3	5.8
3. 农民文化娱乐消费支出比重	3	%	2.5	≥7	3.1	13.3	0.4
4. 农民生活信息化程度	5	%	28	≥60	45.6	54.9	2.7
五、民主法制	6					55.0	3.3
1. 农民对村政务公开的满意度	3	%	55	≥85	70	50.0	1.5
2. 农民对社会安全的满意度	3	%	60	≥85	75	60.0	1.8
六、资源环境	7					14.3	1.0
1. 常用耕地面积变动幅度	3	%	-0.3	≥0	-9.4	-100	-3.0
2. 森林覆盖率	2	%	16.5	≥23	45.8	100	2.0
3. 万元农业GDP用水量	2	立方米	2600	≤1500	1336	100	2.0
综合实现程度	100	%					43.1

（撰稿：广东省农调队）

完善劳动力供求机制　保持经济社会平稳发展

——珠江三角洲地区企业用工调查报告

2004 年上半年以来，珠江三角洲地区出现了明显的民工短缺现象，引起了社会各界的极大关注。为了解珠江三角洲企业用工的情况，更好地为政府的科学决策提供参考依据，广东省统计局于 2004 年底在珠江三角洲 9 个地级市，从用工人数超过 50 人以上的 3.3 万家私营、港澳台资和外资企业中，按照随机起点、等距抽样原则，抽取了 329 家企业进行调查。

调查结果显示，当前珠江三角洲地区出现的民工短缺现象，主要是由该地区劳动密集型企业现有的工资福利待遇相对较低和新一代打工族对物质文化生活的较高追求所产生的矛盾引发。依据全省实际情况分析，这一矛盾的影响将是长期的。但是，由于全省劳动力供大于求的总趋势短期内不会改变，民工短缺现象并不会改变全省现有的就业格局。尽管如此，政府有关部门应高度重视这一存在的矛盾，坚持以人为本的科学发展观，加大保护劳动者合法利益的力度，积极完善劳动力供求机制，保持经济社会平稳发展。

一、当前珠江三角洲地区企业用工基本状况

（一）农民工是企业主要用工对象，2005 年全省民工短缺数量预计超过 100 万人。抽样调查结果显示，目前珠江三角洲地区私营、港澳台资及外资企业所雇佣的工人，主要是进城务工的农村劳动力，农民工的平均比重达到 66.8%，民工已经成为这些企业的主力军。据调查，珠江三角洲地区上述三类企业目前民工短缺数量相当于这些企业就业人员总数的 12% 左右，据此推算，全省民工短缺总量超过 100 万人，且这一数字仍有上升的趋势。由于民工短缺，珠三角区内许多“两头在外”的劳动密集型企业较难及时招到足够的年轻力壮、工资要求较低的民工，从而使这些企业在拿到国外生产定单时，难以组织起有效地生产，这不但对企业的生产和信誉造成不良影响，同时也在一定程度上影响了当地经济的发展。珠三角地区企业民工短缺数量情况见表 1。

表 1：　　珠三角地区企业民工短缺数量情况

项　目	企业需要招工总人数（万人）	企业使用农村劳动力比　重（%）	农村劳动力（民工）需求数量（万人）	项　目	企业需要招工总人数（万人）	企业使用农村劳动力比　重（%）	农村劳动力（民工）需求数量（万人）
合　计	151.6	66.8	101.3	佛　山	20.0	52.6	10.6
按类型分				江　门	12.5	60.4	7.6
私　营	39.5	75.4	29.8	肇　庆	7.0	60.4	4.2
港澳台	62.9	74.4	46.8	惠　州	10.5	53.5	5.6
外　资	49.2	56.9	24.7	东　莞	34.0	72.0	24.5
按地区分				中　山	12.0	58.2	7.0
广　州	15.8	68.6	10.8	按行业分			
深　圳	36.0	78.1	28.3	制造业	135.3	68.1	92.1
珠　海	3.8	70.4	2.7	其他行业	16.3	58.9	9.2

（二）招工困难企业超70%，港澳台资企业比重最高。抽样调查表明，2004 年上半年以来，珠三角区内超过三分之二以上的企业都感觉招工比以前困难。在调查的 329 家企业中，有 41 家企业表示目前招工很困难，占调查企业总数的 12.5%，有 199 家企业表示目前招工比以前困难，占 60.4%，两者合计占 72.9%。分类型看，私营企业、港澳台资企业、外资企业表示目前招工“很困难”或“比以前困难”的分别有 63 家、100 家、78 家，分别占调查企业的 70.0%、79.4%、69.0%，港澳台资企业招工困难的比重要高于私营、外资企业。分地区看，所有被调查的地级市超过一半的企业都表示目前招工“很困难”或“比以前困难”，比例较高的深圳、惠州、东莞三市，分别达 90.0%、90.0% 和 82.0%，较低的广州、珠海两个市，这一比例也高达 60%。分行业看，无论是制造业或其他行业，都有超过 70% 的企业表示目前招工“很困难”或“比以前困难”。珠三角地区被调查企业招工困难情况见表 2。

表 2：　　**珠三角地区被调查企业招工困难情况**

	企业数（家）	很困难（家）	比以前困难（家）	两者合计比重（%）	不困难（家）	很容易（家）	两者合计比重（%）
合　计	329	41	199	72.9	79	10	27.1
按类型分							
私　营	90	16	47	70.0	24	3	30.0
港澳台	126	12	88	79.4	22	4	20.6
外　资	113	14	64	69.0	32	3	31.0
按地区分							
广　州	49	7	22	59.2	15	5	40.8
深　圳	50	5	40	90.0	4	1	10.0
珠　海	30	4	15	63.3	10	1	36.7
佛　山	30	1	20	70.0	9		30.0
江　门	30	4	16	66.7	9	1	33.3
肇　庆	30	3	17	66.7	10		33.3
惠　州	30	9	18	90.0	3		10.0
东　莞	50	5	36	82.0	7	2	18.0
中　山	30	3	17	66.7	10		33.3
按行业分							
制造业	280	38	167	73.2	67	8	26.8
其他行业	49	3	32	71.4	12	2	28.6

（三）民工短缺对象主要是普通工。调查反映，目前珠江三角洲企业民工短缺对象主要是普通工，尤其是对年龄较轻、身体健康、反映灵活的普通工需求量最大，而对管理人员、工程技术人员、技术工人的需求则较少。统计数字显示，2005 年，被调查企业共需招工 16392 人，而其中对普通工的需求高达 10832 人，占 66.2%，而对管理人员、工程技术人员、技术工人的需求分别只占 4.2%、3.2%、22.1%。分种类看，普通工中的电子元器件装配工、包装工、建筑工、制鞋工的需求都较大，分别占普通工的 12.4%、10.7%、9.3%、6.7%。此外，像纺织工、家具喷漆工、塑料玩具装配工等也都需要大量的普通工。而目前普通工的主要来源是大量省内、省外农村 18－25 岁的的民工，尤其是年轻的女工。2005 年珠三角地区被调查企业主要岗位需求情况见表 3。

表 3： 2005 年珠三角地区被调查企业主要岗位需求构成

岗位、工种	需求构成(%)	岗位、工种	需求构成(%)
一、管理人员	42.3	四、技术工人	221.4
其中：生产或经营经理	2.1	其中：车工	21.7
销售和营销经理	2.9	冲压工	23.4
行政业务人员	3.4	焊工	12.7
会计人员	3.1	工件表面加工工	13.8
统计人员	2.5	机电产品安装工	18.9
检验人员	18.3	机械设备安装工	15.9
二、后勤人员	43.5	纺织印染工	20.5
其中：治安保卫人员	9.5	木工	13.7
推展销人员	6.3	五、普通工	660.8
餐饮服务人员	5.2	其中：电子元器件装配工	82.1
仓库保管员	6.5	建筑工	61.1
三、工程技术人员	32.0	包装工	70.9
其中：机械工程人员	9.3	缝纫毛皮制作工	44.3
计算机工程人员	4.1	搬运工	8.8
电气工程人员	3.1	其他普通工	375.2

(四)东莞、深圳、广州等市短缺民工占全省需求量近半。珠江三角洲地区的民工短缺，最先出现在东莞市，而后在整个三角洲地区迅速蔓延。调查结果表明，目前民工短缺主要集中在东莞、深圳一带的制造业企业。东莞、深圳一带是广东主要的制造业和加工业基地，也是享誉全球的生活用品加工基地之一，区内多种产品占全球市场的比重都很大。同时，东莞、深圳也是广东外来民工打工较为集中的地区，常年有几百万外来打工人口集居此地，外来人口正成为当地经济发展的主力军。正因如此，东莞、深圳对民工短缺问题最为敏感。在被调查企业中，东莞、深圳、广州 3 市 2005 年需招工人数分别占珠三角招工总数的 12.4%、16.5% 和 15.0%，合计共占 43.9%。其中东莞市的电子产品制造厂、加工厂、塑料玩具装配厂、家具厂，深圳市的金属制品厂、纺织印染厂等都出现明显的民工短缺现象；广州市的部分建筑公司及一些劳动密集型企业也出现了民工短缺征兆。珠三角地区被调查企业 2005 年需招工人数及构成见表 4。

表 4： 珠三角地区被调查企业 2005 年需招工人数及构成

项　目	样本调查需招工人数(人)	比重(%)	项　目	样本调查需招工人数(人)	比重(%)
合计	16392	100	佛山	1004	6.1
按类型分			江门	1926	11.7
私营	4272	26.1	肇庆	1379	8.4
港澳台	6803	41.5	惠州	1380	8.4
外资	5317	32.4	东莞	2036	12.4
按地区分			中山	1685	10.3
广州	2461	15.0	按行业分		
深圳	2712	16.5	制造业	14630	89.3
珠海	809	4.9	其他行业	1762	10.7

二、民工短缺的主要原因

(一)经济快速增长带动了对民工的需求。随着世界经济的复苏以及我国经济的稳步增长，广东经济也进入快速增长期。2004 年 1－3 季度，全省完成生产总值 11130 亿元，比上年同期增长 14.8%，增幅同比提高 1.8 个百分点。第二产业增加值 6278.69 亿元，增长 19.4%，大大高于一、三产业增长速度；民营工业、外商和港澳台商投资工业增加值分别增长 25.3%、23.9%；进出口总额 2537.2 亿美元，同比增长 26.4%。其中加工贸易出口 1012.76 亿美元，增长 22.8%；外商投资企业出口 844.06 亿美元，增长 28.4%；私营企业出口大幅增长 75.5%。做为全省引擎的珠江三角洲地区，依然继续扮演排头兵的角色，如 2004 年 1－3 季度，东莞市、中山市、深圳市、佛山市的生产总值分别比上年同期增长 19.8%、18.7%、17.3%、16.5%，大大高于全省平均速度。

经济的快速增长及企业出口增加引发了企业生产的扩张，也导致了企业数量的增加，从而带动了区域内用工的需求，同时出现了"工人增加的速度赶不上企业增加的速度"的局面。据工商、劳动部门统计，2004 年 1－3 季度，全省新开业企业 8.6 万家，比上年同期增加 0.6 万家，增长 7.8%，创近年来较高水平。同时，全省城镇登记失业率也从 2002 年末的 3.1% 逐步下降，到 2004 年三季度末已达 2.8%，一年半的时间下降了 0.3 个百分点。此外，我国全方位的开放以及入世以后所形成的区域生产布局和劳动力分工的调整，也使得各地对民工的需求量显著上升，从沿海发达地区到内地，从珠江三角洲、长江三角洲到环渤海地区，从振兴东北老工业基地到西部大开发，对民工的需求都大大增加，以来料加工性质的劳动密集型企业为主的珠江三角洲地区，对民工的需求更是畅旺。在全国用工需求上升的环境下，客观上形成了对低成本的民工群体的竞争，最后引发了民工的短缺现象。

（二）*工资水平低、权益保障差使民工逐渐流失。*调查中发现，工资水平低、权益保障差是造成民工逐渐流失的原因之一。目前珠江三角洲民工的平均工资仍处于较低水平。2004 年 1－9 月份，被调查企业普通员工（指除管理层之外的员工）月工资为 964.8 元（包括加班工资），只相当 2003 年全省城镇职工月工资的 57.9%（见表 5）。如果扣除广州、深圳、珠海三个工资较高地区之后，其他 6 个市被调查企业普通员工的月工资为 819.7 元，只相当 2003 年全省城镇职工月工资的 49.2%，尤其是东莞市，民工的工资水平仅相当于上年当地城镇职工月工资的 37.1%，不少地区民工的工资几乎 10 年来基本保持不变。同时，在调查企业中，只有 76 家企业为全体职工参保，占 23.1%，另有 206 家企业只为管理人员办理参保，占 62.6%，而被调查企业参加社会养老保险人数只有 55239 人，仅占企业从业人员总数的 52.4%，有近一半的员工没有参加社会保险。更有一些企业钻政策的空子，将当地的最低工资标准作为企业普通员工的基本工资，变相强迫他（她）们为了企业所承诺的"加薪"而不断加班；有的企业还以招工押金、滞后支付工资等手段变相拖欠民工劳动报酬。在问到企业明年的工资政策时，只有 40% 的企业表示考虑给员工增加工资，但其中有 74.8% 的企业表示增资幅度只在 5% 以内。这些现象使越来越多民工继续打工的信心逐渐丧失，部分人最后只好选择离开。

表 5：　珠三角地区被调查企业普通员工工资水平

项 目	月平均工资（元）	占上年当地城镇职工月平均工资比重（%）	项 目	月平均工资（元）	占上年当地城镇职工月平均工资比重（%）
合　计	964.8	57.9	佛山	932.5	63.4
按类型分			江门	911.7	88.1
私营	1067.6	64.1	肇庆	793.8	72.8
港澳台	841.5	50.5	惠州	822.8	74.4
外资	1028.5	61.7	东莞	698.2	37.1
按地区分			中山	878.7	50.1
广州	1313.9	54.7	按行业分		
深圳	979.9	38.4	制造业	898.2	68.4
珠海	1175.7	73.4	其他行业	1408.1	81.3

（三）*年轻民工对生活的较高追求使跳槽辞职频繁发生，从而加大了供需矛盾。*调查中了解到，造成珠江三角洲地区企业民工短缺的另一个重要原因，是当前新一代民工对物质文化生活有着更高的要求，而这个要求又和区内社会和企业能提供的现实形成较大的反差。面对这一矛盾，有的民工选择跳槽到别处寻求

条件更好的工作，有的返回家乡重新务农，这在一定程度上加大了民工供需的矛盾。统计数字显示，在招用民工困难原因方面，有45.9%的企业表示目前求职人员很挑剔，只有13.1%的企业认为是企业本身工资低才造成招工困难。显然，求职民工对打工条件的较高追求确实是影响民工短缺的一个重要因素。不难看到，企业大量需求的18－25岁年轻民工，基本上是上世纪80年代初出生的，他（她）们不愿意再重复他们父辈的道路，不满足只做一名"体力型"的劳动者，他（她）们对工作待遇、精神追求等有较强烈要求。他（她）们到广东打工，并不单纯为了满足吃饭穿衣的需求，而是想在这里学到知识，丰富自身的本领，谋求更好的发展。但一些企业尤其是一些非公有制企业在生产中只把他（她）们作为追求利润的工具，把他（她）们固定在生产线上，不断重复着简单机械的劳动，或者让他们从事其他人不愿意做、且缺少劳动保护又对身体有危害性的工作，但只提供与当地生活水平相差甚远的工资报酬，以及远远不够的精神文化生活。在这种待遇下，他（她）们只能选择辞职或跳槽。统计数字显示，从去年1月至10月，被调查企业共减少劳动力2.3万人，其中因辞职、辞退、开除等原因的人员分别有2.1万人、0.2万人、0.05万人，辞职人数占90%以上。大批年轻民工的不断跳槽，使得劳动力的流动速度大大加快，目前，珠江三角洲地区非公有制企业之间劳动力的流动速度已经超过20%，超过了企业所能承受的限度，这不但对企业的生产造成损伤，也变相提高了民工的就业成本，放大了民工的供需矛盾。

除了上述原因外，近年来国家不断加大对农业的投入，农民的收入明显提高，尤其是2004年农民的人均纯收入创下1997年来的最高点，也促成一部分年龄较大民工的返乡务农。此外，较严格的户籍政策，民工子女的读书学习问题，社会对民工的偏见，企业的管理问题等也是造成珠江三角洲地区企业民工短缺的影响因素。

三、对民工短缺的趋势分析

（一）*从总体上看，广东劳动力供大于求局面短期内难以改变*。一是广东劳动力资源丰富，劳动年龄人口绝对量庞大。2003年，广东16－64岁劳动年龄人口有6000万人，居全国第三。其中农村富余劳动力1100万人，尚在农村需转移就业的有500多万人，外省入粤务工人员约1600万人。从1995年至2002年，全省平均每年增加劳动年龄人口267万人（含省外流入人口），年递增5.5%。二是城镇就业压力仍未得到有效缓解。目前本省城镇每年有超过150万人要求就业，其中未能继续升学的初、高中毕业生20万人，中职毕业生26万人，大专以上毕业生18万人，复退军人2万多人、就业转失业人员近70万人等，而本省城镇每年可以提供的就业岗位只有90万个。劳动力供大于求的局面短期内难以改变。如果经济继续保持稳定快速的发展，劳动力的供求平衡点最少也将在5年（即2010年）以后出现。而且广东气候温暖，沿海发达，在相当长时间内仍是外省民工外出打工、外省大学生外出求职、外省人才外出创业的主要目的地之一。这种劳动力供大于求短期内难以改变的事实决定了民工短缺问题短时间内还不能改变广东总体的就业格局。

（二）*从经济发展规律看，结构性民工短缺现象将持续一段时期*。由于珠江三角洲地区存在大量劳动密集型企业，这类企业对人工成本较低、适于企业生产流水线工作的年轻民工需求量大，一旦这种劳动力不能得到满足，许多企业会陷入生产被动之中。从目前情况看，民工短缺现象还将持续一段时期，主要原因是：一是珠江三角洲地区大规模的劳动密集型企业短期内还不会大量减少，企业的转型也还需要一个过程，因此对民工的大量需求还将持续相当长的时间。如自从2002年省委做出促进珠江三角洲地区劳动密集型企业向山区转移决定后，虽然有一些企业开始行动，但侑于各方面因素的影响，这种转移还只是零星的、自发的和小规模的，大规模转移的条件尚未形成；二是从一些国家和地区经济发展的规律看，经济转型一般需要10－20年时间，而这一时期往往会出现劳动力结构性短缺，劳动力结构性短缺成为了经济转型的"衍生品"，如台湾的经济转型从20世纪80年代末期开始，一直持续到现在；日本、台湾、韩国从20世纪80年代开始都出现了劳动力结构性短缺，而这一时期正是这些国家和地区将部分产业向劳动力成本相对低廉的中国大陆和东南亚地区转移的时候，像日本等国每年数以万计的水果采摘人员需从中国等国家引进；三是随着社会进步，民工维权意识的增强，政府、社会对民工利益的关注及保护，企业使用民工的成本必然会不断上升，企业的利益和民工的薪酬之间的矛盾将不断地发生碰撞，这个矛盾将持续一个过程，直到民工的薪酬达到一个合理的、各方都可以接受的程度为止，因而青年劳动力短缺与中老年劳动力过剩并存的局面可能会持续一段时期。因此，珠江三角洲地区民工结构性短缺的问题将会持续一段时期。

（三）民工短缺对广东社会经济发展有弊也有利。民工短缺虽然给企业生产带来困难，从而对本地经济造成一定影响外，但也存在着有利的一面。一是可以促进珠江三角洲地区劳动密集型企业的转型，加快产品的升级换代，提升整个地区的经济发展能力和竞争能力。目前，面对民工短缺的问题，许多企业已认识到以往那种源源不断的廉价劳动力供给时代已经结束了，一些企业已经开始思考如何改变过去的那种劳动密集型生产方式，提高企业生产的自动化程度，增加产品的科技含量，提高员工的文化科技素质，增强企业的竞争能力。竞争意识强的企业已经开始行动。如在我们的调查中，部分企业表示准备引进自动化程度更高的生产线；有的表示要大力提高员工的文化程度等，这些都有助于区内劳动密集型企业的转型。二是促进企业提高员工的工资福利待遇。随着电视、报纸等媒介对民工短缺事件的不断暴光，社会对民工工资、福利待遇、工作条件、居住环境等的日益重视，民工问题已经引起了全社会的重视，有的企业感到了政府、社会、舆论的压力，给民工的待遇开始有所改善。如在调查中，有的工厂就表示要改善民工的劳动保护条件和居住条件；有的表示要多关心民工的业余生活等。三是推动企业职工的工资集体谈判意识，促进有关法律规章制度的完善。近些年来，政府部门一直都在大力推行、引导企业建立职工工资的集体谈判制度，但收效甚微，民工短缺其实为推行这项制度提供了一个很好的机会。总之，民工短缺问题有负面影响，也有正面作用，只要我们加大宏观调控力度，合理引导劳动力流动，就可以变不利为有利，从而更好地促进广东的经济社会发展。

四、对当前民工短缺问题的几点建议

（一）以人为本，提高民工的社会经济地位。近年来，各地为促进经济发展，在激烈的竞争中，对民工权益的保护往往得不到很好落实。民工群体一直被排斥在当地主流社会生活之外，处于边缘状态。他们普遍没有社会保障、没有医疗保险、不能享受经济适用房政策、子女入学要交高额赞助费等。按照科学发展观的思想，以人为本将成为社会发展的主旋律，尤其要建立宽松和谐的社会，必须做到使社会的绝大多数成员的利益有保障。我国有13亿人口，农民就有9亿，农民占了我们社会的多数，千方百计保障农民的利益，这是社会发展的客观要求。当前，民工短缺的问题，实质上是“三农”问题在城镇的集中反映，对这个问题不能掉以轻心，要把它提高到加强党的执政能力的高度来认识。因此，要从民工短缺现象中，切实改变目前社会对民工的利益、民工的权益的模糊认识，要取消一切针对进城务工农民的歧视性制度和地方保护性政策，逐步消除因户籍制度、暂住证制度、使用外来工交费制度等对民工以及民工家属的歧视。对民工的子女应该按照国家九年义务教育的规定准许在当地入学读书，以解除民工的后顾之忧；对有正当居所和正当工作的民工应该放宽户籍管理，使其在城镇打工的信心得以维持，从而加快人口城镇化进程。

（二）发挥政府主导，建立灵活快捷的劳动力供求机制。劳动力供求机制是劳动力市场建设的重中之重，是经济发展对人才需求的关键。广东的劳动力市场虽然经过多年的建设，但目前仍然充斥着不少诸如虚假招工等不和谐的声音；学不致用、大材小用的现象也屡见不鲜，求职者及用工单位的成本被无形增加，求职者的就业之路和用工单位的用工通道往往被堵塞。在这种情况下，要进一步发挥政府的社会管理者作用：一是要继续清理整顿劳动市场，规范各种劳动中介，疏通求职及用工通道，建立一个安全、有信誉保证的劳动就业体系；二是要下大力气搞好劳动力资源和岗位信息收集，建立人力资源信息库，建立劳动力供求信息的收集、分析评估和发布制度，建立泛珠三角的劳动力供求信息网络，提高招用工的组织化水平，减少企业招工成本和劳动力的求职成本；三是要加大职业技能培训力度，要大力发挥职业技术学院、技工学校在培养高级技能人才中的作用，引导全社会宣传、重视、学习、爱护技能人才。四是要规范企业的招用工行为，指导企业在用工方面多投入，改善用工环境，拓宽招聘渠道，创新思路，既要狠抓企业短缺技术工种人员的在岗培训，也可通过校企联合，优势互补，实现培训用工一体化。

（三）提高最低工资标准，保护民工的合法利益。按国际通行惯例，一个地区的最低工资标准大约相当于本地区社会平均工资的40%到60%较为合理。但从目前珠江三角洲各市制定的最低工资标准看，存在问题不少。如2004年广东珠江三角洲广州、深圳、珠海、佛山、江门、肇庆、惠州、东莞、中山市最低工资标准（注1）分别为684元、600元、510元、450元、400元、300元、400元、450元、450元，占当地城镇职工平均工资（注2）的比重分别为29.1%、23.7%、32.0%、31.0%、39.0%、28.3%、37.2%、24.0%、25.7%，没有一个市的最低工资标准达到国际惯例的底限。根据推算，即使将私营企业、乡镇企业、个体雇工的工资都计算在内，上述各市的最低工资标准占当地社会平均工资的比重仍较低。制定科学合理的最低工资标准，可以有效地缓解劳资双方的矛盾，最大限度地保护工人的合法利益，从而保证经济顺利运行。面对这一矛盾，广州市先行一步，在经过充分论证的基础上，于2004年率先提高了职工的最低工资标准，调整后的标准比原来大幅提高了34.1%，这对保障广州市进城务工农民的合法利益起到了积极的作用。珠江三角洲其他各市也应积极调研，充分论证，合理确定当地的最低工资水准，积极促进社会经济的协调发展。

注：1. 最低工资标准因各市最低工资分市区和县区几种，这里取当地最高标准。

2. 城镇职工平均工资包括国有、集体、城镇其他经济三种类型单位工资，不包私营企业、乡镇企业等。

（撰稿：彭启鹏、刘建民）

第二部分　统计资料

PART TWO　STATISTICS

一 行政区划和自然资源

ADMINISTRATIVE DIVISIONS AND NATURAL RESOURCES

1

一　行政区划和自然资源

简要说明

一、本篇资料反映广东省行政区划、自然资源的开发和利用等情况。自然资源包括土地、气候、森林、水利、矿产资源情况。

二、本篇资料由广东省统计局综合处负责整理、编辑。

三、资料来源：

行政区划资料由省民政厅提供；

矿产、土地资源资料由省国土资源厅提供；

海洋资料由省海洋与渔业局提供；

气象资料由省气象局提供；

森林资源资料由省林业局提供；

水利资料由省水利厅提供。

1　ADMINISTRATIVE DIVISIONS AND NATURAL RESOURCES

Brief Introduction

Ⅰ. This chapter covers the data on divisions of administrative areas, natural conditions and the exploitation and utilization of the natural resources of Guangdong Province. Natural resources cover land, climate, forest, water conservancy and mineral resources.

Ⅱ. The data in this chapter are prepared and compiled by the Division of Comprehensive Statistics of Guangdong Provincial Bureau of Statistics.

Ⅲ. The data resources come as follows:

The data on divisions of administrative areas are provided by the Civil Affairs Department of Guangdong Province.

The data on mineral and land resources are provided by the Land and Resources Department of Guangdong Province.

The data on ocean are provided by the Oceanic and Fishery Administration of Guangdong Province.

The data on meteorological phenomena are provided by the Meteorologic Bureau of Guangdong Province.

The data on forest are provided by the Forestry Administration of Guangdong Province.

The data on water conservancy are provided by the Water Resources Department of Guangdong Province.

1-1 行政区划
ADMINISTRATIVE DIVISIONS

单位：个　　　　(unit)

市别 City	地级市 Number of Cities at Prefectural Level	县级市 Number of Cities at County Level	县 Number of Counties	自治县 Number of Autonomous Counties	市辖区 Number of Districts under the Jurisdication of Cities	市辖镇 Number of Towns under the Jurisdication of Cities	乡 Number of Townships	#民族乡 Ethnic Community Townships	街道 Number of Neighbor-hoods
全省合计 Total	**21**	**23**	**41**	**3**	**54**	**1188**	**12**	**7**	**415**
广　州 Guangzhou	1	2			10	39			124
深　圳 Shenzhen	1				6				51
珠　海 Zhuhai	1				3	15			8
汕　头 Shantou	1		1		6	32			37
佛　山 Foshan	1				5	23			18
韶　关 Shaoguan	1	2	4	1	3	109	2	1	8
河　源 Heyuan	1		5		1	97	1	1	4
梅　州 Meizhou	1	1	6		1	104			6
惠　州 Huizhou	1		3		2	66	1	1	13
汕　尾 Shanwei	1	1	2		1	42			10
东　莞 Dongguan	1					28			4
中　山 Zhongshan	1					19			5
江　门 Jiangmen	1	4			3	67			17
阳　江 Yangjiang	1	1	2		1	39			11
湛　江 Zhanjiang	1	3	2		4	86	2		29
茂　名 Maoming	1	3	1		2	88			19
肇　庆 Zhaoqing	1	2	4		2	96	1	1	11
清　远 Qingyuan	1	2	3	2	1	77	3	3	5
潮　州 Chaozhou	1		2		1	41			9
揭　阳 Jieyang	1	1	3		1	65	2		16
云　浮 Yunfu	1	1	3		1	55			10

注：本行政区划截止2004年底。
Note: The administrative divisions have been the status by the end of 2004.

1-2 自然资源
NATURAL RESOURCES

项目		Item		2004
一、土地资源和海洋		**Land Resources and Sea**		
土地面积	(平方公里)	Total Land Area	(sq. km)	179756.5
耕地	(万公顷)	Cultivated Land	(10000 hectares)	303.7
林地	(万公顷)	Afforested Land	(10000 hectares)	1017.6
园地	(万公顷)	Garden Plot	(10000 hectares)	85.1
牧草地	(万公顷)	Grass Land	(10000 hectares)	2.8
海域总面积	(万平方公里)	Total Area of Sea	(10000 sq. km)	41.9
海洋滩涂面积	(万公顷)	Sea Beach Area	(10000 hectares)	20.4
海岛面积	(平方公里)	Area of Islands	(sq. km)	1592.7
大陆海岸线长度	(公里)	Length of Mainland Shore	(km)	3368.1
岛屿岸线长度	(公里)	Length of Island Shore	(km)	2428.7
岛屿个数	(个)	Number of Islands	(unit)	1431
二、气候		**Climate**		
年平均降雨量	(毫米)	Annual Average Precipitation	(mm)	1254.6
年平均气温	(摄氏度)	Annual Average Temperature	(℃)	22.3
年日照时数	(小时)	Annual Sunshine Hours	(hour)	1966.9
三、森林		**Forest**		
活立木蓄积量	(亿立方米)	Total Standing Stock Volume	(100 million cu. m)	3.7
森林覆盖率	(%)	Forest Coverage Rate	(%)	57.4
四、水力水产		**Hydropower and Aquatic Products**		
水力资源理论蕴藏量	(万千瓦)	Theoretical Hydropower Resources	(10000 kw)	1124.16
#可开发装机容量		Developable Resources		824.48
海水养殖可养面积	(万公顷)	Cultivatable Area in Marine Areas	(10000 hectares)	77.57
淡水可养面积	(万公顷)	Cultivatable Area in Fresh-water Areas	(10000 hectares)	46.2
五、矿产		**Mineral Resources**		
煤保有资源储量	(万吨)	Ensured Reserve of Coal	(10000 tons)	53107.1
铁矿石保有资源储量	(万吨)	Ensured Reserve of Iron Ore	(10000 tons)	81160.4
硫铁矿保有资源储量	(万吨)	Ensured Reserve of Sulphur Ore	(10000 tons)	49018.5

注：1. 海岛面积、岛岸线长度、岛屿个数是1994年调查数据，大陆海岸线为1987年调查数据。
2. 海域总面积包括200海里专属经济区面积。

Note: a) Data of the area of islands, length of island shore and number of islands were obtained from surveys in 1994, while the length of mainland shore was obtained from surveys in 1987.
b) Total area of sea includes the dependency with economic section area of 200 sea miles.

1-3 各地区年平均气温
AVERAGE TEMPERATURE OF VARIOUS REGIONS

单位：摄氏度 (℃)

年 份 Year	粤北 Northern Regions	粤东北 North Eastern Regions	粤西北 North Western Regions	粤东 Eastern Regions	粤中 Central Regions	粤西 Western Regions
1980	20. 7	21. 5	22. 5	21. 2	22. 2	23. 4
1985	20. 2	20. 9	22. 0	21. 1	21. 6	22. 6
1990	21. 1	21. 5	22. 8	21. 8	22. 6	23. 4
1995	20. 0	20. 0	22. 2	21. 6	22. 3	23. 0
1996	19. 9	21. 4	22. 4	21. 9	21. 6	23. 3
1997	20. 4	21. 3	22. 7	22. 1	22. 0	23. 7
1998	21. 2	22. 5	23. 3	23. 0	22. 8	24. 5
1999	20. 8	21. 9	22. 7	22. 6	22. 5	24. 0
2000	20. 4	21. 9	22. 6	22. 5	22. 5	23. 8
2001	20. 5	22. 0	22. 5	22. 7	22. 6	23. 8
2002	21. 0	22. 3	22. 8	23. 0	23. 0	24. 1
2003	20. 9	21. 9	22. 9	22. 6	23. 0	24. 4
2004	20. 8	21. 6	22. 6	22. 6	22. 8	23. 2

1-4 各地区年降雨量
ANNUAL PRECIPITATION OF VARIOUS REGIONS

单位：毫米 (mm)

年 份 Year	粤北 Northern Regions	粤东北 North Eastern Regions	粤西北 North Western Regions	粤东 Eastern Regions	粤中 Central Regions	粤西 Western Regions
1980	1459. 4	1461. 7	1586. 1	1369. 1	1492. 2	2274. 0
1985	1360. 2	1607. 8	1726. 9	1481. 3	1706. 0	2411. 3
1990	1436. 6	1709. 0	1284. 8	2236. 9	1239. 5	1510. 2
1995	1506. 9	1171. 0	1766. 4	1512. 2	1752. 4	2082. 9
1996	1633. 1	1361. 5	1693. 1	1409. 0	1683. 4	1222. 6
1997	2045. 3	1847. 5	1815. 3	2040. 9	1997. 3	2344. 3
1998	1862. 3	1458. 2	1737. 5	1593. 6	1736. 1	1266. 4
1999	1314. 3	1033. 8	1318. 7	1517. 4	1620. 4	1392. 6
2000	1565. 8	1850. 9	1318. 2	1486. 7	1798. 9	1762. 7
2001	1689. 8	1560. 3	1889. 2	1947. 9	2678. 9	2314. 5
2002	1814. 9	1110. 3	1480. 9	1409. 7	1866. 7	2263. 3
2003	1388. 2	1415. 2	1251. 8	1406. 6	1338. 7	1372. 4
2004	1156. 3	1251. 8	1034. 7	1379. 7	1636. 5	1068. 5

1-5 各地区年日照时数
ANNUAL SUNSHINE HOURS OF VARIOUS REGIONS

单位：小时 (hour)

年 份 Year	粤北 Northern Regions	粤东北 North Eastern Regions	粤西北 North Western Regions	粤东 Eastern Regions	粤中 Central Regions	粤西 Western Regions
1980	1754. 1	1811. 1	1945. 8	1989. 2	1921. 8	2036. 5
1985	1701. 6	1926. 7	1613. 3	1900. 6	1406. 0	1868. 4
1990	1613. 9	1893. 1	1542. 8	1921. 3	1648. 7	1877. 4
1995	1420. 6	1868. 7	1704. 6	2038. 3	1559. 6	1828. 3
1996	1626. 5	1965. 7	1796. 9	2094. 8	1564. 7	2042. 3
1997	1349. 1	1490. 2	1454. 9	1985. 8	1209. 8	1895. 1
1998	1578. 3	1689. 6	1546. 1	1917. 5	1469. 4	1994. 0
1999	1564. 0	1819. 7	1699. 0	2237. 0	1599. 5	2050. 7
2000	1497. 2	1672. 6	1714. 1	2126. 3	1609. 2	1855. 3
2001	1613. 0	1884. 0	1559. 2	2199. 8	1651. 0	1794. 6
2002	1506. 4	1813. 2	1521. 7	2266. 6	1566. 5	1783. 8
2003	1821. 1	2030. 1	1762. 6	2341. 5	1741. 6	2144. 5
2004	1818. 5	2117. 1	1640. 2	2433. 5	1767. 4	2024. 7

1-6 各市森林资源主要指标（2004年）
MAIN INDICATORS ON FOREST RESOURCES BY CITY (2004)

单位：千公顷，万立方米 (1000 hectares, 10000 cu. m)

市别 City	林业用地 Area of Afforested Land	有林地 Forest Land	疏林地 Sparse Forest Land	灌木林地 Bush Land	未成林地 Unmature Wood Land	无林地 Non-Forest Land	森林覆盖率（%）Forest Coverage Rate (%)	活立木总蓄积量 Standing Stock Volume	林木总生长量 Total Growing Volume of Wood	林木总消耗量 Total Consumed Volume of Wood
全省合计 Total	**10808.1**	**9321.8**	**125.9**	**570.9**	**334.5**	**440.5**	**57.4**	**36614.3**	**1724.3**	**789.5**
广州 Guangzhou	296.6	271.6	0.5	8.6	6.7	9.0	43.2	913.8	49.9	10.4
深圳 Shenzhen	87.2	78.9	0.2	5.4	2.1	0.6	47.5	172.7	7.1	1.5
珠海 Zhuhai	50.3	32.9	0.8	13.6	0.2	2.7	33.2	76.8	4.4	0.4
汕头 Shantou	64.9	63.0	0.3	0.0	1.0	0.5	32.6	117.0	7.5	0.2
佛山 Foshan	70.0	60.0	0.1	0.7	6.2	2.8	21.1	301.0	14.5	4.8
韶关 Shaoguan	1376.4	1212.0	19.1	52.4	22.0	70.9	71.1	6356.3	220.8	123.7
河源 Heyuan	1212.6	1104.5	22.4	17.2	19.7	47.8	72.8	3672.9	156.5	56.5
梅州 Meizhou	1215.6	1097.4	22.0	26.0	34.2	36.1	71.8	2636.8	157.7	34.8
惠州 Huizhou	713.6	637.9	8.9	13.5	21.6	31.7	59.9	1971.8	113.9	35.5
汕尾 Shanwei	273.1	217.5	2.7	17.0	13.4	22.4	51.3	488.5	44.9	10.2
东莞 Dongguan	58.9	56.6	0.6	1.3	0.2	0.3	31.6	139.0	8.0	0.6
中山 Zhongshan	32.2	25.8	1.0	2.2	0.9	2.3	20.7	129.2	8.4	0.1
江门 Jiangmen	441.8	342.2	2.0	49.2	17.2	31.1	44.0	1231.8	82.8	40.9
阳江 Yangjiang	423.5	341.0	6.2	48.1	14.2	13.9	53.0	1506.9	64.5	15.6
湛江 Zhanjiang	229.6	206.4	0.7	1.1	8.2	13.1	22.5	923.8	53.6	25.3
茂名 Maoming	576.3	514.1	8.3	14.2	23.6	16.1	55.7	2111.7	68.6	24.1
肇庆 Zhaoqing	1039.1	948.0	5.3	21.6	32.8	31.2	67.4	4559.3	186.7	121.1
清远 Qingyuan	1390.2	1012.6	14.4	246.0	65.8	51.4	66.8	5496.7	231.9	114.1
潮州 Chaozhou	184.3	171.8	1.0	3.6	2.3	5.5	57.7	319.7	25.2	4.3
揭阳 Jieyang	283.2	247.1	3.8	9.9	10.6	11.7	51.5	581.7	33.6	2.0
云浮 Yunfu	500.8	446.2	3.6	10.5	16.8	23.7	61.1	1756.8	73.3	22.9

注：全省总计含省直属林场、雷州林业局、省农垦总局资料。全省林木总消耗量包括不可预见消耗100万立方米，但不包括雷州林业局消耗量。

Note: The provincial total includes the figures of forestry centers directly under the provincial government, Leizhou Forestry Bureau and the Land Reclamation and Cultivation Administration of Guangdong Province. The total consumed volume of wood includes the unforeseeable 1 million cubic meters consumed.

主要统计指标解释

行政区划　指国家对行政区域的划分。根据宪法规定,我国的行政区域划分如下:(1)全国分为省、自治区、直辖市;(2)省、自治区分为自治州、县、自治县、市;(3)自治州分为县、自治县、市;(4)县、自治县分为乡、民族乡、镇;(5)直辖市和较大的市分为区、县;(6)国家在必要时设立的特别行政区。

土地资源　土地指陆地的表层部分,它主要由岩石、岩石的风化物和土壤构成。土地资源按利用类型可以分为农用地、建筑用地和未利用地。农用地包括耕地、园地、林地、牧草地和水面。建筑用地包括居民点及工矿用地、交通用地和水利设施用地。未利用地指农用地和建筑用地以外的土地,包括滩涂、荒漠、戈壁、冰川和石山等。

耕地面积　指经过开垦用以种植农作物并经常进行耕耘的土地面积。包括种有作物的土地面积、休闲地、新开荒地和抛荒未满三年的土地面积。

林业用地面积　指生长乔木、竹类、灌木、沿海红树林等林木的土地面积,包括有林地、灌木林、疏林地、未成林造林地、迹地、苗圃等。

草地面积　指牧区和农区用于放牧牲畜或割草,植被盖度在5%以上的草原、草坡、草山等面积。包括天然的和人工种植或改良的草地面积。

森林资源　指森林、林木、林地以及依托森林、林木、林地生存的野生动物、植物和微生物。林木指树木和竹子。森林指以乔木为主体的植物群落,是集生的乔木及与共同作用的植物、动物、微生物和土壤、气候等的总体。

活立木总蓄积量　指一定范围内土地上全部树木蓄积的总量,包括森林蓄积、疏林蓄积、散生木蓄积和四旁树蓄积。

森林覆盖率　指一个国家或地区森林面积占土地总面积的百分比。森林覆盖率是反映森林资源的丰富程度和生态平衡状况的重要指标。在计算森林覆盖率时,森林面积包括郁闭度0.2以上的乔木林地面积和竹林地面积,国家特别规定的灌木林地面积、农田林网以及四旁(村旁、路旁、水旁、宅旁)林木的覆盖面积。计算公式为:

$$\text{森林覆盖率（\%）} = \frac{\text{森林面积}}{\text{土地总面积}} \times 100\%$$

森林面积　指由乔木树种构成,郁闭度0.2以上(含0.2)的林地或冠幅宽度10米以上的林带的面积,即有林地面积。森林面积包括天然起源和人工起源的针叶林面积、阔叶林面积、针阔混交林面积和竹林面积,不包括灌木林地面积和疏林地面积。

森林蓄积量　指一定森林面积上存在着的林木树干部分的总材积。它是反映一个国家或地区森林资源总规模和水平的基本指标之一,也是反映森林资源的丰富程度、衡量森林生态环境优劣的重要依据。

水资源　水在自然界中以固体、液体和气态三种聚集状态存在,分布于海洋、陆地(包括土壤)以及大气之中,通过水循环形成水资源。水资源包括经人类控制并直接可供灌溉、发电、给水、航运、养殖等用途的地表水和地下水,以及江河、湖泊、井、泉、潮汐、港湾和养殖水域等。水资源是发展国民经济不可缺少的重要自然资源。

矿产资源　矿产指由地质作用形成,富集于地壳中或出露于地表达到工农业利用要求的有用矿物。矿产是一种重要的自然资源,是社会发展的重要物质基础。

矿产基础储量　基础储量是查明矿产资源的一部分。它能满足现行采矿和生产所需的指标要求,是控制的、探明的并通过可行性或预可行性研究认为属于经济的、边界经济的部分,用未扣除设计、采矿损失的数量表表示。

矿产保有资源储量　指查明的矿产资源储量(资源储量=基础储量+资源量)扣除已开采部分损失量和加减应勘查,重算或其它原因增减量而得出的年底实有资源储量。

Explanatory Notes on Main Statistical Indicators

Administrative Division refers to the division of administrative areas by the state. The Constitution of the People's Republic of China stipulates that the administrative areas in China are divided as: 1) The whole country is divided into Provinces, autonomous regions and municipalities directly under the central government; 2) Provinces and autonomous regions are divided into autonomous prefectures, counties, autonomous counties and cities; 3) Autonomous prefectures are divided into counties, autonomous counties and cities; 4) Counties and autonomous counties are divided into townships, nationality townships and towns, 5) Municipalities and large cities are divided into districts and counties, 6) The state will, when necessary, establish special administrative regions.

Land Resource refers to the surface of the earth, consisting of mainly rocks and its weathering and earth. Land resource can be classified, by its utilization, as land for agriculture, land for construction and unused land. Land for agriculture includes cultivated land, plantation land, forestland, grassland and waters. Land for construction includes land for residential purpose, for manufacturing and mining, for transportation and for water conservancy projects. Unused land refers to land other than land for agriculture and construction, including beaches, deserts, Gobi, glaciers and rock mountains.

Area of Cultivated Land refers to area of land reclaimed for the regular cultivation of various farm crops, including crop-cover land, fallow, newly reclaimed land and land laid idle for less than 3 years.

Area of Afforested Land refers to land for trees bamboo, bushes and mangrove including forest-cover land, bush-covered land, sparse forest land, land planned for afforestation and nurseries of young trees.

Area of Grassland refers to areas of grassland, grass-slopes and grass-covered hills with a vegetation-covering rate of over 5% that are used for animal husbandry or harvesting of grass. It includes natural, cultivated and improved grassland areas.

Forest Resource refers to forests, trees, forestland and wild animals, plants and microorganism that live on forest and trees. Trees include trees and bamboo. Forest refers to the population of clusters of trees and other plants, animals and microorganism as well as the earth and climate that have interactions with the trees.

Total Standing Stock Volume refers to the total stock volume of trees growing in land, including trees in forest, tress in sparse forest, scattered trees and trees planted by the side of villages, farm houses and along roads and rivers.

Forest Coverage Rate refers to the ratio of area of afforested land to total land area. It is a very important indicator that reflects the status of abundance of forest resource and ecosystem balance. Forest area includes the area of trees and bamboo grow with canopy density above 0.2, the area of shrubby tree according to regulations of the government, the area of forest land inside farm land and the area of trees planted by the side of villages, farm houses and along roads and rivers. The formula for calculating forest coverage rate is as follows:

Forestry Coverage Rate (%) = (Area of Afforested Land/Area of Total Land) × 100%

Forest Area refers to the area of forest where trees and bamboo grow with canopy density above 0.2, including land of natural woods and planted woods, but excluding bush land and thin forest land. It reflects the total areas of afforestation.

Stock Volume of Forest refers to total stock volume of wood growing in forest area, which shows the total size and level of forest resources of a country or a region. It is also an important indicator illustrating the richness of forest resource and the status of forest ecological environment.

Water Resource water exists in the nature in solid, liquid and gaseous states, is distributed in the ocean, land (including earth) and air, and constitutes the water resource through the circulation of water. Water resource includes the surface water and underground water that is controlled by the human being for irrigation, power-generation, water supply, navigation and cultivation. It also includes rivers, lakes, wells, springs, tides, gulf and water area for cultivation. Water resource as an important natural resource is indispensable for the development of the national economy.

Mineral Resources refer to useful minerals that can be used for industrial or agricultural purposes enriched in lithosphere or on earth due to the geological process. minerals are important natural resources, and important material base for social development.

Mineral Basic Mineral Resources Basic reserves are part of total identified mineral resources, including indicated and measured, economic and marginal economic, by feasibility assessment or pre-feasibility study, mineral resources, which are not taken off the loss of designing and mining. Basic reserves can meet the index of present mining and production demand.

Ensured Reserves of Mineral Resources refer to the proven reserves of mineral resources, which equal to the basic reserves and volume of resources minus extracted parts, losses and the increase or decrease reserves by prospecting, repeat calculation or other reasons.

二　综合

GENERAL SURVEY

2

二　综　合

简要说明

一、本篇资料反映广东国民经济、科技、社会等方面的规模、水平、速度、结构、比例、效益的综合情况以及国民经济核算情况，分别由广东省统计局综合处和核算处整理提供。

二、综合统计资料是根据广东省统计局各专业统计年报资料以及国家统计局、广东省有关部门提供的统计资料加工整理而成。

三、国民经济核算资料主要包括国内（地区）生产总值及其有关资料。国内（地区）生产总值是根据不同产业部门的特点和资料来源情况而分别采用生产法、收入法计算增加值，最后将各产业部门增加值求和得到，这一结果是广东地区生产总值的标准数据。

按支出法计算的国内（地区）生产总值等于最终消费、资本形成总额、货物和服务净出口之和，它与按上述方法计算的国内（地区）生产总值不一定相等，两者之间存在统计误差。

分市的国民经济核算数据由各市统计局提供，各市数据相加不等于全省总计。

本统计年鉴公布的国民经济核算资料，最后一年数据不是最终数，还会发生变动；如果遇到普查年，在能够获得更为详细的基础资料的情况下，国内（地区）生产总值的历史数据也会发生变动。1996 年，根据第一次第三产业普查结果，对全省生产总值的历史数据做了调整，本年鉴的数据是调整后的数据。

2　GENERAL SURVEY

Brief Introduction

Ⅰ. The summary data in this chapter reflect the scale, level, speed, structure, ratio and efficiency concerning the national economy, science and technology, the social development of Guangdong Province and also cover the data on its national economic accounts. The data are prepared and provided by the Division of Comprehensive Statistics and the Division of National Accounts of Guangdong Provincial Bureau of Statistics respectively.

Ⅱ. The summary data are processed and prepared in the light of the annual reports of various specialized fields provided by Guangdong Provincial Bureau of Statistics and data provided by the National Bureau of Statistics and some related departments of Guangdong Province.

Ⅲ. The data on the national economic accounts mainly cover the gross domestic product (GDP) and related data.

The value added is calculated with the production approach and the income approach respectively in the light of the features of various sectors and the data sources. The GDP is the result of the sum of the value added of various sectors. The result is the standard data on GDP of Guangdong Province.

The GDP calculated with the expenditure approach equals to the sum of final consumption, total capital formation and the net export of goods and services. However, the GDP data with this approach may be unequal to the standard data on GDP calculated with the methods mentioned above. There is a statistical discrepancy between the two figures.

The data on the national economic accounts of each city are provided by the statistical bureaus of each city. The summary data of cities are not equal to the total value of the province.

The data on the national accounts of the latest year published in this yearbook are not final figures and subject to changes. When the year happens to be a census year, the data of GDP of the past years may also be revised. In 1996, the GDP figures of the past years were adjusted in accordance with the result of the first tertiary industry census. The data published in this yearbook are the adjusted data.

2-1 各部门机构数
GRASSROOTS UNITS IN VARIOUS SECTORS

部　　门		sector		1995	2003	2004
农村基层组织	（个）	Rural Grassroots Units	(unit)			
镇政府		Town Governments		1531	1328	1188
乡政府		Township Governments		61	12	12
村民委员会		Villagers´Committees		22869	22574	21917
乡镇企业	（万个）	Township Enterprises	(10000 units)	144. 66	129. 53	130. 84
工业企业	（个）	Industrial Enterprises	(unit)	386832	413085	
规模以上工业		Industrial Enterprises above Designated Size		14601	24494	25956
# 国有工业		State-owned			1344	1179
集体工业		Collective-owned			2513	2388
建筑业企业	（个）	Construction Enterprises	(unit)	1618	4488	3714
# 国有企业		State-owned		468	684	747
贸易企业单位数	（万个）	Number of Trade Units	(10000 units)		13. 72	
卫生事业	（个）	Health Care	(unit)	8848	15409	15744
#医院及卫生院		Hospitals		2267	2410	2391
社会福利事业单位数		Social Welfare Institutions		1887	2053	1979
教育事业		Education				
普通高等学校	（所）	Regular Institutions of Higher Education	(unit)	42	77	94
中等学校	（所）	Secondary Schools	(unit)	4760	5049	5111
#普通中学		Regular Secondary Schools		3845	4176	4241
小学	（万所）	Primary Schools	(10000 units)	2. 46	2. 28	2. 19
幼儿园	（所）	Kindergartens	(unit)	7923	10067	10213
艺术表演团体	（个）	Art Performance Troupes	(unit)	134	144	140
文化事业	（个）	Cultural Institutions	(unit)	2492	2885	2315
文物事业	（个）	Cultural Relics	(unit)	133	202	204
广播电视	（座）	Broadcasting and Television Stations	(unit)			
广播电台		Radio Stations		96	22	22
电视台		Television Stations		56	24	24
县、市有线广播站		Wire Broadcasting Stations in Counties and County-level Cities		67	79	
科技活动机构数	（个）	Number of Scientific and Technological Research Institutions	(unit)	1685	2491	
科学研究与技术开发机构		Scientific Research and Technological Development Institutions		481	211	
全日制普通高等学校		Full-time Regular Institutions of Higher Education		440	429	
大中型工业企业		Large and Medium-sized Industrial Enterprises		695	643	
其他		Others		69	1208	

2-2 国民经济和社会发展总量与速度指标

指　　标	Item	1978	1985	1990
人口与就业	**Population and Employment**			
人　口　（万人）	**Population　(10000 persons)**			
年底常住人口	Year-end Permanent Population	5064.15	5670.65	6346.22
年底户籍总人口	Year-end Population with Residence Registration	5064.15	5655.60	6246.32
农业人口	Agricultural Population	4240.92	4457.68	4769.01
非农业人口	Non-agricultural Population	823.23	1197.92	1477.31
男性人口	Male	2586.68	2909.52	3213.20
女性人口	Female	2477.47	2746.08	3033.12
就　业　（万人）	**Employment　(10000 persons)**			
年底从业人员人数	Year-end Employed Persons	2275.95	2731.11	3118.10
# 城镇从业人员	Employed Persons in Urban Areas	515.85	660.82	785.49
宏观经济	**Macroeconomic Indicator**			
国民核算（当年价）　（亿元）	**National Accounting (at current prices)　(100 million yuan)**			
地区生产总值	Gross Domestic Product	185.85	577.38	1559.03
第一产业	Primary Industry	55.31	171.87	384.59
第二产业	Secondary Industry	86.62	229.82	615.86
第三产业	Tertiary Industry	43.92	175.69	558.58
支出法生产总值	Gross Domestic Expenditures	194.14	568.98	1541.99
# 最终消费	Total Consumption	125.71	372.95	916.14
居民消费	Household Consumption	107.15	321.41	744.36
政府消费	Government Consumption	18.56	51.54	171.78
资本形成总额	Gross Capital Formation	54.79	214.97	511.35
固定资产形成总额	Gross Fixed Capital Formation	37.93	160.28	393.26
存货增加	Changes in Inventories	16.86	54.69	118.09
固定资产投资　（亿元）	**Investment in Fixed Assets　(100 million yuan)**			
全社会固定资产投资	Total Investment in Fixed Assets	27.23	184.59	381.47
# 国有单位	State-owned Units	20.04	131.11	272.18
集体单位	Collective-owned Units	0.84	24.18	53.81
个体经济	Individuals	6.35	29.30	55.48
财　政　（亿元）	**Public Finance　(100 million yuan)**			
财政收入	Government Revenue	39.46	65.46	131.02
财政支出	Government Expenditures	27.03	60.84	150.69
物价总指数　（上年 =100）	**Price Indices　(preceding year =100)**			
商品零售价格总指数	General Retail Price Index	100.4	113.6	95.6
居民消费价格总指数	General Consumer Price Index	100.3	114.8	97.5
利用外资　（亿美元）	**Utilization of Foreign Capital　(USD 100 million)**			
协议规定外商直接投资	Amount of Utilization of Foreign Capital in the Signed Agreements and Contracts		20.01	26.89
外商直接投资	Foreign Direct Investment		5.15	14.60
能源生产与消费　（万吨标准煤）	**Production and Consumption of Energy　(10000 tons of SCE)**			
能源生产总量	Total Energy Production			1006.24
能源消费总量	Total Energy Consumption			4063.51

PRINCIPAL AGGREGATE INDICATORS ON NATIONAL ECONOMIC AND SOCIAL DEVELOPMENT AND THEIR RELATED INDICES AND GROWTH RATES

1995	2000	2003	2004	速度指标（%） Indices and Growth Rates（%）								
				指数（2004 为以下各年） Index（2004 as percentage of the following years）					平均增长速度 Average Annual Growth Rate			
				1978	1990	1995	2000	2003	1979 – 2004	1991 – 2004	1996 – 2004	2001 – 2004
6867.77	7706.80	7954.22	8303.72	164.0	130.8	120.9	107.7	104.4	1.9	1.9	2.1	1.9
6788.74	7498.54	7723.42	7804.75	154.1	124.9	115.0	104.1	101.1	1.7	1.6	1.6	1.0
4753.37	5160.26	4003.07	3973.52									
2035.37	2338.26	3681.93	3797.92									
3501.19	3871.13	3989.24	4025.87	155.6	125.3	115.0	104.0	100.9	1.7	1.6	1.6	1.0
3287.55	3627.41	3734.18	3778.88	152.5	124.6	114.9	104.2	101.2	1.6	1.6	1.6	1.0
3551.20	3989.32	4395.93	4681.89	205.7	150.2	131.8	117.4	106.5	2.8	2.9	3.1	4.1
911.90	759.21	781.14	830.72				109.4	106.3				2.3
5733.97	9662.23	13625.87	16039.46	2643.0	626.9	260.6	159.4	114.2	13.4	14.0	11.2	12.4
868.99	1000.06	1093.52	1245.42	426.2	172.3	138.5	113.9	104.2	5.7	4.0	3.7	3.3
2876.74	4868.75	7307.08	8890.29	5300.5	1040.7	311.7	177.9	118.4	16.5	18.2	13.5	15.5
1988.24	3793.42	5225.27	5903.75	3008.2	509.8	235.9	147.6	110.4	14.0	12.3	10.0	10.2
5733.97	9662.23	13625.87	16039.46									
3189.84	5336.22	7566.13	8774.75									
2586.46	3754.80	4900.01	5930.47									
603.38	1581.42	2666.12	2844.28									
2381.31	3487.86	5259.48	6365.35									
2059.43	3175.93	4934.87	5939.32									
321.88	311.93	324.61	426.03									
2327.22	3233.70	5030.57	6025.53	22128.3	1579.6	258.9	186.3	119.8	23.1	21.8	11.1	16.8
1122.84	1286.91	1487.53	1830.35	9133.5	672.5	163.0	142.2	123.0	19.0	14.6	5.6	9.2
363.67	448.71	403.92	419.73	49967.9	780.0	115.4	93.5	103.9	27.0	15.8	1.6	-1.7
249.78	424.35	944.47	1133.25	17846.5	2042.6	453.7	267.1	120.0	22.1	24.0	18.3	27.8
382.34	910.56	1315.52	1418.51									
525.63	1069.86	1695.63	1852.95	6855.2	1229.6	352.5	173.2	109.3	17.7	19.6	15.0	14.7
111.6	99.9	100.0	102.9	416.9	163.6	98.0	100.0	102.9	5.6	3.6	-0.2	0.0
114.0	101.4	100.6	103.0				101.3	103.0				0.3
248.32	86.84	217.89	193.60		720.0	78.0	222.9	88.9		15.1	-2.7	22.2
101.80	122.37	155.78	100.12									
2622.53	3711.69	4088.98	4851.29		482.1	185.0	130.7	118.6		11.9	7.1	6.9
7345.30	9447.70	13099.29	15210.47		374.3	207.1	161.0	116.1		9.9	8.4	12.6

2-2 续表 1

指 标		Item		1978	1985	1990
产业		**Industry**				
农业		**Agriculture**				
常用耕地面积	(千公顷)	Area of Regularly Cultivated Land	(1000 hectares)	2778. 80	2598. 54	2528. 83
农林牧渔从业人员	(万人)	Number of Persons Engaged in Farming, Forestry, Animal Husbandry, Sideline and Fishery	(10000 persons)	1662. 50	1597. 59	1600. 85
农业总产值	(亿元)	Gross Output Value of Agriculture	(100 million yuan)	85. 94	245. 21	600. 71
主要农产品产量	(万吨)	Output of Major Farm Products	(10000 tons)			
粮食		Grain		1509. 51	1604. 37	1896. 39
油料		Oil-bearing Crops		36. 04	57. 91	58. 93
糖蔗		Sugarcane		835. 42	1831. 40	2093. 46
茶叶		Tea		0. 90	1. 75	2. 95
水果		Fruits		29. 40	116. 28	328. 58
肉类		Meat		48. 45	128. 12	202. 45
水产品		Aquatic Products		65. 50	109. 44	207. 66
工 业		**Industry**				
全部工业总产值	(亿元)	Gross Industrial Output Value	(100 million yuan)	206. 56	534. 72	1902. 25
主要工业产品产量		Output of Major Industrial Products				
布	(亿米)	Cloth	(100 million m)	2. 27	2. 46	4. 59
机制纸及纸板	(万吨)	Machine-made Paper and Paperboard	(10000 tons)	27. 47	52. 63	104. 13
糖	(万吨)	Sugar	(10000 tons)	96. 15	143. 52	184. 50
家用电冰箱	(万台)	Household Refrigerators	(10000 sets)		23. 54	105. 75
电视机	(万台)	Television Sets	(10000 sets)	1. 72	108. 43	327. 60
#彩色电视机		Color Television Sets			78. 99	262. 37
家用洗衣机	(万台)	Household Washing Machines	(10000 sets)		77. 86	143. 01
照相机	(万架)	Cameras	(10000 sets)		18. 68	99. 30
原煤	(万吨)	Coal	(10000 tons)	1046. 96	809. 80	889. 76
原油	(万吨)	Crude Oil	(10000 tons)	10. 22	10. 02	49. 05
发电量	(亿千瓦时)	Electricity	(100 million kwh)	92. 32	167. 13	343. 98
钢	(万吨)	Steel	(10000 tons)	35. 84	69. 53	116. 96
成品钢材	(万吨)	Steel Products	(10000 tons)	43. 67	78. 76	133. 74
水 泥 (万吨)	(万吨)	Cement	(10000 tons)	369. 08	1120. 23	2070. 91
规模以上工业企业主要指标		Main Indicators of Industrial Enterprises above Designated Size				
工业总产值	(亿元)	Gross Industrial Output Value	(100 million yuan)	180. 73	471. 83	1605. 80
固定资产原价	(亿元)	Original Value of Fixed Assets	(100 million yuan)	111. 42	269. 13	843. 88
产品销售收入	(亿元)	Sales Revenue	(100 million yuan)		412. 77	1287. 91
利润和税金总额	(亿元)	Pre-tax Profits	(100 million yuan)	32. 91	75. 99	121. 50
建筑业		**Construction**				
建筑业企业年末人数	(万人)	Number of Employed Persons in Construction Enterprises at the Year-end	(10000 persons)	14. 78	54. 47	67. 22
建筑业总产值(当年价)	(亿元)	Gross Output Value (at current prices)	(100 million yuan)	5. 47	50. 45	113. 40
施工房屋面积	(万平方米)	Floor Space of Buildings under Construction	(10000 sq. m)		3040. 50	4477. 30
竣工房屋面积	(万平方米)	Floor Space of Buildings Completed	(10000 sq. m)		1426. 80	2345. 40
交通运输		**Transportation**				
货运量	(万吨)	Freight Traffic	(10000 tons)	15204	58726	85809
铁路		Railways		3206	3000	4803
公路		Highways		3967	42813	63709
水运		Waterways		7887	12045	16198
管道		Pipelines		143	864	1091
空运		Civil Aviation		1	4	8
客运量	(万人)	Passenger Traffic	(10000 persons)	15906	49848	78046
铁路		Railways		2410	3357	4467
公路		Highways		10897	41826	70681
水运		Waterways		2546	4427	2428
空运		Civil Aviation		53	238	470
沿海主要港口货物吞吐量	(万吨)	Volume of Freight Handled at Major Coastal Ports	(10000 tons)	2786	5073	6895

2-2 1 continued

1995	2000	2003	2004	速度指标（%） Indices and Growth Rates（%） 指数（2004 为以下各年） Index（2004as percentage of the following years） 1978	1990	1995	2000	2003	平均增长速度 Average Annual Growth Rate 1979－2004	1991－2004	1996－2004	2001－2004
2317.31	2252.62	2133.97	2107.81	75.9	83.4	91.0	93.6	98.8	－1.1	－1.3	－1.0	－1.6
1431.98	1572.07	1543.41	1524.97	91.7	95.3	106.5	97.0	98.8	－0.3	－0.3	0.7	－0.8
1445.48	1701.18	1908.66	2154.79	458.1	200.1	151.3	117.6	104.5	6.0	5.1	4.7	4.1
1803.33	1822.33	1488.00	1390.00	92.1	73.3	77.1	76.3	93.4	－0.3	－2.2	－2.9	－6.5
71.02	78.78	81.93	77.51	215.1	131.5	109.1	98.4	94.6	3.0	2.0	1.0	－0.4
1472.21	1137.59	952.87	940.77	112.6	44.9	63.9	82.7	98.7	0.5	－5.6	－4.9	－4.6
3.96	4.21	4.14	4.04	448.9	136.9	102.0	96.0	97.6	5.9	2.3	0.2	－1.0
414.51	643.52	718.59	787.85	2679.8	239.8	190.1	122.4	109.6	13.5	6.4	7.4	5.2
305.06	324.48	358.50	365.32	754.0	180.4	119.8	112.6	101.9	8.1	4.3	2.0	3.0
354.34	593.19	648.55	671.38	1025.0	323.3	189.5	113.2	103.5	9.4	8.7	7.4	3.1
8849.90	16904.47	27375.56										
11.65	10.84	17.29	21.54					122.5				
288.10	260.30	542.69	597.73					111.4				
107.22	91.30	113.97	95.60					83.6				
213.23	320.70	533.38	850.91					154.0				
882.80	1709.53	3588.28	4265.98					121.7				
763.92	1531.53	3149.15	3626.13					126.7				
187.51	244.18	178.86	184.03					97.7				
3277.71	3545.88	3719.15	3723.10					100.1				
1069.38	161.71	202.34	219.35					111.2				
650.97	1915.38	2060.45	1467.47					115.0				
821.06	1292.69	1783.80	2022.53					112.6				
207.44	286.99	595.89	717.47					123.8				
247.26	406.28	788.69	1141.68					119.4				
5317.92	5872.40	6872.67	7785.23					113.3				
6502.97	12480.93	21513.46	26720.87	11121.6	1744.3	489.1	233.8	122.8	19.9	22.7	19.3	23.7
4298.15	8005.77	10768.77										
6195.84	12380.65	21566.93	26691.35					125.4				
441.40	1042.77	1850.99	2076.89					123.4				
135.56	141.45	161.35	152.03	1028.6	226.2	112.1	107.5	94.2	9.4	6.0	1.3	1.8
635.83	1011.47	1702.87	1749.56	31984.6	1542.8	275.2	173.0	102.7	24.8	21.6	11.9	14.7
14374.50	16333.82	22184.74	23938.23		534.7	166.5	146.6	107.9		12.7	5.8	10.0
4843.40	6556.12	8910.41										
111063	119216	143964	156094	1026.7	181.9	140.5	130.9	108.4	9.4	4.4	3.9	7.0
7634	15172	15375	19495	608.1	405.9	255.4	128.5	126.8	7.2	10.5	11.0	6.5
68884	75365	97806	102843	2592.5	161.4	149.3	136.5	105.1	13.3	3.5	4.6	8.1
32952	25696	27412	29783	377.6	183.9	90.4	115.9	108.6	5.2	4.4	－1.1	3.8
1527	2952	3329	3924	2744.1	359.7	257.0	132.9	117.9	13.6	9.6	11.1	7.4
21	31	42	49	4900.0	612.5	233.3	158.1	116.7	16.1	13.8	9.9	12.1
130998	164791	191202	202414	1272.6	259.4	154.5	122.8	105.9	10.3	7.0	5.0	5.3
6283	12165	12935	15142	628.3	339.0	241.0	124.5	117.1	7.3	9.1	10.3	5.6
118406	148945	174288	183012	1679.5	258.9	154.6	122.9	105.0	11.5	7.0	5.0	5.3
5146	2363	2208	1827	71.8	75.2	35.5	77.3	82.7	－1.3	－2.0	－10.9	－6.2
1163	1318	1771	2433	4590.6	517.7	209.2	184.6	137.4	15.9	12.5	8.5	16.6
11904	18674	30727	38302	1374.8	555.5	321.8	205.1	124.7	10.6	13.0	13.9	19.7

指 标		Item		1978	1985	1990
邮电通信业		**Postal and Telecommunication Services**				
邮电业务总量	(亿元)	Total Business Volume	(100 million yuan)	1.59	3.63	26.30
函件	(亿件)	Number of Letters Delivered	(100 million pieces)		3.76	4.72
报刊累计数	(亿份)	Accumulated Number of Newspapers and Magazines Distributed	(100 million copies)		14.25	11.63
局用电话交换机容量	(万门)	Capacity of Local Office Telephone Exchanges	(10000 gates)	21.10	40.00	180.70
本地电话用户	(万户)	Number of Subscribers of Local Telephones	(10000 subscribers)		24.00	113.00
#城市		Urban Areas			13.00	72.00
移动电话用户	(万户)	Number of Subscribers of Mobile Telephones	(10000 subscribers)			1.11
国际互联网用户	(万户)	Number of Internet Subscribers	(10000 subscribers)			
国内商业		**Domestic Trade**				
社会消费品零售额	(亿元)	Total Retail Sales of Consumer Goods	(100 million yuan)	79.86	289.23	667.36
对外经济贸易和国际旅游		**Foreign Trade and International Tourism**				
海关进出口总额	(亿美元)	Total Exports and Imports	(USD 100 million)			418.98
进口额		Imports				196.77
出口额		Exports				222.21
国际游客入境人数	(万人次)	Number of International Tourists	(10000 person-times)	169.91	1675.69	2527.54
金融保险		**Finance and Insurance**				
金融机构人民币存款余额	(亿元)	Deposits of Financial Institutions	(100 million yuan)			
金融机构人民币贷款余额	(亿元)	Loans of Financial Institutions	(100 million yuan)			
保费收入	(亿元)	Amount Insured	(100 million yuan)		1.74	18.05
教育、科技、文化		**Education, Science and Technology and Culture**				
教育		Education				
专任教师数	(万人)	Full-time Teachers	(10000 persons)			
普通高等学校		Institutions of Higher Education		0.90	1.36	1.57
中等学校		Secondary Schools		15.93	13.57	16.33
小学		Primary Schools		26.09	26.81	27.73
在校学生数	(万人)	Students Enrollment	(10000 persons)			
普通高等学校		Institutions of Higher Education		3.07	6.99	9.59
中等学校		Secondary Schools		316.96	255.91	284.52
小学		Primary Schools		743.02	671.25	747.29
国家财政用于教育支出	(亿元)	Government Expenditures on Education	(100 million yuan)		10.69	21.34
科 技		**Science and Technology**				
从事科技活动人员	(人)	Number of Persons Engaged in Science and Technology	(person)			84576
科技活动经费使用总额	(万元)	Expenditures on Scientific and Technological Activities	(10000 yuan)			128238
技术合同金额	(万元)	Amount of Technological Contracts	(10000 yuan)			20262
文 化		**Culture**				
出版数量		Publications				
图书	(亿册)	Number of Books Published	(100 million copies)	1.72	3.99	2.81
杂志	(万册)	Number of Magazines Issued	(10000 copies)	1519	12768	11325
报纸	(亿份)	Number of Newspapers Issued	(100 million copies)	3.19	17.18	13.81

1995	2000	2003	2004	速度指标（%） Indices and Growth Rates（%）								
				指数（2004为以下各年） Index（2004as percentage of the following years）					平均增长速度 Average Annual Growth Rate			
				1978	1990	1995	2000	2003	1979－2004	1991－2004	1996－2004	2001－2004
204.93	602.31	1202.52	1781.78				295.8	148.2				31.1
9.85	10.66	13.07	10.67		226.1	108.3	100.1	81.6		6.0	0.9	0.0
15.59	10.78	10.89	11.26		96.8	72.2	104.5	103.4		−0.2	−3.6	1.1
1007.10	1939.50	3551.35	4377.45	20746.2	2422.5	434.7	225.7	123.3	22.8	25.6	17.7	22.6
591.00	1414.94	2567.01	2954.16		2614.3	499.9	208.8	115.1		26.3	19.6	20.2
361.00	916.03	1690.56	2129.21		2957.2	589.8	232.4	125.9		27.4	21.8	23.5
98.78	1357.26	4006.96	5373.82		484127.9	5440.2	395.9	134.1		83.3	55.9	41.1
	216.41	1177.67	1159.95				536.0	98.5				52.2
2176.28	4071.95	5606.02	6370.42	7977.0	954.6	292.7	156.4	113.6	18.3	17.5	12.7	11.8
1039.72	1701.06	2835.22	3571.29		852.4	343.5	209.9	126.0		16.5	14.7	20.4
473.80	781.87	1306.74	1655.60		841.4	349.4	211.7	126.7		16.4	14.9	20.6
565.92	919.19	1528.48	1915.69		862.1	338.5	208.4	125.3		16.6	14.5	20.2
3615.03	6729.18	6991.13	8741.00	5144.5	345.8	241.8	129.9	125.0	16.4	9.3	10.3	6.8
7090.48	16908.26	27171.31	30723.55			433.3	181.7	113.1			17.7	16.1
5495.69	11716.93	18190.85	19491.77			354.7	166.4	107.2			15.1	13.6
67.93	191.88	376.54	436.13		2416.2	642.0	227.3	115.8		25.5	22.9	22.8
1.66	2.04	4.02	4.69	521.1	298.7	282.5	229.9	116.7	6.6	8.1	12.2	23.1
21.38	27.24	31.41	32.28			151.0	118.5	102.8			4.7	4.3
32.14	36.41	38.92	39.65	152.0	143.0	123.4	108.9	101.9	1.6	2.6	2.4	2.2
15.18	29.95	58.78	72.69	2367.8	758.0	478.9	242.7	123.7	12.9	15.6	19.0	24.8
417.26	541.75	632.89	646.40		227.2	154.9	119.3	102.1		6.0	5.0	4.5
883.19	929.93	1025.37	1049.62	141.3	140.5	118.8	112.9	102.4	1.3	2.5	1.9	3.1
84.56	144.75	265.25	287.95		1349.3	340.5	198.9	108.6		20.4	14.6	18.8
105469	222073	277576										
398192	2146502	3323983										
125972	482104	805730	572651		2826.2	454.6	118.8	71.1		27.0	18.3	4.4
3.69	2.70	2.65	2.57	149.4	91.5	69.6	95.2	97.0	1.6	−0.6	−3.9	−1.2
22810	26299	22527	20640	1358.8	182.3	90.5	78.5	91.6	10.6	4.4	−1.1	−5.9
22.64	34.63	42.48	43.88	1375.5	317.7	193.8	126.7	103.3	10.6	8.6	7.6	6.1

2-2 续表 3

指 标	Item	1978	1985	1990
家庭、生活、环境	**Family, People's Livelihood and Environment**			
家 庭	**Family**			
城镇居民平均每户家庭人口 (人)	Average Household Size in Urban Areas (person)	4.84	4.19	3.85
农村居民平均每户家庭人口 (人)	Average Household Size in Rural Areas (person)	5.99	5.95	5.65
婚 姻	**Marriages and Divorces**			
结婚数 (万对)	Number of Marriages (10000 couples)		37.68	50.66
离婚数 (万对)	Number of Divorces (10000 couples)		1.69	2.58
居 住	**Housing**			
城镇居民人均使用面积 (平方米)	Per Capita Floor Space for Use (sq. m)	5.47	8.55	12.13
农村居民人均居住面积 (平方米)	Per Capita Floor Space of Rural Residents (sq. m)	8.73	14.87	17.39
生 活	**People's Livelihood**			
城镇居民人均可支配收入 (元)	Per Capita Disposable Income of Urban Residents (yuan)	412.13	954.12	2303.15
农村居民人均纯收入 (元)	Per Capita Net Income of Rural Residents (yuan)	193.25	495.31	1043.03
城乡居民储蓄存款余额 (亿元)	Savings Deposits by Urban and Rural Residents (100 million yuan)	17.56	154.88	752.16
工 资	**Wages**			
城镇从业人员劳动报酬 (亿元)	Earnings of Urban Employed Persons (100 million yuan)	30.59	88.91	223.29
城镇从业人员平均劳动报酬 (元)	Average Earnings of Urban Employed Persons (yuan)	615	1393	2929
卫 生	**Health Care**			
医院 (个)	Number of Hospitals (unit)	1968	1853	1885
医生 (万人)	Number of Doctors (10000 persons)	4.79	6.56	8.11
医院床位数 (万张)	Number of Hospital Beds (10000 units)	8.41	9.82	11.41
市政建设	**City Construction**			
全年供水量 (亿吨)	Volume of Water Supply (100 million tons)			20.55
液化石油气供气总量 (万吨)	Total Supply of Liquefied Petroleum Gas (10000 tons)			
年末实有公共汽 (电) 车营运车辆 (辆)	Number of Public Vehicles (Buses and Trolley-buses) at the Year-end (unit)			3199
年末实有出租汽车数 (辆)	Number of Taxis at the Year-end (unit)			
年末实有铺装道路面积 (万平方米)	Length of Paved Roads at the Year-end (10000sq. m)			
园林绿地面积 (公顷)	Area of Greens and Garden Areas (hectare)			12892
环境、灾害	**Environment and Disaster**			
企事业单位污染治理资金 (万元)	Funds Used for Pollution Treatment by Enterprises and Institutions (10000 yuan)			18331
环保投资占 GDP 比重 (%)	Proportion of Expenditure on Environmental Protection to GDP (%)		0.29	0.37
火灾发生数 (起)	Number of Fire Disasters (time)			1725
火灾损失 (万元)	Fire Loss (10000 yuan)			9102
交通事故发生数 (起)	Number of Traffic Accidents (time)			25909
交通事故损失 (万元)	Loss of Traffic Accidents (10000 yuan)			5044

注：1. 2003 年起职工改为单位从业人员，2000 年数据作了相应调整。
2. 农业、工业总产值绝对数按当年价格计算，增长速度按可比价计算。
3. 工业指标（全部工业总产值除外）2000－2004 年统计范围为规模以上工业（即全部国有工业及年 销售收入 500 万元以上非国有工业）。规模以上工业总产值 1995 年及以前为乡及乡以上工业。
4. 2000 年起粮食产量为抽样调查数据。
5. 1994 年起财政收入按税改新口经统计（即不含中央返还部分）。
6. 邮电业务总量 2000 年起按 2000 年不变价计算，1995 年以前按 1990 年不变价计算。
7. 1986 年以前中等学校不含成人中专数据。

2-2 3 continued

1995	2000	2003	2004	速度指标（%） Indices and Growth Rates（%）								
				指数（2004 为以下各年） Index（2004 as percentage of the following years）					平均增长速度 Average Annual Growth Rate			
				1978	1990	1995	2000	2003	1979 – 2004	1991 – 2004	1996 – 2004	2001 – 2004
3. 58	3. 57	3. 31	3. 28	67. 8	85. 2	91. 6	91. 9	99. 1	–1. 5	–1. 1	–1. 0	–2. 1
5. 36	5. 15	5. 04	5. 01	83. 6	88. 7	93. 5	97. 3	99. 4	–0. 7	–0. 9	–0. 7	–0. 7
59. 67	56. 21	58. 90	63. 04		124. 4	105. 6	112. 2	107. 0		1. 6	0. 6	2. 9
3. 42	4. 75	6. 66	4. 95		191. 9	144. 7	104. 2	74. 3		4. 8	4. 2	1. 0
16. 24	19. 51	24. 63	25. 12	459. 2	207. 1	154. 7	128. 8	102. 0	6. 0	5. 3	5. 0	6. 5
20. 83	22. 42	24. 79	25. 48	291. 9	146. 5	122. 3	113. 6	102. 8	4. 2	2. 8	2. 3	3. 3
7438. 68	9761. 57	12380. 40	13627. 65	3306. 6	591. 7	183. 2	139. 6	110. 1	14. 4	13. 5	7. 0	8. 7
2699. 24	3654. 48	4054. 58	4365. 87	2259. 2	418. 6	161. 7	119. 5	107. 7	12. 7	10. 8	5. 5	4. 5
3884. 66	8667. 29	14061. 77	16193. 36	92217. 3	2152. 9	416. 9	186. 8	115. 2	30. 0	24. 5	17. 2	16. 9
734. 14	1057. 57	1555. 12	1820. 68				172. 2	117. 1				14. 5
8250	13859	20052	22230				160. 4	110. 9				12. 5
2267	2426	2410	2391	121. 5	126. 8	105. 5	98. 6	99. 2	0. 8	1. 7	0. 6	–0. 4
9. 89	11. 12	10. 87	11. 33	236. 5	139. 7	114. 6	101. 9	104. 2	3. 4	2. 4	1. 5	0. 5
13. 78	15. 72	17. 30	18. 31	217. 7	160. 5	132. 9	116. 5	105. 8	3. 0	3. 4	3. 2	3. 9
34. 36	36. 89	59. 77	68. 61		333. 9	199. 7	186. 0	114. 8		9. 0	8. 0	16. 8
		285. 87	283. 62					99. 2				
5860	22255	31142	33965		1061. 7	579. 6	152. 6	109. 1		18. 4	21. 6	11. 1
		47447	40799					86. 0				
8577	24981	28491	34281			399. 7	137. 2	120. 3			16. 6	8. 2
46375	132666	244124	257094		1994. 2	554. 4	193. 8	105. 3		23. 8	21. 0	18. 0
30007	167707	250650	260626		1421. 8	868. 6	155. 4	104. 0		20. 9	27. 1	11. 7
0. 64	1. 96	2. 67	2. 71									
1254	8622	16133	16090		932. 8	1283. 1	186. 6	99. 7		17. 3	32. 8	16. 9
17419	10065	7822	11476		126. 1	65. 9	114. 0	146. 7		1. 7	–4. 5	3. 3
42115	66072	68903	68423		264. 1	162. 5	103. 6	99. 3		7. 2	5. 5	0. 9
28700	27526	31388	24127		478. 3	84. 1	87. 7	76. 9		11. 8	–1. 9	–3. 2

Note: a) Since 2003, the number of staff and workers has referred to the employed persons in units and the data of 2000 have been adjusted accordingly.
b) Figures in value terms on gross output value of agriculture and industry are calculated at current prices, whereas their growth rates are calculated at comparable prices.
c) The industrial indicators from 2000 to 2004 (excluding the gross output value of industry) cover the industrial enterprises above designated size (i. e. all state-owned industrial enterprises and non-state-owned industrial enterprises with an annual sales revenue over 5 million yuan). In 1995 and prior to it, the gross output value of industry above designated size referred to the industry at the town level and over.
d) Figures of output of grain have been obtained from sample surveys since 2000.
e) Figures of government revenue are calculated according to new approach of tax reform since 1994 (excluding the return part from the central government).
f) Since 2000, the total business volumes of postal and telecommunication services have been calculated at 2000 constant prices, whereas the figures before 1995 were calculated at 1990 constant prices.
g) Before 1986, the figures of secondary schools excluded those of specialized secondary schools for adults.

2-3 国民经济和社会发展结构指标
STRUCTURAL INDICATORS ON NATIONAL ECONOMIC AND SOCIAL DEVELOPMENT

单位:%　　　　(%)

指　　标	Item	1995	2000	2003	2004
人口与就业	**Population and Employment**				
人口	**Population**				
城乡结构	Urban and Rural Structure				
非农业	Non-agriculture	30.0	31.2	47.7	48.7
农　业	Agriculture	70.0	68.8	51.8	50.9
性别结构	Sexual Structure				
男	Male	51.6	51.6	51.7	51.6
女	Female	48.4	48.4	48.3	48.4
就业	**Employment**				
产业结构	Industrial Structure				
第一产业	Primary Industry	41.5	39.9	36.8	34.7
第二产业	Secondary Industry	33.8	28.0	35.4	36.9
第三产业	Tertiary Industry	24.7	32.1	27.8	28.4
按登记注册类型分组	**Grouped by Status of Registration**				
国有单位	State-owned Units		11.8	8.6	8.0
集体单位	Collective-owned Units		59.4	45.3	43.3
股份合作单位	Cooperative Units		0.3	0.5	0.5
联营单位	Joint Ownership Units		0.2	0.4	0.3
有限责任公司	Limited Liability Corporations		1.0	3.3	3.7
股份有限公司	Shareholding Corporations Ltd.		0.7	1.0	1.1
外商投资单位	Foreign Funded Units		1.1	3.0	3.4
港澳台投资单位	Units with Funds from Hong Kong, Macao and Taiwan		2.6	9.6	10.6
私营企业	Private Enterprises		5.5	12.1	12.9
个体经济	Individuals		7.7	12.2	13.0
宏观经济	**Macroeconomy**				
国民核算	**National Accounting**				
地区生产总值产业结构	Industrial Structure				
第一产业	Primary Industry	15.1	10.3	8.0	7.8
第二产业	Secondary Industry	50.2	50.4	53.6	55.4
第三产业	Tertiary Industry	34.7	39.3	38.4	36.8
国内支出结构	Domestic Expenditure Structure				
最终消费	Final Consumption	55.6	55.2	55.5	54.7
居民消费	Household Consumption	45.1	38.8	36.0	37.0
农　村	Rural Households	19.9	15.2	10.4	8.8
城　镇	Urban Households	25.2	23.6	25.6	28.1
政府消费	Government Consumption	10.5	16.4	19.6	17.7
资本形成总额	Gross Capital Formation	41.5	36.1	38.6	39.7
固定资产形成总额	Gross Fixed Capital Formation	35.9	32.9	36.2	37.0
存货增加	Changes in Inventories	5.6	3.2	2.4	2.7
净出口	Net Export	2.8	11.9	5.9	5.6
投　资	**Investment**				
经济类型结构	Structure by Ownership				
国有单位	State-owned Units	48.2	39.8	29.6	30.4
集体单位	Collective-owned Units	15.6	13.9	8.0	7.0
联营经济单位	Joint Ownership	0.7	0.3	0.5	0.5
股份制经济单位	Shareholding Units	4.7	15.0	18.6	18.5
外商投资经济单位	Foreign Funded Units	11.0	4.4	7.8	8.1
港澳台商投资经济单位	Units with Funds from Hong Kong, Macao and Taiwan	8.5	12.9	15.8	16.0
其他经济单位	Other Economic Units	0.5	0.7	0.9	0.8
个体	Individuals	10.7	13.0	18.8	18.8
资金来源结构	Structure of Sources of Funds				

2-3 续表1 continued

单位:% (%)

指标	Item	1995	2000	2003	2004
国家预算内资金	State Budgetary Appropriation	1.1	1.7	1.6	1.1
国内贷款	Domestic Loans	15.0	17.2	17.0	16.8
利用外资	Foreign Investment	18.5	10.5	10.1	9.8
自筹投资	Fund Raising	37.5	42.9	46.8	49.2
其他投资	Others	27.9	27.7	24.5	23.2
利用外资	**Utilization of Foreign Capital**				
对外借款	Loans from Abroad	15.2	4.8	5.8	
外商直接投资	Direct Investment by Foreign Entrepreneurs	84.1	84.0	82.2	77.6
外商其他投资	Other Investment by Foreign Entrepreneurs	0.7	11.2	12.0	22.4
能源生产与消费	**Production and Consumption of Energy**				
能源生产总量结构	Structure of Total Energy Production				
原　煤	Coal	29.1	8.0	12.0	15.1
原　油	Petroleum Crude Oil	35.5	53.6	44.6	43.6
电　力	Electricity	34.9	27.1	35.3	30.5
天然气	Natural Gas	0.5	11.3	8.1	10.8
一次能源消费总量结构	Structure of Total Primary Energy Consumption				
原　煤	Coal	56.4	52.2	53.5	51.6
原　油	Petroleum Crude Oil	28.5	35.0	28.6	28.7
电　力	Electricity	14.9	12.6	17.7	19.5
天然气	Natural Gas	0.2	0.2	0.2	0.2
产业经济	**Industry Economy**				
农　业	**Agriculture**				
农林牧渔业产值结构	Structure of Gross Output Value				
农　业	Farming	53.8	47.5	44.6	44.6
林　业	Forestry	3.2	3.5	2.9	2.9
牧　业	Animal Husbandry	24.2	26.5	25.3	26.5
渔　业	Fishery	18.8	22.5	22.7	21.6
农林牧渔服务业	Services for Farming, Forestry, Animal Husbandry and Fishery			4.5	4.4
工　业	**Industry**				
国有及年销售收入500万元以上非国有工业产值结构	Structure of Gross Industrial Output Value of State-owned Enterprises and Non-state-owned Enterprises with Annual Sales Revenue over 5 Million yuan				
按轻重工业分	Grouped by Light and Heavy Industry				
轻工业	Light Industry	57.7	52.9	47.7	44.5
重工业	Heavy Industry	42.3	47.1	52.3	55.5
按经济类型分	Grouped by Ownership				
国有工业	State-owned Industry	19.1	7.1	4.2	4.2
集体工业	Collective-owned Industry	21.7	9.5	3.9	3.3
有限责任公司	Cooperative Industry			7.4	8.0
私营公司	Shareholding Industry			10.6	11.3
港澳台商投资工业	Industry with Funds from Hong Kong, Macao and Taiwan	34.6	36.4	35.8	38.4
外商投资工业	Foreign Funded Industry	16.3	23.1	27.8	25.9
按企业规模分	Grouped by Size of Enterprises				
大型企业	Large		36.6	35.5	29.5
中型企业	Medium-sized		11.3	34.8	36.3
小型企业	Small		52.1	29.6	34.2
建筑业	**Construction**				
建筑施工企业产值结构	Structure of Gross Output Value of Construction Enterprises				
国有企业	State-owned Enterprises	46.7	38.8	27.5	
城镇集体企业	Urban Collective-owned Enterprises	48.2	33.3	16.6	
股份合作企业	Cooperative Enterprises		0.8	0.7	
联营企业	Joint Ownership Enterprises		1.2	0.9	

2-3 **续表2** continued

单位:% (%)

指 标	Item	1995	2000	2003	2004
有限责任公司	Limited Liability Corporations		13.9	28.3	
股份制施工公司	Shareholding Limited Companies		5.2	8.1	
私营企业	Private enterprises		4.4	15.9	
港澳台投资企业	Enterprises with Funds from Hong Kong, Macao and Taiwan		1.6	1.6	
外商投资企业	Foreign Funded enterprises		0.8	0.4	
其他	Others				
运输业	**Transportation**				
货运量结构	Structure of Freight Traffic				
铁 路	Railways	6.9	12.7	10.7	12.5
公 路	Highways	62.0	63.2	67.9	65.9
水 运	Waterways	29.7	21.6	19.0	19.1
民用航空	Civil Aviation	…	…	…	…
管道输油（气）	Pipelines	1.4	2.5	2.3	2.5
客运量结构	Structure of Passenger Traffic				
铁路	Railways	4.8	7.4	6.8	7.5
公路	Highways	90.4	90.4	91.2	90.4
水运	Waterways	3.9	1.4	1.2	0.9
民用航空	Civil Aviation	0.9	0.8	0.9	1.2
国内商业	**Domestic Trade**				
社会消费品零售总额结构	Structure of Total Retail Sales of Consumer Goods				
城镇	Urban Areas	71.3	71.4	71.1	71.9
农村	Rural Areas	28.7	28.6	28.9	28.1
对外经济贸易和国际旅游	**Foreign Trade and International Tourism**				
出口商品结构	Structure of Exports				
初级产品	Primary Goods	6.6	3.7	2.6	2.6
工业制成品	Manufactured Goods	93.4	96.3	97.4	97.5
进口商品结构	Structure of Imports				
初级产品	Primary Goods	7.5	12.0	10.7	11.2
工业制成品	Manufactured Goods	92.5	88.0	89.3	88.8
国际游客出入境人数结构	Structure of Tourists from Abroad				
外国人	Foreigners	4.6	4.2	4.0	4.7
港澳同胞	Compatriots from Hong Kong and Macao	92.9	92.9	94.0	93.2
台湾同胞	Compatriots from Taiwan	2.3	2.8	2.0	2.1
教育、文化	**Education and Culture**				
教育	**Education**				
在校学生结构	Structure of Enrolled Students				
大学生	Colleges and Universities	1.2	2.0	3.6	4.3
中学生	Secondary Schools	30.3	35.3	33.5	34.1
小学生	Primary Schools	68.5	62.7	62.9	61.6

2-3 续表3 continued

单位:% (%)

指 标	Item	1995	2000	2003	2004
专任教师结构	Structure of Full-time Teachers				
大 学	Colleges and Universities	3. 2	3. 3	5. 7	6. 4
中 学	Secondary Schools	34. 2	37. 3	38. 7	39. 5
小 学	Primary Schools	62. 6	59. 4	55. 5	54. 1
文化	**Culture**				
文化事业机构人员结构	Structure of Persons Engaged in Cultural Activities				
艺术事业	Arts	42. 9	24. 3	25. 5	33. 4
图书馆事业	Library	11. 3	7. 0	9. 3	12. 3
群众文化事业	Mass Culture	32. 0	24. 5	27. 4	34. 6
教育事业	Education	3. 1	2. 2	2. 4	3. 3
其他文化事业	Other Cultural Activities	10. 7	41. 1	35. 4	16. 5
生活、卫生、环境	**People's Livelihood, Health Care and Environment**				
生 活	**People's Livelihood**				
城镇居民消费结构	Consumption Structure of Urban Residents				
食品类	Food	48. 0	38. 6	37. 2	37. 0
衣着类	Clothing	6. 7	4. 6	5. 8	5. 8
用品及其他	Articles for Daily Use and Others	34. 7	43. 0	44. 6	46. 0
居住	Residence	10. 6	13. 8	12. 4	11. 3
农村居民消费结构	Consumption Structure of Rural Residents				
食品类	Food	54. 5	49. 8	47. 9	48. 8
衣着类	Clothing	4. 0	3. 9	4. 0	3. 6
用品及其他	Articles for Daily Use and Others	26. 2	32. 3	32. 1	32. 3
居住	Residence	15. 3	14. 0	16. 0	15. 3
卫生	**Health Care**				
医生结构	Doctors by Type				
中医	Doctors of Traditional Chinese Medicine	22. 1	18. 5	11. 6	13. 7
西医师	Doctors of Western Medicine	57. 6	62. 1	88. 4	86. 3
西医士	Paramedics of Western Medicine	20. 3	19. 4		
医院床位结构	Hospital Beds				
县及以上医院	Hospitals at and above County Level	70. 8	71. 4		
环境、灾害	**Environment and Disaster**				
企事业单位污染治理资金结构	Structure of Funds Used for Pollution Treatment by Enterprises and Institutions				
国家预算内资金	Government Budgetary Funds	27. 8	0. 1		
综合利用利润留成	Profits Obtained from Comprehensive Utilization of Waste Water, Waste Gas and Solid Wastes	2. 3	4. 7		
环境保护补助	Subsidies for Environmental Protection	0. 8	3. 3	1. 2	1. 4
其他资金	Other Funds	68. 2	90. 7	71. 0	98. 5
火灾事故损失额结构	Structure of Fire Losses Converted into Cash				
特大	Extraordinarily Serious Fires	4. 6	6. 7	5. 8	30. 0
重大	Serious Fires	37. 8	30. 4	19. 4	16. 2
一般	Ordinary Fires	7. 6	62. 9	74. 8	53. 8
交通事故损失额结构	Structure of Losses of Traffic Accidents Converted into Cash				
特大	Extraordinarily Serious Accidents	9. 4	7. 6	9. 8	3. 5
重大	Serious Accidents	19. 6	19. 6	21. 4	23. 1
一般	Ordinary Accidents	71. 0	72. 8	68. 8	73. 4

注：由于数据计算进位的原因，部分结构总和不等于100。
Note: Owing to the rounding-off of figures, some totals in this table are not equal to 100.

2-4 改革开放前后国民经济和社会发展主要指标和增长速度

CHANGES OF MAIN INDICATORS AND GROWTH RATES ON NATIONAL ECONOMIC AND SOCIAL DEVELOPMENT ROUND REFORM AND OPENING-UP

指　　标	Item	1952	1978	2003	2004	年均增长速度 Average Annual Growth Rate	
						1953－1978	1979－2004
人口与就业	**Population and Employment**						
人　口　（万人）	**Population (10000 persons)**						
年底户籍总人口	Year-end Population	2910.45	5064.15	7954.22	7804.75	2.2	1.7
非农业人口	Non-agricultural Population	512.93	823.23	3681.93	3797.92	1.8	6.1
农业人口	Agricultural Population	2397.52	4240.92	3992.53	3973.52	2.2	-0.3
就　业　（万人）	**Employment (10000 persons)**						
年底从业人员数	Year-end Employed Persons	1271.21	2275.95	4395.93	4681.89	2.3	2.8
职工人数	Staff and Workers	51.41	515.85	815.41	859.48	9.3	2.0
宏观经济（当年价）（亿元）	**Macroeconomic Indicator (at current prices) (100 million yuan)**						
地区生产总值	Gross Domestic Product	29.52	185.85	13625.87	16039.46	5.2	13.4
第一产业	Primary Industry	14.39	55.31	1093.52	1245.42	2.5	5.7
第二产业	Secondary Industry	6.70	86.62	7307.08	8890.29	10.4	16.5
第三产业	Tertiary Industry	8.43	43.92	5225.27	5903.75	4.3	14.0
人均地区生产总值（元）	Per Capital GDP (yuan)	101	369	17213	19707	3.0	11.4
最终消费　（亿元）	Final Consumption (100 million yuan)		125.71	7566.13	8774.75		
居民消费	Household Consumption		107.15	4900.01	5930.47		
政府消费	Government Consumption		18.56	2666.12	2844.28		
固定资产投资　（亿元）	**Investment in Fixed Assets (100 million yuan)**						
固定资产投资额	Total Investment	0.93	27.23	5030.57	6025.53	13.9	23.1
基本建设	Capital Construction	0.93	17.85	1893.58	2485.72	12.0	20.9
更新改造	Innovation		2.19	658.94	748.14		25.2
财　政　（亿元）	**Finance (100 million yuan)**						
财政收入	Government Revenue	7.15	39.46	1315.52	1418.51	6.8	14.8
财政支出	Government Expenditures	3.32	27.03	1695.63	1852.95	8.4	17.7
农　业	**Agriculture**						
农业总产值　（亿元）	Gross Output Value of Agriculture (100 million yuan)	19.35	85.94	1908.66	2154.79	3.5	6.0
主要农产品产量（万吨）	Output of Major Farm Products (10000 tons)						
粮　食	Grain	797.40	1509.51	1488.00	1390.00	2.5	-0.3
油　料	Oil-bearing Crops	13.68	36.04	81.93	77.51	3.8	3.0
茶　叶	Tea	0.20	0.90	4.14	4.01	6.0	5.9
水　果	Fruits	16.50	29.40	718.59	787.9	2.2	13.5
肉　类	Meat		48.45	358.50	365.32		8.1
水产品	Aquatic Products	30.13	65.50	648.5	671.4	3.0	9.4
工　业	**Industry**						
工业总产值　（亿元）	Gross Industrial Output Value (100 million yuan)	15.70	206.56	27375.56		10.6	
主要工业产品产量	Output of Major Industrial Products						
布　（亿米）	Cloth (100 million meters)	0.76	2.27	17.29	21.5		9.0
机制纸及纸板（万吨）	Machine-made Paper and Paper Board (10000 tons)	1.10	27.47	542.69	597.7		12.6
家用电冰箱　（万台）	Household Refrigerators (10000 sets)			533.38	850.9		
家用洗衣机　（万台）	Household Washing Machines (10000 sets)			178.86	184.00		
彩色电视机　（万台）	Color Television Sets (10000 sets)			3149.15	3626.10		
照相机　（万架）	Camera (10000 sets)			3719.15	3723.1		
原煤　（万吨）	Coal (10000 tons)	18.88	1046.96	202.34	219.4		-5.8
发电量　（亿千瓦时）	Electricity (100 million kwh)	1.22	92.32	1783.8	2022.5		12.6

2-4 续表 continued

指标	Item	1952	1978	2003	2004	年均增长速度 Average Annual Growth Rate 1953－1978	1979－2004
钢（万吨）	Steel (10000 tons)	0.03	35.84	595.89	717.48		12.2
成品钢材（万吨）	Steel Products (10000 tons)	0.08	43.67	788.69	1141.68		13.4
水泥（万吨）	Cement (10000 tons)	15.09	369.08	6872.67	7785.20		12.4
交通、邮电通信业	**Transport, Postal and Telecommunication Services**						
货运量（万吨）	Freight Traffic (10000 tons)	865	15204	143964	156094	11.7	9.4
客运量（万人）	Passenger Traffic (10000 persons)	2229	15906	191202	202414	7.9	10.3
邮电业务总量（亿元）	Total Business Volume of Postal and Telecommunication Services (100 million yuan)	0.35	1.59	1202.52	1781.78	6.0	31.0
沿海主要港口货物吞吐量（万吨）	Volume of Freight Handled in Major Coastal Ports (10000 tons)	358	2786	30727	38302	8.2	10.6
电话机（万部）	Number of Telephone Sets (1000 units)		17.50	10727.03			
国内商业	**Domestic Trade**						
社会消费品零售额（亿元）	Total Retail Sales of Consumer Goods (100 million yuan)	18.87	79.86	5606.02	6370.42	5.7	18.3
对外经济贸易	**Foreign Trade**						
海关进出口额（亿美元）	Total Exports and Imports (USD 100 million)			2835.22	3571.29		
进口额	Imports			1306.74	1655.6		
出口额	Exports			1528.48	1915.69		
人民生活	**People's Livelihood**						
居民人均消费水平（元）	Per Capita Consumption (yuan)		213	6190	7286		9.0
农村	Rural Areas		164	3086	3374		7.4
城镇	Urban Areas		447	10471	11447		7.1
城乡居民储蓄存款余额（亿元）	Savings Deposits by Urban and Rural Residents (100 million yuan)		17.56	14061.77	16193.36		30.0
职工工资总额（亿元）	Total Wages of Staff and Workers (100 million yuan)	1.84	30.59	1515.58	1771.05	11.4	16.9
职工平均工资（元）	Average Wage of Staff and Workers (yuan)	387	615	19986	22116	1.8	14.8
卫生	**Health Care**						
医院、卫生院（个）	Number of Hospitals (unit)	183	1968	2410	2391	9.6	0.8
医生（万人）	Number of Doctors (10000 persons)	1.62	4.79	10.87	11.33	4.3	3.4
医院、卫生院床位数（万张）	Number of Hospital Beds (10000 units)	1.25	8.41	17.30	18.31	7.6	3.0
教育、文化	**Education and Culture**						
专任教师数（万人）	Full-time Teachers (10000 persons)						
普通高等学校	Institutions of Higher Education	0.13	0.90	4.02	4.69	7.7	6.6
中等学校	Secondary Schools	0.99	15.93	31.41	33.23	11.3	2.9
小学	Primary Schools	9.61	26.09	38.92	39.65	3.9	1.6
在校学生数（万人）	Enrolled Students (10000 persons)						
普通高等学校	Institutions of Higher Education	1.00	3.07	58.78	72.69	4.4	12.9
中等学校	Secondary Schools	24.10	316.96	632.89	674.51	10.4	2.9
小学	Primary Schools	300.00	743.02	1025.37	1049.62	3.5	1.3
出版数量	**Publications**						
图书（亿册）	Number of Books Published (100 million copies)		1.72	2.64	2.57		1.6
杂志（万册）	Number of Magazines Issued (10000 copies)		1519	22768	20640		10.6
报纸（亿份）	Number of Newspapers Issued (100 million copies)		3.19	42.48	43.88		10.6

注：工、农业总产值绝对数按当年价格计算，增长速度按可比价格计算。
Note: Figures in value terms on gross output value of industry and agriculture are calculated at current prices, whereas growth rates are calculated at comparable prices.

2-5 国民经济主要指标分月变化情况

（2004 年，累计绝对数）

指标		Item		1 Jan.
地区生产总值（现价）	（亿元）	Gross Domestic Growth (at current prices)	(100 million yuan)	
第一产业	（亿元）	Primary Industry	(100 million yuan)	
第二产业	（亿元）	Secondary Industry	(100 million yuan)	
第三产业	（亿元）	Tertiary Industry	(100 million yuan)	
工业总产值（现价）	（亿元）	Gross Industrial Output Value (at current prices)	(100 million yuan)	1631. 33
工业销售产值（现价）	（亿元）	Gross Industrial Sales Value (at current prices)	(100 million yuan)	1608. 08
# 出口产品交货值	（亿元）	Of which: Delivery Value for Exports	(100 million yuan)	650. 23
工业增加值	（亿元）	Value-added of Industry	(100 million yuan)	432. 53
轻工业	（亿元）	Light Industry	(100 million yuan)	190. 32
重工业	（亿元）	Heavy Industry	(100 million yuan)	242. 21
# 集体企业	（亿元）	Of which: Collective-owned Enterprises	(100 million yuan)	16. 00
股份合作企业	（亿元）	Cooperative Enterprises	(100 million yuan)	3. 23
股份制企业	（亿元）	Shareholding Enterprises	(100 million yuan)	94. 61
外商及港澳台投资企业	（亿元）	Foreign Funded Enterprises and Enterprises with Funds from Hong Kong, Macao and Taiwan	(100 million yuan)	262. 56
# 国有及国有控股企业	（亿元）	Of which: State-owned and State-holding Enterprises	(100 million yuan)	109. 39
# 大中型企业	（亿元）	Of which: Large and Medium-sized Industrial Enterprises	(100 million yuan)	308. 66
全社会固定资产投资额	（亿元）	Investment in Fixed Assets	(100 million yuan)	
# 基本建设投资		Of which: Capital Construction		
更新改造投资		Innovation		
房地产开发投资		Real Estate Development		
地方财政一般预算收入	（亿元）	Local Government Budgetary Revenue	(100 million yuan)	122. 84
# 税收收入	（亿元）	Tax Revenue	(100 million yuan)	110. 17
地方财政一般预算支出	（亿元）	Government Expenditures	(100 million yuan)	109. 07
金融机构（含外资）本外币存款余额	（亿元）	Deposits in Renminbi and Foreign Currencies in All Financial Institutions	(100 million yuan)	29518. 89
金融机构（含外资）本外币贷款余额	（亿元）	Loans in Renminbi and Foreign Currencies in All Financial Institutions	(100 million yuan)	20416. 60
金融机构（不含外资）人民币存款余额	（亿元）	Deposits of Financial Institutions in RMB yuan (excluding foreign funded financial institutions)	(100 million yuan)	27018. 08
金融机构（不含外资）人民币贷款余额	（亿元）	Loans of Financial Institutions in RMB yuan (excluding foreign funded financial institutions)	(100 million yuan)	18456. 14
城乡居民储蓄存款余额	（亿元）	Savings Deposits by Urban and Rural Residents	(100 million yuan)	14467. 54
城镇居民人均可支配收入	（元）	Per Capita Disposable Income of Urban Households	(yuan)	1512. 34
外贸进出口总额	（亿美元）	Total Imports and Exports	(USD 100 million)	203. 30
外贸出口总额（海关口径）	（亿美元）	Total Exports (customs statistics)	(USD 100 million)	103. 30
# 一般贸易	（亿美元）	Of which: General Trade	(USD 100 million)	23. 80
来料加工	（亿美元）	Processing and Assembling with Customers´Materials	(USD 100 million)	24. 20
进料加工	（亿美元）	Processing and Assembling with Import Materials	(USD 100 million)	51. 60
外贸进口总额（海关口径）	（亿美元）	Total Imports (customs statistics)	(USD 100 million)	100. 00
实际利用外资	（亿美元）	Foreign Capital Actually Utilized	(USD 100 million)	
# 外商直接投资	（亿美元）	Foreign Direct Investment	(USD 100 million)	
货运量	（万吨）	Freight Traffic	(10000 tons)	11317. 18
客运量	（万人）	Passengers Traffic	(10000 persons)	19632. 85
港口货物吞吐量	（万吨）	Volume of Freight handled in Coastal	(10000 tons)	3908. 00
发电量	（亿千瓦时）	Electricity	(100 million kwh)	136. 93
社会消费品零售总额	（亿元）	Total Retail Sales of Consumer Goods	(100 million yuan)	554. 94
居民消费价格总指数	（%）	General Consumer Price Index	(%)	102. 0
综合经济效益指数	（%）	Overall Economic Efficiency Index	(%)	
产品销售收入	（亿元）	Total Pre-tax Profits	(100 million yuan)	
应收帐款净额	（亿元）	Net Amount of Accounts Receivable	(100 million yuan)	
产成品存货	（亿元）	Inventory of Manufactured Products	(100 million yuan)	
利润总额	（亿元）	Total Profits	(100 million yuan)	
税金总额	（亿元）	Total Taxes	(100 million yuan)	

注：1. 工业统计范围为全部国有工业及销售收入在 500 万元以上的非国有工业。
2. 1－12 月累计数不等于年报数。
3. 金融机构存、贷款余额及城乡居民储蓄存款余额“累计”栏均为月末数。

CHANGES OF MAIN ECONOMIC INDICATORS BY MONTH

（2004，accumulative figures in value terms）

月份 Month										
1-2 Jan. -Feb.	1-3 Jan. -Mar.	1-4 Jan. -Apr.	1-5 Jan. -May	1-6 Jan. -Jun.	1-7 Jan. -Jul.	1-8 Jan. -Aug.	1-9 Jan. -Sep.	1-10 Jan. -Oct.	1-11 Jan. -Nov.	1-12 Jan. -Dec.
	3179.76			6959.67			11130.02			16039.46
	142.92			369.16			749.60			1245.42
	1687.16			3924.24			6278.69			8890.29
	1349.68			2666.27			4101.73			5903.75
3520.73	5442.76	7512.60	9640.93	11877.70	14117.84	16397.73	18845.07	21337.84	23842.46	26720.87
3454.86	5297.76	7285.42	9364.14	11537.17	13757.32	16018.47	18504.38	20736.45	23160.43	26074.85
1440.88	2257.40	3115.48	4018.83	4955.54	5932.00	6931.15	8028.01	9170.67	10305.56	11564.06
937.87	1456.85	2001.26	2573.09	3163.59	3758.51	4362.50	5024.98	5685.60	6342.52	7086.36
420.80	637.38	875.46	1127.04	1377.75	1631.68	1887.60	2164.20	2439.60	2711.37	3025.90
517.07	819.47	1125.80	1446.05	1785.84	2126.82	2474.90	2860.78	3246.00	3631.16	4060.47
32.80	49.48	67.70	86.59	106.65	125.91	145.22	165.16	185.91	206.77	223.96
5.95	10.13	14.61	18.83	23.13	27.31	31.28	35.25	38.77	42.51	49.40
204.53	335.39	465.20	596.18	732.66	872.86	1012.26	1159.27	1299.90	1440.39	1629.39
570.14	863.13	1191.97	1530.80	1890.63	2246.63	2614.69	3014.02	3421.30	3830.77	4283.32
236.90	367.86	505.52	641.27	781.78	920.86	1059.12	1210.15	1359.20	1506.15	1666.33
684.10	982.93	1356.12	1733.41	2128.77	2525.30	2928.00	3364.72	3808.46	4249.84	4720.57
	965.01			2308.95			3819.38		4955.91	5983.27
225.56	381.52	553.22	733.57	953.32	1125.19	1333.68	1577.30	1765.66	2040.32	2434.90
38.23	80.43	139.56	184.82	244.07	292.49	367.51	432.64	516.29	591.59	759.42
136.36	252.35	335.52	450.83	557.11	661.08	768.11	885.60	1038.01	1165.84	1355.84
226.90	338.22	486.43	590.18	708.96	841.33	941.42	1045.59	1175.62	1283.65	1416.87
198.39	292.41	421.52	508.11	602.65	718.20	803.47	889.95	1003.19	1094.04	1190.47
187.67	303.06	448.82	559.93	735.97	867.88	982.90	1150.36	1256.76	1446.86	1852.59
29916.26	30524.94	30833.05	31170.56	31638.29	31519.05	31687.18	31986.74	32235.98	32715.35	33213.49
20681.48	21094.55	21367.29	21453.44	20994.91	20987.72	21040.66	21177.89	21154.87	21305.58	21916.77
27422.59	28011.17	28327.12	28624.13	29079.78	28985.93	29107.96	29417.04	29652.56	30223.73	30723.55
18661.34	18984.04	19202.82	19215.51	18839.87	18836.47	18893.84	19004.36	18983.46	19100.71	19491.77
14705.96	14892.22	15050.08	15157.83	15284.13	15374.48	15394.26	15575.50	15742.50	15981.46	16193.36
3150.97	4185.93	5184.31	6229.77	7263.22	8295.87	9353.51	10416.76	11518.95	12536.16	13627.65
439.10	727.40	1020.40	1298.20	1592.90	1897.30	2208.60	2537.20	2846.20	3190.70	3571.30
222.30	372.70	524.30	672.60	828.70	987.30	1159.80	1335.80	1502.30	1694.60	1915.60
43.40	74.50	106.10	136.90	169.00	200.60	233.80	266.90	16.00	336.73	379.62
49.20	78.70	109.60	140.50	172.80	205.30	240.90	276.50	2.20	349.44	390.90
120.80	204.10	286.90	368.00	453.40	540.70	637.30	736.20	11.00	938.75	1065.27
216.80	354.70	496.10	625.60	764.20	910.00	1048.80	1201.40	1343.90	1496.10	1655.70
		51.00		81.82	94.13		130.45			
		24.76		46.15	53.58		76.88			100.12
24368.03	41083.28	55525.41	68926.53	83010.71	95056.51	107580.77	120499.67	133172.86	147502.14	161346.44
37765.83	54346.96	69615.98	76957.19	101508.33	120348.31	139487.68	157487.30	176070.46	190157.12	207400.37
7726.00	11889.00	16280.00	20551.00	24729.00	28966.00	33608.00	38723.00	43906.00	49059.00	53964.00
285.96	453.78	629.66	790.06	959.12	1139.31	1323.87	1501.67	1674.99	1844.33	2022.53
1084.06	1571.68	2044.15	2542.24	3031.32	3528.96	4042.62	4603.21	5189.74	5764.30	6370.42
101.5	101.7	102.0	102.3	102.4	102.6	102.8	103.0	103.0	103.0	103.0
145.0	146.3	148.8	150.1	151.3	152.2	152.4	153.7	155.1	154.6	
3399.59	5335.52	7434.13	9525.82	11787.37	14062.01	16384.82	18827.12	21324.73	23859.67	
2727.92	2883.72	3029.61	3655.62	3212.95	3295.84	3427.09	3565.22	3789.29	3838.63	
1251.83	1271.29	1354.63	1399.80	1419.38	1448.47	1499.36	1537.69	1549.39	1570.83	
181.79	251.68	362.04	468.25	562.98	677.25	788.62	917.35	1057.42	1158.41	
120.86	172.63	229.99	294.96	364.86	430.86	498.51	569.11	640.35	709.40	

Notes：a) Gross industrial output value includes all state-owned enterprises and non-state-owned enterprises with an annual sales revenue over 5 million yuan.

b) The accumulative figures from January to December are not equal to the figures in annual report.

c) The "accumulative" columns of savings deposits and loans of financial institutions and savings deposits by urban and rural residents refer to the figures at month end.

2-6 国民经济主要指标分月变化情况

（2004 年，比上年同期增长%）

指　　标	Item	1 Jan.
地区生产总值	Gross Domestic Growth	
第一产业	Primary Industry	
第二产业	Secondary Industry	
第三产业	Tertiary Industry	
工业总产值	Gross Industrial Output Value (at current prices)	12.4
工业销售产值	Gross Industrial Sales Value (at current prices)	13.5
# 出口产品交货值	Of which: Delivery Value for Exports	11.8
工业增加值	Value-added of Industry	13.7
轻工业	Light Industry	15.4
重工业	Heavy Industry	7.9
# 集体企业	Of which: Collective-owned Enterprises	1.9
股份合作企业	Cooperative Enterprises	-6.6
股份制企业	Shareholding Enterprises	11.8
外商及港澳台投资企业	Foreign Funded Enterprises and Enterprises with Funds from Hong Kong, Macao and Taiwan	13.5
# 国有及国有控股企业	Of which: State-owned and State-holding Enterprises	20.1
# 大中型企业	Of which: Large and Medium-sized Industrial Enterprises	16.6
全社会固定资产投资额	Investment in Fixed Assets	
基本建设投资	Of which: Capital Construction	
更新改造投资	Innovation	
房地产开发投资	Real Estate Development	
地方财政一般预算收入	Local Government Budgetary Revenue	5.7
# 税收收入	Tax Revenue	6.0
地方财政一般预算收入	Government Expenditures	-5.5
金融机构(含外资)本外币存款余额	Deposits in Renminbi and Foreign Currencies in All Financial Institutions	-109.96
金融机构(含外资)本外币贷款余额	Loans in Renminbi and Foreign Currencies in All Financial Institutions	+283.96
金融机构(不含外资)人民币存款余额	Deposits of Financial Institutions in RMB yuan (excluding foreign funded financial institutions)	-293.40
金融机构(不含外资)人民币贷款余额	Loans of Financial Institutions in RMB yuan (excluding foreign funded financial institutions)	+251.29
城乡居民储蓄存款余额	Savings Deposits by Urban and Rural Residents	+405.76
城镇居民人均可支配收入	Per Capita Disposable Income of Urban Households	35.3
外贸进出口总额		-3.6
外贸出口总额（海关口径）	Total Exports (customs statistics)	-6.6
# 一般贸易	General Trade	11.2
来料加工	Processing and Assembling with Customers´Materials	-11.4
进料加工	Processing and Assembling with Import Materials	-11.4
外贸进口总额（海关口径）	Total Imports (customs statistics)	-0.2
实际利用外资	Foreign Capital Actually Utilized	
# 外商直接投资	Foreign Direct Investment	
货运量	Freight Traffic	-4.0
客运量	Passengers Traffic	16.9
港口货物吞吐量	Volume of Freight handled in Coastal	16.1
发电量	Electricity	13.5
社会消费品零售总额	Total Retail Sales of Consumer Goods	13.6
居民消费价格总指数	General Consumer Price Index	2.0
综合经济效益指数	Overall Economic Efficiency Index	
产品销售收入	Total Pre-tax Profits	
应收帐款净额	Net Amount of Accounts Receivable	
产成品存货	Inventory of Manufactured Products	
利润总额	Total Profits	
税金总额	Total Taxes	

注：金融机构存、贷款余额及城乡居民储蓄存款余额“比上年同期增长”栏为比上年末增长的绝对数。

CHANGES OF MAIN ECONOMIC INDICATORS BY MONTH

(2004, compare with same period in preceding year %)

月份 Month

1-2 Jan. -Feb.	1-3 Jan. -Mar.	1-4 Jan. -Apr.	1-5 Jan. -May	1-6 Jan. -Jun.	1-7 Jan. -Jul.	1-8 Jan. -Aug.	1-9 Jan. -Sep.	1-10 Jan. -Oct.	1-11 Jan. -Nov.	1-12 Jan. -Dec.
	15.0			15.1			14.8			14.2
	1.3			4.1			5.0			4.2
	19.1			19.0			19.4			18.4
	11.8			11.2			10.1			10.4
20.8	22.6	23.1	23.4	23.3	23.7	23.4	23.4	23.0	22.5	22.8
21.5	23.7	24.0	24.5	24.7	25.3	24.9	25.2	24.8	24.6	25.4
19.7	24.7	24.7	25.2	24.9	25.5	24.8	24.5	25.5	25.7	26.3
20.7	23.1	23.4	23.4	23.1	23.4	23.0	23.3	22.8	22.2	22.4
21.9	18.1	18.5	18.7	18.8	19.4	21.6	20.1	19.6	19.0	19.0
17.9	24.8	25.2	25.5	25.2	25.3	24.1	24.8	23.2	22.6	23.1
10.3	12.4	11.5	10.4	10.2	9.7	9.6	9.4	9.0	8.5	9.9
-9.6	10.1	11.6	10.9	10.8	13.0	12.8	10.3	7.0	5.7	7.0
25.9	24.8	25.1	24.6	25.5	26.9	27.3	27.5	25.2	24.3	24.2
20.4	23.1	23.8	24.5	24.3	24.4	23.8	23.9	23.9	23.5	23.9
33.3	22.7	22.9	23.2	23.3	23.3	23.0	22.8	20.9	20.6	20.8
26.3	23.8	24.1	24.2	24.1	24.2	23.5	23.2	22.3	21.7	21.4
	40.2			25.9			25.0		24.5	19.9
74.0	63.2	61.4	46.4	39.7	36.9	38.7	40.1	35.1	35.6	28.2
-0.2	18.0	40.8	40.0	24.9	17.5	17.6	20.4	25.6	23.1	19.7
33.8	14.0	13.0	11.6	9.9	9.2	8.0	9.6	14.5	16.5	12.1
14.8	12.1	14.5	16.3	17.1	18.1	18.7	18.2	18.1	17.3	16.1
13.5	10.4	13.4	15.4	17.5	18.7	19.0	18.5	19.0	18.5	17.3
7.1	9.3	13.8	11.1	10.4	8.6	9.1	8.5	7.6	8.8	9.3
+287.41	+896.09	+1204.20	+1541.71	+2009.44	+1890.20	+2058.33	+2357.89	+2607.13	+3086.49	+3584.64
+547.40	+960.47	+1233.21	+1319.37	+860.83	+1587.06	+1640.00	+1777.23	+1754.20	+1904.91	+2516.10
+262.43	+851.01	+1166.96	+1463.97	+1919.64	+1825.78	+1947.80	+2256.88	+2492.40	+3063.58	+3563.40
+455.05	+777.76	+996.53	+1009.22	+633.59	+1221.15	+1278.51	+1389.03	+1368.14	+1485.38	+1876.45
+644.18	+830.44	+988.29	+1096.05	+1222.35	+1312.70	+1332.47	+1513.72	+1680.72	+1919.68	+2131.58
12.1	13.6	12.5	12.6	11.8	11.5	11.4	10.7	11.0	10.8	10.1
19.4	24.5	26.2	26.6	28	27.7	27.9	26.4	25.1	25.8	26
15.4	22.2	23.9	24.6	26.0	25.6	26.7	25.3	23.5	24.5	25.3
23.0	29.9	31.5	30.6	32.4	32.4	33.5	32.2	30.2	30.6	30.0
4.6	8.6	9.9	11.3	13.3	12.7	13.7	12.8	11.6	12.9	15.1
17.1	24.5	26.3	27.3	28.3	27.7	28.7	27.0	25.0	26.1	26.6
23.7	26.9	28.8	28.9	30.2	29.9	29.2	27.6	27.0	27.2	26.7
		34.8		44.7	37.3		36.5			
		-27.0		-14.3	-10.2		14.4			34.1
5.9	9.5	13.8	16.4	18.2	15.9	14.2	13.2	12.2	12.8	12.1
7.4	5.3	6.4	10.1	12.6	11.8	11.2	10.5	10.2	9.3	8.5
28.3	25.5	25.6	23.9	21.8	16.3	17.0	18.7	20.2	21.2	20.9
27.0	25.5	24.7	20.2	17.9	15.3	13.8	13.2	12.9	12.4	12.6
12.5	12.9	13.3	13.9	13.8	13.8	13.6	13.6	13.5	13.6	13.6
1.5	1.7	2.0	2.3	2.4	2.6	2.8	3.0	3.0	3.0	3.0
12.5	12.4	13.6	11.6	10.9	10.3	9.3	9.3	10.7	9.1	
17.3	25.3	25.6	25.9	26.4	26.2	25.6	25.4	25.1	25.3	
9.2	16.4	15.9	35.5	15.3	17.1	16.9	16.3	16.3	14.6	
12.4	15.5	18.4	17.7	17.1	17.1	19.4	21.5	21.1	22.1	
40.4	46.2	49.3	39.7	35.9	33.8	29.2	28.6	31.3	26.5	
24.1	25.5	23.7	21.7	20.6	20.6	19.6	20.9	21.0	20.9	

Note: The "compare with same period of preceding year" columns of savings deposits and loans of financial institutions and savings deposits by urban and rural residents refer to the figures in value terms increasing over the end of preceding year.

2-7 地区生产总值
GROSS DOMESTIC PRODUCT

单位：亿元　　　　(100 million yuan)

年份 Year	地区生产总值 Gross Domestic Product	第一产业 Primary Industry	第二产业 Secondary Industry	工业 Industry	建筑业 Construction	第三产业 Tertiary Industry	农林牧渔服务业 Services for Agriculture, Forestry, Animal Husbandry and Fishery	地质勘查水利管理业 Geological Prospecting and Water Conservancy	交通运输仓储邮电通信业 Transport, Storage, Postal and Telecommunication Services
1978	185. 85	55. 31	86. 62	76. 12	10. 49	43. 92	0. 16	0. 35	10. 05
1979	209. 34	66. 62	91. 65	82. 36	9. 29	51. 06	0. 22	0. 42	11. 26
1980	249. 65	82. 97	102. 53	89. 87	12. 66	64. 14	0. 26	0. 52	13. 72
1981	290. 36	94. 30	120. 34	103. 60	16. 74	75. 71	0. 32	0. 65	16. 71
1982	339. 92	118. 17	135. 37	113. 13	22. 24	86. 39	0. 40	0. 77	18. 34
1983	368. 75	121. 24	152. 27	125. 82	26. 45	95. 24	0. 47	0. 93	19. 47
1984	458. 74	145. 25	187. 55	154. 33	33. 22	125. 93	0. 63	1. 21	25. 68
1985	577. 38	171. 87	229. 82	185. 81	44. 01	175. 69	0. 90	1. 67	35. 91
1986	667. 53	188. 37	255. 88	208. 46	47. 42	223. 28	1. 16	2. 16	40. 18
1987	846. 69	232. 14	330. 35	273. 77	56. 58	284. 20	1. 53	2. 76	53. 20
1988	1155. 37	306. 50	460. 17	386. 35	73. 82	388. 70	2. 09	4. 29	65. 22
1989	1381. 39	351. 73	554. 13	464. 06	90. 07	475. 53	2. 95	5. 93	79. 02
1990	1559. 03	384. 59	615. 86	523. 42	92. 45	558. 58	4. 39	7. 65	101. 61
1991	1893. 30	416. 00	782. 67	675. 55	107. 12	694. 63	5. 14	8. 83	138. 54
1992	2447. 54	465. 83	1100. 32	899. 28	201. 04	881. 39	6. 02	9. 46	174. 28
1993	3431. 86	559. 67	1700. 92	1380. 19	320. 73	1171. 27	8. 06	13. 50	232. 20
1994	4516. 63	694. 65	2242. 00	1847. 63	394. 37	1579. 98	9. 93	16. 49	334. 20
1995	5733. 97	868. 99	2876. 74	2413. 83	462. 91	1988. 24	11. 65	19. 52	427. 81
1996	6519. 14	941. 73	3269. 35	2788. 82	480. 53	2308. 06	12. 98	21. 11	497. 68
1997	7315. 51	986. 82	3647. 82	3158. 74	489. 08	2680. 87	14. 93	23. 52	629. 34
1998	7919. 12	1004. 92	3991. 97	3463. 12	528. 85	2922. 23	16. 30	24. 10	688. 83
1999	8464. 31	1021. 30	4264. 32	3705. 88	558. 44	3178. 69	18. 15	24. 94	745. 15
2000	9662. 23	1000. 06	4868. 75	4295. 03	573. 72	3793. 42	18. 97	25. 19	908. 45
2001	10647. 71	1004. 35	5341. 61	4732. 41	609. 20	4301. 75	21. 89	27. 76	1073. 81
2002	11735. 64	1032. 79	5935. 63	5288. 53	647. 10	4767. 22	23. 06	30. 68	1157. 75
2003	13625. 87	1093. 52	7307. 08	6532. 98	774. 10	5225. 27	24. 65	33. 45	1207. 67
2004	16039. 46	1245. 42	8890. 29	8011. 15	879. 14	5903. 75			1351. 62

注：本表按当年价格计算。
Note: The data in this table are calculated at current prices.

2-7 续表 continued

单位：亿元 (100 million yuan)

年　份 Year	批发和零售贸易餐饮业 Wholesale and Retail Trade and Catering Services	金融保险业 Finance and Insurance	房地产业 Real Estate	社　会服务业 Social Services	卫生、体育社会福利事　业 Health Care, Sports and Social Welfare	教育、文化艺术和广播电影电视业 Education, Culture and Arts, Radio, Film and Television	科学研究综合技术服务业 Scientific Research and Polytechnic Services	国家机关、政党机关和社会团体 Government Agencies, Party Agencies and Social Organizations	其他 Others
1978	19. 39	4. 53	1. 42	1. 64	1. 37	1. 77	0. 33	1. 59	1. 32
1979	23. 52	4. 74	1. 62	1. 81	1. 61	2. 06	0. 38	1. 83	1. 61
1980	29. 53	6. 10	2. 13	2. 33	2. 07	2. 63	0. 53	2. 38	1. 96
1981	33. 57	6. 76	2. 79	2. 85	2. 61	3. 47	0. 67	2. 94	2. 38
1982	38. 07	7. 98	3. 39	3. 29	3. 09	4. 07	0. 82	3. 52	2. 65
1983	41. 42	8. 94	4. 09	3. 83	3. 52	4. 85	0. 95	3. 95	2. 82
1984	54. 41	11. 76	5. 09	5. 05	4. 83	7. 31	1. 30	5. 64	3. 04
1985	79. 86	12. 74	6. 16	6. 28	6. 32	12. 65	1. 67	8. 16	3. 38
1986	89. 78	20. 84	11. 69	13. 75	10. 18	14. 30	2. 18	12. 30	4. 77
1987	104. 17	34. 25	16. 44	23. 52	11. 18	16. 30	2. 73	14. 98	3. 13
1988	145. 89	46. 80	22. 84	36. 40	13. 10	23. 24	4. 50	20. 48	3. 84
1989	136. 65	72. 70	41. 36	47. 99	15. 72	31. 09	6. 21	31. 97	3. 94
1990	152. 90	82. 46	42. 87	66. 19	18. 03	33. 88	7. 10	37. 26	4. 24
1991	185. 77	94. 83	54. 09	87. 98	20. 43	38. 64	7. 95	47. 54	4. 88
1992	236. 59	122. 79	81. 74	105. 88	24. 10	47. 47	10. 20	57. 63	5. 23
1993	326. 02	146. 02	123. 22	135. 90	33. 23	60. 98	12. 21	71. 89	8. 05
1994	446. 00	191. 17	163. 00	175. 26	43. 82	81. 76	15. 43	91. 58	11. 34
1995	568. 65	214. 50	214. 53	236. 44	52. 44	101. 49	17. 78	110. 3	13. 13
1996	671. 22	242. 37	257. 63	266. 17	60. 28	119. 38	19. 34	125. 30	14. 60
1997	760. 25	271. 07	303. 36	309. 34	65. 06	133. 92	21. 34	133. 18	15. 56
1998	827. 16	268. 2	362. 83	331. 55	71. 44	146. 15	23. 38	145. 77	16. 52
1999	866. 83	283. 47	426. 66	371. 07	79. 03	161. 52	25. 41	160. 42	16. 04
2000	968. 99	371. 53	515. 52	477. 01	94. 36	183. 81	32. 15	162. 23	35. 21
2001	1044. 40	369. 20	559. 66	616. 07	118. 69	198. 23	37. 97	189. 10	44. 99
2002	1140. 87	364. 18	633. 87	732. 83	136. 06	232. 79	43. 97	218. 14	53. 01
2003	1246. 24	418. 57	731. 57	767. 02	158. 02	264. 50	47. 21	263. 16	63. 19
2004	1378. 72	461. 80	824. 66						

注：本表按当年价格计算。
Note: The data in this table are calculated at current prices.

2-8 地区生产总值指数

INDICES OF GROSS DOMESTIC PRODUCT

上年 = 100　　　　(preceding year = 100)

年份 Year	地区生产总值 Gross Domestic Product	第一产业 Primary Industry	第二产业 Secondary Industry	工业 Industry	建筑业 Construction	第三产业 Tertiary Industry	农林牧渔服务业 Services for Agriculture, Forestry, Animal Husbandry and Fishery	地质勘查水利管理业 Geological Prospecting and Water Conservancy	交通运输仓储邮电通信业 Transport, Storage, Postal and Telecommunication Services
1978	101.0	104.3	97.1			101.2			
1979	108.5	106.1	104.3	107.6	89.5	117.6	131.0	118.0	112.7
1980	116.6	112.7	116.9	113.2	136.6	122.1	113.3	121.9	119.5
1981	109.0	105.1	112.9	110.8	122.0	110.0	122.0	120.2	107.5
1982	112.0	111.9	111.5	108.1	124.9	112.5	120.5	118.6	117.4
1983	107.3	103.6	110.1	109.6	111.6	108.9	115.5	113.7	105.0
1984	115.6	112.5	118.8	120.5	113.0	115.7	125.9	123.9	105.7
1985	118.0	106.2	120.7	120.9	120.1	128.7	114.7	112.8	123.1
1986	112.7	105.6	108.1	108.8	105.4	124.7	120.2	118.3	120.9
1987	119.6	109.6	127.5	131.6	112.1	120.6	120.3	118.3	122.2
1988	115.8	106.6	124.9	128.0	111.4	113.7	119.4	117.9	121.8
1989	107.2	107.2	108.6	110.8	97.1	105.7	116.0	114.2	118.2
1990	111.6	107.3	112.7	114.4	102.7	113.4	119.9	117.3	106.8
1991	117.7	105.4	123.6	123.0	127.5	119.4	110.6	108.8	128.3
1992	122.1	105.6	133.4	130.8	149.8	119.0	109.0	107.3	120.9
1993	122.3	102.6	136.1	139.5	117.5	115.1	112.7	112.3	124.6
1994	119.1	103.5	125.5	126.9	116.7	116.8	109.3	106.5	127.4
1995	114.9	105.5	118.5	119.3	113.2	113.1	106.9	106.7	117.0
1996	110.7	105.0	112.4	113.6	103.0	109.9	103.9	104.7	109.2
1997	110.6	104.8	112.6	114.1	100.4	109.1	108.9	107.1	108.9
1998	110.2	103.9	112.2	112.6	108.1	108.7	111.3	104.8	106.5
1999	109.5	104.0	110.4	110.6	107.9	109.6	113.7	105.9	105.5
2000	110.8	102.4	111.7	113.0	99.5	111.8	100.6	100.6	117.0
2001	109.6	102.3	110.4	111.0	106.5	110.5	115.6	110.4	113.7
2002	111.4	104.4	113.4	114.6	103.9	110.5	106.8	112.1	106.1
2003	114.3	102.3	120.0	120.8	113.6	109.5	106.3	108.4	105.9
2004	114.2	104.2	118.4	120.0	103.3	110.4			111.9

注：本表按可比价格计算。

Note: The data in this table are calculated at comparable prices.

2-8 续表 continued

上年=100 (preceding year=100)

年份 Year	批发和零售贸易餐饮业 Wholesale and Retail Trade and Catering Services	金融保险业 Finance and Insurance	房地产业 Real Estate	社会服务业 Social Services	卫生、体育社会福利事业 Health Care, Sports and Social Welfare	教育、文化艺术和广播电影电视业 Education, Culture and Arts, Radio, Film and Television	科学研究综合技术服务业 Scientific Research and Polytechnic Services	国家机关、政党机关和社会团体 Government Agencies, Party Agencies and Social Organizations	其他 Others
1978									
1979	123.1	103.1	115.2	126.0	114.5	114.2	113.5	112.2	118.1
1980	119.6	126.4	136.0	133.8	125.4	123.7	133.5	126.3	118.7
1981	106.8	106.4	129.5	123.1	114.3	119.5	122.5	112.1	110.1
1982	108.0	110.0	121.0	120.0	116.4	115.1	121.1	117.7	109.0
1983	106.9	110.0	117.9	115.5	112.8	117.9	116.3	111.2	105.5
1984	116.6	116.8	109.3	111.4	122.3	135.0	127.2	127.4	115.3
1985	127.6	130.0	148.3	121.3	139.0	149.4	115.4	145.8	105.6
1986	117.9	130.2	161.1	147.8	117.7	118.2	121.1	141.6	117.3
1987	116.5	140.3	132.2	139.9	115.4	109.3	121.3	111.5	60.2
1988	108.3	115.0	127.6	119.9	105.0	112.4	120.7	107.7	95.9
1989	80.1	133.0	141.4	107.1	95.2	113.3	117.0	132.2	87.7
1990	112.2	117.3	97.6	128.2	119.7	113.7	119.2	121.7	111.9
1991	119.6	107.2	114.3	126.0	112.5	116.7	111.2	126.6	114.2
1992	119.4	121.2	146.2	108.1	111.3	113.3	110.9	113.9	100.5
1993	119.4	101.4	127.4	102.4	112.3	110.1	112.3	107.5	128.4
1994	116.9	106.2	125.9	109.0	111.3	112.6	109.2	109.0	115.6
1995	113.4	100.6	120.7	116.3	107.2	110.6	106.0	107.6	108.1
1996	111.8	106.3	114.4	108.6	106.7	112.5	102.7	104.9	105.4
1997	111.2	108.4	110.2	105.7	106.0	111.4	108.1	104.0	104.3
1998	112.5	102.0	109.3	103.8	111.9	112.0	112.7	112.1	109.0
1999	108.1	109.6	117.9	108.3	114.2	114.1	112.2	113.7	100.3
2000	107.1	121.3	114.0	112.1	110.8	105.6	116.0	95.6	204.3
2001	109.2	100.6	107.4	113.2	122.1	105.7	118.3	116.8	128.0
2002	110.9	99.5	110.5	117.7	116.6	118.9	117.4	117.0	119.5
2003	109.2	109.4	113.9	104.6	115.7	115.9	106.7	119.9	118.5
2004	107.5	105.8	106.9						

注：本表按可比价格计算。
Note: The data in this table are calculated at comparable prices.

2-9 地区生产总值指数
INDICES OF GROSS DOMESTIC PRODUCT

1978年=100 (1978=100)

年份 Year	地区生产总值 Gross Domestic Product	第一产业 Primary Industry	第二产业 Secondary Industry	工业 Industry	建筑业 Construction	第三产业 Tertiary Industry	农林牧渔服务业 Services for Agriculture, Forestry, Animal Husbandry and Fishery	地质勘查水利管理业 Geological Prospecting and Water Conservancy	交通运输仓储邮电通信业 Transport, Storage, Postal and Telecommunication Services
1978	100.0	100.0	100.0	100.0	100.0	100.0	100.0	100.0	100.0
1979	108.5	106.1	104.3	107.6	89.5	117.6	131.0	118.0	112.7
1980	126.5	119.6	121.9	121.8	122.2	143.5	148.5	143.9	134.6
1981	137.9	125.8	137.6	135.0	149.1	157.8	181.2	172.9	144.8
1982	154.4	140.8	153.4	145.9	186.4	177.5	218.3	205.0	170.0
1983	165.6	145.9	168.8	159.9	208.0	193.3	252.2	233.2	178.6
1984	191.4	164.1	200.6	192.7	235.1	223.7	317.7	289.0	188.8
1985	225.7	174.2	242.1	233.0	282.4	287.9	364.4	326.0	232.5
1986	254.5	184.0	261.6	253.4	297.5	359.0	438.0	385.6	281.0
1987	304.5	201.7	333.4	333.4	333.5	433.0	527.1	456.3	343.4
1988	352.6	215.0	416.5	426.7	371.4	492.6	629.1	538.0	418.2
1989	377.9	230.6	452.1	472.8	360.6	520.5	729.6	614.3	494.3
1990	421.6	247.4	509.3	540.9	370.4	590.1	874.7	720.7	527.8
1991	496.1	260.9	629.7	665.4	472.2	704.6	967.8	784.1	677.2
1992	605.8	275.4	840.2	870.4	707.4	838.6	1054.9	841.3	818.6
1993	741.1	282.6	1143.5	1214.3	831.4	965.3	1189.0	945.1	1020.0
1994	882.5	291.7	1435.1	1540.5	970.5	1127.8	1300.1	1006.6	1299.0
1995	1014.3	307.7	1700.7	1837.3	1099.0	1275.2	1389.3	1074.4	1520.2
1996	1122.4	323.0	1911.3	2088.1	1132.3	1401.7	1443.2	1125.2	1659.9
1997	1241.0	338.4	2153.0	2383.5	1137.4	1529.4	1570.9	1205.3	1807.8
1998	1367.2	351.4	2415.7	2685.0	1229.4	1663.1	1748.6	1263.7	1924.9
1999	1496.6	365.5	2666.8	2970.9	1326.8	1822.8	1988.1	1338.0	2031.1
2000	1658.6	374.3	2979.9	3356.6	1320.6	2038.5	2000.1	1346.5	2376.8
2001	1817.9	382.9	3290.7	3724.2	1406.5	2252.0	2312.7	1486.8	2702.9
2002	2024.6	399.7	3731.7	4268.6	1461.8	2487.6	2470.5	1666.8	2867.3
2003	2314.0	409.0	4478.4	5154.4	1660.7	2724.8	2626.8	1806.1	3036.2
2004	2643.0	426.2	5300.5	6185.2	1716.1	3008.2			3396.3

注：本表按可比价格计算。
Note: The data in this table are calculated at comparable prices.

2-9 续表 continued

1978年=100 (1978=100)

年份 Year	批发和零售贸易餐饮业 Wholesale and Retail Trade and Catering Services	金融保险业 Finance and Insurance	房地产业 Real Estate	社会服务业 Social Services	卫生、体育社会福利事业 Health Care, Sports and Social Welfare	教育、文化艺术和广播电影电视业 Education, Culture and Arts, Radio, Film and Television	科学研究综合技术服务业 Scientific Research and Polytechnic Services	国家机关、政党机关和社会团体 Government Agencies, Party Agencies and Social Organizations	其他 Others
1978	100.0	100.0	100.0	100.0	100.0	100.0	100.0	100.0	100.0
1979	123.1	103.1	115.2	126.0	114.5	114.2	113.5	112.2	118.1
1980	147.3	130.4	156.6	168.6	143.5	141.3	151.6	141.7	140.2
1981	157.2	138.6	202.8	207.6	163.9	168.9	185.8	158.8	154.4
1982	169.7	152.6	245.3	249.1	190.8	194.4	224.9	186.9	168.3
1983	181.5	167.8	289.1	287.7	215.1	229.3	261.6	207.8	177.5
1984	211.7	196.0	316.0	320.4	263.0	309.4	332.9	264.7	204.7
1985	270.1	254.7	468.8	388.6	365.5	462.3	384.2	385.8	216.1
1986	318.5	331.7	755.1	574.4	430.2	546.5	465.3	546.4	253.5
1987	370.9	465.3	998.5	803.9	496.4	597.3	564.4	609.5	152.7
1988	401.6	535.1	1273.9	963.8	521.2	671.2	681.2	656.6	146.5
1989	321.8	711.7	1801.5	1032.0	496.3	760.4	797.2	868.3	128.4
1990	361.1	834.5	1758.4	1322.9	594.1	864.9	950.3	1056.5	143.7
1991	431.9	894.5	2009.4	1666.8	668.2	1009.8	1056.4	1337.3	164.2
1992	515.7	1084.5	2938.0	1801.1	743.9	1143.8	1171.5	1523.6	164.9
1993	615.7	1099.2	3743.4	1844.0	835.0	1259.4	1315.6	1637.6	211.8
1994	719.7	1167.2	4713.7	2010.7	929.3	1418.1	1437.0	1784.5	244.9
1995	816.3	1174.6	5688.8	2339.4	996.5	1568.4	1524.0	1919.6	264.8
1996	912.8	1248.8	6510.4	2539.8	1063.7	1764.8	1565.5	2014.0	279.1
1997	1014.7	1353.1	7175.3	2685.2	1127.6	1966.7	1692.7	2094.8	290.9
1998	1141.9	1380.2	7841.8	2786.9	1261.6	2201.9	1907.0	2349.1	317.0
1999	1234.4	1512.9	9245.5	3017.8	1440.5	2511.6	2140.0	2670.1	318.0
2000	1322.3	1835.3	10542.1	3383.5	1596.0	2652.3	2482.8	2553.8	649.7
2001	1443.9	1846.7	11325.7	3830.2	1949.0	2804.2	2938.2	2982.7	831.7
2002	1601.3	1838.0	12518.1	4506.6	2273.0	3333.2	3450.9	3489.8	993.9
2003	1749.2	2010.5	14263.7	4712.1	2629.4	3864.6	3682.8	4184.6	1177.8
2004	1880.6	2126.3	15251.6						

注：本表按可比价格计算。
Note: The data in this table are calculated at comparable prices.

2-10 地区生产总值产业构成
COMPOSITION OF GROSS DOMESTIC PRODUCT BY INDUSTRY

单位:%　　　　(%)

年　份 Year	地区生产总值 Gross Domestic Product	第一产业 Primary Industry	第二产业 Secondary Industry	第三产业 Tertiary Industry
1978	100.0	29.8	46.6	23.6
1979	100.0	31.8	43.8	24.4
1980	100.0	33.2	41.1	25.7
1981	100.0	32.5	41.4	26.1
1982	100.0	34.8	39.8	25.4
1983	100.0	32.9	41.3	25.8
1984	100.0	31.7	40.9	27.4
1985	100.0	29.8	39.8	30.4
1986	100.0	28.2	38.3	33.5
1987	100.0	27.4	39.0	33.6
1988	100.0	26.5	39.8	33.7
1989	100.0	25.5	40.1	34.4
1990	100.0	24.7	39.5	35.8
1991	100.0	22.0	41.3	36.7
1992	100.0	19.0	45.0	36.0
1993	100.0	16.3	49.6	34.1
1994	100.0	15.4	49.6	35.0
1995	100.0	15.1	50.2	34.7
1996	100.0	14.4	50.2	35.4
1997	100.0	13.5	49.9	36.6
1998	100.0	12.7	50.4	36.9
1999	100.0	12.1	50.4	37.5
2000	100.0	10.3	50.4	39.3
2001	100.0	9.4	50.2	40.4
2002	100.0	8.8	50.6	40.6
2003	100.0	8.0	53.6	38.4
2004	100.0	7.8	55.4	36.8

注：本表按当年价格计算。
Note: The data in this table are calculated at current prices.

2-11 支出法地区生产总值

GROSS DOMESTIC PRODUCT BY EXPENDITURE APPROACH

年 份 Year	支出法地区生产总值（亿元） Gross Domestic Product with Expenditure Approach（100 million yuan）	最终消费 Final Consumption Expenditure	资本形成总额 Gross Capital Formation	货物和服务净出口 Net Export	资本形成率（投资率）（%） Capital Formation Rate（%）	最终消费率（消费率）（%） Final Consumption Rate（%）
1978	194. 14	125. 71	54. 79	13. 64	28. 2	64. 8
1979	215. 43	144. 37	53. 89	17. 17	25. 0	67. 0
1980	259. 32	187. 00	63. 63	8. 69	24. 5	72. 1
1981	305. 22	206. 27	90. 03	8. 92	29. 5	67. 6
1982	349. 13	236. 32	108. 30	4. 51	31. 0	67. 7
1983	367. 36	254. 89	110. 25	2. 22	30. 0	69. 4
1984	446. 06	294. 56	142. 52	8. 98	32. 0	66. 0
1985	568. 98	372. 95	214. 97	-18. 94	37. 8	65. 5
1986	650. 99	440. 60	234. 43	-24. 04	36. 0	67. 7
1987	815. 05	542. 27	287. 70	-14. 92	35. 3	66. 5
1988	1129. 64	722. 87	406. 20	0. 57	36. 0	64. 0
1989	1348. 54	849. 19	477. 01	22. 34	35. 4	63. 0
1990	1541. 99	916. 14	511. 35	114. 50	33. 2	59. 4
1991	1847. 99	1077. 04	601. 05	169. 90	32. 5	58. 3
1992	2440. 58	1397. 83	948. 19	94. 56	38. 9	57. 3
1993	3427. 93	1819. 59	1548. 93	59. 41	45. 2	53. 1
1994	4515. 88	2444. 70	1981. 07	90. 11	43. 9	54. 1
1995	5733. 97	3189. 84	2381. 31	162. 82	41. 5	55. 6
1996	6519. 14	3621. 80	2718. 45	178. 89	41. 7	55. 6
1997	7315. 51	4109. 34	2736. 73	469. 44	37. 4	56. 2
1998	7919. 12	4375. 41	3051. 96	491. 75	38. 5	55. 3
1999	8464. 31	4724. 08	3252. 19	488. 04	38. 4	55. 8
2000	9662. 23	5336. 22	3487. 86	838. 15	36. 1	55. 2
2001	10647. 71	5841. 32	3860. 81	945. 58	36. 3	54. 9
2002	11735. 64	6667. 04	4156. 67	911. 93	35. 4	56. 8
2003	13625. 87	7566. 13	5259. 48	800. 26	38. 6	55. 5
2004	16039. 46	8774. 75	6365. 35	899. 36	39. 7	54. 7

注：本表按当年价格计算。

Note：The data in this table are calculated at current prices.

2-12 资本形成总额及构成
GROSS CAPITAL FORMATION AND ITS COMPOSITION

年 份 Year	资本形成总额（亿元） Gross Capital Formation（100 million yuan）			比重（资本形成总额=100） Proportion（Gross Capital Formation=100）	
		固定资产形成总额 Gross Fixed Capital Formation	存货增加 Changes in Inventories	固定资产形成总额 Gross Fixed Capital Formation	存货增加 Changes in Inventories
1978	54.79	37.93	16.86	69.2	30.8
1979	53.89	40.75	13.14	75.6	24.4
1980	63.63	51.77	11.86	81.4	18.6
1981	90.03	70.29	19.74	78.1	21.9
1982	108.30	93.48	14.82	86.3	13.7
1983	110.25	96.70	13.55	87.7	12.3
1984	142.52	129.59	12.93	90.9	9.1
1985	214.97	160.28	54.69	74.6	25.4
1986	234.43	181.19	53.24	77.3	22.7
1987	287.70	205.07	82.63	71.3	28.7
1988	406.20	288.79	117.41	71.1	28.9
1989	477.01	320.23	156.78	67.1	32.9
1990	511.35	393.26	118.09	76.9	23.1
1991	601.05	457.32	143.73	76.1	23.9
1992	948.19	759.16	189.03	80.1	19.9
1993	1548.93	1275.44	273.49	82.3	17.7
1994	1981.07	1639.83	341.24	82.8	17.2
1995	2381.31	2059.43	321.88	86.5	13.5
1996	2718.45	2240.76	477.69	82.4	17.6
1997	2736.73	2288.69	448.04	83.6	16.4
1998	3051.96	2651.24	400.72	86.9	13.1
1999	3252.19	2974.32	277.87	91.5	8.5
2000	3487.86	3175.93	311.93	91.1	8.9
2001	3860.81	3492.18	368.63	90.5	9.5
2002	4156.67	3892.49	264.18	93.6	6.4
2003	5259.48	4934.87	324.61	93.8	6.2
2004	6365.35	5939.32	426.03	93.3	6.7

注：本表按当年价格计算。
Note：The data in this table are calculated at current prices.

2-13 最终消费及构成
FINAL CONSUMPTION EXPENDITURE AND ITS COMPOSITION

年 份 Year	最终消费（亿元） Final Consumption Expenditure (100 million yuan)	居民消费 Household Consumption	农业居民 Rural Households	非农业居民 Non-rural Households	政府消费 Government Consumption	比重 Proportion 最终消费=100 Final Consumption Expenditure=100 居民消费 Household Consumption	政府消费 Government Consumption	居民消费=100 Household Consumption=100 农业居民 Rural Households	非农业居民 Non-rural Households
1978	125.71	107.15	68.58	38.57	18.56	85.2	14.8	64.0	36.0
1979	144.37	126.03	84.15	41.88	18.34	87.3	12.7	66.8	33.2
1980	187.00	164.44	106.82	57.62	22.56	87.9	12.1	65.0	35.0
1981	206.27	180.32	112.56	67.76	25.95	87.4	12.6	62.4	37.6
1982	236.32	204.97	127.17	77.80	31.35	86.7	13.3	62.0	38.0
1983	254.89	221.38	134.32	87.06	33.51	86.9	13.1	60.7	39.3
1984	294.56	255.97	151.89	104.08	38.59	86.9	13.1	59.3	40.7
1985	372.95	321.41	194.62	126.79	51.54	86.2	13.8	60.6	39.4
1986	440.60	369.15	221.00	148.15	71.45	83.8	16.2	59.9	40.1
1987	542.27	458.31	260.55	197.76	83.96	84.5	15.5	56.9	43.1
1988	722.87	610.58	350.89	259.69	112.29	84.5	15.5	57.5	42.5
1989	849.19	697.40	391.15	306.25	151.79	82.1	17.9	56.1	43.9
1990	916.14	744.36	413.34	331.02	171.78	81.2	18.8	55.5	44.5
1991	1077.04	869.87	452.69	417.18	207.17	80.8	19.2	52.0	48.0
1992	1397.83	1091.21	538.65	552.56	306.62	78.1	21.9	49.4	50.6
1993	1819.59	1450.25	691.47	758.78	369.34	79.7	20.3	47.7	52.3
1994	2444.70	2010.67	927.70	1082.97	434.03	82.2	17.8	46.1	53.9
1995	3189.84	2586.46	1140.81	1445.65	603.38	81.1	18.9	44.1	55.9
1996	3621.80	2902.09	1255.11	1646.98	719.71	80.1	19.9	43.2	56.8
1997	4109.34	3172.80	1412.50	1760.30	936.54	77.2	22.8	44.5	55.5
1998	4375.41	3330.07	1415.08	1914.99	1045.34	76.1	23.9	42.5	57.5
1999	4724.08	3435.00	1411.18	2023.82	1289.08	72.7	27.3	41.1	58.9
2000	5336.22	3754.80	1471.03	2283.77	1581.42	70.4	29.6	39.2	60.8
2001	5841.32	3907.02	1531.21	2375.81	1934.30	66.9	33.1	39.2	60.8
2002	6667.04	4415.89	1546.10	2869.79	2251.15	66.2	33.8	35.0	65.0
2003	7566.13	4900.01	1416.37	3483.64	2666.12	64.8	35.2	28.9	71.1
2004	8774.75	5930.47	1415.60	4514.87	2844.28	67.6	32.4	23.9	76.1

注：本表按当年价格计算。
Note: The data in this table are calculated at current prices.

2-14 人均地区生产总值及人均消费水平

PER CAPITA GROSS DOMESTIC PRODUCT AND CONSUMPTION LEVEL

年 份 Year	人均地区生产总值 Per Capita GDP		人均消费水平 Per Capita Consumption Level					
			居民 Households		农业居民 Rural Households		非农业居民 Non-rural Households	
	绝对数 (元) Value (yuan)	增长速度 (%) Growth Rate (%)	绝对数 (元) Value (yuan)	增长速度 (%) Growth Rate (%)	绝对数 (元) Value (yuan)	增长速度 (%) Growth Rate (%)	绝对数 (元) Value (yuan)	增长速度 (%) Growth Rate (%)
1978	369		213		164		447	
1979	409	6.8	246	10.6	200	16.9	462	-0.7
1980	480	14.8	316	21.5	251	23.2	606	16.5
1981	549	7.1	341	5.5	262	3.2	687	7.8
1982	631	10.0	381	7.8	291	7.5	765	7.3
1983	674	5.6	405	6.3	304	5.3	832	7.0
1984	827	13.9	461	12.1	342	12.5	939	8.5
1985	1025	16.3	571	11.1	440	12.4	1052	4.6
1986	1168	11.1	646	7.8	499	4.3	1156	9.5
1987	1450	17.0	785	5.5	591	3.8	1384	2.0
1988	1961	14.8	1036	3.7	784	5.6	1829	2.3
1989	2307	5.5	1165	3.5	863	5.9	2107	0.1
1990	2537	8.7	1211	9.2	890	8.0	2207	10.4
1991	3001	14.7	1379	11.6	953	6.2	2680	17.6
1992	3815	20.1	1701	18.3	1126	14.9	3381	19.6
1993	5254	20.2	2220	14.7	1453	15.2	4280	9.7
1994	6795	17.0	3025	14.8	1953	13.0	5708	12.9
1995	8495	13.2	3832	15.2	2407	10.8	7192	16.0
1996	9513	9.0	4235	6.5	2631	5.6	7912	5.8
1997	10428	8.0	4523	4.8	2916	8.3	8108	0.8
1998	11143	8.7	4686	5.1	2893	1.7	8642	7.4
1999	11728	7.8	4760	2.3	2842	-0.2	8987	4.3
2000	12885	6.7	5007	1.6	2855	-1.6	9737	3.8
2001	13730	6.0	5038	0.5	2882	1.0	9730	-0.3
2002	14986	10.3	5639	12.3	2991	4.3	10782	11.1
2003	17213	13.1	6190	9.0	3086	2.2	10471	-3.5
2004	19707	11.1	7286	15.2	3374	5.9	11447	7.3

注：本表绝对数按当年价格计算，增长速度按可比价格计算。

Note: The data in value terms in this table are calculated at current prices, whereas the growth rates are calculated at comparable prices.

2-15 人均地区生产总值及人均消费水平指数
INDICES OF PER CAPITA GROSS DOMESTIC PRODUCT AND CONSUMPTION LEVEL

年份 Year	人均地区生产总值 Per Capita GDP		人均消费水平 Per Capita Consumption Level					
			居民 Households		农业居民 Rural Households		非农业居民 Non-rural Households	
	绝对数（元）Value（yuan）	1978年为100（%）1978=100（%）	绝对数（元）Value（yuan）	1978年为100（%）1978=100（%）	绝对数（元）Value（yuan）	1978年为100（%）1978=100（%）	绝对数（元）Value（yuan）	1978年为100（%）1978=100（%）
1978	369	100.0	213	100.0	164	100.0	447	100.0
1979	409	106.8	246	110.6	200	116.9	462	99.3
1980	480	122.6	316	134.5	251	144.1	606	115.7
1981	549	131.3	341	141.8	262	148.7	687	124.8
1982	631	144.5	381	152.8	291	159.9	765	133.9
1983	674	152.6	405	162.5	304	168.4	832	143.2
1984	827	173.8	461	182.1	342	189.4	939	155.3
1985	1025	202.0	571	202.3	440	212.9	1052	162.4
1986	1168	224.5	646	218.0	499	221.1	1156	177.8
1987	1450	262.8	785	230.1	591	230.5	1384	181.5
1988	1961	301.5	1036	238.5	784	243.4	1829	185.7
1989	2307	318.1	1165	246.9	863	257.8	2107	185.9
1990	2537	345.7	1211	269.7	890	278.5	2207	205.2
1991	3001	396.4	1379	300.9	953	295.7	2680	241.4
1992	3815	475.9	1701	355.9	1126	339.8	3381	288.6
1993	5254	571.8	2220	408.3	1453	391.5	4280	316.5
1994	6795	669.1	3025	468.6	1953	442.4	5708	357.4
1995	8495	757.4	3832	539.8	2407	490.3	7192	414.5
1996	9513	825.5	4235	547.7	2631	517.7	7912	438.6
1997	10428	891.6	4523	602.3	2916	560.4	8108	442.2
1998	11143	969.6	4686	632.9	2893	570.1	8642	475.1
1999	11728	1045.2	4760	647.7	2842	568.8	8987	495.7
2000	12885	1114.8	5007	658.0	2855	559.8	9737	514.7
2001	13730	1181.5	5038	661.3	2882	565.5	9730	513.1
2002	14986	1303.0	5639	742.7	2991	589.6	10782	570.3
2003	17213	1473.3	6190	809.2	3086	602.2	10471	550.5
2004	19707	1636.8	7286	932.1	3374	637.9	11447	590.8

注：本表绝对数按当年价格计算，增长速度按可比价格计算。
Note: The data in value terms in this table are calculated at current prices, whereas the growth rates are calculated at comparable prices.

2-16 各市地区生产总值（2004 年）
GROSS DOMESTIC PRODUCT BY CITY（2004）

单位：万元 (10000 yuan)

市别 City	地区生产总值 Gross Domestic Product	第一产业 Primary Industry	第二产业 Secondary Industry	工业 Industry	建筑业 Construction	第三产业 Tertiary Industry
广州 Guangzhou	41158077	1154957	18177152	16271108	1906044	21825968
深圳 Shenzhen	34227939	141777	21081396	19129569	1951827	13004766
珠海 Zhuhai	5462802	186328	3114441	2613487	500954	2162033
汕头 Shantou	6037625	509662	3037877	2817237	220640	2490086
佛山 Foshan	16564573	823066	9577564	9122061	455503	6163943
韶关 Shaoguan	3250165	569030	1610277	1346744	263533	1070858
河源 Heyuan	1730575	472231	658242	433754	224488	600102
梅州 Meizhou	2716409	695191	1153735	875046	278689	867483
惠州 Huizhou	6851423	829989	3909577	3475272	434305	2111857
汕尾 Shanwei	2197052	595714	820791	624641	196150	780547
东莞 Dongguan	11552982	277357	6405998	5995139	410859	4869627
中山 Zhongshan	6101413	305094	3964900	3719871	245029	1831419
江门 Jiangmen	8345574	739741	4131471	3945796	185675	3474362
阳江 Yangjiang	2738565	833556	1039387	784452	254935	865622
湛江 Zhanjiang	6081602	1246261	2701787	2297731	404056	2133554
茂名 Maoming	7503380	1908644	2672676	2289435	383241	2922060
肇庆 Zhaoqing	5485089	1510387	1955144	1726820	228324	2019558
清远 Qingyuan	2482768	765895	1034426	712895	321531	682447
潮州 Chaozhou	2569282	341430	1252515	1117851	134664	975337
揭阳 Jieyang	5405310	962363	2786204	2554344	231860	1656743
云浮 Yunfu	2575959	762772	1042431	863072	179359	770756

市别 City	交通运输仓储邮电通信业 Transport, Storage, Postal and Telecommunication Services	批发和零售贸易餐饮业 Wholesale and Retail Trade and Catering Services	金融保险业 Finance and Insurance	房地产业 Real Estate	其他服务业 Others
广州 Guangzhou	6010437	3938880	2016500	1479762	8380389
深圳 Shenzhen	2608839	2439564	2567253	2378703	3010407
珠海 Zhuhai	389477	604675	198792	175102	793987
汕头 Shantou	549400	963655	-1583	228925	749689
佛山 Foshan	1842395	1437562	473728	672527	1737731
韶关 Shaoguan	274437	280646	41088	72991	401696
河源 Heyuan	129885	151098	1205	82592	235322
梅州 Meizhou	309525	200653	38093	50539	268673
惠州 Huizhou	548058	483601	90621	151393	838184
汕尾 Shanwei	175996	224922	8369	74334	296926
东莞 Dongguan	1030814	606871	517093	1161631	1553218
中山 Zhongshan	410144	511703	94335	219024	596213
江门 Jiangmen	765368	1100084	173218	244347	1191345
阳江 Yangjiang	209334	226752	22681	187038	219817
湛江 Zhanjiang	560919	678432	101079	262110	531014
茂名 Maoming	470031	938615	267106	517660	728648
肇庆 Zhaoqing	432778	621736	254507	149053	561484
清远 Qingyuan	151668	177526	11262	54096	287895
潮州 Chaozhou	215418	238082	90611	100429	330797
揭阳 Jieyang	323538	752378	100651	95288	384888
云浮 Yunfu	201781	216438	7300	96821	248416

注：本表按当年价格计算。
Note: The data in this table are calculated at current prices.

2-17 各市地区生产总值增长速度（2004年）
GROWTH RATES OF GROSS DOMESTIC PRODUCT BY CITY (2004)

单位:% (%)

市别 City		地区生产总值 Gross Domestic Product	第一产业 Primary Industry	第二产业 Secondary Industry	工业 Industry	建筑业 Construction	第三产业 Tertiary Industry
广州	Guangzhou	15.0	5.4	17.2	18.6	5.3	13.8
深圳	Shenzhen	17.3	-19.8	21.3	23.8	-1.2	11.3
珠海	Zhuhai	13.8	3.6	15.1	16.6	6.8	12.7
汕头	Shantou	11.1	2.7	13.3	14.2	2.5	10.2
佛山	Foshan	16.3	-2.0	21.1	21.5	13.8	11.8
韶关	Shaoguan	13.5	3.6	17.9	18.7	13.8	13.1
河源	Heyuan	17.9	4.3	34.2	37.8	27.4	14.8
梅州	Meizhou	12.3	3.1	19.2	23.5	6.7	11.4
惠州	Huizhou	15.1	4.5	14.2	14.6	10.7	21.7
汕尾	Shanwei	14.8	6.0	25.2	27.1	19.0	11.7
东莞	Dongguan	19.6	-9.6	24.5	25.6	7.0	14.8
中山	Zhongshan	18.7	1.8	22.5	24.1	1.2	13.8
江门	Jiangmen	12.2	3.5	14.6	14.9	9.0	11.2
阳江	Yangjiang	12.6	5.5	21.1	22.0	18.0	10.8
湛江	Zhanjiang	11.0	3.8	15.4	14.0	25.4	10.0
茂名	Maoming	14.2	5.8	14.4	14.0	17.2	20.0
肇庆	Zhaoqing	13.2	5.7	18.6	19.3	13.5	13.7
清远	Qingyuan	19.6	2.4	42.3	46.0	33.9	13.3
潮州	Chaozhou	11.1	1.0	15.4	15.2	18.3	9.2
揭阳	Jieyang	7.2	3.9	7.6	8.5	-3.1	8.5
云浮	Yunfu	13.7	4.6	21.1	19.9	27.4	13.7

市别 City		交通运输仓储邮电通信业 Transport, Storage, Postal and Telecommunication Services	批发和零售贸易餐饮业 Wholesale and Retail Trade and Catering Services	金融保险业 Finance and Insurance	房地产业 Real Estate	其他服务业 Others
广州	Guangzhou	18.4	13.7	5.4	7.0	14.2
深圳	Shenzhen	22.8	10.5	1.2	17.7	7.6
珠海	Zhuhai	18.0	9.8	-4.3	-3.2	22.7
汕头	Shantou	8.6	12.2	-9.7	-0.3	12.2
佛山	Foshan	15.2	9.3	6.3	4.5	14.8
韶关	Shaoguan	14.2	10.4	6.2	12.6	15.2
河源	Heyuan	7.9	13.0		8.7	16.3
梅州	Meizhou	16.3	11.8	11.1	1.5	7.9
惠州	Huizhou	16.9	14.0	11.8	8.5	34.6
汕尾	Shanwei	11.3	11.1	6.0	9.0	13.2
东莞	Dongguan	7.0	11.1	9.6	21.3	20.1
中山	Zhongshan	9.6	11.4	17.8	7.9	21.4
江门	Jiangmen	10.6	10.4	0.5	6.5	15.1
阳江	Yangjiang	11.7	11.0	2.8	-1.5	21.6
湛江	Zhanjiang	12.6	10.8	5.3	2.7	10.8
茂名	Maoming	9.8	11.1	0.2	89.3	22.3
肇庆	Zhaoqing	26.5	10.1	5.9	7.1	13.5
清远	Qingyuan	10.0	10.1	0.2	4.0	19.8
潮州	Chaozhou	13.0	8.9	0.3	4.3	11.4
揭阳	Jieyang	11.2	8.4	7.0	-1.5	9.3
云浮	Yunfu	10.3	12.2	3.3	8.0	20.6

注：本表按可比价格计算。
Note: The data in this table are calculated at comparable prices.

2-18 各市地区生产总值产业构成（2004 年）

COMPOSITION OF GROSS DOMESTIC PRODUCT BY INDUSTRY BY CITY（2004）

单位：%　　　　　　　　　　　　　　　　　　　　　　　　　　　　　　　（%）

市别 City	地区生产总值 Gross Domestic Product	第一产业 Primary Industry	第二产业 Secondary Industry	第三产业 Tertiary Industry
广　州　Guangzhou	100. 0	2. 8	44. 2	53. 0
深　圳　Shenzhen	100. 0	0. 4	61. 6	38. 0
珠　海　Zhuhai	100. 0	3. 4	57. 0	39. 6
汕　头　Shantou	100. 0	8. 4	50. 3	41. 2
佛　山　Foshan	100. 0	5. 0	57. 8	37. 2
韶　关　Shaoguan	100. 0	17. 5	49. 5	32. 9
河　源　Heyuan	100. 0	27. 3	38. 0	34. 7
梅　州　Meizhou	100. 0	25. 6	42. 5	31. 9
惠　州　Huizhou	100. 0	12. 1	57. 1	30. 8
汕　尾　Shanwei	100. 0	27. 1	37. 4	35. 5
东　莞　Dongguan	100. 0	2. 4	55. 4	42. 2
中　山　Zhongshan	100. 0	5. 0	65. 0	30. 0
江　门　Jiangmen	100. 0	8. 9	49. 5	41. 6
阳　江　Yangjiang	100. 0	30. 4	38. 0	31. 6
湛　江　Zhanjiang	100. 0	20. 5	44. 4	35. 1
茂　名　Maoming	100. 0	25. 4	35. 6	38. 9
肇　庆　Zhaoqing	100. 0	27. 5	35. 6	36. 8
清　远　Qingyuan	100. 0	30. 8	41. 7	27. 5
潮　州　Chaozhou	100. 0	13. 3	48. 7	38. 0
揭　阳　Jieyang	100. 0	17. 8	51. 5	30. 7
云　浮　Yunfu	100. 0	29. 6	40. 5	29. 9

注：本表按当年价格计算。
Note：The data in this table are calculated at current prices.

2-19 各市支出法地区生产总值（2004 年）
GROSS DOMESTIC PRODUCT BY EXPENDITURE APPROACH BY CITY（2004）

市别 City	支出法地区生产总值（万元）Gross Domestic Product by Expenditure Approach（10000 yuan）	最终消费 Final Consumption	资本形成总额 Gross Capital Formation	货物和服务净流出 Net Export of Goods and Services	资本形成率（投资率）（%）Capital Formation Rate（%）	最终消费率（消费率）（%）Final Consumption Rate（%）
广州 Guangzhou	41158077	19064183	16204230	5889664	39.4	46.3
深圳 Shenzhen	34227939	13632333	13592899	7002707	39.7	39.8
珠海 Zhuhai	5462802	2713385	2185745	563672	40.0	49.7
汕头 Shantou	6037625	4241413	1796212		29.8	70.2
佛山 Foshan	16564573	6269036	6844590	3450947	41.3	37.8
韶关 Shaoguan	3250165	1816580	1486620	-53035	45.7	55.9
河源 Heyuan	1730575	1833481	801163	-904069	46.3	105.9
梅州 Meizhou	2716409	2043702	1266184	-593477	46.6	75.2
惠州 Huizhou	6851423	2714425	2479383	1657615	36.2	39.6
汕尾 Shanwei	2197052	1391886	734041	71125	33.4	63.4
东莞 Dongguan	11552982	6196601	4333270	1023111	37.5	53.6
中山 Zhongshan	6101413	2220769	3853520	27124	63.2	36.4
江门 Jiangmen	8345574	3987267	3245789	1112518	38.9	47.8
阳江 Yangjiang	2738565	1682823	835066	220676	30.5	61.4
湛江 Zhanjiang	6081602	4121248	1680603	279751	27.6	67.8
茂名 Maoming	7503380	4172132	2573024	758224	34.3	55.6
肇庆 Zhaoqing	5485089	2967912	2319824	197353	42.3	54.1
清远 Qingyuan	2482768	1850754	1612209	-980195	64.9	74.5
潮州 Chaozhou	2569282	1404725	759318	405239	29.6	54.7
揭阳 Jieyang	5405310	3186665	1669085	549560	30.9	59.0
云浮 Yunfu	2575959	1453039	876213	246707	34.0	56.4

注：本表按当年价格计算。
Note: The data in this table are calculated at current prices.

2-20 各市资本形成总额及构成（2004 年）
GROSS CAPITAL FORMATION AND ITS COMPOSITION BY CITY（2004）

市别 City	资本形成总额（万元）Gross Capital Formation（10000 yuan）	固定资产形成总额 Gross Fixed Capital Formation	存货增加 Changes in Inventories	比重（资本形成总额=100）Proportion（Gross Capital Formation=100）固定资产形成总额 Gross Fixed Capital Formation	存货增加 Changes in Inventories
广州 Guangzhou	16204230	14690496	1513734	90.7	9.3
深圳 Shenzhen	13592899	11639599	1953300	85.6	14.4
珠海 Zhuhai	2185745	1687456	498289	77.2	22.8
汕头 Shantou	1796212	1301860	494352	72.5	27.5
佛山 Foshan	6844590	5728995	1115595	83.7	16.3
韶关 Shaoguan	1486620	1278970	207650	86.0	14.0
河源 Heyuan	801163	769095	32068	96.0	4.0
梅州 Meizhou	1266184	1107927	158257	87.5	12.5
惠州 Huizhou	2479383	2119858	359525	85.5	14.5
汕尾 Shanwei	734041	677440	56601	92.3	7.7
东莞 Dongguan	4333270	3058662	1274608	70.6	29.4
中山 Zhongshan	3853520	3157582	695937	81.9	18.1
江门 Jiangmen	3245789	1965570	1280219	60.6	39.4
阳江 Yangjiang	835066	644427	190639	77.2	22.8
湛江 Zhanjiang	1680603	1557597	123006	92.7	7.3
茂名 Maoming	2573024	1573608	999416	61.2	38.8
肇庆 Zhaoqing	2319824	1981216	338608	85.4	14.6
清远 Qingyuan	1612209	1570977	41232	97.4	2.6
潮州 Chaozhou	759318	610535	148783	80.4	19.6
揭阳 Jieyang	1669085	1092720	576365	65.5	34.5
云浮 Yunfu	876213	689939	186274	78.7	21.3

注：本表按当年价格计算。
Note: The data in this table are calculated at current prices.

2-21 各市最终消费及构成（2004 年）

FINAL CONSUMPTION EXPENDITURE AND ITS COMPOSITION BY CITY (2004)

市别 City	最终消费（万元）Final Consumption Expenditure (10000 yuan)	居民消费 Household Consumption	农业居民 Rural Households	非农业居民 Non-rural Households	政府消费 Government Consumption	比重 Proportion 最终消费=100 Final Consumption Expenditure=100 居民消费 Household Consumption	政府消费 Government Consumption	居民消费=100 Household Consumption=100 农业居民 Rural Households	非农业居民 Non-rural Households
广州 Guangzhou	19064183	10254674	1501913	8752761	8809509	53.8	46.2	14.6	85.4
深圳 Shenzhen	13632333	9006423		9006423	4625910	66.1	33.9		100.0
珠海 Zhuhai	2713385	1819786	204062	1615724	893599	67.1	32.9	11.2	88.8
汕头 Shantou	4241413	3614423	83302	3531121	626990	85.2	14.8	2.3	97.7
佛山 Foshan	6269036	3902466		3902466	2366570	62.2	37.8		100.0
韶关 Shaoguan	1816580	1427630	582160	845470	388950	78.6	21.4	40.8	59.2
河源 Heyuan	1833481	1419694	837838	581856	413787	77.4	22.6	59.0	41.0
梅州 Meizhou	2043702	1691563	890793	800770	352139	82.8	17.2	52.7	47.3
惠州 Huizhou	2714425	2193961	651381	1542580	520464	80.8	19.2	29.7	70.3
汕尾 Shanwei	1391886	1149318	532144	617174	242568	82.6	17.4	46.3	53.7
东莞 Dongguan	6196601	4574603	2667746	1906857	1621998	73.8	26.2	58.3	41.7
中山 Zhongshan	2220769	1529695	810278	719417	691074	68.9	31.1	53.0	47.0
江门 Jiangmen	3987267	2818624	1207678	1610946	1168643	70.7	29.3	42.8	57.2
阳江 Yangjiang	1682823	1427169	573180	853989	255654	84.8	15.2	40.2	59.8
湛江 Zhanjiang	4121248	3475134	1918892	1556242	646114	84.3	15.7	55.2	44.8
茂名 Maoming	4172132	3659337	1450784	2208553	512795	87.7	12.3	39.6	60.4
肇庆 Zhaoqing	2967912	2084270	1153428	930842	883642	70.2	29.8	55.3	44.7
清远 Qingyuan	1850754	1499003	892429	606574	351751	81.0	19.0	59.5	40.5
潮州 Chaozhou	1404725	1243071	738726	504345	161654	88.5	11.5	59.4	40.6
揭阳 Jieyang	3186665	2821653	1184298	1637355	365012	88.5	11.5	42.0	58.0
云浮 Yunfu	1453039	1275580	595288	680292	177459	87.8	12.2	46.7	53.3

注：本表按当年价格计算。
Note: The data in this table are calculated at current prices.

2-22 各市人均地区生产总值及增长速度
PER CAPITA GROSS DOMESTIC PRODUCT AND ITS GROWTH RATE BY CITY

市 别 City	绝对数（元/人） Absolute Value（yuan/person）		增长速度（%） Growth Rate（%）	
	2003	2004	2003	2004
广 州 Guangzhou	48372	56271	14. 2	13. 7
深 圳 Shenzhen	54545	59271	9. 3	7. 8
珠 海 Zhuhai	37675	41848	16. 3	9. 5
汕 头 Shantou	10931	12421	6. 2	10. 1
佛 山 Foshan	40444	47658	14. 7	14. 3
韶 关 Shaoguan	9657	11674	12. 4	13. 2
河 源 Heyuan	4111	5186	15. 3	17. 6
梅 州 Meizhou	5917	7012	9. 8	11. 2
惠 州 Huizhou	20759	23643	12. 7	13. 1
汕 尾 Shanwei	7360	8483	11. 1	12. 6
东 莞 Dongguan	60158	71995	17. 6	17. 4
中 山 Zhongshan	36615	44006	16. 4	17. 3
江 门 Jiangmen	19131	21647	10. 9	11. 0
阳 江 Yangjiang	8994	10485	12. 1	11. 6
湛 江 Zhanjiang	8389	9733	9. 1	10. 3
茂 名 Maoming	9883	11170	10. 2	13. 0
肇 庆 Zhaoqing	11907	13945	10. 9	12. 7
清 远 Qingyuan	6142	7484	13. 0	15. 5
潮 州 Chaozhou	9517	10306	9. 6	10. 7
揭 阳 Jieyang	8302	9067	10. 1	5. 7
云 浮 Yunfu	8236	9846	12. 6	13. 2

注：本表绝对数按当年价格计算，增长速度按可比价格计算。
Note：The data in value terms in this table are calculated at current prices，whereas the growth rates are calculated at comparable prices.

2-23 国民经济和社会发展主要指标占全国比重
PROPORTION OF MAIN INDICATORS ON NATIONAL ECONOMY AND SOCIAL DEVELOPMENT OF GUANGDONG TO THE WHOLE NATION

指　标	Item	2003			2004		
		广东 Guangdong	全国 Whole Nation	广东占全国% As Percentage of the Whole Nation	广东 Guangdong	全国 Whole Nation	广东占全国% As Percentage of the Whole Nation
一、人口	**Population**						
年底常住人口数（万人）	Year-end Permanent Population (10000 persons)	7954.22	129227.00	6.2	8303.72	129988.00	6.4
二、土地面积（万平方公里）	**Land Area (10000 sq. km)**	**17.98**	**960**	**1.9**	**17.98**	**960**	**1.9**
三、国内生产总值（亿元）	**Gross Domestic Product (at current prices) (100 million yuan)**	**13625.87**	**117390.0**	**11.6**	**16039.46**	**136876.0**	**11.7**
第一产业	Primary Industry	1093.52	16928.00	6.5	1245.42	20768.00	6.0
第二产业	Secondary Industry	7307.08	61274.00	11.9	8890.29	72387.00	12.3
#工业	Industry	6532.98	53092.90	12.3	8011.15	62815.10	12.8
第三产业	Tertiary Industry	5225.27	39188.00	13.3	5903.75	43721.00	13.5
四、人均国内生产总值（元）	**Per Capita Gross Domestic Product (yuan)**	**17213**	**9111**		**19707**	**10561**	
五、主要工农业产品产量	**Output of Major Farm Products and Industrial Products**						
粮食（万吨）	Grain (10000 tons)	1488.00	43069.50	3.5	1390.00	46947.00	3.0
油料（万吨）	Oil bearing Crops (10000 tons)	81.93	2811.00	2.9	77.51	3066.00	2.5
肉类（万吨）	Meat (10000 tons)	358.50	6932.90	5.2	365.32	7245.00	5.0
水产品（万吨）	Aquatic Products (10000 tons)	648.55	4704.50	13.8	671.38	4901.80	13.7
水果（万吨）	Fruits (10000 tons)	718.59	14517.40	4.9	787.85	15340.90	5.1
茶叶（万吨）	Tea (10000 tons)	4.14	76.80	5.4	4.04	83.50	4.8
原煤（万吨）	Coal (10000 tons)	202.34	167000	0.1	219.35	196000	0.1
发电量（亿千瓦时）	Electricity (100 million kwh)	1783.80	19108.00	9.3	2022.53	21870.00	9.2
水泥（万吨）	Cement (10000 tons)	6872.67	86208.00	8.0	7785.23	97000.00	8.0
布（亿米）	Cloth (100 million m)	17.29	353.50	4.9	21.54	420.00	5.1
机制纸及纸板（万吨）	Machine - made Paper and Paperboard (10000 tons)	542.69	4849.00	11.2	597.73	4863.00	12.3
钢（万吨）	Steel (10000 tons)	595.89	22234.00	2.7	717.49	27280.00	2.6
糖（包土糖）（万吨）	Sugar (10000 tons)	113.97	1084.00	10.5	95.60	1018.00	9.4
平板玻璃（万重量箱）	Plate Glass (10000 wt. cases)	739.32	27703.00	2.7	965.06	30058.00	3.2
自行车（万辆）	Bicycles (10000 units)	1701.37	5451.70	31.2	1650.34	5001.30	33.0
家用电冰箱（万台）	Household Refrigerators (10000 units)	533.38	2242.60	23.8	850.91	3033.40	28.1
家用洗衣机（万台）	Household Washing Machines (10000 units)	178.86	1964.50	9.1	184.03	2348.90	7.8
彩电电视机（万台）	Color Television Sets	3149.15	6541.40	48.1	3626.13	7328.80	49.5
房间空调器（万台）	Room Air Conditioners (10000 units)	2130.75	4820.90	44.2	2842.22	6646.20	42.8
微型电子计算机（万台）	Microelectronic Computers (10000 units)	845.23	3216.70	26.3	1218.41	4512.40	27.0
六、固定资产投资	**Investment in Fixed Assets**						
全社会固定资产投资额（亿元）	Total Amount of Investment in Fixed Assets (100 million yuan)	5030.57	55566.60	9.1	6025.53	70073.00	8.6
#国有单位	State - owned Units	1487.53	39837.00	3.7	1830.35	50250.70	3.6
集体单位	Collective - owned Units	403.92	8009.50	5.0	419.73	9886.90	4.2
个体经济	Individuals	944.47	7720.10	12.2	1133.25	9935.10	11.4

2-23 **续表** continued

指 标	Item	2003 广东 Guangdong	2003 全国 Whole Nation	2003 广东占全国% As Percentage of the Whole Nation	2004 广东 Guangdong	2004 全国 Whole Nation	2004 广东占全国% As Percentage of the Whole Nation
七、运输、邮电	**Transport, Postal and Telecommunication Services**						
货物周转量 (亿吨公里)	Freight Traffic (100 million ton-kilometers)	3229. 39	50686. 00	6. 4	3666. 83	53859. 00	6. 8
旅客周转量 (亿人公里)	Passenger Traffic (100 million person-kilometers)	1505. 83	13811. 00	10. 9	1738. 21	16309. 00	10. 7
沿海主要港口货物吞吐量 (万吨)	Volume of Freight Handled at Major Coastal Ports (10000 tons)	30727. 00	201126. 00	15. 3	38302. 00	246074. 00	15. 6
邮电业务总量 (亿元)	Total Business Volume of Postal and Telecommunication Services (100 million yuan)	1202. 52	7019. 80	17. 1	1781. 78	9791. 20	18. 2
八、财政金融	**Finance and Banking**						
财政收入 (亿元)	Government Revenue (100 million yuan)	1315. 52	9850. 00	13. 4	1418. 51	11693. 40	12. 1
财政支出 (亿元)	Government Expenditures (100 million yuan)	1695. 63	17229. 90	9. 8	1852. 95	20592. 80	9. 0
城乡居民储蓄存款余额(亿元)	Savings Deposits by Urban and Rural Residents (100 million yuan)	14061. 77	103617. 70	13. 6	16193. 36	119555. 40	13. 5
九、外贸外经旅游	**Foreign Trade and International Tourism**						
进口总额 (亿美元)	Total Imports (USD 100 million)	1306. 74	4127. 60	31. 7	1655. 60	5614. 20	29. 5
出口总额 (亿美元)	Total Exports (USD 100 million)	1528. 48	4382. 30	34. 9	1915. 69	5933. 70	32. 3
外商直接投资 (亿美元)	Foreign Direct Investment (USD 100 million)	78. 23	535. 05	14. 6	100. 12	606. 30	16. 5
旅游外汇收入 (亿美元)	Total Foreign Exchange Earnings from International Tourism (USD 100 million)	42. 68	174. 10	24. 5	53. 80	257. 40	20. 9
十、商业与物价	**Domestic Trade and Prices**						
社会消费品零售总额 (亿元)	Total Amount of Retail Sales of Consumer Goods (100 million yuan)	5606. 02	45842. 00	12. 2	6370. 42	53950. 00	11. 8
商品零售价格指数 (%)	General Retail Price Index (%)	100. 0	99. 90		102. 9	102. 8	
居民消费价格指数 (%)	General Resident Consumer Price Index (%)	100. 6	101. 20		103. 0	103. 9	
十一、人民生活	**People's Livelihood**						
职工工资总额 (亿元)	Total Wages of Staff and Workers (100 million yuan)	1515. 58	14743. 50	10. 3	1771. 05	16900. 00	10. 5
城镇居民人均可支配收入(元)	Per Capita Disposable Income of Urban Residents (yuan)	12380	8472. 2		13628	9422	
农村居民人均纯收入 (元)	Per Capita Net Income of Rural Residents (yuan)	4055	2622		4365. 87	2936	
十二、教育、科技、卫生	**Education, Science and Technology and Health Care**						
高等学校在校学生数 (万人)	Students Enrolled in Colleges and Universities (10000 persons)	58. 78	1108. 60	5. 3	72. 69	1333. 50	5. 5
国有企事业单位专业技术人员 (万人)	Number of Technical Persons Engaged in State – owned Units (10000 persons)	126. 50	2174. 00	5. 8	137. 26		
医院病床位 (万张)	Number of Hospital Beds (10000 units)	17. 30	295. 50	5. 9	18. 31	304. 70	6. 0
专业卫生技术人员 (万人)	Number of Medical Technical Personnel (10000 persons)	27. 36	430. 60	6. 4	28. 34	439. 00	6. 5

注：2004 年数为快报数。
Note: The 2004 data are based on the advance reports.

2-24 资金流量表（实物交易，2003 年）

单位：亿元

指　　标	Item	非金融企业部门 Non-financial Enterprises		金融部门 Financial Institutions		政府部门 Governments	
		使　用 Utilization	来　源 Source	使　用 Utilization	来　源 Source	使　用 Utilization	来　源 Source
1. 净流出	Net Capital Outflow						
2. 增加值	Value Added		9014.66		418.57		1046.73
3. 劳动者报酬	Compensation for Laborers	3083.62		175.54		719.72	
工资及工资性收入	Wages and Related Income	2974.88		156.58		677.73	
单位社会保险付款	Employers´Contribution of Social Security	108.74		18.96		41.99	
4. 生产税净额	Net Taxes on Production	1549.32		104.93		28.48	1732.06
生产税	Taxes on Production	1603.52		104.93		28.48	1803.89
生产补贴	Subsidies to Production	-54.20					-71.83
5. 财产收入	Income from Production	686.39	235.18	561.29	559.77		56.96
利息	Interest	552.76	235.18	559.77	559.77		40.01
红利	dividend	47.99		1.52			
土地租金	Rent on Land Use	15.48					16.95
其他	Others	70.16					
6. 初次分配总收入	Total Income from Primary Distribution		3930.51		136.58		2087.55
7. 经常转移	Current Transfer	565.32	12.31	7.60	10.73	29.69	654.24
收入税	Taxes on Income	340.66		4.29			439.72
社会保险付款	Payment to Social Security						169.69
社会补助	Allowances	90.04		2.65		17.38	
其他	Others	134.62	12.31	0.66	10.73	12.31	44.83
8. 可支配总收入	Total Disposable Income		3377.50		139.71		2712.10
9. 最终消费	Final Consumption Expenditure					2666.12	
居民消费	Household Consumption						
政府消费	Government Consumption					2666.12	
10. 总储蓄	Total Savings		3377.50		139.71		45.98
11. 资本转移	Capital Transfer		130.57			262.91	132.34
投资性补助	Investment Allowances		130.57			262.91	132.34
其他	Others						
12. 资本形成总额	Gross Capital Formation	4619.97		21.48		301.54	
固定资产形成总额	Gross Fixed Capital Formation	4291.16		21.48		299.07	
存货增加	Changes in Inventories	328.81				2.47	
13. 其他非金融资产获得减处置	Minus Items from Other Non-financial Capital						
14. 净金融投资	Net Financial Investment	-1111.90		118.23		-386.13	

FLOW OF FUNDS TABLE (PHYSICAL TRANSACTION, 2003)

(100 million yuan)

住户部门 Households		省内合计 Total of Provincial Sectors		国内省外 Domestic Sectors outside Province		国外部门 Rest of the World		总计 Total	
使用 Utilization	来源 Source	使用 Utilization	来源 Source	使用 Utilization	来源 Source	使用 Utilization	来源 Source	使用 Utilization	来源 Source
					1035.06		-1835.32		-800.26
	3145.91		13625.87						13625.87
2151.89	6130.77	6130.77	6130.77					6130.77	6130.77
2151.89	5961.08	5961.08	5961.08					5961.08	5961.08
	169.69	169.69	169.69					169.69	169.69
573.04		2255.77	1732.06		523.71			2255.77	2255.77
590.67		2327.60	1803.89		523.71			2327.60	2327.60
-17.63		-71.83	-71.83					-71.83	-71.83
8.75	404.52	1256.43	1256.43					1256.43	1256.43
7.01	284.58	1119.54	1119.54					1119.54	1119.54
	49.51	49.51	49.51					49.51	49.51
1.47		16.95	16.95					16.95	16.95
0.27	70.43	70.43	70.43					70.43	70.43
	6947.52		13102.16		1558.77		-1835.32		12825.61
363.85	292.46	966.46	969.74		87.94	91.22		1057.68	1057.68
94.77		439.72	439.72					439.72	439.72
169.69		169.69	169.69					169.69	169.69
	110.07	110.07	110.07					110.07	110.07
99.39	182.39	246.98	250.26		87.94	91.22		338.20	338.20
	6876.13		13105.44		1646.71		-1926.54		12825.61
4900.01		7566.13						7566.13	
4900.01		4900.01						4900.01	
		2666.12						2666.12	
	1976.12		5539.31		1646.71		-1926.54		5259.48
		262.91	262.91					262.91	262.91
		262.91	262.91					262.91	262.91
316.49		5259.48						5259.48	
323.16		4934.87						4934.87	
-6.67		324.61						324.61	
1659.63		279.83		1646.71		-1926.54			

2-25 资产负债表（2003年）

单位：亿元

指标	Item	非金融企业部门 Non-financial Enterprises		金融部门 Financial Institutions		政府部门 Government Departments	
		使用 Utilization	来源 Source	使用 Utilization	来源 Source	使用 Utilization	来源 Source
一、非金融资产	**Non-financial Assets**	**34607. 92**		**617. 17**		**2537. 61**	
1. 固定资产	Fixed Assets	27206. 22		549. 91		2531. 23	
# 在建工程	Of which: Buildings under Construction	2228. 19		82. 77			
2. 存货	Inventory	6266. 28				6. 38	
# 产成品和商品库存	Of which: Manufactured Products and Inventories	2302. 95					
3. 其他非金融资产	Other Non-financial Assets	1135. 42		67. 26			
# 无形资产	Of which: Intangible Assets	1395. 51		28. 07			
二、金融资产与负债	**Financial Assets and Liability**	**17750. 61**	**27690. 29**	**33552. 08**	**33825. 98**	**3781. 93**	**917. 81**
国内金融资产与负债	Domestic Financial Assets and Liability	17750. 61	26122. 59	33226. 45	33755. 92	3781. 93	917. 81
通货	Currency in Circulation	1990. 98		291. 52		5. 26	
存款	Savings deposits	10075. 35			27284. 13	1277. 54	
长期存款	Long-term Savings Deposits	3076. 41			11899. 66	0. 50	
短期存款	Short-term Savings Deposits	6998. 94			15384. 47	1277. 04	
贷款	Loans		14798. 31	18271. 02			
长期贷款	Long-term Loans		5377. 50	8005. 66			
短期贷款	Short-term Loans		9420. 81	10265. 36			
股票及其他股权	Stocks and Other Stock Rights	548. 32	3464. 46	289. 12	316. 91	1562. 46	
证券（不含股票）	Securities (excluding Stocks)	66. 04		2163. 49	332. 52	0. 64	
保险准备金	Reserves for Insurance Busine	83. 69			686. 04		
其他	Others	4986. 23	7859. 82	12211. 30	5136. 32	936. 03	917. 81
国外金融资产与负债	Foreign Financial Assets and Liability		1567. 70	325. 63	70. 06		
直接投资	Direct Investment		1518. 90				
证券投资	Securities Investment			105. 88			
其他投资	Other Investment		48. 80	219. 75	70. 06		
三、资产负债差额(资产净值)	**Balance of Assets and Liabilities(Net Assets)**		**24668. 24**		**343. 27**		**5401. 73**
四、资产、负债与差额总计	**Total of Assets, Liabilities and Balance**	**52358. 53**	**52358. 53**	**34169. 25**	**34169. 25**	**6319. 54**	**6319. 54**

ASSETS AND LIABILITIES TABLE (2003)

(100 million yuan)

住户部门 Households		省内合计 Total of Provincial Sectors		国内省外 Domestic Sectors outside Province		国外部门 Rest of the World		总　计 Total	
使　用 Utilization	来　源 Source	使　用 Utilization	来　源 Source	使　用 Utilization	来　源 Source	使　用 Utilization	来　源 Source	使　用 Utilization	来　源 Source
10327. 55		**48090. 25**						**48090. 25**	
9382. 19		39669. 55						39669. 55	
		2310. 96						2310. 96	
903. 93		7176. 59						7176. 59	
		2302. 95						2302. 95	
41. 43		1244. 11						1244. 11	
		1423. 58						1423. 58	
17674. 54	**3172. 11**	**72759. 16**	**65606. 19**	**1702. 53**	**10167. 63**	**1637. 76**	**325. 63**	**76099. 45**	**76099. 45**
17674. 54	3172. 11	72433. 53	63968. 43	1702. 53	10167. 63			74136. 06	74136. 06
562. 70		2850. 46			2850. 46			2850. 46	2850. 46
15483. 34		26836. 23	27284. 13	447. 90				27284. 13	27284. 13
8822. 75		11899. 66	11899. 66					11899. 66	11899. 66
6660. 59		14936. 57	15384. 47	447. 90				15384. 47	15384. 47
	3172. 11	18271. 02	17970. 42		300. 60			18271. 02	18271. 02
	2628. 16	8005. 66	8005. 66					8005. 66	8005. 66
	543. 95	10265. 36	9964. 76		300. 60			10265. 36	10265. 36
560. 23		2960. 13	3781. 37	821. 24				3781. 37	3781. 37
434. 92		2665. 09	332. 52	332. 52	2665. 09			2997. 61	2997. 61
602. 35		686. 04	686. 04					686. 04	686. 04
31. 00		18164. 56	13913. 95	100. 87	4351. 48			18265. 43	18265. 43
		325. 63	1637. 76			1637. 76	325. 63	1963. 39	1963. 39
			1518. 90			1518. 90		1518. 90	1518. 90
		105. 88					105. 88	105. 88	105. 88
		219. 75	118. 86			118. 86	219. 75	338. 61	338. 61
	24829. 98		**55243. 22**		**-8465. 10**		**1312. 13**		**48090. 25**
28002. 09	**28002. 09**	**120849. 41**	**120849. 41**	**1702. 53**	**1702. 53**	**1637. 76**	**1637. 76**	**124189. 70**	**124189. 70**

主要统计指标解释

发展速度 用以反映社会经济发展程度的相对指标，根据两个不同时期发展水平的对比而得。由于比较的标准时期不同，发展速度可分为定期发展速度和环比发展速度两种。

增长速度 发展速度-1（或100%）就是增长速度。即增长速度=发展速度-1（或100%）。

平均每年增长速度 我国计算平均增长速度有两种方法，一种是习惯上经常使用的“水平法”，又称几何平均法，是以间隔最后一年的水平同基期水平对比来计算平均每年增长（或下降）的速度；另一种是“累计法”又称代数平均法或方程法，是以间隔年内各年水平的总和同基期水平对比来计算平均每年增长（或下降）的速度。具体计算方法，可参照中国财经出版社出版的《平均增长速度查对表》。

在一般正常情况下，两种方法计算的平均每年增长速度比较接近，但在经济发展不平衡出现大起大落时，两种方法计算的结果差别较大。

本《年鉴》内所列的平均每年增长速度都是用水平法计算的。从某年到某年平均增长速度的年份，均不包基期年在内。如1981-2004年平均每年增长速度，是以1980年为基期，2004年为报告期，年份从1981年算起，共24年。

当年价格 是报告期的实际价格，如工厂的出厂价格，农产品的收购价格，商品的零售价格等。按当年价格计算，是指一些以货币表现的物量指标，如工业总产值、国内生产总值等，按照当年的实际价格来计算总量。按当年价格计算的价值指标，在不同年份之间进行对比时，因为包含有各年间价格变动的因素，不能确切地反映实物量的增减变动。因此，在计算增长速度时都使用按可比价格计算的数字。

可比价格 指在不同时期的价值指标对比时，扣除了价格变动因素，而确切表示物量的变化。按可比价格计算有两种方法：一种是直接用于产品产量乘其不变价格；一种是指数法换算。

不变价格 用某一时期的同类产品的平均价格作为固定价格，来计算各个时期的产品价值。目的是为了消除各个时期价格变动的影响，保证各时期间、地区间的可比性。解放后，国家统计局先后五次制订了全国统一的工业产品和农业产品的不变价格，即从1949年至1957年使用1952年工（农）业产品不变价格，从1957年到1971年使用1957年不变价格，从1971年到1980年使用1970年不变价格，从1981年到1990年使用1980年不变价格。从1990年开始使用1990年不变价格。

指数法换算是用同一基期的指数相除。本《年鉴》所列“国内（地区）生产总值指数”等都是按可比价格计算的，如计算有关年份产值增长情况，可用定期指数（即简称年度为100的定基指数）直接进行对比。例如，求2004年国内（地区）生产总值为1980年的百分比，按表上2004年指数，1980年指数，两者相除即得，其余以此类推。

国内（地区）生产总值 指按市场价格计算的一个国家（或地区）所有常住单位在一定时期内生产活动的最终成果。国内（地区）生产总值有三种计算方法，即生产法、收入法和支出法。三种方法分别从不同的方面反映国内生产总值及其构成。

总产出 指一定时期内一个国家（或地区）常住单位生产的所有货物和服务的价值，既包括新增价值，也包括被消耗的货物和服务价值以及固定资产的转移价值。总产出按生产者价格计算，它反映常住单位生产活动的总规模。

增加值 指常住单位生产过程创造的新增价值和固定资产的转移价值。它可以按生产法计算，也可以按收入法计算，按生产法计算，它等于总产出减去中间投入；按收入法计算，它等于劳动者报酬、生产税净额、固定资产折旧和营业盈余之和。

劳动者报酬 指劳动者因从事生产活动所获得的全部报酬。包括劳动者获得的各种形式的工资、奖金和津贴，既有货币形式的，也有实物形式的，还包括劳动者所享受的公费医疗和医药卫生费、上下班交通补贴、单位支付的社会保险费、住房公积金等。对于个体经济来说，其所有者所获得的劳动报酬和经营利润不易区分，这两部分统一作为劳动者报酬处理。

生产税净额 指生产税减生产补贴后的差额。生产税指政府对生产单位从事生产、销售和经营活动以及因从事生产活动使用某些生产要素（如固定资产、土地、劳动力）所征收的各种税、附加费和规费。生产补贴与生产税相反，指政府对生产单位的单方面转移支付，因此视为负生产税，包括政策性亏损补贴、价格补贴等。

固定资产折旧 指一定时期内为弥补固定资产损耗按照规定的固定资产折旧率提取的固定资产折旧，或按国民经济核算统一规定的折旧率虚拟计算的固定资产折旧。它反映了固定资产在当期生产中的转移价值。各类企业和企业化管理的事业单位的固定资产折旧是指实际计提的折旧费；不计提折旧的政府机关、非企业化管理的事业单位和居民住房的固定资产折旧是按照统一规定的折旧率和固定资产原值计算的虚拟折旧。原则上，固定资产折旧应按固定资产的重置价值计算，但是目前我国尚不具备对全社会固定资产进行重估价的基础，所以暂时还不能采用这种办法。

营业盈余 指常住单位创造的增加值扣除劳动者报酬、生产税净额和固定资产折旧后的余额。它相当于企业的营业利润加上生产税补贴，但要扣除从利润中开支的工资和福利等。

支出法国内（地区）生产总值 指一个国家（或地区）所有常住单位在一定时期内用于最终消费、资本形成总额，以及货物和服务净出口的总额，它反映本期生产的国内生产总值的使用情况。

最终消费 指常住单位在一定时期内对于货物和服务的全部最终消费支出，也就是常住单位为满足物质、文化和精神生活的需要，从本国经济领土和国外购买的货物和服务的支出，不包括非常住单位在本国经济领土内的消费支出。最终消费分为居民消费和政府消费。

居民消费 指常住住户对货物和服务的全部最终消费支出。它除了常住住户直接以货币形式购买货物和服务的消费之外，还包括以其他方式获得的货物和服务的消费，即单位以实物报酬及实物转移的形式提供给劳动者的货物和服务；住户生产并由住户自己消费的货物和服务，其中的服务仅指住户的自有住房服务和付酬的家庭服务；金融机构提供的金融媒介服务；保险公司提供的保险服务。

政府消费 指政府部门为全社会提供公共服务的消费支出和免费或以较低价格向住户提供的消费货物和服务净支出。前者等于政府服务的产出价值减去政府单位所获得的经营收入后的价值，政府服务的产出价值等于它的经常性业务支出加上固定资产折旧；后者等于政府部门免费或以较低价格向住户提供的货物和服务的市场价值减去向住户收取的价值。

资本形成总额 指常住单位在一定时期内获得的减去处置的固定资产加存货的净变动额，包括固定资本形成总额和存货增加。

固定资本形成总额 指生产者在一定时期内获得的固定资产减处置的固定资产的价值总额。固定资产是通过生产活动生产出来的，其使用年限在一年以上，单位价值在规定标准以上的资产，不包括自然资产。固定资本形成总额分有形固定资本形成总额和无形固定资本形成总额。有形固定资本形成总额包括一定时期内完成的建筑工程、安装工程、设备工器具购置（减处置）价值以及土地改良、新增役、种、奶、毛、娱乐用牲畜和新增经济林木价值。无形固定资本形成总额包括矿藏的勘探、计算机软件等获得减处置。

存货增加 指常住单位存货实物量变动的市场价值，即期末价值减期初价值的差额，再扣除当期由于价格变动而产生的持有收益。存货增加可以是正值，也可以是负值；正值表示存货增加，负值表示存货减少。它包括生产单位购进的原材料、燃料和储备物资等存货，以及生产单位生产的产成品、在制品存货等。

货物和服务净出口 指货物和服务出口减货物和服务进口的差额。出口包括常住单位向非常住单位出售或无偿转让的各种货物和服务的价值；进口包括常住单位从非常住单位购买或无偿得到的各种货物和服务价值。由于服务活动的提供与使用同时发生，因此服务的进出口业务并不发生出入境现象，一般把常住单位从国外得到的服务作为进口，常住单位向国外提供的服务作为出口。

三次产业 根据社会生产活动历史发展的顺序对产业结构的划分，产品直接取自自然界的部门称为第一产业，初级产品进行再加工的部门称为第二产业，为生产和消费提供各种服务的部门称为第三产业。它是世界上通用的产业结构分类，但各国的划分不尽一致。我国的三次产业划分是：

第一产业是指农、林、牧、渔业。

第二产业是指采矿业，制造业，电力、燃气及水的生产和供应业，建筑业。

第三产业是指除第一、二产业以外的其他行业。第三产业包括：交通运输、仓储和邮政业，信息传输、计算机服务和软件业，批发和零售业，住宿和餐饮业，金融业，房地产业，租赁和商务服务业，科学研究、技术服务和地质勘查业，水利、环境和公共设施管理业，居民服务和其他服务业，教育，卫生、社会保障和社会福利业，文化、体育和娱乐业，公共管理和社会组织，国际组织。

Explanatory Notes on Main Statistical Indicators

Development Rate is calculated by comparing the development levels of two different periods, which is a relative indicator to reflect the development extend of social economy. According to the different bases of comparison, development rates can be classified into fixed-base development rate and chain-base development rate.

Growth Rate is equal to development rate minus one (or 100%), i. e. growth rate = development rate - 1 (or 100%)

Average Annual Growth Rate Two methods for calculating average annual growth rate are applied in China, one is often called level approach or the method of calculating geometric average, which is derived by comparing the level of the last year of the interval with that of the beginning year; the other is called "accumulative approach" or algebraic average or equation method, which is derived by the summation of the actual figure of each year in the interval divided by the figure in the base year. The detailed calculating methods can be found by reference to the Check Table of Average Growth Rate published by China Financial Publishing House.

Usually the results calculated by the two methods are fairly close, but they differed sharply when uneven economic development occurred with striking fluctuations in growth.

The average annual growth rates listed in this statistical yearbook are calculated by "level approach". The base years are not listed when the years are listed for average annual growth rates. For instance, the average annual growth rate of 24 years since 1981 is listed as average annual growth rate of 1981 - 2004, among which 1980 is the base year and 2004 is the reference year.

Current Price refers to the actual price in the reference period, such as factory price, purchasing price of agricultural products, retail price of commodities, etc. Total values of some quantum indicators in value terms at current prices, such as gross industrial output value and gross domestic product, are calculated in accordance with actual prices of current year. When comparing indicators of value over time at current prices, they cannot accurately reflect the changes in real term due to price fluctuations of each year. That is why growth rate is calculated at comparable prices.

Comparable Prices are applied when comparing indicators of value over time to reflect accurately the changes in real term. Two methods are used for calculating comparable prices: (a) multiplying the output of products by their constant prices of certain year; (b) conversion of the data in current prices by relevant price index.

Constant Price refers to the average price of a given product in certain year, which is used for comparison of output value over time. As the output value at constant prices removes the factor of price changes, it reflects the trend of production development over time. Since 1949, with the changes in general price level, the National Bureau of Statistics has issued nationally unified constant prices five times: the 1952 constant prices for 1949-1957; the 1957 constant prices for 1958 - 1970; the 1970 constant prices for 1971 - 1980; the 1980 constant prices for 1981 - 1990; and the 1990 constant prices have been used since 1990.

The index conversion method is derived by an index of the base year divided by another index of the same base year. The "indexes of gross domestic product" listed in this statistical yearbook are calculated at comparable prices. For example, the growth rate of output value of a year can be derived by directly comparing with fixed base index (i. e. 100). The increase rate of gross domestic product in 1980 over 2004 can be derived by the index of 2004 divided by the index of 1980. And the analogs of this is also for the rest.

Gross Domestic Product refers to the final products of all resident units in a country (or a region) during a certain period of time calculated by market prices. It is calculated with three approaches, i. e. production approach, income approach and expenditure approach, which reflect gross domestic product and its composition from different aspects.

Total Output refers to the total value of all products and services created by all resident units in a country (or a region) during a certain period of time, including the newly increased value, the consumed value of products and services and the transfer value of fixed assets. Total output is calculated by producers´prices, which reflects the total production scale created by all resident units.

Value Added refers to the newly increased value and the transfer value of fixed assets created by all resident units in a country (or a region) during a certain period of time. It can be calculated by production approach and income approach. In terms of production approach, it is the total output minus intimidate input. In terms of income approach, it is the summation of laborer´remuneration, net taxes on production, depreciation of fixed assets and operating surplus.

Laborers Remuneration refers to the whole payment of various forms earned by the laborers from the productive activities they engaged in. It includes wages, bonuses and allowances the laborers earned in monetary form and in kind. It also includes the free medical services provided to the laborers and the medicine expenses, traffic subsidies and social insurance fee paid by the laborers´working units for them. As the individual economy is concerned, since the laborers´remuneration is not easily distinguished from the operating profit, both are treated as laborers´remuneration.

Net Taxes on Production refers to the residual of the taxes on production minus the subsidies on production. The taxes on production refers to the various taxes, extra charges and fees levied on the production units on their production, sale and business activities as well as on some factors of production, such as fixed assets, land and labor force, used in the production activities they engaged in. In contrast to the taxes on production, the subsidies on production refer to the unilateral transfer of part of the government's revenue to the production units and is therefore regarded as negative taxes on production. They include subsidies on the loss due to implementation of government policies and price subsidies, etc.

Depreciation of Fixed Assets refers to the depreciation of fixed assets of a given period, drawn in accordance with the stipulated depreciation rate for the purpose of compensating the wear loss of the fixed assets or the depreciation of fixed assets calculated in a fictitious way in accordance with the stipulated unified depreciation rate in the national economic accounting system. It reflects the value of transfer of the fixed assets in the production of the current period. The depreciation of fixed assets in various enterprises and institutions managed as enterprises refers to the depreciation expenses actually drawn and calculated as part of the cost. In government agencies and institutions not managed as enterprises which do not draw the depreciation expenses, as well as for the houses of residents, the depreciation of fixed assets is the imputed depreciation, which is calculated in accordance with the stipulated unified depreciation rate. In principle, the depreciation of fixed assets should be calculated on the basis of the re-purchased value of the fixed assets. However, there is no actual condition to re-evaluate all the fixed assets in China. Therefore, the above-mentioned methods are temporarily adopted at present.

Operating Surplus refers to the balance of the value added created by the resident units deducting the laborers´remuneration, net taxes on production and the depreciation of fixed assets. It is equivalent to the business profit of the enterprises plus subsidies on production, but the wages and welfare expenses paid from the profits should be deducted.

GDP Calculated with Expenditure Approach refers to total expenditure on final consumption, total capital formation and net export of goods and services by resident units of a country in a certain period of time. It reflects the composition of GDP by its use.

Final Consumption refers to the total expenditure of resident units on final consumption of goods and services in a certain period, namely the expenditure of the resident units for purchases of goods and services from domestic economic territory and abroad to meet the requirements of material, cultural and spiritual life. It excludes the expenditure of non-resident units on consumption in the economic territory of the country. The final consumption is classified into household consumption and government consumption.

Households Consumption refers to the total expenditure of resident households on the final consumption of goods and services. In addition to the consumption of goods and services bought by the resident households directly with money, the expenditure on goods and services obtained by the resident households in other ways is also included in the households consumption, which includes: (a) the goods and services provided to the households by the units in the form of payment in kind and transfer in kind; (b) the goods and services produced and consumed by the households themselves, in which the services refer only to the services provided by the residential buildings owned by the households; (c) the services of financial intermediary provided by the financial institutions; (d) and the insurance services provided by the insurance companies.

Government Consumption refers to the expenditure on the consumption of the public services provided by the government to the whole society and the net expenditure on the goods and services provided by the government to the households at free charge or lower prices. The former equals to the output value of the government services minus the value of operating income obtained by the government departments. (The output value of the government services equals to its current operating expenditure plus depreciation of fixed assets) . The latter equals to the market value of the goods and services provided by the government free of charge or at low prices to the households minus the value received by the government from the households.

Total Capital Formation refers to the fixed assets acquired minus those disposed and the change inventory, including the total fixed assets formation and the increase in inventory.

Total Fixed Capital Formation refers to the value of fixed assets purchased, transferred in by the resident units and those produced and used by themselves deducting the value of fixed assets sold and transferred out. It can be classified into total tangible assets formation and total intangible assets formation. The total tangible assets formation include the value of the construction projects, installation projects completed and the equipment, apparatus and instruments purchased as well as the value of land improved, the value of draught animals, breeding stock, milk, wool and recreational animals and the newly increased economic forest in a certain period. The total intangible assets formation includes the prospecting of minerals, the acquisition of computer software, the originals of recreational works and works of literature and arts minus the disposal of them.

Increase in Inventory refers to the market value of the change in inventory, i. e. the difference of value between the beginning and the end of the period. The increase in inventory can be positive or negative. A positive value indicates the increase in stock while a negative value indicates the decrease in stock. The inventory includes the raw materials, fuels and reserve materials purchased by the production units as well as the inventory of finished products, semi-finished products and work-in-progress, etc.

Net Export of Goods and Services refers to the difference of the exports of goods and services minus the imports of goods and services. The imports include the value of various goods and services sold or gratuitously transferred by the resident units to the non-resident units. The imports include the value of various goods and services purchased or gratuitously acquired by the resident units from the non-resident units. Because the provision of services and the use of them happen simultaneously, the import and export of services do not appear to have the phenomena of crossing the border of the country. The acquisition of services by the resident units from abroad is usually treated as import while the provision of services by the resident units to abroad is usually treated as export. .

Three Industries: Industry structure has been classified according to the historical sequence of development. Primary industry refers to extraction of natural resources; secondary industry involves processing of primary products; and tertiary industry provides services of various kinds for production and consumption. The above classification is universal although it varies to some extent from country to country. Industry in China comprises:

Primary industry: agriculture (including farming, forestry, animal husbandry and fishery) .

Secondary industry: industry (including mining and quarrying, manufacturing, production and supply of electricity, water and gas) and construction.

Tertiary industry: all other industries excluded in primary or secondary industry, including transport, storage, postal services, data transmission, computer services and software, wholesale and retail trade, hotels and catering services, finance, real estate, leasing and business services, scientific research and technical services, geological prospecting, water conservancy, environment and public facility management, residential services and other services, education, health care, social security and social welfare, culture, sports and recreation, public administration and social organizations, and international organizations.

三 要素市场主要指标

MAIN INDICATORS ON THE FACTOR MARKET

3

三　要素市场主要指标

简要说明

一、本篇资料反映广东土地、劳动力、技术、股票、房地产等要素市场方面的情况。
二、本篇资料由广东省统计局法规制度处整理、编辑。
三、资料来源：
1. 国有土地使用权出让、划拨情况来源于广东省国土资源厅。
2. 劳动力市场情况来源于广东省劳动与社会保障厅。
3. 城市房地产市场交易情况来源于广东省建设厅。
4. 技术市场交易情况来源于广东省科学技术厅。
5. 人才市场情况来源于广东省人事厅。
6. 股票发行情况资料来源于中国证券监督管理委员会广东监管局和深圳市统计局。

3　MAIN INDICATORS ON THE FACTOR MARKET

Brief Introduction

Ⅰ. Data in this chapter show the conditions of the factor market of Guangdong Province, including land, labor force, technology, stock and real estate, etc.

Ⅱ. Data in this chapter are prepared and compiled by the Division of Statistical Legislation and Programs Management of Guangdong Provincial Bureau of Statistics.

Ⅲ. Sources of the data in this chapter

(1) Data on the grant and allocation of the use right of state-owned land are provided by the Land and Resources Department of Guangdong Province.

(2) Data on the labor force market are provided by the Labor and Social Security Department of Guangdong Province.

(3) Data on the transaction in the market of urban real estate are provided by the Construction Department of Guangdong Province.

(4) Data on the transaction in the market of technology are provided by the Science and Technology Department of Guangdong Province.

(5) Data on the personnel-recruiting market are provided by the Personnel Department of Guangdong Province.

(6) Data on the stock issuing are provided by China Securities Regulatory Committee Guangdong Bureau and Shenzhen Municipal Bureau of Statistics.

3-1 国有土地使用权出让、划拨情况

BASIC STATISTICS ON GRANT AND ALLOCATION OF THE USE RIGHT OF STATE-OWNED LAND

指　　标	Item	1995	2000	2003	2004
国有土地使用权出让	Grant of the Use Right of State-owned Land				
出让地块　（宗）	Number of Blocks　(unit)	9701	8305	7816	6394
出让面积　（万平方米）	Area of Granted Land　(10000 sq. m)	8527	5542	10270	10694
成交价款　（亿元）	Transaction Value　(100 million yuan)			217	239
国有土地使用权划拨	Allocation of the Use Right of State-owned Land				
划拨地块　（宗）	Number of Blocks　(unit)	6476	982	1191	1438
划拨面积　（万平方米）	Area of Allocation　(10000 sq. m)	6090	1315	2085	5051

3-2 各市国有土地使用权出让与划拨情况（2004 年）

GRANT AND ALLOCATION OF THE USE RIGHT OF STATE-OWNED LAND BY CITY (2004)

市别 City	国有土地使用权出让 Grant of the Use Right of State-owned Land			国有土地使用权划拨 Allocation of the Use Right of State-owned Land	
	地块（宗） Number of Blocks (unit)	面积（万平方米） Area (10000 sq. m)	成交价款（亿元） Transaction Value (100 million yuan)	地块（宗） Number of Blocks (unit)	面积（万平方米） Area (10000 sq. m)
全省合计 Provincial Total	**6394**	**10694.00**	**239.00**	**1438**	**5051.26**
广　州 Guangzhou	626	826.28	13.06	235	2687.46
深　圳 Shenzhen	317	1033.23	65.67		
珠　海 Zhuhai	317	1412.05	24.07	51	330.58
汕　头 Shantou	100	129.43	5.76	16	89.90
韶　关 Shaoguan	332	92.50	2.71	177	35.00
河　源 Heyuan	105	29.33	0.28	13	0.83
梅　州 Meizhou	158	122.17	0.80	8	35.47
惠　州 Huizhou	761	1098.23	15.55	35	36.22
汕　尾 Shanwei	17	54.09	1.61	11	8.92
东　莞 Dongguan	124	580.98	15.98	13	16.58
中　山 Zhongshan	87	187.51	8.26		
江　门 Jiangmen	785	1015.64	5.51	41	151.30
佛　山 Foshan	1359	2897.14	66.37	312	1150.33
阳　江 Yangjiang	27	173.64	1.54	2	12.97
湛　江 Zhanjiang	31	72.18	1.54	456	38.17
茂　名 Maoming	483	329.84	1.69	19	16.12
肇　庆 Zhaoqing	188	91.17	0.99	11	6.88
清　远 Qingyuan	421	357.18	5.43	25	19.70
潮　州 Chaozhou	60	22.05	0.76	3	42.76
揭　阳 Jieyang	44	75.29	0.51	10	372.07
云　浮 Yunfu	52	94.07	0.91		

3-3 劳动力市场情况
MARKET OF LABOR FORCE

指 标	Item	1995	2000	2003	2004
职业介绍服务机构数 （个）	Number of Labor Exchange Service Organizations (unit)	1489	1355	1560	1631
劳动部门所属	Run by Labor Departments	1065	1039	797	754
非劳动部门所属	Run By Non-labor Departments	424	316	763	877
年末实有外省劳动力 （万人）	Number of Laborers from Other Provinces at the Year-end (10000 persons)	359.79	534.60	885.43	989.71
本年新增加的外省劳动力 （万人）	Number of Newly Increased Non-native Laborers from Other Provinces in the Year (10000 persons)	76.14	120.80	253.24	143.36
年末实有省内外来劳动力 （万人）	Number of Non-native Laborers within the Province at the Year-end (10000 persons)	255.68	234.10	294.89	306.80
城 镇	Urban Areas	60.45	65.80	74.3	79.33
农 村	Rural Areas	195.23	168.30	220.59	227.47
年末实有外出劳动力 （万人）	Number of Out-going Laborers at the Year-end (10000 persons)	178.94	214.10	290.71	309.44
城 镇	Urban Areas	26.26	49.30	65.42	65.32
农 村	Rural Areas	152.68	164.80	225.29	244.12

3-4 各市劳动力市场情况（2004 年）
MARKET OF LABOR FORCE BY CITY (2004)

单位：个、万人 (unit, 10000 persons)

市 别 City	职业介绍服务机构 Number of Labor Exchange Service Organizations			本年求职登记人数 Number of Job Seekers Registered in the Year	本年末实有外省劳动力 Number of Laborers from Other Provinces at the Year-end	本年新增加的外省劳动力 Number of Newly Increased Laborers from Other Provinces in the Year	外来劳动力合计 Total Non-native Laborers	外出劳动力合计 Total Out-going Laborers
	合计 Total	劳动部门所属 Run by Labor Departments	非劳动部门所属 Run by Non-labor Departments					
总 计 Total	**1631**	**754**	**877**	**464.83**	**989.71**	**143.36**	**306.80**	**309.44**
广 州 Guangzhou	473	189	284	61.56	92.56	14.93	38.30	13.54
深 圳 Shenzhen	103	14	89	170.49	304.96	63.30	114.51	
珠 海 Zhuhai	38	4	34	45.10	19.33	5.11	7.17	0.34
汕 头 Shantou	119	94	25	11.91	7.92	1.83	3.16	4.98
佛 山 Foshan	35	27	8	8.68	115.97	13.01	44.74	5.85
韶 关 Shaoguan	48	36	12	14.01	5.19	1.47	3.03	12.91
河 源 Heyuan	10	6	4	3.60	7.21	3.32	3.07	47.67
梅 州 Meizhou	57	26	31	2.16	7.23	1.90	3.95	32.75
惠 州 Huizhou	41	33	8	6.89	39.20	5.77	13.18	6.80
汕 尾 Shanwei	7	7		6.53	9.06	1.15	2.19	10.78
东 莞 Dongguan	81	48	33	7.73	233.45	1.10	32.37	
中 山 Zhongshan	7	7		2.77	78.25	13.46	13.47	1.42
江 门 Jiangmen	47	46	1	3.86	31.27	8.33	7.68	11.45
阳 江 Yangjiang	211	45	166	52.02	3.24	0.42	1.63	5.14
湛 江 Zhanjiang	88	26	62	14.44	2.20	0.52	5.42	17.21
茂 名 Maoming	115	33	82	19.78	3.20	1.10	1.95	61.44
肇 庆 Zhaoqing	52	47	5	2.14	9.11		4.13	37.92
清 远 Qingyuan	22	10	12	2.66	5.97	2.95	3.72	12.40
潮 州 chaozhou	25	14	11	5.57	6.77	3.18	0.79	1.34
揭 阳 Jieyang	16	15	1	16.59	3.31	0.38	1.58	6.65
云 浮 Yunfu	36	27	9	6.34	4.31	0.13	0.76	18.85

3-5 各市房地产市场交易情况（2004 年）
TRANSACTION IN THE MARKET OF REAL ESTATE BY CITY (2004)

市别 City	新建商品房现售 Newly Constructed Commercial Buildings on Sale		新建商品房预售 Presale of Newly Constructed Commercial Buildings		存量房买卖 Sales of Stock Buildings		房屋租赁登记备案 Lease of Buildings Registered on Record	
	成交面积（万平方米）Transaction Area (10000 sq. m)	成交金额（万元）Transaction Value (10000 yuan)	预售面积（万平方米）Presale Area (10000 sq. m)	预售金额（万元）Presale Value (10000 yuan)	成交面积（万平方米）Transaction Area (10000 sq. m)	成交金额（万元）Transaction Value (10000 yuan)	登记备案案件数（个）Number of Buildings Registered on Record (unit)	登记备案面积（万平方米）Area of Buildings Registered on Record (10000 sq. m)
合 计 Total	**2729.23**	**7758550.83**	**2823.55**	**10586869.37**	**3360.81**	**7314911.77**	**306295**	**5642.21**
广 州 Guangzhou	494.23	1948037.54	812.38	4165119.04	904.89	2360626.20	166990	1029.68
深 圳 shenzhen	379.25	2050958.00	579.23	2982686.00	686.58	2985383.24	104750	3823.23
珠 海 Zhuhai	135.35	475788.74	104.71	389264.59	129.53	264785.51		
汕 头 Shantou	43.04	82736.72	66.61	142346.71	126.63	158975.10	1192	15.53
佛 山 Foshan	292.10	872024.58	367.99	1127532.15	356.38	515290.24	2814	29.61
韶 关 Shaoguan	82.12	97071.99	12.31	21539.00	66.97	50059.17	263	1.16
河 源 Heyuan	29.54	32984.60	41.34	66341.79	47.41	31035.94	880	6.78
梅 州 Meizhou	116.49	91763.35	3.33	1398.80	88.95	54276.28	35	0.11
惠 州 Huizhou	128.19	246044.81	204.95	363941.16	146.16	147077.68	701	4.00
汕 尾 Shanwei	12.69	13652.00			34.57	29828.00		
东 莞 Dongguan	211.53	562511.92			91.87	111114.82	227	27.88
中 山 Zhongshan	102.64	275852.02	219.48	628706.72	96.52	116729.64	4491	50.26
江 门 Jiangmen	316.93	507481.95	192.80	290503.86	179.92	172718.69	9670	39.54
阳 江 Yangjiang	48.68	58968.71	24.07	37333.32	46.16	31058.24	2806	25.73
湛 江 Zhanjiang	38.40	58736.44	51.57	94193.40	77.17	44588.16	8335	571.58
茂 名 Maoming	58.04	59517.71			53.20	40573.19	927	3.45
肇 庆 Zhaoqing	111.91	171412.33	58.15	133366.04	92.65	83909.81	1042	6.97
清 远 Qingyuan	15.52	25540.00	50.70	95097.00	16.36	21701.00		
潮 州 Chaozhou	27.30	41040.00	15.00	19500.00	16.92	18256.00		
揭 阳 Jieyang	71.05	66598.00	4.86	5078.40	35.21	29268.00		
云 浮 Yunfu	14.23	19829.42	14.07	22921.39	66.76	47656.86	1172	6.7

3-6 技术市场交易情况
TRANSACTION IN THE MARKET OF TECHNOLOGY

指　标	Item	1995	2000	2003	2004
技术买方：项数　（项）	**Technology Buyers: Number of Items　(item)**	**5098**	**5464**	**11924**	**11328**
金额　（万元）	**Amount　(10000 yuan)**	**125972**	**482104**	**805730**	**572661**
企业项数　（项）	Number of Items by Enterprises　(item)	3347	3739	9380	8637
金额　（万元）	Amount　(10000 yuan)	94147	415226	703180	452632
科研机构项数　（项）	Number of Items by Scientific & Technological Research Institutions　(item)	177	186	373	355
金额　（万元）	Amount　(10000 yuan)	1544	17494	7960	8464
各级管理部门项数　（项）	Number of Items by Management Departments at All Levels　(item)	400	464	816	821
金额　（万元）	Amount　(10000 yuan)	12719	23864	24434	30287
技术贸易机构项数　（项）	Number of Items by Technology Trade Organizations　(item)	88	42	27	45
金额　（万元）	Amount　(10000 yuan)	1175	1148	419	1024
个体经营项数　（项）	Number of Items by Individuals　(item)	1086	1033	135	328
金额　（万元）	·Amount　(10000 yuan)	16387	24372	1138	5173
技术卖方：项数　（项）	**Technology Sellers: Number of Items　(item)**	**5098**	**5464**	**11924**	**11328**
金额　（万元）	**Amount　(10000 yuan)**	**125973**	**482104**	**805730**	**572661**
企业项数　（项）	Number of Items by Enterprises　(item)	190	793	3952	4535
金额　（万元）	Amount　(10000 yuan)	5170	195931	651943	461859
科研机构项数　（项）	Number of Items by Scientific & Technological Research Institutions　(item)	1635	1946	4097	3910
金额　（万元）	Amount　(10000 yuan)	70271	77106	60852	43852
大中专院校项数　（项）	Number of Items by Institutions of Secondary and Higher Education　(item)	263	520	1088	862
金额　（万元）	Amount　(10000 yuan)	4376	11871	39253	20675
技术贸易机构项数　（项）	Number of Items by Technology Trade Organizations　(item)	2657	1948	2423	1666
金额　（万元）	Amount　(10000 yuan)	42397	148471	28884	26436
个体经营项数　（项）	Number of Items by Individuals　(item)	353	257	59	8
金额　（万元）	Amount　(10000 yuan)	3759	48725	1039	1385

3-7 各市人才流动机构情况（2004 年）
STATUS OF TALENT FLOW ORGANIZATIONS BY CITY（2004）

单位：个、人　　　　　　　　　　　　　　　　　　　　　　　　（unit，person）

市别 City	人才流动机构情况 Status of Talent Flow Organizations						人才培训 Talent Training		人才交流会次数 Number of Talent Exchange Meetings	参加人才交流会应聘人才 Number of Persons Participating in Talent Exchange Meetings
	市属 Under the Leadership of City		县属 Under the Leadership of Countyty		民办 Run by the Local People		次数 Number of Times	人数 Number of Persons		
	机构 Organ izations	人员 Person nel	机构 Organ izations	人员 Person nel	机构 Organ izations	人员 Person nel				
合　计 Total	**51**	**2006**	**121**	**319**	**273**	**3316**	**1743**	**178985**	**4196**	**3264009**
广　州 Guangzhou	17	1090			169	1539	445	59259	484	660440
深　圳 Shenzhen	8	572			66	1137	84	2333	2125	1430192
珠　海 Zhuhai	1	83	2	70	2	26			98	28250
汕　头 Shantou	2	26	8	22					1	9802
佛　山 Foshan	2	50	6	45	5	21	93	14469	421	289442
韶　关 Shaoguan	2	19	12	16					38	3000
河　源 Heyuan	2	17	6	9					8	730
梅　州 Meizhou	1	4	10	11						
惠　州 Huizhou	2	41	8	23	5	13	7	580	6	1800
汕　尾 Shanwei	1	3								
东　莞 Dongguan	1	14			11	463	115	3408	616	620800
中　山 Zhongshan	1	11			4	54	20	701	217	147245
江　门 Jiangmen	1	16	7	21			223	45610	139	24200
阳　江 Yangjiang	2	11	5	9			5	890	14	12600
湛　江 Zhanjiang	1	6	11	18	5	23	18	1300	1	1700
茂　名 Maoming	2	8	6	20	2	13	275	23703		
肇　庆 Zhaoqing	1	8	9	6	4	27			16	12400
清　远 Qingyuan	1	4	12	15			1	250		
潮　州 Chaozhou	1	6	3	3					4	11500
揭　阳 Jieyang	1	7	9	15			425	24500	2	2608
云　浮 Yunfu	1	10	7	16			32	1982	6	7300

3-8 各市证券市场情况（2004 年）
STATUS OF STOCK MARKET BY CITY (2004)

市别 City	境内上市公司（A、B 股）（家） Number of Listed Companies (with A or B Shares) in China's Stock Markets (unit)	市价总值（亿元） Total Market Value (100 million yuan)	流通市值（亿元） Negotiable Market Value (100 million yuan)	股票筹资额（亿元） Funds Raised through Stocks (100 million yuan)		可转债筹资额（亿元） Funds Raised through Convertible Loan Stocks (100 million yuan)		股票成交额（亿元） Transaction Value of Stocks (100 million yuan)
				当年 Current Year	累计 Cumulative	当年 Current Year	累计 Cumulative	
合 计 Total	**143**	**4145.52**	**1710.42**	**86.45**	**914.76**	**23.90**	**43.90**	**10399.37**
广 州 Guangzhou	23	849.39	281.15	21.70	176.99			3183.21
深 圳 Shenzhen	71	2268.19	990.82	11.38	432.82	23.90	43.90	2902.87
珠 海 Zhuhai	9	180.91	80.58	13.43	47.48			334.36
汕 头 Shantou	3	43.71	15.21	4.48	12.81			441.35
佛 山 Foshan	8	185.76	91.49	2.16	54.69			1134.78
韶 关 Shaoguan	2	86.60	39.82	3.38	32.25			114.13
河 源 Heyuan								10.23
梅 州 meizhou	3	58.32	36.83		22.34			142.23
惠 州 Huizhou	2	102.57	39.48	25.13	33.55			123.13
汕 尾 Shanwei								23.79
东 莞 Dongguan	3	128.12	37.79		21.59			653.14
中 山 Zhongshan	3	31.38	14.58	2.00	8.05			198.68
江 门 Jiangmen	4	48.46	21.19		25.97			354.43
阳 江 Yangjiang	1	5.31	2.68		3.42			32.52
湛 江 Zhanjiang	1	7.55	2.83		4.54			161.41
茂 名 Maoming	2	38.07	13.88		3.59			130.92
肇 庆 Zhaoqing	2	50.46	23.31		18.26			142.27
清 远 Qingyuan	1	7.13	1.78		1.22			43.16
潮 州 Chaozhou	1	9.35	4.06		3.64			96.39
揭 阳 Jieyang	4	44.24	12.94	2.79	11.55			129.63
云 浮 Yunfu								46.74

3-8 **续表** continued

市别 City	投资者开户数（万户）Number of Investors Opening Accounts（10000 household）		基金管理公司（家）Number of Fund Management Companies（unit）	封闭式证券投资基金 Closed-end Portfolio Funds			开放式证券投资基金 Open-end Portfolio Funds		
	当年 Current Year	累计 Cumulative		基金数量（只）Number of Funds（unit）	基金规模（亿份）Size of Funds（100 million lots）	基金净值（亿元）Net Value of Funds（100 million yuan）	基金数量（只）Number of Funds（unit）	基金规模（亿份）Size of Funds（100 million lots）	基金净值（亿元）Net Value of Funds（100 million yuan）
合 计 Total	**33. 03**	**831. 54**	**18. 00**	**34. 00**	**492. 00**	**485. 88**	**48. 00**	**1325. 15**	**1307. 41**
广 州 Guangzhou	8. 95	195. 37							
深 圳 Shenzhen	8. 07	323. 01	15. 00	30. 00	438. 00	421. 49	40. 00	1190. 00	1175. 93
珠 海 Zhuhai	0. 96	26. 44	3. 00	4. 00	54. 00	64. 39	8. 00	135. 15	131. 48
汕 头 Shantou	0. 81	24. 09							
佛 山 Foshan	2. 19	62. 25							
韶 关 Shaoguan	0. 31	15. 01							
河 源 Heyuan	0. 11	2. 60							
梅 州 meizhou	0. 52	14. 80							
惠 州 Huizhou	0. 52	11. 02							
汕 尾 Shanwei	0. 07	2. 47							
东 莞 Dongguan	2. 83	37. 83							
中 山 Zhongshan	0. 60	17. 26							
江 门 Jiangmen	4. 80	27. 93							
阳 江 Yangjiang	0. 10	4. 76							
湛 江 Zhanjiang	0. 35	13. 41							
茂 名 Maoming	0. 34	11. 88							
肇 庆 Zhaoqing	0. 65	15. 11							
清 远 Qingyuan	0. 18	5. 73							
潮 州 Chaozhou	0. 19	7. 65							
揭 阳 Jieyang	0. 27	7. 19							
云 浮 Yunfu	0. 21	5. 73							

四 人 口

POPULATION

4

四　人　　口

简要说明

一、本篇资料反映广东人口发展变化基本情况。主要内容包括：

1. 年末常住人口、人口出生率、人口死亡率、人口自然增长率。数据由广东省统计局根据1%人口变动情况抽样调查推算所得。

2. 户籍总人口、男性人口、女性人口、农业人口、非农业人口、迁移人口等，数据来源于广东省公安厅人口统计年报。

二、本资料由广东省统计局人口与社会科技处整理提供。

4　POPULATION

Brief Introduction

Ⅰ. The- data in this chapter show the basic conditions of development and changes of population in Guangdong, mainly including:

1. The year-end permanent population, birth rate, death rate and natural growth rate of population. The data are estimated on the basis of the one percent sample survey on population changes by Guangdong Provincial Bureau of Statistics.

2. The total population with residence registration, males, females, agricultural population, non-agricultural and migrant population, etc. They are obtained from the annual reports of population of Guangdong Provincial Department of Public Security.

Ⅱ. The date in this chapter are prepared and provided by the Division of Population, Social, Science and Technology Statistics of Guangdong Provincial Bureau of Statistics.

4-1 人口主要指标
MAIN POPULATION FIGURES

指标	Item	1985	1990	1995	2003	2004
一、年末常住人口 （万人）	Permanent Population at the Year-end （10000 persons）	5670.65	6346.22	6867.77	7954.22	8303.72
人口密度 （人/平方公里）	Population Density （person/sq. km.）	318	351	382	442	462
二、户籍人口	Population with Residence Registration					
年末总户数 （万户）	Total Households at the Year-end （10000 households）	1205.64	1411.08	1631.03	2023.91	2065.92
年末总人口 （万人）	Total Population at the Year-end （10000 persons）	5655.60	6246.32	6788.74	7723.42	7804.75
# 农业人口	Agricultural Population	4457.68	4769.01	4753.37	4003.07	3973.52
非农业人口比重 （%）	Percentage of Non-agricultural Population （%）	21.18	23.65	29.98	47.67	48.66
性别比 （女=100）	Sex Ratio （Female=100）	106.0	105.9	106.5	106.8	106.5
三、人口变动情况 （‰）	Status of Population Changes （‰）					
出生率	Birth Rate	20.60	22.26	18.10	13.66	13.13
死亡率	Death Rate	6.33	5.76	5.70	5.31	5.12
自然增长率	Natural Growth Rate	14.27	16.50	12.40	8.35	8.01
迁入率	Immigration Rate	17.82	15.38	16.04	13.70	17.25
迁出率	Emigration Rate	15.12	12.56	13.31	10.83	13.43
总迁移率	Total Migration Rate	32.94	27.94	29.35	24.53	30.68
净迁移率	Net Migration Rate	2.70	2.82	2.73	2.87	3.82
跨省净迁移率	Net Migration Rate between Provinces	0.39	0.35	1.09	2.02	3.33

4-2 年末户籍总人口
TOTAL POPULATION WITH RESIDENCE REGISTRATION AT THE YEAR-END

单位：万人 （10000 persons）

年份 Year	总人口 Total Population	按性别分 By Sex		按农业、非农业分 By Agricultural & Non-agricultural Population		人口密度（人/平方公里） Population Density （person/sq. km.）
		男 Male	女 Female	非农业人口 Non-agricultural Population	农业人口 Agricultural Population	
1949	2782.72	1397.30	1385.42	437.46	2345.26	156
1952	2910.45	1457.24	1453.21	512.93	2397.52	164
1957	3301.79	1666.23	1635.56	597.13	2704.66	186
1962	3575.38	1799.73	1775.65	658.46	2916.92	201
1965	3865.51	1957.18	1908.33	679.99	3185.52	217
1970	4382.21	2222.88	2159.33	693.05	3689.16	246
1975	4858.48	2477.83	2380.65	759.84	4098.64	273
1978	5064.15	2586.68	2477.47	823.23	4240.92	285
1980	5227.67	2671.28	2556.39	909.71	4317.96	294
1982	5415.35	2771.86	2643.49	971.46	4443.89	304
1983	5494.12	2818.92	2675.20	1001.05	4493.07	309
1984	5576.62	2865.90	2710.72	1097.36	4479.26	313
1985	5656.60	2909.52	2746.08	1197.92	4457.68	318
1986	5740.70	2955.68	2785.02	1254.60	4486.10	323
1987	5832.15	3003.09	2829.06	1309.91	4522.24	328
1988	5928.31	3053.50	2874.81	1366.54	4561.77	333
1989	6024.98	3106.37	2918.61	1422.75	4602.23	338
1990	6246.32	3213.20	3033.12	1477.31	4769.01	351
1991	6348.95	3266.26	3082.69	1540.92	4808.03	357
1992	6463.17	3327.67	3135.50	1640.80	4822.37	363
1993	6581.60	3390.37	3191.23	1808.09	4773.51	369
1994	6691.46	3450.68	3240.78	1964.72	4726.74	376
1995	6788.74	3501.19	3287.55	2035.37	4753.37	382
1996	6896.77	3559.54	3337.23	2107.80	4788.97	388
1997	7013.73	3620.32	3393.41	2173.50	4840.23	394
1998	7115.65	3676.95	3438.70	2219.07	4896.58	400
1999	7298.88	3769.70	3529.18	2276.42	5022.46	410
2000	7498.54	3871.13	3627.41	2338.29	5160.25	422
2001	7565.33	3905.28	3660.05	2391.31	5174.02	426
2002	7649.29	3948.25	3701.04	2767.31	4881.98	430
2003	7723.42	3989.24	3734.18	3681.93	4003.07	442
2004	7804.75	4025.87	3778.88	3797.92	3973.52	462

注：2003年起“按农业、非农业分”的人口，不包括未落常住户口的人数，4-5表同此。

Note: In 2003, the population grouped by agricultural and non-agricultural population excluded the number of non-permanent population. The same as in Table 4-5.

4-3 人口自然变动情况
STATUS OF NATURAL POPULATION CHANGES

单位：万人、‰ (10000 persons, ‰)

年份 Year	出生 Birth		死亡 Death		自然增长 Natural Growth of Population	
	出生人数 Number of Birth	出生率 Birth Rate	死亡人数 Number of Death	死亡率 Death Rate	自然增长人数 Number of Natural Growth	自然增长率 Natural Growth Rate
1949	95.98	36.00	39.99	15.00	55.99	21.00
1952	105.81	36.60	39.32	13.58	66.49	23.02
1957	114.81	35.24	27.24	8.36	87.57	26.88
1962	150.02	42.46	33.28	9.42	116.74	33.04
1965	137.53	36.10	25.95	6.81	111.58	29.29
1970	140.93	32.50	25.52	5.88	115.41	26.62
1975	110.61	22.95	29.38	6.10	81.23	16.85
1978	111.23	22.14	27.35	5.44	83.88	16.70
1980	118.31	22.82	28.40	5.48	89.91	17.34
1982	123.98	23.09	31.79	5.92	92.19	17.17
1983	114.55	21.00	34.47	6.32	80.08	14.68
1984	114.86	20.75	34.37	6.21	80.49	14.54
1985	115.70	20.60	35.53	6.33	80.17	14.27
1986	126.23	22.15	32.48	5.70	93.75	16.45
1987	128.00	22.12	32.98	5.70	95.02	16.42
1988	122.90	20.90	29.81	5.07	93.09	15.83
1989	121.15	20.27	34.25	5.73	86.90	14.54
1990	140.11	22.26	36.25	5.76	103.86	16.50
1991	131.31	20.54	38.04	5.95	93.27	14.59
1992	125.17	19.31	40.00	6.17	85.17	13.14
1993	120.00	18.34	38.00	5.84	82.00	12.50
1994	121.00	18.20	38.00	5.78	83.00	12.42
1995	123.54	18.10	38.91	5.70	84.63	12.40
1997	118.40	16.90	37.83	5.40	80.57	11.50
1998	117.00	16.51	40.00	5.61	77.00	10.90
1999	110.00	15.32	39.00	5.40	71.00	9.92
2000	108.85	14.53	40.21	5.37	68.64	9.16
2001	107.99	13.95	39.63	5.12	68.36	8.83
2002	103.94	13.29	39.73	5.08	64.21	8.21
2003	108.00	13.66	41.98	5.31	66.02	8.35
2004	106.73	13.13	41.62	5.12	65.11	8.01

4-4 人口迁移变动情况
STATUS OF MIGRATION CHANGES

单位：万人、‰ (10000 persons, ‰)

年份 Year	迁入 Immigration		迁出 Emigration		总迁移 Total Migration		净迁移 Net Migration	
	迁入人数 Number of Immigration	迁入率 Immigration Rate	迁出人数 Number of Emigration	迁出率 Emigration Rate	总迁人数 Total Number of Migration	总迁移率 Total Migration Rate	净迁移人数 Net Number of Migration	净迁移率 Net Migration Rate
1962	74. 75	21. 16	93. 01	26. 32	167. 76	47. 48	-18. 26	-5. 16
1965	58. 64	15. 39	60. 54	15. 88	119. 18	31. 27	-1. 90	-0. 49
1970	61. 79	14. 25	69. 60	16. 05	131. 39	30. 30	-7. 81	-1. 80
1975	67. 34	13. 97	62. 47	12. 96	129. 81	26. 93	4. 87	1. 01
1978	81. 83	16. 29	75. 58	15. 04	157. 41	31. 33	6. 25	1. 25
1980	91. 45	17. 64	82. 09	15. 83	173. 54	33. 47	9. 36	1. 81
1982	71. 63	13. 34	65. 06	12. 11	136. 69	25. 45	6. 57	1. 23
1983	66. 26	12. 14	59. 35	10. 88	125. 61	23. 02	6. 91	1. 26
1984	92. 30	16. 67	83. 31	15. 05	175. 61	31. 72	8. 99	1. 62
1985	100. 10	17. 82	84. 90	15. 12	185. 00	32. 94	15. 20	2. 70
1986	85. 61	15. 02	70. 83	12. 43	156. 44	27. 45	14. 78	2. 59
1987	92. 89	16. 05	73. 26	12. 66	166. 15	28. 71	19. 63	3. 39
1988	93. 82	15. 96	73. 46	12. 49	167. 28	28. 45	20. 36	3. 47
1989	95. 26	15. 94	73. 87	12. 36	169. 13	28. 30	21. 39	3. 58
1990	94. 39	15. 38	77. 07	12. 56	171. 46	27. 94	17. 32	2. 82
1991	97. 23	15. 44	83. 74	13. 30	180. 97	28. 74	13. 49	2. 14
1992	135. 89	21. 21	108. 39	16. 92	244. 28	38. 13	27. 50	4. 29
1993	158. 20	24. 25	128. 06	19. 63	286. 26	43. 88	30. 14	4. 62
1994	140. 93	21. 24	115. 72	17. 44	256. 65	38. 68	25. 21	3. 80
1995	108. 09	16. 04	89. 74	13. 31	197. 83	29. 35	18. 35	2. 73
1997	130. 94	18. 83	98. 90	14. 22	229. 84	33. 05	32. 04	4. 61
1998	117. 93	16. 69	94. 18	13. 33	212. 11	30. 02	23. 75	3. 36
1999	107. 68	14. 94	89. 13	12. 37	196. 81	27. 31	18. 55	2. 57
2000	122. 72	16. 59	95. 76	12. 94	218. 48	29. 53	26. 96	3. 65
2001	109. 88	14. 59	92. 34	12. 26	202. 22	26. 85	17. 54	2. 33
2002	102. 26	13. 44	81. 95	10. 77	184. 21	24. 21	20. 31	2. 67
2003	105. 27	13. 70	83. 22	10. 83	188. 49	24. 53	22. 05	2. 87
2004	133. 91	17. 25	104. 26	13. 43	238. 17	30. 68	29. 65	3. 82

4-5 各市年末户籍人口数（2004年）
TOTAL POPULATION WITH RESIDENCE REGISTRATION AT THE YEAR-END BY CITY（2004）

单位：人 (person)

市别 City	总人口 Total Population	按性别分 By Sex		按农业、非农业分 By Agriculture & Non-agriculture	
		男 Male	女 Female	非农业人口 Non -agricultural Population	农业人口 Agricultural Population
广　州 Guangzhou	737. 67	377. 97	359. 70	652. 05	82. 85
深　圳 Shenzhen	165. 14	87. 59	77. 55	164. 77	0. 22
珠　海 Zhuhai	86. 17	44. 11	42. 06	86. 17	
汕　头 Shantou	487. 52	245. 57	241. 95	482. 99	4. 49
佛　山 Foshan	350. 89	176. 19	174. 70	350. 89	
韶　关 Shaoguan	316. 98	164. 41	152. 57	126. 23	190. 33
河　源 Heyuan	333. 21	170. 68	162. 53	85. 44	246. 64
梅　州 Meizhou	496. 89	255. 79	241. 10	121. 58	375. 31
惠　州 Huizhou	293. 22	149. 88	143. 34	114. 27	178. 27
汕　尾 Shanwei	311. 67	162. 28	149. 39	156. 35	152. 85
东　莞 Dongguan	161. 97	82. 25	79. 72	62. 32	99. 32
中　山 Zhongshan	139. 44	69. 89	69. 55	57. 32	81. 61
江　门 Jiangmen	385. 53	195. 52	190. 01	221. 29	164. 23
阳　江 Yangjiang	262. 83	139. 89	122. 94	83. 87	178. 17
湛　江 Zhanjiang	706. 40	372. 64	333. 76	198. 18	502. 62
茂　名 Maoming	670. 59	351. 50	319. 09	247. 15	416. 73
肇　庆 Zhaoqing	394. 05	203. 15	190. 90	97. 53	296. 06
清　远 Qingyuan	391. 26	203. 42	187. 84	112. 57	278. 27
潮　州 Chaozhou	249. 59	127. 23	122. 36	70. 92	178. 64
揭　阳 Jieyang	601. 77	309. 03	292. 74	208. 15	386. 23
云　浮 Yunfu	261. 96	136. 88	125. 08	97. 88	160. 68

4-6 各市年末迁移人口数（2004年）
NUMBER OF MIGRATION POPULATION AT THE YEAR－END BY CITY（2004）

单位：人 (person)

市别 City	迁入 Immigration		迁出 Emigration		净迁移 Net Migration	
	省内迁入 From Guangdong	省外迁入 From Other Provinces	迁往省内 To Guangdong	迁往省外 To Other Provinces	省内 From Guangdong	省外 From Other Provinces
广 州 Guangzhou	133239	86568	93617	13170	39622	73398
深 圳 Shenzhen	54826	74225	6444	4036	48382	70189
珠 海 Zhuhai	16954	23837	2861	2468	14093	21369
汕 头 Shantou	17452	5919	19217	4010	－1765	1909
佛 山 Foshan	79127	28997	49291	6242	29836	22755
韶 关 Shaoguan	37214	12924	42494	5600	－5280	7324
河 源 Heyuan	30334	7875	40344	3690	－10010	4185
梅 州 Meizhou	46667	8122	53348	5088	－6681	3034
惠 州 Huizhou	47050	14775	30353	5150	16697	9625
汕 尾 Shanwei	27510	3040	34600	2571	－7090	469
东 莞 Dongguan	13772	15849	1324	6294	12448	9555
中 山 Zhongshan	26066	6781	20166	3515	5900	3266
江 门 Jiangmen	40603	14237	40093	19529	510	－5292
阳 江 Yangjiang	57481	10341	57631	3152	－150	7189
湛 江 Zhanjiang	136335	8756	173598	15020	－37263	－6264
茂 名 Maoming	36843	9766	71197	11786	－34354	－2020
肇 庆 Zhaoqing	30164	6573	39903	4657	－9739	1916
清 远 Qingyuan	20656	7827	31814	5334	－11158	2493
潮 州 Chaozhou	11383	2778	15991	1534	－4608	1244
揭 阳 Jieyang	71759	39191	63506	8321	8253	30870
云 浮 Yunfu	11658	3589	21387	2252	－9729	1337

主要统计指标解释

总人口 指一定时点、一定地区范围内有生命的个人的总和。按不同的统计范围可分为常住人口和户籍人口；统计时点通常为每年 12 月 31 日 24 时。

非农业人口 指按常住户口性质划分的人口。具体为：(1) 设区市的市区和不设区市的市区所辖街道办事处区域内的常住人口；(2) 市辖镇、县辖镇所辖居民委员会或镇政府驻地村民委员会区域内的常住人口。另外在按非农业、农业分的人口中，不包括未落常住户口的人数。

人口密度 指某一时点单位土地面积上居住的人口数。通常以每平方公里常住的人口数表示。

性别比 总人口（或分年龄人口）中男性人数与女性人数之比。通常以每 100 个女性人口相应有多少男性人口表示。

出生率 也称粗出生率。指某一人口在一定时期（通常为一年）内活产婴儿数与同期总人口的生存人口数（或同期平均总人口、年中人口数）之比。通常以千分比表示。

死亡率 也称粗死亡率。指一定时期（通常为一年）内全部死亡人数与同期平均总人口之比，反映该时期人口的死亡强度。通常以千分比表示。

自然增长率 指一定时期（通常为一年）内人口自然增加数（出生人口减死亡人口）与同期平均总人口之比。通常以千分比表示。

迁入率（迁出率） 指一定时期（通常为一年）内迁入（迁出）人数与同期平均总人口之比。通常以千分比表示。

总迁移率 指一定时期（通常为一年）内人口迁移总量（迁入人口加迁出人口）与同期平均总人口之比。通常以千分比表示。

净迁移率 指一定时期（通常为一年）内人口迁入迁出相抵后（迁入人口减迁出人口）与同期平均总人口之比。通常以千分比表示。

跨省净迁移率 指一定时期（通常为一年）内省外迁入人口和迁往省外（含出国）人口之差与同期平均总人口之比。通常以千分比表示。

Explanatory Notes on Main Statistical Indicators

Total Population refers to the total number of people alive within a given area at a certain point of time. It can be divided into the permanent population and the population with residence registration according to different statistical coverage. The reference time of the statistics on total population is usually taken at midnight of December 31.

Non-agricultural Population refers to the population divided by status of permanent population, including (1) the permanent population under the jurisdiction of subdistrict offices of the cities with or without urban districts; (2) and the permanent population under the jurisdiction of neighborhood committees of the townships in cities and counties or village committees where the township governments are located.

Population Density refers to the number of people located in a given land area at a certain point of time, usually expressed in the number of permanent population per square kilometer.

Sex Ratio refers to the ratio of the male population to the female population among the total population (or the population grouped by age), usually expressed in the number of the male population per 100 female populations.

Birth Rate (or Crude Birth Rate) refers to the number of live births to the total number of population alive (or average population, mid-year population) during a certain period of time (usually a year), expressed in ‰.

Death Rate (or Crude Death Rate) refers to the ratio of the number of deaths to the average population during a certain period of time (usually a year), expressed in ‰. Death rate reflects the death intensity of the population during the same period of time.

Natural Growth Rate refers to the ratio of natural increase in population (number of births minus number of deaths) during a certain period of time (usually a year) to the average population of the same period, expressed in ‰.

Immigration Rate (Emigration Rate) refers to the ratio of the number of immigration (emigration) to the average population during a certain period of time (usually a year), expressed in ‰.

Total Migration Rate refers to the ratio of the total number of migration (number of immigration plus number of emigration) to the average population during a certain period of time (usually a year), expressed in ‰.

Net Migration Rate refers to the ratio of the net number of migration (number of immigration minus number of emigration) to the average population during a certain period of time (usually a year), expressed in ‰.

Net Migration Rate between Provinces refers to the ratio of the number of immigration from other provinces minus the number of emigration to other provinces (including those going abroad) to the average population during a certain period of time (usually a year), expressed in ‰.

五 从业人员和职工工资

EMPLOYMENT AND WAGES

5

五　从业人员和职工工资

简要说明

一、本篇资料反映广东劳动就业与工资的基本情况。主要内容包括全社会从业人员数、城镇以上单位在岗职工人数、城镇私营企业和个体工商业从业人数、在岗职工工资总额、平均工资以及城镇登记失业率情况等。

二、本篇资料由广东省统计局人口和社会科技统计处整理提供。

三、本篇资料主要根据国家统计调查制度搜集汇总，部分由省劳动和社会保障厅、省工商行政管理局等部门提供并加工整理。

四、本篇资料中的城镇从业人员、在岗职工、职工及其工资统计范围只包括城镇以上国有、集体及其他经济类型单位，不包括私营企业和个体劳动者。

五、1998 年，劳动统计年报中对全部调查单位改按企业登记注册类型分组。即国有单位中不再包括国有联营和有限责任公司中的国有独资公司；城镇集体单位中不再包括集体联营和股份合作企业；其他单位则包括国有联营和有限责任公司中的国有独资公司，集体联营和股份合作企业。

5　EMPLOYMENT AND WAGES

Brief Introduction

Ⅰ. The data in this chapter show the basic conditions of labor employment and wages of Guangdong Province, mainly including number of all employed persons, number of fully employed staff and workers in units in urban areas, number of the persons employed in the urban private enterprises and self-employed persons in industry and commerce, total wages and average wage of fully employed staff and workers and registered urban unemployment rate, etc.

Ⅱ. The data in this chapter are prepared and provided by the Division of Population, Social, Science and Technology Statistics of Guangdong Provincial Bureau of Statistics.

Ⅲ. The data in this chapter are collected and tabulated mainly in accordance with the statistical survey scheme of the National Bureau of Statistics, part of which are processed and prepared from the figures provided by Guangdong Provincial Department of Labor and Social Security, Guangdong Provincial Administration for Industry and Commerce and some other related organs.

Ⅳ. The statistical coverage of urban employed persons, fully employed staff and workers, staff and workers and wages in this chapter only includes the state-owned units, the collective-owned units and other types of ownership in urban areas, but excludes the private enterprises and self-employed individuals.

Ⅴ. Since 1998, the statistical coverage of the annual reports of labor statistics has been adjusted, in which all the survey units are grouped by registration ownership of the enterprises, i. e. the state-owned units excludes the exclusively state-invested companies in the state-owned joint ownership units and limited liability companies, the urban collective-owned units excludes the collective-owned joint ownership units and cooperative units, and the other types of ownership include the exclusively state-invested companies in the state-owned joint ownership units and limited liability companies, the collective-owned joint ownership units and cooperative units.

5-1 从业人员主要指标

MAIN INDICATORS OF EMPLOYED PERSONS

指　　标	Item	1980	1990	1995	2000	2003	2004
从业人员人数　　（万人）	**Number of Employed Persons (10000 persons)**	**2367.78**	**3118.10**	**3551.20**	**3989.32**	**4395.93**	**4681.89**
#城镇从业人员	Urban Employed Persons	563.62	785.49	911.90	759.21	781.14	830.72
国有单位	State-owned Units	400.19	528.13	548.98	425.52	376.56	374.34
#企业	Enterprises		368.65	354.46	203.71	147.43	137.53
事业和机关	Institutions and Agencies		159.48	194.52	221.81	229.13	236.81
城镇集体单位	Urban Collective-owned Units	163.43	207.62	202.36	105.97	78.47	72.28
其他各种单位	Units of Other Types of Ownership		49.74	160.56	227.73	326.11	384.10
#农村乡（镇）劳动者	Rural Employed Persons	1793.20	2264.67	2394.40	2789.98	2824.53	2944.58
#城镇私营企业从业人员	Employed Persons in Urban Private Enterprises			76.00	151.73	276.70	311.21
#城镇个体劳动者	Self-employed Individuals in Urban Areas	10.96	67.94	129.90	164.94	236.97	229.44
第一产业劳动者	Employed Persons in Primary Industry	1673.57	1651.71	1473.60	1593.68	1617.69	1622.50
第二产业劳动者	Employed Persons in Secondary Industry	404.80	848.37	1199.00	1114.86	1557.19	1727.86
第三产业劳动者	Employed Persons in Tertiary Industry	289.41	618.02	878.60	1280.78	1221.05	1331.53
离、退休及退职人员	Retired and Resigned Persons		124.07	159.78	196.60	229.31	249.32
#国有单位	State-owned Units		83.00	116.21	136.64	162.93	175.50
城镇失业人员就业数	Employees from Urban Unemployed Persons		42.84	43.67	52.65	67.91	63.83
城镇从业人员劳动报酬（亿元）	**Earnings of Urban Employed Persons (100 million yuan)**	**42.83**	**223.29**	**734.14**	**1057.57**	**1555.12**	**1820.68**
国有单位	State-owned Units	32.00	154.96	458.86	612.17	855.39	958.73
城镇集体单位	Urban Collective-owned Units	10.83	50.06	124.32	93.04	84.89	86.16
其他各种单位	Units of Other Types of Ownership		18.27	150.96	352.37	614.84	775.79
城镇从业人员平均劳动报酬（元）	**Average Labor Remuneration to Urban Employed Persons (yuan)**	**789**	**2929**	**8250**	**13859**	**20052**	**22230**
国有单位	State-Owned Units	828	3000	8540	14296	22675	25686
城镇集体单位	Urban Collective-owned Units	691	2508	6395	8605	10823	11925
其他各种单位	Units of Other Types of Ownership		3972	9546	15538	19223	20770

注：2003年起城镇职工改为城镇从业人员，2000年的数据作了相应调整。

Note: Since 2003, the urban staff and workers have been referred to the urban employed persons. The figures in 2000 are adjusted correspondingly.

5-2 从业人员年末人数

NUMBER OF EMPLOYED PERSONS AT THE YEAR-END

单位：万人 (10000 persons)

年份 Year	从业人员年末人数 Number of Employed Persons at the Year-end	#城镇国有、集体、其他单位从业人员 Employed Persons in Urban State-owned Collective-owned and Other Types of Ownership	#城镇私营企业从业人员年末人数 Employed Persons in Urban Private Enterprises	#城镇个体劳动者人数 Self-employed Individuals in Urban Areas	#农村社会劳动者人数 Rural Employed Persons
1952	1271. 21	51. 41		179. 00	1040. 80
1957	1537. 40	240. 80		11. 00	1285. 60
1962	1633. 53	267. 93		10. 30	1355. 30
1965	1636. 13	311. 06		7. 57	1317. 50
1970	1889. 60	356. 90		5. 00	1257. 70
1975	2153. 87	431. 61		4. 06	1718. 20
1978	2275. 95	515. 85		2. 60	1757. 50
1979	2304. 95	535. 37		2. 58	1767. 00
1980	2367. 78	563. 62		10. 96	1793. 20
1981	2423. 79	587. 34		10. 75	1825. 70
1982	2521. 38	608. 12		11. 96	1901. 30
1983	2569. 70	612. 65		18. 55	1938. 50
1984	2637. 49	631. 77		24. 92	1980. 80
1985	2731. 11	660. 82		31. 69	2038. 60
1986	2811. 92	686. 20		33. 72	2092. 00
1987	2910. 99	720. 34		42. 54	2148. 62
1988	2994. 72	747. 67		59. 43	2178. 62
1989	3041. 27	762. 61		58. 11	2220. 55
1990	3118. 10	785. 49		67. 94	2264. 67
1991	3259. 20	827. 58	19. 58	68. 23	2290. 41
1992	3367. 21	858. 12	26. 21	76. 37	2336. 13
1993	3433. 91	877. 16	39. 51	103. 72	2325. 94
1994	3493. 15	879. 84	58. 22	117. 01	2345. 19
1995	3551. 20	911. 90	76. 00	129. 90	2394. 40
1996	3641. 30	904. 07	89. 40	132. 00	2406. 07
1997	3701. 90	897. 32	105. 80	138. 00	2448. 07
1998	3783. 87	884. 80	126. 42	154. 94	2507. 57
1999	3796. 32	857. 07	132. 95	169. 34	2538. 30
2000	3989. 32	759. 21	151. 73	164. 94	2789. 98
2001	4058. 63	737. 12	182. 09	184. 94	2858. 71
2002	4134. 37	751. 23	221. 09	214. 10	2784. 39
2003	4395. 93	781. 14	276. 70	236. 97	2824. 53
2004	4681. 89	830. 72	311. 21	229. 44	2944. 58

5-3 按各种分组的从业人员年末人数

NUMBER OF EMPLOYED PERSONS AT THE YEAR-END BY VARIOUS CHARACTERISTICS

单位：万人 (10000 persons)

项　目	Item	2000	2002	2003	2004
从业人员总数	**Total Number of Employed Persons**	**3989. 32**	**4134. 37**	**4395. 93**	**4681. 89**
按登记注册类型分组	**Grouped by Status of Registration**				
国有单位	State-owned Units	471. 03	382. 91	376. 56	374. 34
集体单位	Collective-owned Units	2368. 89	1794. 68	1990. 93	2028. 83
股份合作单位	Cooperative Units	11. 07	16. 58	22. 68	22. 07
联营单位	Joint Ownership	7. 28	12. 57	16. 09	15. 60
有限责任公司	Limited Liability Corporations	38. 29	93. 41	147. 26	175. 30
股份有限公司	Share-holding Corporations Ltd.	29. 79	36. 73	43. 84	53. 15
外商投资单位	Foreign Funded Units	43. 47	92. 52	129. 94	159. 62
港澳台投资单位	Units Funded by Entrepreneurs from Hong Kong, Macao and Taiwan	103. 74	391. 90	420. 79	497. 45
私营企业	Private Enterprises	217. 54	401. 67	533. 76	603. 30
个体经济	Individuals	308. 88	360. 75	537. 41	607. 55
按国民经济行业分组	**Grouped by Economic Sector**				
农、林、牧、渔业	Farming, Forestry, Animal Husbandry and Fishery			1617. 69	1622. 50
采掘业	Mining and Quarrying			20. 35	18. 18
制造业	Manufacturing			1324. 12	1490. 99
电力、煤气及水的生产和供应业	Production and Supply of Electricity, Gas and Water			23. 67	24. 93
建筑业	Construction			189. 05	193. 76
交通运输、仓储和邮政业	Transport, Storage and Postal Services			108. 00	113. 27
信息传输、计算机服务和软件业	Information Transmission, Computer Services and Software			29. 58	34. 12
批发和零售业	Wholesale and Retail Trade			418. 91	490. 75
住宿和餐馆业	Hotels and Catering Services			164. 44	143. 57
金融业	Finance			29. 04	29. 65
房地产业	Real Estate			26. 67	35. 36
租赁和商务服务业	Leasing and Business Services			35. 35	48. 82
科学研究技术服务和地质勘查业	Scientific Research, Technical Services and Geological Prospecting			12. 68	15. 29
水利、环境和公共设施管理业	Water Conservancy, Environment and Public Facilities Management			15. 21	13. 86
居民服务和其他服务业	Resident Services and Other Services			157. 28	155. 97
教育	Education			101. 29	107. 64
卫生、社会保障和社会福利业	Health Care, Social Security and Social Welfare			37. 80	40. 83
文化、体育和娱乐业	Culture, Sports and Recreation			12. 36	14. 53
公共管理和社会组织	Public Administration and Social Organizations			72. 44	87. 90

注：2003 年年末从业人员采用新的报表制度和行业分组进行统计，2002 年及以前没有按新的行业分组进行整理。

Note: The number of employed persons at the end of 2003 is calculated according to the new reporting system and sector groups, whereas the figures in 2002 and prior to it are not prepared according to the new sector groups.

5-4 各市从业人员年末人数
NUMBER OF EMPLOYED PERSONS AT THE YEAR-END BY CITY

单位：万人 (10000 persons)

市 别 City	2000	2002	2003	2004
广 州 Guangzhou	503.69	514.08	521.07	540.71
深 圳 Shenzhen	308.50	359.30	422.29	456.08
珠 海 Zhuhai	78.90	88.30	88.79	91.40
汕 头 Shantou	207.13	206.58	163.49	174.49
佛 山 Foshan	193.50	205.74	286.39	293.51
韶 关 Shaoguan	142.20	143.40	144.60	152.91
河 源 Heyuan	151.05	152.68	120.48	125.34
梅 州 Meizhou	207.23	209.06	209.43	209.79
惠 州 Huizhou	186.70	216.55	206.67	212.92
汕 尾 Shanwei	136.01	141.30	111.83	116.35
东 莞 Dongguan	97.88	104.10	183.97	303.78
中 山 Zhongshan	122.45	131.64	144.72	182.98
江 门 Jiangmen	208.68	209.99	202.67	209.55
阳 江 Yangjiang	129.57	147.61	142.29	146.52
湛 江 Zhanjiang	314.87	315.70	295.41	299.85
茂 名 Maoming	279.31	288.03	280.42	283.91
肇 庆 Zhaoqing	202.63	204.39	193.86	201.34
清 远 Qingyuan	178.76	186.24	183.34	185.97
潮 州 Chaozhou	121.00	122.90	124.71	127.59
揭 阳 Jieyang	253.79	269.32	262.66	253.97
云 浮 Yunfu	131.20	130.60	106.85	110.58

注：2003 年起从业人员数采用新的报表制度进行统计，部分市的数据有较大的波动。

Note: Since 2003, the number of employed persons are calculated according to the new reporting system, which leads to the great changes on the figures of some cities.

5-5 单位从业人员年末人数（2004 年）
NUMBER OF EMPLOYED PERSONS IN UNITS AT THE YEAR-END（2004）

单位：万人　　　　（10000 persons）

项　目	Item	单位从业人员 Employed Persons in Units	国有单位 State-owned Units	城镇集体单位 Urban Collective-owned Units	其他单位 Other Types of Ownership	在岗职工 Fully Employed Staff and Workers	国有单位 State-owned Units	城镇集体单位 Urban Collective-owned Units	其他单位 Other Types of Ownership
合　计	**Total**	**830.72**	**374.34**	**72.28**	**384.10**	**811.85**	**363.52**	**70.98**	**377.35**
一、按企业、事业和机关分	**Grouped by Enterprises, Institutions and Agencies**								
企业	Enterprises	589.22	137.53	68.15	383.54	575.66	131.88	66.98	376.80
# 地方	Under the Leadership of Local Governments	553.15	101.46	68.15	383.54	542.55	98.77	66.98	376.80
事业	Institutions	169.64	165.00	4.07	0.57	164.99	160.50	3.94	0.54
# 地方	Under the Leadership of Local Governments	161.20	156.57	4.07	0.57	156.66	152.18	3.94	0.54
机关	Agencies & Organizations	71.86	71.81	0.06		71.19	71.14	0.06	
# 地方	Under the Leadership of Local Governments	66.24	66.19	0.06		65.63	65.57	0.06	
二、按国民经济行业分	**Grouped by Economic Sector**								
农、林、牧、渔业	Farming, Forestry, Animal Husbandry and Fishery	12.03	10.82	0.26	0.94	11.56	10.37	0.25	0.94
采矿业	Mining and Quarrying	3.88	2.02	0.19	1.67	3.87	2.01	0.19	1.67
制造业	Manufacturing	318.15	18.93	24.79	274.42	315.32	18.61	24.53	272.19
电力、燃气及水的生产和供应业	Production and Supply of Electricity, Gas and Water	19.73	13.17	1.56	5.00	19.60	13.10	1.52	4.98
建筑业	Construction	55.07	15.35	20.16	19.55	52.65	14.39	19.69	18.57
交通运输、仓储和邮政业	Transport, Storage and Postal Services	45.05	25.97	2.27	16.82	43.77	25.00	2.20	16.57
信息传输、计算机服务和软件业	Information Transmission, Computer Services and Software	12.63	6.79	0.10	5.74	12.05	6.40	0.10	5.55
批发和零售业	Wholesale and Retail Trade	39.47	15.65	5.84	17.98	38.41	15.30	5.64	17.47
住宿和餐饮业	Hotels and Catering Services	21.03	5.39	1.36	14.28	20.34	5.26	1.34	13.74
金融业	Finance	29.12	15.97	5.70	7.44	25.94	14.33	5.69	5.92
房地产业	Real Estate	17.46	5.03	2.04	10.40	17.16	4.92	1.98	10.26
租赁和商务服务业	Leasing and Business Services	16.81	9.84	3.60	3.37	16.51	9.67	3.58	3.26
科学研究、技术服务和地质勘查业	Scientific Research, Technical Services and Geological Prospecting	10.69	8.34	0.28	2.07	10.23	8.05	0.25	1.93
水利、环境和公共设施管理业	Water Conservancy, Environment and Public Facilities Management	11.09	9.09	1.21	0.78	10.92	8.96	1.19	0.77
居民服务和其他服务业	Resident Services and Other Services	3.44	1.13	0.71	1.60	3.39	1.12	0.70	1.57
教育	Education	95.32	94.14	0.68	0.49	92.34	91.22	0.65	0.47
卫生、社会保障和社会福利业	Health Care, Social Security and Social Welfare	35.80	34.33	1.28	0.19	34.75	33.37	1.22	0.16
文化、体育和娱乐业	Culture, Sports and Recreation	7.33	5.83	0.16	1.35	7.08	5.61	0.15	1.33
公共管理和社会组织	Public Administration and Social Organizations	76.64	76.53	0.11		75.93	75.83	0.11	
三、按产业分	**Grouped by Industry**								
第一产业	Primary Industry	12.03	10.82	0.26	0.94	11.56	10.37	0.25	0.94
第二产业	Secondary Industry	396.83	49.47	46.70	300.64	391.44	48.11	45.93	297.41
第三产业	Tertiary Industry	421.86	770.43	25.32	75.77	408.85	753.37	24.80	85.75

5-6 各行业职工年末人数(2004年)

NUMBER OF STAFF AND WORKERS BY SECTOR AT THE YEAR-END (2004)

单位：万人 (10000 persons)

项目	Item	职工人数 Number of Staff and Workers	国有单位 State-owned Units	城镇集体单位 Urban Collective-owned Units	其他单位 Other Types of Ownership
合计	**Total**	**859.48**	**391.91**	**84.39**	**383.18**
一、按企业、事业和机关分	**Grouped by Enterprises, Institutions and Agencies**				
企业	Enterprises	617.90	155.18	80.09	382.63
#地方	Under the Leadership of Local Governments	581.48	118.76	80.09	382.63
事业	Institutions	167.86	163.06	4.24	0.55
#地方	Under the Leadership of Local Governments	159.29	154.49	4.24	0.55
机关	Agencies & Organizations	73.73	73.67	0.06	
#地方	Under the Leadership of Local Governments	68.12	68.06	0.06	
二、按国民经济行业分	**Grouped by Economic Sector**				
农、林、牧、渔业	Farming, Forestry, Animal Husbandry and Fishery	12.90	11.64	0.28	0.98
采矿业	Mining and Quarrying	4.47	2.45	0.19	1.84
制造业	Manufacturing	328.56	23.93	29.37	275.26
电力、燃气及水的生产和供应业	Production and Supply of Electricity, Gas and Water	21.03	14.14	1.62	5.28
建筑业	Construction	55.66	15.72	20.82	19.12
交通运输、仓储和邮政业	Transport, Storage and Postal Services	47.60	27.13	3.37	17.10
信息传输、计算机服务和软件业	Information Transmission, Computer Services and Software	12.42	6.71	0.10	5.61
批发和零售业	Wholesale and Retail Trade	52.25	23.49	10.81	17.95
住宿和餐饮业	Hotels and Catering Services	21.13	5.90	1.37	13.86
金融业	Finance	27.61	15.64	5.91	6.06
房地产业	Real Estate	18.28	5.53	2.23	10.52
租赁和商务服务业	Leasing and Business Services	18.41	11.12	3.96	3.33
科学研究、技术服务和地质勘查业	Scientific Research, Technical Services and Geological Prospecting	10.67	8.48	0.26	1.94
水利、环境和公共设施管理业	Water Conservancy, Environment and Public Facilities Management	11.23	9.24	1.21	0.78
居民服务和其他服务业	Resident Services and Other Services	3.42	1.13	0.71	1.58
教育	Education	92.58	91.46	0.66	0.47
卫生、社会保障和社会福利业	Health Care, Social Security and Social Welfare	35.29	33.87	1.25	0.16
文化、体育和娱乐业	Culture, Sports and Recreation	7.40	5.88	0.16	1.36
公共管理和社会组织	Public Administration and Social Organizations	78.56	78.45	0.11	

注：职工包括在岗职工和离开本单位仍保留劳动关系的职工。

Note: The staff and workers include the fully employed staff and workers and the staff and workers who have already left the units but still kept their labor relationship with the units.

5-7 各市单位从业人员和在岗职工（2004 年）
NUMBER OF EMPLOYED PERSONS IN UNITS AND FULLY EMPLOYED STAFF AND WORKERS BY CITY (2004)

单位：万人 (10000 persons)

市别 City	单位从业人员 Employed Persons in Units				在岗职工 Fully Employed Staff and Workers			
	合计 Total	国有单位 State-owned Units	城镇集体单位 Urban Collective-owned Units	其他单位 Other Types of Ownership	合计 Total	国有单位 State-owned Units	城镇集体单位 Urban Collective-owned Units	其他单位 Other Types of Ownership
一、年末人数 Year-end Number								
广　州 Guangzhou	194.40	85.60	14.68	94.11	186.94	81.89	14.43	90.62
深　圳 Shenzhen	137.04	32.37	1.67	103.00	135.88	31.94	1.66	102.28
珠　海 Zhuhai	41.28	7.81	3.23	30.24	41.00	7.74	3.21	30.05
汕　头 Shantou	29.75	17.70	5.22	6.82	28.92	17.12	5.15	6.65
佛　山 Foshan	48.99	18.40	4.13	26.47	47.63	17.64	4.01	25.97
韶　关 Shaoguan	26.47	14.50	2.42	9.55	26.23	14.40	2.42	9.41
河　源 Heyuan	17.28	10.02	1.85	5.40	16.99	9.83	1.81	5.35
梅　州 Meizhou	22.62	16.98	2.40	3.24	22.42	16.83	2.37	3.23
惠　州 Huizhou	53.51	15.63	5.21	32.67	53.23	15.53	5.18	32.52
汕　尾 Shanwei	12.27	9.06	1.55	1.66	11.70	8.58	1.48	1.64
东　莞 Dongguan	18.35	8.88	4.70	4.78	17.54	8.20	4.64	4.70
中　山 Zhongshan	18.15	6.23	1.13	10.78	17.82	6.10	1.13	10.60
江　门 Jiangmen	35.20	14.06	3.61	17.53	34.52	13.68	3.58	17.26
阳　江 Yangjiang	16.64	9.69	4.05	2.90	16.51	9.59	4.03	2.89
湛　江 Zhanjiang	38.88	29.54	2.57	6.78	36.80	28.10	2.30	6.40
茂　名 Maoming	29.05	20.48	4.54	4.04	28.16	19.72	4.51	3.94
肇　庆 Zhaoqing	23.72	13.86	1.55	8.30	23.27	13.65	1.51	8.12
清　远 Qingyuan	19.55	11.60	1.31	6.64	19.31	11.42	1.30	6.58
潮　州 Chaozhou	11.69	7.48	1.96	2.25	11.34	7.27	1.83	2.23
揭　阳 Jieyang	19.59	14.35	3.03	2.21	19.49	14.28	3.01	2.20
云　浮 Yunfu	13.95	7.76	1.46	4.73	13.81	7.66	1.43	4.72
二、年平均人数 Annual Average Number								
广　州 Guangzhou	193.79	85.27	14.87	93.65	186.49	81.50	14.62	90.37
深　圳 Shenzhen	132.37	31.82	1.63	98.93	131.32	31.46	1.62	98.24
珠　海 Zhuhai	39.96	7.81	3.34	28.81	39.68	7.73	3.32	28.63
汕　头 Shantou	29.83	17.74	5.24	6.85	29.01	17.17	5.16	6.68
佛　山 Foshan	48.77	18.37	4.12	26.29	47.46	17.66	4.00	25.79
韶　关 Shaoguan	26.56	14.73	2.45	9.38	26.32	14.63	2.44	9.24
河　源 Heyuan	16.32	9.98	1.79	4.54	16.04	9.81	1.74	4.49
梅　州 Meizhou	22.67	17.06	2.34	3.28	22.48	16.91	2.30	3.26
惠　州 Huizhou	51.34	15.34	5.17	30.83	51.08	15.25	5.15	30.68
汕　尾 Shanwei	12.33	9.07	1.59	1.68	11.77	8.60	1.52	1.65
东　莞 Dongguan	17.87	8.67	4.57	4.64	17.09	8.03	4.51	4.55
中　山 Zhongshan	17.60	6.11	1.04	10.45	17.29	5.98	1.04	10.27
江　门 Jiangmen	35.01	14.08	3.72	17.20	34.28	13.67	3.68	16.93
阳　江 Yangjiang	16.44	9.65	3.92	2.87	16.31	9.55	3.91	2.86
湛　江 Zhanjiang	38.43	29.45	2.54	6.45	36.45	28.07	2.29	6.09
茂　名 Maoming	28.82	20.32	4.45	4.05	28.07	19.70	4.42	3.95
肇　庆 Zhaoqing	23.55	13.91	1.50	8.14	23.12	13.70	1.46	7.97
清　远 Qingyuan	19.23	11.62	1.35	6.25	19.01	11.45	1.34	6.21
潮　州 Chaozhou	12.27	7.86	2.12	2.28	11.93	7.66	2.00	2.27
揭　阳 Jieyang	19.51	14.24	3.03	2.24	19.41	14.17	3.01	2.24
云　浮 Yunfu	13.98	7.79	1.48	4.71	13.84	7.69	1.45	4.69

5-8 各市职工年末人数及年平均人数

YEAR-END NUMBER AND AVERAGE NUMBER OF STAFF AND WORKERS BY CITY

单位：万人 (10000 persons)

市别 City	2003 合计 Total	2003 国有单位 State-owned Units	2003 城镇集体单位 Urban Collective-owned Units	2003 其他单位 Other Types of Ownership	2004 合计 Total	2004 国有单位 State-owned Units	2004 城镇集体单位 Urban Collective-owned Units	2004 其他单位 Other Types of Ownership
一、全部职工 Total Number								
广州 Guangzhou	188.79	86.99	16.19	85.62	193.03	86.04	14.83	92.16
深圳 Shenzhen	109.58	30.84	2.39	76.34	137.00	32.49	1.69	102.81
珠海 Zhuhai	35.83	8.96	3.09	23.78	41.41	7.96	3.26	30.19
汕头 Shantou	35.62	20.95	8.06	6.62	35.12	20.61	7.62	6.88
佛山 Foshan	46.52	17.80	4.49	24.24	48.66	18.28	4.10	26.29
韶关 Shaoguan	30.31	18.89	3.32	8.10	28.82	15.81	2.64	10.38
河源 Heyuan	18.37	11.92	2.32	4.13	19.39	11.61	2.31	5.47
梅州 Meizhou	25.34	19.51	2.88	2.96	25.43	18.94	3.06	3.43
惠州 Huizhou	52.08	16.70	5.73	29.65	54.61	16.56	5.41	32.63
汕尾 Shanwei	13.14	9.72	2.04	1.38	13.29	9.58	2.03	1.68
东莞 Dongguan	16.82	8.00	4.52	4.29	17.74	8.30	4.71	4.73
中山 Zhongshan	15.97	5.86	1.16	8.95	17.94	6.18	1.14	10.62
江门 Jiangmen	34.79	14.46	5.35	14.98	35.07	14.01	3.69	17.37
阳江 Yangjiang	18.52	10.69	4.71	3.11	18.38	10.64	4.57	3.16
湛江 Zhanjiang	43.10	32.17	4.24	6.68	43.41	32.35	4.19	6.88
茂名 Maoming	30.06	21.38	5.12	3.55	29.81	20.72	4.94	4.16
肇庆 Zhaoqing	24.53	14.12	2.01	8.40	23.78	14.04	1.58	8.15
清远 Qingyuan	20.08	12.38	1.80	5.89	19.88	11.87	1.36	6.65
潮州 Chaozhou	15.86	9.79	3.85	2.21	15.77	9.43	3.89	2.45
揭阳 Jieyang	24.41	16.25	5.73	2.42	24.33	16.09	5.87	2.37
云浮 Yunfu	13.25	7.97	1.66	3.62	14.14	7.93	1.49	4.73
二、职工平均人数 Average Number								
广州 Guangzhou	188.95	87.44	16.36	85.16	192.85	85.89	15.05	91.91
深圳 Shenzhen	107.87	30.42	2.39	75.06	132.46	32.03	1.65	98.78
珠海 Zhuhai	34.79	8.94	3.20	22.65	40.09	7.96	3.37	28.76
汕头 Shantou	35.86	21.36	8.08	6.43	35.32	20.69	7.71	6.92
佛山 Foshan	46.29	17.64	4.55	24.10	48.52	18.31	4.09	26.11
韶关 Shaoguan	30.77	19.34	3.29	8.14	28.96	16.07	2.66	10.23
河源 Heyuan	17.96	11.80	2.24	3.92	18.38	11.55	2.23	4.60
梅州 Meizhou	25.50	19.62	2.89	2.99	25.72	19.20	3.05	3.47
惠州 Huizhou	50.39	16.57	5.78	28.03	52.44	16.27	5.37	30.80
汕尾 Shanwei	13.23	9.71	2.14	1.38	13.37	9.61	2.07	1.69
东莞 Dongguan	16.28	7.85	4.39	4.03	17.29	8.13	4.58	4.58
中山 Zhongshan	15.48	5.79	1.11	8.59	17.41	6.06	1.05	10.30
江门 Jiangmen	34.86	14.55	5.18	15.14	34.88	14.02	3.81	17.05
阳江 Yangjiang	18.26	10.68	4.55	3.03	18.21	10.62	4.46	3.13
湛江 Zhanjiang	43.44	32.53	4.20	6.71	43.13	32.44	4.13	6.57
茂名 Maoming	30.14	21.49	5.09	3.55	29.79	20.74	4.84	4.21
肇庆 Zhaoqing	24.68	14.37	1.92	8.39	23.68	14.15	1.53	8.00
清远 Qingyuan	19.56	12.41	1.83	5.32	19.60	11.93	1.41	6.27
潮州 Chaozhou	16.67	10.39	4.11	2.16	16.36	9.85	4.01	2.50
揭阳 Jieyang	24.20	16.03	5.74	2.44	24.15	15.93	5.82	2.40
云浮 Yunfu	13.24	7.92	1.75	3.56	14.18	7.97	1.51	4.70

注：职工包括在岗职工和离开本单位仍保留劳动关系的职工。

Note: The staff and workers include the fully employed staff and workers and the staff and workers who have already left the units but still kept their labor relationship with the units.

5-9 各市全部单位各行业在岗职工年末人数（2004 年）

YEAR-END NUMBER OF FULLY EMPLOYED STAFF AND WORKERS IN ALL UNITS BY SECTOR BY CITY (2004)

单位：万人 (10000 persons)

市别 City		合计 Total	农、林、牧、渔业 Farming, Forestry, Animal Husbandry and Fishery	采矿业 Mining and Quarrying	制造业 Manufacturing	电力、燃气及水的生产和供应业 Production and Supply of Electricity, Gas and Water	建筑业 Construction	交通运输、仓储和邮政业 Transport, Storage and Postal Services	信息传输、计算机服务和软件业 Information Transmission, Computer Services and Software	批发和零售业 Wholesale and Retail Trade	住宿和餐饮业 Hotels and Catering Services
广　州	Guangzhou	186.94	1.03	0.21	68.50	2.89	13.44	17.52	3.08	11.21	8.39
深　圳	Shenzhen	135.88	0.70	0.03	65.74	1.26	7.53	8.19	2.59	9.02	4.61
珠　海	Zhuhai	41.00	0.89	0.04	27.83	0.53	1.25	1.25	0.26	1.04	0.96
汕　头	Shantou	28.92	0.05	0.02	8.03	1.01	2.33	1.30	0.49	2.38	0.54
佛　山	Foshan	47.63	0.06	0.12	21.55	1.08	3.31	1.62	0.73	1.88	0.96
韶　关	Shaoguan	26.23	0.55	1.26	7.98	1.52	1.90	1.55	0.30	0.63	0.31
河　源	Heyuan	16.99	0.22	0.22	4.40	0.77	1.18	0.47	0.22	0.85	0.42
梅　州	Meizhou	22.42	0.27	0.18	4.27	1.21	1.08	0.67	0.27	0.79	0.18
惠　州	Huizhou	53.23	0.45	0.03	33.70	0.81	3.06	1.09	0.33	1.01	0.51
汕　尾	Shanwei	11.70	0.71	0.13	2.13	0.50	0.56	0.33	0.23	0.68	0.10
东　莞	Dongguan	17.54	0.06	0.01	6.96	0.71	0.12	0.76	0.26	0.49	0.14
中　山	Zhongshan	17.82	0.03		10.09	0.29	0.26	0.54	0.38	0.34	0.20
江　门	Jiangmen	34.52	0.17	0.01	15.68	0.91	2.74	1.02	0.32	0.96	0.63
阳　江	Yangjiang	16.51	0.54	0.07	2.94	0.53	2.89	0.54	0.22	0.92	0.33
湛　江	Zhanjiang	36.80	2.92	0.72	7.42	0.86	1.94	2.70	0.47	2.12	0.46
茂　名	Maoming	28.16	1.46	0.25	3.99	1.00	3.91	1.13	0.33	1.07	0.27
肇　庆	Zhaoqing	23.27	0.25	0.14	7.97	0.64	1.25	0.77	0.34	0.63	0.49
清　远	Qingyuan	19.31	0.37		6.05	0.90	0.56	0.94	0.40	0.31	0.45
潮　州	Chaozhou	11.34	0.03	0.01	2.69	0.69	0.84	0.47	0.30	0.50	0.12
揭　阳	Jieyang	19.49	0.66		2.39	1.02	1.80	0.50	0.29	1.19	0.17
云　浮	Yunfu	13.81	0.14	0.40	5.02	0.46	0.69	0.40	0.24	0.40	0.10

市别 City		金融业 Finance	房地产业 Real Estate	租赁和商务服务业 Leasing and Business Services	科学研究、技术服务和地质勘查业 Scientific Research, Technical Services and Geological Prospecting	水利、环境和公共设施管理业 Water Conservancy Environment and Public Facilities Management	居民服务和其他服务业 Resident Services and Other Services	教育 Education	卫生、社会保障和社会福利业 Health Care Social Security and Social Welfare	文化、体育和娱乐业 Culture Sports and Recreation	公共管理和社会组织 Public Administration and Social Organization
广　州	Guangzhou	5.17	4.53	6.20	4.53	2.44	1.85	14.30	7.43	2.70	11.50
深　圳	Shenzhen	4.23	7.70	3.56	1.94	1.51	0.35	4.60	3.40	1.21	7.72
珠　海	Zhuhai	0.70	0.46	0.52	0.16	0.32	0.22	1.32	0.74	0.35	2.14
汕　头	Shantou	0.98	0.39	0.43	0.32	0.48	0.04	4.91	1.64	0.27	3.30
佛　山	Foshan	2.78	0.60	0.59	0.36	0.44	0.06	5.18	2.21	0.28	3.81
韶　关	Shaoguan	0.61	0.12	0.37	0.27	0.49	0.04	3.65	1.31	0.12	3.23
河　源	Heyuan	0.43	0.21	0.31	0.16	0.17	0.02	3.33	0.90	0.09	2.65
梅　州	Meizhou	0.93	0.34	0.35	0.23	0.46	0.03	5.57	1.63	0.16	3.82
惠　州	Huizhou	0.84	0.76	0.83	0.34	0.58	0.02	3.66	1.36	0.20	3.65
汕　尾	Shanwei	0.28	0.06	0.16	0.06	0.20	0.01	2.65	0.61	0.07	2.20
东　莞	Dongguan	1.65	0.04	0.14	0.14	0.07	0.01	2.23	1.48	0.13	2.15
中　山	Zhongshan	0.87	0.02	0.11	0.15	0.30	0.02	1.81	0.93	0.18	1.29
江　门	Jiangmen	1.18	0.26	0.47	0.27	0.51	0.10	4.09	1.66	0.17	3.36
阳　江	Yangjiang	0.44	0.47	0.20	0.09	0.29	0.03	2.61	0.80	0.08	2.55
湛　江	Zhanjiang	1.05	0.32	0.73	0.40	0.68	0.05	7.50	1.99	0.30	4.18
茂　名	Maoming	0.95	0.36	0.40	0.12	0.56	0.42	6.52	1.47	0.18	3.76
肇　庆	Zhaoqing	0.76	0.15	0.29	0.23	0.42	0.03	4.07	1.50	0.20	3.14
清　远	Qingyuan	0.60	0.07	0.17	0.13	0.37	0.05	3.86	1.08	0.09	2.93
潮　州	Chaozhou	0.51	0.08	0.17	0.14	0.22	0.03	2.41	0.68	0.07	1.35
揭　阳	Jieyang	0.63	0.17	0.40	0.13	0.27	0.03	5.40	1.24	0.18	2.99
云　浮	Yunfu	0.36	0.05	0.11	0.05	0.14	0.01	2.67	0.69	0.04	1.84

5-10 女性从业人员年末人数（2004年）
NUMBER OF FEMALE EMPLOYED AT THE YEAR-END (2004)

单位：万人　　(10000 persons)

行业	Sector	合计 Total	国有单位 State-owned Units	城镇集体单位 Urban Collective-owned Units	其他单位 Other Types of Ownership
合计	**Total**	**359.43**	**145.74**	**25.89**	**187.80**
农、林、牧、渔业	Farming, Forestry, Animal Husbandry and Fishery	4.55	4.19	0.06	0.30
采矿业	Mining and Quarrying	0.84	0.50	0.01	0.33
制造业	Manufacturing	170.80	6.89	13.69	150.22
电力、燃气及水的生产和供应业	Production and Supply of Electricity, Gas and Water	5.80	3.98	0.44	1.38
建筑业	Construction	6.62	2.09	2.14	2.39
交通运输、仓储和邮政业	Transport, Storage and Postal Services	12.30	7.37	0.66	4.27
信息传输、计算机服务和软件业	Information Transmission, Computer Services and Software	4.38	2.13	0.03	2.22
批发和零售业	Wholesale and Retail Trade	15.96	5.92	2.11	7.93
住宿和餐饮业	Hotels and Catering Services	11.68	3.05	0.75	7.88
金融业	Finance	13.77	7.65	2.24	3.88
房地产业	Real Estate	5.13	1.55	0.67	2.91
租赁和商务服务业	Leasing and Business Services	4.93	2.89	0.62	1.42
科学研究、技术服务和地质勘查业	Scientific Research, Technical Services and Geological Prospecting	3.07	2.41	0.09	0.57
水利、环境和公共设施管理业	Water Conservancy, Environment and Public Facilities Management	4.69	3.84	0.55	0.30
居民服务和其他服务业	Resident Services and Other Services	1.52	0.47	0.34	0.71
教育	Education	48.93	48.06	0.53	0.34
卫生、社会保障和社会福利业	Health Care, Social Security and Social Welfare	21.93	21.01	0.81	0.11
文化、体育和娱乐业	Culture, Sports and Recreation	3.08	2.36	0.08	0.64
公共管理和社会组织	Public Administration and Social Organizations	19.45	19.38	0.07	

5-11 离休、退休及退职人员人数
NUMBER OF RETIRED AND RESIGNED PERSONS

单位：万人　　(10000 persons)

指标	Item	1985	1990	1995	2000	2003	2004
合计	**Total**	**87.96**	**124.07**	**159.78**	**196.60**	**229.31**	**249.32**
一、国有单位	State-owned Units	55.39	83.00	116.21	136.64	162.93	175.50
离休	Retired Veterans	3.48	6.32	7.09	5.71	5.00	5.03
退休	Retired Persons	50.45	74.98	106.80	129.18	156.67	169.33
退职	Resigned Persons	1.46	1.70	2.32	1.75	1.26	1.14
二、城镇集体单位	Urban Collective-owned Units	32.40	40.50	39.58	39.80	39.95	48.71
离休	Retired Veterans		0.71	0.62	0.55	0.35	0.35
退休	Retired Persons		39.09	38.40	38.91	39.39	48.11
退职	Resigned Persons		0.70	0.56	0.34	0.21	0.25
三、其他各种单位	Other Types of Ownership	0.17	0.57	3.99	20.16	26.43	25.11
离休	Retired Veterans		0.02	0.06	0.24	0.24	0.17
退休	Retired Persons		0.52	3.90	19.76	26.06	24.87
退职	Resigned Persons		0.03	0.03	0.16	0.13	0.06

5-12 职工工资总额与平均工资
TOTAL WAGES AND AVERAGE WAGE OF STAFF AND WORKERS

年份 Year	工资总额（亿元） Total Wages (100 million yuan)				平均工资（元） Average Wage (yuan)			
	合计 Total	国有单位 State-owned Units	城镇集体单位 Urban Collective-owned Units	其他单位 Other Types of Ownership	合计 Total	国有单位 State-owned Units	城镇集体单位 Urban Collective-owned Units	其他单位 Other Types of Ownership
1952	1.84	1.79	0.05		387	392	271	
1957	11.05	7.46	3.59		458	592	312	
1962	13.65	10.43	3.22		501	570	359	
1965	16.07	11.45	4.62		527	615	389	
1970	18.59	12.80	5.79		532	583	447	
1975	24.31	17.78	6.53		575	611	494	
1978	30.59	22.67	7.92		615	638	558	
1979	35.56	26.37	9.19		685	718	605	
1980	42.83	32.00	10.83		789	828	691	
1981	49.40	37.01	12.39		873	912	774	
1982	56.69	43.03	13.66		961	1000	856	
1983	60.85	46.25	14.60		1021	1061	907	
1984	72.82	52.66	19.59	0.57	1187	1261	1017	1697
1985	88.91	63.42	23.85	1.64	1393	1458	1216	2209
1986	102.13	73.10	26.69	2.34	1541	1619	1330	2198
1987	121.10	84.99	31.99	4.12	1743	1805	1544	2469
1988	162.76	113.60	41.23	7.93	2250	2320	1979	3134
1989	200.39	139.38	47.74	13.27	2678	2763	2302	3641
1990	223.29	154.96	50.06	18.27	2929	3000	2508	3972
1991	268.19	179.81	60.15	28.23	3358	3383	2931	4558
1992	334.61	222.27	72.06	40.28	4027	4059	3510	5157
1993	455.33	300.91	83.79	70.63	5327	5431	4388	6435
1994	612.73	401.80	107.03	103.90	7117	7410	5565	8216
1995	734.14	458.86	124.32	150.96	8250	8540	6395	9546
1996	803.50	512.22	124.35	166.93	9127	9494	6799	10569
1997	858.35	539.95	120.36	198.04	9698	10032	6814	11635
1998	899.68	530.11	105.59	263.98	10233	10432	6671	12410
1999	970.70	567.54	101.72	301.44	11309	11579	7025	13492
2000	1038.38	604.59	91.81	341.98	13823	14387	8615	15240
2001	1146.11	663.85	82.67	399.59	15682	16779	9040	16392
2002	1306.32	737.63	80.26	488.43	17814	19696	9881	17597
2003	1515.58	841.02	83.52	591.05	19986	22944	10836	18782
2004	1771.05	942.39	84.73	743.94	22116	25979	11937	20267

注：从2000年起统计口径为在岗职工。

Note: Since 2000, the statistical coverage of the data in this table has referred to the fully employed staff and workers.

5-13 各市单位从业人员劳动报酬和在岗职工工资（2004年）

LABOR REMUNERATION TO EMPLOYED PERSONS IN UNITS AND WAGES OF FULLY EMPLOYED STAFF AND WORKERS BY CITY (2004)

市别 City	单位从业人员劳动报酬 Labor remuneration to Employed Persons in Units				在岗职工工资 Wages of Fully Employed Staff and Workers			
	合计 Total	国有单位 State-owned Units	城镇集体单位 Urban Collective-owned Units	其他单位 Other Types of Ownership	合计 Total	国有单位 State-owned Units	城镇集体单位 Urban Collective-owned Units	其他单位 Other Types of Ownership
一、总额（亿元）Total (100 million yuan)								
广州 Guangzhou	607.27	353.11	24.15	230.01	589.18	345.81	23.79	219.57
深圳 Shenzhen	430.19	143.91	3.31	282.98	419.28	142.23	3.29	273.77
珠海 Zhuhai	82.09	26.84	5.03	50.23	79.70	26.66	4.95	48.09
汕头 Shantou	46.83	33.38	4.01	9.45	45.96	32.89	3.95	9.13
佛山 Foshan	95.38	46.85	6.30	42.23	92.83	45.77	6.19	40.87
韶关 Shaoguan	43.52	25.44	2.26	15.82	43.13	25.28	2.25	15.59
河源 Heyuan	23.48	15.75	1.73	5.99	23.21	15.59	1.69	5.93
梅州 Meizhou	29.03	22.98	2.15	3.90	28.81	22.83	2.12	3.86
惠州 Huizhou	78.76	29.41	5.25	44.10	73.75	29.25	5.19	39.31
汕尾 Shanwei	14.90	11.64	1.39	1.87	14.38	11.22	1.33	1.83
东莞 Dongguan	45.43	29.59	6.43	9.41	43.29	28.25	6.29	8.75
中山 Zhongshan	39.80	20.69	2.21	16.90	38.64	20.40	2.20	16.03
江门 Jiangmen	48.16	24.92	3.72	19.52	47.09	24.53	3.68	18.88
阳江 Yangjiang	20.33	14.21	3.47	2.65	20.22	14.13	3.47	2.63
湛江 Zhanjiang	51.18	41.49	2.17	7.52	49.32	40.32	1.93	7.06
茂名 Maoming	41.46	28.79	4.54	8.13	40.79	28.29	4.51	7.98
肇庆 Zhaoqing	34.97	23.98	1.67	9.32	34.48	23.79	1.65	9.04
清远 Qingyuan	30.45	21.74	1.47	7.24	30.11	21.52	1.46	7.13
潮州 Chaozhou	14.99	11.52	1.28	2.19	14.67	11.30	1.22	2.15
揭阳 Jieyang	21.32	16.92	2.32	2.08	21.23	16.85	2.31	2.07
云浮 Yunfu	17.77	12.20	1.31	4.27	17.62	12.10	1.28	4.24
二、平均工资（元）Average Wage (yuan)								
广州 Guangzhou	31337	41410	16248	24561	31593	42429	16278	24297
深圳 Shenzhen	32498	45230	20280	28605	31928	45212	20256	27868
珠海 Zhuhai	20545	34369	15069	17433	20087	34488	14890	16801
汕头 Shantou	15699	18812	7650	13789	15841	19151	7650	13657
佛山 Foshan	19556	25503	15305	16066	19562	25914	15452	15849
韶关 Shaoguan	16385	17270	9226	16865	16385	17280	9198	16869
河源 Heyuan	14388	15783	9637	13198	14472	15900	9670	13217
梅州 Meizhou	12801	13466	9221	11894	12816	13496	9201	11846
惠州 Huizhou	15342	19178	10152	14304	14439	19185	10086	12810
汕尾 Shanwei	12084	12840	8744	11150	12220	13050	8735	11103
东莞 Dongguan	25420	34140	14072	20295	25326	35163	13954	19223
中山 Zhongshan	22606	33844	21189	16174	22350	34116	21180	15616
江门 Jiangmen	13757	17700	9981	11346	13735	17943	9997	11150
阳江 Yangjiang	12365	14724	8863	9218	12395	14795	8875	9190
湛江 Zhanjiang	13316	14090	8550	11659	13532	14367	8438	11593
茂名 Maoming	14387	14168	10201	20078	14531	14359	10218	20211
肇庆 Zhaoqing	14849	17240	11127	11451	14914	17371	11309	11352
清远 Qingyuan	15832	18700	10864	11576	15842	18789	10879	11481
潮州 Chaozhou	12219	14655	6040	9572	12301	14760	6084	9476
揭阳 Jieyang	10928	11886	7657	9253	10936	11892	7674	9264
云浮 Yunfu	12708	15652	8806	9064	12737	15726	8846	9036

5-14 各市职工工资总额与平均工资
TOTAL WAGES AND AVERAGE WAGE OF STAFF AND WORKERS BY CITY

市别 City	2003				2004			
	合计 Total	国有单位 State-owned Units	城镇集体单位 Urban Collective-owned Units	其他单位 Other Types of Ownership	合计 Total	国有单位 State-owned Units	城镇集体单位 Urban Collective-owned Units	其他单位 Other Types of Ownership
一、工资总额（亿元）Total Wages (100 million yuan)								
广州 Guangzhou	533.55	318.50	24.35	190.70	598.33	352.98	24.10	221.25
深圳 Shenzhen	328.05	122.52	4.05	201.48	421.33	143.38	3.32	274.63
珠海 Zhuhai	66.47	26.74	3.97	35.76	80.29	27.04	5.02	48.23
汕头 Shantou	42.89	30.67	4.35	7.87	46.92	33.71	4.02	9.19
佛山 Foshan	80.58	39.38	6.28	34.91	93.97	46.62	6.24	41.12
韶关 Shaoguan	40.43	28.36	2.38	9.69	45.06	26.21	2.27	16.58
河源 Heyuan	19.68	13.68	1.45	4.54	23.77	16.07	1.72	5.98
梅州 Meizhou	27.10	22.23	1.73	3.14	29.67	23.54	2.18	3.96
惠州 Huizhou	65.01	25.98	4.88	34.15	74.33	29.78	5.22	39.34
汕尾 Shanwei	13.46	10.72	1.31	1.43	14.56	11.39	1.34	1.84
东莞 Dongguan	36.61	23.24	5.63	7.74	43.59	28.44	6.33	8.82
中山 Zhongshan	32.48	17.40	2.08	13.00	38.83	20.56	2.22	16.05
江门 Jiangmen	42.86	22.73	4.66	15.48	47.62	24.96	3.73	18.94
阳江 Yangjiang	17.63	11.93	3.24	2.46	20.48	14.34	3.49	2.65
湛江 Zhanjiang	45.21	36.90	1.89	6.42	50.79	41.66	2.00	7.14
茂名 Maoming	36.34	26.59	4.29	5.47	42.12	29.27	4.57	8.28
肇庆 Zhaoqing	31.37	20.94	1.72	8.71	34.94	24.19	1.68	9.07
清远 Qingyuan	26.80	19.68	1.57	5.55	30.60	21.96	1.48	7.16
潮州 Chaozhou	13.19	10.09	1.40	1.70	14.96	11.55	1.25	2.16
揭阳 Jieyang	20.47	16.32	2.16	1.99	21.58	17.14	2.36	2.08
云浮 Yunfu	15.25	10.95	1.32	2.98	17.90	12.36	1.30	4.25
二、平均工资（元）Average Wage (yuan)								
广州 Guangzhou	28237	36425	14884	22395	31025	41097	16015	24071
深圳 Shenzhen	30413	40273	16993	26844	31808	44768	20158	27801
珠海 Zhuhai	19108	29922	12437	15783	20027	33990	14875	16769
汕头 Shantou	11959	14363	5381	12236	13285	16296	5216	13277
佛山 Foshan	17407	22324	13809	14487	19369	25456	15237	15747
韶关 Shaoguan	13142	14663	7247	11908	15556	16308	8524	16206
河源 Heyuan	10957	11591	6488	11606	12935	13921	7705	12997
梅州 Meizhou	10626	11334	5962	10500	11536	12259	7127	11421
惠州 Huizhou	12903	15678	8445	12182	14176	18301	9724	12773
汕尾 Shanwei	10180	11044	6117	10404	10893	11853	6449	10886
东莞 Dongguan	22492	29611	12815	19186	25207	34964	13833	19248
中山 Zhongshan	20976	30063	18800	15133	22302	33908	21102	15588
江门 Jiangmen	12295	15624	8997	10223	13653	17804	9782	11105
阳江 Yangjiang	9657	11166	7126	8135	11243	13499	7830	8451
湛江 Zhanjiang	10407	11344	4493	9569	11777	12843	4844	10869
茂名 Maoming	12059	12371	8425	15377	14139	14115	9448	19647
肇庆 Zhaoqing	12711	14575	8941	10383	14753	17097	10936	11342
清远 Qingyuan	13704	15857	8620	10428	15613	18411	10508	11433
潮州 Chaozhou	7914	9709	3405	7861	9145	11728	3117	8628
揭阳 Jieyang	8459	10181	3767	8182	8935	10756	4062	8655
云浮 Yunfu	11521	13816	7533	8377	12626	15508	8586	9035

注：职工包括在岗职工和离开本单位仍保留劳动关系的职工。

Note: The staff and workers include the fully employed staff and workers and the staff and workers who have already left the units but still kept their labor relationship with the units.

5-15 单位从业人员劳动报酬（2004 年）

LABOR REMUNERATION TO EMPLOYED PERSONS IN UNITS (2004)

单位：亿元　　　　(100 million yuan)

项　　目	Item	合计 Total	国有单位 State-owned Units	城镇集体单位 Urban Collective-owned Units	其他单位 Other Types of Ownership
合　　计	**Total**	**1820.68**	**958.73**	**86.16**	**775.79**
一、按企业、事业和机关分	**Grouped by Enterprises, Institutions and Agencies**				
企业	Enterprises	1210.27	356.46	79.28	774.53
#地方	Under the Leadership of Local Governments	1073.33	219.52	79.28	774.53
事业	Institutions	398.97	390.95	6.76	1.26
#地方	Under the Leadership of Local Governments	365.70	357.68	6.76	1.26
机关	Agencies & Organizations	211.43	211.32	0.11	
#地方	Under the Leadership of Local Governments	185.80	185.69	0.11	
二、按国民经济行业分	**Grouped by Economic Sector**				
农、林、牧、渔业	Farming, Forestry, Animal Husbandry and Fishery	12.07	9.58	0.25	2.24
采矿业	Mining and Quarrying	6.94	3.51	0.16	3.26
制造业	Manufacturing	538.54	41.38	24.80	472.37
电力、燃气及水的生产和供应业	Production and Supply of Electricity, Gas and Water	62.13	40.28	3.89	17.96
建筑业	Construction	85.08	29.28	18.96	36.84
交通运输、仓储和邮政业	Transport, Storage and Postal Services	130.04	70.62	2.87	56.55
信息传输、计算机服务和软件业	Information Transmission, Computer Services and Software	55.27	28.52	0.19	26.56
批发和零售业	Wholesale and Retail Trade	84.05	34.06	6.21	43.78
住宿和餐饮业	Hotels and Catering Services	33.83	9.24	1.63	22.96
金融业	Finance	107.83	63.40	12.12	32.31
房地产业	Real Estate	41.19	10.95	2.76	27.48
租赁和商务服务业	Leasing and Business Services	44.58	22.75	5.27	16.57
科学研究、技术服务和地质勘查业	Scientific Research, Technical Services and Geological Prospecting	39.92	30.93	0.51	8.48
水利、环境和公共设施管理业	Water Conservancy, Environment and Public Facilities Management	19.50	16.44	1.46	1.61
居民服务和其他服务业	Resident Services and Other Services	6.74	2.92	1.02	2.80
教育	Education	210.84	208.52	1.18	1.14
卫生、社会保障和社会福利业	Health Care, Social Security and Social Welfare	99.60	96.81	2.33	0.45
文化、体育和娱乐业	Culture, Sports and Recreation	21.61	18.90	0.31	2.41
公共管理和社会组织	Public Administration and Social Organizations	220.90	220.66	0.24	
三、按产业分	**Grouped by Industry**				
第一产业	Primary Industry	12.07	9.58	0.25	2.24
第二产业	Secondary Industry	692.69	114.45	47.81	530.43
第三产业	Tertiary Industry	1115.92	834.70	38.10	243.12

5-16 在岗职工工资总额（2004年）
TOTAL WAGES OF FULLY EMPLOYED STAFF AND WORKERS（2004）

单位：亿元　　(100 million yuan)

项　目	Item	合计 Total	国有单位 State-owned Units	城镇集体单位 Urban Collective-owned Units	其他单位 Other Types of Ownership
合　计	**Total**	**1771.05**	**942.39**	**84.73**	**743.94**
一、按企业、事业和机关分	**Grouped by Enterprises, Institutions and Agencies**				
企业	Enterprises	1167.79	347.09	78.00	742.70
#地方	Under the Leadership of Local Governments	1036.89	216.19	78.00	742.70
事业	Institutions	392.73	384.87	6.63	1.23
#地方	Under the Leadership of Local Governments	359.68	351.83	6.63	1.23
机关	Agencies & Organizations	210.53	210.42	0.11	
#地方	Under the Leadership of Local Governments	184.93	184.82	0.11	
二、按国民经济行业分	**Grouped by Economic Sector**				
农、林、牧、渔业	Farming, Forestry, Animal Husbandry and Fishery	11.69	9.23	0.24	2.22
采矿业	Mining and Quarrying	6.91	3.50	0.16	3.24
制造业	Manufacturing	523.23	40.90	24.46	457.87
电力、燃气及水的生产和供应业	Production and Supply of Electricity, Gas and Water	61.79	40.10	3.81	17.88
建筑业	Construction	81.96	28.25	18.47	35.24
交通运输、仓储和邮政业	Transport, Storage and Postal Services	127.56	69.20	2.82	55.54
信息传输、计算机服务和软件业	Information Transmission, Computer Services and Software	53.25	27.43	0.19	25.63
批发和零售业	Wholesale and Retail Trade	81.75	33.60	6.07	42.08
住宿和餐饮业	Hotels and Catering Services	32.49	9.01	1.62	21.86
金融业	Finance	99.86	60.03	12.11	27.71
房地产业	Real Estate	40.33	10.78	2.68	26.87
租赁和商务服务业	Leasing and Business Services	40.06	22.49	5.25	12.32
科学研究、技术服务和地质勘查业	Scientific Research, Technical Services and Geological Prospecting	38.09	30.22	0.46	7.42
水利、环境和公共设施管理业	Water Conservancy, Environment and Public Facilities Management	19.21	16.18	1.44	1.59
居民服务和其他服务业	Resident Services and Other Services	6.66	2.89	1.02	2.75
教育	Education	207.78	205.57	1.15	1.06
卫生、社会保障和社会福利业	Health Care, Social Security and Social Welfare	97.49	94.83	2.25	0.41
文化、体育和娱乐业	Culture, Sports and Recreation	21.02	18.47	0.29	2.26
公共管理和社会组织	Public Administration and Social Organizations	219.94	219.70	0.23	
三、按产业分	**Grouped by Industry**				
第一产业	Primary Industry	11.69	9.23	0.24	2.22
第二产业	Secondary Industry	673.89	112.75	46.90	514.23
第三产业	Tertiary Industry	1085.47	820.41	37.59	227.49

5-17 职工工资总额（2004 年）
TOTAL WAGES OF FULLY EMPLOYED STAFF AND WORKERS (2004)

单位：亿元 (100 million yuan)

项目	Item	合计 Total	国有单位 State-owned Units	城镇集体单位 Urban Collective-owned Units	其他单位 Other Types of Ownership
合计	**Total**	**1795. 15**	**960. 64**	**85. 82**	**748. 68**
一、按企业、事业和机关分	**Grouped by Enterprises, Institutions and Agencies**				
企业	Enterprises	1184. 48	357. 99	79. 05	747. 44
#地方	Under the Leadership of Local Governments	1048. 88	222. 39	79. 05	747. 44
事业	Institutions	394. 66	386. 75	6. 66	1. 24
#地方	Under the Leadership of Local Governments	361. 27	353. 36	6. 66	1. 24
机关	Agencies & Organizations	216. 01	215. 90	0. 11	
#地方	Under the Leadership of Local Governments	190. 27	190. 16	0. 11	
二、按国民经济行业分	**Grouped by Economic Sector**				
农、林、牧、渔业	Farming, Forestry, Animal Husbandry and Fishery	12. 01	9. 53	0. 25	2. 24
采矿业	Mining and Quarrying	7. 30	3. 68	0. 16	3. 45
制造业	Manufacturing	527. 14	42. 53	24. 69	459. 92
电力、燃气及水的生产和供应业	Production and Supply of Electricity, Gas and Water	63. 64	41. 40	3. 89	18. 35
建筑业	Construction	83. 06	28. 92	18. 54	35. 60
交通运输、仓储和邮政业	Transport, Storage and Postal Services	129. 98	71. 03	2. 87	56. 07
信息传输、计算机服务和软件业	Information Transmission, Computer Services and Software	53. 93	28. 00	0. 19	25. 74
批发和零售业	Wholesale and Retail Trade	83. 75	35. 05	6. 27	42. 43
住宿和餐饮业	Hotels and Catering Services	32. 80	9. 21	1. 63	21. 97
金融业	Finance	102. 76	62. 41	12. 43	27. 92
房地产业	Real Estate	40. 81	11. 02	2. 73	27. 06
租赁和商务服务业	Leasing and Business Services	40. 74	23. 03	5. 30	12. 41
科学研究、技术服务和地质勘查业	Scientific Research, Technical Services and Geological Prospecting	38. 51	30. 63	0. 46	7. 43
水利、环境和公共设施管理业	Water Conservancy, Environment and Public Facilities Management	19. 35	16. 31	1. 45	1. 59
居民服务和其他服务业	Resident Services and Other Services	6. 68	2. 90	1. 02	2. 76
教育	Education	208. 14	205. 93	1. 15	1. 06
卫生、社会保障和社会福利业	Health Care, Social Security and Social Welfare	97. 70	95. 03	2. 26	0. 41
文化、体育和娱乐业	Culture, Sports and Recreation	21. 19	18. 63	0. 30	2. 27
公共管理和社会组织	Public Administration and Social Organizations	225. 65	225. 42	0. 23	
三、按产业分	**Grouped by Industry**				
第一产业	Primary Industry	12. 01	9. 53	0. 25	2. 24
第二产业	Secondary Industry	681. 14	116. 53	47. 28	517. 32
第三产业	Tertiary Industry	1102. 00	834. 58	38. 29	229. 12

注：职工包括在岗职工和离开本单位仍保留劳动关系的职工。

Note: The staff and workers include the fully employed staff and workers and the staff and workers who have already left the units but still kept their labor relationship with the units.

5-18 单位从业人员年平均劳动报酬（2004 年）
AVERAGE LABOR REMUNERATION TO EMPLOYED PERSONS IN UNITS（2004）

单位：元 （yuan）

项 目	Item	合计 Total	国有单位 State-owned Units	城镇集体单位 Urban Collective-owned Units	其他单位 Other Types of Ownership
合 计	**Total**	**22230**	**25686**	**11925**	**20770**
一、按企业、事业和机关分	**Grouped by Enterprises，Institutions and Agencies**				
企业	Enterprises	20886	25758	11635	20768
#地方	Under the Leadership of Local Governments	19766	21537	11635	20768
事业	Institutions	23688	23866	16687	22136
#地方	Under the Leadership of Local Governments	22843	23006	16687	22136
机关	Agencies & Organizations	29733	29742	19173	
#地方	Under the Leadership of Local Governments	28356	28364	19173	
二、按国民经济行业分	**Grouped by Economic Sector**				
农、林、牧、渔业	Farming，Forestry，Animal Husbandry and Fishery	9894	8737	9783	22923
采矿业	Mining and Quarrying	17642	17128	8769	19241
制造业	Manufacturing	17356	21567	9972	17742
电力、燃气及水的生产和供应业	Production and Supply of Electricity，Gas and Water	31477	30637	24924	35704
建筑业	Construction	15524	18881	9495	19060
交通运输、仓储和邮政业	Transport，Storage and Postal Services	29039	27211	12377	34253
信息传输、计算机服务和软件业	Information Transmission，Computer Services and Software	45150	41857	20250	49802
批发和零售业	Wholesale and Retail Trade	21280	21371	10409	24886
住宿和餐饮业	Hotels and Catering Services	16423	17047	12089	16601
金融业	Finance	37024	39206	20978	45022
房地产业	Real Estate	24049	22017	13911	27018
租赁和商务服务业	Leasing and Business Services	26947	23437	14957	49954
科学研究、技术服务和地质勘查业	Scientific Research，Technical Services and Geological Prospecting	38121	37560	18724	43170
水利、环境和公共设施管理业	Water Conservancy，Environment and Public Facilities Management	17649	18122	12078	20809
居民服务和其他服务业	Resident Services and Other Services	19635	24703	14698	17984
教育	Education	22302	22332	17500	23191
卫生、社会保障和社会福利业	Health Care，Social Security and Social Welfare	28038	28420	18249	25372
文化、体育和娱乐业	Culture，Sports and Recreation	29918	33024	19070	17952
公共管理和社会组织	Public Administration and Social Organizations	29109	29120	21311	
三、按产业分	**Grouped by Industry**				
第一产业	Primary Industry	9894	8737	9783	22923
第二产业	Secondary Industry	17817	22940	10264	18147
第三产业	Tertiary Industry	26694	26720	14992	30299

5-19 在岗职工年平均工资（2004年）
ANNUAL AVERAGE WAGE OF FULLY EMPLOYED STAFF AND WORKERS（2004）

单位：元 （yuan）

项　　目	Item	合计 Total	国有单位 State-owned Units	城镇集体单位 Urban Collective-owned Units	其他单位 Other Types of Ownership
合　计	**Total**	**22116**	**25979**	**11937**	**20267**
一、按企业、事业和机关分	**Grouped by Enterprises，Institutions and Agencies**				
企业	Enterprises	20617	26114	11643	20264
#地方	Under the Leadership of Local Governments	19460	21766	11643	20264
事业	Institutions	23971	24151	16842	22678
#地方	Under the Leadership of Local Governments	23116	23281	16842	22678
机关	Agencies & Organizations	29850	29859	19158	
#地方	Under the Leadership of Local Governments	28465	28474	19158	
二、按国民经济行业分	**Grouped by Economic Sector**				
农、林、牧、渔业	Farming，Forestry，Animal Husbandry and Fishery	9952	8760	9939	22881
采矿业	Mining and Quarrying	17617	17168	8769	19132
制造业	Manufacturing	17007	21649	9943	17333
电力、燃气及水的生产和供应业	Production and Supply of Electricity，Gas and Water	31503	30661	25009	35676
建筑业	Construction	15639	19424	9462	19209
交通运输、仓储和邮政业	Transport，Storage and Postal Services	29258	27607	12531	34113
信息传输、计算机服务和软件业	Information Transmission，Computer Services and Software	45624	42621	20341	49850
批发和零售业	Wholesale and Retail Trade	21279	21532	10515	24693
住宿和餐饮业	Hotels and Catering Services	16265	17062	12116	16364
金融业	Finance	38317	41247	20996	48298
房地产业	Real Estate	23977	22199	13903	26773
租赁和商务服务业	Leasing and Business Services	24644	23574	14995	38344
科学研究、技术服务和地质勘查业	Scientific Research，Technical Services and Geological Prospecting	37952	37975	18539	40449
水利、环境和公共设施管理业	Water Conservancy，Environment and Public Facilities Management	17850	18363	12124	20874
居民服务和其他服务业	Resident Services and Other Services	19665	24809	14717	17978
教育	Education	22660	22695	17822	22646
卫生、社会保障和社会福利业	Health Care，Social Security and Social Welfare	28248	28619	18438	26282
文化、体育和娱乐业	Culture，Sports and Recreation	30105	33511	19175	17133
公共管理和社会组织	Public Administration and Social Organizations	29220	29231	21494	
三、按产业分	**Grouped by Industry**				
第一产业	Primary Industry	9952	8760	9939	22881
第二产业	Secondary Industry	17567	23222	10234	17780
第三产业	Tertiary Industry	26773	27017	15091	29593

5-20 职工年平均工资（2004 年）
ANNUAL AVERAGE WAGE OF STAFF AND WORKERS（2004）

单位：元　　　　(yuan)

项　　目	Item	合计 Total	国有单位 State-owned Units	城镇集体单位 Urban Collective-owned Units	其他单位 Other Types of Ownership
合　计	**Total**	**21138**	**24515**	**10169**	**20073**
一、按企业、事业和机关分	**Grouped by Enterprises, Institutions and Agencies**				
企业	Enterprises	19433	22808	9864	20069
#地方	Under the Leadership of Local Governments	18321	18542	9864	20069
事业	Institutions	23689	23896	15856	22369
#地方	Under the Leadership of Local Governments	22844	23037	15856	22369
机关	Agencies & Organizations	29544	29552	19101	
#地方	Under the Leadership of Local Governments	28185	28193	19101	
二、按国民经济行业分	**Grouped by Economic Sector**				
农、林、牧、渔业	Farming, Forestry, Animal Husbandry and Fishery	9158	8043	8938	22448
采矿业	Mining and Quarrying	16055	14774	8549	18546
制造业	Manufacturing	16416	17429	8393	17206
电力、燃气及水的生产和供应业	Production and Supply of Electricity, Gas and Water	30194	29259	23965	34596
建筑业	Construction	14980	18170	8980	18852
交通运输、仓储和邮政业	Transport, Storage and Postal Services	27367	26037	8410	33385
信息传输、计算机服务和软件业	Information Transmission, Computer Services and Software	44756	41474	20309	49459
批发和零售业	Wholesale and Retail Trade	15928	14587	5705	24159
住宿和餐饮业	Hotels and Catering Services	15782	15496	11919	16298
金融业	Finance	37068	39370	20727	47536
房地产业	Real Estate	22718	20107	12551	26256
租赁和商务服务业	Leasing and Business Services	22356	20828	13668	37747
科学研究、技术服务和地质勘查业	Scientific Research, Technical Services and Geological Prospecting	36739	36534	17555	40384
水利、环境和公共设施管理业	Water Conservancy, Environment and Public Facilities Management	17508	17959	12021	20805
居民服务和其他服务业	Resident Services and Other Services	19583	24688	14575	17960
教育	Education	22643	22678	17740	22576
卫生、社会保障和社会福利业	Health Care, Social Security and Social Welfare	27895	28258	18232	26282
文化、体育和娱乐业	Culture, Sports and Recreation	29005	32162	18718	16712
公共管理和社会组织	Public Administration and Social Organizations	28962	28973	21433	
三、按产业分	**Grouped by Industry**				
第一产业	Primary Industry	9158	8043	8938	22448
第二产业	Secondary Industry	16936	20459	9114	17635
第三产业	Tertiary Industry	25396	25834	11877	29138

注：职工包括在岗职工和离开本单位仍保留劳动关系的职工。
Note: The staff and workers include the fully employed staff and workers and the staff and workers who have already left the units but still kept their labor relationship with the units.

5-21 各市年末城镇登记失业人数及失业率

NUMBER OF REGISTERED URBAN UNEMPLOYED PERSONS AND UNEMPLOYMENT RATE BY CITY AT THE YEAR-END

市 别 City	2003		2004	
	失业人员（人）Unemployed Persons (person)	失业率（%）Unemployment Rate (%)	失业人员（人）Unemployed Persons (person)	失业率（%）Unemployment Rate (%)
合 计 Total	**354611**	**2.9**	**359366**	**2.7**
广 州 Guangzhou	72823	2.7	67749	2.4
深 圳 Shenzhen	21914	2.6	26093	2.5
珠 海 Zhuhai	11131	2.9	11129	2.8
汕 头 Shantou	17364	3.2	17429	3.0
佛 山 Foshan	28144	2.3	28492	2.3
韶 关 Shaoguan	18264	3.4	18070	3.3
河 源 Heyuan	13127	3.2	14225	3.0
梅 州 Meizhou	13546	3.0	14627	2.9
惠 州 Huizhou	13581	2.7	12870	2.5
汕 尾 Shanwei	8798	3.3	9196	3.4
东 莞 Dongguan	4996	1.7	5527	1.6
中 山 Zhongshan	6873	2.4	7470	2.3
江 门 Jiangmen	21391	3.2	20764	2.9
阳 江 Yangjiang	15386	3.2	15096	3.1
湛 江 Zhanjiang	23149	3.2	23760	3.2
茂 名 Maoming	19988	3.4	19810	3.3
肇 庆 Zhaoqing	11691	2.9	11376	2.8
清 远 Qingyuan	10663	3.5	10126	3.1
潮 州 Chaozhou	6357	2.6	7991	2.6
揭 阳 Jieyang	8764	2.7	8874	2.7
云 浮 Yunfu	6661	3.5	8692	3.0

5-22 各市社会基本养老、失业保险基金征缴额及征缴率（2004 年）
AMOUNT COLLECTED AND PERCENTAGE OF COLLECTION OF BASIC RETIREMENT SECURITY INSURANCE AND UNEMPLOYMENT INSURANCE BY CITY (2004)

市别 City	基本养老保险 Basic Retirement Security Insurance		失业保险 Unemployment Insurance	
	基金征缴额（万元）Amount Collected (10000 yuan)	基金征缴率（%）Percentage of Collection (%)	基金征缴额（万元）Amount Collected (10000 yuan)	基金征缴率（%）Percentage of Collection (%)
合计 Total	**3539832**	**96.0**	**270695**	**95.3**
广州 Guangzhou	724155	94.6	123536	97.2
深圳 Shenzhen	748466	99.8	14690	99.6
珠海 Zhuhai	118744	99.9	15930	98.6
汕头 Shantou	55957	99.1	6955	99.3
佛山 Foshan	272501	96.9	18310	98.5
韶关 Shaoguan	48919	89.3	6677	89.4
河源 Heyuan	21239	94.6	1615	86.0
梅州 Meizhou	38137	97.0	3776	96.2
惠州 Huizhou	71386	90.2	8621	90.6
汕尾 Shanwei	12545	66.9	1175	53.9
东莞 Dongguan	267473	99.8	23406	99.7
中山 Zhongshan	116467	100.0	6762	100.0
江门 Jiangmen	96512	93.6	9541	94.4
阳江 Yangjiang	19978	95.4	1820	96.1
湛江 Zhanjiang	66679	80.7	6729	78.3
茂名 Maoming	59051	87.3	7534	81.2
肇庆 Zhaoqing	46996	96.4	4736	96.0
清远 Qingyuan	34931	93.0	3675	84.0
潮州 Chaozhou	24574	83.8	2205	82.2
揭阳 Jieyang	33400	83.1	1134	61.3
云浮 Yunfu	22787	97.8	1869	97.0
省级 Provincial Level	638933	95.8		

5-23 各市社会保险参保人数（2004 年）
NUMBER OF PERSONS PARTICIPATING IN SOCIAL INSURANCE BY CITY (2004)

单位：万人　　(10000 persons)

市别 City	基本养老保险参保人数 Number of Persons Participating in Basic Retirement Security Program	失业保险参保人数 Number of Persons Participating in Unemployment Insurance	医疗保险参保人数 Number of Persons Participating in Health Care Program	工伤保险参保人数 Number of Persons Participating in Industrial Accident Insurance	生育保险参保人数 Number of Persons Participating in Child-bearing Insurance
合　计 Total	**1368.45**	**1005.80**	**1034.16**	**1215.09**	**376.73**
广　州 Guangzhou	186.76	221.20	190.45	153.23	85.50
深　圳 Shenzhen	295.89	128.15	231.36	360.83	69.02
珠　海 Zhuhai	42.20	39.32	46.68	39.77	21.45
汕　头 Shantou	38.31	33.69	16.85	30.47	30.35
佛　山 Foshan	127.95	97.45	109.32	130.46	
韶　关 Shaoguan	31.67	29.98	33.23	16.23	13.29
河　源 Heyuan	19.50	12.84	7.15	11.46	
梅　州 Meizhou	29.03	21.78	12.76	19.05	
惠　州 Huizhou	47.44	40.72	35.04	46.66	30.92
汕　尾 Shanwei	18.93	15.58	4.61	8.08	5.20
东　莞 Dongguan	104.44	100.08	105.95	150.46	18.31
中　山 Zhongshan	66.05	65.65	69.54	64.62	5.04
江　门 Jiangmen	46.79	34.38	40.12	30.18	23.59
阳　江 Yangjiang	21.51	16.18	11.75	11.13	5.00
湛　江 Zhanjiang	52.45	33.05	37.86	22.81	
茂　名 Maoming	34.69	22.66	17.83	25.48	
肇　庆 Zhaoqing	31.09	26.48	28.56	16.78	16.86
清　远 Qingyuan	24.56	13.97	16.25	11.95	8.62
潮　州 Chaozhou	23.41	21.06	2.55	13.95	
揭　阳 Jieyang	24.45	18.82	6.31	5.92	
云　浮 Yunfu	16.57	12.75	9.99	9.01	7.02
省　直 Directly under Provincial Government	84.77			36.56	36.56

主要统计指标解释

劳动力资源总数 指在劳动年龄内，具有劳动能力，在正常情况下，可能或实际参加社会劳动的人口数。劳动力资源的范围为：劳动年龄内（16周岁以上），有劳动能力，实际参加社会劳动和未参加社会劳动的人员。劳动力资源也可划分为：经济活动人口和非经济活动人口。劳动力资源不包括下列人员：

（1）在押犯人；

（2）劳动年龄内丧失劳动能力的人员；

（3）16岁以下实际参加社会劳动的人员。

从业人员 指从事一定社会劳动并取得劳动报酬或经营收入的人员。包括：

（1）在岗职工；

（2）私营业主；

（3）个体户主；

（4）私营和个体从业人员；

（5）乡镇企业从业人员；

（6）农村从业人员；

（7）其他从业人员（包括再就业的离退休人员、民办教师、在各单位中工作的外方人员和港、澳、台方人员和宗教职业者等）。

这一指标反映了一定时期内全部劳动力资源的实际利用情况，是研究我国基本国情国力的重要指标。

经济活动人口 指在16岁以上，有劳动能力，参加或要求参加社会经济活动的人口。包括：从业人员和失业人员。

单位从业人员 指在各级国家机关、政党机关、社会团体及企业、事业单位中工作，并取得劳动报酬的全部人员。包括在岗职工和其他从业人员。各单位的从业人员反映了各单位实际参加生产或工作的全部劳动力。

其他从业人员 指各级国家机关、政党机关、社会团体及企业、事业单位中再就业的离退休人员、民办教师以及在各单位中工作的外方人员和港、澳、台方人员。

职工 指在国有经济、城镇集体经济、联营经济、股份制经济、外商和港、澳、台投资经济、其他经济单位及其附属机构工作，并由其支付工资的各类人员。包括在岗职工和离开本单位仍保留劳动关系的职工（也称为离岗职工或不在岗职工），不包括返聘的离退休人员、民办教师、在本单位工作的外方人员和港、澳、台人员。

在岗职工 指在调查时期（点）在国有经济、城镇集体经济、联营经济、股份制经济、外商和港、澳、台投资经济、其他经济单位及其附属机构中有工作岗位，并参加实际工作和在本单位领取工资的各类人员。

不在岗职工（离岗职工） 是指在调查时期（点）在国有经济、城镇集体经济、联营经济、股份制经济、外商和港、澳、台投资经济、其他经济单位及其附属机构中没有工作岗位、没有参加工作，但仍与单位保留劳动关系的人员。包括长期（6个月以上）病休假人员、下岗职工等。单位对这部分人员只发放生活费，而不发放工资。

城镇私营和个体从业人员 城镇私营从业人员 指在工商管理部门注册登记，其经营地址设在县城关镇（含城关镇）以上的私营企业从业人员。包括：私营企业投资者和雇工。城镇个体从业人员指在工商管理部门注册登记，并持有城镇户口或在城镇长期居住，经批准从事个体工商经营的从业人员。包括：个体经营者和在个体工商户劳动的家庭帮工和雇工。

城镇登记失业人员及失业率 指有非农业户口，在一定的劳动年龄内，有劳动能力，无业而要求就业，并在当地就业服务机构进行求职登记的人员。城镇登记失业率指城镇登记失业人数同城镇从业人数与城镇登记失业人数之和的比。计算公式为：

$$\text{城镇登记失业率} = \frac{\text{城镇登记失业人数}}{\text{城镇从业人数} + \text{城镇登记失业人数}} \times 100\%$$

单位从业人员劳动报酬 指各单位在一定时期内直接支付给本单位在岗职工的工资总额和其他从业人员的劳动报酬。

在岗职工工资总额 指各单位在一定时期内直接支付给本单位在岗职工的劳动报酬总额。

不在岗职工（离岗职工）生活费 指各单位在一定时期内按政策直接支付给本单位中离开本单位仍保

留劳动关系的这部分不在岗职工的最低生活保障费。

职工工资总额　指各单位在一定时期内直接支付给本单位在岗职工的工资总额和不在岗职工（离岗职工）的生活费。

单位从业人员劳动报酬和职工工资总额的计算原则应以直接支付给职工的全部劳动报酬为根据。各单位支付给职工的劳动报酬以及其他根据有关规定支付的工资，不论是计入成本的还是不计入成本的，不论是按国家规定列入计征奖金税项目的，还是未列入计征奖金税项目的，不论是以货币形式支付的还是以实物形式支付的，均包括在内。

职工平均工资　指企业、事业、机关单位的职工在一定时期内平均每人所得的货币工资额。它表明一定时期职工工资收入的高低程度，是反映职工工资水平的主要指标。计算公式为：

$$职工平均工资=\frac{报告期实际支付的全部职工工资总额}{报告期全部职工平均人数}$$

职工平均实际工资　指扣除物价变动因素后的职工平均工资。计算公式为：

$$职工平均实际工资=\frac{报告期职工平均工资}{报告期城镇居民消费价格指数}$$

Explanatory Notes on Main Statistical Indicators

Labor Resources refer to the population within the working age who are capable to work, under normal condition, may participate in or are actually participating in social labor. The coverage of labor resources includes the persons within the working ages (16 and over), who are capable of work, are actually engaged in or are not engaged in social labor. Labor resources can be also divided into economically active population and non-economically active population.

The following persons are not included in the labor resources:

1. Prisoners in custody;
2. Persons within the working age but disabled;
3. Persons actually engaged in social labor but under the age of 16.

Employed Persons refer to the persons who are engaged in social labor and receive remuneration payment or earn business income, including:

1. fully employed staff and workers,
2. employers of private enterprises,
3. self-employed workers,
4. employed persons in private enterprises and individual economy,
5. employed persons in township enterprises,
6. employed persons in the rural areas,
7. and other employed persons (including re-employed retirees, teachers in the schools run by the local people, foreigners and Chinese compatriots from Hong Kong, Macao and Taiwan working in various units, and people engaged in religious profession, etc).

This indicator reflects the actual utilization of total labor force during a certain period of time and is often used for the research on China's economic situation and national strength.

Economically Active Population refers to the population aged 16 and over, who are capable to work, are participating in or willing to participate in the social and economic activities, including employed persons and unemployed persons.

Persons Employed in Various Units refer to all the persons working in government agencies of various levels, political and party organizations, social organizations, enterprises and institutions, and receiving payment, including fully employed staff and workers and other employed persons. This indicator reflects the total number of laborers actually engaged in production or other operations in various units.

Other Employed Persons refer to the re-employed retirees and the teachers in the schools run by the local people, who work in government agencies of various levels, political and party organizations, enterprises and institutions, and foreigners and Chinese compatriots from Hong Kong, Macao and Taiwan working in various units.

Staff and Workers refer to the persons working in and receiving payment from units of state ownership, collective ownership, joint ownership, share holding ownership, foreign ownership, and ownership by entrepreneurs from Hong Kong, Macao and Taiwan, and other types of ownership and their affiliated units. They include the fully-employed staff and workers and the staff and workers who have left their working units while keeping their labor contract (employment relation) unchanged (i. e. staff and workers absent from work or not fully-employed staff and workers), but exclude re-employed retirees, teachers in the schools run by the local people, and foreigners and Chinese compatriots from Hong Kong, Macao and Taiwan working in the units.

Fully Employed Staff and Workers refer to the persons who have work posts, work in and receive payment from units of state ownership, collective ownership, joint ownership, share holding ownership, foreign ownership, and ownership by entrepreneurs from Hong Kong, Macao and Taiwan, and other types of ownership and their affiliated units at the reference period (point).

Not Fully-employed Staff and Workers (Staff and Workers Absent from Work) refer to the persons who do not have work posts and work in, but still keep their labor contract (employment relation) unchanged from the working units of state ownership, collective ownership, joint ownership, share holding ownership, foreign ownership, and ownership by entrepreneurs from Hong Kong, Macao and Taiwan, and other types of ownership and their affiliated units at the reference period (point). They include the persons absent from work on sick leave for a long time (more than six months) and the laid-off workers, who only receive living expenses but no wages from their working units.

Persons Employed in Private Enterprises and Employed Individuals in Urban Areas Persons employed in private enterprises refer to the persons employed in the private enterprises which have been registered at the department of industrial and commercial administration and are situated at a county town (i. e. a town where the county government is located) for business operation or at urban areas with the level higher than a county town, including investors and employees of private enterprises. The self-employed individuals in urban areas refer to persons who hold the certificates of residence in urban areas or have resided in the urban areas for a long time and have been registered at the departments of industrial and commercial administration and approved to be engaged in individual industrial or commercial business, including self-employed persons as well as helpers and hired laborers who work in the individual households engaged in industrial or commercial business.

Registered Unemployed Persons and Registered Unemployment Rate in Urban Areas Registered unemployed persons in urban areas refer to the persons with non-agricultural registration at certain working ages, who are capable of work, unemployed and willing to work, and have been registered at the local employment service agencies to apply for a job. Registered unemployment rate in urban areas refers to the ratio of the number of the registered urban unemployed persons to the sum of the number of the urban employed persons and the registered urban unemployed persons. The formula is as follows:

$$\text{Registered Urban Unemployment Rate} = \frac{\text{Number of Registered Urban Unemployed Persons}}{(\text{Number of Urban Employed Persons} + \text{Number of Registered Urban Unemployed Persons})} \times 100\%$$

Earnings of Persons Employed in Units refer to the total wages directly paid to the fully employed persons in the working units and the remuneration payment to other employed persons during a certain period of time.

Total Wages refer to the total remuneration payment directly paid to the fully employed persons in the working units during a certain period of time.

Living Expenses of Not Fully-employed Staff and Workers (Staff and Workers Absent from Work) refer to the minimum living allowances directly distributed to the not fully employed staff and workers who have left their working units while keeping their labor contract (employment relation) unchanged according to the policies during a certain period of time.

Total Wages of Staff and Workers refer to the total wages directly paid to the fully employed staff and workers and the living expenses to the not fully-employed staff and workers (staff and workers absent from work) in the working units during a certain period of time.

The calculation of earnings of persons employed in units and total wages of staff and workers is based on the total remuneration payment to the staff and workers. Therefore, all the wages and salaries and other payments to staff and workers are included in the total wages regardless of their sources, categories and forms (in kind or cash).

Average Wage of Staff and Workers refer to the average wage in monetary terms per person during a certain period of time for staff and workers in enterprises, institutions and government agencies, which reflects the general level of wage income during a certain period of time and is calculated as follows:

$$\text{Average Wage of Staff and Workers} = \frac{\text{Total Wages of Staff and Workers at the Report Period}}{\text{Average Number of Staff and Workers at the Report Period}}$$

Average Real Wage of Staff and Workers refer to the average wage of staff and workers after removing the effects of price changes, which is calculated as follows:

$$\text{Average Real Wage of Staff and Workers} = \frac{\text{Average Wage of Staff and Workers at the Report Period}}{\text{Urban Consumer Price Indices at the Report Period}}$$

六 固定资产投资

INVESTMENT IN FIXED ASSETS

6

六　固定资产投资

简要说明

一、本篇资料反映广东省固定资产投资的基本情况，主要包括：全社会固定资产投资，国有单位固定资产投资，基本建设、更新改造、房地产开发投资情况以及各市固定资产投资的主要指标数据。

二、本篇资料由广东省统计局固定资产投资统计处整理提供。

三、固定资产投资统计的资料来源主要为全面统计报表。按照现行的固定资产投资统计报表制度，全社会固定资产投资按经济类型可分为：国有经济、集体经济、联营经济、股份制经济、港澳台投资经济、外商投资经济、个人投资及其它经济投资；按计划管理口径又分为：基本建设投资、更新改造投资、房地产开发投资、其它投资四种。

四、2004 年房地产开发为年快报数。

6　INVESTMENT IN FIXED ASSETS

Brief Introduction

Ⅰ. The data in this chapter reflect the basic conditions of investment in fixed assets of Guangdong Province, mainly including the total investment in fixed assets, the investment in fixed assets by the state-owned units, the investment in capital construction, the investment in innovation, the investment in real estate development and the main indicators of investment in fixed assets by city.

Ⅱ. The data in this chapter are prepared and provided by the Division of Investment and Construction Statistics of Guangdong Provincial Bureau of Statistics.

Ⅲ. The data sources for the statistics of investment in fixed assets mainly come from the complete statistical report forms. According to the present regulations on the statistics of the investment in fixed assets, the investment in fixed assets for the whole society is classified by the following types of ownership: state-owned economy, collective-owned economy, joint ownership economy, shareholding economy, economy with funds from Hong Kong, Macao and Taiwan, foreign funded economy, individual investment and the economy of other types of ownership. It is also classified by the following four channels of planning administration according to the purpose of investment: the investment in capital construction, the investment in innovation, the investment in real estate development and other investment.

Ⅳ. The data of investment in real estate development in 2004 refer to the data from the advance annual reports.

6-1 全社会固定资产投资主要指标
MAIN INDICATORS OF TOTAL INVESTMENT IN FIXED ASSETS

指　标	Item	1995	2000	2001	2003	2004
投资完成额　（亿元）	**Investment　(100 million yuan)**	**2327.22**	**3233.70**	**3536.41**	**5030.57**	**6025.53**
按报表种类分	**Grouped by Type of Report Form**					
基本建设	Capital Construction	905.97	1163.63	1243.72	1893.58	2485.72
#大中型项目	Large and Medium-sized Projects	332.32	387.63	369.28	752.88	1007.91
更新改造	Innovation	255.61	435.44	485.01	658.94	748.14
#限额以上项目	Projects above Designated Size	54.78	168.41	153.20	165.88	245.24
房地产开发	Real Estate Development	563.89	858.61	972.34	1233.52	1355.84
其他投资	Others	114.36	126.39	172.25	324.12	322.57
城镇集体	Urban Collective-owned Units	43.73	61.06	60.85	41.49	103.54
农村非农户	Non-rural households in Rural Areas	195.75	306.44	312.48	555.75	675.82
城镇和工矿区私人	Individuals in Urban Areas and in Industrial and Mining Areas	52.41	65.44	69.54	83.48	105.64
农村私人	Individuals in Rural Areas	195.50	216.69	220.21	239.68	228.26
按经济类型分	**Grouped by Type of Ownership**					
国有经济	State-owned Economy	1122.84	1286.91	1249.20	1487.53	1830.35
集体经济	Collective-owned Economy	363.67	448.71	314.78	403.92	419.73
#农村	Rural Collective-owned	195.75	306.43	171.43	237.83	168.35
个体经济	Individuals Economy	249.78	424.35	581.58	944.47	1133.25
#农村	Rural Individuals	195.50	216.69	220.21	146.77	228.26
联营经济	Joint Ownership Economy	17.22	10.30	14.33	23.93	27.69
股份制经济	Shareholding Economy	108.85	484.00	571.73	937.60	1113.51
外商投资经济	Foreign Funded Economy	254.88	140.71	223.18	393.55	487.89
港澳台投资经济	Economy with Funds from Hong Kong , Macao and Taiwan	197.93	416.34	554.03	794.73	963.60
其他经济	Others	12.05	22.39	27.58	44.83	49.51
按构成分	**Grouped by Use of Funds**					
建筑安装工程	Construction and Installation	1507.92	2103.78	2293.93	3201.16	3784.12
设备工具器具购置	Purchases of Equipment and Instruments	464.75	597.29	698.49	977.70	1247.82
其他费用	Others	354.55	532.63	543.99	851.71	993.59
按资金来源分	**Grouped by Source of Funds**					
国家预算内资金	State Budgetary Appropriations	25.02	54.00	55.88	80.96	65.08
国内贷款	Domestic Loans	348.81	556.52	567.59	853.29	1014.10
利用外资	Foreign Investment	431.37	339.86	345.86	510.51	587.49
自筹资金	Fundraising	873.35	1386.29	1616.49	2354.37	2961.55
其他资金	Others	648.67	897.03	950.59	1231.44	1397.32
房屋建筑面积　（万平方米）	**Floor Space of Buildings　(10000 sq. m)**					
施工面积	Floor Space under Construction	21364.88	23520.91	24961.75	33965.41	32213.75
竣工面积	Floor Space Completed	10689.48	13492.94	13497.44	16907.21	15871.15
#住宅	Residential Buildings	7308.18	8888.66	8537.72	9444.02	8477.53
实际销售商品房屋面积　（万平方米）	**Floor Space of Commodity Buildings Actually Sold　(10000 sq. m)**	**1000.41**	**2259.95**	**2275.79**	**3061.32**	**3046.91**
#住宅	Residential Buildings	850.44	2009.34	2048.84	2739.60	2741.62
个人购买商品住宅　（万平方米）	**Commodity Residence Purchased by Individuals　(10000 sq. m)**	**606.89**	**1838.43**	**1854.29**	**2627.41**	**2645.67**

注：2001－2003 年农村集体改为农村单位，2004 年改为农村非农户。

Note: The rural collective-owned units refered to the rural units from 2001 to 2003, whereas they refered to non-rural households in the rural areas in 2004.

6-2 全社会固定资产投资总额
TOTAL INVESTMENT IN FIXED ASSETS

单位：亿元 （100 million yuan）

年份 Year	全社会投资总额 Total Investment	基本建设 Capital Construction	更新改造 Innovation	房地产开发 Real Estate Development	其他投资 Others	城镇集体 Urban Collective-owned Units	农村非农户 Non-rural Households in Rural Areas	城镇和工矿区私人 Individuals in Urban Areas and in Industrial and Mining Areas	农村私人 Individuals in Rural Areas
1978	27.23	17.85	2.19			0.47	0.37		6.35
1979	28.29	17.63	2.43			0.59	0.36		7.28
1980	38.29	22.05	3.67			1.09	0.59		10.89
“六五”时期 Sixth Five-Year Plan Period	548.80	246.86	98.26		8.94	29.71	42.49	14.40	108.14
1981	60.40	28.37	6.24			2.35	4.06	2.19	17.19
1982	84.73	33.86	17.91			3.64	7.86	1.93	19.53
1983	88.71	35.23	19.91		0.78	4.05	7.86	2.14	18.74
1984	130.37	55.33	21.89		3.43	6.18	12.02	3.03	28.49
1985	184.59	94.07	32.31		4.73	13.49	10.69	5.11	24.19
“七五”时期 Seventh Five-Year Plan Period	1549.91	680.30	282.17	129.10	22.06	137.12	81.26	57.48	160.42
1986	216.50	103.48	42.78	10.00	2.32	15.09	10.77	5.82	26.24
1987	251.01	107.27	51.36	16.29	4.04	21.91	12.06	8.00	30.08
1988	353.59	146.68	79.22	21.96	6.36	40.91	11.02	19.93	27.51
1989	347.34	147.44	49.71	48.15	4.39	31.05	21.76	14.21	30.63
1990	381.47	175.43	59.10	32.70	4.95	28.16	25.65	9.52	45.96
“八五”时期 Eighth Five-Year Plan Period	7498.19	2857.35	874.80	1459.87	452.82	255.11	788.56	172.60	637.08
1991	478.20	214.76	74.87	49.75	3.63	33.35	37.86	15.39	48.59
1992	921.75	338.69	128.57	125.57	10.46	77.70	131.62	21.60	87.54
1993	1629.87	546.63	183.87	316.53	175.31	44.66	195.06	40.33	127.48
1994	2141.15	851.30	231.88	404.13	149.06	55.67	228.27	42.87	177.97
1995	2327.22	905.97	255.61	563.89	114.36	43.73	195.75	52.41	195.50
“九五”时期 Ninth Five-Year Plan Period	13555.17	5291.39	1682.32	3228.69	586.78	289.69	1160.32	254.29	1061.69
1996	2327.64	909.73	277.00	528.85	128.03	57.92	191.99	44.19	189.93
1997	2298.14	903.26	273.90	528.31	100.60	53.38	196.61	39.77	202.31
1998	2668.13	1072.30	327.38	602.72	112.83	60.88	220.84	48.13	223.05
1999	3027.56	1242.47	368.60	710.20	118.93	56.45	244.44	56.76	229.71
2000	3233.70	1163.63	435.44	858.61	126.39	61.06	306.44	65.44	216.69
“十五”时期 Tenth Five-Year Plan Period									
2001	3536.41	1243.72	485.01	972.34	172.25	60.85	312.48	69.54	220.21
2002	3970.69	1367.23	515.07	1115.25	220.20	50.42	411.07	75.29	216.16
2003	5030.57	1893.58	658.94	1233.52	324.12	41.49	555.75	83.48	239.68
2004	6025.53	2485.72	748.14	1355.84	322.57	103.54	675.82	105.64	228.26

注：1. 1993 年以前房地产开发投资主要是商品房建设投资。
2. 2001 – 2003 年农村集体改为农村单位，2004 年改为农村非农户。

Note: a) Prior to 1993, the investment in real estate development was mainly the investment in commercial buildings.
b) The rural collective-owned units refered to the rural units from 2001 to 2003, whereas they refered to non-rural households in the rural areas in 2004.

6-3 全社会固定资产投资（2004年）
TOTAL INVESTMENT IN FIXED ASSETS (2004)

指标	Item	全省合计 Province Total	基本建设 Capital Construction	更新改造 Innovation	房地产开发 Real Estate Development	其他投资 Others	农村非农户 Non-rnral Households in Rnral Areas	城镇和工矿区私人 Individuals in Urban Areas and in Industrial and Mining Areas	农村私人 Individuals in Rural Areas
一、投资总额（亿元）	**Total Investment (100 million yuan)**	**6025.53**	**2485.72**	**748.14**	**1355.84**	**426.11**	**675.82**	**105.64**	**228.26**
按隶属关系分	Grouped by Administrative Relationship								
中央项目	Central Government Projects	423.24	267.24	104.27	50.56	1.03	0.13		
地方项目	Local Projects	5602.29	2218.48	643.87	1305.28	425.08	675.68	105.64	228.26
按构成分	Grouped by Use of Funds								
建筑安装工程	Construction and Installation	3784.12	1617.50	265.57	953.35	225.76	411.32	105.64	204.99
设备工具器具购置	Purchases of Equipment and Instruments	1247.82	424.24	442.78	29.61	153.80	174.12		23.27
其他费用	Others	993.59	443.98	39.80	372.89	46.55	90.37		
二、财务拨贷款合计（亿元）	**Total Financial Appropriations (100 million yuan)**	**6724.64**	**2595.71**	**775.23**	**1863.89**	**460.16**	**695.76**	**105.64**	**228.26**
国家预算内资金	State Budgetary Appropriations	72.39	49.64	10.88	0.28	2.56	9.03		
国内贷款	Domestic Loans	1132.08	625.22	106.77	334.08	21.85	44.17		
利用外资	Foreign Investment	655.75	379.08	72.22	38.26	101.40	64.79		
自筹资金	Fundraising	3305.05	1423.88	571.91	506.19	284.48	518.59		
其他资金	Others	1559.37	117.89	13.45	985.09	49.88	59.18	105.64	228.26
三、新增固定资产（亿元）	**Newly Increased Fixed Assets (100 million yuan)**	**3898.89**	**1452.22**	**408.12**	**879.40**	**294.10**	**531.15**	**105.64**	**228.26**
四、房屋建筑面积（万平方米）	**Floor Space of Buildings (10000 sq. m)**								
施工面积	Floor Space Under Construction	36053.78	8537.22	487.62	13911.55	1965.94	5669.72	1641.70	3840.03
竣工面积	Floor Space Completed	15871.14	3052.21	226.41	3407.83	985.26	2717.70	1641.70	3840.03
#住宅	Residential Buildings	8477.52	343.41	7.41	2776.29	162.24	185.29	1497.09	3505.79

注：其他投资含城镇集体。
Note: Other investment includes that from the urban collective-owned units.

6-4 各市全社会固定资产投资额（2004 年）

TOTAL INVESTMENT IN FIXED ASSETS BY CITY (2004)

单位：亿元 (100 million yuan)

市别 City	合计 Total	基本建设 Capital Construction	更新改造 Innovation	房地产开发 Real Estate Development	其他投资 Others	农村非农户 Non-rnral Households in Rnral Areas	城镇和工矿区私人 Individuals in Urban Areas and in Industrial and Mining Areas	农村私人 Individuals in Rural Areas
全省总计 Total	**6025.53**	**2485.72**	**748.14**	**1355.84**	**426.11**	**675.82**	**105.64**	**228.26**
广州 Guangzhou	1312.71	606.42	162.62	440.81	8.29	81.03	2.62	10.92
深圳 Shenzhen	1090.12	500.92	88.00	431.81	43.22		26.16	
珠海 Zhuhai	179.85	122.31	15.71	40.46	0.03	0.44	0.30	0.60
汕头 Shantou	131.94	30.92	13.55	17.14	31.37	26.44	2.13	10.39
佛山 Foshan	568.56	127.80	45.19	96.40	6.89	269.78	5.25	17.25
韶关 Shaoguan	129.22	37.77	40.54	10.81	29.02	5.37	0.94	4.76
河源 Heyuan	78.38	33.14	5.07	7.97	10.09	10.55	3.17	8.39
梅州 Meizhou	93.06	25.79	15.44	12.79	14.94	14.16	4.02	5.92
惠州 Huizhou	297.62	210.15	15.46	29.55	4.71	24.10	2.42	11.22
汕尾 Shanwei	73.44	28.33	4.32	1.42	13.57	10.04	5.68	10.08
东莞 Dongguan	433.90	143.56	47.49	93.45	60.99	59.57	4.97	23.88
中山 Zhongshan	291.58	96.96	34.21	62.46	55.22	24.30	1.18	17.26
江门 Jiangmen	195.69	65.87	21.82	30.67	26.00	39.78	1.89	9.66
阳江 Yangjiang	56.68	14.47	4.48	12.54	11.76	3.60	6.97	2.86
湛江 Zhanjiang	142.09	60.99	32.30	12.87	1.52	11.49	9.20	13.71
茂名 Maoming	109.41	14.59	21.38	7.95	11.09	12.89	8.15	33.37
肇庆 Zhaoqing	145.24	47.90	11.73	17.49	30.55	21.22	5.07	11.28
清远 Qingyuan	156.80	42.68	20.36	16.13	41.43	27.61	2.57	6.02
潮州 Chaozhou	75.48	39.30	9.04	3.49	7.59	11.75	0.28	4.03
揭阳 Jieyang	87.81	34.22	8.39	5.31	9.99	11.91	9.02	8.96
云浮 Yunfu	76.13	25.96	6.90	4.32	7.84	9.77	3.66	17.69

注：1. 全省总计中含不分区部分。
2. 其他投资含城镇集体。

Note: a) Provincial total includes the part of investment unclassified by region.
b) Other investment includes that from the urban collective-owned units.

6-5 国有经济固定资产投资主要指标
MAIN INDICATORS OF INVESTMENT IN FIXED ASSETS OF STATE-OWNED UNITS

指　　标	Item	1995	2000	2002	2003	2004
一、建设项目个数　（个）	**Number of Projects　(unit)**					
施工项目	Projects under Construction	6748	8934	6749	6160	7599
全部建成投产项目	Projects Completed and Put into Use	3217	4070	3417	2562	3592
二、投资总额　（亿元）	**Total Investment　(100 million yuan)**	**1122.84**	**1286.91**	**1223.23**	**1487.53**	**1830.35**
# 住宅	Residential Buildings	193.93	185.38	94.44	68.07	67.20
按构成分	Grouped by Use of Funds					
建筑安装工程	Construction and Installation	680.01	835.63	829.56	955.33	1194.17
设备工具器具购置	Purchase of Equipment and Instruments	254.30	222.31	208.45	240.40	303.44
其他费用	Others	188.53	228.97	185.22	291.80	332.75
按建设性质分	Grouped by Type of Construction					
# 新建	New Construction	685.99	635.88	670.93	922.12	1108.53
扩建	Expansion	258.41	280.76	243.77	290.12	424.00
改建	Reconstruction	101.85	128.62	167.57	155.36	178.10
按资金来源分	Grouped by Source of Funds					
国家预算内资金	State Budgetary Appropriations	19.31	48.77	57.32	66.97	65.17
国内贷款	Domestic Loans	186.84	275.53	276.85	320.47	440.75
利用外资	Foreign Investment	142.71	55.08	13.68	37.39	25.62
自筹资金	Fundraising	550.53	743.32	757.36	892.74	119.29
其他资金	Others	223.45	164.21	118.01	169.96	119.52
三、新增固定资产　（亿元）	**Newly Increased Fixed Assets　(100 million yuan)**	**634.07**	**1022.34**	**666.53**	**771.04**	**1234.53**
四、房屋建筑面积　（万平方米）	**Floor Space of Buildings　(10000 sq. m)**					
施工面积	Floor Space under Construction	7425.60	5010.21	3973.35	4492.17	4866.63
竣工面积	Floor Space Completed	2486.51	2062.14	1424.08	1190.78	1545.43
#住宅	Residential Buildings	1385.38	1024.44	624.38	402.00	347.19

注：建设项目个数、投资总额按建设性质分不含房地产开发部分。
Note: Number of projects and total investment by type of construction exclude the part of real estate development.

6-6 基础设施、基础产业完成投资额
COMPLETED INVESTMENT IN INFRASTRUCTURE AND BASIC INDUSTRIES

单位：亿元 (100 million yuan)

年 份 Year	基础设施 Infrastructure	电力、煤气及水的生产和供应业 Production and Supply of Electric Power, Gas and Water	交通运输、仓储和邮政业 Transport, Storage and Postal Services	电信和其他信息传输服务业 Telecommunications and Other Data Transmission Services	水利、环境和公共设施管理业 Water Conservancy, Environment and Public Facilities Management	教育 Education	卫生、社会保障和社会福利业 Health Care, Social Security and Social Welfare	文化、体育和娱乐业 Culture, Sports and Recreation
1990	132.62	58.85	46.30	3.57	10.16	8.85	1.99	2.90
1995	738.70	175.79	346.86	35.83	117.94	39.73	10.04	12.51
2000	1153.81	193.68	344.55	208.19	289.25	57.87	19.48	40.79
2001	1166.44	213.54	304.58	262.30	254.62	61.14	23.43	47.83
2002	1200.22	280.91	309.20	219.59	247.69	76.20	25.94	40.69
2003	1573.51	320.28	462.05	249.86	330.31	134.78	29.06	47.18
2004	2031.67	514.38	570.11	267.06	414.56	186.60	32.81	46.15

年 份 Year	基础产业 Basic Industries	农林牧渔业 Farming, Forestry, Animal Husbandry and Fishery	采矿业 Mining and Dressing	石油加工、炼焦及核燃料加工业 Petroleum Refining, Coking and Nuclear Fuel Processing	黑色金属冶炼及压延加工业 Smelting and Pressing of Ferrous Metals	有色金属冶炼及压延加工业 Smelting and Pressing of Nonferrous Metals	基础化学原料制造 Raw Basic Chemical Materials Manufacturing
1990	18.42	2.32	3.11	6.57	1.60	1.02	3.80
1995	121.90	6.11	9.50	11.85	5.75	6.74	81.95
2000	53.01	15.94	6.18	6.96	12.22	3.80	7.91
2001	80.51	11.54	16.52	17.43	12.06	6.24	16.72
2002	83.17	12.46	23.21	7.95	16.61	7.10	15.84
2003	94.08	14.56	24.02	8.38	33.71	6.32	7.09
2004	132.62	16.03	14.24	16.85	61.99	20.08	3.44

注：本表包括范围为基建、更改、其他投资。
Note: Data in this table include those in capital construction, innovation and other investment.

6-7 基本建设主要指标
MAIN INDICATORS OF CAPITAL CONSTRUCTION

指　　标	Item	1995	2000	2001	2003	2004
一、建设项目个数　（个）	**Number of Projects　（unit）**					
施工项目	Projects under Construction	4445	4853	4969	6189	6529
#大中型项目	Large and Medium-sized Projects	98	108	103	441	533
全部建成投产项目	Projects Completed and Put into Use	1819	2508	2121	2004	1998
#大中型项目	Large and Medium-sized Projects	22	20	12	79	97
二、投资总额　（亿元）	**Total Investment　（100 million yuan）**	**905.97**	**1163.63**	**1243.72**	**1893.58**	**2485.72**
#住宅	Residential Buildings	77.62	81.24	65.66	44.96	48.15
按构成分	Grouped by Use of Funds					
建筑安装工程	Construction and Installation	531.49	770.64	858.85	1211.77	1617.50
设备工具器具购置	Purchase of Equipment and Instruments	231.25	203.08	221.46	317.61	424.24
其他费用	Others	143.23	189.92	163.42	364.21	443.98
按建设性质分	Grouped by Type of Construction					
# 新建	New Construction	624.73	852.39	908.88	1467.23	1925.99
扩建	Expansion	184.73	217.83	256.08	312.89	418.15
改建	Reconstruction	43.05	60.48	51.81	57.79	82.73
按资金来源分	Grouped by Source of Funds					
国家预算内资金	State Budgetary Appropriations	19.79	38.87	43.16	53.88	47.48
国内贷款	Domestic Loans	127.41	271.36	250.24	426.70	598.81
利用外资	Foreign Investment	217.37	165.58	173.25	269.61	362.92
自筹资金	Fundraising	449.61	613.35	708.67	1075.35	1363.67
其他资金	Others	91.79	74.47	68.40	68.05	112.85
三、新增固定资产　（亿元）	**Newly Increased Fixed Assets　（100 million yuan）**	**509.60**	**906.01**	**820.49**	**855.17**	**1452.22**
四、房屋建筑面积（万平方米）	**Floor Space of Buildings　（10000 sq. m）**					
施工面积	Floor Space under Construction	3822.75	3817.38	4296.60	6670.01	8537.22
竣工面积	Floor Space Completed	1528.53	1756.12	1647.25	1705.17	3052.21
#住宅	Residential Buildings	608.25	550.30	475.34	269.01	343.41

6-8 基本建设项目计划总投资及完成情况
TOTAL PLANNING INVESTMENT AND COMPLETED INVESTMENT OF CAPITAL CONSTRUCTION PROJECTS

单位：亿元 (100 million yuan)

指　标	Item	1995	2000	2001	2003	2004
计划总投资	Total Planning Investment	3176. 89	5689. 62	5797. 75	8640. 69	10810. 71
自开始建设至本年底	Accumulative Investment Actually Completed from Starting					
累计完成投资	of Construction to the Year-end	1926. 63	3409. 12	3056. 71	4160. 88	5491. 74
#本年完成投资	Investment Completed in the Year	905. 97	1163. 63	1243. 72	1893. 58	2485. 72
累计新增固定资产	Accumulative Newly Increased Fixed Assets	868. 58	1702. 18	1309. 36	1819. 89	2216. 87
不增加固定资产投资	Investment in Fixed Assets Not Increased	58. 37	126. 12	581. 56	433. 11	662. 95
未完工程投资	Investment in Uncompleted Projects	999. 68	1580. 82	1165. 79	1907. 88	2611. 92
全部建成尚需投资	Further Investment Required for the Completion of Construction	1250. 26	2280. 50	2741. 04	4479. 81	5318. 97
未完工程占用率（%）	Rate of Investment in Projects Uncompleted (%)	110. 3	135. 9	93. 7	100. 8	105. 1
建设周期（年/月）	Period of Completing Total Planning Investment (year/month)	3/6	4/11	4/8	4/7	4/4

6-9 基本建设大中型项目计划总投资及完成情况
TOTAL PLANNING INVESTMENT AND COMPLETED INVESTMENT OF LARGE AND MEDIUM-SIZED CAPITAL CONSTRUCTION PROJECTS

单位：亿元 (100 million yuan)

指　标	Item	1995	2000	2001	2003	2004
计划总投资	Total Planning Investment	1556. 56	2692. 93	2633. 08	4311. 20	5492. 91
自开始建设至本年底	Accumulative Investment Actually Completed from Starting					
累计完成投资		880. 48	1565. 82	1072. 46	1931. 28	2609. 19
#本年完成投资	#Investment Completed in the Year	332. 32	386. 01	369. 28	752. 88	1007. 91
累计新增固定资产	Accumulative Newly Increased Fixed Assets	320. 37	667. 75	325. 92	868. 20	958. 67
不增加固定资产投资	Investment in Fixed Assets Not Increased	31. 95	72. 95	183. 20	145. 54	246. 64
未完工程投资	Investment in Uncompleted Projects	528. 16	825. 12	563. 34	917. 54	1403. 88
全部建成尚需投资	Further Investment Required for the Completion of Construction	676. 08	1127. 11	1560. 62	2379. 92	2883. 72
未完工程占用率（%）	Rate of Investment in Projects Uncompleted (%)	158. 9	213. 8	152. 6	121. 9	139. 3
建设周期（年/月）	Period of Completing Total Planning Investment (year/month)	4/8	7/0	7/2	5/9	5/5

6-10 国民经济各行业基本建设主要指标（2004 年）
MAIN INDICATORS OF CAPITAL CONSTRUCTION BY SECTOR (2004)

行　业	Sector	投资额（亿元）Investment (100 million yuan)	施工项目个数（个）Number of Projects under Construction (unit)	全部建成投产项目个数（个）Number of Projects Completed and Put into Use (unit)	新增固定资产（亿元）Newly Increased Fixed Assets (100 million yuan)
全省总计	**Provincial Total**	**2485.72**	**6529**	**1998**	**1452.22**
农、林、牧、渔业	**Farming, Forestry, Animal Husbandry and Fishery**	**8.14**	**73**	**29**	**3.15**
农业	Farming	2.99	24	7	0.70
林业	Forestry	1.75	14	7	0.17
畜牧业	Animal Husbandry	1.35	13	6	1.01
渔业	Fishery	0.28	6	3	0.09
农、林、牧、渔服务业	Services for Farming, Forestry, Animal Husbandry and Fishery	1.78	16	6	1.18
采矿业	**Mining and Dressing**	**7.95**	**17**	**7**	**1.01**
煤炭开采和洗选业	Coal Mining and Dressing				
石油和天然气开采业	Petroleum and Natural Gas Extraction	6.67	2		
黑色金属矿采选业	Ferrous Metal Minerals Mining and Dressing	0.37	3	1	0.19
有色金属矿采选业	Nonferrous Metals Minerals Mining and Dressing				
非金属矿采选业	Nonmetal Minerals Mining and Dressing	0.91	12	6	0.83
其他采矿业	Other Minerals Mining and Dressing				
制造业	**Manufacturing**	**648.45**	**2032**	**547**	**317.10**
农副食品加工业	Farm and Sideline Food Processing	7.30	29	9	5.37
食品制造业	Food Manufacturing	4.90	36	12	1.89
饮料制造业	Beverage Manufacturing	3.81	15	8	1.61
烟草制品业	Tobacco Products	0.06	3	1	0.05
纺织业	Textile Industry	13.93	75	13	7.45
纺织服装、鞋、帽制造业	Textile Garments, Footwear and Headgear Manufacturing	20.69	193	104	13.35
皮革、毛皮、羽毛（绒）及其制品业	Feather, Furs, Down and Related Products	7.84	46	8	5.00
木材加工及木、竹、藤、棕、草制品业	Timber Processing, Bamboo, Cane, Palm Fiber & Straw Products	2.31	26	8	2.07
家具制造业	Furniture Manufacturing	7.70	63	10	4.10
造纸及纸制品业	Papermaking and Paper Products	13.56	41	8	8.42
印刷业和记录媒介的复制	Printing and Record Medium Reproduction	6.44	29	10	3.63
文教体育用品制造业	Cultural, Educational and Sports Goods	5.63	57	7	2.83
石油加工、炼焦及核燃料加工业	Petroleum Refining, Coking and Nuclear Fuel Processing	0.06	2	2	0.06
化学原料及化学制品制造业	Raw Chemical Materials and Chemical Products	147.89	142	51	28.71
医药制造业	Medical and Pharmaceutical Products	11.81	68	25	6.59
化学纤维制造业	Chemical Fiber	10.07	4	1	0.40
橡胶制品业	Rubber Products	1.93	14	3	0.77
塑料制品业	Plastic Products	17.76	124	28	9.99
非金属矿物制品业	Nonmetal Mineral Products	36.12	117	32	20.32
黑色金属冶炼及压延加工业	Smelting and Pressing of Ferrous Metals	26.51	19	6	14.68
有色金属冶炼及压延加工业	Smelting and Pressing of Nonferrous Metals	12.65	15	5	7.92
金属制品业	Metal Products	27.27	126	26	18.82
通用设备制造业	General Purposes Equipment Manufacturing	9.72	40	8	8.06
专用设备制造业	Special Purposes Equipment Manufacturing	15.09	79	20	7.45

6-10 续表1 continued

行业	Sector	投资额（亿元）Investment (100 million yuan)	施工项目个数（个）Number of Projects under Construction (unit)	全部建成投产项目个数（个）Number of Projects Completed and Put into Use (unit)	新增固定资产（亿元）Newly Increased Fixed Assets (100 million yuan)
交通运输设备制造业	Transport Equipment Manufacturing	30. 36	70	26	21. 06
电气机械及器材制造业	Electric Equipment and Machinery	45. 15	167	43	24. 12
通信设备、计算机及其他电子设备制造业	Telecommunications, Computers and Other Electronic Equipment Manufacturing	126. 15	310	56	72. 42
仪器仪表及文化、办公用机械制造业	Instruments, Meters, Cultural and Office Machinery	14. 14	31	6	12. 81
工艺品及其他制造业	Handicraft and Other Manufacturing	21. 53	89	11	7. 18
废弃资源和废旧材料回收加工业	Waste Sources and Materials Recovery Processing	0. 09	2		
电力、煤气及水的生产和供应业	**Production and Supply of Electric Power, Gas and Water**	**385. 83**	**542**	**179**	**202. 06**
电力、热力的生产和供应业	Production and Supply of Electric Power and Heating Power	316. 71	401	141	157. 46
燃气生产和供应业	Production and Supply of Gas	20. 20	28	14	2. 18
水的生产和供应业	Production and Supply of Tap Water	48. 91	113	24	42. 41
建筑业	**Construction**	**27. 56**	**106**	**31**	**18. 32**
房屋和土木工程建筑业	Building and Civil Engineering Construction	15. 03	85	29	5. 88
建筑安装业	Construction Installment	0. 26	3		0. 01
建筑装饰业	Construction Decoration	0. 51	7	2	0. 43
其他建筑业	Other Construction	11. 76	11		12. 00
交通运输、仓储和邮政业	**Transport, Storage and Postal Services**	**449. 51**	**482**	**135**	**361. 02**
铁路运输业	Railway Transport	9. 13	10		0. 11
道路运输业	Road Transport	250. 73	330	105	62. 62
城市公共交通业	Urban Public Traffic	62. 67	29	2	72. 82
水上运输业	Waterway Transport	56. 49	42	5	23. 91
航空运输业	Air Transport	48. 37	11	4	186. 43
管道运输业	Pipeline Transport	4. 87	3	1	5. 85
装卸搬运及其他运输服务业	Loading & Unloading and Other Transport Services	5. 13	11	2	0. 38
仓储业	Storage	10. 82	39	13	8. 74
邮政业	Postal Services	1. 29	7	3	0. 17
信息传输、计算机服务和软件业	**Data Transmission, Computer Services and Software**	**77. 51**	**138**	**56**	**37. 48**
电信和其他信息传输服务业	Telecommunications and Other Data Transmission Services	72. 27	125	55	36. 39
计算机服务业	Computer Services	0. 74	6		0. 04
软件业	Software	4. 50	7	1	1. 05
批发和零售业	**Wholesale and Retail Trade**	**29. 11**	**157**	**61**	**30. 00**
批发业	Wholesale	14. 72	65	11	7. 14
零售业	Retail Trade	14. 39	92	50	22. 85
住宿和餐饮业	**Hotels and Catering Services**	**25. 69**	**58**	**17**	**11. 21**
住宿业	Hotels	20. 77	41	7	9. 85
餐饮业	Catering Services	4. 92	17	10	1. 35
金融业	**Finance**	**5. 89**	**23**	**13**	**1. 84**
银行业	Banking	5. 59	19	10	1. 26

6-10 续表2 continued

行业	Sector	投资额（亿元）Investment (100 million yuan)	施工项目个数（个）Number of Projects under Construction (unit)	全部建成投产项目个数（个）Number of Projects Completed and Put into Use (unit)	新增固定资产（亿元）Newly Increased Fixed Assets (100 million yuan)
证券业	Securities	0.06			0.06
保险业	Insurance	0.21	3	2	0.49
其他金融活动	Other Financial Activities	0.02	1	1	0.02
房地产业	**Real Estate**	**40.93**	**123**	**27**	**23.19**
房地产业	Real Estate	40.93	123	27	23.19
租赁和商务服务业	**Leasing and Business Services**	**34.61**	**96**	**31**	**12.40**
租赁业	Leasing Services				
商务服务业	Business Services	34.61	96	31	12.40
科学研究、技术服务和地质勘查业	**Scientific Research, Technical Services and Geological Prospecting**	**17.13**	**81**	**19**	**4.50**
研究与试验发展	Research and Experimental Development	5.53	29	7	2.62
专业技术服务业	Special Technical Services	6.40	37	9	1.42
科技交流和推广服务业	Scientific & Technological Exchange and Promotion Services	4.86	10	2	0.45
地质勘查	Geological Prospecting	0.35	5	1	0.01
水利、环境和公共设施管理业	**Water Conservancy, Environment and Public Facilities Management**	**359.91**	**879**	**228**	**164.92**
水利管理业	Water Conservancy Management	35.90	251	70	16.53
环境管理业	Environment Management	10.24	61	12	5.32
公共设施管理业	Public Facilities Management	313.77	567	146	143.06
居民服务和其他服务业	**Resident Services and Other Services**	**1.61**	**20**	**8**	**1.94**
居民服务业	Resident Services	1.53	18	8	1.94
其他服务业	Other Services	0.08	2		
教育	**Education**	**170.00**	**646**	**287**	**147.11**
教育	Education	170.13	646	287	147.11
卫生、社会保障和社会福利业	**Health Care, Social Security and Social Welfare**	**23.93**	**170**	**59**	**17.44**
卫生	Health Care	23.04	157	51	16.69
社会保障业	Social Security	0.19	3	2	0.41
社会福利业	Social Welfare	0.71	10	6	0.34
文化、体育和娱乐业	**Culture, Sports and Recreation**	**41.73**	**135**	**32**	**13.82**
新闻出版业	Publication	0.32	5	1	0.68
广播、电视、电影和音像业	Radio, Television, Film and Video	5.99	19	1	0.99
文化艺术业	Culture and Arts	20.31	49	12	6.71
体育	Sports	8.50	35	8	1.99
娱乐业	Recreation	6.62	27	10	3.45
公共管理与社会组织	**Public Administration and Social Organizations**	**130.23**	**751**	**232**	**83.73**
中国共产党机关	CPC Agencies	0.42	10	6	0.37
国家机构	Government Agencies	117.92	662	214	74.14
人民政协和民主党派	CPPCC and Democratic Parties	0.01	1		
群众社团、社会团体和宗教组织	Mass Organizations, Social Organizations and Religious Organizations	1.76	12	5	1.81
基层群众自治组织	Self-governing Mass Organizations at the Grass-roots Level	10.12	66	7	7.42
国际组织	**International Organizations**				

6-11 基本建设新增主要生产能力或效益

NEWLY INCREASED PRODUCTION CAPACITY OR BENEFIT THROUGH CAPITAL CONSTRUCTIONRUCTION

项　　目		Item		1995	2000	2003	2004
发电机组装机容量	（万千瓦）	Capacity of Generating Sets	（10000 kw）	178.62	182.72	180.38	235.72
#水力发电	（万千瓦）	Hydropower	（10000 kw）	12.57	48.86	30.38	26.32
火力发电	（万千瓦）	Thermal Power	（10000 kw）	165.45	132.50	150.00	164.00
输电线路（11 万伏及以上）	（公里）	Transmission Lines（≥110000kv）	（km）	1046.43	2145.84	3282.17	3937.24
变电设备（11 万伏及以上）	（万千伏安）	Power Transformer Equipment（≥110000kv）	（10000 kva）	501.50	1477.09	1149.10	2416.15
水泥	（万吨/年）	Cement	（10000 tons/year）	89.60		30.00	452.00
塑料树脂及共聚物	（吨/年）	Plastic Resin and Copolymer	（tons/year）		3200.00	8850.00	26326.00
新建公路	（公里）	Newly Constructed Highways	（km）	866.77	1120.09	995.40	1523.81
#高速公路	（公里）	Express Highways	（km）	190.50	174.01	137.73	168.86
改建公路	（公里）	Reconstructed Highways	（km）	947.21	1186.38	2088.23	2186.14
#一级公路	（公里）	First Class Highways	（km）	221.84	113.04	155.78	71.10
新建独立公路桥梁	（延长米）	Newly Constructed Highway Bridges	（extended meter）	11381	7077	17564	8259
	（座）		（set）	49	18	16	57
新（扩）建港口码头	（年吞吐量：万吨）	Newly Constructed or Expanded Ports Annual Handling Capacity	（10000 tons）	1171.00	81.00	161.50	423.00
	（泊位：个）	Number of Berths	（unit）	15	8	8	14
新（扩）建客、货运站	（个）	Number of Newly Constructed or Expanded Passenger and Freight Stations	（unit）	2	4	3	9
	（平方米）		（sq. m）	15608	9230	22996	181014
长途电缆	（延长公里）	Long-distance Cables	（extended km）	1257.50	11.00	205.10	600.00
市内电话自动交换机	（门）	Local Telephone Exchanges	（gate）	687440	611600	386400	435700
造林面积	（万亩）	Afforested Areas	（10000 mu）	1.50	17.15	12.74	6.00
水库容量（总库容）	（亿立方米）	Reservoir Capacity	（100 million cu. m）	0.57	3.32	0.03	3.00
有效灌溉面积	（万亩）	Effective Irrigated Areas	（10000 mu）	2.17	75.23	68.98	42.28
除涝面积	（万亩）	Flooded or Waterlogged Areas under Control	（10000 mu）	8.66	78.39	141.12	57.00
粮食仓库	（万公斤）	Grain Storehouses	（10000 kg）	501.00	20151.00	5350.00	30.00
	（平方米）		（sq. m）	1631	56967	16794	4500
高等院校学生席位	（个）	Number of Student Seats of Universities and Colleges	（unit）	4536	21762	25519	68414
	（平方米）		（sq. m）	40499	171239	576323	2530442
中等学校学生席位	（个）	Number of Student Seats of Regular Secondary Schools	（unit）	286192	200078	197190	169816
	（平方米）		（sq. m）	635303	839458	1239656	1080175
小学校学生席位	（个）	Number of Student Seats of Primary Schools	（unit）	213895	134858	205839	208636
	（平方米）		（sq. m）	537758	390206	587087	909871
其他学校学生席位	（个）	Number of Student Seats of Other Schools	（unit）	10092	2810	11000	5933
	（平方米）		（sq. m）	111701	28318	70833	81513
医院病床	（张）	Hospital Beds	（piece）	2481	3946	2285	3888
城市自来水供水能力	（万吨/日）	Capacity of City Tap Water Supply	（10000 tons/day）	160.00	86.50	124.50	116.10
城市自来水管道长度	（公里）	Length of City Tap Water Pipes	（km）	164.06	451.53	345.20	343.36
城市道路扩建长度	（公里）	Length of City Road Extended	（km）	89.08	187.47	234.63	399.97
城市道路扩建面积	（万平方米）	Area of City Road Extended	（10000 sq. m）	169.68	603.55	737.43	573.50
城市排水管道铺设长度	（公里）	Length of Sewerage Pipelines	（km）	70.12	64.37	367.49	295.85
城市污水处理能力	（万吨/日）	Disposal Capacity of Sewerage	（10000 tons/day）	7.40	25.00	60.00	57.00
城市防洪堤长度	（公里）	Length of City Embankment	（km）	18.44	129.09	89.83	91.18

6-12 基本建设投资效益指标
BENEFICIAL INDICATORS OF INVESTMENT IN CAPITAL CONSTRUCTION

指　　标	Indicator	1995	2000	2001	2003	2004
一、固定资产交付使用率	**Rate of Fixed Assets Put into Use**					
本年完成投资 (亿元)	Investment Completed in the Year (100 million yuan)	905.97	1163.63	1243.72	1893.58	2485.72
本年新增固定资产 (亿元)	Newly Increased Fixed Assets in the Year (100 million yuan)	509.60	906.01	820.49	855.17	1452.22
固定资产交付使用率 (%)	Rate of Fixed Assets Put into Use (%)	56.2	77.9	66.0	45.2	58.4
二、建成项目投产率	**Rate of Projects Completed and Put into Use**					
本年施工项目 (个)	Number of Projects under Construction	4445	4853	4969	6189	6529
本年建成投产项目 (个)	Projects Completed and Put into Use	1819	2508	2121	2004	1998
建成项目投产率 (%)	Rate of Projects Completed and Put into Use	40.9	51.7	42.7	32.4	30.6
三、房屋建筑面积竣工率	**Rate of Floor Space of Buildings Completed**					
本年房屋施工面积 (万平方米)	Floor Space of Buildings under Construction (10000 sq. m)	3822.75	3817.38	4296.60	6670.01	8537.22
本年房屋竣工面积 (万平方米)	Floor Space of Buildings Completed (10000 sq. m)	1528.53	1756.12	1647.25	1705.17	3052.21
房屋面积竣工率 (%)	Rate of Floor Space of Buildings Completed (%)	40.0	46.0	38.3	25.6	35.8
四、建设周期	**Period to Complete Total Planning Investment**					
计划总投资 (亿元)	Total Planning Investment (100 million yuan)	3176.89	5689.62	5797.75	8640.69	10810.71
本年完成投资 (亿元)	Investment Completed in the Year (100 million yuan)	905.97	1163.63	1243.72	1893.58	2485.72
建设周期 (年/月)	Period of Completing Total Planning Investment (year/month)	3/6	4/11	4/8	4/7	4/4

6-13 更新改造投资效益指标
BENEFICIAL INDICATORS OF INVESTMENT IN INNOVATION

指　　标	Indicator	1995	2000	2001	2003	2004
一、固定资产交付使用率	**Rate of Fixed Assets Put into Use**					
本年完成投资 (亿元)	Investment Completed in the Year (100 million yuan)	255.61	435.44	485.01	658.94	748.14
本年新增固定资产 (亿元)	Newly Increased Fixed Assets in the Year (100 million yuan)	188.76	423.41	402.04	403.45	408.12
固定资产交付使用率 (%)	Rate of Fixed Assets Put into Use (%)	73.8	97.2	82.9	61.2	54.6
二、建成项目投产率	**Rate of Projects Completed and Put into Use**					
本年施工项目 (个)	Number of Projects under Construction	2937	5303	3630	3904	4063
本年建成投产项目 (个)	Projects Completed and Put into Use	1568	2192	2242	1666	2200
建成项目投产率 (%)	Rate of Projects Completed and Put into Use	53.4	41.3	61.8	42.7	54.1
三、房屋建筑面积竣工率	**Rate of Floor Space of Buildings Completed**					
本年房屋施工面积 (万平方米)	Floor Space of Buildings under Construction (10000 sq. m)	852.09	353.88	339.69	520.42	487.62
本年房屋竣工面积 (万平方米)	Floor Space of Buildings Completed (10000 sq. m)	378.64	189.78	179.74	256.35	226.41
房屋面积竣工率 (%)	Rate of Floor Space of Buildings Completed (%)	44.4	53.6	52.9	49.3	46.4
四、建设周期	**Period to Complete Total Planning Investment**					
计划总投资 (亿元)	Total Planning Investment (100 million yuan)	713.13	1120.89	1167.52	1618.01	1830.39
本年完成投资 (亿元)	Investment Completed in the Year (100 million yuan)	255.61	435.44	485.01	658.94	748.14
建设周期 (年/月)	Period of Completing Total Planning Investment (year/month)	2/9	2/7	2/5	2/5	2/5

6-14 农业、能源、原材料、运输邮电业基本建设投资及比重
INVESTMENT AND PROPORTION IN CAPITAL CONSTRUCTION OF AGRICULTURE, ENERGY, RAW MATERIALS, TRANSPORTATION, POST AND TELECOMMUNICATIONS

年 份 Year	投资额（亿元） Volume of Investment (100 million yuan)				比重（以投资总额为100） Proportion (total investment = 100)			
	农 业 Agriculture	能 源 Energy	原材料 Raw Materials	运输邮电 Transport, Postal and Telecommunication	农 业 Agriculture	能 源 Energy	原材料 Raw Materials	运输邮电 Transportation, Post and Telecommunications
1980	3.26	2.88	2.96	2.86	14.8	13.1	13.4	13.0
1981	3.47	3.49	2.34	3.70	12.2	12.3	8.2	13.0
1982	3.27	3.23	1.82	4.24	9.7	9.5	5.4	12.5
1983	2.52	3.06	2.60	7.27	7.2	8.7	7.4	20.6
1984	2.85	4.61	2.70	11.24	5.2	8.3	4.9	20.3
1985	3.63	6.89	4.68	14.55	3.9	7.3	5.0	15.5
1986	3.51	23.10	6.35	16.07	3.4	22.3	6.1	15.5
1987	3.02	28.18	8.02	15.28	2.8	26.3	7.5	14.2
1988	3.67	26.57	16.36	23.04	2.5	18.1	11.2	15.7
1989	3.05	31.31	8.96	25.42	2.1	21.2	6.1	17.2
1990	4.68	58.80	7.06	32.97	2.7	33.5	4.0	18.8
1991	8.17	60.42	8.47	46.87	3.8	28.1	3.9	21.8
1992	6.65	74.95	16.84	105.85	2.0	22.1	5.0	31.3
1993	6.10	112.65	23.54	132.88	1.1	20.6	4.3	24.3
1994	8.44	249.02	62.39	227.49	1.0	29.3	7.3	26.7
1995	12.49	140.82	132.84	228.74	1.4	15.5	14.7	25.2
1996	25.37	134.32	102.16	253.52	2.8	14.8	11.2	27.9
1997	34.39	161.51	29.71	210.44	3.8	17.9	3.3	23.3
1998	49.12	200.13	36.45	240.43	4.6	18.7	3.4	22.4
1999	42.50	192.07	31.49	266.78	3.4	15.5	2.5	21.5
2000	43.21	148.88	22.24	286.68	3.7	12.8	1.9	24.6
2001	40.52	169.67	33.00	285.20	3.3	13.6	2.7	22.9
2002	31.19	232.96	50.12	280.55	2.3	17.0	3.7	20.5
2003	40.88	248.55	147.59	420.16	2.2	13.1	7.8	22.2
2004	44.05	343.64	223.87	510.96	1.8	13.8	9.0	20.6

6-15 农业、能源、原材料、运输邮电业更新改造投资及比重
INVESTMENT AND PROPORTION IN INNOVATION OF AGRICULTURE, ENERGY, RAW MATERIALS, TRANSPORTATION, POST AND TELECOMMUNICATIONS

年 份 Year	投资额（亿元） Volume of Investment (100 million yuan)				比重（以投资总额为100） Proportion (total investment = 100)			
	农 业 Agriculture	能 源 Energy	原材料 Raw Materials	运输邮电 Transport, Postal and Telecommunication	农 业 Agriculture	能 源 Energy	原材料 Raw Materials	运输邮电 Transportation, Post and Telecommunications
1980	0.04	0.51	0.67	0.40	1.1	13.9	18.3	10.9
1981	0.19	0.68	1.64	0.87	3.0	10.9	26.3	13.9
1982	0.78	1.01	2.87	3.39	4.4	5.6	16.0	18.9
1983	1.00	0.99	3.63	2.06	5.0	5.0	18.2	10.3
1984	0.83	1.49	3.75	2.18	3.8	6.8	17.1	10.0
1985	1.27	3.34	4.26	2.43	3.9	10.3	13.2	7.5
1986	0.98	3.72	6.53	3.83	2.3	8.7	15.3	9.0
1987	1.17	3.20	8.03	5.48	2.3	6.2	15.6	10.7
1988	1.05	4.58	12.99	9.90	1.3	5.8	16.4	12.5
1989	0.73	5.14	7.62	8.20	1.5	10.3	15.3	16.5
1990	1.02	7.42	8.62	10.04	1.7	12.6	14.6	17.0
1991	0.99	6.60	8.29	16.09	1.3	8.8	11.1	21.5
1992	1.50	8.62	18.82	34.05	1.2	6.7	14.6	26.5
1993	1.18	11.62	25.70	57.49	0.6	6.3	14.0	31.3
1994	1.54	14.29	30.85	86.80	0.7	6.2	13.3	37.4
1995	2.63	19.80	23.00	101.72	1.0	7.7	9.0	39.8
1996	4.78	9.88	30.28	122.65	1.7	3.6	10.9	44.3
1997	4.93	25.53	18.74	108.91	1.8	9.3	6.8	39.8
1998	6.20	19.09	22.33	165.43	1.9	5.8	6.8	50.5
1999	7.59	31.30	14.44	183.83	2.1	8.5	3.9	49.9
2000	8.73	33.21	20.43	224.72	2.0	7.6	4.7	51.6
2001	9.35	54.96	17.75	251.66	1.9	11.3	3.7	51.9
2002	10.56	56.72	19.39	226.11	2.1	11.0	3.8	43.9
2003	9.00	70.53	35.97	252.70	1.4	10.7	5.5	38.3
2004	7.41	126.61	41.76	287.77	1.0	16.9	5.6	38.5

6-16 更新改造主要指标
MAIN INDICATORS ON INNOVATION PROJECTS

指　　标	Indicator	1995	2000	2001	2003	2004
一、建设项目个数（个）	**Number of Projects (unit)**					
施工项目	Projects under Construction	2937	5303	3630	3904	4063
#限额以上项目	Projects above Designated Size	111	186	151	206	193
全部建成投产项目	Projects Completed and Put into Use	1568	2192	2242	1666	2200
#限额以上项目	Projects above Designated Size	41	52	30	58	50
二、投资总额（亿元）	**Total Investment (100 million yuan)**	**255.61**	**435.44**	**485.01**	**658.94**	**748.14**
#住宅	Residential Buildings	12.44	5.20	2.34	3.09	2.38
按构成分	Grouped by Use of Funds					
建筑安装工程	Construction and Installation	127.68	164.50	172.41	256.67	265.57
设备工具器具购置	Purchase of Equipment and Instruments	105.16	219.29	277.23	361.10	442.78
其他费用	Others	22.77	51.65	35.36	41.17	39.80
按用途分	Grouped by Purpose					
增产	Increased Production	71.70	159.23	98.98		
节约能源	Energy Saving	1.29	7.24	10.80		
其他节约	Other Saving Measures	0.22	4.15	1.93		
增加品种	Increasing Production Variety	10.14	9.27	11.28		
提高产品质量	Improving Product Quality	5.49	26.46	15.32		
三废治理	Treatment of Waste Water, Waste Gas and Solid Wastes	0.57	4.70	5.44		
其他	Others	166.20	224.40	341.24		
按建设性质分	Grouped by Type of Construction					
# 新建	New Construction	27.96	36.47	32.31	69.64	80.24
扩建	Expansion	149.36	239.94	258.50	360.42	401.69
改建	Reconstruction	50.21	84.32	123.40	138.70	159.12
按资金来源分	Grouped by Source of Funds					
国家预算内资金	State Budgetary Appropriations	3.63	5.62	8.15	16.84	10.47
国内贷款	Domestic Loans	47.08	48.81	57.33	75.61	103.12
利用外资	Foreign Investment	40.97	46.77	45.25	86.20	69.73
自筹资金	Fundraising	138.50	311.73	355.56	465.19	551.90
其他资金	Others	25.43	22.51	18.72	15.09	12.94
三、新增固定资产（亿元）	**Newly Increased Fixed Assets (100 million yuan)**	**188.76**	**423.41**	**402.04**	**403.45**	**408.12**
四、房屋建筑面积（万平方米）	**Floor Space of Buildings (10000 sq. m)**					
施工面积	Floor Space under Construction	852.09	353.88	339.69	520.42	487.62
竣工面积	Floor Space Completed	378.64	189.78	179.74	256.35	226.41
#住宅	Residential Buildings	125.74	62.00	23.29	23.72	7.41

注：从2003年起取消按用途分组。
Note: Since 2003, the items grouped by type of use has been cancelled.

6-17 更新改造项目计划总投资及完成情况
TOTAL PLANNING INVESTMENT OF INNOVATION PROJECTS AND COMPLETED INVESTMENT

单位：亿元 (100 million yuan)

指　　标	Indicator	1995	2000	2001	2003	2004
计划总投资	Total Planning Investment	713. 13	1120. 89	1167. 52	1618. 01	1830. 39
自开始建设至本年底	Accumulative Investment Actually Completed from Starting					
累计完成投资	of Construction to the Year-end	514. 69	749. 93	696. 44	1149. 58	1420. 42
#本年完成投资	Investment Completed in the Year	255. 61	435. 44	485. 01	658. 94	748. 14
累计新增固定资产	Accumulative Newly Increased Fixed Assets	318. 90	556. 88	501. 95	655. 59	775. 36
不增加固定资产投资	Investment in Fixed Assets Not Increased	10. 45	38. 81	76. 74	96. 99	107. 02
未完工程投资	Investment in Uncompleted Projects	185. 34	154. 24	117. 75	397. 00	538. 04
全部建成尚需投资	Further Investment Required for the Completion of Construction	198. 44	370. 96	471. 08	468. 43	409. 97
未完工程占用率（%）	Rate of Investment in Projects Uncompleted (%)	72. 5	35. 4	24. 3	60. 2	71. 9
建设周期（年/月）	Period of Completing Total Planning Investment (year/month)	2/9	2/7	2/5	2/5	2/5

6-18 更新改造限额以上项目计划总投资及完成情况
TOTAL PLANNING INVESTMENT AND COMPLETED INVESTMENT IN INNOVATION PROJECTS ABOVE DESIGNATED SIZE

单位：亿元 (100 million yuan)

指　　标	Indicator	1995	2000	2001	2003	2004
计划总投资	Total Planning Investment	184. 90	552. 91	561. 09	528. 00	626. 03
自开始建设至本年底	Accumulative Investment ActuallyCompleted from Starting					
累计完成投资	of Construction to the Year-end	124. 53	353. 44	299. 17	380. 30	438. 24
#本年完成投资	Investment Completed in the Year	54. 78	168. 41	153. 20	165. 88	245. 24
累计新增固定资产	Accumulative Newly Increased Fixed Assets	78. 30	261. 40	219. 48	180. 15	193. 24
不增加固定资产投资	Investment in Fixed Assets Not Increased	2. 69	25. 81	31. 71	23. 36	22. 49
未完工程投资	Investment in Uncompleted Projects	43. 54	66. 23	47. 98	176. 79	222. 51
全部建成尚需投资	Further Investment Required for the Completion of Construction	60. 37	199. 47	261. 92	147. 70	187. 79
未完工程占用率（%）	Rate of Investment in Projects Uncompleted (%)	79. 5	39. 3	31. 3	106. 6	90. 7
建设周期（年/月）	Period of Completing Total Planning Investment (year/month)	3/5	3/3	3/8	3/2	2/7

6-19 国民经济各行业更新改造主要指标（2004 年）
MAIN INDICATORS ON INVESTMENT IN INNOVATION BY SECTOR (2004)

行业	Sector	投资额（亿元）Total Investment (100 million yuan)	施工项目个数（个）Number of Projects under Construction (unit)	全部建成投产项目个数(个) Number of Projects Completed and Put into Use (unit)	新增固定资产（亿元）Newly Increased Fixed Assets (100 million yuan)
全省总计	**Provincial Total**	**748.14**	**4063**	**2200**	**408.12**
农、林、牧、渔业	**Farming, Forestry, Animal Husbandry and Fishery**	**0.63**	**14**	**3**	**0.31**
农业	Farming				
林业	Forestry	0.06	6	1	0.04
畜牧业	Animal Husbandry				
渔业	Fishery	0.03	1		0.01
农、林、牧、渔服务业	Services for Farming, Forestry, Animal Husbandry and Fishery	0.53	7	2	0.25
采矿业	**Mining and Dressing**	**3.56**	**23**	**14**	**1.33**
煤炭开采和洗选业	Coal Mining and Dressing				
石油和天然气开采业	Petroleum and Natural Gas Extraction	2.57	15	10	0.64
黑色金属矿采选业	Ferrous Metal Minerals Mining and Dressing	0.55	2		
有色金属矿采选业	Nonferrous Metals Minerals Mining and Dressing	0.30	3	2	0.55
非金属矿采选业	Nonmetal Minerals Mining and Dressing	0.15	3	2	0.15
其他采矿业	Other Minerals Mining and Dressing				
制造业	**Manufacturing**	**240.54**	**1034**	**410**	**154.60**
农副食品加工业	Farm and Sideline Food Processing	3.38	32	15	2.21
食品制造业	Food Manufacturing	2.21	25	8	1.73
饮料制造业	Beverage Manufacturing	3.64	13	8	3.76
烟草制品业	Tobacco Products	4.46	12	8	3.94
纺织业	Textile Industry	9.93	34	10	7.47
纺织服装、鞋、帽制造业	Textile Garments, Footwear and Headgear Manufacturing	4.16	34	12	2.83
皮革、毛皮、羽毛（绒）及其制品业	Feather, Furs, Down and Related Products	2.51	14	7	1.61
木材加工及木、竹、藤、棕、草制品业	Timber Processing, Bamboo, Cane, Palm Fiber & Straw Products	1.05	11	5	0.83
家具制造业	Furniture Manufacturing	0.62	8	1	0.31
造纸及纸制品业	Papermaking and Paper Products	3.08	27	14	2.87
印刷业和记录媒介的复制	Printing and Record Medium Reproduction	5.36	20	11	5.20
文教体育用品制造业	Cultural, Educational and Sports Goods	1.01	6	2	0.75
石油加工、炼焦及核燃料加工业	Petroleum Refining, Coking and Nuclear Fuel Processing	16.52	74	40	13.78
化学原料及化学制品制造业	Raw Chemical Materials and Chemical Products	7.42	80	25	4.70
医药制造业	Medical and Pharmaceutical Products	9.00	64	18	5.40
化学纤维制造业	Chemical Fiber	0.96	3		0.22
橡胶制品业	Rubber Products	1.23	9	1	0.82
塑料制品业	Plastic Products	7.53	40	20	4.32
非金属矿物制品业	Nonmetal Mineral Products	9.42	64	29	5.26
黑色金属冶炼及压延加工业	Smelting and Pressing of Ferrous Metals	22.86	12	7	8.97
有色金属冶炼及压延加工业	Smelting and Pressing of Nonferrous Metals	1.73	9	2	0.59

6-19 续表1 continued

行业	Sector	投资额（亿元）Total Investment (100 million yuan)	施工项目个数（个）Number of Projects under Construction (unit)	全部建成投产项目个数(个) Number of Projects Completed and Put into Use (unit)	新增固定资产（亿元）Newly Increased Fixed Assets (100 million yuan)
金属制品业	Metal Products	8.03	64	28	5.88
通用设备制造业	General Purposes Equipment Manufacturing	3.24	25	6	1.81
专用设备制造业	Special Purposes Equipment Manufacturing	5.24	33	7	2.63
交通运输设备制造业	Transport Equipment Manufacturing	32.70	96	72	18.06
电气机械及器材制造业	Electric Equipment and Machinery	24.41	88	28	13.54
通信设备、计算机及其他电子设备制造业	Telecommunications, Computers and Other Electronic Equipment Manufacturing	39.54	107	18	27.21
仪器仪表及文化、办公用机械制造业	Instruments, Meters, Cultural and Office Machinery	8.06	21	6	7.01
工艺品及其他制造业	Handicraft and Other Manufacturing	1.25	9	2	0.90
废弃资源和废旧材料回收加工业	Waste Sources and Materials Recovery Processing				
电力、煤气及水的生产和供应业	**Production and Supply of Electric Power, Gas and Water**	**116.71**	**1104**	**878**	**46.48**
电力、热力的生产和供应业	Production and Supply of Electric Power and Heating Power	107.12	793	650	36.45
燃气生产和供应业	Production and Supply of Gas	0.40	5	2	0.65
水的生产和供应业	Production and Supply of Tap Water	9.18	306	226	9.38
建筑业	**Construction**	**4.57**	**23**	**5**	**3.00**
房屋和土木工程建筑业	Building and Civil Engineering Construction	4.46	20	3	2.90
建筑安装业	Construction Installment	0.02	1		0.02
建筑装饰业	Construction Decoration	0.03	2	2	0.03
其他建筑业	Other Construction	0.06			0.06
交通运输、仓储和邮政业	**Transport, Storage and Postal Services**	**96.43**	**433**	**222**	**75.97**
铁路运输业	Railway Transport	1.09	4	2	0.67
道路运输业	Road Transport	48.76	245	137	38.13
城市公共交通业	Urban Public Traffic	7.86	4	2	7.37
水上运输业	Waterway Transport	12.12	168	74	4.13
航空运输业	Air Transport	24.25	2		24.25
管道运输业	Pipeline Transport				
装卸搬运及其他运输服务业	Loading & Unloading and Other Transport Services	0.58	1		0.58
仓储业	Storage	1.33	9	7	0.40
邮政业	Postal Services	0.43			0.43
信息传输、计算机服务和软件业	**Data Transmission, Computer Services and Software**	**195.65**	**781**	**470**	**69.19**
电信和其他信息传输服务业	Telecommunications and Other Data Transmission Services	192.67	761	458	68.79
计算机服务业	Computer Services	1.04	4	2	0.15
软件业	Software	1.94	16	10	0.25
批发和零售业	**Wholesale and Retail Trade**	**2.46**	**24**	**10**	**1.50**
批发业	Wholesale	1.34	9	3	0.55
零售业	Retail Trade	1.12	15	7	0.95

6-19 **续表2** continued

行　　业	Sector	投资额（亿元）Total Investment (100 million yuan)	施工项目个数（个）Number of Projects under Construction (unit)	全部建成投产项目个数(个) Number of Projects Completed and Put into Use (unit)	新增固定资产（亿元）Newly Increased Fixed Assets (100 million yuan)
住宿和餐饮业	**Hotels and Catering Services**	**1. 18**	**7**	**3**	**0. 95**
住宿业	Hotels	0. 45	5	2	0. 22
餐饮业	Catering Services	0. 72	2	1	0. 72
金融业	**Finance**	**7. 22**	**4**	**1**	**7. 22**
银行业	Banking	7. 21	4	1	7. 21
证券业	Securities				
保险业	Insurance	0. 01			0. 01
其他金融活动	Other Financial Activities				
房地产业	**Real Estate**	**2. 36**	**15**	**4**	**1. 74**
房地产业	Real Estate	2. 36	15	4	1. 74
租赁和商务服务业	**Leasing and Business Services**	**1. 01**	**5**	**1**	**0. 25**
租赁业	Leasing Services	0. 60	5	1	0. 25
商务服务业	Business Services	0. 40			
科学研究、技术服务和地质勘查业	**Scientific Research, Technical Services and Geological Prospecting**	**3. 36**	**20**	**6**	**1. 84**
研究与试验发展	Research and Experimental Development	2. 29	13	4	1. 07
专业技术服务业	Special Technical Services	0. 99	6	1	0. 65
科技交流和推广服务业	Scientific & Technological Exchange and Promotion Services	0. 03			0. 03
地质勘查	Geological Prospecting	0. 05	1	1	0. 09
水利、环境和公共设施管理业	**Water Conservancy, Environment and Public Facilities Management**	**29. 24**	**268**	**86**	**10. 03**
水利管理业	Water Conservancy Management	6. 78	84	34	3. 42
环境管理业	Environment Management	0. 80	8	2	0. 08
公共设施管理业	Public Facilities Management	21. 66	176	50	6. 53
居民服务和其他服务业	**Resident Services and Other Services**	**3. 29**	**6**		**2. 32**
居民服务业	Resident Services	0. 97	2		0. 01
其他服务业	Other Services	2. 32	4		2. 32
教育	**Education**	**7. 27**	**104**	**31**	**5. 14**
教育	Education	7. 27	104	31	5. 14
卫生、社会保障和社会福利业	**Health Care, Social Security and Social Welfare**	**7. 48**	**22**	**11**	**7. 32**
卫生	Health Care	7. 44	21	11	7. 32
社会保障业	Social Security				
社会福利业	Social Welfare	0. 04	1		
文化、体育和娱乐业	**Culture, Sports and Recreation**	**1. 70**	**13**	**6**	**1. 72**
新闻出版业	Publication	0. 57			0. 57
广播、电视、电影和音像业	Radio, Television, Film and Video	0. 72	5	2	0. 71
文化艺术业	Culture and Arts	0. 36	5	4	0. 39
体育	Sports	0. 05	3		0. 05
娱乐业	Recreation				
公共管理与社会组织	**Public Administration and Social Organizations**	**23. 49**	**163**	**39**	**17. 20**
中国共产党机关	CPC Agencies 国家机构, Government Agencies	23. 00	140	27	16. 76
人民政协和民主党派	CPPCC and Democratic Parties	0. 04			0. 04
群众社团、社会团体和宗教组织	Mass Organizations, Social Organizations and Religious Organizations	0. 10	1		0. 10
基层群众自治组织	Self-governing Mass Organizations at the Grass-roots Level	0. 35	22	12	0. 30
国际组织	**International Organizations**				

6-20 更新改造新增主要生产能力或效益
NEWLY INCREASED PRODUCTION CAPACITY OR BENEFIT THROUGH INNOVATION

指　　标		Indicator		1995	2000	2003	2004
发电机组装机容量	（万千瓦）	Capacity of Generating Sets	（10000 kw）	13.77	37.26	12.25	280.27
水力发电	（万千瓦）	Hydropower	（10000 kw）	0.31	2.23	2.25	5.27
火力发电	（万千瓦）	Thermal Power	（10000 kw）	13.06	35.00	10.00	275.00
其他发电	（万千瓦）	Others	（10000 kw）	0.40	0.03		
输电线路（11 万伏及以上）	（公里）	Transmission Lines（≥110000kv）	（km）	130.70	533.37	1656.02	3257.40
变电设备(11 万伏及以上)	（万千伏安）	Power Transformer Equipment(≥110000kv)	（10000 kva）	208.30	57.65	384.76	158.00
水泥	（万吨/年）	Cement	（10000 tons/year）	329.40	11.00	39.00	574.25
塑料树脂及共聚物	（吨/年）	Plastic Resin and Copolymer	（ton/year）	46580	35916	25422	7455
棉印染	（万米/年）	Cotton Goods Printing and Dyeing	（10000 meters/year）	3100	2000	3700	
机制纸及纸板	（万吨/年）	Machine-made Paper and Paperboard	（10000 tons/year）	4.02	1.30		35.00
新建公路	（公里）	Newly Constructed Highways	（km）	7.57	131.80	18.72	281.00
#高速公路	（公里）	Express Highways	（km）				
改建公路	（公里）	Reconstructed Highways	（km）	320.39	559.22	1790.09	2601.90
#一级公路	（公里）	First Class Highways	（km）	88.89	96.24	174.40	106.00
新建独立公路桥梁	（延长米）	Newly Constructed Highway Bridges	（extended m）	1187	600	1184	335
	（座）		（unit）	7	3	21	4
新(扩)建港口码头	（年吞吐量:万吨）	Newly Constructed or Expanded Ports Annual Handling Capacity	（10000 tons）	183.50	80.00		10.00
	（泊位:个）	Number of Berths	（unit）	6	2		2
长途电缆	（延长公里）	Long-distance Cables	（extended km）	1168.00	5695.30		188763.90
新建微波电路	（公里）	Newly Built Microwave Circuits	（km）	68.00	170.00	240.00	
市内电话自动交换机	（门）	Local Telephone Exchanges	（gate）	1266705	1312300	1651700	1998900
造林面积	（万亩）	Afforested Areas	（10000 mu）	2.69	11.00	4.60	2.00
有效灌溉面积	（万亩）	Effective Irrigated Areas	（10000 mu）	6.40	0.66	7.69	7.40
除涝面积	（万亩）	Flooded or Waterlogged Areas under Control	（10000 mu）		3.00	7.00	8.90
排灌装机	（万千瓦）	Installed Capacity of Drainage and Irrigation	（10000 kw）			0.12	
粮食仓库	（万公斤）	Grain Storehouses	（10000 kg）	310.00	10200.00		
	（平方米）		（sq. m）	1405	14140		
中等学校学生席位	（个）	Number of Student Seats of Regular Secondary Schools	（unit）	46797	1722	13268	9458
	（平方米）		（sq. m）	104704	9956	95031	26230
小学校学生席位	（个）	Number of Student Seats of Primary Schools	（unit）	1580	17118	9743	59409
	（平方米）		（sq. m）	7360	53079	24534	100526
医院病床	（张）	Hospital Beds	（piece）	902	840	530	426
城市自来水供水能力	（万吨/日）	City Tap Water Supply Capacity	（10000 tons/day）	58.56	16.00		16.00
城市自来水管道长度	（公里）	Length of City Tap Water Pipe	（km）	56.82	301.97	199.58	431.47
城市液化石油气储气能力	（吨）	City Storage Capacity of Liquefied Petroleum Gas	（ton）	100			
城市道路扩建长度	（公里）	Length of City Road Extended	（km）	25.74	29.98	47.82	28.75
城市道路扩建面积	（万平方米）	Area of City Road Extended	（10000 sq. m）	36.01	37.43	95.19	56.82
城市排水管道铺设长度	（公里）	Length of Sewerage Pipelines	（km）	29.87	29.56	187.14	9.38
城市污水处理能力	（万吨/日）	Disposal Capacity of Sewerage	（10000 tons/day）	1.00		5.20	
城市防洪堤长度	（公里）	Length of City Embankment	（km）	12.30	42.69	98.69	67.12

6-21 各市房屋建筑面积(2004 年)
FLOOR SPACE OF BUILDINGS BY CITY (2004)

市 别 City	施工建筑面积(万平方米) Floor Space under Construction (10000 sq. m)	# 住宅 Residential Buildings	竣工建筑面积(万平方米) Floor Space Completed (10000 sq. m)	# 住宅 Residential Buildings	竣工价值(亿元) Value Completed (100 million yuan)	# 住宅 Residential Buildings
基本建设总计 Total Capital Construction	**8537.22**	**820.78**	**3052.21**	**343.41**	**375.17**	**27.13**
广 州 Guangzhou	1564.57	118.78	597.87	31.55	169.89	4.82
深 圳 Shenzhen	2168.07	311.44	677.15	110.70	70.06	7.58
珠 海 Zhuhai	598.75	30.44	70.83	6.91	6.26	0.65
汕 头 Shantou	99.75	8.61	39.03	4.77	4.47	0.59
佛 山 Foshan	169.42	11.07	35.48	0.76	3.92	0.06
韶 关 Shaoguan	212.28	26.76	71.08	17.75	4.64	0.86
河 源 Heyuan	123.20	24.63	59.39	17.56	4.94	1.29
梅 州 Meizhou	129.96	8.97	65.49	8.64	5.31	0.48
惠 州 Huizhou	347.75	37.03	237.15	36.16	18.77	2.61
汕 尾 Shanwei	78.64	14.93	38.70	8.65	2.14	0.45
东 莞 Dongguan	1343.54	29.95	373.48	11.54	18.37	1.12
中 山 Zhongshan	681.32	79.96	279.42	30.85	25.86	2.53
江 门 Jiangmen	169.47	5.14	86.41	0.68	7.29	0.04
阳 江 Yangjiang	53.10	26.74	24.76	9.89	1.46	0.53
湛 江 Zhanjiang	112.29	15.87	56.86	7.20	5.62	0.66
茂 名 Maoming	120.07	25.64	28.82	9.56	2.81	0.71
肇 庆 Zhaoqing	111.75	20.32	70.88	12.56	4.95	0.64
清 远 Qingyuan	162.16	15.55	79.93	11.46	7.37	1.07
潮 州 Chaozhou	98.33	4.01	61.70	3.76	4.17	0.27
揭 阳 Jieyang	122.31	1.93	58.39	0.43	4.13	0.02
云 浮 Yunfu	59.27	3.03	39.37	2.04	2.73	0.15
更新改造总计 Total Innovation	**487.62**	**14.02**	**226.41**	**7.41**	**19.90**	**0.58**
广 州 Guangzhou	63.69	3.09	40.85	2.18	6.08	0.19
深 圳 Shenzhen	37.57	0.25	14.53	0.05	1.06	0.01
珠 海 Zhuhai	13.04	0.07	2.35	0.07	0.39	0.01
汕 头 Shantou	12.54		7.68		0.62	
佛 山 Foshan	97.85	2.02	37.10	0.74	2.41	0.09
韶 关 Shaoguan	9.12		4.23		0.21	
河 源 Heyuan	7.05	0.88	4.95	0.40	0.42	0.03
梅 州 Meizhou	11.36	1.05	6.52	1.02	0.59	0.06
惠 州 Huizhou	35.58	2.84	11.93	0.42	0.63	0.04
汕 尾 Shanwei	1.73	0.22	1.49	0.22	0.11	0.01
东 莞 Dongguan	28.76	0.82	9.93	0.22	0.88	0.03
中 山 Zhongshan	46.08	0.04	24.47	0.04	2.06	…
江 门 Jiangmen	50.45	1.01	18.22	0.77	1.39	0.04
阳 江 Yangjiang	2.61	0.27	1.39	0.27	0.07	0.01
湛 江 Zhanjiang	18.59	0.11	16.16	0.03	1.46	…
茂 名 Maoming	5.28	0.38	0.55		0.05	
肇 庆 Zhaoqing	12.18	0.35	12.11	0.35	0.75	0.02
清 远 Qingyuan	13.17		0.98		0.11	
潮 州 Chaozhou	4.82	0.64	4.44	0.64	0.17	0.03
揭 阳 Jieyang	9.10		2.45		0.15	
云 浮 Yunfu	7.09		4.06		0.29	

注:基本建设、更新改造总计中含不分区部分。
Note: Total capital construction and total innovation include the part of investment unclassified by region.

6-22 房地产开发投资情况(2004年)
INVESTMENT IN REAL ESTATE DEVELOPMENT(2004)

按登记注册类型分组	By Registration Ownership	开发企业个数(个) Number of Development Enterprises (unit)	完成投资额(亿元) Investment Completed (100 million yuan)	#商品房建设 Commercial Buildings	#土地开发 Land Development	#住宅 Residential Buildings
全省总计	**Provincial Total**	**4387**	**1355.84**	**1037.15**	**59.19**	**889.42**
内资	Domestic Funded Economy					
国有经济	State-owned Economy	505	55.23	39.69	4.37	39.32
集体经济	Collective-owned Economy	554	81.79	64.39	6.10	64.21
联营经济	Joint Ownership Economy	27	20.15	17.60	0.42	12.80
有限责任公司	Limited Liability Companies	1059	408.52	313.54	20.82	264.17
股份有限公司	Shareholding Companies	164	118.18	75.13	4.05	80.49
私营个体	Private and Individuals Economy	1232	385.88	285.10	15.09	238.59
其他经济	Others	9	1.28	0.94	0.02	0.75
港、澳、台商投资经济	Economy with Funds from Hong Kong, Macao & Taiwan	721	238.10	201.74	7.45	156.66
外商投资经济	Foreign Funded Economy	116	46.71	39.03	0.88	32.44

6-23 房地产开发房屋建筑面积及价值(2004年)
FLOOR SPACE OF BUILDINGS UNDER CONSTRUCTION AND VALUE OF REAL ESTATE DEVELOPMENT(2004)

按登记注册类型分组	By Registration Ownership	房屋建筑面积(万平方米) Floor Space of Building Construction (10000 sq. m)			竣工房屋价值(万元) Value of Buildings Completed (10000 yuan)	#住宅 Residential Buildings
		施工面积 Floor Space of Buildings under Construction	竣工面积 Floor Space of Buildings Completed	#住宅 Residential Buildings		
全省总计	**Provincial Total**	**13911.55**	**3407.83**	**2776.29**	**6167473**	**4961458**
内资	Domestic Funded Economy					
国有经济	State-owned Economy	883.15	170.01	143.36	320046	264089
集体经济	Collective-owned Economy	1064.75	355.57	317.65	375086	336053
联营经济	Joint Ownership Economy	156.25	56.43	49.56	178456	140040
有限责任公司	Limited Liability Companies	3800.79	1054.35	861.17	2082317	1700124
股份有限公司	Shareholding Companies	904.23	217.99	160.43	463149	329223
私营个体	Private and Individuals Economy	4072.81	1018.02	829.63	1658315	1350613
其他经济	Others	9.76	2.22	2.22	4724	4724
港、澳、台商投资经济	Economy with Funds from Hong Kong, Macao & Taiwan	2399.14	449.41	352.77	873280	687094
外商投资经济	Foreign Funded Economy	620.67	83.84	59.50	212100	149498

6-24 各市房地产开发投资情况(2004 年)
INVESTMENT IN REAL ESTATE DEVELOPMENT BY CITY (2004)

市别 City		开发企业个数(个) Number of Development Enterprisess (unit)	完成投资额(亿元) Investment Completed (100 million yuan)	#商品房建设 Commercial Buildings	#土地开发 Land Development	#住宅 Residential Buildings
广州	Guangzhou	1346	440.81	338.80	22.87	318.45
深圳	Shenzhen	521	431.81	338.62	8.89	248.35
珠海	Zhuhai	252	40.46	28.66	0.64	32.27
汕头	Shantou	203	17.14	11.99	0.28	13.75
佛山	Foshan	355	96.40	76.01	3.10	60.10
韶关	Shaoguan	115	10.81	8.16	0.51	7.09
河源	Heyuan	61	7.97	5.68	0.71	5.82
梅州	Meizhou	94	12.79	9.78	1.40	9.69
惠州	Huizhou	125	29.55	27.39	0.84	20.83
汕尾	Shanwei	13	1.42	1.28	0.02	1.19
东莞	Dongguan	106	93.45	69.62	1.88	66.68
中山	Zhongshan	276	62.46	42.70	8.16	32.64
江门	Jiangmen	277	30.67	22.99	1.20	19.34
阳江	Yangjiang	95	12.54	8.59	1.86	7.35
湛江	Zhanjiang	84	12.87	9.79	1.47	9.45
茂名	Maoming	62	7.95	4.71	0.46	4.52
肇庆	Zhaoqing	127	17.49	13.63	0.97	12.48
清远	Qingyuan	125	16.13	8.48	2.30	8.70
潮州	Chaozhou	54	3.49	2.26	0.33	3.00
揭阳	Jieyang	47	5.31	5.20	0.01	4.93
云浮	Yunfu	49	4.32	2.82	1.30	2.80

6-25 各市房地产开发房屋建筑面积及价值(2004 年)
FLOOR SPACE OF BUILDINGS UNDER CONSTRUCTION AND VALUE OF REAL ESTATE DEVELOPMENT BY CITY (2004)

市别 City		房屋建筑面积(万平方米) Floor Space of Building Construction(10000 sq. m)			竣工房屋价值(万元) Value of Buildings Completed (10000 yuan)	
		施工面积 Floor Space of Buildings under Construction	竣工面积 Floor Space of Buildings Completed	#住宅 Residential Buildings		#住宅 Residential Buildings
广州	Guangzhou	4669.59	945.46	739.07	1760560	1396454
深圳	Shenzhen	3360.01	681.84	530.06	2265536	1770462
珠海	Zhuhai	468.52	126.28	109.62	194564	178042
汕头	Shantou	350.71	125.06	103.42	113896	93386
佛山	Foshan	1136.16	397.38	332.79	617079	510262
韶关	Shaoguan	232.33	84.70	67.52	58595	46044
河源	Heyuan	79.68	26.44	22.17	23219	18143
梅州	Meizhou	124.16	51.20	46.28	48112	43110
惠州	Huizhou	385.03	86.73	77.30	128648	113881
汕尾	Shanwei	17.46	13.26	12.35	10730	9994
东莞	Dongguan	834.45	136.55	126.44	255079	233913
中山	Zhongshan	677.73	193.11	137.97	200347	134159
江门	Jiangmen	511.03	153.40	132.03	143021	121165
阳江	Yangjiang	169.52	55.16	53.02	45101	42738
湛江	Zhanjiang	173.78	32.61	31.30	31464	29053
茂名	Maoming	112.88	39.30	34.81	33196	29467
肇庆	Zhaoqing	223.16	93.96	81.40	90991	77657
清远	Qingyuan	198.19	74.66	56.36	75087	48768
潮州	Chaozhou	65.33	23.93	23.14	24322	22903
揭阳	Jieyang	80.73	46.65	42.27	28353	25009
云浮	Yunfu	41.11	20.16	16.98	19573	16848

6-26 商品房屋销售情况（2004 年）
SALES OF COMMODITY BUILDINGS (2004)

按登记注册类型分组	By Registration Ownership	实际销售面积（万平方米）Floor Space of Commercial Buildings Actually Sold (10000 sq. m)	# 住宅 Residential Buildings	实际销售给个人的面积（万平方米）Floor Space of Commercial Buildings Actually Sold to Individuals (10000 sq. m)	实际销售额（万元）Sales of Commercial Buildings (10000 yuan)	# 住宅 Residential Buildings
全省总计	**Provincial Total**	**3046.91**	**2741.62**	**2917.28**	**10589736**	**9032629**
内资	Domestic Funded Economy					
国有经济	State-owned Economy	221.14	192.77	202.56	716997	622261
集体经济	Collective-owned Economy	362.24	334.67	348.06	801083	709957
联营经济	Joint Ownership Economy	20.01	18.66	18.59	69975	53151
有限责任公司	Limited Liability Companies	938.83	824.90	900.20	3398248	2798333
股份有限公司	Shareholding Companies	174.02	158.98	171.79	713370	623265
私营个体	Private and Individuals Economy	844.76	763.86	817.94	2487450	2125823
其他经济	Others	3.53	3.31	3.53	10873	10352
港、澳、台商投资经济	Economy with Funds Hong Kong, Macao & Taiwan	418.00	385.95	394.35	2100476	1843846
外商投资经济	Foreign Funded Economy	64.40	58.52	60.27	291264	245641

6-27 各市商品房屋销售情况(2004 年)
SALES OF COMMODITY BUILDINGS BY CITY(2004)

市别	City	实际销售面积（万平方米）Floor Space of Commercial Buildings Actually Sold (10000 sq. m)	# 住宅 Residential Buildings	实际销售给个人的面积（万平方米）Floor Space of Commercial Buildings Actually Sold to Individuals (10000 sq. m)	实际销售额（万元）Sales of Commercial Buildings (10000 yuan)	# 住宅 Residential Buildings
广州	Guangzhou	872.67	805.19	852.00	3959304	3507361
深圳	Shenzhen	379.49	343.02	330.70	2564880	2190183
珠海	Zhuhai	115.69	106.31	115.50	380001	334924
汕头	Shantou	126.38	106.44	113.41	278000	220039
佛山	Foshan	392.36	350.40	385.54	1135705	943159
韶关	Shaoguan	82.20	72.03	81.92	106995	82590
河源	Heyuan	18.47	16.99	17.78	20636	17672
梅州	Meizhou	76.65	67.50	76.59	99594	79647
惠州	Huizhou	101.13	91.26	92.52	228810	189441
汕尾	Shanwei	9.42	8.96	9.42	9215	8779
东莞	Dongguan	160.58	142.36	143.29	591800	469458
中山	Zhongshan	159.27	133.38	153.67	406252	317195
江门	Jiangmen	137.68	127.35	137.07	209950	179668
阳江	Yangjiang	48.38	47.32	46.95	61757	58764
湛江	Zhanjiang	44.28	43.54	43.51	74027	70437
茂名	Maoming	74.70	51.55	74.70	103576	67310
肇庆	Zhaoqing	88.00	81.36	87.95	158692	133349
清远	Qingyuan	65.05	60.05	62.37	86134	66912
潮州	Chaozhou	27.23	25.67	26.88	33990	28997
揭阳	Jieyang	44.80	40.53	44.60	47854	39396
云浮	Yunfu	22.49	20.40	20.90	32564	27348

主要统计指标解释

固定资产投资额 是以货币形式表现的在一定时期内建造和购置固定资产的工作量以及与此有关的费用的总称。它是反映固定资产投资规模、结构和发展速度的综合性指标，又是观察工程进度和考核投资效果的重要依据。全社会固定资产投资包括国有经济单位投资、城乡集体及其他各种登记注册类型的单位投资和城乡居民个人投资。按照国家统计制度规定，固定资产投资统计范围包括：基本建设投资、更新改造投资、房地产开发投资和其他固定资产投资四个部分。城乡集体经济单位投资包括城镇集体所有制单位投资和农村集体所有制单位投资；其它各种经济类型单位投资包括联营经济、股份制经济、中外合资经济、中外合作经济、外资、与大陆合资经营、与大陆合作经营、港澳台独资及其它经济的单位投资；城乡居民个人投资包括城市、县城、镇、工矿区所辖范围内的个人建房和农村个人建房及购买生产性固定资产的投资。

基本建设投资 是指企业、事业、行政单位以扩大生产能力或工程效益为主要目的的新建、扩建工程及有关工作的投资。

更新改造投资 是指企业、事业单位对原有设施进行固定资产更新和技术改造，以及相应配套的工程和有关工作（不包括大修理和维护工程）的投资。

房地产开发投资 各种登记注册类型的房地产开发公司 、商品房建设公司及其他房地产开发单位统一开发的包括统代建、拆迁还建的住宅、厂房、仓库、饭店、宾馆、度假村、写字楼、办公楼等房屋建筑物和配套的服务设施、土地开发工程，如道路、给水、排水、供电 、供热、通讯、平整场地等基础设施工程的投资。包括实际从事房地产开发或经营活动的附营房地产开发单位。不包括单纯的土地交易活动。

其它固定资产投资 全社会固定资产投资中未列入基本建设、更新改造和房地产开发投资的建造和购置固定资产的活动。包括：

（1）国有单位未纳入基本建设计划和更新改造计划管理，计划总投资（或实际需要总投资）在50万元以上的项目和工程投资，包括用油田维护费和石油开发基金进行的油田维护和开发工程完成的投资；煤炭、铁矿、森工等采掘采伐部门用维简费进行的开拓延伸工程完成的投资；交通部门用公路养路费对原有公路、桥梁进行改建的工程完成的投资；商业部门用简易建筑费建造的仓库工程完成的投资。

（2）城镇集体经济单位固定资产投资：指所有隶属省辖市、县级市和县城（乡镇企业局管理的除外）建造和购置固定资产计划总投资（或实际需要总投资）在50万元以上未列入基本建设计划和更新改造计划的单位（项目）的投资。

（3）除国有、城镇集体以外的其他各种登记注册类型的企业、事业单位（包括城镇私营企、事业单位和个体经营户）建造和购置固定资产计划总投资（或实际需要总投资）在50万元以上的、未列入基本建设计划和更新改造计划的单位（项目）。

（4）城镇和工矿区私人建房投资包括市、县城、镇、工矿区所辖范围内的全部私人建房，不论其房主是否系本地的常住户口均应包括。

（5）农村固定资产投资包括农村区域范围内进行固定资产投资活动的企、事业和行政单位及农村个人。

固定资产投资的资金来源 根据固定资产投资的资金来源不同，分为国家预算内资金、国内贷款、债券、利用外资、自筹资金和其他资金来源。

（1）国家预算内资金 分为财政拨款和财政安排贷款两部分。包括中央财政的基本建设基金、专项支出、收回再贷、贴息资金、财政安排的挖潜改造和新产品试制支出、城建支出、商业部门简易建筑支出、不发达地区发展基金等资金中用于固定资产投资的资金；地方财政中由国家统筹安排的固定资产投资资金等。

（2）国内贷款 指报告期固定资产投资单位向银行及非银行金融机构借入的用于固定资产投资的各种国内借款，包括银行利用自有资金及吸收存款发放的贷款、上级主管部门拨入的国内贷款、国家专项贷款（包括煤代油贷款、劳改煤矿专项贷款等），地方财政专项资金安排的贷款、国内储备贷款、周转贷款等。

（3）债券 是企业（公司）或金融机构通过发行各种债券筹集到的用于固定资产投资的资金，包括由银行代理国家专业投资公司发行的重点企业债券和基本建设债券。

（4）利用外资 指报告期内收到的用于固定资产建造和购置投资的境外资金（包括设备、材料、技术）。包括对外借款、外商直接投资、外商其他投资。不包括我国自有外汇资金。

（5）自筹资金 指固定资产投资单位报告期内收到的，由各地区、各部门及企事业单位筹集用于固定资产投资的预算外资金，包括中央各部门、各级地方和企事业单位的自有资金。

（6）其他资金来源 指报告期收到的除以上各种资金之外其他用于固定资产投资的资金。包括社会集资、个人资金、无偿捐赠的资金及其他单位拨入的资金。

新增生产能力（或工程效益） 指通过固定资产投资活动而增加的设计能力（或工程效益），是以实物形态表示的固定资产投资成果的指标，也是考核投资经济效果的重要依据之一。

房屋建筑面积 是房屋建筑物勒脚以上外墙外围的水平截面面积，包括房屋建筑物的有效面积和结构面积。房屋建筑面积统计指标是建设规模和建设成果的重要指标之一，也是检查工程形象进度、计算工程造价、分析投资效果、研究施工任务和建筑材料之间平衡情况的重要依据。

住宅 指供人们居住的房屋，包括职工家属宿舍、集体宿舍（包括职工单身宿舍和学生宿舍）及供居住的各种公寓等。住宅建筑面积中不包括作为人防用、不住人的地下室面积和供办公用的公寓。

房屋施工面积 指在报告期内施工的全部房屋建筑面积。包括本期新开工的面积和上期开工跨入本期继续施工的面积，以及上期已停建在本期恢复施工的房屋面积。本期竣工和本期施工后又停缓建的房屋，其建筑面积仍计入本期房屋施工面积中。

房屋竣工面积 指在报告期内房屋建筑按照设计要求已经全部完工，达到住人和使用条件，经验收鉴定合格（或达到竣工验收标准），可正式移交使用的各栋房屋建筑面积的总和。

房屋建筑面积竣工率 是指一定时期内房屋竣工面积与施工面积的比率。它是从房屋建筑施工速度的角度反映投资效果的指标。

新增固定资产 指报告期内交付使用的固定资产价值。包括本年内建成投入生产或交付使用的工程投资和达到固定资产标准的设备、工具、器具的投资及有关应摊入的费用。

固定资产交付使用率 指一定时期新增固定资产与同期完成投资额的比率。它是反映各个时期固定资产动用速度，衡量建设过程中投资效果的一个综合性指标。

建设项目投产率 是建设周期的逆指标，是指一定时期内全部建成投产项目个数与同期施工项目个数的比率。它是从建设速度的角度反映投资效果的指标。

Explanatory Notes on Main Statistical Indicators

Amount of Investment in Fixed Assets refers to the sum of the volume of activities in construction and purchases of fixed assets and the related expenses in monetary terms. It is not only a comprehensive indicator which shows the size, pace, proportional relations and use orientation of the investment in fixed assets but also an important basis to follow the progress of projects and check the result of investment. Total investment in fixed assets in the whole country includes the investment by the state-owned units, the investment by the urban and rural collective units, the investment by the units of other types of ownership and the investment by the individuals in the urban and rural areas. According toChina´scurrent planning management system, the investment in fixed assets in the whole country is classified into the following four parts: investment in capital construction, investment in innovation, investment in real estate development and other investment in fixed assets. The investment by the urban and rural collective units includes the investment by the urban collective units and the investment by the rural collective units. The investment by the units of other types of ownership includes the investment by the units of joint-owned economy, shareholding economy, Sino-foreign joint economy, Sino-foreign cooperative economy, economy exclusively funded by foreign investors, joint economy with the mainland, cooperative economy with the mainland, economy exclusively funded by compatriots from Hong Kong, Macao and Taiwan and the others. The investment by the individuals in the urban and rural areas includes the investment in personal house buildings in the areas under the jurisdiction of city, county, town and special industrial and mining areas as well as the investment in personal house buildings and purchase of productive fixed assets in the rural areas.

Investment in Capital Construction refers to the new construction projects or extension projects and the related work of the enterprises, institutions or administrative units mainly for the purpose of expanding production capacity or improving project efficiency.

Investment in Innovation refers to the renewal of fixed assets and technological innovation of the original facilities by the enterprises and institutions as well as the corresponding supplementary projects and the related work (excluding major overhaul and maintenanceprojects).

Investment in Real Estate Development It includes the investment by the real estate development companies, commercial buildings construction companies and other real estate development units of various types of ownership in the construction of house buildings, such as residential buildings, factory buildings, warehouses, hotels, guesthouses, holiday villages, office buildings, and the complementary service facilities and land development projects, such as roads, water supply, water drainage, power supply, heating, telecommunications, land leveling and other projects of infrastructure. It covers the activities of the non-real estate companies in real estate development or management, but excludes the activities in simple land transactions.

Other Investment in Fixed Assets refers to the construction and purchases of fixed assets not listed in the investment in capital construction, investment in innovation and investment in real estate development. It includes:

(1) The following projects of the state-owned units with the total planned (or actually needed) investment of 500, 000 yuan and over, which are not included in the plan of capital construction and the plan of innovation: (a) projects of oil fields maintenance and exploitation with the oil fields maintenance funds and petroleum development funds; (b) opening and extending projects with the maintenance funds in coal, ore and other mining enterprises and logging enterprises; (c) project of reconstruction of the original highways and bridges with the highway maintenance funds in the department of communication; (d) projects of construction of warehouse with the funds of simple construction in the commercial department.

(2) The investment in fixed assets by urban collective units refers to projects of construction and purchases of fixed assets with the total planned investment of 500, 000 yuan and over by all collective units in cities and county towns and in townships which are approved by the State Council or provincial governments, excluding investment by collective units under township enterprise administration offices.

(3) The projects of construction and purchases of fixed assets by the enterprises, institutions or individuals other than those mentioned above with total investment of 500, 000 yuan and over, which are not included in the plan of capital and the plan of innovation.

(4) The private house construction in the urban areas and industrial and mining areas includes all the private

house construction under the jurisdiction of cities, counties, towns and industrial and mining areas, no matter whether the owner of the house is registered as the permanent resident in the locality or not.

(5) The individual investment in the rural areas includes the investment in fixed assets by the enterprises, institutions, administration units and rural individuals in the rural areas.

Sources of Funds for Investment in Fixed Assets are classified into state budgetary appropriation, domestic loans, bonds, foreign investment, self-raised funds and others according to different sources of funds.

(1) State budgetary appropriation refers to the financial appropriation and the loans under financial arrangement. It includes the appropriation in the budge of the central government earmarked for capital construction, the special appropriation, the recall reloans, the discount-interest funds, the appropriation for innovation and trial manufacturing of new products, the appropriation for city construction, the appropriation for simple construction of the commercial departments and the funds for investment in fixed assets from the development funds for the underdeveloped areas, and the appropriation in the budge of the local governments earmarked for investment in fixed assets.

(2) Domestic loans refer to various funds borrowed by enterprises and institutions from banks and non-bank financial institutions during the reference period for the purpose of investment in fixed assets, including loans issued by banks from their self-owned funds and deposit, loans appropriated by higher responsible authorities, special loans by government (including loan for replacing petroleum with coal, special loan for reform-through-labor coal mines), loans arranged by local governments from special funds, domestic reserve loan, and working loan, etc.

(3) Bonds refer to funds raised by enterprises (companies) and financial institutions through issuing various bonds for the propose of investment in fixed assets, including key enterprise bonds and key construction bonds issued by banks as agents.

(4) Foreign investment refers to foreign funds received during the reference period for the purpose of construction and purchases of fixed assets (including equipment, materials and technologies). It includes foreign loans, foreign direct investment and other foreign investment, but excludes self-owned foreign exchanges of China.

(5) Self-raised funds refer to extra-budgetary funds received and raised by enterprises and institutions at all levels during the reference period for the purpose of investment in fixed assets, including self-raised funds by various departments under the central government, local governments at each level, enterprises and institutions.

(6) Other funds refer to funds received during the reference period for the purpose of investment in fixed assets which are not included in the above-mentioned sources, including mass financing, individual funds, donations and funds from other units.

Newly Increased Production Capacity (or Project Efficiency) refers to the increase of designed capacity and project efficiency through investment in fixed assets, which is not only an indicator to reflect the accomplishment of investment in fixed assets in kind but also an important basis to check the economic result of investment.

Floor Space of Buildings under Construction and Completed refers to level cross-section floor space in each story of buildings calculated from the outside line of building walls, including the effective space and structural space occupied by constructions. It is one of the important indicators to reflect construction size and results. It is also used to check the project progress, calculate the value of project, anlyse the investment result and study the balance between construction and building materials.

Buildings refer to buildings used as residence by people, including dormitories for family members of staff and workers, mass dormitories like those for single worker and students, and various apartments. The floor space of residential buildings excludes the floor space of basement used as air-raid shelters not for residence and apartments used as offices.

Floor Space under Construction refers to total floor space of all buildings under construction during the reference period, including floor space of newly started buildings during the reference period, floor space of construction extended from the previous period to the current period, and floor space of construction suspended during the previous period but resumed in the current period. Floor space of construction completed in the current period and floor space of construction started and then suspended in the current period are still included in floor space under construction.

Floor Space of Buildings Completed refers to total floor space of all buildings completed in the reference period, which have come up to the designed standards and have been put into use.

Completion Rate of Floor Space of Buildings refers to the ratio of the floor space of buildings completed in certain period of time to the floor space of buildings under construction in the same period, which reflects the investment result of the construction industry from the angle of the speed of project construction.

Newly Increased Fixed Assets refer to the value of fixed assets which have been completed and put into production. It is a value indicator to reflect the achievements of investment in fixed assets and the progress of construction and to evaluate the result of investment in fixed assets.

Rate of Projects of Fixed Assets Completed and Put into Operation refers to the ratio of the newly increased fixed assets to the total investment made in the same period. It is a comprehensive indicator to reflect the speed of the employment of fixed assets and the investment efficiency.

Rate of Construction Projects Completed and Put into Use refers to the ratio of the number of construction projects completed and put into use in certain period of time to the number of projects under construction in the same period. This reflects the investment efficiency from the angle of the speed of projects construction.

七 能源生产和消费

PRODUCTION AND CONSUMPTION OF ENERGY

7

七　能源生产和消费

简要说明

一、本篇资料反映广东能源生产和消费情况，主要包括：能源生产、消费及品种构成；分行业能源消费总量；综合能源平衡；能源生产和消费弹性系数；能源加工转换效率；生活用能源消费；重点耗能工业企业等数据资料。

二、本篇资料由广东省统计局工业交通处根据有关资料和调查结果整理提供。

三、能源统计资料取自全省能源平衡表和重点耗能工业企业能源购进、消费及库存。地区能源平衡表的编制范围为辖区内生产和消费能源的单位，其中全部国有工业和年销售收入500万元以上工业企业的能源消费根据国家统计局制发的报表制度由统计系统搜集资料逐级汇总上报；加工转换消费来源于重点耗能工业企业能源购进、消费及库存表；其他数据来源于有关厅（局）、公司或企业。

四、关于数据口径与计算的说明：

1. 能源生产与消费弹性系数分别以能源生产、消费增长速度与生产总值增长速度相比求得。

2. 能源平衡表中，进口量和出口量采用海关统计数据，电力折算标准煤系数按平均发电煤耗计算。

3. 能源加工转换效率表中的电力折算标准煤系数采用当量值计算，每千瓦小时折0.1229千克标准煤。

7　PRODUCTION AND CONSUMPTION OF ENERGY

Brief Introduction

Ⅰ. The data in this chapter reflect the energy production and consumption of Guangdong Province, mainly including the energy production and consumption and their composition, the energy consumption by sector, the overall balance of energy, the elasticity coefficient of energy production and consumption, the efficiency of energy conversion and the consumption of energy for residential use, key energy-consumption industrial enterprises, etc.

Ⅱ. The data in this chapter are prepared and provided by the Division of Industrial and Transport Statistics of Guangdong Provincial Bureau of Statistics.

Ⅲ. The data in this chapter come from the energy balance sheet of the whole province and the sheets of energy purchase, consumption and storage of key energy-consumption industrial enterprises.

The coverage of the regional energy balance includes the units that produce and consume energy. Among them, the data on the energy consumption of all the state-owned industrial enterprises and the enterprises with yearly sales revenue over 5 million yuan are collected by the statistical agencies in accordance with the statistical reporting scheme stipulated by the National Bureau of Statistics and tabulated and reported to the higher authorities level by level; the data on the energy processing, transformation and consumption are derived from the sheets of energy purchase, consumption and storage of key energy-consumption industrial enterprises, other data are provided by related government departments, companies and enterprises.

Ⅳ. Data coverage and calculation:

(1) The elasticity coefficient of energy production is calculated as the quotient of the growth rate of energy production divided by the growth rate of GDP; and the elasticity coefficient of energy consumption is calculated as the quotient of the growth rate of energy consumption divided by the growth rate of GDP.

(2) In the energy balance, the data on the imports and exports are data from the customs statistics. The coefficient for conversion of electric power into the standard coal equivalent is calculated according to the average consumption of coal for generating electricity.

(3) In the table on the efficiency of energy conversion, the coefficient for conversion of electric power into the standard coal equivalent is calculated in the following way: 1 kwh of electric power is converted into 0.1229 kg standard coal equivalent.

7-1 能源生产总量及构成
TOTAL PRODUCTION OF ENERGY AND ITS COMPOSITION

项　　目	Item	1990	1995	2000	2003	2004
能源生产总量（万吨标准煤）	**Total Energy Production (10000 tons of SCE)**	**1006.24**	**2622.53**	**3711.69**	**4088.98**	**4851.29**
构　成　（%）	Composition (%)	100.0	100.0	100.0	100.0	100.0
原　煤	Coal	63.1	29.1	8.0	12.0	15.1
原　油	Crude Oil	7.0	35.5	53.6	44.6	43.7
电　力	Electricity	29.9	34.9	27.1	35.3	30.5
天然气	Natural Gas		0.5	11.3	8.1	10.7

7-2 能源消费总量及构成
TOTAL CONSUMPTION OF ENERGY AND ITS COMPOSITION

项　　目	Item	1990	1995	2000	2003	2004
一、一次能源消费量（万吨标准煤）	**Primary Energy Consumption (10000 tons of SCE)**	**3690.25**	**6147.61**	**7983.46**	**10462.09**	**12013.14**
构成　（%）	Composition (%)	100.0	100.0	100.0	100.0	100.0
原煤	Coal	56.5	56.4	52.2	53.5	51.4
原油	Crude Oil	35.3	28.5	35.0	28.6	28.4
电力	Electricity	8.2	14.9	12.6	17.7	20.0
天然气	Natural Gas		0.2	0.2	0.2	0.2
二、终端能源消费量（万吨标准煤）	**Total Final Energy Consumption (10000 tons of SCE)**	**3936.44**	**7062.28**	**9080.20**	**12414.48**	**14503.24**
构成（%）	Composition (%)	100.0	100.0	100.0	100.0	100.0
原煤	Coal	33.6	27.0	17.1	17.8	11.7
油品	Oil Products	22.4	20.9	22.6	22.6	20.7
电力	Electricity	33.0	39.7	45.4	44.5	52.6
其他	Others	11.0	12.4	14.9	15.1	15.0

7-3 综合能源平衡表
OVERALL ENERGY BALANCE SHEE

单位：万吨标准煤 (10000 tons of SCE)

项目	Item	1990	1995	2000	2003	2004
可供本地区消费的能源量	**Total Energy Available for Local Consumption**	**4044.28**	**7344.82**	**9447.70**	**13099.29**	**15210.47**
年初库存量	Stock at the Year-beginning	583.00	614.43	675.20	745.33	777.36
一次能源生产量	Primary Energy Output	1006.24	2622.53	3711.69	4088.98	4849.15
回收能	Recovery of Energy		19.07	96.59	158.62	281.96
外省调入量	Allocation from Other Provinces	2955.36	4293.08	5628.27	7547.11	8646.07
进口量	Imports	473.83	1575.45	2757.39	4741.71	5324.97
我国轮、机在外国加油量	Petroleum Consumed by Chinese Airplanes and Ships Abroad	12.28			27.22	38.24
本省调出量（－）	Allocation over Other Provinces（－）	－113.82	－609.34	－1599.39	－2707.97	－2988.51
出口量（－）	Exports（－）	－153.11	－509.37	－980.31	－720.97	－918.88
外国轮、机在我国加油量(－)	Petroleum Consumed by Foreign Airplanes and Ships in China(－)	－70.30	－50.82	－62.51	－3.38	－4.34
年末库存量(－)	Stock at the Year-end(－)	－649.20	－610.24	－779.26	－777.36	－795.55
加工转换投入(－)产出(＋)量	**Input-Output of Energy Conversion**	**－13.74**	**－11.86**	**－35.74**	**－42.65**	**－55.68**
火力发电	Thermal Power					
供热	Heating					
洗选煤						－10.81
炼焦	Coking	－4.21	－6.95	－3.85	－12.30	－9.57
炼油	Petroleum Refining	－6.90	－1.86	－26.89	－42.05	－23.96
制气	Gas Production		－3.05	－5.00	－5.61	－5.03
损失量	**Losses**	**113.33**	**271.16**	**331.76**	**642.16**	**664.30**
#运输和输配损失	Losses in Transmission	104.17	266.75	318.75	623.73	647.83
终端消费量	**Final Consumption**	**3936.44**	**7062.28**	**9080.20**	**12414.48**	**14490.47**
第一产业	Primary Industry	193.15	349.96	353.56	279.36	329.76
农、林、牧、渔业	Farming, Forestry, Animal Husbandry and Fishery	193.15	349.96	353.56	279.36	329.76
第二产业	Secondary Industry	2775.58	4626.99	5790.91	8289.25	9592.23
工业	Industry	2728.01	4521.20	5693.02	8173.89	9438.27
#用作原材料、燃料	As Raw Materials and Fuel	335.68	99.90	86.44	705.77	278.69
建筑业	Construction	47.57	105.76	97.90	115.36	153.95
第三产业	Tertiary Industry	515.11	1093.40	1648.93	2374.23	2848.23
交通运输仓储及邮电通信业	Transport, Storage, Postal and Telecommunication Services	339.43	577.29	957.92	1312.97	1548.45
批发和零售贸易业、餐饮业	Wholesale and Retail Tradeand Catering Services	92.16	283.01	403.21	571.64	749.08
其他	Others	83.52	233.10	287.81	489.62	550.70
生活消费	Residential Consumption	452.60	991.92	1286.80	1471.64	1720.25
城镇	Urban Areas	296.73	659.27	818.33	948.32	1103.20
乡村	Rural Areas	155.87	332.61	468.45	523.31	617.05
平衡差额	**Balance**	**－19.23**	**－0.48**			
消费量合计	**Total Energy**	**4063.51**	**7345.30**	**9447.70**	**13099.29**	**15210.47**

7-4 分行业能源消费总量和原煤、电力消费量（2004年）
CONSUMPTION OF TOTAL ENERGY, COAL AND ELECTRICITY BY SECTOR (2004)

行业	Sector	能源消费总量（万吨标准煤）Total Energy Consumption (10000 tons of SCE)	原煤消费量（万吨）Coal Consumption (10000 tons)	电力消费量（亿千瓦小时）Electricity Consumption (100 million kwh)
消费总量	**Total**	**15210.47**	**8628.21**	**2387.14**
农、林、牧、渔业	**Farming, Forestry, Animal Husbandry and Fishery**	**329.76**	**56.27**	**35.79**
工业合计	**Industry**	**10150.83**	**8489.57**	**1648.07**
采矿业	**Mining and Quarrying**	**106.59**	**7.97**	**18.34**
煤炭开采和洗选业	Coal Mining and Dressing	8.52	2.44	1.88
石油和天然气开采业	Petroleum and Natural Gas Extraction	51.60	0.00	7.77
黑色金属矿采选业	Ferrous Metals Mining and Dressing	7.71	0.36	1.39
有色金属矿采选业	Nonferrous Metals Mining and Dressing	12.43	1.50	2.97
非金属矿采选业	Nonmetal Minerals Mining and Dressing	26.34	3.67	4.33
其他采矿业	Other Minerals Mining and Dressing	0.00	0.00	0.00
制造业	**Manufacturing**	**8153.21**	**3010.94**	**1148.15**
农副食品加工业	Food Processing	241.26	284.34	31.74
食品制造业	Food Production	97.19	60.71	15.88
饮料制造业	Beverage Production	59.85	28.91	9.01
烟草制品业	Tobacco Processing	11.66	1.96	2.62
纺织业	Textile Industry	522.78	331.92	63.75
纺织服装、鞋、帽制造业	Garments and Other Fiber Products	150.54	29.73	31.17
皮革、毛皮、羽毛(绒)及其制品业	Leather, Furs, Down and Related Products	120.25	5.04	27.42
木材加工及木、竹、藤、棕、草制品业	Timber Processing, Bamboo, Cane, Palm Fiber & Straw Products	55.10	39.40	9.77
家具制造业	Furniture Manufacturing	80.90	0.59	14.70
造纸及纸制品业	Paper Making and Paper Products	378.43	398.62	60.43
印刷业和记录媒介的复制	Printing and Record Medium Reproduction	59.13	1.00	14.59
文教体育用品制造业	Cultural, Educational and Sports Articles	116.28	0.42	27.77
石油加工、炼焦及核燃料加工业	Petroleum Processing and Coking	817.68	6.34	21.52
化学原料及化学制品制造业	Raw Chemical Materials and Chemical Products	444.97	111.77	72.69
医药制造业	Medical and Pharmaceutical Products	55.32	21.92	9.24
化学纤维制造业	Chemical Fiber	28.06	1.64	6.51
橡胶制品业	Rubber Products	64.85	15.20	11.84
塑料制品业	Plastic Products	361.70	36.70	81.86
非金属矿物制品业	Nonmetal Mineral Products	1854.41	1345.71	144.81
黑色金属冶炼及压延加工业	Smelting and Pressing of Ferrous Metals	728.97	124.26	59.37
有色金属冶炼及压延加工业	Smelting and Pressing of Nonferrous Metals	217.36	68.77	26.64
金属制品业	Metal Products	254.85	9.36	56.78
通用设备制造业	Ordinary Machinery	94.37	6.39	19.51
专用设备制造业	Equipment for Special Purposes	83.49	7.02	18.68
交通运输设备制造业	Transportation Equipment	127.51	28.39	31.56
电气机械及器材制造业	Electric Equipment and Machinery	347.02	3.29	84.07
通信设备、计算机及其他电子设备制造业	Electronic and Telecommunications Equipment	626.79	2.98	160.90
仪器仪表及文化、办公用机械制造业	Instruments, Meters, Cultural and Office, Machinery	70.13	0.09	18.09
工艺品及其他制造业	Other Manufacturing Industry	79.30	37.46	14.70
废弃资源和废旧材料回收加工业		3.08	1.01	0.53
电力、燃气及水的生产和供应业	**Electric Power, Gas and Water Production and Supply**	**1891.02**	**5470.66**	**481.58**
电力、热力的生产和供应业	Electric Power, Steam and Hot Water Production and Supply	1632.43	5465.18	449.87
燃气生产和供应业	Gas Production and Supply	150.97	5.37	0.93
水的生产和供应业	Tap Water Production and Supply	107.62	0.11	30.78
建筑业	**Construction**	**153.95**	**1.81**	**32.37**
交通运输、仓储及邮电通信业	**Transport Storage, Postal and Telecommunication Services**	**1555.90**	**6.99**	**60.66**
批发和零售贸易餐饮业	**Wholesal and Retail Trade and Catering Services**	**749.08**	**20.10**	**175.69**
其他行业	**Others**	**550.70**		**147.20**
生活消费	**Residential Consumption**	**1720.25**	**53.47**	**287.36**

7-5 平均每天各种能源消费量
AVERAGE DAILY ENERGY CONSUMPTION

能源品种		Item		1990	1995	2000	2003	2004
合　　计	**(吨标准煤)**	**Total**	**(ton of SCE)**	**112476**	**201241**	**248773**	**340123**	**396999**
煤　　炭	(吨)	Coal		50828	72961	59590	85872	66532
焦　　炭	(吨)	Coke		2871	3613	3973	6242	7554
原　　油	(吨)	Crude Oil		754	143	250	519	158
燃料油	(吨)	Fuel Oil		4874	7195	9248	15296	14532
汽　　油	(吨)	Gasoline		3878	7700	8226	10247	12228
煤　　油	(吨)	Kerosene		866	1535	2444	3264	3573
柴　　油	(吨)	Diesel Oil		7025	11334	18726	24716	26651
液化石油气	(吨)	Liquefied Petroleum Gas		549	5110	8720	12266	13835
电　　力	(万千瓦时)	Electricity	(10000 kwh)	9836	19698	33978	50096	60330

7-6 平均每人年生活用能源
PER CAPITA ANNUAL AVERAGE RESIDENTIAL ENERGY CONSUMPTION

能源品种		Item		1990	1995	2000	2003	2004
合　　计	**(千克标准煤)**	**Total**	**(kg of SCE)**	**72.04**	**146.11**	**148.90**	**190.54**	**220.41**
煤　　炭	(千克)	Coal	(kg)	56.77	40.07	9.63	9.22	10.17
汽　　油	(千克)	Gasoline	(kg)	1.65	4.50	4.42	6.71	8.70
煤　　油	(千克)	Kerosene	(kg)	1.95	1.18	0.24	0.31	0.35
柴　　油	(千克)	Diesel Oil	(kg)		0.37	0.57	0.93	1.03
液化石油气	(千克)	Liquefied Petroleum Gas	(kg)	1.76	24.51	31.47	44.26	43.80
电　　力	(千瓦时)	Electricity	(kwh)	63.90	165.24	239.09	333.60	368.19

7-7 分品种生活能源年消费总量
TOTAL ANNUAL RESIDENTIAL ENERGY CONSUMPTION BY VARIETY

能源品种		Item		1990	1995	2000	2003	2004
合　　计	**(万吨标准煤)**	**Total**	**(10000 tons of SCE)**	**454.71**	**991.92**	**1286.80**	**1471.64**	**1720.25**
煤　　炭	(万吨)	Coal	(10000 tons)	348.03	272.01	83.22	71.22	79.34
汽　　油	(万吨)	Gasoline	(10000 tons)	10.44	30.54	38.20	51.83	67.89
煤　　油	(万吨)	Kerosene	(10000 tons)	11.98	8.00	2.10	2.40	2.71
柴　　油	(万吨)	Diesel Oil	(10000 tons)		2.54	4.90	7.17	8.00
液化石油气	(万吨)	Liquefied Petroleum Gas	(10000 tons)	10.78	166.41	271.96	341.83	342.65
电　　力	(亿千瓦小时)	Electricity	(100 million kwh)	39.17	112.18	206.62	257.65	287.36

7-8 能源加工转换效率
EFFICIENCY OF ENERGY CONVERSION

单位:% (%)

年份 Year	火力发电 Thermal Power Generation	供热 Heating	炼焦 Coking	炼油 Petroleum Refining	制气 Gas Production
1990	31.13	79.21	93.48	99.44	
1995	31.85	80.07	90.93	99.89	86.17
2000	37.20	87.19	94.35	99.02	79.18
2001	37.21	85.09	95.23	99.12	77.90
2002	36.36	76.40	94.27	98.40	80.08
2003	40.69	71.43	82.36	98.57	78.67
2004	35.53	86.10	91.53	99.29	79.70

7-9 能源生产弹性系数
ELASTICITY COEFFICIENT OF ENERGY PRODUCTION

年份 Year	能源生产比上年增长% Growth Rate of Energy Production over Preceding Year(%)	电力生产比上年增长% Growth Rate of Electricity Production over Preceding Year(%)	本省生产总值比上年增长% Growth Rate of Gross Domestic Product(GDP) over Preceding Year(%)	能源生产弹性系数 Elasticity Coefficient of Energy Production	电力生产弹性系数 Elasticity Coefficient of Electricity Production
1986	1.03	8.00	12.7	0.08	0.63
1990	0.28	15.30	11.6	0.02	1.32
1995	14.74	6.55	14.9	0.99	0.44
1996	43.30	10.70	10.7	4.05	1.00
1997	8.52	7.98	10.6	0.80	0.75
1998	-4.05	5.58	10.2	0.55	
1999	-10.33	9.77	9.5	1.03	
2000	5.77	18.72	10.8	0.53	1.73
2001	-8.20	5.88	9.6	0.61	
2002	6.46	12.35	10.8	0.60	1.14
2003	12.72	17.74	14.3	0.89	1.24
2004	18.59	11.90	14.2	1.31	0.84

7-10 能源消费弹性系数
ELASTICITY COEFFICIENT OF ENERGY CONSUMPTION

年份 Year	能源消费比上年增长 Growth Rate of Energy Consumption over Preceding Year(%)	电力消费比上年增长% Growth Rate of Electricity Consumption over Preceding Year(%)	本省生产总值比上年增长%% Growth Rate of Gross Domestic Product(GDP) over Preceding Year(%)	能源消费弹性系数 Elasticity Coefficient of Energy Consumption	电力消费弹性系数 Elasticity Coefficient of Electricity Consumption
1986	8.37	4.73	12.7	0.66	0.37
1990	4.09	14.33	11.6	0.35	1.24
1995	9.17	7.62	14.9	0.62	0.51
1996	5.45	8.89	10.7	0.51	0.83
1997	2.68	7.13	10.6	0.25	0.67
1998	5.31	7.51	10.2	0.52	0.74
1999	4.29	9.96	9.5	0.45	1.05
2000	8.16	22.86	10.8	0.76	2.12
2001	7.74	9.28	9.6	0.81	0.97
2002	11.55	15.73	10.8	1.07	1.46
2003	15.36	20.30	14.3	1.07	1.42
2004	16.12	17.52	14.2	1.13	1.23

主要统计指标解释

能源生产总量　指一定时期内全国(地区)一次能源生产量的总和,是观察全国(地区)能源生产水平、规模、构成和发展速度的总量指标。一次能源生产量包括原煤、原油、天然气、水电、核能及其他动力能(如风能、地热能等)发电量。不包括低热值燃料生产量、生物质能、太阳能等的利用和由一次能源加工转换而成的二次能源产量。

能源消费总量　指一定时期内全国(地区)物质生产部门、非物质生产部门和生活消费的各种能源的总和,是观察能源消费水平、构成和增长速度的总量指标,能源消费总量包括原煤和原油及其制品、天然气、电力。不包括低热值燃料、生物质能和太阳能等的利用。

能源消费总量分为三部分,即终端能源消费量、能源加工转换损失量和损失量。

(1)终端能源消费量　指一定时期内全国(地区)物质生产部门、非物质生产部门和生活消费的各种能源在扣除了用于加工转换二次能源消费量和损失量以后的数量。

(2)能源加工转换损失量　指一定时期内全国(地区)投入加工转换的各种能源数量之和与产出各种能源产品之和的差额。它是观察能源在加工转换过程中损失量变化的指标。

(3)能源损失量　指一定时期内能源在输送、分配、储存过程中发生的损失和由客观原因造成的各种损失量。不包括各种气体能源放空、放散量。

能源生产弹性系数　是研究能源生产增长速度与国民经济增长速度之间关系的指标。计算公式:

$$\text{能源生产弹性系数} = \frac{\text{能源生产总量年平均增长速度}}{\text{国民经济年平均增长速度}}$$

国民经济年平均增长速度,可根据不同的目的或需要,用国民生产总值,国内生产总值等指标来计算,本资料是采用国内生产总值指标计算的。

电力生产弹性系数　是研究电力生产增长速度与国民经济增长速度之间关系的指标。一般来说,电力的发展应当快于国民经济的发展,也就是说电力应超前发展。计算公式:

$$\text{电力生产弹性系数} = \frac{\text{电力生产量年平均增长速度}}{\text{国民经济年平均增长速度}}$$

能源消费弹性系数　是反映能源消费增长速度与国民经济增长速度之间比例关系的指标。计算公式:

$$\text{能源消费弹性系数} = \frac{\text{能源消费量年平均增长速度}}{\text{国民经济年平均增长速度}}$$

电力消费弹性系数　是反映电力消费增长速度与国民经济增长速度之间比例关系的指标。计算公式:

$$\text{电力消费弹性系数} = \frac{\text{电力消费量年平均增长速度}}{\text{国民经济年平均增长速度}}$$

能源加工转换效率　指一定时期内能源经过加工、转换后,产出的各种能源产品的数量与同期内投入加工转换的各种能源数量的比率。它是观察能源加工转换装置和生产工艺先进与落后、管理水平高低等的重要指标。计算公式:

$$\text{能源加工转换效率} = \frac{\text{能源加工、转换产出量}}{\text{能源加工、转换投入量}} \times 100\%$$

Explanatory Notes on Main Statistical Indicators

Total Energy Production refers to the total production of primary energy by all energy producing enterprises in the country (region) in a given period of time. It is a comprehensive indicator to show the capacity, scale, composition and development of energy production of the country (region). The production of primary energy includes that of coal, crude oil, natural gas, hydropower and electricity generated by nuclear energy and other means such as wind power and geothermal power. However, it excludes the production of fuel of low calorific value, bioenergy, solar energy and the secondary energy converted from the primary energy.

Total Domestic Energy Consumption refers to the total consumption of energy of various kinds by material production sectors, non-material production sectors and households in the country (region) in a given period of time. It is a comprehensive indicator to show the scale, composition and development of energy consumption. The total energy consumption includes that of coal, crude oil and their products, natural gas and electricity. However, it excludes the consumption of fuel of low calorific value, bioenergy and solar energy. Total domestic energy consumption can be divided into three parts:

(1) Final Energy Consumption: It refers to the total energy consumption by material production sectors, non-material production sectors and households in the country (region) in a given period of time, but excludes the consumption in conversion of the primary energy into the secondary energy and the loss in the process of energy conversion.

(2) Loss During the Process of Energy Conversion: It refers to the total input of various kinds of energy for conversion, minus the total output of various kinds of energy in the country in a given period of time. It is an indicator to show the loss that occurs during the process of energy conversion.

(3) Loss: It refers to the total of the loss of energy during the course of energy transport, distribution and storage and the loss caused by any objective reason in a given period of time. The loss of various kinds of gas due to gas discharges and stocktaking is excluded.

Elasticity Coefficient of Energy Production is an indicator to show the relationship between the growth rate of energy production and the growth rate of the national economy. The formula is:

$$\text{Elasticity Coefficient of Energy Production} = \frac{\text{Average Annual Growth Rate of Energy Production}}{\text{Average Annual Growth Rate of National Economy}}$$

The average annual growth rate of the national economy can be shown by the gross national product, gross domestic product and other indicators, depending on the purposes or needs. The gross domestic product is used in calculation of the ratio in this chapter.

Elasticity Coefficient of Electricity Production is an indicator to show the relationship between the growth rate of electricity production and the growth rate of the national economy. Generally speaking, the growth rate of electricity production should be higher than that of the national economy. Its formula is:

$$\text{Elasticity Coefficient of Electricity Production} = \frac{\text{Average Annual Growth Rate of Electricity Production}}{\text{Average Annual Growth Rate of National Economy}}$$

Elasticity Coefficient of Energy Consumption is an indicator to show the relation ship between the growth rate of energy consumption and the growth rate of the national economy. The formula is:

$$\text{Elasticity Coefficient of Energy Consumption} = \frac{\text{Average Annual Growth Rate of Energy Consumption}}{\text{Average Annual Growth Rate of National Economy}}$$

Elasticity Coefficient of Electricity Consumption is an indicator to show the relationship between the growth rate of electricity, consumption and the growth rate of the national economy. The formula is:

$$\text{Elasticity Coefficient of Electricity Consumption} = \frac{\text{Average Annual Growth Rate of Electricity Consumption}}{\text{Average Annual Growth Rate of National Economy}}$$

Efficiency of Energy Processing and Conversion refers to the ratio of the total output of energy products of various kinds after processing and conversion and the total input of energy of various kinds for processing and conversion in the same reference period. It is an important indicator to show the current conditions of energy processing and conversion equipment, production technique and management. The formula is:

$$\text{Efficiency of Energy Processing \& Conversion} = \frac{\text{Output of Energy after Processing \& Conversion}}{\text{Input of Energy for Processing \& Conversion}} \times 100\%$$

八、财政、金融和保险

GOVERNMENT FINANCE,BANKING AND INSURANCE

8

八　财政、金融和保险

简要说明

一、本篇资料反映广东地方财政一般预算收支、金融、保险等方面的基本情况。
二、本篇资料由广东省统计局综合处负责整理、编辑。
三、资料来源：

财政资料根据广东省财政厅财政一般预算收支决算总表等统计报表的有关项目加工整理。

金融资料根据中国人民银行广州分行统计月报整理。

保险资料由中国保险监督管理委员会广东监管局提供。

8　GOVERNMENT FINANCE，BANKING AND INSURANCE

Brief Introduction

Ⅰ. The data in this chapter show the basic conditions of local government budgetary finance, banking and insurance of Guangdong Province.

Ⅱ. The data in this chapter are prepared by the Division of Comprehensive Statistics of Guangdong Provincial Bureau of Statistics.

Ⅲ. Data sources:

The data on local government finance are prepared in accordance with the total final accounts table of the budgetary revenue and expenditure and other statistical report forms provided by Guangdong Provincial Department of Finance.

The data on banking are prepared in accordance with the monthly bulletins of statistics provided by Guangzhou Branch of the People's Bank of China.

The data on insurance are provided by China Insurance Regulatory Commission Guangdong Bureau.

8-1 地方财政一般预算收支基本情况
BASIC CONDITIONS OF LOCAL GOVERNMENT BUDGETARY REVENUE AND EXPENDITURE

单位：亿元 (100 million yuan)

指　　标	Item	1995	2000	2003	2004
一、财政收入	**Local Government Budgetary Revenue**	**382.34**	**910.56**	**1315.52**	**1418.51**
各项税收	Taxes	353.64	798.61	1109.50	1191.55
# 增值税	Value-added Tax	63.12	132.13	233.68	168.88
营业税	Business Tax	145.85	272.42	415.81	484.78
企业所得税	Enterprise Income Tax	43.20	167.42	170.02	194.43
个人所得税	Personal Income Tax	22.09	84.80	94.77	111.57
城市维护建设税	Tax on City Maintenance and Construction	17.02	30.00	47.75	55.24
印花税	Stamp Tax	6.31	32.94	14.13	19.86
农业税	Agricultural Tax	8.89	7.29	7.98	3.52
国有资产经营收益	Operating Income from State-owned Assets	2.22	7.65	20.78	18.76
国有企业计划亏损补贴	Planned Subsidies for the Loss of State-owned Enterprises	-17.52	-5.97	-2.86	-2.26
罚没收入、行政性收费收入	Forfeit and Administrative Collect Fees	27.78	81.76	132.49	144.71
专项收入	Special Revenue	12.39	21.01	33.51	44.08
其他收入	Others	3.83	7.49	22.10	21.67
二、财政支出	**Local Government Budgetary Expenditure**	**525.63**	**1069.86**	**1695.63**	**1852.95**
基本建设支出	Expenditure for Capital Construction	72.23	153.35	240.87	254.13
企业挖潜改造资金	Innovation Funds of the Enterprises	38.14	29.25	22.04	22.70
科技三项费用	Expenditure for Science and Technology Promotion	3.73	21.47	36.44	40.65
农业支出	Expenditure for Agriculture			41.63	41.60
水利和气象支出	Expenditure for Water Conservancy and Meteorology			42.88	39.59
文体广播事业费	Expenditure for Culture, Sports and Broadcasting	16.48	26.33	38.11	44.30
教育事业费	Expenditure for Education	84.56	144.39	265.25	287.95
科学事业费	Expenditure for Science	6.13	10.96	15.26	15.77
卫生经费	Expenditure for Public Health	28.04	47.64	73.54	72.91
抚恤和社会福利救济费	Pension and Relief Funds for Social Welfare	7.57	14.30	30.45	33.68
行政管理费	Expenditure for Government Administration	42.90	100.95	175.47	193.10
城市维护费	Expenditure for City Maintenance	31.45	53.48	63.50	86.11
政策性补贴支出	Expenditure for Policy Subsidies	12.35	18.11	12.48	12.83
其他支出	Others	153.07	388.34	637.71	707.63

注：本表按新预算科目编制，其中财政收入不包括中央返还部分。

Note: This table is compiled according to the new budgetary headings, of which figures of government revenue exclude the return part from the central government.

8-2 地方财政用于文教、卫生、科学部门的一般预算支出
LOCAL GOVERNMENT BUDGETARY EXPENDITURE FOR CULTURE, EDUCATION, HEALTH CARE AND SCIENCE

单位：亿元 (100 million yuan)

年份 Year	合计 Total	文体广播事业费 Culture, Sports and Broadcasting	#计划生育 Birth Control	教育 Education	卫生 Health	#公费医疗 Free Medical Service	科学 Science
1980	7. 67	0. 79	0. 20	4. 88	1. 86	0. 36	0. 14
1985	17. 12	2. 36	0. 52	10. 69	3. 75	1. 17	0. 32
1990	36. 47	6. 06	1. 19	21. 34	7. 92	3. 13	1. 15
1991	41. 43	6. 63	1. 17	24. 01	9. 17	3. 62	1. 62
1992	53. 84	9. 45	1. 75	30. 05	12. 13	4. 32	2. 21
1993	80. 87	11. 67	2. 13	48. 32	17. 97	6. 31	2. 91
1994	110. 30	15. 47	2. 45	66. 95	23. 15	8. 39	4. 73
1995	135. 22	16. 48	3. 01	84. 56	28. 04	10. 54	6. 14
1996	153. 48	18. 67	3. 39	93. 30	35. 13	12. 82	6. 38
1997	162. 33	22. 40	4. 29	94. 32	37. 00	13. 82	8. 61
1998	182. 20	23. 96	4. 77	109. 11	39. 29	14. 95	9. 84
1999	196. 54	24. 95	6. 65	121. 02	40. 97	15. 27	9. 60
2000	229. 77	26. 33	6. 29	144. 75	47. 73	18. 38	10. 96
2001	279. 42	33. 50	7. 15	180. 28	53. 99	19. 58	11. 65
2002	346. 50	34. 90	9. 19	233. 12	64. 42	23. 09	14. 06
2003	427. 58	38. 11	11. 25	265. 25	73. 54	24. 18	15. 26
2004	459. 75	44. 30	14. 00	287. 95	72. 91	24. 81	15. 78

注：本表1980、1985年数字包括海南省。
Note: The data of 1980 and 1985 included those of Hainan Province.

8-3 各市地方财政一般预算收支
LOCAL GOVERNMENT BUDGETARY REVENUE AND EXPENDITURE BY CITY

单位：亿元 (100 million yuan)

市别 City	1995		2000		2003		2004	
	财政收入 Revenue	财政支出 Expenditure	财政收入 Revenue	财政支出 Expenditure	财政收入 Revenue	财政支出 Expenditure	财政收入 Revenue	财政支出 Expenditure
全省合计 Total	**382. 34**	**525. 63**	**910. 56**	**1069. 86**	**1315. 52**	**1695. 63**	**1418. 51**	**1852. 95**
广　州 Guangzhou	97. 08	111. 24	200. 55	240. 72	274. 77	370. 09	302. 87	408. 34
深　圳 Shenzhen	88. 02	93. 40	221. 92	225. 04	290. 84	348. 95	321. 47	377. 57
珠　海 Zhuhai	15. 18	16. 57	24. 23	31. 14	34. 82	45. 35	34. 46	50. 89
汕　头 Shantou	14. 53	22. 12	18. 94	27. 90	20. 78	44. 75	21. 40	44. 54
佛　山 Foshan	25. 60	36. 47	59. 53	72. 48	95. 44	120. 45	95. 29	130. 93
韶　关 Shaoguan	5. 92	13. 16	8. 63	19. 94	14. 29	33. 57	16. 41	42. 77
河　源 Heyuan	1. 76	6. 06	2. 55	16. 78	4. 35	25. 56	5. 86	29. 99
梅　州 Meizhou	5. 97	15. 24	7. 18	23. 84	9. 46	38. 54	12. 49	42. 04
惠　州 Huizhou	7. 69	11. 83	12. 94	20. 14	24. 12	38. 78	25. 42	45. 95
汕　尾 Shanwei	2. 87	5. 98	4. 16	9. 99	5. 05	15. 95	5. 37	16. 62
东　莞 Dongguan	11. 56	13. 22	30. 22	33. 61	67. 45	76. 52	72. 20	94. 16
中　山 Zhongshan	8. 07	9. 57	17. 46	19. 24	36. 63	39. 87	34. 54	43. 18
江　门 Jiangmen	15. 97	18. 73	21. 24	28. 18	29. 37	41. 28	28. 94	47. 58
阳　江 Yangjiang	3. 36	6. 21	3. 89	11. 00	6. 59	17. 93	5. 99	20. 50
湛　江 Zhanjiang	11. 09	20. 77	12. 44	27. 82	16. 82	44. 11	18. 34	48. 46
茂　名 Maoming	7. 27	11. 73	9. 08	20. 67	14. 25	34. 56	17. 76	41. 95
肇　庆 Zhaoqing	6. 09	11. 78	10. 97	20. 09	14. 44	31. 90	15. 80	35. 53
清　远 Qingyuan	3. 15	8. 72	4. 53	16. 35	7. 97	28. 22	9. 29	31. 44
潮　州 Chaozhou	3. 51	7. 55	4. 60	11. 31	5. 90	17. 32	5. 25	18. 88
揭　阳 Jieyang	5. 36	11. 01	9. 24	19. 50	10. 58	30. 95	8. 12	29. 27
云　浮 Yunfu	2. 52	5. 83	3. 65	11. 18	5. 92	17. 27	7. 19	19. 99

8-4 金融机构人民币存贷款余额
DEPOSITS AND LOANS IN RENMINBI IN FINANCIAL INSTITUTIONS

单位：亿元 (100 million yuan)

指 标	Item	1995	1997	1998	1999	2000	2003	2004
各项存款余额	**Deposits in Various Forms**	**7090.48**	**11084.29**	**13253.78**	**15018.85**	**16908.26**	**27171.31**	**30723.55**
企业存款	Deposits of Enterprises	2388.77	3973.15	4641.84	5372.49	6316.25	8971.57	9941.73
活期存款	Current Deposits		3187.17	3549.61	4057.56	4664.93	6194.87	6619.10
定期存款	Time Deposits		785.98	1092.23	1314.92	1651.32	2776.69	3322.63
财政存款	Treasury Deposits	198.03	220.87	262.88	302.62	389.48	713.10	1012.96
机关团体存款	Deposits of Government Agencies and Organizations		68.08	106.29	155.37	217.81	886.56	1053.22
储蓄存款	Savings Deposits	3884.66	6320.46	7547.93	8191.60	8667.29	14061.77	16193.36
农业存款	Agricultural Deposits	224.06	278.32	344.66	438.52	524.89	703.06	790.55
其他	Others	394.96	223.41	350.18	558.25	792.54	1835.25	1731.73
各项贷款余额	**Loans in Various Forms**	**5495.69**	**8195.83**	**9501.63**	**10984.76**	**11716.93**	**18190.85**	**19491.77**
短期贷款	Short-term Loans	3554.22	6731.12	7505.22	8014.66	8407.37	9227.29	8832.42
工业贷款	Industrial Loans	1046.28	1469.83	1588.64	1598.31	1562.22	2172.39	2161.90
商业贷款	Commercial Loans	1255.77	1823.89	2006.56	1887.03	1674.92	1884.25	1588.26
建筑业贷款	Construction Loans	104.96	244.80	260.58	223.44	266.89	443.96	365.69
农业贷款	Agricultural Loans	160.89	333.87	462.21	467.56	420.71	447.45	459.01
中期流动资金贷款	Medium-term Loans of Circulating Funds			171.87	302.03	415.32	755.52	705.66
中长期贷款	Medium-term & Long-term Loans	655.82	896.42	1058.03	1676.63	2079.70	6716.41	8308.59
其他	Others	1285.65	568.29	766.51	991.44	814.54	1491.63	1645.10

注：本表数据指金融机构（不含外资）人民币存贷款余额。
Note: The data in this table refer to the deposits and loans in Renminbi in the financial institutions (excluding the foreign financial institutions).

8-5 国家银行人民币存贷款余额
DEPOSITS AND LOANS IN RENMINBI IN STATE BANKS

单位：亿元 (100 million yuan)

指 标	Item	1995	1997	1998	1999	2000	2003	2004
各项存款余额	**Deposits in Various Forms**	**4369.87**	**6991.44**	**8575.72**	**10007.60**	**11434.22**	**17257.21**	**19395.48**
企业存款	Deposits of Enterprises	1705.04	2666.49	3162.18	3744.78	4397.11	5179.96	5695.11
活期存款	Current Deposits	1581.61	2190.93	2436.55	2844.59	3295.57	3721.28	3966.00
定期存款	Time Deposits	123.43	475.56	725.63	900.19	1101.55	1458.69	1729.11
财政存款	Treasury Deposits	193.66	216.79	257.89	300.10	383.79	710.17	987.18
机关团体存款	Deposits of Government Agencies and Organizations		63.36	91.96	133.46	183.67	759.46	866.63
储蓄存款	Savings Deposits	2450.15	3978.64	4935.92	5606.14	6172.42	10034.87	11431.32
农业存款	Agricultural Deposits	17.14	23.39	27.59	36.44	39.62	28.91	23.22
其他	Others	3.88	42.77	100.18	186.68	257.61	543.84	392.02
各项贷款余额	**Loans in Various Forms**	**3227.70**	**5140.17**	**5926.00**	**7032.02**	**7580.71**	**11016.09**	**11291.10**
短期贷款	Short-term Loans	2410.20	4439.12	4961.47	5344.89	5420.80	4518.57	3850.38
工业贷款	Industrial Loans	940.54	1341.80	1468.75	1490.73	1447.57	1677.03	1527.52
商业贷款	Commercial Loans	908.06	1524.24	1723.19	1658.07	1443.23	1272.82	962.56
建筑业贷款	Construction Loans	103.13	226.55	234.31	195.13	242.97	313.65	189.20
农业贷款	Agricultural Loans	89.65	150.54	177.20	175.23	122.44	95.92	94.11
中期流动资金贷款	Medium-term Loans of Circulating Funds			127.59	225.77	329.03	552.21	478.89
中长期贷款	Medium-term & Long-term Loans	469.77	694.27	829.78	1453.15	1824.42	5409.16	6305.62
其他	Others	347.73	6.78	7.16	8.21	6.46	536.15	656.21

注：国家银行包括人民银行、政策性银行、四大国有独资银行、邮政储蓄机构。
Note: State banks include the people's bank, policy-related banks, four state-owned banks, and savings deposits agencies of postal offices.

8-6 各市金融机构基本情况

BASIC CONDITIONS OF FINANCIAL INSTITUTIONS BY CITY

市 别 City	2000					2002				
	机构数（个）Number of Financial Institutions (unit)	年末从业人员（人）Number of Year-end Employed Persons (person)	各项存款（亿元）Deposits in Various Forms (100 million yuan)	#储蓄存款 Savings Deposits	各项贷款（亿元）Loans in Various Forms (100 million yuan)	机构数（个）Number of Financial Institutions (unit)	年末从业人员（人）Number of Year-end Employed Persons (person)	各项存款（亿元）Deposits in Various Forms (100 million yuan)	#储蓄存款 Savings Deposits	各项贷款（亿元）Loans in Various Forms (100 million yuan)
广 州 Guangzhou			5512.23	2239.64	3783.01	2385	44473	6829.02	3075.88	4624.59
深 圳 Shenzhen			3161.89	1082.43	2166.32	1023	25876	4953.15	1713.69	3534.23
珠 海 Zhuhai			445.46	216.08	272.79	424	6724	572.77	295.61	353.83
汕 头 Shantou			540.19	351.40	342.83	705	9753	649.93	459.41	466.26
佛 山 Foshan			1952.99	1216.98	1406.75	2113	22094	2320.79	1480.28	1652.97
韶 关 Shaoguan				165.47	137.19	458	5994	284.08	190.48	156.09
河 源 Heyuan			90.35	69.96	59.19	336	3721	104.79	80.98	64.21
梅 州 Meizhou			210.73	155.14	142.23	581	7099	257.34	185.50	169.56
惠 州 Huizhou			359.24	249.31	207.24	585	7003	442.59	302.73	234.65
汕 尾 Shanwei			73.71	54.18	57.60	239	3215	87.74	66.16	71.41
东 莞 Dongguan			1228.49	672.07	612.25	1297	14368	1562.80	886.83	765.94
中 山 Zhongshan			553.90	354.65	329.45	652	8069	663.99	452.95	400.82
江 门 Jiangmen			670.66	483.75	501.08	1092	12327	853.93	643.42	593.08
阳 江 Yangjiang			140.29	104.99	80.18	298	4010	154.11	118.66	93.77
湛 江 Zhanjiang			400.83	298.14	251.03	1136	11098	448.47	334.58	291.29
茂 名 Maoming			328.70	247.45	207.50	1007	9312	351.84	272.58	217.25
肇 庆 Zhaoqing			268.96	184.21	198.80	571	6551	300.45	212.92	234.32
清 远 Qingyuan			210.65	146.27	139.56	504	5676	233.51	166.57	149.23
潮 州 Chaozhou			155.12	104.19	101.06	362	4483	173.04	125.61	111.30
揭 阳 Jieyang			230.12	180.82	125.42	661	6318	274.73	218.66	140.54
云 浮 Yunfu			114.86	90.13	82.32	296	3693	130.28	102.55	84.62

市 别 City	2003					2004				
	机构数（个）Number of Financial Institutions (unit)	年末从业人员（人）Number of Year-end Employed Persons (person)	各项存款（亿元）Deposits in Various Forms (100 million yuan)	#储蓄存款 Savings Deposits	各项贷款（亿元）Loans in Various Forms (100 million yuan)	机构数（个）Number of Financial Institutions (unit)	年末从业人员（人）Number of Year-end Employed Persons (person)	各项存款（亿元）Deposits in Various Forms (100 million yuan)	#储蓄存款 Savings Deposits	各项贷款（亿元）Loans in Various Forms (100 million yuan)
广 州 Guangzhou	2233	40153	8676.72	3727.33	6127.27	2387	46678	9645.64	4256.82	6556.94
深 圳 Shenzhen	1035	26675	6079.50	2199.45	4525.05	1105	28180	7100.74	2625.38	5242.78
珠 海 Zhuhai	417	6625	673.21	357.39	412.67	420	6819	769.71	408.57	417.18
汕 头 Shantou	696	9289	745.94	561.27	464.70	691	9372	838.43	641.49	419.53
佛 山 Foshan	1986	21653	2978.30	1783.99	1972.14	1964	21690	3289.75	2028.81	2030.11
韶 关 Shaoguan	406	5344	356.08	240.08	176.93	450	5701	396.90	272.58	175.06
河 源 Heyuan	300	3711	153.92	107.01	78.16	353	3946	176.41	125.74	92.99
梅 州 Meizhou	550	6787	345.93	239.60	214.43	666	7495	387.26	280.64	223.64
惠 州 Huizhou	628	7933	571.91	379.55	313.82	674	8415	665.13	447.28	347.81
汕 尾 Shanwei	246	2870	112.21	81.49	67.76	258	2766	124.89	95.16	59.04
东 莞 Dongguan	1279	13843	2126.78	1231.06	1206.72	1284	16023	2462.87	1431.68	1405.25
中 山 Zhongshan	592	7108	845.19	543.70	495.66	603	7137	959.72	614.92	477.42
江 门 Jiangmen	952	11489	916.94	667.17	637.01	946	11538	1029.94	753.92	573.42
阳 江 Yangjiang	290	3832	192.46	149.28	107.21	306	4152	218.10	171.19	107.01
湛 江 Zhanjiang	1017	10651	540.05	405.62	297.53	1009	10944	605.23	450.75	292.50
茂 名 Maoming	849	8757	445.67	341.50	249.33	832	8818	479.92	372.58	250.93
肇 庆 Zhaoqing	503	6620	374.37	256.72	252.47	589	7006	413.95	293.06	257.76
清 远 Qingyuan	451	5399	293.60	206.73	184.80	479	5689	329.68	235.29	193.03
潮 州 Chaozhou	302	4215	231.68	173.61	126.67	324	4388	275.33	207.38	131.10
揭 阳 Jieyang	592	5824	343.83	282.33	174.88	638	6266	407.18	337.18	171.16
云 浮 Yunfu	285	3551	167.02	126.89	105.62	357	3864	185.29	142.93	105.62

注：1. 本表数据为金融机构（不含外资）人民币信贷数据。
2. 机构数和年末从业人员数不包括外资金融机构数据。

Note: a) The data in this table refer to the deposits and loans in Renminbi in the financial institutions (excluding foreign financial institutions).
b) The number of financial insitutions and the number of employed persons exclude those in foreign financial institutions.

8-7 金融机构现金投放回笼差额
CASH STATISTICS OF FINANCIAL INSTITUTIONS

单位：亿元 (100 million yuan)

指　　标	Item	1995	1997	1998	1999	2000	2003	2004
现金收入	**Cash Income**	**15369.83**	**22595.43**	**30127.06**	**32643.68**	**38570.44**	**50438.71**	**60742.40**
商品销售收入	Income from Commodity Sales	1907.05	2024.75	2777.87	3003.75	3489.74	4351.20	4751.33
服务性收入	Income from Service Trade	573.12	761.47	1401.87	1577.11	1875.96	2376.20	2690.30
税款收入	Income from Taxes	68.92	93.20	151.19	185.19	228.11	306.02	328.26
城乡个体经营收入	Income from Urban and Rural Individual Business	231.05	290.31	1132.16	1244.12	1463.95	1959.80	2283.55
储蓄存款收入	Income from Savings Deposits	9410.87	16162.99	22223.12	24278.20	28738.58	38252.50	47108.05
其他金融机构收入	Income from Other Financial Institutions	397.95	432.28	116.20	113.60	172.84	148.17	155.72
居民归还贷款收入	Income from Repayment of Loans by Residents			173.90	143.54	109.34	152.21	158.86
汇兑收入	Income from Remittances	334.20	415.83	613.97	730.67	882.97	926.63	1027.25
有价证券收入	Income from Securities			95.55	97.65	93.79	53.45	55.18
其他	Other Income	2446.67	2414.60	1441.23	1269.85	1515.16	1912.51	2183.90
现金支出	**Cash Expenditures**	**15286.84**	**22946.68**	**30434.96**	**33503.96**	**39323.17**	**51458.94**	**61778.50**
工资支出	Wages	1371.02	1558.66	2250.63	2486.70	2826.92	3810.31	4233.96
农副产品采购支出	Purchases of Agricultural and Sideline Products	260.88	268.96	311.73	553.74	666.68	962.99	1007.89
工矿及其他产品采购支出	Expenditure for Purchases of Industrial and Mineral Products	172.93	159.72		393.34	475.58	567.80	615.15
行政企事业管理费支出	Government and Enterprise Overhead	722.06	846.72	1455.75	1709.43	1975.17	2601.50	2871.57
城乡个体经营支出	Expenditure for Individual Business	267.99	363.65	1401.83	1692.59	1954.39	2582.33	2961.93
储蓄存款支出	Expenditure for Savings Deposits	9356.84	16389.56	22273.73	24891.05	29407.36	38390.42	47298.92
其他金融机构支出	Expenditure for Other Financial Institutions	312.57	428.37	123.05	96.20	114.20	93.39	156.10
居民提取贷款支出	Expenditure for Loans from Residents			153.47	115.12	93.14	116.08	109.12
汇兑支出	Expenditure for Remittances	166.22	178.66	212.20	202.52	237.81	284.13	322.85
有价证券支出	Expenditure for Securities			83.77	71.08	84.37	38.29	37.92
其他	Other Expenditure			1667.78	1292.16	1487.55	2011.70	2163.09
投放	**Currency Issuance**	**-82.98**	**351.25**	**307.90**	**860.27**	**752.73**	**1020.24**	**1036.11**

注：1. 投放栏中的负数表示现金回笼。
2. 本表数据指金融机构（不含外资）现金投放回笼情况。其中，1995－1997 年，本表数据指人民银行、四大国有独资银行、交通银行和中信银行的合计数。

Note: a) The negative amount in currency issuance indicates the amount of cash withdrawn.
b) The data in this table refer to the cash statistics in the financial institutions (excluding the foreign financial institutions), of which the data from 1995 to 1997 referred to the sum of the people's bank, four state-owned banks, bank of communication and CITIC industrial bank.

8-8 城乡居民储蓄存款余额及构成
SAVINGS DEPOSITS BY URBAN AND RURAL RESIDENTS AND THEIR COMPOSITION

项　　目	Item	1995	1997	1998	1999	2000	2003	2004
一、绝对数　（亿元）	**Value　(100 million yuan)**							
储蓄存款余额	Savings Deposits	3884.66	6320.46	7547.93	8191.60	8667.29	14061.77	16193.36
城镇储蓄	Savings Deposits by Urban Residents	2450.15	4794.60	5830.46	6424.90	6869.92	11555.76	13272.77
农村储蓄	Savings Deposits by Rural Residents	1007.83	1525.86	1717.47	1766.70	1797.37	2506.01	2920.59
人均储蓄存款　（元）	Per Capita Savings Deposits　(yuan)	5035.08	8963.73	10566.25	11267.10	11246.29	17678.38	19501.33
二、构成　（%）	**Composition　(%)**	**100.0**	**100.0**	**100.0**	**100.0**	**100.0**	**100.0**	**100.0**
储蓄存款余额	Savings Deposits							
城镇储蓄	Savings Deposits by Urban Residents	70.9	75.9	77.3	78.4	79.3	82.2	82.0
农村储蓄	Savings Deposits by Rural Residents	29.1	24.1	22.7	21.6	20.7	17.8	18.0

注：1. 城乡居民储蓄存款余额指金融机构（不含外资）的人民币储蓄存款，农村储蓄指农村信用社的人民币储蓄存款。
2. 人均储蓄存款按年底常住人口数计算。

Note: a) The savings deposits by urban and rural residents refer to the savings deposits in Renminbi in the financial institutions (excluding the foreign financial institutions), and the savings deposits by rural residents refer to the sum in Renminbi in rural credit cooperatives.
b) Per capita savings deposits are calculated by year-end permanent resident population.

8-9 财产保险公司主要指标（2004 年）
MAIN INDICATORS OF PROPERTY INSURANCE COMPANIES (2004)

单位：万元 (10000 yuan)

项　　目	Item	保费收入 Premium Income	赔款支出 Indemnity Expenditure
合　　计	**Total**	**1483605.06**	**675370.96**
企业财产保险	Enterprise Property Insurance	190149.82	69595.97
家庭财产保险	Household Property Insurance	7303.23	1046.37
#投资型家财险	Of Which：Investment Link Household Property Insurance	1486.03	125.36
机动车辆及第三者责任	Motor Vehicle and Third Party Liability	934568.24	447329.67
#法定三责险	Of Which：Compulsory Third Party Liability Insurance	21892.33	3444.84
工程保险	Project Insurance	41966.18	12419.94
责任保险	Liability Insurance	50297.55	45001.43
信用保险	Credit Insurance	16013.52	3377.12
保证保险	Guarantee Insurance	29283.92	46586.79
#机动车辆消费贷款保证保险	Of Which:Motor Vechicle Consumption Loan Guarantee Insurance	7487.03	25352.09
个人贷款抵押房屋保证保险	Personal Loan Home Mortagage Guarantee Insurance	28548.53	131.44
船舶保险	Ship Insurance	35077.39	18686.90
货物运输保险	Freight Transport Insurance	47216.02	18597.77
特殊风险保险	Peculiar Risk Insurance	66562.52	11498.46
农业保险	Agriculture Insurance	1647.33	707.08
健康险	Health Insurance	2007.92	1150.54
#投资型健康险	Of Which：Investment Link Health Insurance		
意外伤害保险	Accident Injury Insurance	37446.93	12778.74
#投资型意外险	Of Which：Investment Link Accident Insurance		
其他险	Other Property Insurance	24064.49	-13405.80

注：本表数据包括深圳，来源于中国保险监督管理委员会广东监管局。
Note：The data in the table include those of Shenzhen and are obtained from China Insurance Regulatory Commission Guangdong Bureau.

8-10 人身保险公司主要指标（2004 年）
MAIN INDICATORS OF LIFE INSURANCE COMPANIES (2004)

单位：万元　　　　(10000 yuan)

项　　目	Item	本年累计 Cumulative Figure in current year
一、保费收入	**Premium Income**	**2877713.90**
（一）按险种分：保费收入合计	By Line of Business: Total Premium Income	
寿险	Life Insurance	2502227.11
个人业务	Personal Business	2125575.35
新单保费	New Business Premium	1109936.56
续期保费	Renewal Premium	1015638.79
团体业务	Group Business	376651.76
新单保费	New Business Premium	349995.09
续期保费	Renewal Premium	26656.67
意外伤害险	Accident Injury Insurance	123031.55
一年期以内业务	Within One-year Period Business	7709.39
一年期业务	One-year Period Business	115322.16
健康险	Health Insurance	252455.24
一年期以内及一年期业务	Within One Year and One-year Period Business	112221.24
个人业务	Personal Business	68972.84
团体业务	Group Business	43248.40
一年期以上业务	Over One-year Period Business	140234.00
个人业务	Personal Business	135005.16
团体业务	Group Business	5228.84
（二）按新型产品分：寿险保费收入合计	By New Products: Total Life Iusurance Premium	
普通寿险	Ordinary Insurance	892118.24
新单保费	New Business Premium	203350.99
续期保费	Renewal Premium	688767.25
分红寿险	Dividend Insurance	1492606.36
新单保费	New Business Premium	1185599.30
续期保费	Renewal Premium	307007.06
投资连结保险	Investment Link Insurance	56689.24
万能寿险	Universal Life Insurance	60813.27
二、赔款支出	**Total Indemnity Expenditure**	**116190.67**
意外伤害险	Accident Injury Insurance	34778.30
一年期以内业务	Within One-year Period Business	663.53
一年期业务	One-year Period Business	34114.77
一年期以内及一年期健康险	Within One Year and One-year Period Health Insurance Business	81412.38
个人业务	Personal Business	45761.11
团体业务	Group Business	35651.27
三、死伤医疗给付	**Total Payment for Death, Injury and Medical Treatment**	**44539.34**
寿险	Life Insurance	36107.03
个人业务	Personal Business	34743.69
团体业务	Group Business	1363.34
一年期以上健康险	Over One-year Period Health Insurance	8432.31
个人业务	Personal Business	6294.09
团体业务	Group Business	2138.22
四、满期给付	**Total Mature Payment**	**142316.13**
寿险	Life Insurance	142302.29
个人业务	Personal Business	122039.31
团体业务	Group Business	20262.99
一年期以上健康险	Over One-year Period Health Insurance	13.84
个人业务	Personal Business	13.84
团体业务	Group Business	0.0
五、年金给付	**Total Annuity Payment**	**86098.46**
个人业务	Personal Business	53963.02
团体业务	Group Business	32135.44
六、退保金	**Withdrawal Amount Insured**	**299004.65**
寿险	Life Insurance	295883.22
个人业务	Personal Business	166221.66
团体业务	Group Business	129661.57
一年期以上健康险	Over One-year Period Health Insurance	3121.43

注：本表数据包括深圳，来源于中国保险监督管理委员会广东监管局。
Note: The data in the table include those of Shenzhen and are obtained from China Insurance Regulatory Commission Guangdong Bureau.

主要统计指标解释

财政收入 是国家财政参与社会产品分配所取得的收入，是实现国家职能的财力保证。财政收入所包括的内容几经变化，目前主要包括

（1）各项税收：包括增值税、营业税、消费税、土地增值税、城市维护建设税、资源税、城市土地使用税、印花税、个人所得税、企业所得税、关税、农牧业税和耕地占用税等。

（2）专项收入：包括征收排污费收入、征收城市水资源费收入、教育费附加收入等。

（3）其他收入：包括基本建设贷款归还收入、基本建设收入、捐赠收入等。

（4）国有企业亏损补贴：这项为负收入，冲减财政收入。

财政支出 国家财政将筹集起来的资金进行分配使用，以满足经济建设和各项事业的需要，主要包括基本建设支出、企业挖潜改造资金、地质勘探费用、科技三项费用、支援农村生产支出、农林水利气象等部门的事业费用、工业交通商业等部门的事业费、文教科学卫生事业费、抚恤和社会福利救济费、国防支出、行政管理费、价格补贴支出等科目。

信贷资金 指金融机构以信用方式积聚和分配的货币资金。金融机构信贷资金的来源有各项存款、对国际金融机构负债、流通中货币、银行自有资金及当年结益等；信贷资金的运用有各项贷款、黄金占款、外汇占款、财政借款及在国际金融机构中的资产等。

存款 指企业、机关、团体或居民根据必须收回 的原则，把货币资金存入银行或其他信用机构保管并取得一定利息的一种信用活动形式。根据存款对象的不同可划分为企业存款、财政存款、机关团体存款、基本建设存款、城镇居民储蓄、农村存款等科目。它是银行信贷资金的主要来源。

贷款 指银行或其他信用机构根据资金必须归还的原则，按一定利率，为企业、个人等提供资金的一种信用活动形式。我国银行贷款分流动资金贷款、固定资产贷款、城乡个体工商户贷款以及农业贷款等科目。

城乡居民储蓄存款余额 指某一时点城乡居民存入银行及农村信用社的储蓄金额，包括城镇居民储蓄存款和农民个人储蓄存款，不包括居民的手存现金和工矿企业、部队、机关、团体等单位存款。

保险金额 指保险人承担赔偿或者给付保险金责任的最高限额。

保费 指投保人为取得保险人在约定范围内所承担赔偿责任而支付给保险人的费用。

赔款 指保险人根据保险合同的规定，向被保险人支付的赔偿保险责任损失的金额。

给付 包括死伤医疗给付和满期给付。死伤医疗给付是指保险人根据人寿保险及长期健康保险合同的规定，因被保险人在保险期内发生保险责任范围内的保险事故支付给被保险人（或受益人）的金额。满期给付是指被保险人生存期满，保险人按人寿保险合同规定支付给被保险人的满期保险金额。

Explanatory Notes on Main Statistical Indicators

Government Revenue refers to the revenue of the government finance by means of participating in the distribution of the social products, which is the financial resources for ensuring the government to function. The contents of government revenue have been changed several times. Now it includes the following main items:

(1) Various tax revenues, including value added tax, business tax, consumption tax, land value added tax, tax on city maintenance and construction, resources tax, tax on use of urban land, stamp tax, personal income tax, enterprise income tax, tariff, tax on agriculture and animal husbandry and tax on occupancy of cultivated land, etc.

(2) Special revenues, including revenue collected from imposing fee on sewage treatment, revenue collected from imposing fee on urban water resources, and extra-charges for education, etc.

(3) Other revenues, including revenue from the repayment of capital construction loan, revenue from capital construction projects, and donations and grants.

(4) Planned subsidies for the losses of the state-owned enterprises. This is an item of negative revenue, used to eat up part of the government revenue.

Government Expenditure refers to the distribution and use of the funds the government finance has raised, so as to meet the needs of economic construction and various causes. It mainly includes expenditure for capital construction, innovation funds of the enterprises, geological prospecting expenses, expenditures for science and technology promotion, expenditure for supporting rural production, operating expenses of the departments of farming, forestry, water conservancy and meteorology and the others, operating expenses of the departments of industry, transport and commerce, operating expenses of the departments of culture, education, science and public health, pension for the disabled or for the families of the bereaved and relief funds for social welfare, expenditures for national defense, administrative expenses and expenditure for price subsidies, etc.

Credit Funds refer to the funds issued as loans by banking institutions. The sources of credit funds of the banking institutions include deposits, liabilities to international financial institutions, currency in circulation, self-owned funds and current retained profits, etc. The credit funds can be used in forms of loans, gold, foreign exchange, government debt and assets in the international financial institutions.

Deposit is a form of credit by which enterprises, institutions, organizations or residents can put money into banks and other credit institutions for safekeeping and interest earning under the principle of free withdrawal. According to the different depositors, deposits are divided into enterprise deposits, urban saving deposits, rural deposits of government agencies and organizations, capital construction deposits, urban saving deposits, rural deposits and other deposits. Deposits are major sources of the credit funds of banks.

Loan is a form of credit by which banks and other credit institutions provide funds at certain interest rate to enterprises and individuals in the light of the principle of unconditional repayment. Loans from Chinese banks include circulating capital loans, fixed assets loans, loans to urban and rural individuals engaged in industrial and commercial business and agricultural loans.

Savings Deposits by Urban and Rural Residents refer to the total value of savings deposits of urban and rural households in banks and rural credit cooperatives at a given point of time, including the savings deposit of urban residents and the savings deposit of rural residents. The cash in hand by residents and the deposits of organizations such as enterprises, military units, government agencies, institutions and the others are not included.

Amount Insured refers to the amount of maximum that the insurant will get for the claim of the case insured.

Premium is the fee paid by the insurant to the insurer to obtain the obligation of compensation from the insurance within the agreed terms.

Settled Claim is the compensation paid by the insurer to the insurant in accordance with the insurance contract.

Payment includes payment for death, injury or medical treatment and mature payment. Payment for death, injury or medical treatment refers to the money paid to the insurant (or the beneficiary) in accordance with the life or health insurance contract when the insurant encounters accidents within the insured period covered in the contract. Mature payment refers to the mature payment to the insurant in accordance with the life insurance contract at the end of the insured period.

九 物价指数

PRICE INDICES

9

九　物价指数

简要说明

一、本篇资料反映广东生产、流通、消费等环节的价格变动情况。主要包括居民消费价格指数、商品零售价格指数、农业生产资料价格指数、农产品收购价格指数、工业品出厂价格指数和原材料、燃料、动力购进价格指数。

二、本篇资料由广东省城市社会经济调查队消费价格处和生产投资价格处整理提供。

三、居民消费价格指数、商品零售价格指数采用分层抽样调查方法编制，即在全省选择不同经济区域的市、县以及有代表性的商品和服务项目作为样本，对市场价格进行经常性调查，以样本推断总体。

四、农产品价格指数采用重点调查方法统计。

五、工业品出厂价格指数和原材料、燃料、动力购进价格指数均采用重点调查方法统计。

9　PRICE INDICES

Brief Introduction

Ⅰ. The data on the price indices in this chapter show the changing trend and the changing rates in production, circulation and consumption, etc, including mainly consumer price indices of residents, retail price indices, price indices of agricultural means of production, purchasing price indices of farm products, ex-factory price indices of industrial products, purchasing price indices of raw materials, fuels and power.

Ⅱ. The data are prepared and provided by both the Division of Consumers Price Survey and the Division of Production Price Survey under Guangdong Urban Socio-economic Survey Organization.

Ⅲ. The data for the calculation of the consumer price indices of residents and the retail price indices in the province are collected with the stratified sampling method. Areas distributed in different economic regions in the cities and counties of the province are selected as the sample areas and the representative commodities are selected as the sample commodities. Regular surveys are conducted to collect the data on the market prices. The data on the population are estimated on the basis of the sample.

Ⅳ. The data for the calculation of the purchasing price indices of farm products are collected by the key unit survey.

Ⅴ. The data for the calculation of the ex-factory price indices of industrial products and the purchasing price indices of raw materials, fuels and power are all collected by the key unit survey.

9-1 各种物价总指数
PRICE INDICES

（上年＝100） （preceding year＝100）

年份 Year	商品零售价格指数 Retail Price Index	居民消费价格指数 Consumer Price Index	#城市居民消费价格指数 Consumer Price Index in Urban Areas	#农村居民消费价格指数 Consumer Price Index in Rural Areas	农村工业品零售价格指数 Retail Price Index of Rural Industrial Products	工业品出厂价格指数 Ex－factory Price Indices of Industrial Products	原材料、燃料、动力购进价格指数 Purchasing Price Indices of Raw Material, Fuel and Power	固定资产投资价格指数 Investment in Fixed Assets Price Index
1951	98.2		98.5		105.9			
1952	99.8		102.9		96.1			
1953	101.0		102.7		94.2			
1954	99.7		98.8		100.2			
1955	100.3		99.6		101.8			
1956	99.6		99.5		98.7			
1957	102.3		103.4		101.0			
1958	100.6		99.2		99.9			
1959	101.2		100.6		100.4			
1960	101.1		100.5		100.6			
1961	112.1		112.0		107.4			
1962	100.5		100.5		103.4			
1963	98.1		99.4		98.4			
1964	96.8		98.1		97.2			
1965	98.6		97.6		97.9			
1966	99.6		99.7		98.6			
1967	100.3		100.4		99.7			
1968	99.8		99.8		99.8			
1969	99.7		101.8		99.7			
1970	99.3		99.5		98.9			
1971	99.6		100.2		99.2			
1972	99.7		99.9		99.2			
1973	100.0		100.0		100.0			
1974	99.9		99.7		100.1			
1975	100.0		100.0		100.0			
1976	100.1		100.1		100.2			
1977	100.1		100.0		100.0			
1978	100.4		100.3		100.1			
1979	103.0		104.6		100.3			
1980	108.5		109.5		101.4			
1981	109.3		106.3		101.9			
1982	102.3		102.6		102.1			
1983	100.7		102.8		100.5			
1984	101.2	101.3	101.9	100.4	101.9			
1985	113.6	114.8	117.1	111.2	104.5			
1986	104.8	104.9	104.7	105.3	104.4			
1987	111.7	111.2	112.8	109.7	109.4			
1988	130.2	129.4	129.5	129.3	125.9			
1989	121.0	122.1	121.9	122.4	119.5			
1990	95.6	97.5	97.4	97.6	97.2			
1991	100.6	101.2	102.3	99.9	100.8			
1992	105.8	107.3	108.4	105.9	102.3			
1993	118.2	121.6	122.0	120.6	115.5			
1994	118.9	121.7	121.0	122.5	113.7			
1995	111.6	114.0	113.1	115.3	107.1			
1996	104.4	107.0	107.2	106.5	104.5			
1997	100.1	101.9	102.1	101.5	101.0	100.1	97.3	
1998	97.0	98.2	98.3	98.1	97.7	94.8	91.4	
1999	96.7	98.2	98.4	97.7	97.3	97.7	97.8	
2000	99.9	101.4	102.2	100.0	100.2	103.4	110.9	
2001	98.7	99.3	99.2	99.6	98.4	98.5	99.1	100.2
2002	98.5	98.6	98.6	98.6	98.4	96.5	96.3	99.7
2003	100.0	100.6	100.7	100.4	100.1	99.3	104.1	102.2
2004	102.9	103.0	102.6	103.7	101.0	101.7	110.7	106.4

9-2 各种物价总指数
PRICE INDICES

(1950年=100) (1950=100)

年份 Year	商品零售价格指数 Retail Price Index	城市居民消费价格指数 Consumer Price Index in Urban Areas	农村工业品零售价格指数 Retail Price Index of Rural Industrial Products	工业品出厂价格指数 Ex-Factory Price Indices of Industrial Prodrcts	原材料、燃料、动力购进价格指数 Purchasing Price Indices of Raw Material, Fuel and Power	固定资产投资价格指数 Investment in Fixed Assets Price Index
1951	98.2	98.5	105.9			
1952	98.0	101.4	101.8			
1953	99.0	104.1	95.9			
1954	98.7	102.9	96.1			
1955	99.0	102.5	97.8			
1956	98.6	102.0	96.5			
1957	100.9	105.5	97.3			
1958	101.5	104.7	97.3			
1959	102.7	105.3	97.7			
1960	103.8	105.8	98.3			
1961	116.4	118.5	105.6			
1962	117.0	119.1	109.1			
1963	114.8	118.4	106.9			
1964	111.1	116.2	103.9			
1965	109.5	113.4	101.7			
1966	109.1	113.1	100.3			
1967	109.4	113.6	100.0			
1968	109.2	113.4	99.8			
1969	108.9	115.4	99.5			
1970	108.1	114.8	98.4			
1971	107.6	115.0	97.6			
1972	107.3	114.9	96.8			
1973	107.3	114.9	96.8			
1974	107.3	114.6	96.9			
1975	107.3	114.6	96.9			
1976	107.4	114.7	97.1			
1977	107.5	114.7	97.1			
1978	108.0	115.0	97.8			
1979	111.2	120.3	98.1			
1980	120.7	131.7	99.5			
1981	131.8	140.0	101.4			
1982	134.9	143.6	103.5			
1983	135.8	147.6	104.0			
1984	137.4	150.4	106.0			
1985	156.1	176.1	110.8			
1986	163.6	184.4	115.7			
1987	182.7	208.0	126.6			
1988	237.9	269.4	159.4			
1989	287.9	328.4	190.5			
1990	275.2	319.9	185.2			
1991	276.9	327.3	186.7			
1992	293.0	354.8	191.0			
1993	346.3	432.9	220.6			
1994	411.8	523.8	250.8			
1995	459.6	592.4	268.6			
1996	479.8	635.0	280.7	100.0	100.0	
1997	480.3	648.3	283.5	100.1	97.3	
1998	465.9	637.3	277.0	94.9	88.9	
1999	450.5	627.1	269.5	92.7	98.0	
2000	450.0	635.9	270.0	95.9	96.5	100.0
2001	444.2	630.8	265.7	94.4	95.6	100.2
2002	437.5	622.0	261.4	91.1	92.1	99.9
2003	437.5	626.4	261.7	90.5	95.8	102.1
2004	450.2	642.7	264.3	92.0	106.1	108.6

注：工业品出厂价格指数，原材料、燃料、动力购进价格指数以1996年为100。固定资产投资价格指数以2000年为100。

Note: The year of 1996 is taken as 100 in the calculation of ex－factory price indices of industrial products and purchasing price indices of raw material fuel and power. The year of 2000 is taken as 100 in the calculation of investment in fixed assets price index.

9-3 固定资产投资价格指数
PRICE INDICES OF INVESTMENT IN FIXED ASSETS

(上年 = 100) (preceding year = 100)

项　　目	Item	2001	2002	2003	2004 年
固定资产投资	**Investment in Fixed Assets**	**100. 2**	**99. 7**	**102. 2**	**106. 4**
建筑安装、装饰工程	Construction, Installation and Decoration	101. 5	101. 2	104. 3	109. 9
人工费	Manpower	102. 0	102. 4	102. 9	103. 5
材料费	Materials	100. 8	101. 2	105. 4	113. 8
钢材	Steel	100. 3	102. 3	111. 2	122. 2
木材	Timber	101. 5	101. 4	99. 4	103. 8
水泥	Cement	100. 0	98. 6	102. 3	110. 3
地方建筑材料	Local Building Materials	101. 3	98. 6	99. 3	105. 4
化工材料	Chemical Materials	103. 9	100. 8	110. 0	110. 3
电料	Electrical Materials and Appliances	99. 8	100. 4	102. 3	106. 5
其他材料	Other Materials	101. 8	99. 8	97. 7	102. 6
机械费	Machinery	102. 0	101. 4	100. 9	101. 3
设备、工器具购置	Purchase of Equipment, Tools and Instruments	95. 5	94. 6	96. 8	98. 4
其他费用	Others	100. 6	100. 7	100. 5	102. 0

9-4 固定资产投资价格指数（2004 年）
PRICE INDICES OF INVESTMENT IN FIXED ASSETS (2004)

(上年同期 = 100) (same period of preceding year = 100)

项　　目	Item	1 季度 1st Quarter	2 季度 2nd Quarter	3 季度 3rd Quarter	4 季度 4th Quarter
固定资产投资	**Investment in Fixed Assets**	**108. 3**	**107. 7**	**104. 6**	**105. 1**
建筑安装、装饰工程	Construction, Installation and Decoration	112. 8	111. 4	107. 3	108. 0
人工费	Manpower	103. 1	105. 4	103. 0	102. 6
材料费	Materials	118. 2	115. 6	110. 1	111. 4
钢材	Steel	130. 9	127. 0	116. 7	114. 0
木材	Timber	105. 6	103. 8	104. 1	101. 8
水泥	Cement	113. 7	113. 0	106. 7	108. 0
地方建筑材料	Local Building Materials	103. 8	106. 6	104. 3	106. 7
化工材料	Chemical Materials	103. 3	105. 9	112. 7	119. 4
电料	Electrical Materials and Appliances	104. 5	103. 8	108. 4	109. 6
其他材料	Other Materials	102. 0	100. 9	104. 7	102. 7
机械费	Machinery	102. 3	101. 6	100. 8	100. 7
设备、工器具购置	Purchase of Equipment, Tools and Instruments	98. 2	98. 9	98. 5	98. 1
其他费用	Others	102. 4	103. 2	100. 9	101. 6

9-5 居民消费价格分类指数（2004 年）
CONSUMER PRICE INDICES BY CATEGORY (2004)

（上年＝100）　　　　　　　　　　　　　　　　　　　　　　(preceding year = 100)

项　　目	Item	全省 Provincial Indices	城市 Urban Indices	农村 Rural Indices
居民消费价格指数	**Consumer Price Index**	**103.0**	**102.6**	**103.7**
非食品价格指数	**Non-food Price Index**	**100.5**	**100.3**	**101.0**
服务项目价格指数	**Service Price Index**	**100.3**	**100.3**	**100.3**
扣除鲜菜鲜果价格指数	**Price Index Deducting Fresh Vegetables and Fruits**	**103.1**	**102.8**	**103.7**
消费品价格指数	**Consumer Goods Price Index**	**103.9**	**103.5**	**104.6**
食品	**Food**	**107.5**	**107.0**	**108.4**
粮食	Grain	116.8	114.1	121.3
大米	Rice	122.0	119.2	126.7
粮食制品	Grain Products	107.8	105.1	112.7
淀粉及薯类	Starches and Tubers	105.3	104.8	106.1
干豆类及豆制品	Beans and Its Products	110.6	109.2	113.1
油脂	Oil or Fat	113.2	110.8	117.9
肉禽及其制品	Meat, Poultry and Their Products	112.8	112.7	113.1
蛋	Eggs	117.3	119.3	112.3
水产品	Aquatic Products	108.6	108.6	110.5
菜	Vegetables	102.8	102.9	102.8
鲜菜	Fresh Vegetables	102.8	102.8	103.0
干菜及菜制品	Dried Vegetables and Vegetable Products	102.9	103.7	101.2
调味品	Flavoring	100.3	100.5	100.0
糖	Carbohydrate	102.0	101.6	102.7
食糖	Sugar	106.2	105.4	107.7
糖果	Candy	100.2	99.9	100.8
茶及饮料	Tea and Beverages	101.2	101.9	99.8
干鲜瓜果	Dried and Fresh Melons and Fruits	102.1	101.0	104.4
鲜果	Fresh Fruits	100.0	98.8	102.9
糕点饼干面包	Cake, Biscuit and Bread	101.8	102.3	100.7
奶及奶制品	Milk and Its Products	100.5	100.1	102.0
在外用膳食品	Outward Dinner	103.0	103.8	100.3
其它食品及食品加工服务	Other Foods and Manufacturing Services	101.0	100.8	101.0
烟酒及用品	**Tobacco, Liquor and Articles**	**101.6**	**101.4**	**101.8**
烟草	Tobacco	101.6	101.3	101.8
酒	Liquor	102.3	102.7	102.0
衣着	**Clothing**	**99.1**	**98.7**	**99.7**
服装	Garments	98.9	98.8	99.2
衣着材料	Clothing Material	102.8	102.4	103.3
棉布	Cotton Cloth	104.2	102.4	105.4
毛织品	Woolen Fabrics	101.6	101.9	101.2
丝织品	Silk and Satin	101.6	101.9	101.3
毛线	Knitting Wool	100.6	100.3	101.0
鞋袜帽	Footwear and Hats	98.7	97.9	100.5
鞋	Shoes	98.6	97.5	102.1
袜子	Socks and Stockings	98.6	99.5	96.9

9-5 续表 continued

（上年＝100） (preceding year＝100)

项 目	Item	全 省 Provincial Indices	城 市 Urban Indices	农 村 Rural Indices
帽子	Hats	99.7	99.4	100.4
衣着加工服务	Clothing Manufacturing Services	100.6	102.4	99.2
家庭设备用品及维修服务	**Household Facilities, Articles and Services**	**98.6**	**98.4**	**99.2**
耐用消费品	Durable Consumer Goods	97.6	97.0	99.2
家具	Furniture	98.0	96.7	101.1
家庭设备	Household Facilities	97.3	97.3	97.5
室内装饰品	Interior Decorations	98.7	99.5	96.6
床上用品	Bed Articles	97.9	98.1	97.5
家庭日用杂品	Daily Use Household Articles	99.3	99.4	99.1
家庭服务及加工维修服务	Other Household Services and Manufacturing Upkeep	101.0	100.5	102.5
医疗保健和个人用品	**Health Cares & Personal Articles**	**99.9**	**100.0**	**99.7**
医疗保健	Medical Appliances and Articles	99.6	99.6	99.6
中药材及中成药	Traditional Chinese Medicine	101.3	101.1	101.9
西药	Western Medicine	97.4	97.5	97.2
医疗保健服务	Health Care Services	100.2	99.8	100.8
个人用品及服务	Personal Articles and Services	100.6	101.0	99.9
化妆美容用品	Cosmetics and Its Articles	98.4	98.5	98.0
卫生用品	Sanitary Articles	99.5	100.0	98.3
个人饰品	Personal Decorations	105.6	105.4	106.0
个人服务	Personal Services	99.8	102.1	98.5
交通和通讯	**Transportation and Communication**	**98.8**	**98.8**	**98.9**
交通	Transportation	100.0	99.9	100.2
交通工具	Transportation Facility	95.9	95.4	97.2
市区公共交通	Incity, Traffic	100.1	100.1	99.9
城市间交通	Intercity Traffic	100.0	99.9	100.2
通信	Telecommunication	97.8	97.8	97.6
通信工具	Telecommunication Facility	88.0	87.7	88.4
通信服务	Telecommunication Services	100.1	99.9	100.7
娱乐教育文化用品及服务	**Recreation, Education, Culture Articles and Their Services**	**99.4**	**99.4**	**99.4**
文娱用耐用消费品及服务	Durable Consumer Goods for Recreational Use	93.8	92.7	95.9
教育	Education	101.0	100.8	101.2
教材及参考书	Teaching Materials and Reference Books	103.5	103.6	102.6
学杂托幼费	Tuition and Children Care	100.6	100.5	100.8
文化娱乐用品	Cultural and Recreational Articles	100.2	100.3	99.9
文化娱乐	Stationery and Recreational Articles	99.4	99.5	99.4
书报杂志	Newspapers and Magazines	100.6	100.7	100.2
文娱费	Expenditure of Entertainment	100.6	100.7	100.2
旅游及外出	Touring and Outgoing	99.3	100.6	91.7
居住	**Residence**	**103.8**	**103.2**	**105.3**
建房及装修材料	Building and Buildin Decoration Materials	106.0	105.7	106.1
租房	Rent	100.0	100.0	99.9
自有住房	Private Housing	100.3	100.2	100.7
水、电、燃料	Water, Electricity and Fuels	105.4	105.0	106.4

9-6 商品零售价格分类指数（2004年）
RETAIL PRICE INDICES BY CATEGORY OF COMMODITIES (2004)

（上年=100） (preceding year=100)

项目	Item	全省 Provincial Indices	城市 Urban Indices	农村 Rural Indices
商品零售价格总指数	**Retail Price Index**	**102.9**	**102.5**	**103.7**
食品	**Food**	**107.7**	**107.1**	**108.7**
粮食	Grain	117.2	114.3	121.5
大米	Rice	122.2	119.9	125.6
粮食制品	Grain Products	107.4	105.2	111.4
淀粉及薯类	Starches and Tubers	106.4	105.9	107.2
干豆类及豆制品	Beans and Its Products	109.0	106.6	113.0
油脂	Oil or Fat	113.0	111.8	115.0
肉禽及其制品	Meat, Poultry and Their Products	112.5	112.3	112.8
食用畜肉及副产品	Edible Meat and By-products	117.2	117.3	117.1
禽	Poultry	106.5	106.2	106.9
肉禽加工制品	Processed Products	104.7	104.6	104.9
蛋	Eggs	117.0	119.4	111.7
水产品	Aquatic Products	108.7	108.6	108.9
鱼	Fish	110.9	112.2	109.0
其它水产品	Other Aquatic Products	105.1	103.8	108.6
菜	Vegetables	103.8	103.6	104.2
鲜菜	Fresh Vegetables	104.0	103.6	104.7
干菜及菜制品	Dried Vegetables and Vegetable Products	102.1	103.0	100.5
调味品	Flavoring	100.6	100.8	100.2
糖	Carbohydrate	101.9	101.2	103.0
食糖	Sugar	105.0	104.2	106.3
糖果	Candy	100.4	99.4	101.7
干鲜瓜果	Dried and Fresh, Melons and Fruits	103.1	101.7	105.9
鲜果	Fresh Fruits	101.7	100.2	104.9
糕点饼干面包	Cake	101.9	102.4	101.0
奶及奶制品	Milk and Its Products	100.7	100.0	102.7
在外用膳食品	Outward Dinner Food	102.3	103.3	100.0
其它食品	Other Foods	101.3	101.0	102.0
饮料、烟酒	**Beverages, Tobacco and Liquor**	**101.6**	**101.9**	**101.0**
茶及饮料	Tea and Beverages	100.9	101.3	100.1
茶叶	Tea	101.6	102.7	99.5
饮料	Beverages	100.3	100.1	100.5
烟草	Tobacco	101.7	101.5	101.9
酒	Liquor	102.2	103.7	101.0
服装、鞋帽	**Garments, Shoes and Hats**	**99.0**	**98.6**	**99.6**
服装	Garments	99.4	99.2	99.6
男式服装	Men's Garments	98.0	97.6	98.5
女式服装	Women's Garments	100.2	100.1	100.2
儿童服装	Children's Garments	100.3	100.4	100.1
鞋袜帽	Footwear and Hats	98.1	97.3	99.7
其它	Others	97.6	95.9	99.4
纺织品	**Textiles**	**99.5**	**99.1**	**100.1**
衣着材料	Clothing Materials	101.0	100.0	102.0
床上用品	Bed Articles	98.8	98.7	99.1
家用电器及音像器材	**Household Appliances, Musicand Video Equipments**	**95.7**	**94.8**	**97.4**
家庭设备	Household Facilities	97.3	96.8	98.5

9-6 续表 continued

（上年 = 100） (preceding year = 100)

项　　目	Item	全　省 Provincial Indices	城　市 Urban Indices	农　村 Rural Indices
文娱用耐用消费品	Durable Consumer Goods for Recreational Use	93.5	91.7	96.5
音像器材	Audio and Video Equipment	96.9	97.1	96.5
文化办公用品	**Cultural and Office Articles**	**95.6**	**94.7**	**97.5**
日用品	**Articles for Daily Use**	**100.3**	**100.6**	**99.7**
日用百货	General Merchandise for Daily Use	99.3	98.9	100.0
日用杂品	Sundries for Daily Use	99.8	100.4	98.6
洗涤用品	Detergents	101.2	101.1	101.2
其它日用品	Other Articles for Daily Use	101.3	102.1	99.2
体育娱乐用品	**Sports and Recreational Articles**	**99.6**	**99.5**	**100.2**
体育用品	Sports Goods	100.3	100.4	99.9
娱乐用品	Recreational Articles	99.0	98.6	100.5
交通、通信用品	**Transportation and Telecommunication Articles**	**92.3**	**91.6**	**93.9**
交通运输机械	Transportation Machinery	95.3	95.5	94.8
通讯器材	Telecommunication Equipment	89.1	87.3	93.0
家具	**Furniture**	**98.7**	**97.2**	**101.1**
化妆品	**Cosmetics**	**98.5**	**98.2**	**99.3**
金银珠宝	**Gold, Silver and Jewelry**	**113.2**	**112.7**	**114.4**
中西药品及医疗保健用品	**Traditional Chinese & Western Medicine and Health Care Article**	**99.7**	**99.4**	**100.1**
医疗器具及用品	Medical Apparatus and Article	101.8	99.6	104.0
中药材及中成药	Traditional Chinese Medicine Materials and Medicines	102.5	101.3	104.7
西药	Western Medicines	97.5	97.6	97.1
保健器具及用品	Health Care Appliances and Articles	99.3	100.2	97.2
书报杂志及电子出版物	**Books, Newspapers, Magazines and Electronic Publications**	**101.5**	**102.1**	**100.3**
教材及参考书	Teaching Materials and Reference Books	104.0	105.8	100.8
书报杂志	Newspapers and Magazines	100.5	100.6	100.4
电子音像制品	Electronic Audio-video Products	98.0	97.6	99.0
燃料	**Fuels**	**112.9**	**113.2**	**112.3**
煤炭及制品	Coal and Its Products	108.8	106.1	111.2
石油及制品	Petroleum and Its Products	112.9	113.3	112.3
建筑材料及五金电料	**Building Materials and Hardware**	**104.4**	**104.1**	**104.8**
建筑装璜材料	Building Decoration Materials	105.5	105.3	106.0
五金电料	Hardware	100.7	100.9	100.3

9-7 居民消费价格分类指数（2004 年）

（上年同月 =100）

项　　目	Item	1 月 January	2 月 February	3 月 March	4 月 April
居民消费价格指数	**Consumer Price Index**	**102.0**	**101.1**	**102.0**	**103.0**
非食品价格指数	**Non-food Price Index**	**100.0**	**98.9**	**99.7**	**100.2**
服务项目价格指数	**Service Price Index**	**101.1**	**98.4**	**99.8**	**100.1**
扣除鲜菜鲜果价格指数	**Price Index Deducting Fresh Vegetables and Fruits**	**102.2**	**100.6**	**102.1**	**102.8**
消费品价格指数	**Consumer Goods Price Index**	**102.3**	**102.0**	**102.8**	**104.0**
食品	**Food**	**105.6**	**105.0**	**106.2**	**108.1**
粮食	Grain	109.3	110.9	120.1	121.7
大米	Rice	110.6	113.8	127.0	129.3
粮食制品	Grain Products	105.3	104.6	107.2	108.3
淀粉及薯类	Starches and Tubers	97.8	100.0	100.1	103.2
干豆类及豆制品	Beans and Its Products	106.6	105.2	108.6	110.8
油脂	Oil or Fat	118.6	120.2	120.8	116.9
肉禽及其制品	Meat, Poultry and Their Products	111.8	104.2	109.2	111.1
蛋	Eggs	113.8	114.4	114.4	115.7
水产品	Aquatic Products	107.4	103.4	106.6	109.2
菜	Vegetables	93.1	113.4	98.9	105.9
鲜菜	Fresh Vegetables	91.8	115.4	98.7	106.4
干菜及菜制品	Dried Vegetables and Vegetable Products	102.4	101.0	100.9	101.6
调味品	Flavoring	102.2	93.8	100.9	100.9
糖	Carbohydrate	101.6	100.3	100.8	100.3
食糖	Sugar	103.7	102.7	103.2	103.6
糖果	Candy	101.2	99.3	99.6	98.6
茶及饮料	Tea and Beverages	102.9	102.1	101.8	102.1
干鲜瓜果	Dried and Fresh Melons and Fruits	106.9	102.5	104.0	105.6
鲜果	Fresh Fruits	106.6	101.0	102.6	104.3
糕点饼干面包	Cake, Biscuit and Bread	100.5	101.1	101.2	101.9
奶及奶制品	Milk and Its Products	101.7	100.6	101.3	101.3
在外用膳食品	Outward Dinner	101.4	101.2	101.7	102.1
其它食品及食品加工服务	Other Foods and Manufacturing Services	102.6	100.6	100.9	101.0
烟酒及用品	**Tobacco, Liquor and Articles**	**102.7**	**101.7**	**102.2**	**102.0**
烟草	Tobacco	102.9	101.5	102.4	102.2
酒	Liquor	102.8	102.5	102.5	102.4
衣着	**Clothing**	**100.0**	**99.4**	**99.3**	**99.5**
服装	Garments	100.0	99.4	99.3	99.2
衣着材料	Clothing Material	102.3	102.3	102.0	103.1
棉布	Cotton Cloth	104.8	104.7	104.4	105.2
毛织品	Woolen Fabrics	101.9	102.5	102.3	102.1
丝织品	Silk and Satin	99.3	100.4	100.6	101.8

CONSUMER PRICE INDICES BY CATEGORY (2004)

(same month of preceding year = 100)

5月 May	6月 June	7月 July	8月 August	9月 September	10月 October	11月 November	12月 December
103.7	**102.8**	**104.0**	**104.3**	**103.8**	**103.6**	**103.0**	**102.4**
100.7	**100.4**	**100.9**	**101.2**	**101.1**	**101.5**	**100.9**	**100.4**
100.9	**99.8**	**101.0**	**100.9**	**100.5**	**100.5**	**100.3**	**100.4**
103.4	**103.3**	**104.0**	**104.2**	**104.1**	**104.2**	**103.1**	**102.6**
104.6	**103.8**	**105.0**	**105.4**	**105.0**	**104.7**	**103.9**	**103.1**
109.1	**107.1**	**109.6**	**109.9**	**108.7**	**107.5**	**106.8**	**105.9**
120.7	120.2	120.1	119.3	119.4	117.7	112.4	111.0
127.3	126.9	126.5	125.3	125.2	122.7	116.4	114.7
108.8	108.8	109.0	109.1	109.7	109.4	107.3	106.1
107.2	109.1	111.0	109.1	111.1	107.3	105.2	103.0
111.4	113.3	113.6	113.2	112.7	113.2	109.6	109.3
115.0	114.0	113.0	112.4	112.7	110.6	104.4	102.6
112.9	114.6	117.4	118.1	117.1	115.6	111.5	110.9
115.0	120.3	125.0	123.5	124.0	120.8	110.8	110.8
112.0	110.2	109.1	108.1	108.0	109.8	110.3	110.1
107.2	102.4	114.0	108.4	99.5	91.5	104.0	100.5
108.2	102.4	115.7	108.9	98.9	89.8	104.0	100.1
101.3	102.5	103.5	104.3	104.1	105.2	103.8	104.0
100.4	100.3	100.5	100.8	101.1	101.2	101.1	100.9
100.8	101.8	102.3	103.0	104.1	104.2	102.7	102.2
104.8	105.9	107.3	108.9	112.2	112.8	106.4	103.9
99.1	100.0	100.2	100.5	101.1	100.9	101.0	101.2
101.8	101.2	101.0	100.8	100.3	100.3	100.2	100.2
108.8	91.0	95.8	103.7	103.0	105.1	100.5	100.2
108.3	86.4	91.9	100.9	100.3	103.2	98.8	98.2
102.6	102.3	102.0	101.8	101.8	101.8	102.2	102.7
100.4	100.5	100.8	100.4	101.3	100.1	99.5	98.4
102.5	102.8	103.4	103.9	104.5	104.2	104.1	103.7
101.1	100.9	100.9	101.1	100.7	100.6	100.4	100.7
101.8	**102.0**	**101.4**	**100.9**	**101.0**	**100.9**	**101.3**	**101.0**
101.9	102.0	101.3	100.3	100.9	100.9	101.6	101.3
102.5	102.8	102.4	102.5	102.1	101.8	102.2	101.7
99.5	**99.6**	**99.0**	**98.4**	**97.9**	**98.5**	**98.9**	**98.9**
99.3	99.6	98.7	98.0	97.5	98.3	98.6	98.6
103.0	102.9	103.1	103.3	102.8	103.1	103.1	102.2
105.3	105.2	104.9	104.3	103.9	102.8	102.7	102.1
101.9	101.8	102.0	102.1	100.7	101.1	101.2	100.0
101.9	101.9	102.2	102.6	102.0	103.3	102.1	101.3

9-7 续表

（上年同月 = 100）

项目	Item	1月 January	2月 February	3月 March	4月 April
毛线	Knitting Wool	100.4	100.3	100.6	100.9
鞋袜帽	Footwear and Hats	99.3	98.6	98.7	99.7
鞋	Shoes	99.4	98.8	98.7	99.8
袜子	Socks and Stockings	98.4	97.1	98.4	98.8
帽子	Hats	100.5	101.3	99.7	100.6
衣着加工服务	Clothing Manufacturing Services	100.4	99.8	100.9	100.4
家庭设备用品及维修服务	**Household Facilities, Articles and Services**	**98.8**	**98.3**	**98.6**	**98.6**
耐用消费品	Durable Consumer Goods	97.0	96.9	97.3	97.5
家具	Furniture	98.1	97.8	98.2	98.2
家庭设备	Household Facilities	96.3	96.3	96.7	97.0
室内装饰品	Interior Decorations	98.7	99.2	98.3	98.1
床上用品	Bed Articles	99.7	99.0	98.4	98.4
家庭日用杂品	Daily Use Household Articles	98.7	99.2	99.1	99.3
家庭服务及加工维修服务	Other Household Services and Manufacturing Upkeep	104.4	100.6	101.8	101.5
医疗保健和个人用品	**Health Cares & Personal Articles**	**102.0**	**100.7**	**101.0**	**100.3**
医疗保健	Health Appliances and Articles	101.7	100.9	101.0	99.9
中药材及中成药	Traditional Chinese Medicine	106.6	104.3	104.9	100.7
西药	Western Medicine	98.9	98.6	98.4	98.2
医疗保健服务	Health Care Services	100.7	100.6	100.6	100.6
个人用品及服务	Personal Articles and Services	102.8	100.4	101.0	101.1
化妆美容用品	Cosmetics and Its Articles	100.1	98.8	97.7	98.3
卫生用品	Sanitary Articles	99.8	99.9	100.0	100.5
个人饰品	Personal Decorations	107.4	106.2	106.4	105.8
个人服务	Personal Services	104.6	97.4	100.7	100.8
交通和通讯	**Transportation and Communication**	**98.7**	**96.9**	**97.8**	**98.5**
交通	Transportation	100.2	96.6	98.0	99.3
交通工具	Transportation Facility	96.8	97.1	96.7	96.5
市区公共交通	Incity Traffic	100.3	99.7	100.0	100.0
城市间交通	Intercity Traffic	105.5	89.3	97.7	101.3
通信	Telecommunication	97.4	97.4	97.7	97.8
通信工具	Telecommunication Facility	86.3	86.3	87.2	87.8
通信服务	Telecommunication Services	100.0	100.0	100.1	100.2
娱乐教育文化用品及服务	**Recreation, Education, Culture Articles and Their Services**	**99.9**	**97.0**	**98.7**	**98.9**
文娱用耐用消费品及服务	Durable Consumer Goods for Recreational Use	93.2	93.6	93.3	93.6
教育	Education	100.9	100.8	101.2	100.8
教材及参考书	Teaching Materials and Reference Books	104.0	103.7	104.9	102.6
学杂托幼费	Tuition and Children Care	100.4	100.4	100.6	100.6
文化娱乐用品	Cultural and Recreational Articles	100.6	99.3	100.3	100.2
文化娱乐	Stationery and Recreational Articles	100.2	100.2	99.9	100.0
书报杂志	Newspapers and Magazines	100.4	100.7	100.9	100.5
文娱费	Expenditure of Entertainment	101.3	96.5	100.2	100.2
旅游及外出	Touring and Outgoing	102.2	86.8	95.6	97.3
居住	**Residence**	**100.1**	**100.7**	**101.4**	**103.0**
建房及装修材料	Building and Building Decoration Materials	107.8	108.1	107.7	107.3
租房	Rent	100.2	100.2	100.2	100.1
自有住房	Private Housing	100.4	100.4	99.9	99.9
水、电、燃料	Water, Electricity and Fuels	96.3	97.5	99.4	103.1

(same month of preceding year = 100)

5月 May	6月 June	7月 July	8月 August	9月 September	10月 October	11月 November	12月 December
100.9	100.8	100.9	100.6	100.1	99.8	101.0	100.8
99.4	98.5	98.7	98.0	97.6	98.1	98.5	98.9
99.6	98.4	98.7	97.9	97.4	97.9	98.3	98.7
98.3	98.4	98.1	98.1	98.1	99.5	99.7	99.9
100.4	100.9	100.9	100.6	98.2	97.2	97.2	99.5
100.4	100.8	100.8	101.0	101.2	101.1	101.1	100.0
98.3	**98.2**	**98.7**	**98.4**	**98.6**	**98.9**	**98.9**	**99.1**
97.2	97.2	97.9	97.6	98.1	98.3	98.3	98.2
98.4	98.7	98.2	97.6	98.0	97.9	97.8	97.7
96.5	96.2	97.8	97.5	98.1	98.6	98.6	98.6
98.3	98.0	98.1	98.8	99.0	98.8	99.3	99.4
97.8	97.6	97.7	97.3	96.9	97.4	97.3	97.8
99.3	99.3	99.4	99.3	99.1	99.5	99.4	99.7
100.4	99.9	100.6	100.3	100.5	100.6	100.7	101.2
99.0	**99.4**	**99.5**	**99.5**	**99.8**	**99.5**	**99.1**	**99.2**
98.2	98.8	98.9	99.1	99.7	99.2	98.7	98.9
96.1	99.2	100.3	101.1	101.7	101.3	100.5	100.0
97.7	97.0	96.6	96.4	97.4	96.5	96.6	97.0
100.1	100.4	100.0	100.1	100.1	100.0	99.2	99.8
100.7	100.7	100.6	100.3	100.2	100.0	99.9	99.7
98.4	99.3	98.6	98.1	97.7	97.8	98.4	97.7
99.8	99.2	99.2	99.4	99.3	99.1	98.8	98.7
105.3	106.2	106.9	105.6	105.2	104.6	103.8	103.7
99.9	99.2	98.8	99.0	99.2	99.3	99.3	99.3
99.0	**99.2**	**99.3**	**99.3**	**99.6**	**99.7**	**99.3**	**98.8**
100.3	100.6	100.7	100.7	101.3	101.6	101.0	100.0
96.4	96.0	95.8	95.4	95.7	95.6	94.9	94.4
100.0	100.0	100.0	100.0	100.2	100.3	100.2	100.2
101.5	100.5	101.0	100.8	100.7	101.9	100.5	100.5
97.8	98.0	98.0	97.9	98.0	97.8	97.7	97.7
88.2	88.9	89.2	88.9	89.3	88.4	88.0	87.9
100.2	100.2	100.2	100.2	100.2	100.2	100.2	100.2
100.5	**98.7**	**100.7**	**100.6**	**99.9**	**99.9**	**99.1**	**99.2**
94.3	94.4	94.4	94.0	94.0	93.8	93.7	93.3
100.8	100.9	100.9	100.9	101.2	101.1	101.1	101.1
102.7	103.0	103.8	102.5	104.0	103.7	103.7	103.7
100.6	100.6	100.6	100.6	100.6	100.6	100.6	100.6
100.5	101.0	100.1	100.1	100.0	100.0	100.2	99.9
100.1	99.9	99.3	98.8	98.7	98.9	98.9	98.7
100.5	100.5	100.5	100.5	100.5	100.5	100.5	100.5
101.0	102.8	100.6	101.0	101.0	100.9	101.5	100.7
105.8	94.6	107.4	106.0	101.3	99.8	97.3	98.8
104.0	**104.0**	**104.2**	**105.9**	**105.9**	**107.2**	**105.9**	**104.1**
106.0	105.8	106.0	107.1	107.2	105.8	102.4	101.3
100.1	100.1	99.9	99.9	99.9	99.8	99.8	99.8
99.8	99.8	99.8	99.8	99.8	99.7	102.2	102.0
105.9	106.1	106.5	109.8	109.7	113.6	111.3	107.8

9-8 商品零售价格分类指数（2004年）

（上年同月＝100）

项　　目	Item	1月 January	2月 February	3月 March	4月 April
商品零售价格总指数	**Retail Price Index**	**100.8**	**100.9**	**101.6**	**103.1**
食品	**Food**	**105.4**	**105.3**	**106.5**	**108.5**
粮食	Grain	108.9	110.5	119.8	121.4
大米	Rice	110.9	113.6	126.4	128.7
粮食制品	Grain Products	104.1	103.7	106.6	107.6
淀粉及薯类	Starches and Tubers	99.8	104.1	103.5	105.3
干豆类及豆制品	Beans and Its Products	105.3	104.6	107.3	109.2
油脂	Oil or Fat	119.3	119.5	120.1	116.6
肉禽及其制品	Meat, Poultry and Their Products	111.1	104.5	109.0	110.9
食用畜肉及副产品	Edible Meat and By-products	114.6	110.1	114.3	116.5
禽	Poultry	107.8	94.3	101.5	103.6
肉禽加工制品	Processed Products	103.5	99.7	101.5	102.1
蛋	Eggs	111.2	111.7	113.7	115.7
水产品	Aquatic Products	107.1	104.4	107.4	109.8
鱼	Fish	105.2	106.2	107.2	110.5
其它水产品	Other Aquatic Products	109.3	100.7	107.1	108.3
菜	Vegetables	93.2	115.2	101.0	108.1
鲜菜	Fresh Vegetables	91.9	117.6	101.0	108.8
干菜及菜制品	Dried Vegetables and Vegetable Products	102.4	101.1	100.7	101.4
调味品	Flavoring	101.6	95.2	101.0	100.9
糖	Carbohydrate	101.7	100.6	101.2	100.4
食糖	Sugar	103.7	103.1	103.1	103.0
糖果	Candy	101.1	98.9	100.1	98.8
干鲜瓜果	Dried and Fresh, Melons and Fruits	107.3	102.4	103.9	105.6
鲜果	Fresh Fruits	107.4	101.1	102.7	104.6
糕点饼干面包	Cake	100.5	101.2	101.3	102.0
奶及奶制品	Milk and Its Products	101.8	100.7	101.4	101.3
在外用膳食品	Outward Dinner Food	101.0	100.5	101.1	101.6
其它食品	Other Foods	101.3	101.1	101.2	101.4
饮料、烟酒	**Beverages, Tobacco and Liquor**	**102.0**	**101.7**	**102.0**	**102.2**
茶及饮料	Tea and Beverages	101.7	101.6	101.3	101.6
茶叶	Tea	102.6	102.8	102.8	102.9
饮料	Beverages	101.1	100.7	100.2	100.5
烟草	Tobacco	102.4	101.6	102.4	102.6
酒	Liquor	101.6	101.8	102.3	102.3
服装、鞋帽	**Garments, Shoes and Hats**	**99.6**	**99.6**	**99.5**	**99.7**
服装	Garments	100.3	100.1	100.1	100.0
男式服装	Men's Garments	99.1	98.9	98.8	98.1
女式服装	Women's Garments	101.2	100.5	101.3	101.7
儿童服装	Children's Garments	100.6	102.0	99.2	99.1
鞋袜帽	Footwear and Hats	98.3	97.9	98.0	99.1
其它	Others	95.6	99.2	98.5	98.9
纺织品	**Textiles**	**100.0**	**99.9**	**99.7**	**100.1**
衣着材料	Clothing Materials	100.5	100.5	99.8	101.1
床上用品	Bed Articles	99.8	99.7	99.7	99.7
家用电器及音像器材	**Household Appliances, Musicand Video Equipments**	**95.2**	**95.3**	**95.3**	**95.8**
家庭设备	Household Facilities	96.1	96.1	96.4	97.0

RETAIL PRICE INDICES BY CATEGORY OF COMMODITIES (2004)

(same month of preceding year = 100)

5月 May	6月 June	7月 July	8月 August	9月 September	10月 October	11月 November	12月 December
103.7	**103.2**	**104.0**	**104.3**	**104.1**	**104.0**	**103.2**	**102.2**
109.2	**107.8**	**110.0**	**110.0**	**108.9**	**107.6**	**106.9**	**106.0**
120.6	120.7	120.6	120.2	120.3	118.8	113.6	111.6
127.0	127.0	126.6	125.9	125.9	123.9	117.1	114.9
108.0	108.4	108.7	108.8	109.5	109.4	107.4	106.7
108.5	109.7	110.2	109.7	110.7	107.0	105.2	103.3
109.7	111.0	111.5	111.0	110.9	111.6	108.4	107.8
115.0	114.1	113.5	112.9	112.5	110.0	103.5	102.0
112.2	114.2	116.9	117.6	117.0	115.3	111.1	110.8
116.9	119.0	122.2	123.2	123.3	120.2	113.6	113.2
106.9	109.1	110.8	110.9	108.3	108.9	108.1	107.7
103.7	104.8	107.0	107.6	107.7	106.8	106.2	106.5
114.5	120.5	124.5	123.0	124.5	120.8	112.2	112.2
111.2	110.6	109.2	107.9	107.6	109.3	110.0	109.8
112.2	113.3	112.8	112.4	112.5	113.2	113.3	112.9
109.9	106.6	103.9	101.2	100.4	103.6	105.3	105.3
109.2	105.2	114.2	108.7	99.4	91.9	104.6	100.1
110.6	105.8	116.1	109.6	98.8	90.4	104.9	99.8
101.2	102.0	102.1	102.6	102.4	103.7	102.6	102.6
100.7	100.7	101.0	101.1	101.3	101.2	101.2	101.2
100.8	102.0	102.2	102.6	103.6	103.8	102.5	101.7
104.1	104.8	105.6	106.6	109.4	110.0	104.9	102.2
99.0	100.6	100.9	100.7	101.2	101.1	101.3	100.8
108.6	94.0	98.8	104.1	104.7	106.4	101.7	101.1
108.4	90.2	96.0	102.2	103.0	105.4	100.5	99.9
102.6	102.3	102.2	102.0	101.9	101.9	102.2	102.8
100.7	100.9	101.1	100.8	101.3	100.3	99.6	98.9
102.0	**102.0**	**102.6**	**103.3**	**103.8**	**103.7**	**103.5**	**102.9**
101.6	101.3	101.1	101.5	101.6	101.5	101.2	101.4
102.0	102.0	101.7	101.1	101.0	101.1	101.3	101.1
101.4	101.2	101.1	100.5	100.1	100.1	99.9	99.9
102.8	102.2	102.0	100.7	100.3	100.3	100.1	99.9
100.4	100.4	100.3	100.3	100.0	99.9	99.7	100.0
102.3	102.2	101.7	100.5	100.8	101.2	101.7	101.4
102.4	102.7	102.5	102.7	102.2	102.1	102.4	101.9
99.6	**99.7**	**99.0**	**98.3**	**97.7**	**98.3**	**98.4**	**98.4**
100.0	100.5	99.5	98.6	98.0	98.4	98.6	98.4
98.3	98.3	98.2	97.7	96.6	97.3	97.0	97.0
101.7	101.6	100.0	99.0	99.0	99.0	98.8	98.3
99.3	102.0	101.2	99.7	98.3	98.9	101.8	102.1
98.9	98.0	98.2	97.6	97.0	97.7	98.0	98.5
97.1	96.7	96.5	97.3	96.8	99.4	97.4	97.9
99.9	**99.7**	**99.8**	**99.1**	**98.7**	**98.9**	**98.8**	**98.8**
101.7	102.0	102.4	101.7	100.9	100.6	100.7	100.5
99.2	98.7	98.6	97.9	97.8	98.2	97.9	98.1
95.7	**95.5**	**96.0**	**95.7**	**95.7**	**95.9**	**95.8**	**95.9**
96.5	96.3	97.9	97.7	98.1	98.6	98.5	98.5

9-8 续表

（上年同月=100）

项　　目	Item	1月 January	2月 February	3月 March	4月 April
文娱用耐用消费品	Durable Consumer Goods for Recreational Use	93.8	94.2	93.9	94.1
音像器材	Audio and Video Equipment	96.8	96.9	96.8	97.1
文化办公用品	**Cultural and Office Articles**	**95.7**	**96.0**	**95.5**	**95.8**
日用品	**Articles for Daily Use**	**99.9**	**100.2**	**100.1**	**100.2**
日用百货	General Merchandise for Daily Use	99.6	99.9	99.5	99.4
日用杂品	Sundries for Daily Use	99.4	99.4	99.3	99.3
洗涤用品	Detergents	100.0	100.1	101.0	101.4
其它日用品	Other Articles for Daily Use	100.7	101.5	100.6	100.8
体育娱乐用品	**Sports and Recreational Articles**	**99.0**	**99.5**	**99.4**	**99.7**
体育用品	Sports Goods	100.1	100.3	100.1	100.3
娱乐用品	Recreational Articles	97.9	98.6	98.7	99.2
交通、通信用品	**Transportation and Telecommunication Articles**	**91.9**	**92.2**	**92.7**	**93.0**
交通运输机械	Transportation Machinery	96.1	96.3	96.1	95.9
通讯器材	Telecommunication Equipment	87.3	87.9	88.9	89.7
家具	**Furniture**	**98.7**	**98.5**	**98.5**	**98.7**
化妆品	**Cosmetics**	**97.8**	**98.4**	**97.3**	**97.9**
金银珠宝	**Gold , Silver and Jewelry**	**114.9**	**113.3**	**113.9**	**115.2**
中西药品及医疗保健用品	**Traditional Chinese & Western Medicine and Health Care Articles**	**101.7**	**101.1**	**101.1**	**99.5**
医疗器具及用品	Medical Apparatus and Article	103.7	103.6	103.9	103.8
中药材及中成药	Traditional Chinese Medicine Materials and Melicines	105.6	104.9	105.2	101.3
西药	Western Medicines	99.1	98.9	98.5	98.1
保健器具及用品	Health Care Appliances and Articles	100.1	98.7	99.0	99.3
书报杂志及电子出版物	**Books, Newspapers, Magazines and Electronic Publications**	**101.9**	**102.5**	**102.2**	**101.9**
教材及参考书	Teaching Materials and Reference Books	103.7	105.1	104.8	104.2
书报杂志	Newspapers and Magazines	100.4	100.6	100.7	100.5
电子音像制品	Electronic Audio-video Products	100.3	100.7	99.7	100.0
燃料	**Fuels**	**96.1**	**96.5**	**98.8**	**108.3**
煤炭及制品	Coal and Its Products	100.8	102.4	103.2	103.4
石油及制品	Petroleum and Its Products	96.1	96.4	98.7	108.4
建筑材料及五金电料	**Building Materials and Hardware**	**105.4**	**106.0**	**106.0**	**105.8**
建筑装璜材料	Building Decoration Materials	107.1	107.9	107.8	107.4
五金电料类	Hardware	100.2	100.3	100.5	100.7

9-8 continued

(same month of preceding year = 100)

5月 May	6月 June	7月 July	8月 August	9月 September	10月 October	11月 November	12月 December
94.3	94.3	93.7	93.2	92.7	92.5	92.5	92.6
98.4	97.1	96.5	96.5	96.9	96.5	96.6	96.7
96.4	**96.2**	**96.0**	**95.7**	**95.6**	**95.0**	**94.9**	**94.1**
100.3	**100.4**	**100.6**	**100.4**	**100.3**	**100.5**	**100.6**	**100.7**
99.3	99.4	99.2	98.9	99.1	99.0	99.1	99.1
99.7	99.8	99.6	99.8	99.3	100.4	100.8	100.6
101.3	101.1	101.5	101.2	101.7	101.7	101.6	101.4
101.0	101.4	102.3	101.8	101.5	101.3	101.3	101.8
99.7	**99.6**	**100.0**	**99.8**	**99.9**	**99.7**	**99.6**	**99.7**
100.2	99.9	100.3	100.0	100.4	100.6	100.5	100.6
99.2	99.3	99.7	99.7	99.4	98.9	98.7	98.9
93.0	**93.1**	**92.6**	**92.4**	**92.3**	**92.0**	**91.5**	**91.3**
95.9	95.6	95.0	94.8	94.7	94.6	94.3	93.7
89.9	90.3	90.0	89.7	89.7	89.2	88.5	88.6
98.9	**99.1**	**98.8**	**98.7**	**98.6**	**98.6**	**98.4**	**98.6**
98.4	**98.5**	**99.3**	**98.9**	**98.9**	**98.8**	**99.1**	**98.9**
113.6	**113.2**	**114.3**	**114.3**	**113.4**	**112.4**	**110.1**	**109.7**
97.8	**98.7**	**99.2**	**99.4**	**100.3**	**99.5**	**98.9**	**98.8**
102.9	100.7	100.3	101.1	100.7	100.2	99.8	101.1
97.4	100.6	102.4	103.2	103.9	103.2	101.8	101.0
97.6	96.8	96.5	96.3	97.7	96.5	96.4	97.0
99.4	99.3	99.4	99.3	99.5	99.5	99.1	98.8
101.9	**101.9**	**101.3**	**101.3**	**100.7**	**100.7**	**100.7**	**100.7**
104.2	104.6	104.6	104.7	103.5	103.0	103.0	103.0
100.5	100.5	100.5	100.5	100.5	100.5	100.5	100.4
100.0	98.8	96.2	95.9	95.4	96.1	96.4	96.5
115.5	**115.7**	**116.5**	**121.3**	**123.7**	**129.3**	**123.8**	**116.7**
103.6	106.6	108.5	111.7	113.5	116.7	116.3	118.5
115.6	115.7	116.3	121.2	123.7	129.5	124.0	116.5
104.5	**104.1**	**104.3**	**104.9**	**104.8**	**103.8**	**101.8**	**101.2**
105.8	105.2	105.5	106.2	106.0	104.7	102.0	101.3
100.6	100.7	100.7	100.8	100.7	101.1	101.1	101.0

9-9 各市居民消费价格分类指数（2004 年）

CONSUMER PRICE INDICES BY CATEGORY AND BY CITY（2004）

（上年 = 100） （preceding year = 100）

市别 City		总指数 General Index	服务项目 Services	食品 Food	#粮食 Grain	#油脂 Oil or Fat	#肉禽及其制品 Meat and Poultry	#蛋 Eggs	#水产品 Aquatic Products	#菜 Vegetables	#干鲜瓜果 Dried and Fresh Melons and Fruits
广　州	Guangzhou	101. 7	100. 8	105. 4	113. 1	108. 4	110. 1	121. 7	107. 8	104. 9	102. 8
深　圳	Shenzhen	101. 3	99. 7	106. 1	113. 7	111. 6	108. 3	112. 8	110. 6	103. 1	101. 8
珠　海	Zhuhai	102. 9	100. 8	108. 6	106. 9	117. 1	114. 9	120. 3	110. 1	108. 4	108. 3
汕　头	Shantou	103. 0	100. 1	107. 5	120. 6	111. 1	111. 8	111. 2	104. 1	107. 6	105. 4
佛　山	Foshan	102. 7	100. 7	107. 0	106. 5	106. 1	117. 0	125. 1	103. 3	102. 3	96. 5
韶　关	Shaoguan	103. 6	99. 6	110. 4	113. 4	107. 4	115. 5	117. 4	108. 3	107. 7	102. 5
河　源	Heyuan	102. 8	99. 6	107. 7	131. 0	111. 2	110. 7	121. 1	106. 8	98. 4	105. 8
梅　州	Meizhou	103. 4	100. 5	108. 5	125. 8	108. 3	113. 4	113. 5	107. 8	100. 7	99. 4
惠　州	Huizhou	102. 1	100. 9	105. 9	118. 2	110. 4	111. 9	111. 8	108. 2	94. 4	104. 5
汕　尾	Shanwei	102. 9	99. 4	106. 8	109. 3	109. 7	114. 0	113. 8	105. 3	97. 7	110. 0
东　莞	Dongguan	103. 0	99. 7	108. 6	119. 8	112. 2	115. 0	120. 0	114. 7	100. 8	95. 6
中　山	Zhongshan	103. 1	98. 6	112. 1	124. 4	115. 6	114. 7	114. 0	113. 3	95. 4	113. 3
江　门	Jiangmen	102. 5	100. 9	105. 2	103. 2	111. 7	112. 0	118. 8	106. 9	97. 7	97. 6
阳　江	Yangjiang	102. 8	99. 4	108. 2	112. 8	111. 3	118. 8	115. 3	98. 7	107. 0	97. 9
湛　江	Zhanjiang	103. 8	101. 4	108. 7	125. 8	126. 6	114. 8	120. 6	106. 6	98. 8	98. 7
茂　名	Maoming	102. 3	100. 1	105. 1	120. 1	115. 9	115. 9	112. 0	99. 8	94. 6	103. 4
肇　庆	Zhaoqing	103. 1	97. 7	109. 0	116. 1	114. 9	112. 9	120. 8	109. 1	100. 7	96. 2
清　远	Qingyuan	103. 0	101. 2	108. 2	121. 5	116. 8	113. 1	113. 4	111. 0	99. 1	113. 7
潮　州	Chaozhou	102. 5	100. 8	109. 0	118. 8	108. 4	117. 2	109. 8	103. 8	98. 7	110. 7
揭　阳	Jieyang	102. 3	99. 3	106. 2	116. 2	102. 8	116. 0	105. 3	101. 4	99. 5	104. 9
云　浮	Yunfu	101. 9	98. 0	105. 7	95. 5	100. 2	104. 5	103. 8	105. 3	122. 8	108. 4

9-9 **续表** continued

（上年＝100） (preceding year＝100)

市 别 City	#在外用膳食品 Outward Dinner	烟酒及用品 Tobacco, Liquor and Articles	衣着 Clothing	家用设备用品及维修服务 Household Facilities, Articles and Services	医疗保健和个人用品 Health Cares & Personal Articles	交通和通讯 Transportation and Communication	娱乐教育文化用品及服务 Recreation, Education & Culture Articles and Their Services	居住 Residence
广 州 Guangzhou	101.8	102.5	99.1	98.4	99.7	98.9	98.9	102.0
深 圳 Shenzhen	105.2	99.5	99.2	96.8	102.1	97.8	98.5	102.3
珠 海 Zhuhai	106.0	103.9	99.1	99.2	98.7	97.3	100.4	103.2
汕 头 Shantou	103.7	103.7	98.9	100.4	98.7	99.9	98.7	103.1
佛 山 Foshan	109.3	101.9	99.6	99.0	101.4	98.1	100.1	103.0
韶 关 Shaoguan	113.1	103.2	96.4	97.1	97.8	99.6	98.7	104.7
河 源 Heyuan	99.5	103.6	98.1	99.0	100.6	98.4	96.7	104.3
梅 州 Meizhou	98.0	101.8	95.7	99.9	97.8	100.3	99.0	104.8
惠 州 Huizhou	99.9	102.0	97.0	95.1	99.8	99.5	101.6	102.0
汕 尾 Shanwei	102.4	99.9	99.2	98.0	101.1	99.5	97.5	104.8
东 莞 Dongguan	103.2	96.7	93.2	98.2	99.0	99.8	98.9	105.6
中 山 Zhongshan	121.3	105.5	88.7	93.5	99.0	98.7	96.2	104.0
江 门 Jiangmen	103.7	101.3	97.5	98.1	100.4	99.2	98.9	106.4
阳 江 Yangjiang	106.4	103.8	97.1	95.3	99.6	96.1	99.0	104.7
湛 江 Zhanjiang	99.8	102.1	96.7	99.9	99.0	98.5	99.7	106.8
茂 名 Maoming	96.2	97.5	98.3	96.7	99.8	100.0	100.4	104.6
肇 庆 Zhaoqing	111.1	103.2	103.1	95.0	100.1	96.2	98.3	102.9
清 远 Qingyuan	101.5	100.1	98.7	96.3	99.9	97.1	100.1	103.7
潮 州 Chaozhou	105.8	102.1	92.9	94.3	100.4	92.3	99.4	105.5
揭 阳 Jieyang	100.0	100.6	100.0	99.6	96.0	98.2	96.8	105.1
云 浮 Yunfu	107.8	101.3	98.4	100.5	100.0	100.0	92.5	105.7

9-10 各市服务项目价格分类指数（2004 年）
SERVICE PRICE INDICES BY CATEGORY AND BY CITY (2004)

（上年＝100）　　　　(preceding year＝100)

市别 City	总指数 General Index	通信服务 Communi-cation Services	市区公共交通 Incity Traffic Fare	城市间交通 Intercity Traffic Fare	个人服务 Individual Service	文娱费 Cultural and Recreation	学杂托幼费 Tuition and Child Care	旅游及外出 Touring and Outgoing	医疗保健服务费 Health Care Services
广　州 Guangzhou	100. 8	100. 0	100. 0	101. 7	100. 6	100. 5	100. 0	106. 6	99. 3
深　圳 Shenzhen	99. 7	100. 0	100. 0	97. 7	99. 6	101. 8	100. 0	95. 5	100. 0
珠　海 Zhuhai	100. 8	100. 2	100. 2	99. 4	100. 8	102. 0	102. 3	98. 9	100. 9
汕　头 Shantou	100. 1	100. 0	99. 9	101. 0	99. 5	101. 1	100. 0	98. 1	100. 0
佛　山 Foshan	100. 7	100. 0	100. 0	99. 9	101. 4	99. 6	100. 0	103. 3	102. 2
韶　关 Shaoguan	99. 6	100. 0	100. 3	102. 1	100. 2	103. 7	100. 5	91. 2	101. 1
河　源 Heyuan	99. 6	100. 1	100. 0	102. 2	100. 1	100. 0	103. 6	82. 1	102. 3
梅　州 Meizhou	100. 5	100. 0	100. 6	104. 0	100. 1	99. 8	99. 6	99. 2	100. 0
惠　州 Huizhou	100. 9	100. 0	100. 0	99. 7	100. 6	100. 2	108. 5	98. 6	97. 0
汕　尾 Shanwei	99. 4	99. 9	100. 0	99. 1	101. 2	100. 0	97. 7	98. 3	101. 2
东　莞 Dongguan	99. 7	100. 0	100. 0	100. 4	100. 0	97. 4	100. 0	98. 1	100. 0
中　山 Zhongshan	98. 6	99. 1	100. 0	100. 1	98. 1	100. 6	95. 9	98. 6	100. 0
江　门 Jiangmen	100. 9	100. 7	100. 0	95. 6	101. 5	100. 2	103. 1	87. 3	98. 7
阳　江 Yangjiang	99. 4	99. 8	100. 0	104. 4	102. 1	101. 8	101. 9	88. 9	100. 0
湛　江 Zhanjiang	101. 4	100. 0	100. 0	103. 2	100. 4	104. 4	100. 0	102. 9	100. 0
茂　名 Maoming	100. 1	100. 0	100. 5	109. 0	87. 1	99. 0	101. 7	93. 7	100. 0
肇　庆 Zhaoqing	97. 7	97. 4	104. 3	88. 3	101. 2	100. 0	100. 0	98. 1	100. 2
清　远 Qingyuan	101. 2	99. 5	100. 0	99. 9	101. 2	101. 2	102. 3	101. 5	103. 7
潮　州 Chaozhou	100. 8	100. 0	103. 5	102. 1	104. 0	100. 2	101. 0	101. 0	104. 8
揭　阳 Jieyang	99. 3	100. 0	98. 8	98. 1	104. 0	98. 4	100. 9	84. 7	105. 3
云　浮 Yunfu	98. 0	99. 0	101. 5	121. 8	112. 8	95. 0	89. 4	92. 2	100. 3

9-11 农业生产资料价格分类指数
PRICE INDICES OF AGRICULTURAL MEANS OF PRODUCTION BY CATEGORY

（上年＝100）　　　　(preceding year＝100)

年份 year	总指数 General Index	小农具 Small Farm Tools	饲料 Forage	产品畜 Product Livestocks	役畜 Draught Animals	半机械化农具 Semi-mechanized Farm Tools	机械化农具 Mechanized Farm Machinery	化学肥料 Chemical Fertilizer	农药及农药械 Pesticide and Its Appliances	农用机油 Oil for Farm Machinery	其他农业生产资料 Other Agricultural Means of Production
2000	98. 1	97. 6	92. 2	106. 8	94. 4	95. 7	99. 0	94. 0	94. 5	120. 6	99. 4
2001	97. 1	100. 2	99. 5	96. 5	100. 5	99. 2	99. 4	95. 0	97. 0	97. 2	98. 3
2002	98. 4	97. 4	100. 0	92. 8	109. 3	99. 0	98. 9	96. 9	98. 1	102. 9	100. 9
2003	99. 6	97. 2	99. 1	105. 0	101. 8	100. 5	97. 6	97. 4	100. 6	106. 1	104. 4
2004	109. 4	101. 2	116. 0	127. 3	106. 4	102. 2	102. 0	111. 7	102. 3	104. 5	100. 6

9-12 各市居民消费定基价格分类指数（2004 年）
FIXED-BASE CONSUMER PRICE INDICES BY CATEGORY AND BY CITY（2004）

（2000 年 = 100） （2000 = 100）

市别 City	总指数 General Index	服务项目 Services	食品 Food	烟酒及用品 Tobacco, Liquor and Articles	衣着 Clothing	家用设备用品及维修服务 Household Facilities, Articles and Services	医疗保健和个人用品 Health Cares & Personal Articles	交通和通讯 Transportation and Communication	娱乐教育文化用品及服务 Recreation, Education & Cultural Articles and Their Services	居住 Residence
广　州 Guangzhou	98. 1	105. 1	102. 6	105. 2	90. 3	90. 6	94. 6	92. 5	90. 8	106. 7
深　圳 Shenzhen	100. 7	107. 1	104. 3	100. 9	102. 7	94. 5	102. 5	90. 8	97. 8	109. 0
珠　海 Zhuhai	98. 1	103. 6	102. 2	103. 9	94. 8	93. 3	94. 2	91. 6	98. 0	102. 2
汕　头 Shantou	100. 5	101. 3	104. 2	115. 4	95. 7	96. 7	94. 5	96. 8	98. 0	101. 1
佛　山 Foshan	100. 1	99. 1	106. 4	104. 3	100. 6	96. 6	97. 3	94. 9	93. 7	99. 6
韶　关 Shaoguan	102. 5	105. 3	108. 1	105. 0	91. 9	92. 6	101. 7	95. 8	100. 4	106. 7
河　源 Heyuan	101. 4	104. 6	106. 5	103. 7	107. 7	84. 5	102. 6	91. 8	100. 9	102. 0
梅　州 Meizhou	101. 1	104. 0	106. 5	102. 7	93. 0	90. 1	91. 3	96. 6	99. 8	107. 8
惠　州 Huizhou	100. 7	104. 9	104. 4	106. 3	102. 5	84. 3	96. 5	98. 2	101. 9	103. 4
汕　尾 Shanwei	101. 6	105. 7	105. 7	100. 0	93. 8	84. 5	101. 3	102. 3	95. 7	108. 1
东　莞 Dongguan	99. 9	98. 8	107. 2	104. 1	77. 7	95. 8	97. 0	97. 4	93. 3	104. 3
中　山 Zhongshan	103. 4	110. 5	108. 4	105. 8	89. 3	87. 2	98. 5	98. 0	106. 1	108. 6
江　门 Jiangmen	100. 3	102. 4	102. 4	98. 0	93. 3	92. 6	107. 3	95. 9	94. 1	106. 6
阳　江 Yangjiang	101. 3	102. 9	108. 7	104. 5	99. 4	88. 8	93. 6	95. 0	92. 4	104. 9
湛　江 Zhanjiang	101. 4	104. 7	108. 4	101. 3	91. 4	95. 3	95. 1	92. 2	96. 6	106. 9
茂　名 Maoming	101. 4	106. 8	101. 1	94. 4	95. 1	92. 4	95. 4	98. 0	105. 0	111. 4
肇　庆 Zhaoqing	98. 8	99. 3	106. 1	96. 5	95. 7	84. 9	94. 3	83. 4	96. 0	105. 8
清　远 Qingyuan	100. 4	100. 0	112. 5	102. 6	87. 7	82. 7	96. 1	92. 4	86. 7	106. 1
潮　州 Chaozhou	100. 9	117. 6	104. 4	102. 7	88. 4	83. 0	95. 4	87. 1	111. 7	109. 1
揭　阳 Jieyang	99. 6	97. 7	102. 6	108. 8	101. 2	99. 0	90. 5	91. 3	90. 2	107. 2
云　浮 Yunfu	100. 0	100. 3	101. 2	102. 3	91. 3	102. 0	101. 0	107. 5	86. 5	107. 1

9-13 居民消费定基价格分类指数（2004 年）
FIXED-BASE CONSUMER PRICE INDICES BY CATEGORY (2004)

（2000 年 = 100）　　　　(2000 = 100)

项目	Item	全 省 Provincial Indices	城 市 Urban Indices	农 村 Rural Indices
居民消费价格指数	**Consumer Price Index**	**101. 3**	**100. 9**	**102. 2**
非食品价格指数	**Non-food Price Index**	**99. 1**	**98. 7**	**99. 9**
服务项目价格指数	**Service Price Index**	**104. 9**	**105. 5**	**103. 2**
扣除鲜菜鲜果价格指数	**Price Index Deducting Fresh Vegetables and Fruits**	**101. 2**	**100. 7**	**102. 3**
消费品价格指数	**Consumer Goods Price Index**	**100. 2**	**99. 5**	**101. 9**
食品	**Food**	**105. 2**	**104. 9**	**106. 1**
粮食	Grain	114. 2	109. 6	122. 5
大米	Rice	121. 2	115. 2	131. 7
粮食制品	Grain Products	100. 9	99. 7	103. 5
淀粉及薯类	Starches and Tubers	103. 2	99. 4	113. 9
干豆类及豆制品	Beans and Its Products	108. 8	105. 7	114. 7
油脂	Oil or Fat	112. 0	107. 2	121. 1
肉禽及其制品	Meat, Poultry and Their Products	110. 5	110. 4	110. 4
蛋	Eggs	121. 0	122. 2	116. 8
水产品	Aquatic Products	99. 0	98. 0	104. 5
菜	Vegetables	101. 7	103. 6	97. 7
鲜菜	Fresh Vegetables	102. 7	104. 5	98. 9
干菜及菜制品	Dried Vegetables and Vegetable Products	95. 5	97. 7	90. 7
调味品	Flavoring	103. 6	104. 7	102. 1
糖	Carbohydrate	101. 4	103. 4	97. 6
食糖	Sugar	95. 1	94. 6	95. 4
糖果	Candy	108. 5	111. 6	100. 9
茶及饮料	Tea and Beverages	101. 8	103. 9	96. 8
干鲜瓜果	Dried and Fresh Melons and Fruits	101. 8	102. 2	100. 3
鲜果	Fresh Fruits	100. 1	101. 4	95. 4
糕点饼干面包	Cake, Biscuit and Bread	100. 6	101. 0	99. 6
奶及奶制品	Milk and Its Products	97. 9	96. 3	104. 7
在外用膳食品	Outward Dinner	101. 9	103. 4	97. 3
其它食品及食品加工服务	Other Foods and Manufacturing Services	97. 3	96. 3	99. 9
烟酒及用品	**Tobacco, Liquor and Articles**	**104. 1**	**104. 4**	**103. 7**
烟草	Tobacco	105. 2	105. 0	105. 4
酒	Liquor	102. 0	102. 9	100. 9
衣着	**Clothing**	**94. 7**	**95. 3**	**93. 4**
服装	Garments	93. 7	94. 8	91. 2
衣着材料	Clothing Material	103. 7	103. 4	104. 1
棉布	Cotton Cloth	105. 6	100. 2	109. 1
毛织品	Woolen Fabrics	97. 9	95. 9	101. 6
丝织品	Silk and Satin	103. 4	105. 2	100. 8
毛线	Knitting Wool	97. 8	99. 3	96. 5
鞋袜帽	Footwear and Hats	95. 2	95. 0	95. 4
鞋	Shoes	95. 0	94. 5	96. 8
袜子	Socks and Stockings	96. 9	98. 9	93. 2

9-13 **续表** continued

(2000年=100) (2000=100)

项目	Item	全省 Provincial Indices	城市 Urban Indices	农村 Rural Indices
帽子	Hats	92.1	91.8	93.3
衣着加工服务	Clothing Manufacturing Services	101.2	104.7	98.3
家庭设备用品及维修服务	**Household Facilities, Articles and Services**	**94.9**	**94.8**	**95.1**
耐用消费品	Durable Consumer Goods	88.7	87.6	91.5
家具	Furniture	94.8	93.8	97.0
家庭设备	Household Facilities	85.1	84.5	87.1
室内装饰品	Interior Decorations	97.0	96.4	97.9
床上用品	Bed Articles	96.4	96.7	95.5
家庭日用杂品	Daily Use Household Articles	96.4	96.7	95.8
家庭服务及加工维修服务	Other Household Services and Manufacturing Upkeep	114.0	116.5	105.3
医疗保健和个人用品	**Health Cares & Personal Articles**	**98.1**	**96.9**	**100.4**
医疗保健	Medical Appliances and Articles	97.0	95.6	100.0
中药材及中成药	Traditional Chinese Medicine	99.7	99.8	99.4
西药	Western Medicine	88.7	86.7	93.2
医疗保健服务	Health Care Services	107.8	105.3	112.3
个人用品及服务	Personal Articles and Services	100.1	99.6	100.8
化妆美容用品	Cosmetics and Its Articles	97.3	99.5	91.8
卫生用品	Sanitary Articles	94.4	93.9	94.9
个人饰品	Personal Decorations	106.3	106.5	105.8
个人服务	Personal Services	104.3	101.9	109.1
交通和通讯	**Transportation and Communication**	**94.6**	**94.7**	**94.3**
交通	Transportation	95.3	94.6	96.8
交通工具	Transportation Facility	82.5	82.2	82.9
市区公共交通	Incity Traffic	99.1	98.8	100.5
城市间交通	Intercity Traffic	103.7	100.4	113.0
通信	Telecommunication	93.8	94.6	91.5
通信工具	Telecommunication Facility	52.1	50.3	56.9
通信服务	Telecommunication Services	106.0	107.0	102.9
娱乐教育文化用品及服务	**Recreation, Education, Culture Articles and Their Services**	**97.6**	**98.0**	**96.6**
文娱用耐用消费品及服务	Durable Consumer Goods for Recreational Use	73.1	70.0	79.3
教育	Education	109.4	112.1	104.1
教材及参考书	Teaching Materials and Reference Books	109.3	109.1	109.6
学杂托幼费	Tuition and Children Care	109.3	112.4	103.0
文化娱乐用品	Cultural and Recreational Articles	105.3	106.6	101.5
文化娱乐	Stationery and Recreational Articles	98.6	99.6	95.8
书报杂志	Newspapers and Magazines	108.5	109.7	105.6
文娱费	Expenditure of Entertainment	110.1	111.7	103.2
旅游及外出	Touring and Outgoing	84.6	84.5	87.7
居住	**Residence**	**106.1**	**105.0**	**108.6**
建房及装修材料	Building and Building Decoration Materials	104.8	105.7	104.1
租房	Rent	118.1	119.7	109.0
自有住房	Private Housing	96.9	96.2	99.5
水、电、燃料	Water, Electricity and Fuels	107.4	103.8	116.5

9-14 主要食品全社会综合平均价格
COMPREHENSIVE AVERAGE PRICE OF MAJOR FOOD

单位：元/公斤 (yuan/kg)

食品名称	Food	规格等级	Standard and Rate	2003	2004
大米	Rice	标二	Standard Grade Two	2. 320	2. 830
大米	Rice	优质米	High-Quality Rice	3. 350	4. 087
面粉	Wheat Flour	富强粉	Fuqiang Flour	3. 443	4. 032
面饼	Wheat Cake	富强粉	Fuqiang Flour	4. 335	4. 656
绿豆	Mung Bean	一等	First Rate	6. 229	7. 282
花生油	Peanut Oil	一等	First Rate	10. 952	12. 474
猪肉	Pork	鲜上肉	Fresh High Quality Pork	12. 738	15. 438
猪瘦肉	Lean Pork	鲜	Fresh	17. 050	20. 665
牛肉	Beef	净肉	Net Beef	19. 496	22. 752
白条鸡	Bare Chicken	开膛	Split	13. 666	14. 404
活鸡	Live Chicken	中等	Middling	17. 301	18. 235
活鸭	Live Duck	中等	Middling	9. 992	11. 161
鸡蛋	Hen's Eggs	新鲜	Fresh	6. 160	7. 256
松花蛋	Preserved Eggs			10. 348	11. 562
鲜带鱼	Fresh Hairtail			15. 714	16. 924
胖头鱼	Variegated Carp	鲜活	Fresh and Live	7. 943	8. 952
草鱼	Grass Carp	鲜活	Fresh and Live	9. 093	10. 248
小海米	Small Shrimps	二级	Second Rate	75. 412	79. 258
鲜菜	Fresh Vegetables	综合一等	Comprehensive First Rate	4. 526	4. 707
豆腐	Bean Curd	水豆腐	Flowing Bean Curd	1. 892	2. 009
精盐	Refined Salt	再制盐	Made of Refined Salt Again	2. 014	2. 008
酱油	Soy Sauce	（瓶）	(Bottle)	3. 933	4. 039
味精	Gourmet Powder	一等	First rate	18. 314	18. 131
白砂糖	White Granulated Sugar	一级	First rate	3. 914	4. 110
白酒	Spirits	散装	In Bulk	4. 912	5. 118
啤酒	Beer	熟 12 度（瓶）	Ripe 12 Degree (Bottle)	3. 717	3. 687
花茶	Jasmine Tea	二级	Second Rate	21. 740	22. 088
乌龙茶	Oolong Tea	二级	Second Rate	21. 988	22. 340
香菇	Mushroom	一级	First Rate	62. 673	63. 989
花生米	Peanut Seed	一级	First Rate	6. 640	7. 244
面包	Bread	中等	Middling	10. 341	10. 527
奶粉	Milk Powder	国产	Domestic Products	9. 563	9. 840
汽水	Aerated Water	（小瓶）	(Small Bottle)	0. 739	0. 741

9-15 工业品出厂价格指数（2004 年）
EX-FACTORY PRICE INDICES OF INDUSTRIAL PRODUCTS（2004）

（上年＝100） （preceding year＝100）

项　　目	Item	指数 Indices
工业品出厂价格分类指数	**Ex-factory Price Indices of Industrial Products**	**101.7**
按轻重工业分	**Grouped by Light and Heavy Industries**	
轻　工　业	Light Industry	100.2
以农产品为原料	Using Farm Products as Raw Materials	103.0
以非农产品为原料	Using Nonfarm Products as Raw Materials	99.5
重　工　业	Heavy Industry	105.4
采　　掘	Mining and Quarrying	121.3
原　　料	Raw Materials	106.8
加　　工	Manufacturing	102.7
按生产生活资料分	**Grouped by Light and Heavy Industries**	
生产资料	Means of Production	103.1
采　　掘	Mining and Quarrying	121.3
原　　料	Raw Materials	106.5
加　　工	Manufacturing	101.3
生活资料	Consumer Goods	99.9
食　　品	Food	103.8
衣　　着	Clothing	102.1
一般日用品	Articles for Daily Use	100.5
耐用消费品	Durable Consumer Goods	97.4
按工业部门分	**Grouped by Industrial Sectors**	
冶金工业	Metallurgical Industry	111.9
电力工业	Power Industry	100.5
煤炭及炼焦工业	Coal and Coking Industry	106.3
石油工业	Petroleum Industry	114.9
化学工业	Chemical Industry	105.5
机械工业	Machine Industry	98.4
建筑材料工业	Building Materials Industry	105.2
森林工业	Timber Industry	100.0
食品工业	Food Industry	105.4
纺织工业	Textile Industry	103.5
缝纫工业	Tailoring Industry	102.6
皮革工业	Leather Industry	101.3
造纸工业	Paper-making Industry	98.9
文教艺术用品工业	Industry for Cultural，Educational & Art Articles	99.0
其它工业	Others	101.2

9-16 各市工业品出厂价格指数（2004 年）
EX-FACTORY PRICE INDICES OF INDUSTRIAL PRODUCTS BY CITY（2004）

（上年＝100） （preceding year＝100）

市　别　City	指　数　Indices	市　别　City	指　数　Indices
全　省　Province	**101.7**	东　莞　Dongguan	101.4
广　州　Guangzhou	102.1	中　山　Zhongshan	101.6
深　圳　Shenzhen	99.5	江　门　Jiangmen	103.3
珠　海　Zhuhai	100.1	阳　江　Yangjiang	104.4
汕　头　Shantou	103.1	湛　江　Zhanjiang	109.0
佛　山　Foshan	102.2	茂　名　Maoming	109.2
韶　关　Shaoguan	111.7	肇　庆　Zhaoqing	102.2
河　源　Heyuan	111.5	清　远　Qingyuan	104.8
梅　州　Meizhou	107.6	潮　州　Chaozhou	101.1
惠　州　Huzhou	99.5	揭　阳　Jieyang	102.3
汕　尾　Shanwei	101.1	云　浮　Yunfu	105.0

9-17 分行业工业品出厂价格指数（2004 年）

EX-FACTORY PRICE INDICES OF INDUSTRIAL PRODUCTS BY SECTOR（2004）

（上年 = 100）　　　　（preceding year = 100）

项　目	Item	指数　Indices
工业品出厂价格分类指数	**Ex-factory Price Indices of Industrial Products**	**101.7**
按工业行业分	**Grouped by Industrial Sector**	
#煤炭开采和洗选业	Coal Mining and Dressing	132.5
石油和天然气开采业	Petroleum and Natural Gas Extraction	119.3
黑色金属矿采选业	Ferrous Metal Minerals Mining and Dressing	237.8
有色金属矿采选业	Nonferrous Metals Minerals Miningand Dressing	134.6
非金属矿采选业	Non metal Minerals Mining and Dressing	102.2
其他矿采选业	Other Minerals Mining and Dressing	
农副食品加工业	Farm and Side line Food Processing	110.2
食品制造业	Food Manufacturing	102.6
饮料制造业	Beverage Manufacturing	99.0
烟草制品业	Tobacco Products	105.5
纺织业	Textile Industry	103.8
纺织服装、鞋、帽制造业	Textile Garments, Foot wear and Headgear Manufacturing	102.0
皮革、毛皮、羽毛（绒）及其制品业	Feather, Furs, Downand Related Products	101.4
木材加工及木、竹、藤、棕、草制品业	Timber Processing, Bamboo, Cane, Palm Fiber & Straw Products	100.6
家具制造业	Furniture Manufacturing	100.5
造纸及纸制品业	Paper making and Paper Products	98.9
印刷业和记录媒介的复制	Printing and Record Medium Reproduction	101.9
文教体育用品制造业	Cultural, Educational and Sports Goods	100.0
石油加工、炼焦及核燃料加工业	Petroleum Refining, Coking and Nuclear Fuel Processing	113.7
化学原料及化学制品制造业	Raw Chemical Materials and Chemical Products	106.4
医药制造业	Medical and Pharmaceutical Products	96.9
化学纤维制造业	Chemical Fiber	105.9
橡胶制品业	Rubber Products	99.9
塑料制品业	Plastic Products	106.8
非金属矿物制品业	Nonmetal Mineral Products	104.8
黑色金属冶炼及压延加工业	Smelting and Pressing of Ferrous Metals	120.0
有色金属冶炼及压延加工业	Smelting and Pressing of Nonferrous Metals	120.5
金属制品业	Metal Products	103.1
通用设备制造业	General Purposes Equipment Manufacturing	102.3
专用设备制造业	Special Purposes Equipment Manufacturing	98.6
交通运输设备制造业	Transport Equipment Manufacturing	99.5
电气机械及器材制造业	Electric Equipment and Machinery	99.7
通信设备、计算机及其他电子设备制造业	Telecommunications, Computersand Other Electronic Equipment Manufacturing	97.4
仪器仪表及文化、办公用机械制造业	Instruments, Meters, Cultural and Office Machinery	97.8
工艺品及其他制造业	Handicraft and Other Manufacturing	100.8
电力、热力的生产和供应业	Production and Supply of Electric Power, Steamand Hot Water	100.5
燃气生产和供应业	Production and Supply of Gas	111.2
水的生产和供应业	Production and Supply of Tap Water	101.7

9-18 原材料、燃料、动力购进价格指数（2004 年）
PURCHASING PRICE INDICES OF RAW MATERIALS，FUELS AND POWER（2004）

（上年 = 100） （preceding year = 100）

项　　目	Item	指数 Indices
原材料、燃料、动力购进价格指数	**Purchasing Price Indices of Raw Materials，Fuels and Power**	**108.3**
按材料类别分	**Grouped by Material**	
燃料、动力类	Fuels and Power	112.5
黑色金属材料类	Ferrous Materials	126.2
#钢材	Of which：Steel	117.3
其它	Others	143.6
有色金属材料和电线类	Nonferrous Materials and Wires	116.2
化工原料类	Chemical Materials	115.2
木材及纸浆类	Timber and Pulp	102.5
建筑材料及非金属矿类	Building Materials and Nonmetal Minerals	103.9
其它工业原材料及半成品类	Raw Materials and Semi-finished Products of Other Industries	102.1
农副产品类	Farm and Sideline Products	103.4
纺原料类	Textile Raw Materials	100.9
按行业分	**Grouped by Sector**	
#煤炭开采和洗选业	**CoalMiningandDressing**	**119.0**
石油和天然气开采业	PetroleumandNaturalGasExtraction	109.5
黑色金属矿采选业	FerrousMetalMineralsMiningandDressing	106.8
有色金属矿采选业	NonferrousMetalsMineralsMiningandDressing	106.0
非金属矿采选业	NonmetalMineralsMiningandDressing	118.0
其他矿采选业	OtherMineralsMiningandDressing	105.1
农副食品加工业	FarmandSidelineFoodProcessing	112.4
食品制造业	FoodManufacturing	109.9
饮料制造业	BeverageManufacturing	105.8
烟草制品业	TobaccoProducts	109.1
纺织业	TextileIndustry	105.0
纺织服装、鞋、帽制造业	TextileGarments，FootwearandHeadgearManufacturing	105.7
皮革、毛皮、羽毛（绒）及其制品业	Feather，Furs，DownandRelatedProducts	104.6
木材加工及木、竹、藤、棕、草制品业	TimberProcessing，Bamboo，Cane，PalmFiber&StrawProducts	112.8
家具制造业	FurnitureManufacturing	109.2
造纸及纸制品业	PapermakingandPaperProducts	105.8
印刷业和记录媒介的复制	PrintingandRecordMediumReproduction	105.7
文教体育用品制造业	Cultural，EducationalandSportsGoods	106.5
石油加工、炼焦及核燃料加工业	PetroleumRefining，CokingandNuclearFuelProcessing	112.8
化学原料及化学制品制造业	RawChemicalMaterialsandChemicalProducts	116.1
医药制造业	MedicalandPharmaceuticalProducts	105.0
化学纤维制造业	ChemicalFiber	114.5
橡胶制品业	RubberProducts	114.9
塑料制品业	PlasticProducts	114.6
非金属矿物制品业	NonmetalMineralProducts	110.6
黑色金属冶炼及压延加工业	SmeltingandPressingofFerrousMetals	119.0
有色金属冶炼及压延加工业	SmeltingandPressingofNonferrousMetals	112.6
金属制品业	MetalProducts	110.2
通用设备制造业	GeneralPurposesEquipmentManufacturing	108.3
专用设备制造业	SpecialPurposesEquipmentManufacturing	109.8
交通运输设备制造业	TransportEquipmentManufacturing	106.3
电气机械及器材制造业	ElectricEquipmentandMachinery	111.6
通信设备、计算机及其他电子设备制造业	Telecommunications，ComputersandOtherElectronicEquipmentManufacturing	106.8
仪器仪表及文化、办公用机械制造业	Instruments，Meters，CulturalandOfficeMachinery	103.3
工艺品及其他制造业	HandicraftandOtherManufacturing	110.3
电力、热力的生产和供应业	ProductionandSupplyofElectricPower，SteamandHotWater	114.4
燃气生产和供应业	ProductionandSupplyofGas	125.5
水的生产和供应业	ProductionandSupplyofTapWater	103.8

主要统计指标解释

零售价格指数 是反映城乡商品零售价格变动趋势的一种经济指数。零售物价的调整变动直接影响到城乡居民的生活支出和国家的财政收入，影响居民购买力和市场供需平衡，影响消费与积累的比例。因此，计算零售价格指数，可以从一个侧面对上述经济活动进行观察和分析。

居民消费价格指数 是反映一定时期内城乡居民所购买的生活消费品价格和服务项目价格变动趋势和程度的相对数。是综合了城市居民消费价格指数和农村居民消费价格指数计算取得。利用居民消费价格指数，可以观察和分析消费品的零售价格和服务项目价格变动对城乡居民实际生活费支出的影响程度。

城市居民消费价格指数 是反映城市居民家庭所购买的生活消费品和服务项目价格变动趋势及其程度的相对数。编制城市居民消费价格指数，可以观察和分析消费品的零售价格和服务项目价格变动对职工货币工资的影响，作为研究职工生活和确定工资政策的依据。

农村居民消费价格指数 是反映农村居民家庭所购买的生活消费品的价格和服务项目价格变动趋势和程度的相对数。用它可以观察农村消费品的零售价格和服务项目价格变动对农村居民生活消费支出的影响，直接反映农民生活水平的实际变化情况，为分析和研究农村居民生活问题提供依据。

农产品收购价格指数 是反映国有商业、集体商业、个体商业、外贸部门、国家机关、社会团体等各种经济类型的商业企业和有关部门收购农产品价格的变动趋势和程度的相对数。农产品收购价格指数可以观察和研究农产品收购价格总水平的变化情况，以及对农民货币收入的影响，作为制订和检查农产品价格政策的依据。

农村工业品零售价格指数 是反映农村市场工业品零售价格水平变动趋势和程度的相对数。通过农村工业品零售价格指数，可以观察工业品零售价格变动对农民货币支出的影响。

工业品出厂价格指数 是反映各工业部门主要工业产品出厂价格变动趋势和程度的相对数。编制该价格指数，用以观察和分析在生产环节中工业品价格变动对企业经济效益及宏观经济运行的影响，并为工业增长速度的科学计算提供重要的依据。

原材料、燃料和动力购进价格指数 是反映工业企业购进原材料、燃料、动力价格的变动趋势和程度的相对数。编制该价格指数，是从投入的角度，观察和分析物料投入价格水平变动对工业产出的影响。

Explanatory Notes on Main Statistical Indicators

Retail Price Index reflects the general change in retail prices of commodities. The change and adjustment in retail prices directly affects the living expenditure of urban and rural residents, the governmental revenue, the purchasing power of residents and the equilibrium of market supply and demand, and the ratio of consumption to accumulation. Therefore, the calculation of retail price index is useful to analyze the changes of the above economic activities.

Consumer Price Index reflects the trend and degree of changes in prices of consumer goods and services purchased by urban and rural residents, and is a composite index derived from the urban consumer price index and the rural consumer price index. Consumer price index can be used to analyze the impact of consumer price change on actual expenditure for living cost of urban and rural residents.

Urban Consumer Price Index reflects the trend and degree of changes in prices of consumer goods and services purchased by urban residents and can be used to observe and analyze the impact of price changes in consumer goods and services on money wages of staff and workers, and provide the basis for policy making concerning the living cost and the wages of staff and workers.

Rural Consumer Price Index reflects the trend and degree of changes in prices of consumer goods and services purchased by rural households and can be used to observe and analyze the impact of change in prices of consumer goods and services on living expenditure and actual changes in the living standards of peasants. It provides the basis for analysis and research on the condition of life in rural areas.

Index of Purchasing Prices of Farm Products reflects the trend and degree of changes in purchasing prices of farm products purchased by state-owned, collective owned, and individual commercial enterprises, foreign trade sectors, government agencies, social organizations and other units of various types of ownership. It is used to observe the impact of change in purchasing prices of farm products on money income of peasants and is calculated with the method of weighted harmonic mean, taking the amount of purchases during a given period as the weight.

Retail Price Index of Rural Industrial Products reflects the trend and degree of changes in prices of industrial products in rural market and can be used to observe the impact of the price change on farmers´money expenditure.

Ex-factory Price Index of Industrial Products reflects the trend and degree of changes in ex-factory prices of main industrial products of all sectors of the industry. It can be used to observe and analyze the impact of ex-factory price change on enterprise efficiency in the course of manufacture and macroeconomic, and provide important data for scientific calculation of the growth rate of industry.

Index of Purchasing Price of Raw Materials, Fuels and Power reflects the trend and degree of changes in price of raw materials, fuels and power purchased by industry enterprises. In point of input, it can be used to observe and analyze the impact of price changes in raw materials, fuels and power on industrial output.

十 人民生活

PEOPLE'S LIVELIHOOD

10

十　人民生活

简要说明

一、本篇资料反映广东城乡居民生活状况，包括就业、居民收支、消费水平、住房及主要消费品消费量和拥有量等基本情况。

二、本篇资料分别由广东省城市社会经济调查队住户处和广东省农村社会经济调查队住户处整理提供。

三、本篇中有关城镇居民生活状况的数据来源于广东省城市社会经济调查队的城市住户抽样调查资料。主要内容包括家庭人口及其构成、家庭现金收支、主要商品购买数量及支出金额、劳动就业状况、居住状况和耐用消费品的拥有量等。

四、有关农村居民生活的统计资料主要来源于广东省农村社会经济调查队的农村住户抽样调查。主要内容包括农村居民家庭基本情况、农产品生产情况、家庭总收支和现金收支、出售产品和购买农业生产资料商品、主要消费品消费量、耐用消费品拥有量等。

10　PEOPLE'S LIVELIHOOD

Brief Introduction

Ⅰ. The data in this chapter show the basic conditions of thepeople's livelihood in the urban and rural areas of Guangdong Province, including employment, income and expenditure of the residents, level of consumption, housing condition, consumption and possession of the major consumer goods, etc.

Ⅱ. The data in this chapter are prepared and provided by the Division of Urban Household Survey of Guangdong Urban Social-economic Survey Organization and the Division of Rural Household Survey of Guangdong Rural Social-economic Survey Organization respectively.

Ⅲ. The data on the livelihood of the urban residents come from the data collected by the sample survey on the urban households, which is organized by Guangdong Urban Social-economic Survey Organization. The main content of the survey includes the population in the household and its composition, the cash income and expenditure of the household, the quantity of major commodities purchased and the expenditure for them, the employment of the household members, the housing condition and the ownership of the durable consumer goods, etc.

Ⅳ. The data on the livelihood of the rural residents mainly come from the data collected by the sample survey on the rural households, which is organized by Guangdong Rural Social-economic Survey Organization. The main content of the survey includes the basic conditions of the rural households, the production of agricultural products, the total income and expenditure of the household, the cash income and expenditure of the household, the products sold and the means of agricultural production purchased, the consumption of major consumer goods and the quantity of durable consumer goods owned, etc.

10-1 人民生活主要指标
MAIN INDICATORS ON PEOPLES LIVELIHOOD

指　　标	Item	1990	1995	2000	2003	2004
居民人均消费水平（元）	Annual Per Capita Consumption (yuan)	1211	3832	5007	6190	7286
城镇居民	Urban Residents	2207	7192	9737	10471	11447
农村居民	Rural Residents	890	2407	2855	3086	3374
城镇居民家庭每一就业者负担人口（人）	Number of Dependents per Urban Employee (person)	1. 74	1. 73	1. 81	1. 91	1. 89
城镇居民家庭人均可支配收入（元）	Annual Per Capita Disposable Income of Urban Residents (yuan)	2303. 15	7438. 68	9761. 57	12380. 4	13627. 65
城镇居民家庭人均消费性支出（元）	Annual Per Capita Expenditure for Living Cost of Urban Residents (yuan)	1983. 86	6253. 68	8016. 91	9636. 24	10694. 79
商品支出	Per Capita Expenditure on Commodities	1749. 76	5124. 12	6109. 04	7167. 36	7323. 44
食品	Food	1134. 84	3003. 05	3096. 33	3583. 68	3953. 30
衣着	Clothing	137. 12	421. 73	369. 99	559. 92	620. 07
用品	Household Faculties and Articles	423. 79	1560. 30	2449. 16	2806. 44	2515. 80
燃料	Fuels	54. 01	139. 04	193. 56	217. 32	234. 27
非商品支出	Per Capita Expenditure on Non-commodities	234. 10	1129. 56	1907. 87	2468. 88	3371. 35
城镇居民人均使用面积（平方米）	Per Capita Living Floor Space for Use (sq. m)	12. 13	16. 24	19. 51	24. 63	25. 12
每百户城镇居民家庭耐用消费品拥有量	Number of Major Durable Consumer Goods Owned per 100 Urban Households					
彩色电视机（台）	Color TV Set (unit)	74. 53	104. 97	135. 58	152. 52	154. 69
电冰箱（台）	Refrigerator (unit)	52. 80	74. 00	81. 87	92. 56	93. 42
洗衣机（台）	Washing Machine (unit)	80. 73	94. 01	97. 50	97. 71	97. 36
摩托车（辆）	Motorcycle (unit)	3. 33	22. 59	58. 84	75. 18	76. 91
农村居民家庭每个劳动力负担人口（人）	Number of Dependents per Rural Laborer (person)	1. 74	1. 72	1. 65	1. 54	1. 53
农村居民人均纯收入（元）	Annual Per Capita Net Income of Rural Households (yuan)	1043. 03	2699. 24	3654. 48	4054. 58	4365. 87
农村居民人均生活费支出（元）	Annual Per Capita Expenditure for Living Cost of Rural Households (yuan)	932. 63	2255. 01	2646. 02	2927. 35	3240. 78
#食　　品	Food	538. 18	1228. 00	1317. 48	1402. 04	1581. 68
衣　　着	Clothing	39. 48	91. 31	104. 21	117. 68	116. 83
居　　住	Residence	174. 60	345. 65	378. 86	469. 48	494. 89
家庭设备、用品及服务	Household Facilities, Articles and Services	50. 28	140. 45	125. 65	121. 85	131. 17
文化教育娱乐用品及服务	Recreational, Educational and Cultural Articles and Services	66. 99	245. 16	313. 46	305. 86	314. 34
农村居民人均生活用房面积（平方米）	Per Capita Living Floor Space of Rural Households (sq. m)	17. 39	20. 83	22. 42	24. 79	25. 48
农村每百户耐用品拥有量	Number of Major Durable Goods Owned per 100 Rural Households					
电视机（台）	Television Set (unit)	50. 31	86. 20	102. 42	109. 22	108. 83
电冰箱（台）	Refrigerator (unit)	1. 17	7. 90	15. 12	18. 95	20. 35
摩托车（辆）	Motorcycle (unit)	1. 84	15. 73	54. 18	71. 41	77. 07
电话机（部）	Telephone Set (unit)	1. 20	9. 40	40. 82	70. 20	78. 01

注：城镇居民人均使用面积2001年以前为居住面积。
Note: Before 2001, per capita floor space for urban residents´use referred to per capita floor space for living.

10-2 城镇居民家庭基本情况
BASIC CONDITIONS OF URBAN HOUSEHOLDS

项　目	Item	1990	1995	2000	2003	2004
一、调查户数　(户)	**Number of Households Surveyed　(household)**	**1500**	**1550**	**1600**	**1600**	**1600**
二、平均每户家庭人口　(人)	**Average Household Size　(person)**	**3.85**	**3.58**	**3.57**	**3.31**	**3.28**
三、平均每户就业人口　(人)	**Average Number of Employed Persons per Household　(person)**	**2.21**	**2.07**	**1.97**	**1.73**	**1.74**
四、平均每户就业率　(%)	**Percentage of Employment per Household　(%)**	**57.3**	**57.8**	**55.2**	**52.27**	**53.05**
五、平均每人可支配收入　(元)	**Per Capita Disposable Income　(yuan)**	**2303.15**	**7438.68**	**9761.57**	**12380.40**	**13627.65**
#平均每人工资性收入　(元)	Per Capita Wages Income　(yuan)	1527.47	4908.21	6286.48	10413.48	11646.42
六、平均每人消费性支出　(元)	**Per Capita Expenditure on Consumption　(yuan)**	**1983.86**	**6253.68**	**8016.91**	**9636.24**	**10694.79**
商品支出	Expenditure on Commodities	1749.76	5124.12	6109.04	7167.36	7323.44
食品	Food	1134.84	3003.05	3096.33	3583.68	3953.30
衣着	Clothing	137.12	421.73	369.99	559.92	620.07
用品	Household Facilities and Articles	423.79	1560.30	2449.16	2806.44	2515.80
燃料	Fuels	54.01	139.04	193.56	217.32	234.27
非商品支出	Expenditures on Non-commodities	234.10	1129.56	1907.87	2468.88	3371.35
#房租	Rent	12.24	120.16	301.97	48.24	44.55
水电费	Tap Water and Electricity Fees	56.91	194.52	384.41	436.32	463.50
七、平均每人使用面积(平方米)	**Per Capita Floor Space for Use　(sq. m)**	**12.13**	**16.24**	**19.51**	**24.63**	**25.12**
八、平均每人购买商品情况	**Per Capita Purchases of Major Commodities**					
粮食　(公斤)	Grain　(kg)	116.48	87.94	72.64	70.8	71.78
猪肉　(公斤)	Pork　(kg)	22.42	20.82	19.56	28.92	28.82
牛羊肉　(公斤)	Beef and Mutton　(kg)	2.38	2.07	2.08	2.76	3.06
家禽　(公斤)	Poultry　(kg)	8.41	14.38	15.91	17.28	17.21
蛋　(公斤)	Eggs　(kg)	4.78	7.01	7.00	7.2	6.79
鱼　(公斤)	Fish　(kg)	17.38	20.31	23.54	19.56	19.23
食用植物油　(公斤)	Edible Vegetable Oil　(kg)	4.45	6.98	7.45	8.28	8.95
鲜菜　(公斤)	Fresh Vegetable　(kg)	100.70	102.71	102.36	104.4	106.59
鲜瓜果　(公斤)	Fresh Fruits　(kg)	21.67	28.09	35.31	38.04	37.61
鲜奶品　(公斤)	Fresh Dairy Products　(kg)	0.81	1.66	3.34	10.44	8.97
酒类　(公斤)	Alcoholic Liquor　(kg)	3.20	3.21	2.60	2.76	2.41
服装　(件)	Garments　(piece)	2.60	6.33	6.73	8.76	8.41
鞋类　(双)	Shoes　(pair)	0.36	0.41	1.98	2.4	2.34
九、平均每百户主要消费品 年末拥有量	**Number of Major Durable Consumer Goods** Owned by per 100 Households at the Year-end					
摩托车　(辆)	Motorcycle　(unit)	3.33	22.58	58.84	75.18	76.91
家用汽车　(辆)	Car　(unit)			1.70	4.37	6.56
洗衣机　(台)	Washing Machine　(unit)	80.73	94.01	97.50	97.71	97.36
电冰箱　(台)	Refrigerator　(unit)	52.80	74.00	81.87	92.56	93.42
彩色电视机　(台)	Color Television Set　(unit)	74.53	104.97	135.59	152.52	154.69
影碟机　(台)	Video Disc Player　(unit)			65.19	81.24	85.64
家用电脑　(台)	Computer　(unit)			25.78	56.02	50.43
组合音响　(台)	Hi-fi Stereo Component System　(unit)	9.40	31.27	48.55	51.47	54.33
摄像机　(台)	Pickup Camera　(unit)			1.97	3.79	4.83
微波炉　(台)	Microwave Oven　(unit)			29.86	54.64	58.65
空调器　(台)	Air Conditioner　(unit)	2.87	41.20	98.04	141.99	155.95
移动电话　(台)	Mobile Telephone　(unit)			57.94	150.66	170.86

注：城镇居民人均使用面积2001年以前为居住面积。
Note: Before 2001, per capita floor space for urban residents′use referred to per capita floor space for living.

10-3 城镇居民人均可支配收入及消费性支出

PER CAPITA DISPOSABLE INCOME AND EXPENDITURE FOR CONSUMPTION OF URBAN RESIDENTS

年份 Year	人均可支配收入（元） Per Capita Disposable Income (yuan)	比上年增长% Growth Rate over Preceding Year (%)		人均消费性支出（元） Per Capita Expenditure on Consumption (yuan)	比上年增长% Growth Rate over Preceding Year (%)	
		名义增长 Nominal Growth	实际增长 Real Growth		名义增长 Nominal Growth	实际增长 Real Growth
1978	412. 13			399. 96		
1979	416. 33	1. 0	-3. 4	424. 96	6. 2	1. 5
1980	472. 57	13. 5	3. 7	485. 76	14. 4	4. 5
1981	560. 69	18. 6	11. 6	517. 44	6. 5	0. 2
1982	631. 45	12. 6	9. 8	592. 08	14. 4	11. 5
1983	714. 20	13. 1	10. 0	660. 12	11. 5	8. 5
1984	818. 37	14. 6	12. 4	744. 36	12. 8	10. 7
1985	954. 12	16. 6	-0. 4	889. 56	19. 5	2. 1
1986	1102. 09	15. 5	10. 3	998. 88	12. 3	7. 2
1987	1320. 89	19. 9	6. 3	1215. 84	21. 7	7. 9
1988	1583. 13	19. 9	-7. 4	1506. 99	23. 9	-4. 3
1989	2086. 21	31. 8	8. 1	1921. 05	27. 5	4. 6
1990	2303. 15	10. 4	13. 3	1983. 86	3. 3	6. 0
1991	2752. 18	19. 5	16. 8	2388. 77	20. 4	17. 7
1992	3476. 70	26. 3	16. 5	2830. 62	18. 5	10. 4
1993	4632. 38	33. 2	9. 2	3777. 43	33. 4	10. 3
1994	6367. 08	37. 4	13. 6	5181. 30	37. 2	13. 4
1995	7438. 68	16. 8	3. 3	6253. 68	20. 7	6. 7
1996	8157. 81	9. 7	2. 3	6736. 09	7. 7	0. 5
1997	8561. 71	5. 0	2. 8	6853. 48	1. 7	-0. 3
1998	8839. 68	3. 2	5. 0	7054. 09	2. 9	4. 7
1999	9125. 92	3. 2	4. 9	7517. 81	6. 6	8. 3
2000	9761. 57	7. 0	4. 7	8016. 91	6. 6	4. 3
2001	10415. 19	6. 7	7. 6	8099. 63	1. 0	1. 8
2002	11137. 20	9. 1	10. 6	8988. 48	11. 0	12. 6
2003	12380. 40	11. 2	10. 4	9636. 24	7. 2	6. 5
2004	13627. 65	10. 1	7. 3	10694. 79	11. 0	8. 2

注：1. 可支配收入＝家庭总收入－交纳所得税－个人交纳的社会保障支出－记帐补贴。

2. 消费性支出指用于日常生活的全部支出，包括食品、衣着、家庭设备用品及服务 、医疗保健、交通和通讯、娱乐教育文化服务、居住、杂项商品和服务等八大类支出。

3. 2002 年人均可支配收入增幅按可比口径计算。

Note: a) Disposable Income = Total Income of Households - Income Tax Payable - Personal Expenditure on Social Security - Sample Household Subsidy for Keeping Dairies

b) Consumption expenditure refers to total expenditure of the sample households for consumption in daily life, including expenditure on eight categories such as food, clothing, household appliances and services, medicine and medical services, transport and communications, recreational, educational and cultural services, housing, miscellaneous commodities and services.

c) The growth rates of per capita disposable income in 2002 are calculated at comparable prices.

10-4 按收入等级分的城镇居民家庭平均每人全年现金收入（2004 年）

单位：元

项　　目	Item	总平均 Average	最低收入户 Lowest Income Households	#困难户 Poor Households
一、家庭总收入	**Total Income of Households**	**14953.39**	**3911.26**	**3334.79**
可支配收入	Of which: Disposable Income	13627.65	3720.10	3148.46
（一）工薪收入	Income from Wages and Salaries	11646.42	2427.99	2023.19
工资及补贴收入	Income from Wages and Subsidies	11502.42	2242.02	1768.20
其他劳动收入	Other Incomes	143.99	185.97	254.98
（二）经营净收入	Net Business Income	738.35	487.05	319.74
（三）财产性收入	Property Income	371.29	32.48	26.41
利息收入	Interest Income	22.71		
股息与红利收入	Dividend and Bonus Income	87.66	7.99	15.20
保险收益	Insurance Revenue	2.76		
其它投资收入	Other Investment Income	2.65	0.20	
出租房屋收入	Lease Income	252.66	24.15	10.95
知识产权收入	Intellectual Property Income	0.01		
其他财产性收入	Other Property Incomes	2.84	0.14	0.25
（四）转移性收入	Transfer Income	2197.34	963.75	965.45
养老金或离退休金	Pension or Retirement Annuities	1360.44	570.03	555.82
社会救济收入	Social Relief Income	13.50	47.30	77.53
辞退金	Dismissal Income	63.44	0.05	
赔偿收入	Compensation Income	0.68		
保险收入	Insurance Income	38.28	38.54	38.92
# 失业保险金	Of which: Unemployment Insurance Benefits	29.71	38.54	38.92
赡养收入	Alimony Income	187.62	90.09	60.52
捐赠收入	Donated Income	326.18	154.13	167.19
亲友搭伙费	Income from Regular Meals of Kinfolk	71.74	9.84	10.44
提取住房公积金	Withdrawal of Public Reserve Funds for Housing	5.10		
记帐补贴	Sample Household Subsidy for Keeping Dairies	83.35	47.49	47.62
其他转移性收入	Other Transfer Incomes	47.01	6.28	7.41
二、出售财物收入	**Income from Selling Properties**	**95.34**	**2.05**	**2.53**
出售住房收入	Income from Selling Houses	78.03		
出售其他物品收入	Income from Selling Other Properties	17.31	2.05	2.53
三、借贷收入	**Loan Income**	**5131.11**	**442.09**	**428.52**
提取储蓄存款	Withdrawal of Savings Deposits	4529.16	383.61	386.34
借入款	Borrowed Money	155.80	50.38	38.83
收回借出款	Repayment of Loans Receivable	26.19	3.58	0.42
收回储蓄性保险本	Insured Savings Receivable	1.00		
兑售有价证券	Selling Portfolio	1.00		
收回投资本金	Investment Capital Receivable	0.81		
住房贷款	Loans for Housing	296.78		
汽车贷款	Loans for Automobile	39.60		
教育贷款	Loans for Education	3.32		
其他贷款	Other Loans	2.09		
其他借贷收入	Other Loan Incomes	75.36	4.51	2.94

PER CAPITA ANNUAL CASH INCOME OF URBAN HOUSEHOLDS BY LEVEL OF INCOME (2004)

(yuan)

低收入户 Low Income Households	中等偏下户 Lower Middle Income Households	中等收入户 Middle Income Households	中等偏上户 Upper Middle Income Households	高收入户 High Income Households	最高收入户 Highest Income Households
5933.29	**8410.07**	**12348.84**	**18431.71**	**26821.90**	**41902.20**
5620.64	7781.47	11321.08	16566.66	23954.06	38314.56
3922.85	6134.66	9346.42	15093.10	22524.73	32575.59
3838.68	6050.52	9247.97	14948.48	22456.05	32085.19
84.17	84.14	98.45	144.62	68.68	490.39
631.91	690.27	808.32	445.53	994.54	1548.24
156.11	111.40	124.08	267.28	649.36	2255.76
5.73	22.98	1.88	11.82	16.62	154.78
4.10	13.99	37.31	140.52	90.69	463.92
			9.44	4.11	6.22
3.77	0.10	1.97	6.99	2.61	2.18
139.12	73.68	82.77	97.86	525.66	1612.83
	0.03				
3.39	0.61	0.16	0.65	9.68	15.82
1222.42	1473.74	2070.02	2625.81	2653.28	5522.62
743.94	943.14	1344.85	1732.51	1515.85	3118.56
3.38	17.07	16.46	2.74	2.45	2.32
		32.70	87.61	29.52	425.13
			0.36		7.06
31.70	48.91	44.48	25.07	53.36	20.78
31.42	48.63	30.01	19.81	7.84	15.74
232.71	137.07	153.27	181.99	412.29	251.92
129.84	194.84	341.17	351.62	344.47	976.95
4.86	44.99	44.36	96.23	106.29	271.33
	1.98	5.08	11.91	4.89	9.56
52.74	66.74	79.66	97.87	117.65	146.40
23.25	19.02	8.00	37.91	66.50	292.60
0.20	**1.06**	**79.32**	**2.43**	**746.95**	**153.16**
		78.08		712.58	
0.20	1.06	1.23	2.43	34.37	153.16
1319.20	**1866.36**	**3322.69**	**5705.04**	**13027.19**	**18680.43**
1154.85	1793.33	2830.99	4835.06	10897.95	17485.94
127.99	34.34	209.43	428.88	0.56	0.56
33.83	1.09	13.80	41.27	6.55	121.06
	1.67	1.12	2.12		
0.08					11.62
	4.01				
		240.48	251.90	2055.52	214.23
					461.35
1.42	15.66				
			0.28	20.34	3.29
1.04	16.25	26.88	145.53	46.25	382.39

10-5 按收入等级分的城镇居民家庭平均每人全年现金收入构成（2004 年）

单位：%

项目	Item	总平均 Average	最低收入户 Lowest Income Households	#困难户 Poor Households
一、家庭总收入	**Total Income of Households**	**100.00**	**100.00**	**100.00**
#可支配收入	Of which: Disposable Income	91.13	95.11	94.41
（一）工薪收入	Income from Wages and Salaries	77.88	62.08	60.67
工资及补贴收入	Income from Wages and Subsidies	76.92	57.32	53.02
其他劳动收入	Other Incomes	0.96	4.75	7.65
（二）经营净收入	Net Business Income	4.94	12.45	9.59
（三）财产性收入	Property Income	2.48	0.83	0.79
利息收入	Interest Income	0.15		
股息与红利收入	Dividend and Bonus Income	0.59	0.20	0.46
保险收益	Insurance Revenue	0.02		
其它投资收入	Other Investment Income	0.02	0.01	
出租房屋收入	Lease Income	1.69	0.62	0.33
知识产权收入	Intellectual Property Income			
其他财产性收入	Other Property Incomes	0.02		0.01
（四）转移性收入	Transfer Income	14.69	24.64	28.95
养老金或离退休金	Pension or Retirement Annuities	9.10	14.57	16.67
社会救济收入	Social Relief Income	0.09	1.21	2.32
辞退金	Dismissal Income	0.42		
赔偿收入	Compensation Income			
保险收入	Insurance Income	0.26	0.99	1.17
#失业保险金	Of which: Unemployment Insurance Benefits	0.20	0.99	1.17
赡养收入	Alimony Income	1.25	2.30	1.81
捐赠收入	Donated Income	2.18	3.94	5.01
亲友搭伙费	Income from Regular Meals of Kinfolk	0.48	0.25	0.31
提取住房公积金	Withdrawal of Public Reserve Funds for Housing	0.03		
记帐补贴	Sample Household Subsidy for Keeping Dairies	0.56	1.21	1.43
其他转移性收入	Other Transfer Incomes	0.31	0.16	0.22
二、出售财物收入	**Income from Selling Properties**	**100.00**	**100.00**	**100.00**
出售住房收入	Income from Selling Houses	81.84		
出售其他物品收入	Income from Selling Other Properties	18.16	100.00	100.00
三、借贷收入	**Loan Income**	**100.00**	**100.00**	**100.00**
提取储蓄存款	Withdrawal of Savings Deposits	88.27	86.77	90.16
借入款	Borrowed Money	3.04	11.40	9.06
收回借出款	Repayment of Loans Receivable	0.51	0.81	0.10
收回储蓄性保险本	Insured Savings Receivable	0.02		
兑售有价证券	Selling Portfolio	0.02		
收回投资本金	Investment Capital Receivable	0.02		
住房贷款	Loans for Housing	5.78		
汽车贷款	Loans for Automobile	0.77		
教育贷款	Loans for Education	0.06		
其他贷款	Other Loans	0.04		
其他借贷收入	Other Loan Incomes	1.47	1.02	0.69

COMPOSITION OF PER CAPITA ANNUAL CASH INCOME OF URBAN HOUSEHOLDS BY LEVEL OF INCOME (2004)

(%)

低收入户 Low Income Households	中等偏下户 Lower Middle Income Households	中等收入户 Middle Income Households	中等偏上户 Upper Middle Income Households	高收入户 High Income Households	最高收入户 Highest Income Households
100.00	**100.00**	**100.00**	**100.00**	**100.00**	**100.00**
94.73	92.53	91.68	89.88	89.31	91.44
66.12	72.94	75.69	81.89	83.98	77.74
64.70	71.94	74.89	81.10	83.72	76.57
1.42	1.00	0.80	0.78	0.26	1.17
10.65	8.21	6.55	2.42	3.71	3.69
2.63	1.32	1.00	1.45	2.42	5.38
0.10	0.27	0.02	0.06	0.06	0.37
0.07	0.17	0.30	0.76	0.34	1.11
			0.05	0.02	0.01
0.06		0.02	0.04	0.01	0.01
2.34	0.88	0.67	0.53	1.96	3.85
0.06	0.01			0.04	0.04
20.60	17.52	16.76	14.25	9.89	13.18
12.54	11.21	10.89	9.40	5.65	7.44
0.06	0.20	0.13	0.01	0.01	0.01
		0.26	0.48	0.11	1.01
					0.02
0.53	0.58	0.36	0.14	0.20	0.05
0.53	0.58	0.24	0.11	0.03	0.04
3.92	1.63	1.24	0.99	1.54	0.60
2.19	2.32	2.76	1.91	1.28	2.33
0.08	0.53	0.36	0.52	0.40	0.65
	0.02	0.04	0.06	0.02	0.02
0.89	0.79	0.65	0.53	0.44	0.35
0.39	0.23	0.06	0.21	0.25	0.70
100.00	**100.00**	**100.00**	**100.00**	**100.00**	**100.00**
		98.44		95.40	
100.00	100.00	1.55	100.00	4.60	100.00
100.00	**100.00**	**100.00**	**100.00**	**100.00**	**100.00**
87.54	96.09	85.20	84.75	83.66	93.61
9.70	1.84	6.30	7.52		
2.56	0.06	0.42	0.72	0.05	0.65
	0.09	0.03	0.04		
0.01					0.06
	0.21				
		7.24	4.42	15.78	1.15
					2.47
0.11	0.84				
				0.16	0.02
0.08	0.87	0.81	2.55	0.36	2.05

10-6 城镇居民家庭平均每人全年消费性支出（2004 年）

单位：元

项　　目	Item	总平均 Average	最低收入户 Lowest Income Households	#困难户 Poor Households
消费性支出	**Total Living Expenditures**	**10694.79**	**3573.56**	**3205.45**
食品	Food	3953.30	1991.39	1807.04
#粮食	Grain	279.01	252.57	234.26
肉禽及其制品	Meat, Poultry and Related Products	972.99	764.44	656.87
蛋类	Eggs	49.69	36.82	35.61
水产品	Aquatic Products	382.58	225.30	212.63
奶及奶制品	Milk and Dairy Products	127.39	22.52	13.84
衣着	Clothing	620.07	97.26	81.29
#服装	Garments	455.20	69.36	58.99
家庭设备用品及服务	Household Facilities, Articles and Services	592.66	121.09	103.07
#耐用消费品	Durable Consumer Goods	243.27	46.67	43.50
医疗保健	Medicine and Medical Services	649.70	148.58	178.45
交通通讯	Transport and Communications	1754.12	312.27	274.85
娱乐教育文化服务	Recreational, Educational and Cultural Services	1577.70	319.74	244.61
#文娱用耐用消费品	Durable Consumer Goods for Recreational Use	361.73	31.95	21.07
居住	Residence	1205.12	504.66	451.22
#住房	Housing	399.60	54.29	48.81
杂项商品及其服务	Miscellaneous Commodities and Services	342.11	80.57	64.92

10-7 城镇居民家庭平均每人全年消费性支出构成（2004 年）

单位:%

项　　目	Item	总平均 Average	最低收入户 Lowest Income Households	#困难户 Poor Households
消费性支出	**Total Living Expenditures**	**100.0**	**100.0**	**100.0**
食品	Food	37.0	55.7	56.4
#粮食	Grain	2.6	7.1	7.3
肉禽及其制品	Meat, Poultry and Related Products	9.1	21.4	20.5
蛋类	Eggs	0.5	1.0	1.1
水产品	Aquatic Products	3.6	6.3	6.6
奶及奶制品	Milk and Dairy Products	1.2	0.6	0.4
衣着	Clothing	5.8	2.7	2.5
#服装	Garments	4.3	1.9	1.8
家庭设备用品及服务	Household Facilities, Articles and Services	5.5	3.4	3.2
#耐用消费品	Durable Consumer Goods	2.3	1.3	1.4
医疗保健	Medicine and Medical Services	6.0	4.2	5.6
交通通讯	Transport and Communications	16.4	8.7	8.6
娱乐教育文化服务	Recreational, Educational and Cultural Services	14.8	8.9	7.6
#文娱用耐用消费品	Durable Consumer Goods for Recreational Use	3.4	0.9	0.7
居住	Residence	11.3	14.1	14.1
#住房	Housing	3.7	1.5	1.5
杂项商品及其服务	Miscellaneous Commodities and Services	3.2	2.3	2.0

PER CAPITA ANNUAL LIVING EXPENDITURE OF URBAN HOUSEHOLDS (2004)

(yuan)

低收入户 Low Income Households	中等偏下户 Lower Middle Income Households	中等收入户 Middle Income Households	中等偏上户 Upper Middle Income Households	高收入户 High Income Households	最高收入户 Highest Income Households
5003.37	**7056.57**	**9434.32**	**12909.08**	**17958.19**	**25961.78**
2576.14	3082.60	3822.51	4883.83	5490.17	6804.73
285.99	266.13	283.74	278.10	285.86	318.45
879.96	987.87	1014.99	1018.78	1019.09	1107.15
46.86	46.38	49.17	54.93	51.54	64.80
271.59	360.65	413.35	443.73	439.75	493.35
64.09	77.64	135.23	171.93	225.97	233.64
210.15	301.41	498.94	889.69	1143.25	1686.93
148.09	223.28	369.11	626.22	861.64	1276.42
236.83	286.02	488.97	724.22	1087.84	1804.79
92.78	98.92	213.27	283.35	418.17	822.90
238.60	316.09	725.08	803.65	1277.73	1397.59
459.34	1253.28	1157.79	1727.45	3573.18	6061.45
559.28	889.29	1344.00	2116.62	3100.20	3844.01
107.94	174.80	308.65	483.03	807.24	934.65
592.11	765.40	1093.05	1335.93	1729.13	3326.30
53.25	68.83	319.59	418.61	676.98	1914.84
130.94	162.49	303.97	427.69	556.69	1036.06

COMPOSITION OF PER CAPITA ANNUAL LIVING EXPENDITURE OF URBAN HOUSEHOLDS (2004)

(%)

低收入户 Low Income Households	中等偏下户 Lower Middle Income Households	中等收入户 Middle Income Households	中等偏上户 Upper Middle Income Households	高收入户 High Income Households	最高收入户 Highest Income Households
100.0	**100.0**	**100.0**	**100.0**	**100.0**	**100.0**
51.5	43.7	40.5	37.8	30.6	26.2
5.7	3.8	3.0	2.2	1.6	1.2
17.6	14.0	10.8	7.9	5.7	4.3
0.9	0.7	0.5	0.4	0.3	0.2
5.4	5.1	4.4	3.4	2.4	1.9
1.3	1.1	1.4	1.3	1.3	0.9
4.2	4.3	5.3	6.9	6.4	6.5
3.0	3.2	3.9	4.9	4.8	4.9
4.7	4.1	5.2	5.6	6.1	7.0
1.9	1.4	2.3	2.2	2.3	3.2
4.8	4.5	7.7	6.2	7.1	5.4
9.2	17.8	12.3	13.4	19.9	23.3
11.2	12.6	14.2	16.4	17.3	14.8
2.2	2.5	3.3	3.7	4.5	3.6
11.8	10.8	11.6	10.3	9.6	12.8
1.1	1.0	3.4	3.2	3.8	7.4
2.6	2.3	3.2	3.3	3.1	4.0

10-8 按收入等级分的城镇居民家庭平均每人全年购买主要食品数量（2004 年）
PER CAPITA ANNUAL PURCHASES OF MAJOR FOOD COMMODITIES OF URBAN HOUSEHOLDS BY LEVEL OF INCOME (2004)

项 目 Item	总平均 Average	最低收入户 Lowest Income Households	#困难户 Poor Households	低收入户 Low Income Households	中等偏下户 Lower Middle Income Households	中等收入户 Middle Income Households	中等偏上户 Upper Middle Income Households	高收入户 High Income Households	最高收入户 Highest Income Households
粮 食（公斤）Grain (kg)	71.78	79.67	76.49	88.15	75.79	72.60	62.70	59.11	64.32
#富强粉（公斤）Fuqiang Flour (kg)	0.58	0.25	0.15	0.78	0.27	0.37	0.50	0.96	1.84
大 米（公斤）Rice (kg)	56.18	67.36	65.64	73.05	62.55	56.99	45.90	40.73	43.89
其他粮食（公斤）Other Grain (kg)	2.48	1.65	1.68	1.60	1.98	2.66	2.68	3.52	3.79
粮食制品（公斤）Grain Products (kg)	12.54	10.41	9.03	12.73	10.98	12.58	13.61	13.91	14.79
食用油（公斤）Edible Oil (kg)	8.95	8.82	7.53	8.69	9.58	9.29	8.94	7.18	8.95
鲜 菜（公斤）Fresh Vegetables (kg)	106.59	93.31	92.40	98.65	102.97	109.91	108.04	108.92	127.72
干 菜（公斤）Dried Vegetables (kg)	0.65	0.36	0.31	0.50	0.66	0.63	0.73	0.71	0.99
猪 肉（公斤）Pork (kg)	28.82	26.59	24.27	27.62	29.85	29.07	28.74	27.90	31.18
牛羊肉（公斤）Beef and Mutton (kg)	3.06	2.24	1.94	2.61	3.36	3.29	2.93	3.20	2.60
肉制品（公斤）Meal Products (kg)	4.67	3.35	2.96	3.81	4.22	4.80	5.49	5.34	5.61
家 禽（公斤）Poultry (kg)	17.21	12.86	11.70	17.08	17.71	18.60	16.84	17.89	18.53
蛋（公斤）Eggs (kg)	6.79	5.10	4.87	6.33	6.39	6.75	7.51	6.99	8.69
鱼（公斤）Fish (kg)	19.23	16.37	15.86	16.84	18.26	20.63	20.51	19.72	21.12
虾（公斤）Shrimp (kg)	1.49	1.06	1.17	1.44	1.80	1.53	1.47	1.35	1.43
白 酒（公斤）Spirits (kg)	0.84	0.67	0.75	0.73	1.16	0.74	0.84	0.57	0.91
果 酒（公斤）Fruit Wine (kg)	0.20	0.03	0.01	0.06	0.24	0.13	0.22	0.51	0.71
啤 酒（公斤）Beer (kg)	1.11	0.29	0.29	0.43	0.97	1.03	1.78	1.34	1.75
其他酒（公斤）Other Liquor (kg)	0.25	0.27	0.38	0.34	0.32	0.19	0.21	0.22	0.28
碳酸饮料（公斤）Carbonic Acid Drink (kg)	2.07	0.85	0.77	0.87	1.44	2.13	2.70	2.65	4.34
果蔬饮料（公斤）Fruits & Vegetable Drink (kg)	0.83	0.16	0.17	0.39	0.39	0.59	1.14	1.43	2.48
瓶装饮用水（公斤）Bottle Drinking Water (kg)	16.57	9.77	6.06	9.71	11.69	16.72	15.49	37.52	26.18
鲜 果（公斤）Fresh Fruits (kg)	31.47	15.65	13.10	21.01	26.08	33.05	37.62	40.78	49.58
鲜 瓜（公斤）Fresh Melons (kg)	6.14	2.41	2.09	2.32	4.86	5.99	8.04	10.44	10.22
干 果（公斤）Dried Fruits (kg)	0.46	0.20	0.15	0.32	0.37	0.43	0.57	0.72	0.73
瓜果制品（公斤）Melon & Fruits Products (kg)	0.56	0.19	0.20	0.28	0.43	0.64	0.72	0.84	0.83
坚果及果仁（公斤）Nuts and Kernels (kg)	2.18	1.40	1.26	1.52	1.80	2.40	2.56	2.73	2.88
糕 点（公斤）Cake (kg)	4.03	1.58	1.24	2.73	3.32	4.43	4.59	5.98	6.12
鲜 乳（公斤）Fresh Milk (kg)	7.36	6.90	6.58	7.13	6.94	7.04	7.73	7.67	7.41
奶 粉（公斤）Milk Powder (kg)	0.53	0.13	0.14	0.25	0.45	0.63	0.62	0.83	0.75
酸 奶（公斤）Yogurt (kg)	1.70	0.14	0.07	0.95	0.78	1.77	1.93	3.24	4.53
茶 叶（公斤）Tea (kg)	0.39	0.31	0.28	0.43	0.32	0.41	0.44	0.36	0.46

10-9 按收入等级分的城镇每百户居民家庭全年购买非食品数量（2004 年）

ANNUAL PURCHASES OF NON-FOOD COMMODITIES PER 100 URBAN HOUSEHOLDS BY LEVEL OF INCOME (2004)

项目 Item	总平均 Average	最低收入户 Lowest Income Households	#困难户 Poor Households	低收入户 Low Income Households	中等偏下户 Lower Middle Income Households	中等收入户 Middle Income Households	中等偏上户 Upper Middle Income Households	高收入户 High Income Households	最高收入户 Highest Income Households
洗衣机 （台） Washing Machine (unit)	5.40	2.52	4.32	1.32	4.32	4.56	4.92	12.60	9.96
电风扇 （台） Electric Fan (unit)	14.40	5.16	5.52	9.84	11.64	15.00	19.32	18.24	17.88
电冰箱 （台） Refrigerator (unit)	3.24			3.00	3.48	2.16	4.56	5.28	3.72
微波炉 （台） Microwave Oven (unit)	2.04	1.08		1.32	2.16	1.32	2.88	1.08	4.56
空调器 （台） Air Conditioner (unit)	8.76	2.64	3.48	5.28	3.72	7.20	10.56	10.04	22.44
电炊具 （台） Electric Cooking Appliance (unit)	16.08	9.36	5.76	3.72	12.24	16.00	21.48	25.08	28.56
淋浴热水器（台） Shower (unit)	5.04	0.48	0.36	2.52	2.88	6.00	6.36	6.84	9.36
排油烟机 （台） Smoke Absorber (unit)	3.00	1.08		0.96	1.38	4.32	3.00	5.04	4.44
吸尘器 （台） Dust Catcher (unit)	0.84				0.36	0.72	1.08	1.20	3.36
消毒碗柜 （台） Sterilizer Cupboard (unit)	1.56			1.32	0.60	1.32	2.76	1.08	4.08
饮水机 （台） Drinking Water Equipment (unit)	3.36			1.20	2.76	2.52	4.68	6.60	5.52
取暖器 （台） Heater (unit)	1.20			1.08		0.96	1.44	2.40	3.12
摩托车 （辆） Motorcycle (unit)	2.28	2.04	2.16		1.80	2.88	3.24	1.08	4.08
自行车 （辆） Bicycle (unit)	12.60	9.60	12.00	9.60	13.56	16.20	13.08	10.80	8.88
家用汽车 （辆） Automobile (unit)	0.96				1.08		0.12	2.52	4.68
电话机 （部） Telephone (unit)	10.08	3.36	4.56	5.40	8.52	7.44	15.84	12.60	14.64
移动电话 （部） Mobile Telephone (unit)	21.60	1.08	0.48	8.40	13.56	20.04	31.56	36.72	37.80
传真机 （台） Fax Machine (unit)									
彩色电视机（台） Color Television Set (unit)	5.16			3.12	3.72	5.40	5.64	11.28	7.20
影碟机 （台） Video Disc Player (unit)	4.92	1.32		4.32	1.32	6.48	7.44	8.28	4.08
家用电脑 （台） Computer (unit)	5.28			1.32	4.20	6.60	6.60	8.88	7.08
组合音响 （台） Hi-fi Stereo Component System (unit)	1.32			0.84	0.36	1.08	2.52	1.08	3.48
录音机 （台） Radio Cassette Player (unit)	4.92	2.28	1.44	4.32	2.40	3.72	4.92	12.00	9.36
摄像机 （部） Pickup Camera (unit)	0.60					0.36	0.12	1.44	3.36
照相机 （部） Camera (unit)	3.36			0.60	0.96	2.52	1.92	9.36	13.32
钢琴 （架） Piano (unit)	0.12						0.24		0.84
其他中高档乐器（件） Other Medium and High Grade Musical Instruments (unit)	0.60			0.60	0.60	0.24	1.08	1.56	0.72

10-10 按收入等级分的城镇居民家庭平均每百户年底耐用消费品拥有量（2004 年）

NUMBER OF DURABLE CONSUMER GOODS OWNED PER 100 URBAN HOUSEHOLDS AT THE YEAR-END BY LEVEL OF INCOME (2004)

项目 Item	总平均 Average	最低收入户 Lowest Income Households	#困难户 Poor Households	低收入户 Low Income Households	中等偏下户 Lower Middle Income Households	中等收入户 Middle Income Households	中等偏上户 Upper Middle Income Households	高收入户 High Income Households	最高收入户 Highest Income Households
组合家具（套）Composite Furniture (set)	81.88	53.26	47.50	61.45	73.72	78.49	84.52	107.10	122.49
摩托车（辆）Motorcycle (unit)	76.91	57.81	60.24	58.13	76.00	88.18	81.18	85.05	73.27
自行车（辆）Bicycle (unit)	121.21	176.50	160.36	162.08	142.29	121.91	97.14	87.65	69.89
助力车（辆）Power-assisting Bicycle (unit)	3.05	2.70	1.84	7.13	3.78	2.73	1.71	1.76	2.83
家用汽车（辆）Automobile (unit)	6.56	0.66			1.30	3.27	5.17	16.15	29.79
洗衣机（台）Washing Machine (unit)	97.36	78.77	77.50	91.19	96.11	97.19	101.83	104.66	107.33
电风扇（台）Electric Fan (unit)	297.33	276.50	249.47	301.11	304.77	300.15	287.58	325.33	287.22
电冰箱（台）Refrigerator (unit)	93.42	58.43	47.71	68.03	91.12	97.09	102.33	111.09	111.58
彩色电视机（台）Color Television Set (unit)	154.69	116.82	113.59	133.29	146.54	150.57	166.30	190.70	177.32
影碟机（台）Video Disc Player (unit)	85.64	69.06	63.86	70.76	72.37	84.38	96.06	114.88	94.56
录放像机（台）Video Recorder (unit)	17.97	5.56	4.55	7.50	16.19	17.01	21.47	28.46	27.86
家用电脑（台）Computer (unit)	64.28	17.43	17.38	27.10	45.52	69.30	78.83	96.92	108.17
组合音响（台）Hi-fi Stereo Component System (unit)	54.33	31.84	27.66	38.59	46.67	51.08	61.23	74.16	79.36
收录机（台）Radio Cassette Player (unit)	50.43	39.41	41.70	40.93	54.25	47.31	53.51	60.37	53.20
摄像机（台）Pickup Camera (unit)	4.83			0.24	0.83	2.77	4.10	16.27	16.90
照相机（架）Camera (unit)	64.68	20.92	15.39	32.54	47.46	56.88	73.72	116.57	119.38
钢琴（架）Piano (unit)	3.50	0.05			0.44	2.14	4.03	9.30	12.47
其它中高档乐器（件）Other Medium and High Grade Musical Instrument (unit)	9.24	3.96	1.30	2.57	4.55	7.32	14.27	17.49	15.45
微波炉（台）Microwave Oven (unit)	58.65	22.79	23.65	26.77	44.28	60.38	74.68	86.77	86.72
空调器（台）Air Conditioner (unit)	155.95	39.06	30.89	64.98	108.54	151.85	197.40	258.84	269.99
电炊具（台）Electric Cooking Appliance (unit)	116.45	64.74	45.93	79.50	99.67	116.08	136.01	164.75	147.15
淋浴热水器（台）Shower (unit)	105.16	91.65	84.44	103.33	100.11	102.77	108.28	116.49	117.60
排油烟机（台）Smoke Absorber (unit)	80.43	58.27	48.85	71.67	77.37	80.97	85.68	93.83	90.86
消毒碗柜（台）Sterilizer Cupboard (unit)	78.75	57.60	57.50	71.85	75.25	80.13	85.29	85.92	88.60
洗碗机（台）Bowl-washing Machine (unit)	1.08				0.35	0.50	1.00	4.16	3.05
饮水机（台）Drinking Water Equipment (unit)	38.57	22.29	18.35	32.78	34.45	34.01	41.56	62.10	49.05
吸尘器（台）Dust Catcher (unit)	10.75	0.66		2.74	3.80	9.28	12.81	25.84	26.23
健身器材（件）Body Building Equipment (unit)	7.41	1.26		0.67	3.13	5.58	8.33	22.50	15.79
移动电话（台）Mobile Telephone (unit)	170.86	71.68	69.18	102.87	148.61	176.42	203.43	235.77	230.54
传真机（部）Fax Machine (unit)	2.51	0.20	0.39		1.17	1.16	1.36	10.00	8.02

10-11 城镇居民家庭年末居住情况

HOUSING CONDITIONS OF URBAN HOUSEHOLDS AT THE YEAR-END

项目	Item	1990	1995	2000	2003	2004
调查户数	**Number of Households Surveyed**	**1500**	**1550**	**1600**	**1600**	**1600**
一、现住房总建筑面积（平方米/人）	**Total Floor Space of Buildings (sq. m/person)**				**31.76**	**32.50**
二、现住房屋总使用面积（平方米/人）	**Total Floor Space of Buildings for Use (sq. m/person)**				**24.63**	**25.12**
三、房屋产权（%）	**Property Rights of Buildings (%)**	**100.00**	**100.00**	**100.00**	**100.00**	**100.00**
租赁公房	Public Apartments for Lease	71.80	38.00	16.50	10.75	8.34
租赁私房	Individual Apartments for Lease	3.13	1.87	1.50	1.81	1.10
原有私房	Original Individual Apartments	24.80	60.13	70.00	21.97	19.80
房改私房	Individual Apartments through Housing Reform			12.00	50.71	49.73
商品房	Commercial Buildings				12.45	18.42
其他	Others	0.27			2.31	2.61
四、住宅建筑式样（%）	**Design of Residential Buildings (%)**				**100.00**	**100.00**
单栋住宅	Separate Residential Buildings				12.58	12.22
四居室	Four-room Apartments				6.36	5.71
三居室	Three-room Apartments				34.98	37.60
二居室	Two-room Apartments				33.01	32.96
一居室	One-room Apartment				5.62	4.86
普通楼房	Ordinary Buildings				4.69	4.76
平房及其他	Terraces and Others				2.76	1.89
五、用水情况（%）	**Water Use (%)**				**100.00**	**100.00**
独用自来水	Tap Water for Individual Use				98.43	98.18
公用自来水	Tap Water for Public Use				1.57	1.80
井、河水	Well & River Water					0.02
其他	Other					
六、卫生设备（%）	**Sanitation Facility (%)**	**100.00**	**100.00**	**100.00**	**100.00**	**100.00**
无卫生设备	Without Sanitation Facility	21.73	6.84	2.56	1.91	1.26
有厕所浴室	With Washroom and Bathroom	52.47	78.32	81.50	91.12	92.32
有厕所无浴室	With Washroom but no Bathroom	17.47	10.26	13.69	4.81	4.53
公用	For Public Use	8.33	4.58	2.25	2.16	1.89
七、炊用燃料使用情况（%）	**Fuel Use (%)**	**100.00**	**100.00**	**100.00**	**100.00**	**100.00**
管道煤气	Pipeline Gas	0.53	7.23	10.00	16.96	19.23
液化石油气	Liquefied Petroleum Gas	61.74	83.42	86.87	81.13	79.49
煤	Gas	34.60	8.19	2.94	1.64	1.13
其他	Other	3.13	1.16	0.19	0.27	0.15
八、通信设备使用情况	**Telecommunication Facility**					
有无电话（%）	Percentage of Telephones (%)				100.00	100.00
有	Without Telephones				0.69	0.2
无	With Telephones				99.31	99.8
固定电话（每百户）	Fixed-line Telephones (per 100 households)				102.04	102.38
移动电话（每百户）	Mobile Telephones (per 100 households)				150.53	170.86
使用互联网（每百户）	Use of Internet (per 100 households)					0.31

10-12 农村居民家庭基本情况
BASIC CONDITIONS OF RURAL HOUSEHOLDS

项目	Item	1990	1995	2000	2003	2004
一、调查户数　（户）	**Number of Households Surveyed　(household)**	**2560**	**2480**	**2560**	**2560**	**2560**
二、调查户人口、劳动力　（人）	**Number of Residents and Laborers Surveyed　(person)**					
常住人口	Number of Permanent Residents in the Households Surveyed	14459	13289	13190	12900	12833
平均每户常住人口	Average Number of Permanent Residents per Household	5.65	5.36	5.15	5.04	5.01
平均每户整半劳动力	Average Number of Able-bodied and Semi-able-bodied Laborers per Household	3.25	3.11	3.11	3.27	3.27
平均每个劳动力负担人口	Number of Dependents per Laborer	1.74	1.72	1.65	1.54	1.53
平均每百个劳动力的文化程度	Education Level of per 100 Laborers					
文盲或半文盲	Illiterate and Semi-illiterate	13.76	7.41	4.31	3.93	4.33
小学程度	Primary School	44.34	39.99	33.15	28.22	26.54
初中程度	Junior Secondary School	32.93	40.65	48.88	53.20	54.10
高中程度	Senior Secondary School	8.38	9.95	9.96	10.51	10.49
中专程度	Specialized Secondary School	0.48	1.66	3.12	3.36	3.64
大专程度	College and Higher Level	0.11	0.34	0.58	0.78	0.90
三、平均每人经营耕地面积　（亩）	**Per Capita Area of Cultivated Land under Management　(mu)**	**1.04**	**0.90**	**0.85**	**0.65**	**0.68**
四、平均每户年末生产性固定资产原值　（元）	**Original Value of Productive Fixed Asset Owned per Household at the Year-end　(yuan)**	**1385.96**	**2744.85**	**4504.29**	**4030.46**	**3702.12**
役畜、产品畜	Draught Animals and Commodity Animals	390.70	657.45	509.72	485.86	510.53
大中型铁木农具	Large and Medium Iron and Wood Farm Implements	105.42	175.41	260.04	249.96	278.37
农林牧渔机械	Farming, Forestry, Animal Husbandry and Fishery Machinery	188.33	261.16	416.98	432.90	496.99
工业机械	Industrial Machinery	69.60	64.17	279.10	417.53	250.71
运输机械	Transportation Machinery	287.82	681.26	826.67	680.39	692.73
生产用房	Buildings for Productive Use	255.65	647.81	1055.79	1033.84	1108.78
其他	Others	88.44	257.60	1155.99	729.98	364.01
五、平均每百户年末拥有主要固定资产	**Major Fixed Assets Owned per 100 Households at the Year-end**					
房屋及建筑物　（平方米）	Houses and Buildings　(sq. m)			15.61	16.37	18.24
汽车　（辆）	Motor Vehicles　(unit)	0.44	1.15	1.35	1.31	1.21
大中型拖拉机　（台）	Large and Medium Tractor　(unit)	0.29	0.38	0.20	0.16	0.47
小型及手扶拖拉机　（台）	Small and Walking Tractors　(unit)	5.90	7.19	9.06	7.89	7.89
机动脱粒机　（台）	Motorized Threshing Machines　(unit)	3.36	7.38	12.41	13.48	14.10
胶轮大车　（辆）	Carts with Rubber Tires　(unit)	1.86	1.94	5.86	4.86	5.55
役畜、产品畜　（头）	Drought Animals and Commodity Animals　(head)	82.53	83.39	67.66	50.12	51.27
收割机　（台）	Reaping Machines　(unit)			0.47	1.13	1.41
水泵　（台）	Pumps　(unit)	2.71	7.93	13.36	11.99	14.20
农用动力机械　（台）	Farm Power Machinery　(unit)			6.52	9.63	11.17

10-13 农村居民平均每人纯收入及生活消费支出
PER CAPITA NET INCOME AND LIVING EXPENDITURE OF RURAL HOUSEHOLDS

年份 Year	人均纯收入（元）Per Capita Net Income (yuan)	增长速度（%）Growth Rate (%) 名义增长（上年为100）Nominal Growth (preceding year = 100)	实际增长（上年为100）Real Growth (preceding year = 100)	实际增长（1978年为100）Real Growth (1978 = 100)	人均生活消费支出（元）Per Capita Living Expenditure (yuan)	增长速度（%）Growth Rate (%) 名义增长（上年为100）Nominal Growth (preceding year = 100)	实际增长（上年为100）Real Growth (preceding year = 100)	实际增长（1978年为100）Real Growth (1978 = 100)
1949	55. 62				67. 85			
1952	85. 32				78. 76			
1965	107. 73	16. 2			99. 11	17. 5		
1974	153. 01				152. 65			
1975	143. 83	-6. 0			151. 42	-0. 8		
1976	152. 66	6. 1			182. 64	20. 6		
1977	179. 12	17. 3			189. 86	4. 0		
1978	193. 25	7. 9		100. 00	184. 89	-2. 6		100. 00
1979	222. 72	15. 2	13. 6	113. 60	205. 18	11. 0	10. 1	110. 10
1980	274. 37	23. 2	19. 4	135. 64	222. 22	8. 3	3. 9	114. 39
1981	325. 37	18. 6	11. 4	151. 10	266. 05	19. 7	12. 1	128. 23
1982	381. 79	17. 3	12. 7	170. 29	312. 44	17. 4	16. 2	149. 00
1983	395. 92	3. 7	7. 0	182. 21	328. 76	5. 2	6. 3	158. 39
1984	425. 34	7. 4	7. 2	195. 33	346. 19	5. 3	5. 0	166. 31
1985	495. 31	16. 5	9. 8	214. 47	388. 00	12. 1	5. 7	175. 79
1986	546. 43	10. 3	7. 6	230. 77	454. 06	17. 0	11. 1	195. 30
1987	662. 24	21. 2	11. 1	256. 39	545. 25	20. 1	9. 5	213. 85
1988	808. 70	22. 1	2. 7	263. 31	684. 67	25. 6	3. 2	220. 69
1989	955. 02	18. 1	2. 0	268. 58	870. 59	27. 2	7. 3	236. 80
1990	1043. 03	9. 2	1. 6	272. 88	932. 63	7. 1	-0. 3	236. 09
1991	1143. 06	9. 6	9. 4	298. 53	942. 40	1. 1	1. 2	238. 92
1992	1307. 65	14. 4	10. 4	329. 58	1060. 29	12. 5	8. 8	259. 94
1993	1674. 78	28. 1	6. 1	349. 68	1391. 01	31. 2	6. 8	277. 62
1994	2181. 52	30. 3	3. 8	362. 97	1882. 00	35. 3	3. 6	287. 61
1995	2699. 24	23. 7	6. 5	386. 56	2255. 01	19. 8	5. 3	302. 85
1996	3183. 46	17. 9	7. 6	415. 94	2584. 16	14. 6	6. 9	323. 75
1997	3467. 69	8. 9	4. 2	433. 41	2617. 65	1. 3	0. 3	324. 72
1998	3527. 14	1. 7	3. 4	448. 15	2683. 18	2. 5	3. 8	337. 06
1999	3628. 93	2. 9	6. 2	475. 94	2645. 94	-1. 4	1. 7	342. 79
2000	3654. 48	0. 7	0. 9	480. 22	2646. 02	…	…	342. 87
2001	3769. 79	3. 2	3. 5	497. 03	2703. 36	2. 2	2. 5	351. 44
2002	3911. 91	3. 8	5. 1	522. 38	2825. 01	4. 5	6. 0	372. 53
2003	4054. 58	3. 6	3. 4	540. 14	2927. 35	3. 6	3. 4	385. 20
2004	4365. 87	7. 7	4. 0	561. 75	3240. 78	10. 7	6. 7	411. 01

注：农村居民现金纯收入受农村生活消费品价格指数和农村服务项目价格指数 以及农业生产资料价格指数的影响（购买生产性固定资产部分）；实物纯收入受自产自用产品价格指数影响。名义增长扣除物价因素影响后为实际增长。

Note: The figures of per capita net income of rural households are affected by the price indices of rural living consumer goods, rural services and agricultural producer goods (for purchase of productive fixed assets); and the figures of real net income are affected by the price index of products for self-consumption. After price factor is deducted from the nominal growth rate, that is the real growth rate.

10-14 农村居民家庭房屋情况
HOUSING CONDITIONS OF RURAL HOUSEHOLDS

项目	Item	1990	1995	2000	2003	2004
一、平均每户年内新建房屋	**Houses Newly Built by per Household within the Year**					
面积（平方米）	Floor Space (sq. m)	4.19	5.11	6.34	3.11	3.20
# 砖木结构（平方米）	Brick and Wood Structure (sq. m)	1.49	0.64	0.29	0.24	
钢筋混凝土结构（平方米）	Reinforced Concrete Structure (sq. m)	2.53	3.87	6.02	2.87	3.19
在新建房屋面积中（平方米）	Floor Space of Newly Built Rooms (sq. m)					
生活用房（平方米）	Floor Space for Living (sq. m)	3.23	4.67	6.01	3.11	3.20
楼房（平方米）	Floor Space of Multi-story Buildings (sq. m)	1.79	0.75	5.60	2.76	3.03
每平方米价值（元）	Value per Square Meter (yuan)	137.33	308.20	340.89	362.66	436.77
二、年末住房每平方米价值（元）	**Value per Square Meter at the Year-end (yuan)**	**56.41**	**181.41**	**288.25**	**304.62**	**319.58**
三、平均每人年末生活住房面积（平方米）	**Per Capita Floor Space for Living at the Year-end (sq. m)**	**17.39**	**20.83**	**22.42**	**24.79**	**25.48**
# 砖木结构	Brick and Wood Structure	10.67	10.55	7.52	6.73	6.98
钢筋混凝土结构	Reinforced Concrete Structure	2.63	8.57	13.03	16.34	16.81
# 楼房面积	Multi-story Buildings			12.52	15.81	16.55

注：2003 年开始年内新建房屋面积指年内新建（购）住房面积。

Note: Since 2003, the floor space of newly-built houses within the year has referred to the floor space of newly-built (and newly-purchased) houses within the year.

10-15 农村居民家庭按人均纯收入水平分组的户数及构成
NUMBER OF RURAL HOUSEHOLDS AND ITS COMPOSITION GROUPED BY LEVEL OF PER CAPITA ANNUAL NET INCOME

分组	By Group	1990	1995	2000	2003	2004
一、调查户数（户）	**Number of Households Surveyed (household)**	**2560**	**2480**	**2560**	**2560**	**2560**
1000 元以下	Under 1000 yuan	1448	109	20	47	55
1000 – 1500 元	1000 – 1500 yuan	659	329	109	132	110
1500 – 2000 元	1500 – 2000 yuan	263	468	228	245	200
2000 – 3000 元	2000 – 3000 yuan	190	776	728	593	506
3000 – 4000 元	3000 – 4000 yuan		356	585	507	526
4000 – 5000 元	4000 – 5000 yuan		189	353	363	376
5000 – 6000 元	5000 – 6000 yuan		103	198	255	278
6000 – 7000 元	6000 – 7000 yuan		53	130	140	164
7000 – 8000 元	7000 – 8000 yuan		45	73	82	95
8000 – 9000 元	8000 – 9000 yuan		19	47	48	73
9000 – 10000 元	9000 – 10000 yuan		12	28	39	55
10000 – 12000 元	10000 – 12000 yuan		12	31	42	48
12000 – 15000 元	12000 – 15000 yuan		6	18	29	33
15000 元以上	15000 yuan and over		3	12	38	41
二、构成（%）	**Composition (%)**	**100.0**	**100.0**	**100.0**	**100.0**	**100.0**
1000 元以下	Under 1000 yuan	56.6	4.4	0.8	1.8	2.1
1000 – 1500 元	1000 – 1500 yuan	25.7	13.3	4.3	5.1	4.3
1500 – 2000 元	1500 – 2000 yuan	10.3	18.9	8.9	9.6	7.8
2000 – 3000 元	2000 – 3000 yuan	7.4	31.3	28.4	23.1	19.8
3000 – 4000 元	3000 – 4000 yuan		14.3	22.8	19.9	20.5
4000 – 5000 元	4000 – 5000 yuan		7.6	13.8	14.2	14.7
5000 – 6000 元	5000 – 6000 yuan		4.2	7.7	10.0	10.9
6000 – 7000 元	6000 – 7000 yuan		2.1	5.1	5.5	6.4
7000 – 8000 元	7000 – 8000 yuan		1.8	2.9	3.2	3.7
8000 – 9000 元	8000 – 9000 yuan		0.8	1.8	1.9	2.9
9000 – 10000 元	9000 – 10000 yuan		0.5	1.1	1.5	2.1
10000 – 12000 元	10000 – 12000 yuan		0.5	1.2	1.6	1.9
12000 – 15000 元	12000 – 15000 yuan		0.2	0.7	1.1	1.3
15000 元以上	15000 yuan and over		0.1	0.5	1.5	1.6

注：1990 年 2000—3000 元组别中的数据，是指 2000 元以上的户数。

Note: The date grouped by 2000 to 3000 yuan in 1990 referred to the number of households above 2000 yuan.

10-16 农村居民家庭主要农产品生产情况

PRODUCTION CONDITIONS OF MAJOR FARM PRODUCTS OF RURAL HOUSEHOLDS

项　　目	Item	1990	1995	2000	2003	2004
平均每户主要农作物播种面积　（亩）	**Sown Area of Major Crops per Household　(mu)**	**10.67**	**10.12**	**7.71**	**6.69**	**6.56**
粮　食	Grain	8.35	6.48	5.47	4.44	4.27
#水稻	Rice		5.76	4.94	4.00	3.91
油　料	Oil-bearing Crops	0.77	0.71	0.52	0.48	0.53
糖　料	Sugar Crops	0.32	0.26	0.12	0.14	0.11
烟　叶	Tobacco	0.14	0.04	0.09	0.08	0.07
蔬　菜	Vegetables	0.98	2.59	1.41	1.45	1.48
果用瓜	Melons	0.11	0.04	0.10	0.10	0.09
平均每人主要农林产品产量　（公斤）	**Per Capita Output of Major Farm and Forestry Products　(kg)**					
粮　食	Grain	504.08	404.73	448.85	328.78	303.41
#稻谷	Rice	428.47	348.38	375.57	300.35	286.00
油　料	Oil-bearing Crops	17.47	18.71	19.07	17.46	20.90
糖　料	Sugar Crops	253.32	215.10	105.86	111.86	90.50
烟　叶	Tobacco	2.87	1.00	2.16	1.86	2.09
蔬　菜	Vegetables	205.02	330.99	387.36	381.51	348.78
果用瓜	Melons	27.98	7.96	29.03	28.79	29.37
水　果	Fruits	54.11	59.82	31.78	33.51	42.83
茶　叶	Tea	0.14	0.08	0.29	0.25	0.18
平均每户出售和自宰畜禽量及其他	**Sold and Slaughtered Livestock, Poultry and Other Animal Products per Household**					
出售和自宰肉猪头数　（头）	Number of Sold and Slaughtered Fattened Hogs　(head)	2.12	2.03	2.12	2.17	1.79
猪肉产量　（公斤）	Pork　(kg)	186.97	178.31	183.08	150.02	126.70
出售和自宰家禽只数　（只）	Number of Sold and Slaughtered Poultry　(head)	24.71	47.13	46.87	60.16	58.80
家禽产量　（公斤）	Poultry　(kg)		89.04	85.46	115.50	125.27
蛋类产量　（公斤）	Poultry Eggs　(kg)	10.07	6.92	7.35	6.74	8.10
蜂蜜产量　（公斤）	Honey　(kg)	0.03	0.05	1.04	0.87	0.73
蚕茧产量　（公斤）	Silkworm Cocoon　(kg)	4.80	5.94	3.95	7.02	7.47
牛、羊奶产量　（公斤）	Milk　(kg)	0.15	1.16	0.13	0.25	0.21
水产品产量　（公斤）	Aquatic Products　(kg)	98.64	119.92	200.16	207.55	171.66

10-17 农村居民家庭出售主要农产品数量
SOLD AMOUNT OF MAJOR FARM PRODUCTS BY RURAL HOUSEHOLDS

项目		Item		1990	1995	2000	2003	2004
平均每人出售量		**Per Capita Sold Amount**						
粮食（原粮）	（公斤）	Grain (Unprocessed Food Grain)	(kg)	125.00	61.96	86.36	98.32	98.08
#稻谷	（公斤）	Rice	(kg)		50.89	75.34	85.86	88.68
油　料	（公斤）	Oil Bearing Crops	(kg)	4.89	4.08	4.42	4.68	6.19
糖　料	（公斤）	Sugar Crops	(kg)	258.39	164.65	96.35	111.00	89.23
烟　叶	（公斤）	Tobacco	(kg)	2.53	0.82	2.03	1.73	2.08
蔬　菜	（公斤）	Vegetables	(kg)	95.92	206.29	255.31	256.92	258.92
果用瓜	（公斤）	Melons	(kg)	25.62	5.69	25.11	27.70	28.92
水　果	（公斤）	Fruits	(kg)	48.47	48.55	24.20	29.63	39.43
茶　叶	（公斤）	Tea	(kg)	0.08	0.04	0.25	0.17	0.14
平均每户出售量		**Per Household Sold Amount**						
生　猪	（头）	Fattened Hog	(head)	2.06	1.62	2.01	2.17	1.75
猪　肉	（公斤）	Pork	(kg)	178.18	162.92	165.42	187.02	157.85
肉　牛	（头）	Beef Cattle	(head)	0.01	0.01	0.02	0.02	0.01
兔	（只）	Rabbit	(head)	0.01	0.03	0.05	0.05	0.03
家　禽	（只）	Poultry	(head)	14.51	34.29	30.34	38.27	45.55
蛋　类	（公斤）	Eggs	(kg)	4.58	0.61	1.87	2.75	4.40
蜂　蜜	（公斤）	Honey	(kg)	0.03	0.05	0.46	0.85	0.72
蚕　茧	（公斤）	Silkworm Cocoon	(kg)	4.80	5.88	3.78	6.75	7.47
牛羊奶	（公斤）	Milk	(kg)	0.13	1.13	0.11	0.24	0.18
水产品	（公斤）	Aquatic Products	(kg)	89.09	102.40	175.92	199.70	167.01

10-18 农村居民家庭平均每户购买农业生产资料
PURCHASE OF AGRICULTURAL PRODUCER GOODS PER RURAL HOUSEHOLD

项目		Item		1990	1995	2000	2003	2004
化肥	（公斤）	Chemical Fertilizer	(kg)	641.33	487.58	553.22	467.55	485.37
饼肥	（公斤）	Cake Fertilizer	(kg)	14.47	5.09	9.78	29.22	27.02
农用薄膜	（公斤）	Farming Plastic Pellicle	(kg)	0.58	0.57	0.63	1.09	1.08
生产用燃料	（公斤）	Fuel for Production Use	(kg)	33.05	43.25	52.78	43.88	52.44
生产用种籽	（公斤）	Seed for Production Use	(kg)			9.85	9.94	10.41
生产用饲料	（公斤）	Forage for Production Use	(kg)			721.69	863.71	980.36

10-19 农村居民家庭平均每人总收入和纯收入及构成
PER CAPITA TOTAL AND NET INCOME AND THEIR COMPOSITION OF RURAL HOUSEHOLDS

项　　目	Item	1980	1990	1995	2000	2003	2004
一、总收入　（元）	**Total Income　(yuan)**	**308.29**	**1508.71**	**3567.43**	**4574.43**	**4946.68**	**5379.72**
工资性收入	Income from Wages	129.55	245.52	712.24	1362.16	1965.78	2173.21
# 在非企业组织中得到收入	From Non-enterprise Organizations		10.83	39.60	177.26	187.53	186.09
在本地企业中得到收入	From Local Enterprises				386.59	361.84	374.28
常住人口外出从业得到收入	From Outward Employment of Permanent Residents				728.74	1223.94	1370.24
家庭经营收入	Income from Household Business	151.40	1181.51	2579.07	2869.35	2601.25	2768.64
转移性收入	Transfer Income	26.74	72.96	226.06	269.24	195.29	190.97
财产性收入	Property Income	0.60	8.72	50.06	73.68	184.36	246.89
总收入构成　（%）	Composition of Total Income　(%)	100.0	100.0	100.0	100.0	100.0	100.0
工资性收入	Income from Wages	42.0	16.3	20.0	29.8	39.7	40.4
家庭经营收入	Income from Household Business	49.1	78.3	72.3	62.7	52.6	51.5
转移性收入	Transfer Income	8.7	4.8	6.3	5.9	3.9	3.5
财产性收入	Property Income	0.2	0.6	1.4	1.6	3.8	4.6
二、纯收入　（元）	**Net Income　(yuan)**	**274.37**	**1043.03**	**2699.24**	**3654.48**	**4054.58**	**4365.87**
按收入来源分	By Source of Income						
工资性收入	Income from Wages	129.55	245.52	712.24	1362.16	1965.78	2173.21
家庭经营纯收入	Income from Household Business	123.16	745.35	1756.64	2002.93	1761.02	1805.69
转移性收入	Transfer Income	21.06	43.44	180.30	215.71	143.42	140.09
财产性收入	Property Income	0.60	8.72	50.06	73.68	184.36	246.89
按收入来源分构成　（%）	Composition by Source of Income　(%)	100.0	100.0	100.0	100.0	100.00	100.0
工资性收入	Income from Wages	47.2	23.5	26.4	37.3	48.5	49.8
家庭经营纯收入	Income from Household Business	44.9	71.5	65.1	54.8	43.4	41.4
转移性收入	Transfer Income	7.7	4.2	6.7	5.9	3.6	3.2
财产性收入	Property Income	0.2	0.8	1.8	2.0	4.5	5.6
按收入性质分	By Type of Income						
生产性纯收入	Productive Income	252.71	990.87	2468.88	3365.09	3726.80	3978.90
农业生产性收入	Agricultural Productive Income	223.84	601.69	1253.80	1384.25	1289.91	1340.58
非农业生产性收入	Non-agricultural Productive Income	28.87	389.18	1215.08	1980.84	2436.89	2638.32
非生产性纯收入	Non-productive Income	21.66	52.16	230.36	289.39	327.78	386.98
按收入性质分构成　（%）	Composition by Type of Income　(%)	100.0	100.0	100.0	100.0	100.0	100.0
生产性纯收入	Productive Income	92.1	95.0	91.5	92.1	91.9	91.1
农业生产性收入	Agricultural Productive Income	81.6	57.7	46.5	37.9	31.8	30.7
非农业生产性收入	Non-agricultural Productive Income	10.5	37.3	45.0	54.2	60.1	60.4
非生产性纯收入	Non-productive Income	7.9	5.0	8.5	7.9	8.1	8.9

注：2003 年以前的总收入、转移性收入按 2003 年口径调整。
Note: The total income and transfer income before 2003 were adjusted according to the 2003 statistical coverage.

10-20 农村居民家庭平均每人家庭经营纯收入及构成

PER CAPITA NET INCOME FROM HOUSEHOLD BUSINESS AND ITS COMPOSITION OF RURAL HOUSEHOLDS

项　目	Item	1980	1990	1995	2000	2003	2004
家庭经营纯收入　（元）	**Net Income from Household Business (yuan)**	**123.16**	**745.35**	**1756.64**	**2002.93**	**1761.02**	**1805.69**
农业收入	Agriculture	55.51	432.41	885.89	944.73	826.63	898.95
林业收入	Forestry	1.75	5.46	19.36	16.00	34.53	30.67
牧业收入	Animal Husbandry	48.18	127.97	236.44	278.31	262.68	258.37
渔业收入	Fishery	3.15	35.85	112.11	145.21	166.07	152.58
工业收入	Industry		21.27	24.83	49.39	48.07	51.93
建筑业收入	Construction	6.82	36.65	140.01	137.32	56.83	59.13
交通、运输和邮电业收入	Transport, Postal and Telecommunication Services	2.15	22.83	76.97	119.60	91.09	83.37
批发和零售贸易、餐饮业收入	Wholesale and Retail Trades and Catering Services	1.97	33.39	120.41	156.28	163.01	160.85
社会服务业收入	Social Services	1.05	16.06	45.07	54.43	41.04	39.57
文教卫生业收入	Culture, Education and Health Care				15.89	11.63	11.64
其他家庭经营收入	Other Household Business	2.58	13.46	95.55	85.77	59.44	58.62
家庭经营纯收入构成　（%）	**Composition of Net Income from Household Business (%)**	**100.0**	**100.0**	**100.0**	**100.0**	**100.0**	**100.0**
农业收入	Agriculture	45.1	58.0	50.5	47.1	46.9	49.8
林业收入	Forestry	1.4	0.7	1.1	0.8	2.0	1.7
牧业收入	Animal Husbandry	39.1	17.2	13.5	13.9	14.9	14.3
渔业收入	Fishery	2.6	4.8	6.4	7.2	9.4	8.5
工业收入	Industry		2.9	1.4	2.5	2.7	2.9
建筑业收入	Construction	5.5	4.9	7.9	6.9	3.2	3.3
交通、运输和邮电业收入	Transport, Postal and Telecommunication Services	1.7	3.1	4.3	6.0	5.2	4.6
批发和零售贸易、餐饮业收入	Wholesale and Retail Trades and Catering Services	1.6	4.5	6.9	7.8	9.3	8.9
社会服务业收入	Social Services	0.9	2.1	2.6	2.7	2.3	2.2
文教卫生业收入	Culture, Education and Health Care				0.8	0.7	0.6
其他家庭经营收入	Other Household Business	2.1	1.8	5.4	4.3	3.4	3.2

注：1980、1990、1995 年的社会服务业收入含文教卫生业收入。
Note: The incomes of social services of 1980, 1990 and 1995 included those of culture, education and health care.

10-21 农村居民家庭平均每人总支出及构成
PER CAPITA TOTAL EXPENDITURE AND ITS COMPOSITION OF RURAL HOUSEHOLDS

项目	Item	1980	1990	1995	2000	2003	2004
一、总支出　(元)	**Total Expenditure　(yuan)**	**266.85**	**1410.21**	**3151.31**	**3613.14**	**3888.37**	**4315.70**
家庭经营费用支出	Expenditure on Household Business	30.68	373.64	714.47	753.10	765.38	905.54
农业生产支出	Agriculture	6.11	156.15	239.09	240.90	222.45	256.92
林业生产支出	Forestry	0.26	0.79	1.72	8.98	2.68	2.54
牧业生产支出	Animal Husbandry	19.97	160.86	354.90	262.66	335.02	434.75
渔业生产支出	Fishery	0.60	29.28	50.69	135.31	113.50	120.69
工业生产支出	Industry		6.19	3.88	17.31	29.42	35.00
建筑业支出	Construction		0.59	9.06	7.76	10.17	1.92
交通运输、邮电业支出	Transport, Postal and Telecommunication Services	1.01	12.52	24.74	34.56	25.79	23.72
批发和零售贸易、餐饮业支出	Wholesale and Retail Trades and Catering Services	0.32	2.94	15.89	23.86	14.96	19.62
社会服务业支出	Social Services	0.50	1.31	5.95	3.37	1.71	1.46
文教卫生业支出	Culture, Education and Health Care				2.56	0.42	0.62
其他家庭经营支出	Others Household Business	1.69	3.01	8.55	15.83	9.27	8.30
购置生产性固定资产支出	Expenditure on Purchase of Productive Fixed Assets	1.04	24.87	25.40	30.57	46.74	28.36
# 大中型铁木农具	Large and Medium-sized Iron and Wood Farm Implements	0.50	1.45	0.89	0.76		
农林牧渔业机械	Farming, Forestry, Animal Husbandry and Fishery Machinery	0.50	8.84	2.93	5.78	7.35	12.29
运输机械	Transport Machinery		12.31	5.29	7.97	16.92	0.89
建造生产性固定资产雇工支出	Expenditure on Employees for Building of Productive Fixed Assets					2.04	0.36
税费支出	Expenditure on Taxes and Fees	0.52	46.16	73.81	55.05	21.52	8.19
缴纳生产税	Production Taxes	0.52	21.79	39.62	30.50	14.19	6.14
"一事一议"筹资	ad hoc fees					0.12	0.15
村提留	Fees Retained by Villages		1.24	3.65	3.47	0.19	
乡统筹	Fees Retained by Townships		16.19	21.38	13.79	4.47	
其他各项收费	Other Fees		6.94	9.16	7.29	2.67	1.90
生活消费支出	Expenditure on Household Consumption	222.22	932.63	2255.01	2646.02	2927.35	3240.78
转移性支出	Transfer Expenditure	11.27	29.95	75.18	123.95	118.91	127.29
#寄给和带给家庭非常住人口	Posted and Sent to Non-permanent Family Members	1.67	2.76	4.61	12.07	23.23	42.46
赠送农村以外亲友	Gifts to Non-rural Relatives	2.32	4.11	4.95	8.76	3.07	3.94
其他转移性支出	Other Transfer Expenditures	7.28	23.08	65.62	35.01	26.78	29.29
财产性支出	Property Expenditure	1.12	2.96	7.44	4.45	6.42	5.18
二、总支出构成　(%)	**Composition of Total Expenditure　(%)**	**100.0**	**100.0**	**100.0**	**100.0**	**100.0**	**100.0**
家庭经营费用支出	Expenditure on Household Business	11.5	26.5	22.7	20.9	19.7	21.0
购置生产性固定资产支出	Expenditure on Purchase of Productive Fixed Assets	0.4	1.8	0.8	0.9	1.2	0.7
建造生产性固定资产雇工支出	Expenditure on Employees for Building of Productive Fixed Assets					0.1	
税费支出	Expenditure on Taxes and Fees	0.2	3.3	2.4	1.5	0.5	0.2
生活消费支出	Expenditure on Household Consumption	83.3	66.1	71.5	73.2	75.3	75.1
转移性支出	Transfer Expenditure	4.2	2.1	2.4	3.4	3.1	2.9
财产性支出	Property Expenditure	0.4	0.2	0.2	0.1	0.1	0.1

注：实行家庭联产承包责任制前（1980年的数字），家庭经营费用支出，实际上是家庭副业支出。全面推行联产承包责任制后，家庭经营费用支出，包括家庭副业支出和承包经营费用支出。

Note: Before the household contract responsibility system, the figures of the expenditure on household business of 1980 were nothing but the expenditure on household sideline. And since the household contract responsibility system, the figures include the expenditure on both household sideline and contract business.

10-22 农村居民家庭平均每人生活消费支出
PER CAPITA LIVING EXPENDITURE OF RURAL HOUSEHOLDS

单位：元　　　　(yuan)

项　　目	Item	1980	1990	1995	2000	2003	2004
生活消费支出	**Living Expenditure**	**222.22**	**932.63**	**2255.01**	**2646.02**	**2927.35**	**3240.78**
一、食品	**Food**	**134.12**	**538.18**	**1228.00**	**1317.48**	**1402.04**	**1581.68**
主　食	Staple Food	62.58	143.85	328.46	323.61	272.63	363.07
副　食	Non-staple Food	56.89	288.81	684.88	706.71	768.18	838.55
其他食品	Other Food	13.40	75.61	144.48	214.57	249.99	261.32
在外饮食	Dining Out	1.25	23.03	59.47	65.89	102.50	109.75
其他食品支出	Other Food Expenditures		6.88	10.71	6.70	8.74	8.99
二、衣着	**Clothing**	**19.58**	**39.48**	**91.31**	**104.21**	**117.68**	**116.83**
三、居住	**Residence**	**39.69**	**174.60**	**345.65**	**378.86**	**469.48**	**494.89**
住　房	Housing	21.06	124.34	210.52	222.88	283.62	278.04
电　费	Electric Expenses	2.10	15.77	40.19	54.46	58.95	65.37
水　费	Water Expenses				6.21	9.53	11.03
燃　料	Fuels	16.53	34.24	58.40	89.40	103.94	120.68
其　他	Others		0.25	36.54	5.91	13.44	19.77
四、家庭设备、用品及服务	**Household Facilities, Articles and Services**	**10.93**	**50.28**	**140.54**	**125.65**	**121.85**	**131.17**
#耐用消费品	Durable Consumer Goods	2.39	25.51	42.53	37.35	32.20	42.04
家庭日用杂品	Household Articles for Daily use	8.31	22.69	83.94	75.02	73.40	75.48
五、医疗保健	**Medical and Health Care Services**	**4.45**	**32.63**	**67.51**	**100.31**	**137.43**	**153.17**
#医疗卫生保健用品	Medicines and Medical and Health Care Facilities and Articles	2.67	22.82	37.34	52.76	60.42	63.99
医疗保健服务费	Medicine and Health Care Services Fees	1.34	9.81	28.62	39.75	77.00	89.18
六、交通和通讯	**Transportation and Communications**	**3.75**	**14.56**	**82.08**	**205.52**	**286.66**	**350.27**
# 交通、通讯工具	Transportation and Communication Tools	2.88	6.91	47.14	56.97	49.18	86.00
交通费	Transportation Fees	0.78	7.16	19.73	45.08	67.12	70.74
邮电费	Postal and Telecommunication Fees	0.09	0.49	10.88	80.80	131.98	149.63
交通、通讯修理费	Maintenance Expenses of Transportation and Communication Tools			4.33	9.48	9.90	10.58
七、文化教育娱乐用品及服务	**Cultural, Educational and Recreational Articles and Services**	**7.40**	**66.99**	**245.16**	**313.46**	**305.86**	**314.34**
文化教育娱乐用品	Cultural, Educational and Recreational Articles	2.87	25.06	39.47	45.37	41.49	37.16
文化教育娱乐服务	Cultural, Educational and Recreational Services	4.53	41.93	205.68	268.09	264.37	277.18
#学杂费	Tuition and Miscellaneous	2.94	36.77	187.33	247.71	215.14	214.23
技术培训费	Technical Training Fees		2.15	6.05	2.13	4.94	4.43
文娱费	Recreational Fees	0.49	1.38	6.63	12.90	7.39	8.02
八、其他商品和服务	**Other Commodities and Services**	**2.30**	**15.91**	**54.76**	**100.53**	**86.35**	**98.44**

10-23 农村居民家庭平均每人现金收入
PER CAPITA CASH INCOME OF RURAL HOUSEHOLDS

单位：元 (yuan)

项　　目	Item	1980	1990	1995	2000	2003	2004
年内现金收入	**Cash Income within the Year**	**182.19**	**1156.16**	**2849.86**	**3781.19**	**4376.87**	**4794.25**
一、工资性收入	**Income from Wages**	**57.86**	**242.51**	**708.89**	**1360.80**	**1965.71**	**2173.13**
#在非企业组织中得到收入	From Non-enterprise Organizations				177.26	187.53	186.09
在本地企业中得到收入	From Local Enterprises				385.63	361.80	374.28
常住人口外出从业得到收入	From Outward Employment of Permanent Residents				728.38	1223.90	1370.17
二、家庭经营现金收入	**Cash Income from Household Business**	**104.06**	**832.22**	**1892.34**	**2051.18**	**2033.25**	**2185.27**
农业现金收入	From Agriculture	77.96	647.78	1270.03	1300.46	1441.36	1610.49
# 出售产品的现金收入	By Selling Products	77.96	647.78	1270.03	1259.43	1417.14	1591.21
出售农业产品	By Farming Crops	34.15	311.37	566.80	527.30	562.87	638.69
# 出售粮食	Grain	7.78	85.92	112.11	118.23	149.70	193.88
出售林业产品	Forestry Products	2.51	5.76	16.76	35.36	31.24	33.21
出售牧业产品	Animal Husbandry Products	33.92	268.56	535.45	446.23	553.62	651.14
出售渔业产品	Fishery Products	7.38	62.09	151.02	250.54	269.41	268.17
工业的现金收入	From Industry		28.60	29.26	68.84	83.24	89.29
建筑业的现金收入	From Construction	8.07	39.09	152.90	149.75	68.37	62.28
运输业的现金收入	From Transport	5.36	37.10	110.33	160.17	127.07	116.93
批发和零售贸易、餐饮业现金收入	From Wholesale and Retail Trade and Catering Services	5.38	37.50	138.70	187.17	183.01	184.10
社会服务业现金收入	From Social Services	2.81	18.11	52.89	60.05	43.13	41.51
文教卫生业现金收入	From Culture, Education and Health Care				19.17	12.28	12.39
其他行业收入	From Others	4.48	24.04	138.23	105.57	74.79	68.28
三、转移性现金收入	**Transfer Cash Income**	**19.67**	**72.71**	**209.70**	**259.54**	**194.19**	**190.25**
家庭非常住人口寄回或带回现金	Cash Posted or Sent Back by Non-permanent Family Members	9.62	23.25	77.88	109.46	50.56	50.45
亲友赠送的现金	Cash Presented by Relatives	7.48	38.70	65.58	76.62	81.36	73.68
#农村外部亲友赠送	From Non-rural Relatives	4.09	9.18	19.82	22.64	29.10	21.91
其他转移性现金收入	Other Transfer Cash Incomes	2.57	10.76	66.24	73.46	62.27	66.12
四、财产性现金收入	**Property Cash Income**	**0.60**	**8.72**	**38.93**	**73.67**	**183.72**	**245.59**
租金收入	Rental Income			9.06	25.98	47.98	56.67
土地征用补偿收入	Compensation Income for Land Expropriation			10.07	10.65	48.85	86.01
其他财产性现金收入	Other Property Cash Incomes	0.60	8.72	19.80	37.04	86.89	102.91

注：2003 年以前的年内现金收入、转移性现金收入按 2003 年口径调整。
Note: The income within the year and the transfer income prior to 2003 have been adjusted according to 2003 statistical standard.

10-24 农村居民家庭平均每人现金支出
PER CAPITA CASH EXPENDITURE OF RURAL HOUSEHOLDS

单位：元 (yuan)

项目	Item	1980	1990	1995	2000	2003	2004
年内现金支出	**Cash Expenditure within the Year**	**165.75**	**1089.40**	**2609.02**	**3090.92**	**3418.54**	**3801.01**
一、生产费用支出的现金	**Cash Expenditure on Production**	**24.84**	**324.10**	**655.61**	**740.71**	**752.10**	**871.53**
家庭经营费用支出	Expenditure on Household Business	23.80	299.25	630.21	710.14	703.32	842.82
农业生产支出	Farming Production	4.76	132.66	220.12	231.14	211.87	245.91
林业生产支出	Forestry Production	0.16	0.37	1.57	8.69	2.67	2.26
牧业生产支出	Animal Husbandry Production	15.84	109.50	294.76	233.41	286.66	385.28
渔业生产支出	Fishery Production	0.39	28.68	46.61	133.33	111.67	119.97
工业生产支出	Industry Production		6.07	3.87	17.15	29.42	35.00
建筑业支出	Construction	0.12	0.58	8.68	7.50	9.68	1.67
交通运输、邮电业支出	Transport, Postal and Telecommunication Services	0.59	12.48	24.58	34.39	25.78	23.72
批发和零售贸易、餐饮业支出	Wholesale and Retail Trades and Catering Services	0.35	2.79	15.87	22.86	14.23	18.75
社会服务业支出	Social Services	0.20	1.30	5.95	3.29	1.70	1.42
文教卫生业支出	Culture, Education and Health Care				2.56	0.42	0.62
其他经营支出	Other Household Business	1.39	4.82	8.20	15.82	9.22	8.21
购买生产性固定资产支出	Expenditure on Purchase of Productive Fixed Assets	1.04	24.85	25.40	30.57	46.74	28.36
建、造生产性固定资产雇工支出	Expenditure on Employees for Building of Productive Fixed Assets					2.04	0.36
二、税费支出	**Expenditure for Taxes and Fees**	**0.52**	**22.74**	**38.04**	**29.45**	**21.18**	**8.16**
缴纳生产税	Production Taxes	0.52	8.06	16.02	15.15	13.86	6.11
“一事一议”筹资	ad hoc fees					0.12	0.15
村提留	Fees Retained by Villages		1.24	3.65	1.15	0.19	
乡统筹	Fees Retained by Townships		7.35	10.05	7.20	4.46	
其他各项收费	Other Fees		6.09	8.32	5.95	2.67	1.90
三、生活消费支出的现金	**Cash Expenditure for Consumption**	**128.00**	**686.43**	**1790.33**	**2197.64**	**2528.14**	**2791.74**
食品	Food	53.10	322.57	794.04	908.45	1056.87	1196.85
#主食	Staple Food	8.45	18.62	73.19	81.61	102.12	142.61
副食	Non-staple Food	33.32	203.78	513.48	548.06	600.26	683.38
衣着	Clothing	19.49	38.20	89.73	101.76	116.09	116.49
居住	Residence	26.61	145.43	317.26	343.87	417.49	431.59
家庭设备、用品及服务	Household Facilities, Articles and Services	10.90	50.14	139.78	123.73	121.40	130.59
医疗保健	Medicines and Medical Services	4.45	32.63	67.51	100.31	137.43	153.17
交通和通讯	Transportation and Communications	3.75	14.56	82.08	205.52	286.66	350.27
文化教育娱乐用品及服务	Cultural, Educational and Recreational Articles and Service	7.40	66.99	245.16	313.46	305.86	314.34
其他商品和服务	Other Commodities and Services	2.30	15.91	54.77	100.54	86.35	98.44
四、财产性支出	**Property Expenditure**	**0.50**	**2.25**	**5.00**	**4.45**	**6.42**	**5.18**
五、转移性支出	**Transfer Expenditure**	**11.89**	**53.88**	**120.04**	**118.67**	**110.71**	**124.39**
寄给和带给在外人口的现金	Cash Posted and Sent to Outward Population	1.67	2.53	3.98	11.37	22.47	42.17
赠送亲友的现金	Cash to Relatives	6.10	30.63	64.12	72.82	61.45	52.92
其他转移性支出	Other Transfer Expenditures	4.12	20.72	51.94	34.48	26.79	29.30

10-25 农村居民家庭平均每人主要食品消费量及衣着购买量

PER CAPITA CONSUMPTION OF MAJOR FOOD AND CLOTHING OF RURAL HOUSEHOLDS

项目		Item		1980	1990	1995	2000	2003	2004
粮食（原粮）	（公斤）	Grain（Crude Grain）	(kg)	292.00	260.30	252.19	252.79	234.74	230.57
#稻谷	（公斤）	Rice	(kg)	265.00	248.17	223.43	216.99	224.93	222.50
蔬菜	（公斤）	Vegetable	(kg)	115.50	112.77	112.36	116.39	130.22	131.02
食油	（公斤）	Edible Oil	(kg)	2.39	4.85	7.17	5.93	6.73	7.23
肉类	（公斤）	Meat	(kg)	6.55	15.42	17.63	23.88	25.25	25.24
家禽	（公斤）	Poultry	(kg)	2.15	4.43	7.38	10.60	10.40	10.17
蛋类	（公斤）	Eggs	(kg)	0.79	1.73	2.98	2.78	2.83	2.63
水产品	（公斤）	Aquatic Products	(kg)	4.22	9.50	12.04	11.72	13.30	13.43
食糖	（公斤）	Sugar	(kg)	4.22	3.96	2.87	1.34	2.16	1.98
卷烟	（盒）	Cigarette	(pack)		22.20	21.84	25.42	22.06	20.87
酒类	（公斤）	Liquor	(kg)	1.54	5.10	3.62	4.71	3.33	3.12
茶叶	（公斤）	Tea	(kg)		0.52	0.55	0.41	0.55	0.53
水果	（公斤）	Fruits	(kg)		7.32	12.81	19.12	11.95	14.02
购买服装	（件）	Purchase of Garments	(piece)		1.10	0.95	2.14	1.91	1.79

10-26 农村居民家庭平均每百户主要耐用物品年末拥有量

NUMBER OF DURABLE CONSUMER GOODS OWNED PER 100 RURAL HOUSEHOLDS AT THE YEAR-END

项目		Item		1990	1995	2000	2003	2004
自行车	（辆）	Bicycle	(unit)	186.09	216.85	162.46	145.47	139.22
摩托车	（辆）	Motorcycle	(unit)	1.84	15.73	54.18	71.41	77.07
电风扇	（台）	Electric Fan	(unit)	163.48	266.69	271.48	304.38	305.20
洗衣机	（台）	Washing Machine	(unit)	4.26	14.88	25.00	28.28	29.02
电冰箱	（台）	Refrigerator	(unit)	1.17	7.90	15.12	18.95	20.35
黑白电视机	（台）	Black and White Television Set	(unit)	40.51	51.85	29.22	16.95	12.70
彩色电视机	（台）	Color Television Set	(unit)	9.80	34.35	73.20	92.27	96.13
收录机	（台）	Radio Cassette Player	(unit)	41.33	49.44	27.19	17.97	15.20
照相机	（架）	Camera	(unit)	0.70	1.98	3.98	4.33	5.98
影碟机	（台）	Video Recorder	(unit)			34.61	49.45	58.00
录像机	（台）	Video Disc Player	(unit)		2.30	5.55	5.82	5.70
组合音响	（台）	Hi-fi Stereo Component System	(unit)			22.77	30.39	32.19
空调机	（台）	Air Conditioner	(unit)		0.65	3.05	7.07	9.30
家用计算机	（台）	Household Computer	(unit)			1.95	5.04	6.33
移动电话	（部）	Mobile Telephone	(unit)			14.49	55.82	79.30
电话机	（台）	Telephone Set	(unit)	1.20	9.40	40.82	70.20	78.01
热水器	（台）	Water Heater	(unit)		5.56	20.94	30.39	33.48

10-27 按人均纯收入等级分的农村居民家庭基本情况（2004 年）
BASIC CONDITIONS OF RURAL HOUSEHOLDS GROUPED BY PER CAPITA ANNUAL NET INCOME (2004)

项　　目	Item	低收入户 Low Income Households	#人均纯收入1500元以下户 Per Capita Income at 1500 yuan and below	中低收入户 Middle Low Income Households	中等收入户 Middle Income Households	中高收入户 Middle High Income Households	高收入户 High Income Households
一、调查户人口、劳动力　（人）	**Number of Residents and Laborers Surveyed (person)**						
平均每户常住人口	Average Number of Permanent Residents per Household	5.51	5.42	5.21	5.16	4.84	4.34
平均每户整半劳动力	Average Number of Able-bodied and Semi-able-bodied Laborers per Household	2.92	2.88	3.14	3.43	3.49	3.37
平均每个劳动力负担人口	Average Number of Persons Supported by a Laborer	1.89	1.88	1.66	1.50	1.39	1.29
平均每百个劳动力的文化程度	Average Education Level per 100 Laborers						
文盲或半文盲	Illiterate and Semi-illiterate	5.95	6.52	5.16	4.67	3.41	2.78
小学程度	Primary School	32.78	34.45	30.20	24.77	22.50	23.70
初中程度	Junior Secondary School	52.37	47.90	53.33	58.03	58.37	47.91
高中程度	Senior Secondary School	7.76	9.24	9.01	9.68	10.46	15.06
中专程度	Specialized Secondary School	0.87	1.47	2.11	2.28	4.20	8.29
大专程度	College and Higher Level	0.27	0.42	0.19	0.57	1.06	2.26
二、总收入　（元）	**Total Income (yuan)**	**2414.02**	**2194.67**	**3416.98**	**4588.94**	**5919.61**	**11833.65**
工资性收入	Income from Wages	603.81	274.15	1294.49	1982.02	2930.89	4600.73
# 在非企业组织中得到收入	From Non-enterprise Organizations	41.56	31.43	83.70	135.04	212.57	523.34
在本地企业中得到收入	From Local Enterprises	121.54	46.14	196.34	227.19	377.20	1079.75
常住人口外出从业得到收入	From Outward Employment of Permanent Residents	234.86	57.65	758.87	1434.52	2066.46	2691.65
家庭经营收入	Income from Household Business	1688.90	1805.78	1975.27	2376.80	2652.96	5684.39
转移性收入	Transfer Income	91.10	73.85	112.38	164.07	194.24	440.25
财产性收入	Property Income	30.20	40.89	34.84	66.04	141.53	1108.29
总收入构成　（%）	Composition of Total Income (%)	100.0	100.0	100.0	100.0	100.0	100.0
工资性收入	Income from Wages	25.0	12.5	37.9	43.2	49.5	38.9
家庭经营收入	Income from Household Business	70.0	82.3	57.8	51.8	44.8	48.0
转移性收入	Transfer Income	3.8	3.4	3.3	3.6	3.3	3.7
财产性收入	Property Income	1.2	1.8	1.0	1.4	2.4	9.4
三、纯收入　（元）	**Net Income (yuan)**	**1657.87**	**1067.03**	**2800.57**	**3768.57**	**5090.37**	**9580.77**
工资性收入	Income from Wages	603.81	274.15	1294.49	1982.02	2930.89	4600.73
家庭经营纯收入	Income from Household Business	968.42	720.34	1397.29	1591.63	1882.16	3526.84
转移性收入	Transfer Income	55.44	31.65	73.95	128.87	135.80	344.91
财产性收入	Property Income	30.20	40.89	34.84	66.04	141.53	1108.29
纯收入构成　（%）	Composition of Net Income (%)	100.0	100.0	100.0	100.0	100.0	100.0
工资性收入	Income from Wages	36.4	25.7	46.2	52.6	57.6	48.0
家庭经营纯收入	Income from Household Business	58.4	67.5	49.9	42.2	37.0	36.8
转移性收入	Transfer Income	3.4	3.0	2.6	3.4	2.7	3.6
财产性收入	Property Income	1.8	3.8	1.3	1.8	2.7	11.6

10-28 按人均纯收入等级分的农村居民家庭平均每人生活消费支出（2004 年）
AVERAGE LIVING EXPENDITURE OF RURAL HOUSEHOLDS GROUPED BY PER CAPITA ANNUAL NET INCOME (2004)

单位：元 (yuan)

项　　目	Item	低收入户 Low Income Households	#人均纯收入1500元以下户 Per Capita Income at 1500 yuan and below	中低收入户 Middle Low Income Households	中等收入户 Middle Income Households	中高收入户 Middle High Income Households	高收入户 High Income Households
生活消费支出	**Living Expenditure**	**1908.62**	**1756.17**	**2449.21**	**2905.25**	**3639.20**	**5834.67**
一、食品	**Food**	**1085.02**	**963.19**	**1364.95**	**1542.57**	**1791.83**	**2283.99**
主食	Staple Food	326.49	326.38	359.96	374.56	383.72	376.53
副食	Non-staple Food	555.30	457.30	725.57	805.11	971.65	1224.85
其他食品	Other Food	151.58	117.88	214.55	265.04	315.29	392.09
在外饮食	Dining Out	43.81	55.72	56.33	87.65	111.24	282.08
其他食品支出	Other Food Expenditures	7.84	5.91	8.54	10.21	9.93	8.44
二、衣着	**Clothing**	**48.24**	**30.36**	**81.78**	**122.02**	**148.49**	**204.42**
三、居住	**Residence**	**231.91**	**281.66**	**326.29**	**409.55**	**552.83**	**1067.50**
住房	Housing	74.45	122.43	144.01	221.86	328.42	707.68
电费	Electric Expenses	42.04	39.14	48.11	53.83	63.21	131.76
水费	Water Expenses	4.80	3.95	7.86	6.89	9.41	29.45
燃料	Fuels	104.14	111.91	113.63	115.25	126.42	150.16
其他	Others	6.48	4.23	12.68	11.72	25.37	48.45
四、家庭设备、用品及服务	**Household Facilities, Articles and Services**	**58.45**	**42.22**	**81.30**	**102.67**	**146.52**	**299.98**
#耐用消费品	Durable Consumer Goods	13.88	10.08	15.46	18.82	36.54	151.61
家庭日用杂品	Household Articles for Daily use	40.46	29.56	60.29	74.27	95.75	116.98
五、医疗保健	**Medical and Health Care Services**	**81.60**	**68.29**	**90.31**	**115.80**	**185.37**	**327.82**
#医疗卫生保健用品	Medicine and Medical and Health Care Facilities and Articles	36.44	20.32	44.32	50.05	68.64	133.92
医疗保健服务费	Medicine and Health Care Services Fees	45.16	47.97	45.99	65.75	116.73	193.90
六、交通和通讯	**Transportation and Communications**	**111.25**	**82.59**	**182.97**	**263.00**	**380.95**	**923.59**
# 交通、通讯工具	Transportation and Communication Tools	18.67	12.31	24.18	32.78	48.19	350.92
交通费	Transportation Fees	17.69	7.85	45.48	74.15	98.90	132.92
邮电费	Postal and Telecommunication Fees	55.21	50.03	87.15	123.27	184.97	336.25
交通、通讯修理费	Maintenance Expenses of Transportation and Communication Tools	4.84	3.15	7.24	8.40	11.94	22.93
七、文化教育娱乐用品及服务	**Cultural, Educational and Recreational Articles and Services**	**237.12**	**243.13**	**257.20**	**265.70**	**308.08**	**545.59**
文化教育娱乐用品	Cultural, Educational and Recreational Articles	19.06	10.64	23.77	28.45	41.78	81.39
文化教育娱乐服务	Cultural, Educational and Recreational Services	218.06	228.51	233.42	237.26	266.30	462.20
# 学杂费	Tuition and Miscellaneous	202.72	222.12	204.40	192.68	194.52	288.19
技术培训费	Technical Training Fees	0.60	0.76	2.09	4.59	3.39	13.04
文娱费	Recreational Fees	0.94	0.41	3.04	5.08	11.32	22.80
八、其他商品和服务	**Other Commodities and Services**	**55.03**	**44.73**	**64.41**	**83.94**	**125.13**	**181.78**

主要统计指标解释

居民消费水平　居民消费水平是指按人口平均计算的居民消费额。居民消费水平表明国家对人民的物质文化生活需要的满足程度，它是反映一个国家（或地区）的经济发展水平和人民物质文化生活水平的综合指标。

居民消费水平，可以按国民收入口径，即居民物质产品消费进行计算，也可以按国内生产总值口径，即包括劳务以内的总消费进行计算。根据计算居民消费的不同价格，可以计算出按当年价格计算的居民消费和按可比价格计算的居民消费水平，后者便于观察居民实际消费水平的增长变化。为了观察居民消费的实物构成，还可以进一步计算各种消费品的平均消费的数量和金额，以反映居民在取得基本生存资料的基础上逐步向需要享受资料和发展资料的方向发展的趋势。

城镇居民家庭可支配收入　是指居民家庭在支付个人所得税和交纳的社会保障支出之后，所余下的实际收入。即用实际收入减掉个人所得税减掉个人交纳的社会保障支出以及记帐补贴。

城镇居民家庭消费性支出　是指调查户用于日常生活的全部支出，包括购买各种商品支出和文化生活、服务等非商品支出。

农村居民家庭总收入　是指调查期内农村住户和住户成员从各种来源渠道得到的收入总和。按收入的性质划分为工资性收入、家庭经营收入、财产性收入和转移性收入。

农村居民家庭纯收入　指农村住户当年从各个来源得到的总收入相应地扣除所发生的费用后的收入总和。纯收入主要用于再生产投入和当年生活消费支出，也可用于储蓄和各种非义务性支出。“农民人均纯收入”按人口平均的纯收入水平，反映的是一个地区或一个农户农村居民的平均收入水平。计算方法：

纯收入 = 总收入 − 家庭经营费用支出 − 税费支出 − 生产性固定资产折旧 − 农村亲友赠送收入。

Explanatory Notes on Statistical Indicators

Consumption Level of Residents refers to per capita consumption of residents. It shows the level of the people's material and cultural life. It is a comprehensive indicator to reflect the economic development of a country (or region) and the level of the material and cultural life of the people.

Consumption level of residents can be calculated either in terms of national income (i. e. the material product consumption of residents) or in terms of gross domestic product (i. e. the total consumption including that of service). In accordance with the different prices to calculate the consumption of residents, the consumption of residents at current prices and that at comparable prices are obtained respectively. The latter is used to reflect the growth changes of actual consumption of residents. In order to observe the composition of residential consumption in kind, the volume and value of average consumption of various consumer goods can be further calculated to show the trend of asking for means of enjoyment and development on the basis of satisfying the need of existence.

Disposable Income of Urban Households refers to the actual income of the sample households which excludes the personal income tax and the expenditure on social security, i. e. total income of sample households minus personal income tax, expenditure on social security and sample household subsidy for keeping dairies.

Expenditure for Consumption of Urban Households refers to total expenditure of the sample households for consumption in daily life, including expenditure for various commodities and expenses for non-commodity items such as culture and service, etc.

Total Income of Rural Households refers to the sum of income earned from various sources by the rural households and their members during the reference period, and is classified as income from wages and salaries, income from household operations, income from properties and income from transfers.

Net Income of Rural Households refers to the total income of rural households from all sources minus all corresponding expenses. The net income is mainly used as input for reproduction and as consumption expenditure of the year, and also used for savings and non-compulsory expenses of various forms. "Per capita net income of farmers" is the level of net income averaged by population which reflects the average income level of rural households in a given area. The formula for calculation is as follows:

Net Income = Total Income - Household Operation Expenses - Taxes and Fees - Depreciation of Fixed Assets for Production - Gifts from Rural Relatives.

十一 农业

AGRICULTURE

11

十一　农　业

简要说明

一、本篇资料反映广东农业生产和农村经济的基本情况。内容主要包括农村劳动力、耕地、农业产值、主要产品产量、农业自然灾害、国营农场、乡镇企业等方面的统计资料。

二、本篇资料主要由广东省统计局农村统计处整理提供。

三、本篇资料主要来源于广东省农林牧渔业综合统计报表。农林牧渔业综合统计报表制度的统计范围包括各市县区的各种经济类型的全部农林牧渔业以及各非农行业附属的农林牧渔业生产单位。

11　AGRICULTURE

Brief Introduction

Ⅰ. The data in this chapter show the basic conditions of agricultural production and rural economy, mainly including the rural labor force, the cultivated land, the output value of agriculture, the output of major products as well as the natural calamities in agriculture, the state-owned farms and the township enterprises.

Ⅱ. The data in this chapter are mainly prepared and provided by the Division of Rural Socio-economic Statistics of Guangdong Provincial Bureau of Statistics.

Ⅲ. The data in this chapter mainly come from the statistical reporting summary tables on farming, forestry, animal husbandry and fishery of Guangdong Province. The statistical coverage of the statistical reporting summary scheme includes all the productive units of farming, forestry, animal husbandry and fishery and those related non-agricultural affiliated units with various ownership in the cities and counties and districts of Guangdong Province.

11-1 农业主要指标
MAJOR INDICATORS ON AGRICULTURE

指标	Item	1990	1995	2000	2003	2004	2004比2003增长% Growth Rate in 2004 over 2003
乡镇户数（万户）	Number of Rural Households (10000 households)	1141.71	1283.73	1419.91	1481.16	1493.86	0.9
乡镇人口（万人）	(10000 persons)	5241.91	5622.31	6046.62	6133.17	6254.50	2.0
乡镇从业人员（万人）	Number of Rural Employed Persons (10000 persons)	2363.37	2519.21	2789.89	2824.53	2944.58	4.3
第一产业	Primary Industry	1600.85	1431.98	1572.07	1543.41	1524.97	-1.2
第二产业	Secondary Industry	387.36	584.04	655.41	705.74	782.86	10.9
第三产业	Tertiary Industry	375.16	503.19	562.41	575.38	636.75	10.7
常用耕地面积（万亩）	Regularly Cultivated Land (10000 mu)	3793.25	3475.97	3378.03	3200.95	3161.72	-1.2
有效灌溉面积（万亩）	Effective Irrigated Area (10000 mu)	2692.69	2232.41	2217.77	1973.89	1968.83	-0.3
农业机械总动力（亿瓦特）	Total Power of Agricultural Machinery (100 million w)	127.88	166.96	176.39	178.88	179.87	0.6
化肥施用量（折纯）（万吨）	Consumption of Chemical Fertilizers (100 percent equivalent) (10000 tons)	162.41	195.71	176.20	199.61	201.30	0.8
农药施用量（万吨）	Consumption of Pesticides (10000 tons)	7.95	8.04	8.47	8.60	8.50	-1.2
农村用电量（万千瓦时）	Electricity Consumed in Rural Areas (10000 kwh)	581030	1862658	4054461	7142535	7482272	4.8
农业总产值（亿元）	Gross Output Value of Agriculture (100 million yuan)	600.71	1445.48	1701.18	1908.66	2154.79	4.5
农业增加值（亿元）	Value Added of Agriculture (100 million yuan)	384.59	868.99	1000.06	1114.49	1261.42	4.2
主要产品产量（万吨）	Output of Major Products (10000 tons)						
粮食	Grain	1896.29	1803.33	1822.33	1488.00	1390.00	-6.6
糖蔗	Sugarcane	2093.46	1472.21	1137.59	952.87	940.77	-1.3
花生	Peanuts	57.95	69.98	77.68	80.73	76.47	-5.3
烟叶	Tobacco	7.08	5.04	6.21	6.00	6.27	4.6
蔬菜	Vegetables	976.83	1703.86	2214.8	2584.20	2557.65	-1.0
水果	Fruits	328.58	414.51	643.52	718.59	787.85	9.6
水产品	Aquatic Products	207.66	354.34	593.19	648.55	671.38	3.5
猪肉	Pork	145.35	188.75	206.85	232.77	242.14	4.0
荒山造林面积（万亩）	Afforested Area in Barren Mountains (10000 mu)	467.93	31.02	25.76	72.03	59.94	-16.8
乡镇企业单位数（万个）	Number of Township Enterprises (10000 units)	119.65	144.66	76.66	129.53	130.84	1.0
乡镇企业人数（万人）	Number of Employed Persons in Township Enterprises (10000 persons)	658.33	1072.11	928.28	1227.85	1268.42	3.3
乡镇企业总收入（亿元）	Gross Income of Township Enterprises (100 million yuan)	785.39	4622.35	8555.76	13034.43	14894.19	14.3
乡镇企业实交国家税金（亿元）	Taxes Actually Handed over to the State by Township Enterprises (100 million yuan)	25.16	133.74	196.44	298.91	352.68	18.0
乡镇企业纯利润（亿元）	Net Profits of Township Enterprises (100 million yuan)	54.73	289.08	427.77	559.37	616.19	10.2
乡镇企业固定资产原值（亿元）	Original Value of Fixed Assets of Township Enterprises (100 million yuan)	306.32	1704.65	3223.06	4542.59	5153.41	13.4

注：1. 表中产值按当年价格计算，增长速度按可比价格计算。
2. 1998年起水产品产量按新标准计算。
3. 2001年起乡镇企业按新口径统计。
4. 1998年起粮食、水果、猪肉采用抽样调查数。
5. 常用耕地面积2002年起按新口径统计。
6. 2004年粮食产量含大豆，由广东省农调队提供。

Note: a) The output value in this table are calculated at current prices, whereas the growth rates are calculated at comparable prices.
b) Since 1998, the outputs of aquatic products have been calculated in accordance with the new criterions.
c) Since 2001, the township enterprises have been calculated in accordance with the new stipulations.
d) Since 1998, the figures of grain, fruits and pork have been obtained from the agricultural sample surveys.
e) Since 2002, the regularly cultivated land has been calculated in accordance with the new stipulations.
f) In 2004, the output of grain includes that of soybeans, which is provided by Guangdong Rural Social - economic Survey Organization.

11-2 农村经济主要比例关系和效益指标
MAJOR INDICATORS OF PROPORTIONS AND EFFICIENCY IN RURAL ECONOMY

指标	Item	1985	1990	1995	2000	2003	2004
一、各产业劳动力比例（%）	**Proportions on Laborers of Industry (%)**	**100.0**	**100.0**	**100.0**	**100.0**	**100.0**	**100.0**
第一产业	Primary Industry	76.4	67.7	56.8	56.3	54.6	51.8
第二产业	Secondary Industry	12.8	16.4	23.2	23.5	25.0	26.6
第三产业	Tertiary Industry	10.8	15.9	20.0	20.2	20.4	21.6
二、劳动生产条件	**Production Condition**						
复种指数（%）	Multiple Crop Index (%)	206.0	225.0	229.0	229.0	227.9	226.9
平均每亩耕地化肥施用量（公斤）	Amount of Chemical Fertilizers Consumed per Mu of Cultivated Land (kg)	26.3	42.9	56.0	52.1	62.4	63.7
平均每亩耕地农药施用量（公斤）	Amount of Pesticides Consumed per Mu of Cultivated Land (kg)	1.9	2.0	2.3	2.5	2.7	2.7
三、投入产出率（%）	**Input output Rate (%)**						
农业	Agriculture				41.2	41.6	41.5
种植业	Faming				31.6	31.1	30.1
林业	Forestry				24.7	25.8	25.8
牧业	Animal Husbandry				54.6	55.7	56.1
渔业	Fishery				41.4	43.0	43.1
四、产出率	**Output Rate**						
耕地（元/亩）	Cultivated Land (yuan/mu)				1684	2021	2462
园地（元/亩）	Garden Plot (yuan/mu)				914	1184	1148
淡水养殖水面（元/亩）	Freshwater Area (yuan/mu)				3643	4334	4364
生猪出栏率（%）	Slaughtered Fattened Hog Rate (%)				146	158	159
五、劳动生产率（每个劳动力创造或生产的）	**Labor Productivity (created or produced by per laborer)**						
农业总产值（元）	Gross Output Value of Agriculture (yuan)	1535	3753	10094	10821	12367	14130
农业增加值（元）	Value Added of Agriculture (yuan)	1076	2402	6068	6361	7221	8272
粮食产量（公斤）	Output of Grain (kg)	1096	1341	1555	1467	1125	1064
糖蔗产量（公斤）	Output of Sugarcane (kg)	1251	1480	1269	916	721	720
水果产量（公斤）	Output of Fruits (kg)	79	232	357	518	543	603
水产品产量（公斤）	Output of Aquatic Products (kg)	2054	3082	4277	5834	5848	6127

注：2000年起“产出率”中“园地”改由按年末实有面积计算。
Note: Since 2000, The output rate of garden plot has been calculated by the year-end real land.

11-3 农副产品人均拥有量
PER CAPITA AMOUNT OF FORM AND SIDELINE PRODUCTS OWNED

单位：公斤/人 (kilogram/person)

年份 Year	粮食 Grain		稻谷 Rice		花生 Peanuts	
	按总人口 By Total Population	按农业人口 By Agricultural Population	按总人口 By Total Population	按农业人口 By Agricultural Population	按总人口 By Total Population	按农业人口 By Agricultural Population
1949	246.47	311.00	223.29	281.75	2.38	3.01
1952	273.98	328.73	242.97	291.52	4.54	5.44
1957	305.03	376.00	257.16	316.99	5.11	6.29
1962	260.00	319.59	229.42	282.00	4.36	5.36
1965	317.59	391.36	284.21	350.22	6.72	8.28
1970	292.96	353.69	264.03	318.76	7.34	8.86
1975	301.45	365.74	267.85	324.98	6.55	7.95
1978	298.08	364.92	262.35	321.18	6.94	8.50
1980	321.73	398.79	291.51	361.33	9.56	11.86
1985	283.68	367.06	257.14	332.72	10.09	13.06
1990	303.60	403.42	270.09	358.90	9.28	12.33
1991	295.09	398.33	260.14	351.16	8.84	11.93
1992	280.11	380.12	247.91	336.42	9.33	12.66
1993	249.79	339.53	218.60	297.16	10.12	13.76
1994	250.53	350.02	216.08	301.89	9.60	13.41
1995	267.55	380.45	230.55	327.82	10.38	14.76
1996	276.57	396.43	237.84	340.82	10.68	15.31
1997	282.77	408.50	240.01	346.72	10.65	15.39
1998	266.70	387.01	239.01	346.83	9.82	14.25
1999	268.59	390.32	226.18	328.69	10.17	14.78
2000	246.30	357.93	206.59	300.22	10.50	15.26
2001	228.57	333.17	191.37	278.95	10.59	15.43
2002	195.10	295.18	163.46	247.31	9.88	14.95
2003	193.59	333.50	162.68	280.24	10.50	18.09
2004	179.03	348.52	144.66	281.61	9.85	19.17

年份 Year	糖蔗 Sugarcane		水果 Fruits		水产品 Aquatic Products	
	按总人口 By Total Population	按农业人口 By Agricultural Population	按总人口 By Total Population	按农业人口 By Agricultural Population	按总人口 By Total Population	按农业人口 By Agricultural Population
1949	24.04	30.34			7.55	9.52
1952	91.21	109.44	5.67	6.80	10.35	12.42
1957	130.15	160.43	7.14	8.80	15.11	18.62
1962	50.51	62.09	2.16	2.66	9.64	11.85
1965	165.03	203.36	5.19	6.40	12.80	15.78
1970	149.91	180.98	8.22	9.93	13.08	15.79
1975	146.47	177.71	6.55	7.94	14.79	17.94
1978	164.97	201.96	5.81	7.11	12.93	15.83
1980	159.68	197.92	5.57	6.90	12.12	15.02
1985	323.82	419.00	20.56	26.60	19.49	44.18
1990	335.17	445.37	52.60	69.90	33.25	44.18
1991	360.12	486.12	62.74	83.81	35.86	47.91
1992	351.38	476.84	70.19	95.24	38.84	52.71
1993	245.79	334.11	61.70	83.87	41.66	56.63
1994	210.53	294.14	60.51	84.53	47.33	66.12
1995	218.43	310.59	61.43	87.74	52.57	74.75
1996	203.58	291.75	55.74	79.89	57.74	82.81
1997	234.25	338.40	59.59	86.09	74.53	107.66
1998	228.88	332.13	64.14	93.07	78.46	113.85
1999	169.04	245.65	86.40	104.48	79.91	116.13
2000	153.76	223.44	86.98	126.39	80.17	116.51
2001	142.51	207.73	78.43	114.33	80.95	117.99
2002	149.39	226.02	91.87	139.00	82.56	124.91
2003	123.97	213.57	93.49	161.06	84.38	145.36
2004	121.17	235.88	101.47	197.54	86.47	168.34

11-4 农村基层组织情况
BASIC CONDITIONS OF RURAL GRASS-ROOTS UNITS

指 标	Item	1980	1990	1995	2000	2003	2004
一、农村基层组织 （个）	**Rural Grassroots Units (unit)**						
镇政府	Number of Town Governments		1296	1531	1556	1318	1188
乡政府	Number of Township Governments	1629	339	61	33	12	12
村民委员会	Number of Villagers´Committees		23858	22869	22962	22574	21917
二、乡镇户数 （万户）	**Number of Rural Households (10000 households)**	**889.20**	**1141.71**	**1283.73**	**1419.91**	**1481.16**	**1493.86**
#农业户数	Number of Agricultural Households	852.70	997.83	1024.01	1148.44	1158.33	
三、乡镇人口 （万人）	**Population in Rural Areas (10000 persons)**	**4419.80**	**5241.91**	**5622.31**	**6046.62**	**6133.17**	**6254.50**
#农业人口	Agricultural Population	4217.65	4700.52	4639.23	5110.47	5060.48	
四、乡镇从业人员 （万人）	**Number of Rural Employed Persons (10000 persons)**	**1817.60**	**2363.37**	**2519.21**	**2789.89**	**2824.53**	**2944.58**
按性别分	Grouped by Sex						
男	Male	918.40	1218.95	1301.24	1450.37	1479.15	1539.86
女	Female	899.20	1144.42	1217.97	1339.52	1345.38	1404.72
按部门分	Grouped by Sector						
#农、林、牧、渔业从业人员	Farming, Forestry, Animal Husbandry and Fishery	1625.90	1600.85	1431.98	1572.07	1543.41	1524.97
工业从业人员	Industry	81.50	248.57	352.37	420.11	467.04	544.46
建筑业从业人员	Construction	54.30	138.79	180.88	195.77	199.67	201.27
交通、仓储和邮电通讯业从业人员	Transport, Storage, Postal and Telecommunication Services		48.02	70.52	76.54	74.35	74.04
批发零售贸易业和餐饮业从业人员	Wholesale, Retail Trade and Catering Services		63.83	92.18	130.23	149.76	157.54
外出从业人员 （万人）	Outward Employed Persons (10000 persons)	24.40	274.45	433.70	463.11	512.74	

11-5 耕地面积
AREA OF CULTIVATED LAND

单位：万亩 (10000 mu)

项 目	Item	1980	1990	1995	2000	2003	2004
年末实有常用耕地面积	Area of Regularly Cultivated Land at the Year-end	4126.07	3793.25	3475.97	3378.93	3200.95	3161.72
水（旱）田	Paddy Field	3192.88	2849.78	2547.98	2461.00	2276.22	2276.11
旱地	Dry Field	933.19	943.47	927.99	917.93	924.73	885.61
当年增加耕地面积	Increase of Cultivated Land in the Year	9.71	32.27	41.66	11.17	16.31	33.45
#新开荒	Newly Reclaimed Wasteland	3.73	16.04	11.46	4.57	7.45	5.26
当年减少耕地面积	Decrease of Cultivated Land in the Year	37.09	25.90	52.78	49.58	153.06	76.25
#国家基建占用	Occupied by Capital Construction	3.81	4.00	7.44	10.25	11.45	12.12
种果占用	Occupied by Fruits Planting	4.61	4.42	4.89	12.11	28.60	7.85

注：1. 1995 年起国家基建占用为广东省国土资源厅统计年报数。
2. 2000 年起国家基建占用改为建设用地，与往年数字不可比。
3. 常用耕地面积 2002 年起按新口径统计。

Note: a) Since 1995, the cultivated land occupied by capital construction have been obtained from the annual statistical reports by Guangdong Provincial Department of Land and Resources.
b) Since 2000, the cultivated land occupied by capital construction refers to the land for construction, which is not comparable with the previous years.
c) Since 2002, the regularly cultivated land has been calculated in accordance with the new stipulations.

11-6 农村劳动力情况
STATISTICS ON RURAL LABORERS

单位:% (%)

项　　目	Item	2000	2003	2004
一、性别	**By Sex**	**100.0**	**100.0**	**100.0**
男劳动力	Male	51.6	51.4	51.6
女劳动力	Female	48.4	48.6	48.4
二、文化程度	**By Educational Level**	**100.0**	**100.0**	**100.0**
文盲与半文盲	Illiterate and Semi-illiterate	4.0	3.9	4.3
小学程度	Primary School	33.5	28.2	26.5
初中程度	Junior Secondary School	48.9	53.2	54.1
高中程度	Senior Secondary School	9.9	10.5	10.5
中专程度	Specialized Secondary School	3.1	3.4	3.7
大专及其以上程度	College and Higher Level	0.6	0.8	0.9
三、专业技术	**By Status of Technical Training**	**100.0**	**100.0**	**100.0**
受过专业培训	Various Technical Trainings Received	11.4	10.4	14.0
未受过专业培训	Various Technical Trainings Not Received	88.6	89.6	86.0
四、行业分布情况	**By Sector**		**100.0**	**100.0**
农业	Farming, Forestry, Animal Husbandry and Fishery		57.2	54.6
采矿业	Mining		0.2	0.2
制造业	Manufacturing		13.1	14.7
电力煤气及水的生产供应业	Production and Supply of Electric Power, Gas and Water		0.5	0.4
建筑业	Construction		2.9	2.8
交通运输仓储及邮电通讯业	Transport, Storage, Postal and Telecommunication Services		2.4	2.4
批发和零售贸易	Wholesale and Retail Trade		4.2	4.3
住宿和餐饮业	Hotels and Catering Services		2.8	2.4
居民服务和其他服务业	Residential Services and Other Services		4.8	4.6
教育	Education		1.2	1.2
卫生、社会保障和社会福利业	Health Care, Social Security and Social Welfare		0.5	0.7
文化、体育和娱乐业	Culture, Sports and Recreation		0.2	0.2
其它	Others		10.0	11.5

注：本表数据为抽样调查数。
Note: Data in this table are obtained from the sample surveys.

11-7 农村三次产业劳动力素质结构
STRUCTURE OF EDUCATIONAL LEVEL OF RURAL LABORERS BY THREE INDUSTRIES

单位:% (%)

项　　目	Item	从事第一产业的劳动力 Laborers Engaged in Primary Industry			从事第二、三产业的劳动力 Laborers Engaged in Second Industry and Tertiary Industry		
		1995	2003	2004	1995	2003	2004
一、性别	**Sex**	**100.0**	**100.0**	**100.0**	**100.0**	**100.0**	**100.0**
男劳动力	Male	46.9	46.7	46.9	62.8	57.8	57.6
女劳动力	Female	53.1	53.3	53.1	37.2	42.2	42.4
二、文化程度	**Educational Level**	**100.0**	**100.0**	**100.0**	**100.0**	**100.0**	**100.0**
文盲与半文盲	Illiterate and Semi-illiterate	10.7	6.4	7.1	3.6	0.8	1.1
小学程度	Primary School	44.4	38.1	36.8	25.0	15.5	14.4
初中程度	Junior Secondary School	35.1	46.1	46.3	51.4	62.6	63.4
高中程度	Senior Secondary School	8.6	8.2	8.5	17.4	13.3	12.9
中专程度	Specialized Secondary School	1.2	1.1	1.2	2.2	6.2	6.4
大专及其以上程度	College and Higher Level	...	0.1	0.1	0.4	1.6	1.8
三、专业技术情况	**Status of Technical Training**	**100.0**	**100.0**	**100.0**	**100.0**	**100.0**	**100.0**
受过各种专业培训的劳动力	Various Technical Trainings Received	10.0	3.3	5.2	25.9	20.2	24.9
没有受过专业培训的劳动力	Various Technical Trainings Not Received	90.0	96.7	94.8	74.1	79.8	75.1

注：本表数据为抽样调查数。
Note: Data in this table are obtained from the sample surveys.

11-8 农村转移劳动力情况
TRANSFER OF RURAL LABORERS

单位:% (%)

项　　目	Item	2000	2003	2004
一、转移劳动力占农村劳动力比重	**Percentage of Transferred Laborers to Rural Laborer Force**	**37.8**	**39.2**	**42.6**
二、转移劳动力的性别和文化技术素质情况	**Percentage of Transferred Laborers by Sex and Educational Level**			
性别	By Sex	100.0	100.0	100.0
男劳动力	Male	60.3	58.0	57.9
女劳动力	Female	39.7	42.0	42.1
文化程度	By Educational Level	100.0	100.0	100.0
文盲与半文盲	Illiterate and Semi-illiterate	0.6	0.8	1.1
小学程度	Primary School	17.9	15.1	14.1
初中程度	Junior Secondary School	62.2	62.8	63.6
高中程度	Senior Secondary School	11.7	13.3	12.9
中专程度	Specialized Secondary School	6.3	6.4	6.5
大专及其以上程度	College and Higher Level	1.3	1.6	1.8
专业技术	By Status of Technical Training	100.0	100.0	100.0
受过专业培训	Various Technical Training Received	15.6	20.7	25.1
未受过专业培训	Various Technical Training Not Received	84.4	79.3	74.9

注：本表数据为抽样调查数。
Note: Data in this table are obtained from the sample surveys.

11-9 农村劳动力外出务工情况
STATISTICS ON RURAL OUTGOING LABORERS

单位:% (%)

项目	Item	2003	2004
一、当年转移的劳动力占总劳动力比重	**Percentage of Outgoing Laborers to Total Labor Force in Current Year**	**25.2**	**25.3**
二、外出务工劳动力的性别、年龄和文化技术素质情况	**Percentage of Outgoing Laborers by Sex, Age, Educational Level and Technical Training**		
性别	By Sex	100.0	100.0
男劳动力	Male	55.2	55.1
女劳动力	Female	44.8	44.9
年龄	By Age	100.0	100.0
16－20岁	16－20	23.4	19.7
21－25岁	21－25	41.1	41.5
26－30岁	26－30	15.7	18.0
31－35岁	31－35	8.3	7.8
36－40岁	36－40	5.3	6.0
41－45岁	41－15	3.5	3.9
46－50岁	46－50	1.3	1.6
50岁以上	50 and over	1.4	1.4
文化程度	By Educational Level	100.0	100.0
文盲与半文盲	Illiterate and Semi-illiterate	0.3	0.6
小学程度	Primary School	10.0	8.7
初中程度	Junior Secondary School	72.9	72.9
高中程度	Senior Secondary School	9.5	9.7
中专程度	Specialized Secondary School	6.3	6.8
大专及其以上程度	College and Higher Level	1.0	1.4
专业技术	By Technical Training	100.0	100.0
受过各种专业培训的劳动力	Various Technical Trainings Received	18.7	26.8
没有受过专业培训的劳动力	Various Technical Trainings Not Received	81.3	73.2
三、外出从事的行业	**Outgoing Laborers by Sector**	**100.0**	**100.0**
农林牧渔业	Farming, Forestry, Animal Husbandry and Fishery	0.6	0.9
采矿业	Mining	0.4	0.3
制造业	Manufacturing	40.2	44.0
电力煤气及水的生产供应业	Production and Supply of Electric Power, Gas and Water	0.7	0.6
建筑业	Construction	5.1	4.9
交通运输仓储及邮电通讯业	Transport, Storage, Postal and Telecommunication Services	5.0	4.3
批发和零售贸易	Wholesale and Retail Trade	8.9	7.9
住宿和餐饮业	Hotels and Catering Services	8.6	7.4
居民服务和其他服务业	Residential Services and Other Services	12.5	11.7
教育	Education	0.4	0.8
卫生、社会保障和社会福利业	Health Care, Social Security and Social Welfare	0.6	1.1
文化、体育和娱乐业	Culture, Sports and Recreation	0.5	0.3
其它	Others	16.4	15.7
四、外出劳动力从业时间情况	**Employment Period of Outgoing Laborers**	**100.0**	**100.0**
外出从业累计1个月以下人数占外出人数比重	Percentage of Outgoing Laborers Employed under 1 Month to Total Outgoing Laborers	0.1	
外出从业累计1－3个月人数占外出人数比重	Percentage of Outgoing Laborers Employed from 1 Month to 3 Months to Total Outgoing Laborers	2.9	2.5
外出从业累计3－6个月人数占外出人数比重	Percentage of Outgoing Laborers Employed from 3 Months to 6 Months to Total Outgoing Laborers	9.9	6.5
外出从业累计6个月以上人数占外出人数比重	Percentage of Outgoing Laborers Employed over 6 Months to Total Outgoing Laborers	87.1	91.0

注：本表数据为抽样调查数。

Note: The data in this table refer to the figures from the sample surveys. eys.

11-10 农林牧渔总产值和指数

GROSS OUTPUT VALUE OF FARMING, FORESTRY, ANIMAL HUSBANDRY AND FISHERY AND THEIR INDICES

年份 Year	农林牧渔总产值 Gross Output Value of Farming, Forestry, Animal Husbandry and Fishery	农业产值 Farming	林业产值 Forestry	牧业产值 Animal Husbandry	渔业产值 Fishery	农林牧渔服务业产值 Services for Farming, Forestry, Animal Husbandry and Fishery
一、绝对值（亿元）Output Value（100 million yuan）						
1978	85.94	59.56	4.98	15.98	5.42	
1979	91.53	67.19	7.67	13.58	3.09	
1980	126.25	97.15	6.83	17.75	4.52	
1981	133.85	99.33	7.81	21.62	5.09	
1982	135.52	98.33	8.33	21.73	7.13	
1983	169.96	120.06	10.72	28.57	10.61	
1984	200.07	141.22	12.13	33.81	12.91	
1985	245.21	149.09	21.09	54.68	20.35	
1986	279.15	168.68	24.38	60.74	25.35	
1987	348.61	214.47	16.74	78.26	39.14	
1988	473.78	277.38	27.66	114.28	54.46	
1989	548.60	323.15	28.00	134.60	62.85	
1990	600.71	359.39	28.46	143.68	69.18	
1991	654.82	388.90	29.64	156.08	80.20	
1992	737.11	428.99	32.86	175.36	99.90	
1993	899.03	486.46	35.51	223.16	153.90	
1994	1151.38	628.17	41.07	279.98	202.16	
1995	1445.48	777.72	46.12	349.11	272.53	
1996	1577.89	825.60	49.64	398.12	304.53	
1997	1656.46	851.35	52.10	425.67	327.34	
1998	1705.44	861.97	54.65	441.61	347.21	
1999	1745.02	859.66	58.77	457.51	369.08	
2000	1701.18	807.94	59.64	450.18	383.42	
2001	1722.35	817.95	56.78	457.56	390.06	
2002	1781.06	841.77	57.09	465.91	416.29	
2003	1908.66	851.72	55.72	482.83	432.74	85.65
2004	2154.79	959.97	61.72	571.09	466.45	95.56
二、指数（1978＝100）Indices（1978＝100）						
1978	100.0	100.0	100.0	100.0	100.0	
1979	99.2	99.4	85.1	104.6	93.7	
1980	110.2	111.8	108.3	104.4	102.8	
1981	112.8	110.3	119.6	122.9	111.9	
1982	131.2	127.4	133.4	148.6	135.0	
1983	134.6	127.2	140.4	159.8	164.3	
1984	147.1	138.9	147.6	175.5	185.5	
1985	157.8	145.5	154.8	202.2	216.2	
1986	167.5	151.0	173.4	219.6	257.0	
1987	183.6	165.8	166.9	237.7	313.2	
1988	197.7	173.4	223.2	259.2	350.3	
1989	213.2	186.9	232.3	279.4	389.9	
1990	228.9	201.5	215.7	306.2	429.3	
1991	243.0	211.9	213.8	332.6	470.1	
1992	257.7	220.3	218.9	357.8	536.5	
1993	267.6	213.7	222.6	398.9	644.5	
1994	279.5	219.5	227.5	415.1	716.3	
1995	302.7	237.1	239.6	443.5	800.1	
1996	320.9	245.0	246.5	485.9	882.9	
1997	342.7	263.7	249.2	509.5	953.5	
1998	359.3	272.7	258.1	535.8	1033.7	
1999	379.1	286.8	271.8	563.9	1101.9	
2000	389.3	288.6	281.3	579.6	1184.5	
2001	400.1	295.6	294.0	592.7	1230.1	
2002	426.1	323.4	285.8	601.4	1310.6	
2003	438.2	331.6	277.8	614.8	1367.5	100.0
2004	457.9	350.5	287.2	625.9	1433.1	107.8

注：本表绝对数按现价计算，指数按可比价计算。

Note: Data in value terms in this table are calculated at current prices, where as the related indices are calculated at comparable prices.

11-11 农林牧渔总产值指数

INDICES OF GROSS OUTPUT VALUE OF FARMING, FORESTRY, ANIMAL HUSBANDRY AND FISHERY

（上年＝100） (Preceding year = 100)

年份 Year	农林牧渔总产值 Gross Output Value of Farming, Forestry, Animal Husbandry and Fishery	农业产值 Farming	林业产值 Forestry	牧业产值 Animal Husbandry	渔业产值 Fishery	农林牧渔服务业产值 Services for Farming, Forestry, Animal Husbandry and Fishery
1979	99. 2	99. 4	85. 1	104. 6	93. 7	
1980	111. 1	112. 5	127. 3	99. 8	109. 7	
1981	102. 4	98. 7	110. 4	117. 6	108. 9	
1982	116. 3	115. 5	111. 5	120. 9	120. 6	
1983	102. 6	99. 9	105. 2	107. 6	121. 7	
1984	109. 3	109. 2	105. 1	109. 8	112. 9	
1985	107. 3	104. 8	104. 9	115. 2	116. 5	
1986	106. 1	103. 8	112. 0	108. 6	118. 9	
1987	109. 6	109. 8	96. 3	108. 2	121. 9	
1988	107. 7	104. 6	133. 7	109. 0	111. 8	
1989	107. 8	107. 8	104. 1	107. 8	111. 3	
1990	107. 4	107. 8	92. 9	109. 6	110. 1	
1991	106. 2	105. 1	99. 1	108. 6	109. 5	
1992	106. 0	103. 9	102. 4	107. 6	114. 1	
1993	103. 8	97. 0	101. 7	111. 5	120. 1	
1994	104. 4	102. 7	102. 2	104. 1	111. 1	
1995	108. 3	108. 0	105. 3	106. 8	111. 7	
1996	106. 0	103. 3	102. 9	109. 6	110. 3	
1997	106. 8	107. 6	101. 1	104. 8	108. 0	
1998	104. 8	103. 4	103. 6	105. 2	108. 4	
1999	105. 5	105. 2	105. 3	105. 2	106. 6	
2000	102. 7	100. 6	103. 5	102. 8	107. 5	
2001	102. 8	102. 4	104. 5	102. 2	103. 8	
2002	106. 5	109. 4	97. 2	101. 5	106. 5	
2003	102. 8	102. 5	97. 2	102. 2	104. 3	
2004	104. 5	105. 7	103. 4	101. 8	104. 8	107. 8

注：指数按可比价计算。
Note: The indices are calculated at comparable prices.

11-12 农林牧渔总产值指数
INDICES OF GROSS OUTPUT VALUE OF FARMING, FORESTRY, ANIMAL HUSBANDRY AND FISHERY

单位:% (%)

年份 Year	农林牧渔总产值 Gross Output Value of Farming, Forestry, Animal Husbandry and Fishery	农业产值 Farming	林业产值 Forestry	牧业产值 Animal Husbandry	渔业产值 Fishery	农林牧渔服务业产值 Services for Farming, Forestry, Animal Husbandry and Fishery
1949	100. 0	100. 0	100. 0	100. 0	100. 0	
1952	133. 7	128. 5	340. 0	147. 0	200. 0	
1957	179. 1	169. 9	1720. 0	160. 0	342. 0	
1962	150. 8	145. 6	2220. 0	118. 4	202. 0	
1965	226. 0	202. 9	3360. 0	281. 6	320. 0	
1970	260. 2	233. 7	4320. 0	299. 5	412. 0	
1975	278. 9	243. 4	4410. 0	367. 5	483. 1	
1978	323. 8	288. 8	5566. 9	398. 2	445. 6	
1979	321. 1	286. 9	4736. 7	416. 6	417. 4	
1980	356. 7	322. 8	6029. 7	415. 9	458. 1	
1981	365. 1	318. 6	6655. 8	489. 2	498. 7	
1982	424. 7	367. 8	7427. 1	591. 5	601. 4	
1983	435. 8	367. 4	7817. 5	636. 3	731. 9	
1984	476. 2	401. 2	8217. 4	698. 8	826. 4	
1985	510. 8	420. 2	8617. 3	805. 0	963. 2	
1986	542. 5	436. 0	9655. 2	874. 5	1145. 1	
1987	594. 5	478. 6	9293. 4	946. 6	1395. 4	
1988	640. 1	500. 8	12426. 1	1032. 1	1561. 0	
1989	690. 3	539. 8	12930. 8	1112. 6	1737. 4	
1990	741. 2	581. 9	12007. 2	1219. 3	1912. 9	
1991	786. 4	611. 9	11903. 0	1324. 4	2094. 6	
1992	834. 5	636. 0	12186. 3	1424. 6	2390. 6	
1993	866. 4	617. 1	12394. 6	1588. 4	2872. 1	
1994	905. 1	633. 8	12663. 6	1652. 9	3191. 8	
1995	980. 3	684. 6	13336. 6	1766. 1	3563. 5	
1996	1039. 9	707. 5	13733. 2	1934. 9	3934. 5	
1997	1110. 6	761. 3	13884. 3	2028. 7	4249. 3	
1998	1164. 4	787. 4	14381. 2	2133. 7	4606. 9	
1999	1228. 4	828. 3	15146. 3	2245. 5	4911. 0	
2000	1261. 2	833. 3	15679. 2	2308. 2	5278. 6	
2001	1296. 3	853. 5	16388. 4	2360. 1	5481. 9	
2002	1380. 4	933. 8	15931. 6	2394. 9	5840. 5	
2003	1419. 4	957. 5	15485. 7	2448. 3	6094. 0	100. 0
2004	1483. 3	1012. 1	16012. 2	2492. 4	6386. 5	107. 8

注：指数按可比价计算。
Note: The indices are calculated at comparable prices.

11-13 农作物播种面积
TOTAL SOWN AREA OF FARM CROPS

单位：万亩 （10000 mu）

年份 Year	农作物总播种面积 Total Sown Area	一、粮食作物 Grain Crops	#稻谷 Rice	#薯类 Tubers	二、大豆 Soybean	三、经济作物 Economic Crops
1949	7928.93	7174.20	6189.30	743.70	138.87	232.56
1952	8413.24	7413.90	6080.40	998.40	140.71	359.85
1957	9490.39	8080.00	6061.40	1226.18	143.80	602.91
1962	8531.36	7151.30	5483.70	1181.25	116.00	470.20
1965	8699.62	6884.40	5413.60	983.47	113.00	944.17
1970	9381.99	6958.20	5657.68	902.43	116.45	1089.12
1975	10255.25	7556.31	5871.37	918.44	197.60	1223.18
1978	9962.46	7603.47	5790.39	873.02	163.71	1277.28
1979	9492.62	7300.54	5691.88	845.65	185.91	1258.28
1980	8954.84	6908.02	5596.10	800.67	198.18	1213.98
1981	8567.83	6548.40	5450.29	767.07	199.33	1302.19
1982	8539.77	6475.65	5373.51	778.51	218.52	1327.84
1983	8364.03	6485.66	5406.97	780.98	197.43	1126.05
1984	8313.00	6269.47	5272.01	765.51	193.21	1213.32
1985	8036.82	5750.76	4815.81	730.83	175.22	1417.68
1986	8037.18	5731.76	4804.77	745.48	177.59	1334.07
1987	8064.78	5679.94	4750.06	743.22	174.25	1324.67
1988	8063.89	5598.29	4678.26	726.61	172.60	1318.08
1989	8322.71	5777.18	4768.32	743.93	173.64	1324.88
1990	8507.35	5822.06	4763.67	751.70	172.44	1338.43
1991	8489.09	5643.92	4596.92	746.74	163.30	1374.36
1992	8231.36	5303.82	4313.79	710.56	157.48	1393.07
1993	7718.41	4840.76	3944.83	681.66	160.54	1295.77
1994	7807.99	4959.10	4005.47	747.93	157.12	1224.21
1995	7957.19	5052.24	4052.13	775.96	155.84	1185.17
1996	8156.22	5120.09	4066.33	778.70	155.04	1202.15
1997	8267.25	5144.06	4055.92	772.52	149.14	1211.80
1998	8310.73	5147.65	4029.10	768.09	146.06	1185.21
1999	7894.24	4912.04	3836.30	697.22	144.52	1071.27
2000	7735.35	4649.83	3619.05	640.15	145.46	1093.04
2001	7868.21	4634.79	3638.28	661.15	132.19	1088.71
2002	7207.37	4021.44	3151.22	582.81	102.14	1068.46
2003	7294.58	4012.81	3144.56	578.14	114.54	1055.55
2004	7172.69	4184.55	3208.50	581.55		1008.72

注：2004 年粮食播种面积含大豆，由广东省农调队提供。
Note: In 2004, the sown area of grain includes that of soybeans, which is provided by Guangdong Rural Social – economic Survey Organization.

11-13 **续表** continued

单位：万亩 (10000 mu)

年份 Year	#糖蔗 Sugarcane	#花生 Peanuts	#黄红麻 Jute and Ambary Hemp	#红（土）烟 Crude Tobacco	#黄（烤）烟 Flue cured Tobacco	四、其他作物 Other Crops
1949	43.40	113.00	5.58	7.50	4.50	383.30
1952	89.89	200.37	12.11	16.30	7.23	498.78
1957	145.43	302.54	33.75	24.11	10.03	663.68
1962	92.24	293.92	19.34	23.31	6.19	793.88
1965	222.82	431.83	25.96	22.61	7.68	758.05
1970	255.04	465.08	34.63	21.14	11.50	1218.22
1975	276.42	475.31	69.32	34.28	23.02	1278.16
1978	258.96	486.62	94.93	27.25	41.94	918.00
1979	227.15	519.73	58.62	25.65	33.79	747.89
1980	218.57	553.24	42.05	21.87	16.75	634.66
1981	272.52	591.41	46.56	24.58	20.48	517.91
1982	331.53	588.01	28.01	24.99	23.74	517.76
1983	312.86	489.74	18.68	21.66	21.59	554.89
1984	341.02	523.56	29.92	21.87	17.19	637.00
1985	442.83	545.78	58.31	28.69	26.56	693.16
1986	405.07	560.80	14.53	23.67	18.20	793.76
1987	344.72	533.13	10.00	19.65	21.77	885.92
1988	354.90	497.82	10.43	22.18	39.21	974.92
1989	338.02	486.05	8.22	47.31	24.94	1047.01
1990	419.73	485.96	7.26	21.89	46.66	1174.42
1991	453.90	472.15	8.12	22.63	59.30	1307.51
1992	461.14	471.88	9.52	22.07	57.01	1376.99
1993	353.65	499.78	7.31	15.58	58.34	1421.34
1994	325.62	505.35	4.45	11.45	41.70	1467.56
1995	320.18	499.60	4.05	8.43	35.90	1563.94
1996	329.28	497.42	3.82	8.22	36.88	1678.94
1997	334.02	499.70	5.88	12.09	43.36	1762.26
1998	325.59	510.83	2.51	11.02	39.28	1831.81
1999	261.47	468.50	1.90	8.68	34.04	1766.41
2000	239.60	496.61	1.55	7.98	38.66	1847.01
2001	215.25	511.57	1.41	8.53	44.95	2012.52
2002	222.66	472.49	1.21	7.32	38.95	2015.33
2003	198.29	488.66	1.14	7.39	37.47	2111.68
2004	193.45	462.20	0.96	7.38	40.04	1979.42

11-14 农作物产量
TOTAL OUTPUT OF FARM CROPS

单位：万吨　　　　　　　　　　　　　　　　　　　　(10000 tons)

年份 Year	一、粮食作物 Grain Crops	#稻谷 Rice	#薯类 Tubers	二、大豆 Soybean	糖蔗 Sugarcane	花生 Peanuts	黄红麻 Jute and Ambary Hemp	红（土）烟 Crude Tobacco	黄（烤）烟 Flue-cured Tobacco
1949	685.85	621.35	55.85	4.62	66.91	6.63	0.48	0.58	0.23
1952	797.40	707.15	76.50	5.41	265.47	13.20	1.44	1.29	0.34
1957	1007.15	849.10	130.15	4.39	429.72	16.86	3.98	1.63	0.49
1962	929.60	820.25	89.15	3.84	180.60	15.60	2.22	1.15	0.26
1965	1227.65	1098.60	106.90	4.74	637.93	25.97	3.99	1.49	0.59
1970	1283.82	1157.04	103.10	5.79	656.93	32.16	6.24	1.60	0.70
1975	1464.58	1301.35	122.27	9.13	711.61	31.84	13.77	2.52	1.54
1978	1509.51	1328.56	121.04	7.99	835.42	35.17	18.07	1.97	2.76
1979	1605.36	1435.22	125.15	9.56	742.90	40.70	13.25	1.86	2.14
1980	1681.91	1523.92	123.68	11.47	834.73	50.00	10.18	1.68	1.04
1981	1521.00	1372.22	122.53	12.01	1235.50	57.39	12.96	2.09	1.59
1982	1795.72	1627.37	138.98	14.44	1496.10	61.90	7.53	2.38	2.29
1983	1817.48	1673.12	138.98	10.80	1159.83	48.08	4.84	1.69	1.72
1984	1819.33	1666.08	130.21	11.90	1454.15	53.40	6.48	1.95	1.55
1985	1604.37	1454.29	131.88	11.32	1831.40	57.07	11.30	2.60	2.29
1986	1567.00	1421.55	128.01	12.27	1622.13	60.40	3.57	1.83	1.67
1987	1701.81	1536.46	146.48	12.43	1338.60	53.50	2.13	1.91	2.14
1988	1636.70	1472.95	143.42	12.32	1538.68	51.80	2.15	2.31	3.49
1989	1817.21	1630.29	153.47	13.25	1681.34	55.38	1.04	2.57	4.58
1990	1896.29	1687.00	167.05	13.87	2093.46	57.95	1.04	2.44	4.64
1991	1873.50	1651.65	176.59	12.60	2286.38	56.11	1.49	2.65	5.81
1992	1810.40	1602.27	170.28	13.94	2271.06	60.30	1.88	2.48	6.14
1993	1629.11	1425.81	169.20	15.28	1603.11	66.02	1.33	1.74	5.96
1994	1662.66	1434.04	194.68	15.44	1397.22	63.71	0.68	1.22	4.08
1995	1803.33	1553.90	209.40	16.50	1472.21	69.98	0.79	1.08	3.96
1996	1891.43	1626.29	210.28	17.32	1392.00	73.05	0.72	1.11	4.18
1997	1966.75	1669.33	228.35	17.61	1629.27	74.10	0.95	1.88	5.45
1998	1884.13	1688.53	238.28	17.32	1616.94	69.38	0.42	1.82	4.79
1999	1935.82	1630.13	214.38	17.91	1218.30	73.31	0.30	1.40	4.40
2000	1822.33	1528.53	199.05	18.73	1137.59	77.68	0.27	1.26	4.95
2001	1721.55	1441.35	198.15	17.36	1073.38	79.73	0.25	1.27	5.52
2002	1484.16	1243.46	171.02	12.67	1136.45	75.19	0.22	1.14	4.94
2003	1488.00	1250.38	166.77	14.92	952.87	80.73	0.20	1.21	4.79
2004	1390.00	1123.13	180.28		940.77	76.47	0.17	1.23	5.04

注：2004 年粮食产量含大豆，由广东省农调队提供。
Note: In 2004, the output of grain includes that of soybeans, which is provided by Guangdong Rural Social - economic Survey Organization.

11-15 主要农作物播种面积、亩产及总产量
SOWN AREA, YIELD AND TOTAL OUTPUT OF MAJOR FARM CROPS

单位：万亩、公斤、万吨 (10000 mu, kg, 10000 tons)

作物名称 Farm Crop		2000 播种面积 Sown Area	2000 亩产 Yield per Mu	2000 总产量 Total Output	2003 播种面积 Sown Area	2003 亩产 Yield per Mu	2003 总产量 Total Output	2004 播种面积 Sown Area	2004 亩产 Yield per Mu	2004 总产量 Total Output
农作物播种面积	**Total**	**7735.35**			**7294.58**			**7172.69**		
一、粮食作物	**Grain Crops**	**4649.83**	**392**	**1822.33**	**4012.81**	**371**	**1488.00**	**4184.55**	**332**	**1390.00**
稻谷	Rice	3619.05	422	1528.53	3144.56	398	1250.38	3208.50	350	1123.13
早稻	Early Rice	1745.35	435	759.50	1503.15	407	611.67	1539.30	381	586.50
晚稻	Late Rice	1873.70	410	769.03	1641.41	389	638.71	1669.20	321	536.63
小麦	Wheat	22.22	193	4.28	7.79	186	1.45	9.00	190	1.71
旱粮	Upland Grain	368.41	246	90.46	282.32	246	69.41	385.50	220	84.88
薯类	Tubers	640.15	311	199.05	578.14	288	166.77	581.55	310	180.28
二、大 豆	**Soybean**	**145.46**	**129**	**18.73**	**114.54**	**130**	**14.92**			
三、经济作物	**Economic Crops**	**1093.04**			**1055.55**			**1008.72**		
甘蔗	Sugarcane and Fruit Cane	267.12	4692	1253.21	234.12	4844	1134.08	226.89	4894	1110.37
糖蔗	Sugarcane	239.60	4748	1137.59	198.29	4806	952.87	193.45	4863	940.77
果蔗	Fruit Cane	27.52	4202	115.62	35.83	5057	181.21	33.44	5072	169.60
油料作物	Oil-bearing Crops	515.75	153	78.78	501.82	163	81.93	474.32	163	77.52
#花生	Peanuts	496.61	156	77.68	488.66	165	80.73	462.20	165	76.47
芝麻	Sesame	4.13	68	0.28	2.66	70	0.18	2.28	69	0.16
油菜籽	Rape Seeds	15.01	55	0.82	10.50	97	1.02	9.84	90	0.89
麻类	Fiber Crops	1.58	173	0.27	1.16	177	0.21	0.96	172	0.17
#黄红麻	Jute and Ambary Hemp	1.55	173	0.27	1.14	178	0.20	0.96	172	0.17
烟叶	Tobacco	46.65	133	6.21	44.86	134	6.00	47.42	132	6.27
黄（烤）烟	Flue-cured Tobacco	38.66	128	4.95	37.47	128	4.79	40.04	126	5.04
红（土）烟	Crude Tobacco	7.98	157	1.26	7.39	163	1.21	7.38	167	1.23
木薯	Cassava	186.20	1124	209.37	163.73	1166	190.86	155.63	1186	184.54
药材	Medicinal Plants	30.90			35.15			33.12		
其他经济作物	Other Economic Crops	44.84			74.72			70.38		
四、其他作物	**Other Crops**	**1847.01**			**2111.68**			**1979.42**		
#蔬菜	Vegetables	1515.15	1462	2214.80	1792.28	1442	2584.20	1720.00	1487	2557.65

注：2004 年粮食作物含大豆，由广东省农调队提供。
Note: In 2004, the grain crops include soybeans, which is provided by Guangdong Rural Social – economic Survey Organization.

11-16 农业机耕、农田水利、化肥和农药施用量及农村用电量

STATISTICS ON TRACTOR PLOUGHING, WATER CONSERVANCY, CONSUMPTION OF CHEMICALFE RTILIZERS AND PESTICIDES AND ELECTRICITY CONSUMPTION IN RURAL AREAS

项目	Item	1980	1990	1995	2000	2003	2004
一、有效灌溉面积 （万亩）	Effective Irrigated Area （10000 mu）	2920.28	2692.69	2232.41	2217.77	1973.89	1968.83
占耕地面积 （%）	Percentage to Total Cultivated Land （%）	70.8	71.1	64.2	65.6	61.7	62.3
二、旱涝保收面积 （万亩）	Dried and Flooded Area under Control and Ensuring Stable Yields （10000 mu）	2195.20	2004.15	1645.58	1626.68	1435.12	1414.80
占耕地面积 （%）	Percentage to Total Cultivated Land （%）	53.6	52.9	47.3	48.1	44.8	44.7
三、化肥施用量 （万吨）	Consumption of Chemical Fertilizers （10000 tons）						
实物量	Gross Weight	333.54	541.40	601.09	611.12	643.25	645.13
#氮肥	Nitrogenous Fertilizer	223.99	281.60	271.75	248.15	247.53	244.81
磷肥	Phosphate Fertilizer	85.85	134.32	146.00	153.01	161.96	161.81
钾肥	Potash Fertilizer	15.39	59.55	78.69	79.35	87.12	88.98
折纯量	Effective Weight（100 percent equivalent）	77.00	162.41	195.71	176.20	199.61	201.30
#氮肥	Nitrogenous Fertilizer	54.03	95.82	99.49	95.89	97.58	96.03
磷肥	Phosphate Fertilizer	15.27	20.08	27.16	18.36	18.85	18.75
钾肥	Potash Fertilizer	6.36	27.57	34.14	35.84	39.40	39.80
四、农药施用量 （万吨）	Consumption of Pesticides （10000 tons）	12.21	7.95	8.04	8.47	8.60	8.50
五、农村小型水电站 （个）	Number of Small Hydropower Stations inRural Areas	11100	10124	7988	5478	4937	5117
发电能力 （万千瓦）	Generating Capacity （10000 kw）	42.95	81.47	130.14	142.57	171.53	183.16
六、农村用电量 （万千瓦时）	Consumption of Electricity inRural Areas （10000 kwh）	125496	581030	1862658	4054461	7142535	7482272
七、农业机械总动力（亿瓦特）	Total Power of Agricultural Machinery （100 million w）	59.60	127.88	166.96	176.39	178.88	179.87

11-17 水产品产量及养殖面积

OUTPUT OF AQUATIC PRODUCTS AND CULTURED AREA

指标	Item	1980	1990	1995	2000	2003	2004
一、水产品产量 （万吨）	**Output of Aquatic Products （10000 tons）**	**63.34**	**207.66**	**354.34**	**593.19**	**648.55**	**671.38**
海水产品	Seawater Aquatic Products	41.54	124.53	197.21	360.45	379.21	388.60
捕捞	Catches	40.78	110.74	161.42	191.48	181.91	177.90
养殖	Artificially Cultured	0.76	13.79	35.79	168.97	197.30	210.70
淡水产品	Freshwater Aquatic Products	21.80	83.13	157.13	232.74	269.34	282.78
捕捞	Catches	0.85	4.19	7.36	13.52	13.08	12.94
养殖	Artificially Cultured	20.95	78.94	149.77	219.22	256.26	269.84
二、养殖面积 （万亩）	**Cultured Area （10000 mu）**	**300.43**	**515.50**	**688.73**	**846.76**	**892.99**	**898.50**
海水养殖	Seawater	32.31	138.50	174.23	292.33	325.14	331.87
淡水养殖	Freshwater	268.12	377.00	494.50	554.43	567.85	566.63

注：1998 年起水产品产量按新标准计算。

Note：Since 1998，the outputs of aquatic products haves been calculated in accordance with the new criterions.

11-18 茶叶、桑、水果面积及产量
PLANTED AREA AND OUTPUT OF TEA, MULBERRY AND FRUITS

指　标	Item	1980	1990	1995	2000	2003	2004
一、茶叶年末实有面积　（万亩）	Planted Area of Tea at the Year-end (10000 mu)	54.08	64.42	68.74	64.80	58.01	58.47
茶叶总产量　（万吨）	Output of Tea (10000 tons)	1.00	2.59	3.96	4.21	4.14	4.04
二、桑地年末实有面积　（万亩）	Planted Area of Mulberry at the Year-end (10000 mu)	21.10	29.71	37.76	26.89	41.05	43.64
蚕茧总产量　（万吨）	Output of Mulberry (10000 tons)	2.17	2.55	3.32	3.09	5.16	5.72
三、水果年末实有面积　（万亩）	Planted Area of Fruits at the Year-end (10000 mu)	177.40	967.11	1103.46	1502.35	1375.68	1479.98
水果总产量　（万吨）	Gross Output of Fruits (10000 tons)	29.10	328.58	414.51	643.52	718.59	787.85
#柑桔橙年末实有面积　（万亩）	Planted Area of Citrus at the Year-end (10000 mu)	40.00	288.99	169.84	123.34	178.12	219.58
柑桔橙总产量　（万吨）	Output of Citrus (10000 tons)	11.66	151.42	107.43	81.06	97.09	121.91
香（大）蕉年末实有面积　（万亩）	Planted Area of Bananas at the Year-end (10000 mu)	9.40	103.10	131.41	151.51	188.69	189.00
香（大）蕉总产量　（万吨）	Output of Bananas (10000 tons)	3.41	105.39	157.60	235.30	301.80	320.92
菠萝年末实有面积　（万亩）	Planted Area of Pineapple at the Year-end (10000 mu)	32.40	51.15	38.60	44.58	40.44	39.14
菠萝总产量　（万吨）	Output of Pineapple (10000 tons)	2.54	21.47	26.30	47.53	46.44	47.51
荔枝年末实有面积　（万亩）	Planted Area of Lychee at the Year-end (10000 mu)	35.60	178.99	294.17	474.83	391.36	426.16
荔枝总产量　（万吨）	Output of Lychee (10000 tons)	3.59	9.73	26.91	64.75	74.03	94.01
龙眼年末实有面积　（万亩）	Planted Area of Longan at the Year-end (10000 mu)	2.96	29.01	113.50	236.31	177.97	190.63
龙眼总产量　（万吨）	Output of Longan (10000 tons)	0.83	2.88	7.60	34.68	39.12	39.16

11-19 农业自然灾害情况
STATISTICS ON NATURAL CALAMITIES IN AGRICULTURE

项　目	Item	1995	2000	2003	2004
农作物受灾面积　（万亩）	Area of Farm Crops Covered by Natural Calamities (10000 mu)	1719.05	948.43	1833.74	1210.00
#绝收面积	Area without Output	162.02	84.14	146.37	171.82
受灾人口　（万人）	Number of Persons Affected (10000 persons)	2927	1801	2472	1507
被困人口　（万人）	Number of Persons Trapped (10000 persons)		38.53	8.90	10.03
紧急转移安置人口（万人）	Number of Persons Receiving Emergence Transfer and Settlement (10000 persons)		27.73	50.91	1.82
饮水困难人口　（万人）	Number of Persons Affected by Drinking Water (10000 persons)		23.16	31.84	208.22
因灾死亡人口　（人）	Number of Dead Persons (person)	355	102	79	53
因灾伤病人口　（人）	Number of Wounded Persons (person)	3444	14454	8371	1642
倒塌房屋　（间）	Number of Broken Buildings (room)	166736	27743	53477	9029
损坏房屋　（间）	Number of Damaged Buildings (room)	700458	74052	270666	61804
死亡大牲畜　（头）	Number of Dead Large Animals (head)	6877	62417	17438	1055
直接经济损失　（亿元）	Volume of Direct Economic Loss (100 million yuan)	119.69	38.2	74.21	26.21

11-20 主要热带、亚热带作物面积及产量
PLANTED AREA AND OUTPUT OF MAJOR TROPICAL AND SEMI-TROPICAL PRODUCTS

项　　目	Item	1980	1990	1995	2000	2003	2004
一、橡胶年末实有面积　（万亩）	Actually Planted Area of Rubber at the Year-end (10000 mu)	147.82	128.70	103.94	58.08	50.74	50.04
橡胶当年收获面积　（万亩）	Harvested Area of Rubber in Current Year (10000 mu)		91.51	84.69	53.37	41.23	42.47
橡胶总产量　（万吨）	Total Output of Rubber (10000 tons)	2.15	3.58	2.98	2.62	2.45	2.49
二、椰子年末实有面积　（万亩）	Actually Planted Area of Coconut at the Year-end (10000 mu)	0.41	0.18	0.78	0.73	0.31	0.29
椰子当年收获面积　（万亩）	Harvested Area of Coconut in Current Year (10000 mu)		0.12	0.12	0.25	0.24	0.26
椰子总产量　（万个）	Total Output of Coconut (10000 units)	13.00	37.03	64.00	162.00	153.00	175.00
三、香（疯）茅年末实有面积（万亩）	Actually Planted Area of Lemongrass at the Year-end (10000 mu)	22.57	7.14	2.22	0.62	1.12	1.02
香（疯）茅当年收获面积（万亩）	Harvested Area of Lemongrass in Current Year (10000 mu)		7.20	1.93	0.49	0.96	0.93
香（疯）茅总产量　（吨）	Total Output of Lemongrass (ton)	1318.40	730.42	661.00	155.00	85.00	64.00
四、剑（番）麻年末实有面积（万亩）	Actually Planted Area of Sisal Hemp at the Year-end (10000 mu)	16.15	10.52	8.79	8.55	9.04	9.29
剑（番）麻当年收获面积（万亩）	Harvested Area of Sisal Hemp in Current Year (10000 mu)		8.03	8.16	6.90	7.58	7.76
剑（番）麻总产量　（万吨）	Total Output of Sisal Hemp (10000 tons)	1.02	1.59	1.72	1.96	2.05	2.43

11-21 造林面积及主要林产品产量
AFFORESTED AREA AND OUTPUT OF MAJOR FOREST PRODUCTS

项　　目	Item	1980	1990	1995	2000	2003	2004
当年荒山造林面积　（万亩）	Total Afforested Area in Barren Mountains in Current Year (10000 mu)	556.00	467.93	31.02	25.76	72.03	59.94
人工造林		301.00	388.26	31.02	25.76	72.03	59.94
年末实有育苗面积　（万亩）	Actual Area of Grown Seedlings at the Year end (10000 mu)	2.73	8.20	3.51	3.12	5.64	4.28
当年幼林抚育实际面积（万亩）	Area of Tending Young Forest in Current Year (10000 mu)	471.00	804.40	584.33	333.37	231.22	213.46
当年迹地更新面积　（万亩）	Area of Slash Reforestation in Current Year (10000 mu)	69.00	78.80	129.86	159.44	104.18	131.50
主要林产品产量	Output of Major Forest Products						
油桐籽　（吨）	Tung-oil Seeds (ton)	976	2622	3536	3817	4935	4710
油茶籽　（吨）	Tea-oil Seeds (ton)	13109	23736	24997	26268	30928	29777
棕片　（吨）	Palm Pieces (ton)	340	466	606	663	1246	1952
松脂　（万吨）	Rosin (10000 tons)	11.98	10.02	11.46	11.31	12.56	11.64
竹笋干　（吨）	Dry Bamboo Products (ton)	125	2770	9004	14132	18010	16982
板栗　（吨）	Chinese Chestnuts (ton)	400	1614	3577	5440	6450	8520
松香类产品　（万吨）	Rosin Products (10000 tons)	10.18	9.42	11.11	9.61	7.22	7.69

11-22 牲畜头数及肉类产量
NUMBER OF LIVESTOCK AND OUTPUT OF MEAT

项目	Item	1980	1990	1995	2000	2003	2004
一、黄、水牛年末存栏头数（万头）	Number of Cattle and Buffalo on Hand at the Year-end (10000 heads)	306.02	473.54	468.97	416.92	387.44	374.38
黄牛	Cattle	96.99	198.33	209.49	189.15	178.80	173.03
#从事农事劳役的	For Drought on Farming	68.09	136.71	145.93	130.06	125.01	120.95
水牛	Buffalo	209.03	275.21	259.48	227.77	208.64	201.35
#从事农事劳役的	For Drought on Farming	155.92	212.18	190.96	165.14	155.77	150.72
二、奶牛年末存栏头数（万头）	Number of Milk Cow on Hand at the Year end (10000 heads)	1.52	2.95	2.56	3.72	4.06	4.43
牛奶产量（万吨）	Output of Milk (10000 tons)	2.18	5.51	5.49	9.19	10.55	10.94
三、山羊年末存栏只数（万只）	Number of Goats on Hand at the Year-end (10000 heads)	13.38	14.21	27.30	29.33	33.54	33.48
四、生猪年末存栏头数（万头）	Number of Hogs on Hand at the Year-end (10000 heads)	1704.59	2058.89	2183.95	2034.79	2175.54	2234.47
# 能繁殖母猪（万头）	Number of Female Hogs with Fertility (10000 heads)	115.70	141.98	137.25	143.75	158.82	161.70
生猪全年饲养量（万头）	Total Number of Hogs Raised in the Whole Year (10000 heads)	2730.69	3851.74	4579.16	4989.77	5500.78	5693.58
肉猪出栏头数（万头）	Number of Slaughtered Fattened Hogs (10000 heads)	1026.10	1792.85	2395.21	2954.98	3325.24	3459.11
五、肉类产量（万吨）	Output of Meat (10000 tons)		202.45	305.06	324.48	358.50	365.32
# 猪肉	Pork	62.62	145.35	188.75	206.85	232.77	242.14
牛肉	Beef	0.55	2.88	5.68	5.17	6.37	6.76
羊肉	Mutton	0.03	0.15	0.44	0.43	0.57	0.65
禽肉	Meat of Poultry		54.02	109.94	111.50	112.09	109.61
兔肉	Rabbit Meat		0.05	0.25	0.53	0.64	0.66

注：1996 年起按农业普查结果调整，1996 年以前仍按原来口径不变。

Note: Since 1996, the figures have been adjusted in accordance with the results of agricultural census, while those before 1996 were calculated in accordance with the original statistical coverage.

11-23 农、林、牧、渔场基本情况
BASIC STATISTICS ON FARMING, FORESTRY, ANIMAL HUSBANDRY AND FISHERY

项目	Item	1990	1995	2000	2003	2004
个数（个）	Number of Farms (unit)	599	585	6271	4923	4258
粮食播种面积（万亩）	Total Sown Area of Grain (10000 mu)	50.61	34.23	32.39	22.90	27.08
粮食总产量（万吨）	Total Output of Grain (10000 tons)	15.26	11.23	13.67	8.18	9.17
花生播种面积（万亩）	Sown Area of Peanuts (10000 mu)	7.37	5.60	8.59	6.11	6.40
花生总产量（万吨）	Output of Peanuts (10000 tons)	0.87	0.71	1.35	0.96	1.01
蔬菜播种面积（万亩）	Sown Area of Vegetables			31.37	45.27	33.98
蔬菜总产量（万吨）	Total Output of Vegetables			50.18	80.34	69.41
水果年末实有面积（万亩）	Actual Area of Fruits at the Year – end		46.01	92.22	93.48	87.79
水果产量（万吨）	Output of Fruits		15.99	39.73	37.86	35.41
茶叶年末实有面积（万亩）	Actual Area of Tea at the Year – end		10.32	11.75	6.13	7.49
茶叶产量（万吨）	Output of Tea		0.76	0.66	0.48	0.73
牛年末存栏头数（万头）	Number of Cattle and Buffaloes on Hand at the Year-end (10000 heads)	9.21	8.00	7.25	5.41	4.45
生猪年末存栏头数（万头）	Number of Hogs on Hand at the Year – end (10000 heads)	49.16	48.89	139.38	119.23	137.76
鸡鸭鹅年末存栏只数（万只）	Number of Chickens, Ducks and Geese on Hand at the Year – end (10000 heads)			1650.08	1791.46	1471.12
山羊年末存栏只数（万只）	Number of Goats on Hand at the Year – end (10000 heads)		0.21	1.37	2.16	1.48
水产品产量（万吨）	Output of Aquatic Products (10000 tons)	1.80	6.18	17.66	20.66	21.86

注：1999 年以前只统计国营农场，1999 年及以后包括国营、集体、联营、私营农场。

Note: Data in the table only included the state-owned farms before 1999, and have included the state-owned, collective-owned, joint ownership and private farms since 1999.

11-24 主要农副产品产量与最高年份比较（2004 年）
OUTPUT OF MAJOR FARM AND SIDELINE PRODUCTS IN COMPARISON WITH PEAK YEAR (2004)

指　标		Item		2004	建国以来最高年 Peak Year since 1949		
					年份 Year	产量 Output	2004 为建国以来最高年份% Percentage of 2004 to Peak Year
一、粮食总产量	（万吨）	Total Output of Grain	（10000 tons）	1390.00	1997	1966.75	70.7
# 稻谷		Output of Rice		1123.13	1998	1688.53	66.5
早稻		Early Rice		586.50	1983	862.25	68.0
晚稻		Late Rice		536.63	1998	866.51	61.9
二、大豆	（万吨）	Soybean	（10000 tons）		2000	18.73	
三、经济作物	（万吨）	Economic Crops	（10000 tons）				
甘蔗		Sugarcane and Fruit Canes		1110.37	1992	2376.62	46.7
# 糖蔗		Sugarcane		940.77	1992	2271.06	41.4
油料作物		Oil-bearing Crops		77.51	2003	81.93	94.6
# 花生		Peanuts		76.47	2003	80.73	94.7
黄红麻		Jute and Ambary Hemp		0.17	1978	18.07	0.9
烟叶		Tobacco		6.27	1992	8.62	72.7
黄（烤）烟		Flue-cured Tobacco		5.04	1992	6.14	82.1
红（土）烟		Crude Tobacco		1.23	1991	2.66	46.2
四、其他作物		Other Crops					
# 蔬菜	（万吨）	Vegetables	（10000 tons）	2557.65	2003	2584.20	99.0
五、水果	（万吨）	Fruits	（10000 tons）	787.85	2003	718.59	109.6
六、水产品	（万吨）	Aquatic Products	（10000 tons）	671.38	2003	648.55	103.5
七、生猪年末存栏量	（万头）	Number of Hogs on Hand at the Year-end	（10000 heads）	2234.47	1995	2183.95	102.3
八、生猪出栏头数	（万头）	Number of Slaughtered Fattened Hogs	（10000 heads）	3459.11	2003	3325.24	104.0
九、猪肉产量	（万吨）	Output of Pork	（10000 tons）	242.14	2003	232.77	104.0
十、三鸟饲养量	（万只）	Number of Poultry Raised	（10000 units）	125008.96	2003	128078.49	97.6

注：1. 1998 年起水产品产量按新标准计算。
2. 1998 年起主要农产品产量采用抽样调查数，其他年份均为全面统计数。
3. 2004 年粮食产量含大豆，由广东省农调队提供。

Note：a）The outputs of aquatic products have been calculated in accordance with the new criterions since 1998.
b）Since 1998，the output of major agricultural products have been obtained from sample surveys，while those of other years were obtained from complete enumeration.
c）In 2004，the output of grain includes that of soybeans，which is provided by Guangdong Rural Social – economic Survey Organization.

11-25 乡镇企业基本情况（2004年）
BASIC STATISTICS ON TOWNSHIP ENTERPRISES (2004)

项　　目	Item	企业个数（个）Number of Enterprises (unit)	从业人员年末人数（万人）Number of Employed Persons at the Year-end (10000 persons)	营业收入（亿元）Business Income (100 million yuan)	利润总额（亿元）Total Profits (100 million yuan)	上交税金（亿元）Taxes Payable (100 million yuan)	固定资产原值（亿元）Original Value of Fixed Assets (100 million yuan)
总　　计		**1308373**	**1268.42**	**14894.19**	**673.81**	**352.68**	**5153.41**
一、按登记注册类型分	**Grouped by Status Registration**						
内资企业小计	Domestic Funded Enterprises	1287234	945.38	11004.39	519.77	260.00	3294.60
集体企业	Collective-owned Enterprises	27660	105.88	1138.19	53.15	25.68	504.91
股份合作企业	Cooperative Enterprises	1221	4.65	109.44	9.80	3.42	41.80
联营企业	Joint Ownership Enterprises	2999	4.13	45.70	2.32	0.89	18.49
有限责任公司	Limited Liability Corporations	15236	74.69	1375.68	53.17	38.37	458.84
股份有限公司	Shareholding Limited Companies	678	8.24	236.30	11.93	10.35	157.66
私营企业	Private Enterprises	160305	308.33	4076.35	182.74	100.40	1235.63
个体独资企业	Enterprises Exclusively Funded by Individuals	767887	318.89	2724.79	140.65	54.30	626.00
其他企业	Other Enterprises	311248	120.59	1297.92	66.02	26.58	251.27
港、澳、台商投资企业	Enterprises with Funds from Hong Kong, Macao and Taiwan	18070	275.50	3062.57	119.43	72.10	1396.85
外商投资企业	Foreign Funded Enterprises	3069	47.53	827.23	34.60	20.59	461.96
二、按国民经济行业分	**Grouped by Sector**						
农、林、牧、渔业	Farming, Forestry, Animal Husbandry and Fishery	14255	11.71	84.16	5.98	1.03	26.57
采矿业	Mining	10032	13.96	196.35	13.63	3.91	52.53
#规模以上	Of which: above Designated Size	221	2.57	54.98	3.90	1.50	13.15
制造业	Manufacturing	339605	886.24	11756.94	468.46	267.43	4258.09
#规模以上	Of which: above Designated Size	15681	407.82	7090.39	248.07	171.71	2823.02
建筑业	Construction	48137	62.02	490.83	30.73	14.54	98.10
#资质等级以外企业	Enterprises under Qualification Criteria	14117	15.18	103.31	5.88	2.21	17.01
交通运输仓储业	Transport and Storage	169223	34.99	307.63	23.29	6.73	107.09
批发零售业	Wholesale and Retail Trade	494455	134.87	1221.12	69.08	29.99	215.90
住宿及餐饮业	Hotels and Catering Services	116299	68.73	461.24	33.25	15.14	227.75
#餐饮业	Of which: Catering Services	75194	43.72	303.86	21.48	9.84	128.82
社会服务业	Social Services	69484	28.18	164.87	12.10	4.99	72.65
其他	Others	46883	27.70	211.05	17.30	8.92	94.72

11-26 乡镇工业企业生产销售情况（2004年）
PRODUCTION AND SALES OF TOWNSHIP INDUSTRIAL ENTERPRISES (2004)

项　目	Item	企业个数（个）Number of Enterprises (unit)	从业人员年平均数（万人）Annual Average Number of Employed Persons (10000 persons)	增加值（亿元）Value-addedd (100 million yuan)	现价总产值（亿元）Gross Output Value at Current Prices (100 million yuan)	现价销售产值（亿元）Sales Value at Current Prices (100 million yuan)
总　计	**Total**	**15902**	**410.03**	**1647.07**	**7495.31**	**7262.78**
一、按轻重工业分	**Group by Light & Heavy Industry**					
轻工业	Light Industry	12527	336.25	1253.39	5672.20	5536.57
以农产品为原料	Using Farm Produce as Raw Materials	3225	79.89	314.14	1453.00	1384.10
以非农产品为原料	Using Non-farm Produce as Raw Materials	9302	256.36	939.24	4219.20	4152.48
重工业	Heavy Industry	3375	73.79	393.68	1823.11	1726.21
采掘工业	Mining and Quarrying	228	2.57	13.11	59.95	57.50
原料工业	Raw Materials Industry	587	10.07	75.02	335.95	372.10
加工工业	Processing Industry	2560	61.15	305.55	1427.21	1296.61
二、按工业行业分	**Grouped by Sector**					
煤炭采选业	Coal Mining and Dressing	27	0.72	1.59	6.05	5.99
黑色金属矿采选业	Ferrous Metals Mining and Dressing	4	0.07	0.24	0.91	0.88
有色金属矿采选业	Nonferrous Metals Mining and Dressing	13	0.11	0.48	2.24	1.98
非金属矿采选业	Nonmetal Minerals Mining and Dressing	147	1.29	8.64	40.51	39.21
其他矿采选业	Other Minerals Mining and Dressing	39	0.54	2.44	10.49	10.42
木材及竹材采运业	Logging and Transport of Timber and Bamboo	10	0.62	2.09	8.12	7.88
食品加工业	Food Processing	389	5.84	44.01	238.38	227.88
食品制造业	Food Production	280	3.82	16.71	75.47	73.72
饮料制造业	Beverage Production	108	1.31	14.37	53.00	55.35
烟草加工业	Tobacco Processing	1	0.02	0.05	0.37	0.37
纺织业	Textile Industry	864	22.32	92.06	422.85	424.00
服装、鞋、帽制造业	Garments, Shoes and Headgear Manufacturing	1915	65.87	167.04	735.83	709.18
皮革、毛皮、羽绒及其制品业	Leather, Furs, Down and Related Products	612	22.58	59.35	273.45	260.52
木材加工及竹、藤、棕、草	Timber Processing, Bamboo, Cane, Palm	299	6.35	26.29	119.39	113.48
家具制造业	Furniture Manufacturing	378	12.53	32.64	136.26	131.74
造纸及纸制品业	Papermaking and Paper Products	556	10.65	54.83	233.30	225.52
印刷业、记录媒介的复制	Printing and Record Medium Reproduction	284	7.22	23.69	96.16	93.13
文教体育用品制造业	Cultural, Educational and Sports Goods	222	14.98	28.95	114.99	113.90
石油加工、炼焦及核燃料加工业	Petroleum Refining, Coking and Nuclear Fuel Processing	31	0.42	15.02	72.35	73.30
化学原料及化学制品制造业	Raw Chemical Materials and Chemical Products	622	6.68	58.04	281.76	273.73
医药制造业	Medical and Pharmaceutical Products	52	1.02	10.01	38.45	33.50
化学纤维制造业	Chemical Fiber	54	0.65	3.99	18.22	17.38
橡胶制品业	Rubber Products	157	3.23	13.11	57.70	57.21
塑料制品业	Plastic Products	1156	25.01	87.67	414.33	406.48
非金属矿物制品业	Nonmetal Mineral Products	822	16.35	81.28	349.12	345.95
黑色金属冶炼及压延加工业	Smelting and Pressing of Ferrous Metals	199	1.79	18.28	100.45	97.81
有色金属冶炼及压延加工业	Smelting and Pressing of Nonferrous Metals	210	3.60	49.96	197.20	193.87
金属制品业	Metal Products	1706	33.05	160.83	736.28	713.34
普通机械制造业	Ordinary Machinery	287	4.22	27.03	125.87	119.75
专用设备制造业	Special Purposes Equipment	117	2.65	14.10	56.48	54.20
交通运输设备制造业	Transport Equipment	174	3.54	21.51	101.93	101.64
电气机械及器材制造业	Electric Equipment and Machinery	710	22.77	111.42	550.48	543.19
电子及通信设备制造业	Electronic and Telecommunications	958	51.15	167.93	746.46	715.43
仪器仪表及文化、办公用机械制造业	Instruments, Meters, Cultural and Office Machinery	100	3.72	11.32	50.60	49.21
其他制造业	Other Manufacturing	2399	53.35	220.10	1029.87	971.63

11-27 各市农村基层组织情况（2004 年）
BASIC CONDITIONS OF RURAL GRASSROOTS UNITS BY CITY (2004)

市别 City	乡镇个数（个）Number of Townships (unit)	乡镇户数（万户）Number of Rural Households (10000 households)	乡镇人口（万人）Rural Population (10000 persons)	乡镇从业人员（万人）Rural Employed Persons (10000 persons)
广　州 Guangzhou	39	79.25	288.97	155.41
深　圳 Shenzhen				
珠　海 Zhuhai	15	12.98	54.46	28.96
汕　头 Shantou	32	82.46	396.68	160.73
佛　山 Foshan	23	81.56	276.20	150.01
韶　关 Shaoguan	111	54.14	226.77	98.47
河　源 Heyuan	98	67.84	306.38	135.13
梅　州 Meizhou	104	113.93	464.50	181.20
惠　州 Huizhou	67	65.56	290.91	141.74
汕　尾 Shanwei	42	56.67	290.38	117.47
东　莞 Dongguan	28	41.96	146.32	79.90
中　山 Zhongshan	19	36.88	160.71	115.62
江　门 Jiangmen	67	82.52	290.78	158.63
阳　江 Yangjiang	39	57.49	226.97	119.08
湛　江 Zhanjiang	88	128.10	582.52	276.70
茂　名 Maoming	88	135.84	584.79	261.13
肇　庆 Zhaoqing	97	83.44	337.28	171.60
清　远 Qingyuan	80	83.49	349.76	158.74
潮　州 Chaozhou	41	51.25	214.64	93.47
揭　阳 Jieyang	67	110.51	515.93	223.32
云　浮 Yunfu	55	68.00	249.57	117.30

市别 City	按性别分 By Sex		按产业分 By Industry		
	男 Male	女 Female	第一产业 Primary Industry	第二产业 Secondary Industry	第三产业 Tertiary Industry
广　州 Guangzhou	80.26	75.15	74.81	42.76	37.84
深　圳 Shenzhen					
珠　海 Zhuhai	14.00	14.96	8.79	12.45	7.72
汕　头 Shantou	86.40	74.33	73.56	53.39	33.78
佛　山 Foshan	76.67	73.33	31.99	70.56	47.45
韶　关 Shaoguan	50.76	47.71	70.78	7.66	20.02
河　源 Heyuan	69.54	65.58	71.35	12.24	51.53
梅　州 Meizhou	92.04	89.16	103.61	30.72	46.87
惠　州 Huizhou	71.75	69.99	65.76	50.27	25.71
汕　尾 Shanwei	66.69	50.78	63.36	24.13	29.98
东　莞 Dongguan	41.27	38.63	11.93	43.42	24.54
中　山 Zhongshan	57.92	57.70	17.32	63.84	34.46
江　门 Jiangmen	78.75	79.88	83.57	37.66	37.40
阳　江 Yangjiang	64.46	54.63	77.13	22.76	19.19
湛　江 Zhanjiang	147.53	129.16	197.71	38.68	40.31
茂　名 Maoming	139.93	121.19	164.07	57.61	39.45
肇　庆 Zhaoqing	87.20	84.40	94.25	36.68	40.67
清　远 Qingyuan	82.59	76.15	98.94	20.90	38.90
潮　州 Chaozhou	48.63	44.84	44.12	30.49	18.86
揭　阳 Jieyang	121.64	101.67	109.73	59.52	54.07
云　浮 Yunfu	61.83	55.47	62.20	29.99	25.11

注：乡镇个数为广东省民政厅统计年报数。

Note: The number of townships comes from the annual reports of the Guangdong Provincial Department of Civil Affairs.

11-28 各市耕地面积（2004 年）
CULTIVATED LAND BY CITY (2004)

单位：万亩 (10000 mu)

市别 City		年末实有常用耕地面积 Regularly Cultivated Land at the Year-end	水田 Paddy Field	水浇地 Irrigated Land	当年增加耕地面积 ICultivated Land Increased in Current Year	#新开荒 Newly Reclaimed Wasteland	当年减少耕地面积 Cultivated Land Decreased in Current Year	建设用地 Land for Construction	农业结构调整 Adjustment of Agricultural Structure
广　州	Guangzhou	197.93	175.41	12.15	5.21	0.22	9.74	3.00	4.82
深　圳	Shenzhen	3.92	2.76	0.65			1.14	0.93	0.12
珠　海	Zhuhai	24.82	18.21	2.26	0.25	0.03	1.74		0.04
汕　头	Shantou	65.64	53.49	11.82	0.15		0.39	2.53	0.13
佛　山	Foshan	86.98	49.99	34.40	0.26	0.01	27.81	0.58	0.02
韶　关	Shaoguan	195.15	148.29	39.49	0.56	0.49	0.80	0.02	0.07
河　源	Heyuan	156.33	121.82	32.34	3.02	0.75	1.65	0.30	0.08
梅　州	Meizhou	183.29	148.54	33.76	3.68	0.24	2.05	0.04	0.44
惠　州	Huizhou	152.99	110.01	29.52	5.62	0.02	5.76	0.07	
汕　尾	Shanwei	89.56	59.69	21.84	1.31	0.51	1.09		0.32
东　莞	Dongguan	48.94	48.94		0.06		0.36	0.49	0.01
中　山	Zhongshan	44.43	18.55	15.55	0.68	0.08	2.63	0.18	0.28
江　门	Jiangmen	200.60	165.70	30.94	1.21	0.56	4.19	1.37	0.35
阳　江	Yangjiang	155.28	116.39	36.17	2.71	0.18	0.80	1.06	
湛　江	Zhanjiang	451.48	185.64	123.83	5.30	0.56	3.15	0.44	0.44
茂　名	Maoming	341.03	287.17	17.57	1.50	0.31	1.27	0.03	0.43
肇　庆	Zhaoqing	198.56	167.88	13.23	0.04	0.03	3.59	0.05	1.28
清　远	Qingyuan	245.26	155.60	31.73	0.87	0.43	3.70	0.42	0.72
潮　州	Chaozhou	56.39	44.03	10.59	0.19	0.01	3.94		0.35
揭　阳	Jieyang	137.85	104.71	20.03	0.63	0.63	0.27	0.41	0.04
云　浮	Yunfu	125.30	93.28	18.99	0.19	0.19	0.17	0.17	

注：建设用地为广东省国土资源厅统计年报数，年末实有常用耕地面积按新口径统计。

Note: Data on the land for construction are obtained from the annual statistical reports by Guangdong Provincial Department of Land and Resources. The regularly cultivated land at the year-end is calculated in accordance with the new stipulations.

11-29 各市乡镇企业基本情况（2004 年）
BASIC STATISTICS ON TOWNSHIP ENTERPRISES BY CITY (2004)

市别 City		企业单位数（个）Number of Enterprises (unit)	企业人数（万人）Number of Employed Persons (10000 persons)	现价总产值（亿元）Gross Output Value at Current Prices (100 million yuan)	利润总额（亿元）Total Profits (100 million yuan)	上交税金（亿元）Taxes Payable (100 million yuan)	固定资产原值 亿元 (100 million yuan)
广　州	Guangzhou	79050	119.99	2016.44	93.18	48.38	608.67
深　圳	Shenzhen						
珠　海	Zhuhai	10169	17.40	367.75	11.12	8.87	238.36
汕　头	Shantou	33066	57.90	776.22	29.26	12.19	270.95
佛　山	Foshan	77713	105.10	2056.88	78.93	67.94	766.52
韶　关	Shaoguan	91134	26.08	120.27	13.80	3.18	44.57
河　源	Heyuan	42187	14.89	62.87	5.99	2.13	32.59
梅　州	Meizhou	122694	45.01	250.04	22.58	8.74	118.42
惠　州	Huizhou	77750	81.20	646.82	47.69	10.96	275.43
汕　尾	Shanwei	47419	36.11	233.37	8.23	2.43	55.53
东　莞	Dongguan	63957	251.37	1849.30	86.65	49.42	968.42
中　山	Zhongshan	58599	97.44	1523.93	71.90	50.52	574.33
江　门	Jiangmen	106342	89.27	1416.83	40.19	31.71	370.26
阳　江	Yangjiang	33401	21.36	219.91	11.59	7.59	78.30
湛　江	Zhanjiang	89090	41.99	415.51	23.08	6.91	99.18
茂　名	Maoming	125924	74.99	781.65	43.44	10.19	158.50
肇　庆	Zhaoqing	71452	50.20	632.23	23.08	9.16	153.65
清　远	Qingyuan	42737	23.27	122.48	9.67	3.73	58.51
潮　州	Chaozhou	43356	36.80	512.64	21.26	9.01	77.66
揭　阳	Jieyang	44580	51.56	968.84	20.19	7.15	131.54
云　浮	Yunfu	38207	23.87	231.45	11.27	5.44	68.39

11-30 各市农林牧渔业总产值（2004 年）
GROSS OUTPUT VALUE OF AGRICULTURE BY CITY (2004)

单位：亿元 (100 million yuan)

市别 City	农林牧渔业总产值 Gross Output Value of Farming, Forestry, Animal Husbandry and Fishery	农业产值 Farming	林业产值 Forestry	牧业产值 Animal Husbandry	渔业产值 Fishery	农林牧渔服务业产值 Services for Farming, Forestry, Animal Husbandry and Fishery
广州 Guangzhou	201.44	105.56	3.66	40.12	35.82	16.28
深圳 Shenzhen	29.99	9.69	0.64	10.27	8.85	0.54
珠海 Zhuhai	31.50	5.44	0.11	4.13	20.08	1.75
汕头 Shantou	80.56	30.69	0.51	21.44	26.70	1.22
佛山 Foshan	155.96	55.15	0.30	34.02	65.62	0.86
韶关 Shaoguan	90.19	56.21	4.89	21.57	6.87	0.66
河源 Heyuan	62.13	38.70	4.17	15.45	2.72	1.10
梅州 Meizhou	105.78	65.19	2.92	31.12	5.54	1.01
惠州 Huizhou	123.34	67.61	4.46	28.52	21.79	0.95
汕尾 Shanwei	100.76	32.05	1.83	14.87	50.46	1.55
东莞 Dongguan	44.19	16.32	0.22	19.99	6.73	0.92
中山 Zhongshan	49.49	17.40	0.25	5.87	25.40	0.57
江门 Jiangmen	152.18	60.61	1.96	43.87	41.25	4.49
阳江 Yangjiang	127.99	51.03	3.49	24.20	45.32	3.95
湛江 Zhanjiang	206.48	97.95	5.13	41.17	58.48	3.74
茂名 Maoming	268.23	125.68	7.61	89.64	37.99	7.31
肇庆 Zhaoqing	186.19	86.31	18.27	53.62	26.35	1.65
清远 Qingyuan	111.25	65.74	7.11	30.42	6.63	1.36
潮州 Chaozhou	61.08	29.13	1.68	14.96	13.84	1.47
揭阳 Jieyang	127.92	76.15	2.07	30.92	16.78	2.00
云浮 Yunfu	111.08	49.92	5.71	45.22	9.80	0.43

注：本表按当年价格计算。
Note: Data in this table are calculated at current prices.

11-31 各市农林牧渔业总产值指数（2004 年）
GROSS OUTPUT VALUE INDICES OF AGRICULTURE BY CITY (2004)

(上年 = 100) (Preceding yera = 100)

市别 City	农林牧渔业总产值 Gross Output Value of Farming, Forestry, Animal Husbandry and Fishery	农业产值 Farming	林业产值 Forestry	牧业产值 Animal Husbandry	渔业产值 Fishery	农林牧渔服务业产值 Services for Farming, Forestry, Animal Husbandry and Fishery
广州 Guangzhou	108.4	107.0	217.7	98.2	104.2	164.3
深圳 Shenzhen	87.7	93.4	81.8	65.8	118.6	86.9
珠海 Zhuhai	108.6	94.4	100.0	100.8	115.7	96.5
汕头 Shantou	102.7	98.2	90.2	109.4	101.0	263.0
佛山 Foshan	102.8	100.4	94.1	102.3	105.2	84.8
韶关 Shaoguan	102.1	101.0	102.7	105.2	101.4	105.1
河源 Heyuan	102.5	102.2	127.3	96.8	103.5	116.9
梅州 Meizhou	102.3	105.9	109.5	92.8	106.9	117.6
惠州 Huizhou	107.2	112.6	92.8	96.8	107.1	93.1
汕尾 Shanwei	107.4	104.1	105.1	109.1	109.3	106.1
东莞 Dongguan	98.3	75.3	118.4	96.7	148.6	128.6
中山 Zhongshan	105.0	96.4	112.9	93.9	114.3	101.4
江门 Jiangmen	103.8	101.9	104.0	98.1	112.7	71.8
阳江 Yangjiang	104.8	105.3	102.2	101.6	104.6	126.1
湛江 Zhanjiang	104.4	104.1	101.0	103.8	104.8	115.7
茂名 Maoming	106.0	112.7	92.5	98.1	105.0	108.9
肇庆 Zhaoqing	105.2	106.3	105.3	104.3	103.4	111.7
清远 Qingyuan	103.3	104.6	103.6	101.2	101.1	97.7
潮州 Chaozhou	100.7	100.0	103.3	87.2	114.6	148.4
揭阳 Jieyang	104.0	106.2	96.3	97.4	105.9	105.1
云浮 Yunfu	105.0	105.4	91.4	106.4	108.5	56.0

注：本表按缩减法计算。
Note: The data in this table are calculated by the contracting method.

11-32 各市造林面积、水产品产量、牲畜头数及猪肉产量（2004年）
AFFORESTED AREA, OUTPUT OF AQUATIC PRODUCTS, NUMBER OF LIVESTOCK AND OUTPUT OF PORK BY CITY (2004)

市别 City	造林总面积（万亩）Afforested Area (10000 mu)	水产品产量（万吨）Output of Aquatic Products (10000 tons)	#淡水养殖 Culture of Freshwater	黄牛年末存栏头数（万头）Number of Cattle on Hand at the Year-end (10000 heads)	水牛年末存栏头数（万头）Number of Buffaloes on Hand at the Year-end (10000 heads)	生猪年末存栏头数（万头）Number of Hogs on Hand at the Year-end (10000 heads)	肉猪出栏头数（万头）Number of Slaughtered Fattened Hogs (10000 heads)	猪肉产量（万吨）Output of Pork (10000 tons)
广 州 Guangzhou	6.09	38.42	25.73	1.92	2.39	90.86	194.03	14.31
深 圳 Shenzhen	4.45	9.54	0.69	0.01		12.49	50.68	3.50
珠 海 Zhuhai	0.32	15.37	11.98	0.03	0.15	19.01	27.66	1.64
汕 头 Shantou	3.39	34.24	5.17	0.53	0.23	37.67	92.94	6.65
佛 山 Foshan	2.86	49.68	49.01	0.12	1.75	88.85	212.77	15.27
韶 关 Shaoguan	11.94	7.80	7.59	7.95	14.82	121.52	175.24	13.60
河 源 Heyuan	18.67	3.22	3.10	9.39	12.02	78.57	98.77	7.13
梅 州 Meizhou	17.63	7.97	7.50	9.72	12.43	163.34	226.45	16.94
惠 州 Huizhou	5.97	16.26	7.59	10.88	9.27	101.61	172.54	11.43
汕 尾 Shanwei	4.70	55.67	3.01	8.00	3.06	39.20	101.52	6.83
东 莞 Dongguan	2.18	7.15	4.09	0.05	0.06	78.53	165.97	12.44
中 山 Zhongshan	1.49	27.20	24.68	0.03	0.07	24.98	51.24	3.74
江 门 Jiangmen	39.88	68.75	24.31	1.01	7.52	137.44	254.78	16.83
阳 江 Yangjiang	13.48	88.84	7.31	9.00	12.73	125.78	113.73	8.39
湛 江 Zhanjiang	18.78	79.58	7.66	41.57	27.20	172.89	277.74	20.44
茂 名 Maoming	10.83	83.16	24.35	28.56	36.54	290.34	468.50	35.93
肇 庆 Zhaoqing	32.31	28.14	27.67	13.07	29.32	233.14	345.11	24.85
清 远 Qingyuan	11.91	6.91	6.69	15.63	18.38	135.63	189.69	13.88
潮 州 Chaozhou	0.67	16.13	3.77	2.58	0.84	48.51	77.80	5.90
揭 阳 Jieyang	2.06	14.13	6.67	5.55	2.74	101.36	140.23	10.33
云 浮 Yunfu	15.99	9.06	8.94	3.55	7.04	102.41	149.81	10.89

注：1. 水产品产量按新标准计算。
2. 造林总面积包括荒山造林，迹地更新和低产林改造三项指标。

Note: a) Figures of aquatic products are calculated in accordance with the new criterions.
b) Data on afforested area include afforestation in barren hill, slash reforestation and transformation of low-yield forest.

11-33 各市主要农作物播种面积、亩产及总产量（2004年）
SOWN AREA, YIELD AND TOTAL OUTPUT OF MAJOR FARM CROPS BY CITY (2004)

单位：亩、公斤、吨 (mu, kg, ton)

市别 City		一、粮食作物 Grain Crops			#稻谷 Rice		
		播种面积 Sown Area	亩产 Yield per Mu	总产量 Total Output	播种面积 Sown Area	亩产 Yield per Mu	总产量 Total Output
广州	Guangzhou	1443803	361	521873	1193481	377	450355
深圳	Shenzhen	5304	382	2028	12	500	6
珠海	Zhuhai	160884	360	57913	130408	382	49765
汕头	Shantou	1101960	484	533429	774792	483	374131
佛山	Foshan	400237	360	144213	292840	370	108363
韶关	Shaoguan	2542967	376	956215	1893542	430	813837
河源	Heyuan	2923509	346	1012815	2166405	398	861841
梅州	Meizhou	3512106	369	1295972	2602816	418	1087253
惠州	Huizhou	2219018	335	744413	1477035	354	523042
汕尾	Shanwei	1503051	336	504951	977582	353	344890
东莞	Dongguan	82023	372	30512	31108	393	12230
中山	Zhongshan	395884	366	145081	307617	370	113928
江门	Jiangmen	2811080	332	934029	2342849	355	830559
阳江	Yangjiang	2280113	333	760231	1594819	372	593195
湛江	Zhanjiang	4635882	332	1540379	3148313	362	1138454
茂名	Maoming	3965384	395	1564958	2831793	435	1232010
肇庆	Zhaoqing	3242603	396	1283772	2487288	439	1091132
清远	Qingyuan	3194468	314	1002510	2342986	360	843835
潮州	Chaozhou	1031747	437	450599	706701	459	324232
揭阳	Jieyang	2418991	429	1038801	1508512	450	678633
云浮	Yunfu	2394025	405	970645	1622402	477	773388

市别 City		二、大豆 Soybean			三、经济作物 Economic Crops	#糖蔗 Sugarcane		
		播种面积 Sown Area	亩产 Yield per Mu	总产量 Total Output	播种面积 Sown Area	播种面积 Sown Area	亩产 Yield per Mu	总产量 Total Output
广州	Guangzhou	13032	153	1998	318118	14509	7388	107194
深圳	Shenzhen				2870			
珠海	Zhuhai	1131	264	299	80943	74017	7290	539568
汕头	Shantou	8607	155	1334	29602			
佛山	Foshan	2956	214	633	215782	666	4162	2772
韶关	Shaoguan	172842	144	24922	943913	28567	4233	120919
河源	Heyuan	276960	135	37281	442980	9294	4002	37191
梅州	Meizhou	150485	123	18525	509123	284	3239	920
惠州	Huizhou	114401	124	14182	467477	24355	4657	113426
汕尾	Shanwei	23797	126	3010	174014	40	3000	120
东莞	Dongguan	816	169	138	17971	373	3853	1437
中山	Zhongshan	4239	289	1227	51530	12682	7217	91520
江门	Jiangmen	76487	151	11575	511442	55880	5252	293456
阳江	Yangjiang	144323	114	16445	505300	10902	4403	48003
湛江	Zhanjiang	57573	135	7795	2548553	1519303	4732	7189581
茂名	Maoming	78812	172	13532	937448	60128	4567	274597
肇庆	Zhaoqing	47675	153	7288	1073777	35037	4729	165694
清远	Qingyuan	124629	111	13800	872762	60877	4389	267200
潮州	Chaozhou	10517	120	1263	54403	3755	4289	16104
揭阳	Jieyang	53750	136	7336	218605	7335	5763	42271
云浮	Yunfu	116441	188	21914	603644	980	1510	1480

11-33 续表 continued

单位：亩、公斤、吨 (mu, kg, ton)

市别 City		#花生 Peanuts 播种面积 Sown Area	亩产 Yield per Mu	总产量 Total Output	#黄红麻 Jute and Ambary Hemp 播种面积 Sown Area	亩产 Yield per Mu	总产量 Total Output
广州	Guangzhou	134084	178	23842			
深圳	Shenzhen	260	377	98			
珠海	Zhuhai	4142	221	917			
汕头	Shantou	23376	166	3885			
佛山	Foshan	32860	173	5701			
韶关	Shaoguan	562018	210	118185	15	133	2
河源	Heyuan	357388	171	61209	295	58	17
梅州	Meizhou	204537	144	29361	201	259	52
惠州	Huizhou	399510	159	63695			
汕尾	Shanwei	147508	129	18991			
东莞	Dongguan	1544	140	216			
中山	Zhongshan	2000	260	520			
江门	Jiangmen	248315	158	39121			
阳江	Yangjiang	364486	134	48870	600	130	78
湛江	Zhanjiang	743079	165	122538	763	450	343
茂名	Maoming	613769	183	112218	732	182	133
肇庆	Zhaoqing	396833	177	70161	1791	153	274
清远	Qingyuan	461618	153	70658	90	100	9
潮州	Chaozhou	36500	130	4761	54	204	11
揭阳	Jieyang	162258	161	26064	420	162	68
云浮	Yunfu	272348	169	46141	4651	144	670

市别 City		#烟叶 Tobacco 播种面积 Sown Area	亩产 Yield per Mu	总产量 Total Output	四、其他作物 Other Crops 播种面积 Sown Area	#蔬菜 Vegetables 播种面积 Sown Area	亩产 Yield per Mu	总产量 Total Output
广州	Guangzhou	971	161	156	2350007	2297267	1596	3666886
深圳	Shenzhen				138920	137887	1181	162788
珠海	Zhuhai				110125	94978	1480	140605
汕头	Shantou				624567	607967	2453	1491626
佛山	Foshan	48	104	5	1442800	1156999	1690	1955284
韶关	Shaoguan	226799	131	29770	1846683	1343077	1363	1829981
河源	Heyuan				693105	608026	1089	662016
梅州	Meizhou	97810	134	13082	1229253	930265	1423	1323552
惠州	Huizhou				1335567	1222813	1527	1866812
汕尾	Shanwei				581066	503365	1260	634438
东莞	Dongguan				362250	350412	1519	532116
中山	Zhongshan				455055	410932	1430	587454
江门	Jiangmen	60	117	7	1325352	1125019	1319	1484255
阳江	Yangjiang	1675	133	222	994976	901551	979	882860
湛江	Zhanjiang	11380	179	2040	1773005	1608773	1227	1974390
茂名	Maoming	32166	221	7105	1512286	1438341	1489	2142212
肇庆	Zhaoqing	50596	150	7581	1544658	1233520	1741	2147907
清远	Qingyuan	25921	105	2709	1906086	1502092	1285	1930907
潮州	Chaozhou				309300	243532	2110	513925
揭阳	Jieyang	292	110	32	1081734	856214	2190	1874894
云浮	Yunfu	5535	139	772	754925	582784	1313	765400

11-34 各市水果面积及产量（2004 年）
PLANTED AREA AND OUTPUT OF FRUITS BY CITY (2004)

单位：万亩、万吨 （10000 mu，10000 tons）

市别 City	水果合计 Fruits		#柑桔橙 Citrus		#香（大）蕉 Banana	
	年末面积 Year-end Area	总产量 Total Output	年末面积 Year-end Area	总产量 Total Output	年末面积 Year-end Area	总产量 Total Output
广　州 Guangzhou	113. 18	55. 38	1. 70	0. 79	19. 38	33. 72
深　圳 Shenzhen	15. 05	2. 80	0. 68	0. 53	0. 12	0. 10
珠　海 Zhuhai	8. 40	8. 10	0. 10	0. 08	3. 73	7. 15
汕　头 Shantou	18. 83	14. 53	0. 87	1. 68	3. 56	8. 07
佛　山 Foshan	7. 86	5. 90	0. 30	0. 27	2. 86	4. 14
韶　关 Shaoguan	45. 32	19. 29	16. 76	9. 99	0. 44	0. 21
河　源 Heyuan	81. 99	24. 39	13. 83	6. 13	1. 14	0. 60
梅　州 Meizhou	111. 53	74. 06	11. 27	7. 88	5. 76	4. 73
惠　州 Huizhou	90. 30	39. 15	21. 90	16. 50	4. 87	4. 70
汕　尾 Shanwei	64. 26	12. 72	1. 44	1. 05	3. 90	1. 55
东　莞 Dongguan	18. 37	19. 96	0. 02	0. 02	8. 48	15. 07
中　山 Zhongshan	14. 52	24. 25	0. 37	0. 63	10. 95	22. 19
江　门 Jiangmen	41. 35	14. 46	2. 59	2. 37	4. 09	5. 80
阳　江 Yangjiang	123. 53	23. 04	15. 33	4. 45	4. 40	3. 33
湛　江 Zhanjiang	126. 70	130. 03	8. 09	3. 92	32. 71	65. 69
茂　名 Maoming	436. 33	199. 27	2. 07	1. 64	56. 11	102. 07
肇　庆 Zhaoqing	90. 47	51. 32	51. 59	25. 70	8. 36	11. 00
清　远 Qingyuan	62. 07	21. 10	29. 97	12. 05	1. 05	1. 22
潮　州 Chaozhou	28. 01	10. 39	0. 99	1. 10	1. 06	1. 22
揭　阳 Jieyang	129. 88	41. 64	6. 98	9. 67	5. 23	6. 04
云　浮 Yunfu	107. 62	31. 45	32. 75	14. 05	5. 09	3. 83

市别 City	#菠萝 Pineapple		#荔枝 Lychee		#龙眼 Longan	
	年末面积 Year-end Area	总产量 Total Output	年末面积 Year-end Area	总产量 Total Output	年末面积 Year-end Area	总产量 Total Output
广　州 Guangzhou	0. 34	0. 14	53. 45	7. 50	12. 87	2. 77
深　圳 Shenzhen	0. 51	0. 11	10. 94	1. 45	2. 35	0. 43
珠　海 Zhuhai			3. 70	0. 54	0. 41	0. 07
汕　头 Shantou	0. 11	0. 08	3. 96	0. 82	0. 42	0. 14
佛　山 Foshan	0. 03	0. 05	1. 25	0. 44	2. 19	0. 29
韶　关 Shaoguan			0. 11	0. 01	0. 34	0. 11
河　源 Heyuan	0. 06	0. 02	9. 07	0. 54	3. 34	0. 40
梅　州 Meizhou	0. 22	0. 09	6. 56	2. 11	5. 74	1. 83
惠　州 Huizhou	0. 68	0. 23	34. 19	7. 44	14. 08	2. 83
汕　尾 Shanwei	2. 84	0. 75	27. 22	3. 30	4. 50	0. 87
东　莞 Dongguan	0. 02	0. 01	8. 01	1. 83	0. 91	0. 20
中　山 Zhongshan	0. 31	0. 19	1. 32	0. 37	0. 84	0. 24
江　门 Jiangmen	0. 11	0. 23	18. 78	2. 68	10. 67	1. 32
阳　江 Yangjiang	0. 23	0. 05	57. 33	7. 65	30. 24	3. 53
湛　江 Zhanjiang	25. 47	41. 55	26. 85	4. 32	17. 00	2. 51
茂　名 Maoming	0. 40	0. 24	176. 51	40. 64	117. 09	21. 28
肇　庆 Zhaoqing	0. 55	0. 28	6. 34	1. 71	4. 65	1. 49
清　远 Qingyuan	0. 01		3. 27	0. 28	4. 61	0. 89
潮　州 Chaozhou	1. 67	0. 76	6. 06	1. 75	4. 27	1. 38
揭　阳 Jieyang	5. 12	2. 54	30. 80	6. 08	10. 90	1. 59
云　浮 Yunfu	0. 45	0. 20	27. 73	3. 30	14. 31	2. 44

11-35 全省财政收入前100名的镇（区）（2004年）
GOVERNMENT REVENUE OF THE PROVINCES TOP 100 TOWNS (DISTRICTS) (2004)

单位：人、万元　　　　(person, 10000 yuan)

地区		Region	乡镇总人口 Total Population	乡镇从业人员 Employed Persons	财政总收入 Government Revenue	财政支出 Government Expenditure
顺德区	容桂街道办	Shunde District Ronggui Street Community	372030	219496	276736	280981
东莞市	虎门镇	Dongguan City Humen Town	724094	645436	220078	65787
顺德区	乐从镇	Shunde District Lecong Town	136881	67552	113900	113600
东莞市	长安镇	Dongguan City Changan Town	637820	576057	96673	91854
中山市	火炬区	Zhongshan City Huoju District	189068	158420	88064	88187
顺德区	陈村镇	Shunde District Chencun Town	124810	84951	75231	75139
东莞市	大岭山镇	Dongguan City Dalingshan Town	216923	167852	66094	20816
南海区	盐步街道办	Nanhai District Yanbu Street Community	148518	99751	63009	37914
顺德区	龙江镇	Shunde District Longjiang Town	161510	91460	61717	61606
东莞市	塘厦镇	Dongguan City Tangxia Town	307760	246208	61359	61072
东莞市	厚街镇	Dongguan City Houjie Town	351689	295721	61294	38677
顺德区	伦教街道办	Shunde District Lunjiao Street Community	150818	111715	59500	59200
东莞市	万江区	Dongguan City Wanjiang District	164564	105947	56185	56898
东莞市	东城区	Dongguan City Dongcheng District	319209	245100	53616	51260
中山市	小榄镇	Zhongshan City Xiaolan Town	301982	221336	48425	177389
东莞市	常平镇	Dongguan City Changping Town	295452	247180	48326	47560
东莞市	樟木头镇	Dongguan City Zhangmutou Town	142628	94242	48219	68677
南海区	西樵镇	Nanhai District Xiqiao Town	213639	86979	46229	45994
增城市	新塘镇	Zengcheng City Xintang Town	399810	266918	44783	35247
南海区	大沥街道办	Nanhai District Dali Street Community	267447	178200	44406	44137
顺德区	杏坛镇	Shunde District Xingtan Town	151191	94183	42300	42258
南海区	松岗镇	Nanhai District Songgang Town	80735	55000	41674	40132
东莞市	麻涌镇	Dongguan City Machong Town	100606	68548	39642	34148
中山市	古镇镇	Zhongshan City Guzhen Town	135586	74701	37164	49755
南海区	平洲街道办	Nanhai District Pingzhou Street Community	265930	224780	35045	30154
花都区	新华镇	Huadu District Xinhua Town	300505	67583	32536	32628
东莞市	清溪镇	Doungguan City Qingxi Town	315980	277280	31896	31349
南海区	里水镇	Nanhait District Lishui Town	183522	134800	31133	16031
新会区	会城镇	Xinhui District Huicheng Town	298157	92782	30787	26401
顺德区	均安镇	Junan Town in Shunde District	125541	81179	30773	30754
顺德区	北窖镇	Shunde District Beijiao Town	183896	112408	30390	28264
中山市	板芙镇	Zhongshan City Banfu Town	64198	50155	29585	8150
东莞市	南城区	Dongguan City Nancheng District	106071	89695	29512	22974
东莞市	石龙镇	Dongguan City Shilong Town	139046	98890	28183	28157
东莞市	大朗镇	Dongguan City Dalang Town	219468	183503	27925	27217
中山市	南头镇	Zhongshan City Nantou Town	73462	54493	27839	27189
东莞市	黄江镇	Dougguan City Huangjiang Town	168802	144709	26628	29967
东莞市	石排镇	Dangguan City Shipai Town	112864	71071	26610	15413
中山市	石岐区	Zhongshan City Shiqi District	165425	103580	25743	21848
东莞市	寮步镇	Dongguan City Liaobu Town	244531	188077	24869	24669
番禺区	大石镇	Panyu District Dashi Town	214970	151370	24590	26476
东莞市	桥头镇	Donguan City Qiaotou Town	138411	120998	24203	19311
中山市	东区	Zhongshan City Dong District	93213	46896	24135	19853
东莞市	石碣镇	Dongguan City Shijie Town	167988	136953	23456	23459
番禺区	石基镇	Panyu District Shiji Town	238277	192257	21492	21337
顺德区	勒流镇	Shunde District Leliu Town	191014	102309	21436	22482
中山市	南区	Zhongshan City Nan District	44185	39989	21015	22115
南海区	黄歧街道办	Nanhai District Huangqi Street Community	140534	72023	20793	19759
四会市	大旺镇	Dawang Town in Sihui City	34257	13379	20483	20417
中山市	沙溪镇	Zhongshan City Shaxi Town	126972	102636	20352	17276

11-35 续表 continued

单位：人、万元 (person, 10000 yuan)

地区		Region	乡镇总人口 Total Population	乡镇从业人员 Employed Persons	财政总收入 Government Revenue	财政支出 Government Expenditure
东莞市	凤岗镇	Dongguan City Fenggan Town	219294	179572	19698	19496
中山市	三乡镇	Zhongshan City Sanxiang Town	151161	118254	19458	18175
番禺区	石楼镇	Panyu District Shilou Town	83441	51032	18992	18983
东莞市	高步镇	Dongguan City Gaobu Town	95665	78002	17774	17441
东莞市	沙田镇	Dongguan City Shatian Town	112744	104256	17720	15493
中山市	坦洲镇	Zhongshan City Tanzhou Town	155567	104856	17697	17589
东莞市	中堂镇	Dongguan City Zhongtang Town	125675	90487	17066	16901
东莞市	横沥镇	Dongguan City Hengli Town	123942	100258	16888	16792
番禺区	南村镇	Panyu District Nancun Town	81049	44310	16826	16700
南海区	九江镇	Nanhai District Jiujiang Town	71496	61500	16665	16476
中山市	黄圃镇	Zhongshan City Huangpu Town	83832	48770	16558	16331
南海区	丹灶镇	Nanhai District Danzhao Town	42750	18325	16503	16370
东莞市	茶山镇	Dongguan City Chashan Town	114371	121255	16388	16350
南海区	官窑镇	Nanhai District Guanyao Town	92621	75278	16295	16151
中山市	东升镇	Zhongshan City Dongsheng Town	123878	90218	16223	16833
番禺区	南沙区	Panyu District Nansha Zone	86949	52248	16092	17506
南海区	罗村镇	Nanhai District Luocun Town	142363	97580	15903	16006
金湾区	平沙镇	Pingsha Town in Jinwan District	63679	19583	15853	15707
番禺区	沙湾镇	Panyu District Shawan Town	128951	88265	15595	14868
番禺区	钟村镇	Panyu District Zhongcun Town	81494	54165	15570	15752
禅城区	南庄镇	Chancheng District Nanzhuang Town	131790	104617	15514	15456
番禺区	大岗镇	Panyu District Dagang Town	101559	63686	15169	15167
潮南区	峡山镇	Chaonan District Xiashan Town	211363	101458	14947	14490
东莞市	道窖镇	Dongguan City Daojiao Town	138809	104998	14882	14970
三水区	乐平镇	Sanshui District Leping Town	84548	51306	14698	10464
中山市	东凤镇	Dongfeng Town in Zhongshan City	112723	46482	14337	13122
番禺区	新造镇	Xinzao Town in Panyu District	35982	20460	14172	6128
潮安县	枫溪镇	Chaoan County Fengxi Town	123449	67337	14025	13839
中山市	西区	Xiqu District in Zhongshan City	63828	47922	13709	13266
南海区	小塘镇	Nanhai District Xiaotang Town	60995	38420	13509	13189
南海区	沙头镇	Nanhai District Shatou Town	46013	32027	13418	8724
蓬江区	棠下镇	Tangxia Town in Pengjiang District	74940	49254	12923	10188
中山市	民众镇	Zhongshan City Minzhong Town	97535	63136	12870	12715
花都区	花东镇	Huadong Town in Huadu District	63758	34083	12426	12316
中山市	三角镇	Zhongshan City Sanjiao Town	111678	68442	12359	12557
东莞市	东坑镇	Dongguan City Dongkeng Town	93980	71021	12285	12257
增城市	荔城镇	Licheng Town in Zengchang City	176568	87272	12229	12200
南海区	和顺镇	Heshun Town in Nanhai District	62473	17246	12139	12112
东莞市	企石镇	Dongguan City Qishi Town	82423	63732	12074	11737
花都区	炭步镇	Tanbu Town in Huadu District	52600	37722	11727	11764
增城市	石滩镇	Shitan Town in Zengcheng City	150125	111970	11593	10590
东莞市	谢岗镇	Xiegang Town in Dongguan City	100424	87642	11069	10523
中山市	港口镇	Gangkou Town in Zhongshan City	108455	78908	10846	16759
花都区	狮岭镇	Shiling Town in Huadu District	70097	62075	10656	10562
新会区	双水镇	Shuanshui Town in Xinhui District	103163	52191	10397	8670
南海区	狮山街道办	Shishan Street Community in Nanhai District	88762	48160	10163	18196
三水区	白坭镇	Baini Town in Sanshui District	65895	53536	10120	10060
中山市	横栏镇	Zhongshan City henglan Town	79715	61688	10076	30710
三水区	芦苞镇	Lubao Town in Sanshui District	39242	21071	9923	10393
惠阳区	新圩镇	Xinxu Town in Huiyang District	120483	99098	9918	9700

主要统计指标解释

农林牧渔业增加值 是指农、林、牧、渔及农林牧渔服务业在一定时期内生产货物或提供服务活动而增加的价值。它反映了农业生产经营活动的最终成果和对社会的贡献。

农业增加值的计算方法有两种：(1) 生产法，是从生产角度进行计算的一种方法。即用农业总产出减去农业中间消耗求得。由于农户没有健全的核算记录，故农业增加值一般是采用生产法计算的。(2) 分配法，是从分配角度进行计算的一种方法。是通过农业生产单位在生产经营和劳务活动过程中形成的不含中间消耗的各种收入来计算。具体包括农业劳动者收入、福利基金、利税、固定资产折旧及大修理和其他。

农林牧渔业总产值 是以货币表现的农林牧渔业的全部产品总量和对农林牧渔业生产活动进行的各种支持性服务活动的价值。它反映一定时期内农林牧渔业生产总规模和总成果，是观察农林牧渔业生产水平和发展速度，研究农林牧渔业内部比例关系、农林牧渔业与工业、农林牧渔业与国家建设、人民生活比例关系的重要指标，同时也是计算农林牧渔业劳动生产率和农林牧渔业增加值的基础资料。

农林牧渔业总产值的计算，一般采用“产品法”，即凡有产品产量的，都按单位产品价格乘产量的办法求得每种产品产量的产值，然后相加求得各业的产值，最后各业相加求出农林牧渔业总产值。

常用耕地面积 指耕地总资源中专门种植农作物并经常进行耕种、能够正常收获的土地。包括当年实际耕种的熟地；弃耕、休闲不满三年，随时可以复耕的地；开荒利用三年以上的地；小于1米宽的沟、渠、路、田埂。不包括临时种植农作物的坡度在25度以上的陡坡地；在河套、湖畔、库区临时开发的成片或零星土地；也不包括已列为国家和省退耕计划但仍临时耕种的土地。常用耕地分为基本农田和零星可用耕地。

农作物播种面积 是指一定生产季节结束时实际播种或移植有农作物的面积。播种面积的大小，反映农作物的生产规模和耕地的利用程度。正确地核算播种面积，对于组织农业生产活动，计算农作物产量，研究农作物的种植结构和分布情况以及制定各项增产技术措施，都是非常必要的。

播种面积的统计年度，凡是能在本日历年度内（自1月1日至12月31日）收获的农作物（包括上年秋冬播和本年春播、夏播以及南方地区的晚秋播而在本年收获的全部作物）播种面积，都包括在内。

农作物总产量 是指在一定时期内（通常是一年）生产的各种农作物产品总产量。它是衡量农业生产成果，统筹安排城乡人民生活，研究生产、积累和消费比例关系及编制国民经济计划的基本数据。不论是种植在耕地上或非耕地上的农作物产量，都包括在内。有的农作物收割期较长，虽在当年冬季就开始收割，但需跨年延到来年春季才能收完的，仍计算为本年农作物总产量。

农作物总产量是指全社会的产量，包括国有农场等国有经济单位的产量、集体统一经营的和农户承包地的产量，还包括农民自留地、工矿企业职工农属办的农场和其他单位生产的农作物产量。

农作物总产量是统计晒干入库的产量。有些地区，粮食脱粒、晒干、入库比较迟，是按照折干比例折成晒干的粮食产量进行统计的。

农业机械总动力 是指主要用于农、林、牧、渔业的各种动力机械的动力总和。包括耕作机械、排灌机械、收获机械、农产品加工机械、运输机械、植保机械、牧业机械、林业机械、渔业机械和其他农业机械。内燃机按引擎马力计算，电动机功率折成马力计入。

乡镇企业 是指农村乡（包区、镇）、村组各级集体办、联户办和个体办的，从事工业、建筑业、交通运输业、商业饮食业、服务业和其他生产经营活动的经济组织，以及农村乡（包括区、镇）、村集体举办的农业企业。乡镇企业必须同时具备以下四个条件：

（1）有固定的（或相对固定的）生产经营组织、场所、设备和从事生产经营的人员；

（2）常年从事生产经营活动，或从事季节性生产经营，全年开工时间在三个月以上；

（3）具备独立核算的条件，或虽非独立核算单位但有单独的帐目；

（4）有当地工商行政或有关部门颁发的营业（经营）执照。此条件农业企业除外。

乡镇企业总产值 以货币表现的乡镇农业、工业、建筑业、交通运输 业、商业饮食业、服务业和其它企业的经营收入、产品销售收入、劳务收入和其它收入。

（1）农业企业以实际收入计算；

（2）工业企业以产品销售收入和其它收入计算；

（3）建筑业收入总包单位以全价计算总收入，非总包单位以实际收入计算；

（4）交通运输业以实际收入计算；

（5）商业的零售商店按零售额计算总收入，批发部门、代购代销、物资供销、仓储等均以 手续费计算总收入。饮食业按营业额计算总收入；

（6）服务业以实际收入计算；

（7）其它企业以实际收入计算。

Explanatory Notes on Main Statistical Indicators

Value-added of Farming, Forestry, Animal Husbandry and Fishery refers to the value-added of the good and services produced or provided by farming, forestry, animal husbandry, fishery and services for farming, forestry, animal husbandry, fishery in a given period of time. It shows the final results of the activities of production and management of agriculture and its contributions to the society.

The value-added of agriculture is calculated with two approaches: (1) Production approach is a method from the production angle, i. e. total output of agriculture minus intermediate consumption of agriculture. The value added of agriculture is usually calculated with the production approach due to no complete accounting records of the rural households available; (2) Distribution approach is a method from the distribution angle, i. e. various incomes from the activities of production and management of the productive units of agriculture without intermediate consumption, including incomes of the rural laborers, welfare funds, profit and tax, depreciation of fixed assets and major overhaul and others.

Gross Output Value of Agriculture refers to the total volume of products of farming, forestry, animal husbandry, and fishery and the value of various services supporting the production of farming, forestry, animal husbandry and fishery in monetary terms, which reflects the total scale and total results of farming, forestry, animal husbandry, and fishery production during a given period of time. It is an important indicator to observe the production level and development speed of farming, forestry, animal husbandry, and fishery, to study the internal structure of farming, forestry, animal husbandry, and fishery, and to review the relationship among farming, forestry, animal husbandry, and fishery and industry, national construction and people's life. It is also the basic data to calculate the labor productivity and value-added of farming, forestry, animal husbandry, and fishery.

Generally, the gross output value of farming, forestry, animal husbandry, and fishery is calculated with the production approach, i. e. the gross output value of each single product is obtained by multiplying the output of each product by its price. Then the output value of each sector is obtained. Finally, the sum of output value of all sectors is equal to the gross output value of farming, forestry, animal husbandry, and fishery.

Area of Regularly Cultivated Land refers to farmland among the total land resources which is exclusively used for farming and is under regular cultivation with harvest in normal years. Included are currently cultivated land, land that has been abandoned or put in idle for less than 3 years and could be re-used for cultivation at any time, and new-claimed land that has been put into cultivation for more than 3 years. Excluded under this category are steep slope land over 25 degrees under temporary cultivation, land (large or small plots) that is claimed along river bends, lake sides or banks of reservoirs, as well as land that has been designated under the Green for Grain" programmes of the state and provincial governments but is still temporarily under cultivation. Regularly cultivated land is classified into basic farmland and odd pieces of land used for cultivation.

Sown Area of Crops refers to area of land sown or transplanted crops at the end of a production season, which reflects the scale of crops and the use of cultivated area. It is very imperative to calculate the sown area correctly in order to organize the production activities of agriculture, calculate the yield of crops, study the composition and distribution of crops and work out the technical measures to increase production.

The statistical year of sown area refers to area of land sown during the year (from Jan. 1 to Dec. 31) with a harvest of crops (including all those sown in the autumn and winter of the preceding year, in the spring and summer of the current year in the late autumn in the southern regions).

Total Output of Crops refers to the total output of farm crops of various kinds during a given period of time (usually a year). It is the basic figure to examine the production results of agriculture, make overall arrangements of the life of the urban and rural households, study the proportionate relationships between production, accumulation and consumption and work out a plan of national economy. It covers the output of crops regardless of being in cultivated area or non-cultivated area. For some crops with a fairly long reaping period, though they begin reaping in the winter of the current year until the spring of the following year, they should be included in the total output of crops of the current year.

The total output of crops refers to the total output of the whole society, including the output from the state-owned units (i. e. state-owned farms), collective owned units and contracted land of peasants as well as the rural household plots, the farms owned by the rural family members of staff and workers of industrial and mining enterprises and others.

The total output of crops is the output of dry crops in inventory. In some areas, it is estimated with the conversion of dry crops due to the delay of threshing, drying and putting in inventory.

Total Power of Farm Machinery refers to total mechanical power of machinery used in farming, forestry, animal husbandry, and fishery, including ploughing, irrigation and drainage, harvesting, transport, plant protection, stock breeding, forestry and fishery. The power of internal combustion engines is required to convert horsepower into watts and the power of electric motors is required to be converted into watts.

Township Enterprises refer to economic organizations owned by the collective of various levels, joint households and individuals of towns and villages and engaged in the activities of industry, construction, transportation, commerce, catering, service and other business operation as well as the agricultural enterprises owned by the collective at township level.

Township enterprises must satisfy the following four items:

(1) Having a regular (or fairly regular) operational organization, location, equipment and personnel;

(2) Engaged in the activities of business operation for years of seasonal operation with three months and more of a year;

(3) Qualifying with independent accounting systems or with separate accounts though not a unit with independent accounting systems;

(4) Having a business (operation) license issued by the local administration department for industry and commerce of other related departments. This item excludes the agricultural enterprises.

Gross Output Value of Township Enterprises refers to the operation income, sales income of products, service income and other incomes in monetary terms of the township enterprises engaged in agriculture, industry, construction, transportation, commerce, catering, service and others.

(1) The output value of agricultural enterprises is calculated according to actual income;

(2) The output value of industrial enterprises is calculated according to sales in come of products and other incomes;

(3) The total income of the overall contractor units of construction is calculate according to complete price, but that of the non-overall contractor units is calculated according to actual income;

(4) The output value of transportation enterprises is calculated according to actual income;

(5) The total income of retail shops is calculated according to retail sales. As for the wholesale departments, purchasing and marketing agencies, material supply and marketing centers and storage activities and the other, their total income is calculated according to commission charges. The total income of catering enterprises is calculated according to turnover;

(6) The output value of service enterprises is calculated according to actual income;

(7) The output value of other enterprises is calculated according to actual income.

十二 工业

INDUSTRY

12

十二、工业

简要说明

一、本篇主要包括以下几部分资料：

1. 全省工业总产值及指数。

2. 规模以上工业企业（即全部国有工业及年销售收入500万元以上非国有工业）按行业和地区分组的企业单位数和工业总产值（1995年及以后工业总产值按新规定计算）。

3. 规模以上工业经济效益指标。

4. 规模以上工业企业按国有及国有控股、集体、股份合作、股份制、三资及企业规模分组的主要经济指标。

5. 主要工业产品产量。

6. 重点企业集团基本情况及财务指标、劳动工资指标、主营业务指标。

7. 建立现代企业制度重点企业基本情况及财务指标、劳动工资指标、主营业务指标。

8. 八大行业的企业家对本行业景气状况判断、企业家对企业生产经营景气状况判断。

二、本篇资料分别由广东省统计局工业交通处、广东省企业调查队整理提供。

三、本篇工业资料主要是根据国家统计局工业统计报表制度经各市、县统计局收集、汇总整理的，其中1995年度资料通过第三次全国工业普查取得，2004年数据根据2004年12月月报累计数取得。

四、本篇重点企业集团及国家重点企业资料主要是根据国家统计局企业调查统计报表制度经各市企业调查队和有关市统计局调查、收集、汇总整理的。

五、本资料从2003年起执行新的行业划分标准和大中型企业划分标准。

12 INDUSTRY

Brief Introduction

Ⅰ. The data in this chapter cover the following data:

(1) The gross industrial output value and its indices of the province;

(2) The number of industrial enterprises above designated size (namely, all state-owned industrial enterprises and non-state-owned industrial enterprises with an annual sales revenue over 5 million yuan) by industrial sector and by city, and its gross industrial output value (the data on gross industrial output value have been calculated in accordance with the new stipulations since 1995);

(3) The indicators on economics benefit of industrial enterprises above designated size;

(4) The main economic indicators of the industrial enterprises above designated size by state-owned and state-holding, collective-owned, cooperative, shareholding, foreign funded enterprises, and size of enterprises;

(5) The output of major industrial products;

(6) The basic conditions, financial indicators, wages and main business indicators of key enterprise groups;

(7) The basic conditions, financial indicators, wages and main business indicators of key enterprises conducting modern enterprise system.

(8) And the judgment and expectation of the entrepreneurs from eight sectors on the business climate of their own sectors and the situations of production and management of their own enterprises.

Ⅱ. The data in this chapter are prepared and provided by the Division of Industry and Transport Statistics of Guangdong Provincial Bureau of Statistics and Guangdong Enterprise Survey Organization respectively.

Ⅲ. The data in this chapter are collected, tabulated and prepared by the city and county statistical bureaus mainly in accordance with the industrial statistical reporting scheme stipulated by the National Bureau of Statistics, of which the annual data of 1995 were collected in the Third National Industrial Census and the data of 2004 were obtained from the accumulative figures of the monthly report in December, 2004.

Ⅳ. The data of key provincial enterprise groups and key enterprise groups are collected, tabulated and prepared by the enterprise survey organizations and the statistical bureaus of related cities mainly in accordance with the industrial statistical reporting scheme stipulated by the National Bureau of Statistics.

Ⅴ. Since 2003, the data in this chapter have been calculated according to the new standards of the industrial sectors and the large and medium-sized industrial enterprises.

12-1 工业主要指标
MAIN INDICATORS ON INDUSTRY

指标	Item	1995	2002	2003	2004	2004比2003增长（%） Growth Rate in 2004 over 2003 (%)
全部工业	**All Industrial Enterprises**					
企业（单位）数（个）	Number of Enterprises (unit)	386832	417221	413085		
工业总产值（亿元）	Gross Industrial Output Value (100 million yuan)	8849.90	21788.71	27375.56		
产品销售收入（亿元）	Sales Revenue (100 million yuan)		21542.29	27318.37		
利税总额（亿元）	Total Pre-tax Profits (100 million yuan)		1789.15	2301.17		
从业人员平均人数（万人）	Average Employed Persons (10000 persons)	1179.64	1393.96	1520.68		
规模以上工业	**Industrial Enterprises above Designated Size**					
企业（单位）数（个）	Number of Enterprises (unit)	14601	22619	24494	25956	
工业总产值（亿元）	Gross Industrial Output Value (100 million yuan)	6502.97	16378.60	21513.46	26720.87	22.8
工业增加值（亿元）	Value-Added of Industry (100 million yuan)	1454.31	4361.14	5718.14	7086.36	22.4
产品销售收入（亿元）	Sales Revenue (100 million yuan)	5934.03	16247.73	21566.93	26691.35	25.4
资产总计（亿元）	Total Assets (100 million yuan)	8081.22	16584.03	19126.47	21798.11	14.7
流动资产平均余额（亿元）	Average Balance of Circulating Funds (100 million yuan)	3465.43	7659.73	9732.67	11335.51	17.9
固定资产净值平均余额（亿元）	Average Balance of Net Value of Fixed Assets (100 million yuan)	2864.19	6018.21	6666.84	7166.97	8.8
负债总计（亿元）	Total Liabilities (100 million yuan)	5309.69	9208.39	10808.23	12666.87	18.8
所有者权益合计（亿元）	Total Creditors´Equity (100 million yuan)	2771.53	7375.64	8318.24		
利润总额（亿元）	Total Profits (100 million yuan)	183.74	769.09	1075.41	1274.29	25.6
亏损企业亏损额（亿元）	Loss Value of Loss-making Enterprises (100 million yuan)	139.75	143.32	169.84	160.37	4.2
利税总额（亿元）	Total Pre-tax Profits (100 million yuan)	441.40	1380.24	1850.90	2076.89	23.4
应交增值税（亿元）	Value-Added Tax Payable (100 million yuan)	182.66	485.04	618.03	606.92	18.0
从业人员平均人数（万人）	Average Employed Persons (10000 persons)	434.25	644.39	741.17	814.21	8.8
九大产业工业总产值	**Gross Industrial Output Value of nine Industries**					
三大新兴产业（亿元）	**Three Fresh Industries (100 million yuan)**		**7794.1**	**11009.92**	**13735.58**	**27.6**
1. 电子信息业	Electronic Information		4164.4	5932.21	7454.33	30.9
2. 电气机械及专用设备	Electric Equipment and Special Purposes Equipment		2077.2	3033.04	3831.33	27.5
3. 石油及化学	Petroleum and Chemistry		1552.5	2044.66	2449.93	17.5
三大传统产业（亿元）	**Three Traditional Industries (100 million yuan)**		**3048.6**	**3607.67**	**4447.50**	**16.5**
1. 纺织服装	Textile and Garments		1372.7	1593.85	1839.53	10.3
2. 食品饮料	Food and Beverage		968.2	1161.84	1538.92	20.0
3. 建筑材料	Building Materials		707.7	851.98	1069.05	23.4
三大潜力产业（亿元）	**Three Potential Industries (100 million yuan)**		**1179.2**	**1536.22**	**1875.65**	**23.6**
1. 森工造纸	Logging and Papermaking		476.5	538.44	633.24	17.2
2. 医药	Medicine		214.7	246.56	239.75	19.0
3. 汽车及摩托车	Motor Vehicle		488.0	751.23	1002.67	34.1

注：1. 工业总产值按当年价格计算。
2. 2004年数据为快报数。
3. 表中增长速度按可比口径计算。

Note: a) The data of gross industrial output value are calculated at current prices.
b) The date of 2004 refer to the date from the advance reports.
c) The growth rates in this table are calculated at comparable prices.

12-2 工业企业单位数及产值

NUMBER OF INDUSTRIAL ENTERPRISES AND THEIR GROSS OUTPUT VALUE

项　　目	Item	2000	2001	2002	2003	2004
一、工业企业单位数（个）	**Total Number of Industrial Enterprises (unit)**	**19695**	**20721**	**22619**	**24494**	**25956**
按经济类型分	**Grouped by Ownership**					
在总计中：国有及国有控股工业	Of the Total: State-owned and State-holding Industry	3320	2793	2533	2103	2009
国有工业	State-owned Industry	2383	1914	1738	1344	1179
集体工业	Collective-owned Industry	4158	3094	2931	2513	2388
股份合作工业	Cooperative Enterprises	299	304	314	305	344
股份制工业	Share Holding Enterprises	1875	3444	4356	5549	6622
外商投资工业	Foreign Funded Industry	1682	1478	1644	2070	2221
港澳台投资工业	Enterprises Funded by Entrepreneurs from Hong Kong, Macao and Taiwan	6731	7542	8164	8549	8848
按轻重工业分	**Grouped by Light & Heavy Industry**					
轻　工　业	Light Industry	12255	13087	14365	14834	15787
重　工　业	Heavy Industry	7440	7634	8254	9660	10169
按企业规模分	**Grouped by Size of Enterprises**					
大型企业	Large	823	886	945	182	187
中型企业	Medium	1228	1457	1677	3110	3102
小型企业	Small	17644	18378	19997	21202	22667
二、工业总产值（亿元）	**Gross Industrial Output Value (100 million yuan)**	**12480.93**	**14035.35**	**16378.60**	**21513.46**	**26720.87**
按经济类型分	**Grouped by Ownership**					
在总计中：国有及国有控股工业	Of the Total: State-owned and State-holding Industry	3126.12	3236.65	3264.46	3949.03	4539.18
国有工业	State-owned Industry	1450.86	1113.38	1112.62	910.68	1117.70
集体工业	Collective-owned Industry	1202.49	931.16	929.36	849.63	882.06
股份合作工业	Cooperative Enterprises	106.87	153.79	178.13	203.11	224.74
股份制工业	Share Holding Enterprises	1780.64	2663.10	3254.59	4722.31	5925.04
外商投资工业	Foreign Funded Industry	2527.06	3020.20	3838.06	5971.94	6910.50
港澳台投资工业	Enterprises Funded by Entrepreneurs from Hong Kong, Macao and Taiwan	4747.30	5470.76	6217.39	7709.39	10270.90
按轻重工业分	**Grouped by Light & Heavy Industry**					
轻　工　业	Light Industry	6607.84	7165.90	8161.63	9959.51	11899.40
重　工　业	Heavy Industry	5873.09	6869.44	8216.97	11553.95	14821.47
按企业规模分	**Grouped by Size of Enterprises**					
大型企业	Large	4523.92	5671.07	6525.51	6204.03	7874.19
中型企业	Medium	1427.65	1863.63	2229.51	8149.50	9700.53
小型企业	Small	6529.37	6500.65	7623.58	7159.93	9146.15

注：1. 本表统计范围为规模以上工业。
2. 本表产值均为现价。
3. 从2003年起，企业规模按新划分标准执行，与以往年份不可比。

Note: a) The statistical coverage in this table refers to the industrial enterprises above designated size.
b) Values in this table are calculated at current prices.
c) Since 2003, the size of enterprises has been calculated according to the new standards, which is not comparable with that in the preceding years.

12-3 工业总产值指数
INDICES OF GROSS INDUSTRIAL OUTPUT VALUE

单位:% (%)

年份 Year	工业总产值 Gross Industrial Output Value	按轻重分 Grouped by Light & Heavy Industry		规模以上工业 Industrial Enterprises above Designated Size			规模以下工业 Industrial Enterprises below Designated Size
		轻工业 Light Industry	重工业 Heavy Industry		国有工业 State-owned	集体工业 Collective-owned	
1949	100.0	100.0	100.0	100.0	100.0		100.0
1952	197.2	197.3	196.8	229.4	226.3	100.0	149.7
1957	420.7	394.4	606.4	628.3	486.7	4571.4	114.1
1962	523.0	457.8	983.0	830.1	630.3	6450.0	69.3
1965	846.6	691.4	1942.6	1348.7	1089.6	8364.3	104.9
1970	1378.1	1019.3	3912.8	2231.6	1752.7	15464.3	117.3
1975	2129.7	1404.3	7342.9	3474.4	2561.5	29644.7	141.8
1978	2705.3	1682.8	10145.2	4282.2	3070.5	39418.0	343.5
1980	3175.5	2170.4	10328.6	4959.1	3354.2	48972.0	486.9
1981	3655.8	2570.9	11305.7	5512.1	3695.0	57402.5	805.7
1982	3958.6	2838.2	11802.6	5991.1	3978.1	63360.1	844.6
1983	4433.2	3116.1	13722.9	6726.8	4427.8	70981.3	924.3
1984	5322.7	3829.5	15762.4	8054.0	5038.4	88336.9	1137.8
1985	6779.6	4993.9	19294.1	10106.4	5971.4	117951.0	1638.3
1986	7849.1	5914.7	21269.4	11539.3	6453.4	138776.7	2082.4
1987	10446.4	7875.3	28278.0	14993.9	7859.3	180550.4	3189.7
1988	14104.2	10649.1	38047.9	20234.0	9744.9	249082.5	4318.0
1989	16401.6	12294.4	44965.1	23260.5	10333.9	267132.9	5331.1
1990	19205.4	14939.5	48285.9	27303.7	11289.4	290856.3	6165.4
1991	24708.7	18977.0	63552.9	35114.9	13612.7	351094.5	7904.6
1992	33764.6	25626.6	89032.5	46934.4	16395.0	465982.3	12084.3
1993	47019.6	35184.6	127583.7	62976.9	17007.2	596262.1	19739.3
1994	62637.1	46670.3	171399.1	77895.9	16527.4	725870.2	33623.3
1995	78252.3	55062.5	237353.5	97380.0	16620.5	794234.6	41926.2
1996	92488.7	67812.8	260994.1	112421.9	16927.6	909630.7	52978.3
1997	109758.4	81802.9	300232.2	130400.3	18166.7	978262.4	66728.9
1998	127897.0	91425.2	377709.9				
1999	146314.2	100087.7	464137.9				
2000	173236.0	114100.0	591311.7				
2001	201819.9	128933.0	717261.1				
2002	240367.5	148401.9	890121.0				
2003	306492.6	176429.5	1226052.7				
2004							

注：1. "规模以上工业"栏1997年及以前为乡及乡以上工业。
2. "规模以下工业"栏1999年起为抽样调查数。

Note: a) In 1997 and prior to it, the data in the column of "industrial enterprises above designated size" referred to the township industrial enterprises and above.

b) Since 1999, the data in the column of "industrial enterprises below designated size" have been obtained from sample surveys.

12-4 按经济类型分的工业总产值及指数

GROSS INDUSTRIAL OUTPUT VALUE AND ITS INDICES BY OWNERSHIP

年份 Year	绝对数（亿元） Absolute Figures（100 million yuan）						指数（1978 = 100） Indices			
	工业总产值 Gross Industrial Output Value	#国有及国有控股工业 State-owned and State-holding	国有工业 State-owned	集体工业 Collective-owned	城乡个体业 Individual	私营工业 Private	工业总产值 Gross Industrial Output Value	国有工业 State-owned	集体工业 Collective-owned	城乡个体业 Individual
1978	206.56		131.83	73.28			100.0	100.0	100.0	
1979	221.46		142.64	77.34			107.5	106.1	110.4	
1980	248.68		146.95	95.08	0.05		117.4	109.2	127.6	100.0
1981	282.95		165.53	112.49	0.13		134.5	120.3	174.2	260.0
1982	313.76		178.78	129.39	0.28		145.7	129.5	160.7	540.1
1983	356.91		204.68	149.25	0.69		163.4	144.1	194.0	1360.0
1984	433.40		240.19	185.17	1.23		196.4	164.0	239.2	2460.0
1985	534.72		298.42	200.98	14.14		249.6	194.0	306.3	28060.0
1986	632.89		334.59	243.27	19.93		288.3	209.7	365.2	38380.0
1987	878.29		427.10	343.59	34.88		384.6	255.4	491.6	64800.0
1988	1318.90		594.98	520.99	55.58		519.3	316.7	672.2	91040.0
1989	1647.24		714.93	607.02	72.85		603.9	335.8	744.8	119360.0
1990	1902.25		765.43	659.65	91.19		707.1	366.9	820.7	144520.0
1991	2524.12		973.59	828.68	118.96		909.6	442.1	987.9	223129.0
1992	3479.39		1202.46	1174.42	184.60		1243.0	532.5	1364.9	358714.0
1993	5237.37		1445.38	1711.62	315.42		1731.0	552.4	1903.9	605041.0
1994	7273.95		1562.24	2444.46	555.04		2305.9	536.8	2686.2	1045236.5
1995	9720.54		1709.89	3054.13	921.84		2880.8	539.8	3039.0	1460985.5
1995（新规定）										
（New Stipulations）	8849.90		1465.82	2797.76	854.70					
1996	10530.93		1544.58	3552.70	970.51		3404.9	549.8	3793.5	1618115.9
1997	12372.69		1574.39	4042.39	1472.59		4040.7	590.0	4245.7	2392267.9
1998	13799.16		1453.79	1480.13	940.80	1390.96	4708.5	526.3		
1999	15303.33	3025.68	1427.42	1273.75	1495.66	1836.36	5385.9	487.2		
2000	16904.47	3126.12	1536.50	2131.09	1804.53	2622.82	6376.7	472.1		
2001	18909.91	3309.51	1186.24	1858.66	1998.03	2440.53	7428.9	374.8		
2002	21788.71	3369.50	1217.66	1449.06	2347.66	2993.45	8847.8	392.4		
2003	27375.56	4017.54	979.19	1362.30	2645.84	3944.92	11281.8	379.3		
2004										

注：1. 工业总产值按当年价计算，指数按可比价计算。
2. 1997、1998 年集体工业仅指规模以上工业。
3. 2000 年起全部工业总产值中规模以下部分为抽样调查数。

Note：a) The gross industrial output values are calculated at current prices, whereas their indices are calculated at comparable prices.
b) In 1997 and 1998, the collective-owned industrial enterprises only referred to the industrial enterprises above designated size
c) Since 2000, the data of the industrial enterprises below designated size in the gross industrial output value have been obtained form sample surveys.

12-5 规模以上工业总产值及指数

GROSS OUTPUT VALUE AND ITS INDICES OF INDUSTRIAL ENTERPRISES ABOVE DESIGNATED SIZE

单位：亿元 (100 million yuan)

年 份 Year	总产值 Gross Output Value	轻工业 Light Industry	重工业 Heavy Industry	#大中型工业 Large and Medium-sized Enterprises	指数 (1978 = 100) Gross Output Value Indices	轻工业 Light Industry	重工业 Heavy Industry	#大中型工业 Large and Medium-sized Enterprises
1978	180.73	102.32	78.41	49.34	100.0	100.0	100.0	100.0
1979	194.64	110.28	84.36	54.91	105.8	105.3	106.4	109.5
1980	212.69	128.17	84.52	56.33	115.8	127.7	100.7	103.1
1981	241.93	152.97	88.96	66.89	128.7	151.3	102.1	133.0
1982	263.02	164.17	98.85	75.37	139.9	164.2	111.2	148.5
1983	293.70	180.60	113.10	92.78	157.1	184.5	124.7	181.5
1984	359.87	223.29	136.58	110.63	188.1	226.1	142.8	209.9
1985	471.83	289.68	182.15	166.11	236.0	279.6	179.8	302.0
1986	550.49	344.70	205.79	210.27	269.5	327.7	194.7	379.7
1987	747.47	472.45	275.02	299.19	350.1	426.5	252.2	522.3
1988	1118.00	718.03	399.97	459.74	472.5	582.1	332.2	720.2
1989	1399.45	893.20	506.25	622.42	543.2	594.3	389.2	863.6
1990	1605.80	1057.02	548.78	734.35	637.6	795.5	435.8	1042.2
1991	2144.93	1371.46	773.47	1057.02	820.0	1009.7	622.1	1476.1
1992	2884.93	1796.12	1088.23	1408.48	1096.0	1331.0	854.4	1980.5
1993	4252.70	2515.77	1736.93	1891.29	1470.7	1751.6	1188.8	2412.8
1994	5565.48	3224.69	2340.79	2563.27	1819.1	2135.9	1507.6	2863.3
1995（原规定）(Original Stipulations)	7189.24	4148.78	3040.46	3227.59	2274.1	2581.8	1993.2	3519.7
1995（新规定）(New Stipulations)	6502.97	3776.94	2726.03	2824.61				
1996	7490.49	4344.25	3146.24	3470.81	2625.4	2989.5	2290.2	4253.6
1997	8442.32	4914.09	3528.23	3950.86	3045.3	3470.5	2652.8	5176.4
1998	9738.56	5765.51	3973.05	4169.16	3508.2	3866.1	3228.5	5927.0
1999	10538.17	6011.06	4527.11	4711.94	4016.9	4299.1	3861.3	7070.9
2000	12480.93	6607.84	5873.09	5951.56	4757.4	4737.6	5027.4	8590.8
2001	14035.35	7165.90	6869.44	7534.70	5637.5	5400.9	6234.0	12181.8
2002	16378.60	8161.63	8216.97	8755.02	6787.6	6313.7	7742.6	14472.0
2003	21513.46	9959.51	11553.95	14353.53	9051.9	7845.4	11063.4	19955.4
2004	26720.87	11899.40	14821.47	17574.72	11121.6	9422.3	13508.4	24345.6

注：1. 绝对数按现价计算，指数按可比价计算。
2. 1997 年以前为乡及乡以上工业。

Note: a) Values in this table are calculated at current prices, whereas their indices are calculated at comparable prices.
b) In 1997 and prior to it, the data referred to the township industrial enterprises and above.

12-6 分行业工业总产值增长速度（2004 年）
GROWTH RATE OF GROSS INDUSTRIAL OUTPUT VALUE BY SECTOR（2004）

指　　标	Item	工业总产值（亿元）Gross Industrial Output Value（100 million yuan）		2004 比 2003 增长（%）Growth Rate in 2004 over 2003（%）
		2003	2004	
总计	**Total**	**21513.46**	**26720.87**	**22.8**
煤炭开采和洗选业	Coal Mining and Dressing	3.20	5.35	26.4
石油和天然气开采业	Petroleum and Natural Gas Extraction	252.73	352.69	15.8
黑色金属矿采选业	Ferrous Metal Minerals Mining and Dressing	7.71	14.26	-16.0
有色金属矿采选业	Nonferrous Metals Minerals Mining and Dressing	17.07	21.36	-2.3
非金属矿采选业	Nonmetal Minerals Mining and Dressing	54.63	61.04	17.1
其他矿采选业	Other Minerals Mining and Dressing			
农副食品加工业	Farm and Sideline Food Processing	503.65	640.20	16.2
食品制造业	Food Manufacturing	297.51	343.63	29.6
饮料制造业	Beverage Manufacturing	240.88	263.95	11.5
烟草制品业	Tobacco Products	119.80	155.05	21.8
纺织业	Textile Industry	784.52	915.78	11.3
纺织服装、鞋、帽制造业	Textile Garments, Footwear and Headgear Manufacturing	765.07	851.85	9.9
皮革、毛皮、羽毛(绒)及其制品业	Feather, Furs, Down and Related Products	508.89	572.06	10.9
木材加工及木、竹、藤、棕、草制品业	Timber Processing, Bamboo, Cane, Palm Fiber & Straw Products	134.04	164.42	11.1
家具制造业	Furniture Manufacturing	220.06	276.59	31.5
造纸及纸制品业	Papermaking and Paper Products	404.40	470.98	19.0
印刷业和记录媒介的复制	Printing and Record Medium Reproduction	270.00	317.12	17.4
文教体育用品制造业	Cultural, Educational and Sports Goods	333.28	391.17	15.1
石油加工、炼焦及核燃料加工业	Petroleum Refining, Coking and Nuclear Fuel Processing	553.03	792.94	16.7
化学原料及化学制品制造业	Raw Chemical Materials and Chemical Products	1140.98	1394.43	18.2
医药制造业	Medical and Pharmaceutical Products	246.56	239.10	4.8
化学纤维制造业	Chemical Fiber	44.26	48.47	4.2
橡胶制品业	Rubber Products	97.93	113.45	20.4
塑料制品业	Plastic Products	802.17	945.44	13.3
非金属矿物制品业	Nonmetal Mineral Products	685.14	873.74	23.3
黑色金属冶炼及压延加工业	Smelting and Pressing of Ferrous Metals	332.26	485.20	23.5
有色金属冶炼及压延加工业	Smelting and Pressing of Nonferrous Metals	285.71	402.77	15.4
金属制品业	Metal Products	866.75	1138.03	24.8
通用设备制造业	General Purposes Equipment Manufacturing	312.47	447.63	19.5
专用设备制造业	Special Purposes Equipment Manufacturing	218.30	287.79	31.7
交通运输设备制造业	Transport Equipment Manufacturing	918.60	1189.84	30.0
电气机械及器材制造业	Electric Equipment and Machinery	2160.43	2687.18	26.8
通信设备、计算机及其他电子设备制造业	Telecommunications, Computers and Other Electronic Equipment Manufacturing	5932.21	7465.91	30.9
仪器仪表及文化、办公用机械制造业	Instruments, Meters, Cultural and Office Machinery	654.31	800.86	28.2
工艺品及其他制造业	Handicraft and Other Manufacturing	295.38	352.72	18.7
废弃资源和废旧材料回收加工业	Waste Sources and Materials Recovery Processing	16.69	20.37	12.7
电力、热力的生产和供应业	Production and Supply of Electric Power, Steam and Hot Water	880.31	1028.58	14.8
燃气生产和供应业	Production and Supply of Gas	58.78	82.75	25.8
水的生产和供应业	Production and Supply of Tap Water	93.75	106.18	12.5

注：本表统计范围为规模以上工业。
Note: The statistical coverage in this table refers to the industrial enterprises above designated size.

12-7 工业九大产业工业总产值（2004年）
GROSS INDUSTRIAL OUTPUT VALUE OF NINE INDUSTRIES（2004）

单位：亿元 （100 million yuan）

指　　标	Item	绝对数 Output Value	比重（%） Proportion （%）
规模以上工业总产值	**Gross Industrial Output Value above Designated Size**	**26720.87**	**100.0**
九大产业工业总产值	**Gross Industrial Output Value of Nine Industries**	**20058.74**	**75.1**
三大新兴产业	**Three Fresh Industries**	**13735.58**	**51.4**
1. 电子信息业	Electronic Information	7454.33	27.9
通信设备、计算机及其他电子设备制造业	Telecommunications, Computers and Other Electronic Equipment Manufacturing	7454.33	27.9
2. 电气机械及专用设备	Electric Equipment and Special Purposes Equipment	3831.33	14.3
专用设备制造业	Special Purposes Equipment	287.05	1.1
电气机械及器材制造业	Electric Equipment and Machinery	2714.75	10.2
仪器仪表及文化、办公用机械制造业	Instruments, Meters, Cultural and Office Machinery	829.53	3.1
3. 石油及化学	Petroleum and Chemistry	2449.93	9.2
石油和天然气开采业	Petroleum and Natural Gas Extraction	352.69	1.3
石油加工、炼焦及核燃料加工业	Petroleum Refining, Coking and Nuclear Fuel Processing	719.85	2.7
化学原料及化学制品制造业	Raw Chemical Materials and Chemical Products	1270.42	4.8
橡胶制品业	Rubber Products	106.97	0.4
三大传统产业	**Three Traditional Industries**	**4447.50**	**16.6**
1. 纺织服装	Textile and Garments	1839.53	6.9
纺织业	Textile Industry	920.63	3.4
纺织服装、鞋、帽制造业	Textile Garments, Footwear and Headgear Manufacturing	841.59	3.1
化学纤维制造业	Chemical Fiber Manufacturing	77.31	0.3
2. 食品饮料	Food and Beverage	1538.92	5.8
农副食品加工业	Farm and Sideline Food Processing	619.24	2.3
食品制造业	Food Manufacturing	502.63	1.9
饮料制造业	Beverage Manufacturing	262.00	1.0
烟草制品业	Tobacco Products	155.05	0.6
3. 建筑材料	Building Materials	1069.05	4.0
非金属矿采选业	Nonmetal Minerals Mining	60.07	0.2
非金属矿物制品业	Nonmetal Minerals Products	867.69	3.2
建筑、安全用金属制品制造业	Metal Products for Architecture and Safety	141.29	0.5
三大潜力产业	**Three Potential Industries**	**1875.65**	**7.0**
1. 森工造纸	Logging and Papermaking	633.24	2.4
木材加工及木、竹、藤、棕、草制品业	Timber Processing, Bamboo, Cane, Palm Fiber and Straw Products	145.18	0.5
造纸及纸制品业	Papermaking and Paper Products	488.06	1.8
2. 医药	Medicine	239.75	0.9
医药制造业	Medical and Pharmaceutical Products	239.75	0.9
3. 汽车及摩托车	Motor Vehicle	1002.67	3.8
汽车制造业	Automobile Manufacturing	783.20	2.9
摩托车制造业	Motorcycle Manufacturing	219.47	0.8

注：工业总产值按现行价格计算。
Note: The data of gross industrial output value are calculated at current prices.

12-8 各市各行业工业企业单位数（2004 年）

单位：个

项　　目	Item	全　省 Provincial	广　州 Guangzhou
全省总计	**Provincial Total**	**25956**	**4727**
按经济类型分	**Grouped by Ownership**		
在总计中：国有及国有控股工业	Of the Total：State-owned and State-holding Industry	2009	513
国有工业	State-owned Industry	1179	232
集体工业	Collective-owned Industry	2388	522
股份合作工业	Cooperative Enterprises	344	95
股份制工业	Share Holding Enterprises	6622	1082
外商投资工业	Foreign Funded Industry	2221	541
港澳台投资工业	Enterprises Funded by Entrepreneurs from Hong Kong,Macao and Taiwan	8848	1419
按轻重工业分	**Grouped by Light & Heavy Industry**		
轻　工　业	Light Industry	15787	2845
重　工　业	Heavy Industry	10169	1882
按企业规模分	**Grouped by Size of Enterprises**		
大型企业	Large	187	44
中型企业	Medium	3102	533
小型企业	Small	22667	4150
按行业分	**Grouped by Sector**		
煤炭开采和洗选业	Coal Mining and Dressing	15	
石油和天然气开采业	Petroleum and Natural Gas Extraction	3	
黑色金属矿采选业	Ferrous Metal Minerals Mining and Dressing	20	
有色金属矿采选业	Nonferrous Metals Minerals Mining and Dressing	30	1
非金属矿采选业	Nonmetal Minerals Mining and Dressing	184	59
其他矿采选业	Other Minerals Mining and Dressing		
农副食品加工业	Farm and Sideline Food Processing	656	88
食品制造业	Food Manufacturing	506	117
饮料制造业	Beverage Manufacturing	204	37
烟草制品业	Tobacco Products	16	1
纺织业	Textile Industry	1559	271
纺织服装、鞋、帽制造业	Textile Garments，Footwear and Headgear Manufacturing	2110	478
皮革、毛皮、羽毛（绒）及其制品业	Feather，Furs，Down and Related Products	1049	222
木材加工及木、竹、藤、棕、草制品业	Timber Processing，Bamboo，Cane，Palm Fiber & Straw Products	321	50
家具制造业	Furniture Manufacturing	518	78
造纸及纸制品业	Papermaking and Paper Products	868	144
印刷业和记录媒介的复制	Printing and Record Medium Reproduction	757	127
文教体育用品制造业	Cultural，Educational and Sports Goods	657	123
石油加工、炼焦及核燃料加工业	Petroleum Refining，Coking and Nuclear Fuel Processing"	65	14
化学原料及化学制品制造业	Raw Chemical Materials and Chemical Products	1408	356
医药制造业	Medical and Pharmaceutical Products	280	66
化学纤维制造业	Chemical Fiber	80	13
橡胶制品业	Rubber Products	219	57
塑料制品业	Plastic Products	1853	289
非金属矿物制品业	Nonmetal Mineral Products	1804	280
黑色金属冶炼及压延加工业	Smelting and Pressing of Ferrous Metals	247	36
有色金属冶炼及压延加工业	Smelting and Pressing of Nonferrous Metals	336	42
金属制品业	Metal Products	2024	315
通用设备制造业	General Purposes Equipment Manufacturing	783	189
专用设备制造业	Special Purposes Equipment Manufacturing	545	137
交通运输设备制造业	Transport Equipment Manufacturing	642	232
电气机械及器材制造业	Electric Equipment and Machinery	2343	323
通信设备、计算机及其他电子设备制造业	Telecommunications，Computers and Other Electronic Equipment Manufacturing	1860	291
仪器仪表及文化、办公用机械制造业	Instruments，Meters，Cultural and Office Machinery	455	96
工艺品及其他制造业	Handicraft and Other Manufacturing	767	120
废弃资源和废旧材料回收加工业	Waste Sources and Materials Recovery Processing	19	3
电力、热力的生产和供应业	Production and Supply of Electric Power and Heating Power	484	42
燃气生产和供应业	Production and Supply of Gas	40	7
水的生产和供应业	Production and Supply of Tap Water	229	23

注：本表统计范围为规模以上工业。

NUMBER OF INDUSTRIAL ENTERPRISES BY SECTOR BY CITY (2004)

(unit)

深 圳 Shenzhen	珠 海 Zhuhai	汕 头 Shantou	佛 山 Foshan	韶 关 Shaoguan	河 源 Heyuan	梅 州 Meizhou	惠 州 Huizhou	汕 尾 Shanwei
2350	**847**	**1174**	**4078**	**359**	**185**	**338**	**881**	**145**
232	29	93	90	147	48	108	110	26
53	8	69	39	109	31	91	53	26
20	59	168	344	24	10	72	41	19
3	7	33	66	16	10	4	5	
355	158	464	1629	114	53	67	106	37
354	140	72	173	8	5	10	120	6
1493	453	231	914	52	57	68	524	49
1278	475	898	2221	119	79	122	506	116
1072	372	276	1857	240	106	216	375	29
51	8	4	16	3		1	10	1
600	107	55	373	47	20	37	158	16
1699	732	1115	3689	309	165	300	713	128
				9		6		
1								
				2	2	8	1	
				11	3	2	1	
	2	1	5	3	3	4	6	1
29	17	46	81	9	6	5	14	4
34	20	51	34	4	7	3	9	8
18	8	12	18	3	3	8	3	4
1		1		2		2		
67	31	139	309	21	16	7	52	30
151	118	143	201	8	7	7	53	19
59	13	11	148		4	2	60	8
7	9	4	37	10	3	7	7	3
46	6	5	108	16	1	10	12	
46	23	54	128	8	4	3	21	1
77	17	74	134	7	1	6	18	1
90	16	69	65	7	1	2	21	3
4			14					
77	44	88	208	24	3	11	44	3
38	21	16	22	6	7	5	8	
5	2	2	15		1		2	
19	4	5	30			2	6	
199	70	148	346	4	7		60	9
57	29	22	488	40	25	82	48	2
8	1	2	22	6	18	6	1	
14	3	5	181	16	2	5	5	
144	31	22	413	5	3	4	38	
50	17	16	173	22	1	14	15	
71	26	28	108	19	5	1	11	1
72	23	14	89	8	2	13	18	4
241	80	46	466	15	9	15	103	2
463	140	42	97	8	7	31	171	4
139	29	14	26	1		1	18	2
88	32	70	60	2	4	22	29	14
			3				1	
17	10	15	18	52	26	36	16	13
	3	1	1	2				
18	2	8	30	9	4	8	9	9

Note: The statistical coverage in this table refers to the industrial enterprises above designated size.

12-8 续表

单位：个

项　　目	Item	东　莞 Dongguan	中　山 Zhongshan
全省总计	**Provincial Total**	**2049**	**2542**
按经济类型分	**Grouped by Ownership**		
在总计中：国有及国有控股工业	Of the Total: State-owned and State-holding Industry	13	6
国有工业	State-owned Industry	8	3
集体工业	Collective-owned Industry	200	212
股份合作工业	Cooperative Enterprises	11	3
股份制工业	Share Holding Enterprises	142	818
外商投资工业	Foreign Funded Industry	288	170
港澳台投资工业	Enterprises Funded by Entrepreneurs from Hong Kong, Macao and Taiwan	1346	787
按轻重工业分	**Grouped by Light & Heavy Industry**		
轻 工 业	Light Industry	1313	1732
重 工 业	Heavy Industry	736	810
按企业规模分	**Grouped by Size of Enterprises**		
大型企业	Large	27	7
中型企业	Medium	445	228
小型企业	Small	1577	2307
按行业分	**Grouped by Sector**		
煤炭开采和洗选业	Coal Mining and Dressing		
石油和天然气开采业	Petroleum and Natural Gas Extraction		
黑色金属矿采选业	Ferrous Metal Minerals Mining and Dressing		
有色金属矿采选业	Nonferrous Metals Minerals Mining and Dressing		
非金属矿采选业	Nonmetal Minerals Mining and Dressing	4	5
其他矿采选业	Other Minerals Mining and Dressing		
农副食品加工业	Farm and Sideline Food Processing	16	33
食品制造业	Food Manufacturing	28	35
饮料制造业	Beverage Manufacturing	7	17
烟草制品业	Tobacco Products		
纺织业	Textile Industry	119	176
纺织服装、鞋、帽制造业	Textile Garments, Footwear and Headgear Manufacturing	142	317
皮革、毛皮、羽毛（绒）及其制品业	Feather, Furs, Down and Related Products	118	86
木材加工及木、竹、藤、棕、草制品业	Timber Processing, Bamboo, Cane, Palm Fiber & Straw Products	19	14
家具制造业	Furniture Manufacturing	54	63
造纸及纸制品业	Papermaking and Paper Products	109	106
印刷业和记录媒介的复制	Printing and Record Medium Reproduction	64	64
文教体育用品制造业	Cultural, Educational and Sports Goods	121	57
石油加工、炼焦及核燃料加工业	Petroleum Refining, Coking and Nuclear Fuel Processing	1	2
化学原料及化学制品制造业	Raw Chemical Materials and Chemical Products	75	129
医药制造业	Medical and Pharmaceutical Products	7	10
化学纤维制造业	Chemical Fiber	5	9
橡胶制品业	Rubber Products	15	18
塑料制品业	Plastic Products	190	207
非金属矿物制品业	Nonmetal Mineral Products	74	74
黑色金属冶炼及压延加工业	Smelting and Pressing of Ferrous Metals	18	10
有色金属冶炼及压延加工业	Smelting and Pressing of Nonferrous Metals	4	15
金属制品业	Metal Products	100	231
通用设备制造业	General Purposes Equipment Manufacturing	39	86
专用设备制造业	Special Purposes Equipment Manufacturing	27	27
交通运输设备制造业	Transport Equipment Manufacturing	25	32
电气机械及器材制造业	Electric Equipment and Machinery	209	449
通信设备、计算机及其他电子设备制造业	Telecommunications, Computers and Other Electronic Equipment Manufacturing	298	154
仪器仪表及文化、办公用机械制造业	Instruments, Meters, Cultural and Office Machinery	59	31
工艺品及其他制造业	Handicraft and Other Manufacturing	59	53
废弃资源和废旧材料回收加工业	Waste Sources and Materials Recovery Processing		
电力、热力的生产和供应业	Production and Supply of Electric Power and Heating Power	14	10
燃气生产和供应业	Production and Supply of Gas		1
水的生产和供应业	Production and Supply of Tap Water	29	21

12-8 continued

(unit)

江 门 Jiangmen	阳 江 Yangjiang	湛 江 Zhanjiang	茂 名 Maoming	肇 庆 Zhaoqing	清 远 Qingyuan	潮 州 Chaozhou	揭 阳 Jieyang	云 浮 Yunfu
2132	**367**	**597**	**572**	**815**	**313**	**595**	**564**	**326**
93	25	142	55	80	74	40	44	41
54	22	108	42	56	60	40	42	33
225	12	46	83	124	23	35	71	78
25		5	10	6	9	27	3	6
490	147	202	126	112	80	210	147	83
136	11	25	18	49	20	33	34	8
536	42	89	133	212	93	139	139	72
1379	290	387	366	440	137	473	435	176
753	77	210	206	375	176	122	129	150
8		2	3	2				
157	26	61	26	65	32	34	44	38
1967	341	534	543	748	281	561	520	288
		2						
1	1			1	3			1
		4	4	2	1		1	
17	1	14	31	12		4	2	10
56	14	116	39	26	14	18	11	14
35	4	26	3	11	3	21	44	9
8	3	18	3	19	3	3	7	2
2	1	3	1				1	1
125	6	20	10	58	16	9	57	20
210	17	5	4	37	19	52	86	36
102	11	21	127	36	4	7	5	5
28	24	22	13	52	5	1	1	5
42	14	10	17	22	9		3	2
95	11	27	13	31	8	14	8	14
40	7	16	6	26	4	50	16	2
26	4	1	2	12	8	5	22	2
1		6	19	3			1	
111	9	29	69	47	16	20	19	26
12	3	19	5	10	5	6	11	3
12		1		5	1		5	2
28	4	6	9	4	4		6	2
114	9	26	22	29	13	37	65	9
107	10	35	33	60	56	214	10	58
76	10	1	14	3	4	1	9	1
13	1	2		8	5	6	4	5
316	163	24	9	77	9	39	50	31
64	12	7	11	34	13	5	7	8
29	3	22	3	12	2	2	10	1
60	1	21	3	11	6	2	5	1
218	3	50	8	38	18	12	25	13
76	2	5	5	35	5	10	11	5
14	1	3		4	1	2	14	
59	3	5	60	47	2	15	18	5
5		6			1			
17	11	9	22	35	47	25	22	27
3	1	7	2			12		
10	3	8	5	8	8	3	8	6

12-9 各市各行业工业总产值（2004 年）

单位：亿元

项　　目	Item	全　省 Provincial	广　州 Guangzhou
全省总计	**Provincial Total**	**26720.87**	**5043.33**
按经济类型分	**Grouped by Ownership**		
在总计中：国有及国有控股工业	Of the Total：State-owned and State-holding Industry	4539.18	1583.01
国有工业	State-owned Industry	1117.70	256.87
集体工业	Collective-owned Industry	882.06	173.54
股份合作工业	Cooperative Enterprises	224.74	27.64
股份制工业	Share Holding Enterprises	5925.04	964.59
外商投资工业	Foreign Funded Industry	6910.50	1938.47
港澳台投资工业	Enterprises Funded by Entrepreneurs from Hong Kong，Macao and Taiwan	10270.90	1385.94
按轻重工业分	**Grouped by Light & Heavy Industry**		
轻 工 业	Light Industry	11899.40	2269.64
重 工 业	Heavy Industry	14821.47	2773.69
按企业规模分	**Grouped by Size of Enterprises**		
大型企业	Large	7874.19	1511.80
中型企业	Medium	9700.53	1889.69
小型企业	Small	9146.15	1641.85
按行业分	**Grouped by Sector**		
煤炭开采和洗选业	Coal Mining and Dressing	5.35	
石油和天然气开采业	Petroleum and Natural Gas Extraction	352.69	
黑色金属矿采选业	Ferrous Metal Minerals Mining and Dressing	14.26	
有色金属矿采选业	Nonferrous Metals Minerals Mining and Dressing	21.36	0.37
非金属矿采选业	Nonmetal Minerals Mining and Dressing	61.04	17.84
其他矿采选业	Other Minerals Mining and Dressing		
农副食品加工业	Farm and Sideline Food Processing	640.20	80.77
食品制造业	Food Manufacturing	343.63	134.33
饮料制造业	Beverage Manufacturing	263.95	85.94
烟草制品业	Tobacco Products	155.05	67.06
纺织业	Textile Industry	915.78	143.58
纺织服装、鞋、帽制造业	Textile Garments，Footwear and Headgear Manufacturing	851.85	165.59
皮革、毛皮、羽毛（绒）及其制品业	Feather，Furs，Down and Related Products	572.06	146.72
木材加工及木、竹、藤、棕、草制品业	Timber Processing，Bamboo，Cane，Palm Fiber & Straw Products	164.42	17.20
家具制造业	Furniture Manufacturing	276.59	29.13
造纸及纸制品业	Papermaking and Paper Products	470.98	73.69
印刷业和记录媒介的复制	Printing and Record Medium Reproduction	317.12	32.82
文教体育用品制造业	Cultural，Educational and Sports Goods	391.17	64.55
石油加工、炼焦及核燃料加工业	Petroleum Refining，Coking and Nuclear Fuel Processing	792.94	228.56
化学原料及化学制品制造业	Raw Chemical Materials and Chemical Products	1394.43	705.31
医药制造业	Medical and Pharmaceutical Products	239.10	69.39
化学纤维制造业	Chemical Fiber	48.47	4.61
橡胶制品业	Rubber Products	113.45	49.09
塑料制品业	Plastic Products	945.44	155.96
非金属矿物制品业	Nonmetal Mineral Products	873.74	124.18
黑色金属冶炼及压延加工业	Smelting and Pressing of Ferrous Metals	485.20	170.11
有色金属冶炼及压延加工业	Smelting and Pressing of Nonferrous Metals	402.77	68.86
金属制品业	Metal Products	1138.03	160.57
通用设备制造业	General Purposes Equipment Manufacturing	447.63	154.66
专用设备制造业	Special Purposes Equipment Manufacturing	287.79	45.53
交通运输设备制造业	Transport Equipment Manufacturing	1189.84	819.40
电气机械及器材制造业	Electric Equipment and Machinery	2687.18	268.38
通信设备、计算机及其他电子设备制造业	Telecommunications，Computers and Other Electronic Equipment Manufacturing	7465.91	627.47
仪器仪表及文化、办公用机械制造业	Instruments，Meters，Cultural and Office Machinery	800.86	61.50
工艺品及其他制造业	Handicraft and Other Manufacturing	352.72	70.13
废弃资源和废旧材料回收加工业	Waste Sources and Materials Recovery Processing	20.37	1.21
电力、热力的生产和供应业	Production and Supply of Electric Power and Heating Power	1028.58	171.10
燃气生产和供应业	Production and Supply of Gas	82.75	8.90
水的生产和供应业	Production and Supply of Tap Water	106.18	18.82

注：1. 本表统计范围为规模以上工业。
　　2. 本表产值按现价计算。

GROSS OUTPUT VALUE OF INDUSTRY BY SECTOR BY CITY (2004)

(100 million yuan)

深 圳 Shenzhen	珠 海 Zhuhai	汕 头 Shantou	佛 山 Foshan	韶 关 Shaoguan	河 源 Heyuan	梅 州 Meizhou	惠 州 Huizhou	汕 尾 Shanwei
6509.27	**1262.67**	**548.00**	**3331.31**	**313.47**	**108.00**	**156.55**	**1119.78**	**73.08**
990.55	111.91	59.79	171.55	216.41	21.31	64.36	294.77	3.19
76.21	7.45	25.41	68.13	43.88	6.07	52.01	17.32	3.19
14.79	17.83	58.03	153.50	4.89	7.97	16.57	8.43	10.58
1.31	2.47	8.37	121.12	3.44	6.65	1.25	2.79	
1203.70	236.47	220.75	1352.35	197.21	32.61	40.65	30.69	9.43
1769.94	658.88	85.97	323.37	4.27	3.51	12.94	432.66	3.41
3381.30	332.92	105.96	1048.51	52.59	45.72	26.84	619.92	43.90
1879.01	532.11	362.45	1747.92	56.52	34.71	59.29	667.97	41.39
4630.26	730.56	185.54	1583.39	256.95	73.29	97.26	451.81	31.69
3183.89	511.58	48.03	807.54	134.65		9.74	386.61	22.81
2197.60	399.78	112.76	1068.93	105.35	43.42	78.76	465.08	21.76
1127.78	351.31	387.20	1454.84	73.48	64.58	68.04	268.09	28.50
				1.89		3.45		
241.69								
				4.27	6.01	2.35	0.34	
				8.32	3.45	0.95	0.28	
	2.07	0.08	1.67	0.38	0.71	0.20	0.59	0.07
79.89	19.75	41.40	85.34	1.53	3.71	0.55	4.03	1.73
26.72	10.20	14.96	28.67	0.71	4.76	0.47	1.52	1.04
48.50	10.35	5.12	26.00	4.61	0.74	1.49	3.03	1.99
17.60		0.92		25.74		35.82		
41.35	16.95	44.18	136.67	6.52	7.01	1.28	20.16	17.81
66.67	28.74	51.28	113.83	0.93	3.05	1.99	19.04	2.80
43.55	8.81	2.71	71.61		3.87	0.21	23.07	1.68
7.80	1.79	23.42	26.27	3.12	1.33	1.38	4.34	0.53
58.08	3.96	1.71	44.65	1.45	0.05	3.51	3.64	
39.83	20.93	16.31	58.64	2.05	1.16	0.57	5.79	0.39
79.19	4.10	35.37	30.82	0.31	0.01	0.38	6.45	0.27
55.80	6.48	26.58	43.26	4.60	0.40	0.50	10.54	2.71
7.74			37.69					
72.16	83.92	43.19	105.69	9.51	0.54	2.02	17.23	0.16
48.56	29.24	7.78	21.15	2.72	4.88	1.48	2.96	
7.99	4.07	0.40	11.52		0.30		0.93	
11.63	0.68	1.76	6.35			1.86	1.34	
151.58	42.21	48.75	168.76	0.57	4.71		42.69	2.40
54.83	13.72	7.49	328.11	7.66	7.78	32.18	13.70	0.58
28.99	1.25	0.26	39.52	108.23	25.12	1.10	5.11	
9.82	1.42	0.96	198.08	42.67	0.65	5.78	5.35	
194.02	14.46	5.29	212.78	1.04	0.48	0.71	27.49	
34.47	12.07	3.94	64.85	8.14	2.20	3.62	8.38	
67.46	17.64	12.29	52.08	5.97	10.50	0.06	3.78	0.02
65.83	18.32	19.55	80.61	0.89	0.34	5.66	21.34	0.14
372.01	230.57	23.75	824.99	8.55	1.87	6.78	126.89	3.27
3891.78	466.43	35.27	300.50	16.03	3.68	14.15	702.47	28.76
305.35	100.28	6.50	73.92	0.15		0.17	11.70	0.09
77.32	11.22	24.38	37.43	0.46	0.91	4.76	7.89	2.6
			0.83				0.66	
271.89	50.13	38.53	85.05	33.50	7.48	19.90	14.08	3.18
	27.83	0.85	0.37	0.13				
29.16	3.08	3.03	13.59	0.83	0.27	1.22	2.96	0.86

Note: a) The statistical coverage in this table refers to the industrial enterprises above designated size.
b) The data of gross industrial output value are calculated at current prices.

12-9 续表

单位：亿元

项　　目	Item	东　莞 Dongguan	中　山 Zhongshan
全省总计	**Provincial Total**	**2583.22**	**1694.71**
按经济类型分	**Grouped by Ownership**		
在总计中：国有及国有控股工业	Of the Total：State-owned and State-holding Industry	134.14	17.56
国有工业	State-owned Industry	46.35	9.30
集体工业	Collective-owned Industry	96.20	79.56
股份合作工业	Cooperative Enterprises	5.64	0.92
股份制工业	Share Holding Enterprises	204.98	368.56
外商投资工业	Foreign Funded Industry	884.19	353.31
港澳台投资工业	Enterprises Funded by Entrepreneurs from Hong Kong，Macao and Taiwan	1325.58	726.87
按轻重工业分	**Grouped by Light & Heavy Industry**		
轻 工 业	Light Industry	1186.35	1087.25
重 工 业	Heavy Industry	1396.87	607.46
按企业规模分	**Grouped by Size of Enterprises**		
大型企业	Large	518.21	124.50
中型企业	Medium	1399.65	690.93
小型企业	Small	665.37	879.28
按行业分	**Grouped by Sector**		
煤炭开采和洗选业	Coal Mining and Dressing		
石油和天然气开采业	Petroleum and Natural Gas Extraction		
黑色金属矿采选业	Ferrous Metal Minerals Mining and Dressing		
有色金属矿采选业	Nonferrous Metals Minerals Mining and Dressing		
非金属矿采选业	Nonmetal Minerals Mining and Dressing	3.82	0.75
其他矿采选业	Other Minerals Mining and Dressing		
农副食品加工业	Farm and Sideline Food Processing	47.61	22.63
食品制造业	Food Manufacturing	22.61	33.87
饮料制造业	Beverage Manufacturing	26.47	23.70
烟草制品业	Tobacco Products		
纺织业	Textile Industry	127.37	111.32
纺织服装、鞋、帽制造业	Textile Garments，Footwear and Headgear Manufacturing	58.74	138.70
皮革、毛皮、羽毛（绒）及其制品业	Feather，Furs，Down and Related Products	61.94	77.47
木材加工及木、竹、藤、棕、草制品业	Timber Processing，Bamboo，Cane，Palm Fiber & Straw Products	6.49	4.72
家具制造业	Furniture Manufacturing	65.20	19.38
造纸及纸制品业	Papermaking and Paper Products	104.53	50.42
印刷业和记录媒介的复制	Printing and Record Medium Reproduction	41.73	25.37
文教体育用品制造业	Cultural，Educational and Sports Goods	83.47	60.74
石油加工、炼焦及核燃料加工业	Petroleum Refining，Coking and Nuclear Fuel Processing	0.22	13.02
化学原料及化学制品制造业	Raw Chemical Materials and Chemical Products	60.41	69.71
医药制造业	Medical and Pharmaceutical Products	4.54	10.14
化学纤维制造业	Chemical Fiber	0.64	3.32
橡胶制品业	Rubber Products	7.63	10.84
塑料制品业	Plastic Products	101.86	94.48
非金属矿物制品业	Nonmetal Mineral Products	31.52	41.74
黑色金属冶炼及压延加工业	Smelting and Pressing of Ferrous Metals	31.90	10.40
有色金属冶炼及压延加工业	Smelting and Pressing of Nonferrous Metals	7.60	17.60
金属制品业	Metal Products	54.88	107.26
通用设备制造业	General Purposes Equipment Manufacturing	19.26	44.55
专用设备制造业	Special Purposes Equipment Manufacturing	23.59	12.07
交通运输设备制造业	Transport Equipment Manufacturing	19.75	15.52
电气机械及器材制造业	Electric Equipment and Machinery	298.47	271.05
通信设备、计算机及其他电子设备制造业	Telecommunications，Computers and Other Electronic Equipment Manufacturing	951.07	272.73
仪器仪表及文化、办公用机械制造业	Instruments，Meters，Cultural and Office Machinery	153.39	70.93
工艺品及其他制造业	Handicraft and Other Manufacturing	12.81	26.34
废弃资源和废旧材料回收加工业	Waste Sources and Materials Recovery Processing		
电力、热力的生产和供应业	Production and Supply of Electric Power and Heating Power	141.30	25.69
燃气生产和供应业	Production and Supply of Gas		0.89
水的生产和供应业	Production and Supply of Tap Water	12.38	7.36

12-9 continued

(100 million yuan)

江 门 Jiangmen	阳 江 Yangjiang	湛 江 Zhanjiang	茂 名 Maoming	肇 庆 Zhaoqing	清 远 Qingyuan	潮 州 Chaozhou	揭 阳 Jieyang	云 浮 Yunfu
1322.85	154.23	486.52	618.21	538.47	171.22	205.86	252.64	227.47
153.64	24.63	114.48	452.03	64.15	19.53	6.57	7.58	28.04
107.43	23.92	78.98	210.28	43.30	8.74	6.57	7.18	19.10
78.44	5.47	10.15	23.84	54.74	4.26	10.44	25.36	27.48
16.48		2.29	1.83	2.64	1.56	7.29	7.66	3.40
276.54	69.17	94.28	307.00	62.15	60.97	78.22	60.38	54.33
281.78	7.47	23.98	10.93	56.39	11.63	13.79	26.98	6.64
340.55	19.62	257.70	31.49	186.05	77.77	69.06	86.93	105.67
772.17	104.74	222.24	94.18	252.23	53.51	142.27	188.33	145.12
550.68	49.49	264.28	524.04	286.24	117.71	63.60	64.31	82.35
162.77		12.93	411.75	27.39				
406.28	53.33	181.53	74.48	175.33	75.36	56.25	80.54	123.73
753.81	100.91	292.06	131.98	335.75	95.87	149.62	172.10	103.75
		111.00						
0.13	0.23			0.35	0.49			0.10
		0.30	1.60	5.83	0.26			
6.36	0.05	2.01	7.43	11.49		0.26	0.15	5.11
33.10	19.62	136.12	11.66	9.00	6.46	7.29	6.64	21.37
21.83	8.91	2.07	0.81	3.47	0.21	8.87	15.00	2.61
2.98	1.34	3.59	4.79	10.07	0.20	1.85	0.96	0.25
0.10	0.06	7.69	0.07					
102.12	3.22	13.94	5.57	44.83	9.64	3.24	30.60	28.41
77.73	3.20	0.75	0.35	25.37	3.31	16.10	38.43	35.26
40.17	2.05	7.56	28.69	38.71	7.26	1.31	3.64	1.04
18.55	5.70	7.34	1.28	29.59	2.29	0.04	0.10	1.13
14.53	7.82	2.74	4.52	11.65	2.91		1.51	0.14
44.18	2.77	11.34	2.08	18.85	5.52	3.67	3.38	4.88
23.46	1.60	4.20	1.34	8.21	0.30	17.00	4.16	0.03
12.27	2.42	0.08	0.91	7.95	1.68	0.91	4.83	0.48
0.53		61.51	442.94	0.61			0.13	
121.88	0.79	13.39	43.98	23.96	2.50	3.04	7.95	7.08
7.89	1.12	3.68	0.71	7.64	2.39	0.67	11.39	0.78
6.99		0.09		2.24	1.28		3.74	0.34
11.29	0.58	1.32	2.55	1.85	0.56		3.83	0.29
51.56	3.24	4.95	4.28	14.14	8.29	12.39	30.98	1.66
47.53	3.49	8.85	9.32	33.73	21.35	56.28	1.18	28.51
26.83	13.58		6.68	1.01	1.83	8.26	4.32	0.69
4.72	0.46	0.19		8.30	22.26	4.49	1.41	2.15
187.47	40.42	5.08	1.15	56.01	2.25	7.44	24.32	34.89
41.61	4.76	3.59	2.70	18.90	15.13	1.27	1.70	1.82
10.84	0.70	10.11	0.17	3.79	0.13	0.14	10.78	0.14
100.35	0.57	5.73	0.17	10.34	1.39	0.08	3.86	0.01
157.89	3.46	19.46	1.44	14.25	28.39	5.70	10.48	9.54
59.40	0.22	0.46	1.51	69.46	2.77	7.01	4.53	10.21
5.53	0.08	0.14		6.13	0.36	0.20	4.42	
23.74	0.33	0.66	12.03	22.83	1.07	2.45	11.41	1.95
16.07		0.72			0.87			
39.26	6.80	31.83	16.31	16.14	17.06	8.29	5.50	25.56
0.20	14.04	2.71	0.18			26.66		
3.76	0.60	1.31	1.00	1.78	0.83	0.97	1.31	1.04

12-10 工业企业主要指标
MAIN INDICATORS OF INDUSTRIAL ENTERPRISES

年份 Year	平均职工人数（万人） Average Number of Staff and Workers (10000 persons)	总产值（亿元） Gross Output Value of Industry (100 million yuan)	固定资产原价（亿元） Original Value of Fixed Assets (100 million yuan)	产品销售收入（亿元） Sales Revenue (100 million yuan)	利税总额（亿元） Total Pre-tax Profits (100 million yuan)	百元固定资产实现利税（元） Pre-tax Profits per 100 yuan of Original Value of Fixed Assets (yuan)	资金利税率（%） Ratio of Pre-tax Profits to Total Capital (%)	产值利税率（%） Ratio of Pre-tax Profits to Gross Output Value (%)	百元销售收入实现利税（元） Pre-tax Profits per 100 yuan of Sales Revenue (yuan)	全员劳动生产率（元/人） Overall Labor Productivity (yuan/person)
1978	170.51	168.91	111.42		32.91	29.54	29.41	19.48		9906
1979	171.76	181.96	129.09	170.09	34.48	26.71	25.36	18.45	20.27	10594
1980	182.39	198.83	136.59	189.97	38.51	28.19	27.45	19.37	20.27	10902
1981	189.08	226.26	152.58	215.09	42.12	27.60	27.13	18.61	19.58	11966
1982	194.33	245.54	172.00	231.20	44.62	25.94	25.41	18.17	19.30	12635
1983	197.50	275.25	226.58	226.91	48.59	21.45	24.46	17.65	21.42	13937
1984	241.42	336.45	221.46	313.33	56.83	25.66	24.96	16.89	18.14	13937
1985	298.66	438.91	269.13	412.77	75.99	29.23	25.87	17.31	18.41	14696
1986	323.16	522.35	335.19	498.80	80.90	24.14	20.86	15.49	16.22	16164
1987	353.95	711.04	433.95	692.47	102.24	23.56	21.18	14.38	14.76	20089
1988	382.19	1056.47	540.37	1016.20	140.65	26.03	22.45	13.31	13.84	27643
1989	387.90	1321.33	700.66	1222.20	138.71	19.80	16.05	10.50	11.35	34064
1990	390.28	1379.98	843.88	1287.91	121.50	14.40	12.35	8.80	9.43	35359
1991	433.18	2018.62	1339.04	1875.02	188.08	14.05	14.88	9.32	10.03	46600
1992	450.99	2696.47	1485.36	2537.84	248.78	22.32	10.02	9.23	9.80	59790
1993	478.39	4085.35	2099.09	3920.98	397.40	18.93	10.79	9.73	10.14	85379
1994	537.57	5325.35	3309.63	4826.68	478.41	14.46	9.20	8.89	9.91	99063
1995	537.83	6325.19	4298.15	6195.84	445.53	10.37	6.32	7.04	7.19	117606
1996	529.13	7308.51	5066.23	6808.08	489.26	9.66	6.27	6.69	7.19	36094
1997	522.94	8201.71	5904.95	7767.79	617.90	10.46	6.77	7.53	7.95	40040
1998	548.59	9738.56	6968.36	9243.42	622.82	8.94	5.75	6.40	6.74	44553
1999	537.77	10538.17	7399.10	10208.99	778.94	10.53	6.85	7.39	7.63	50307
2000	572.89	12480.93	8005.77	12380.65	1042.77	13.03	8.66	8.35	8.42	58836
2001	578.94	14035.35	8655.82	13891.46	1139.98	13.17	8.75	8.12	8.21	67012
2002	644.39	16378.60	9550.47	16247.73	1380.24	14.45	10.10	8.43	8.50	58940
2003	741.17	21513.46	10768.77	21566.93	1850.90	17.19	11.22	8.60	8.56	77150
2004	814.21	26720.87		26691.35	2076.89		11.22	7.77	7.78	87230

注：1. 利税总额包括增值税。
2. 全员劳动生产率1996年后按工业增加值计算。
3. 1998年起统计口径为规模以上工业。1997年以前为独立核算工业企业。
4. 平均职工人数从1998年起用从业人员平均人数。

Note: a) Total pre-tax profits include value-added tax.
b) The figures of overall labor productivity since 1996 have been calculated by value-added of industry.
c) Since 1998, the statistical coverage has included the industrial enterprises above designated size, while it only referred to the industrial enterprises with independent accounting systems before 1997.
d) Since 1998, the average number of staff and workers has referred to the average number of employed persons at the year-end.

12-11 国有及国有控股工业企业主要指标

MAIN INDICATORS OF STATE-OWNED AND STATE-HOLDING INDUSTRIAL ENTERPRISES

年份 Year	平均职工人数（万人） Average Number of Staff and Workers (10000 persons)	总产值（亿元） Gross Output Value of Industry (100 million yuan)	固定资产原价（亿元） Original Value of Fixed Assets (100 million yuan)	产品销售收入（亿元） Sales Revenue (100 million yuan)	利税总额（亿元） Total Pre-tax Profits (100 million yuan)	百元固定资产实现利税（元） Pre-tax Profits per 100 yuan of Original Value of Fixed Assets (yuan)	资金利税率（%） Ratio of Pre-tax Profits to Total Capital (%)	产值利税率（%） Ratio of Pre-tax Profits to Gross Output Value (%)	百元销售收入实现利税（元） Pre-tax Profits per 100 yuan of Sales Revenue (yuan)	全员劳动生产率（元/人） Overall Labor Productivity (yuan/person)
1978	120.35	122.28	96.06		26.09	27.16	25.74	21.34		10159
1979	121.97	132.30	103.51	126.87	26.89	25.96	23.95	20.31	21.18	10847
1980	126.09	136.30	107.27	127.97	28.33	25.90	25.01	20.57	22.19	10829
1981	132.60	153.54	118.82	147.85	31.18	26.24	25.99	20.31	21.09	11579
1982	139.90	165.82	131.82	158.43	33.29	25.26	24.79	20.08	21.01	11853
1983	142.18	188.09	147.53	178.04	38.18	25.88	25.58	20.30	21.45	13228
1984	143.08	222.35	162.13	205.73	44.02	27.15	26.60	19.80	21.39	15540
1985	144.14	277.87	203.80	265.05	56.34	27.64	27.36	20.28	21.26	19278
1986	150.14	312.74	235.47	305.42	59.70	25.36	23.70	19.09	19.55	20829
1987	156.48	400.55	294.46	402.63	72.44	24.60	23.40	18.09	17.99	25598
1988	162.43	555.41	328.58	545.00	91.05	27.71	24.83	16.39	16.71	34194
1989	162.85	670.95	404.50	631.61	94.11	23.26	20.05	14.93	14.90	41200
1990	163.80	713.88	488.36	689.83	84.35	17.27	14.94	11.82	12.23	43582
1991	173.85	906.72	612.24	853.62	116.26	18.99	17.32	12.82	13.62	52155
1992	171.60	1118.86	751.42	1073.94	131.24	17.47	16.50	11.73	12.22	65202
1993	153.26	1371.58	856.85	1372.66	169.40	19.77	12.67	12.35	12.34	89494
1994	152.25	1498.80	1076.47	1400.87	176.81	16.42	11.17	11.80	12.62	98443
1995	142.83	1396.35	1315.16	1499.25	160.57	12.21	8.58	11.50	10.71	97763
1996	137.50	1476.12	1599.77	1555.28	139.01	8.69	6.49	9.42	8.94	34057
1997	124.71	1505.06	1794.89	1657.79	160.92	8.97	6.68	10.69	9.71	36596
1998	102.67	1453.79	1790.91	1616.64	163.10	9.11	6.71	11.22	10.09	47019
1999	128.16	3025.68	3520.17	3153.04	376.11	10.68	7.86	12.34	11.93	72606
2000	104.39	3126.12	3513.50	3583.55	433.35	12.33	9.24	13.86	12.09	91413
2001	91.77	3236.65	3982.54	3757.95	486.46	12.21	9.67	15.03	12.94	112515
2002	83.25	3264.46	3942.57	3800.38	483.25	12.26	10.39	14.80	12.72	132894
2003	75.20	3949.03	4603.66	4717.48	623.49	13.54	11.91	15.79	13.22	191590
2004	74.76	4539.18		5469.76	712.73		13.34	15.70	13.03	222891

注：1998 年以前为国有工业，1999 年起为国有及国有控股工业。

Note: In 1998 and prior to it, the statistical coverage in this table referred the state-owned enterprises, while it has included the state-owned and state-holding industrial enterprises since 1999.

12-12 工业企业主要经济效益指标（2004 年）

项　　目	Item	总资产贡献率（%）Ratio of Total Assets to Industrial Output Value（%）
全省总计	**Provincial Total**	**11.06**
按经济类型分	**Grouped by Ownership**	
在总计中：国有及国有控股工业	Of the Total: State-owned and State-holding Industry	12.70
国有工业	State-owned Industry	10.29
集体工业	Collective-owned Industry	7.80
股份合作工业	Cooperative Enterprises	9.60
股份制工业	Share Holding Enterprises	10.90
外商投资工业	Foreign Funded Industry	14.10
港澳台投资工业	Enterprises Funded by Entrepreneurs from Hong Kong, Macao and Taiwan	8.54
按轻重工业分	**Grouped by Light & Heavy Industry**	
轻工业	Light Industry	9.80
重工业	Heavy Industry	11.90
按企业规模分	**Grouped by Size of Enterprises**	
大型企业	Large	13.59
中型企业	Medium	9.83
小型企业	Small	8.48
按行业分	**Grouped by Sector**	
煤炭开采和洗选业	Coal Mining and Dressing	29.21
石油和天然气开采业	Petroleum and Natural Gas Extraction	124.01
黑色金属矿采选业	Ferrous Metal Minerals Mining and Dressing	30.88
有色金属矿采选业	Nonferrous Metals Minerals Mining and Dressing	19.40
非金属矿采选业	Nonmetal Minerals Mining and Dressing	9.38
其他矿采选业	Other Minerals Mining and Dressing	
农副食品加工业	Farm and Sideline Food Processing	3.66
食品制造业	Food Manufacturing	13.89
饮料制造业	Beverage Manufacturing	14.53
烟草制品业	Tobacco Products	80.93
纺织业	Textile Industry	3.88
纺织服装、鞋、帽制造业	Textile Garments, Footwear and Headgear Manufacturing	5.23
皮革、毛皮、羽毛（绒）及其制品业	Feather, Furs, Down and Related Products	3.67
木材加工及木、竹、藤、棕、草制品业	Timber Processing, Bamboo, Cane, Palm Fiber & Straw Products	7.14
家具制造业	Furniture Manufacturing	5.49
造纸及纸制品业	Papermaking and Paper Products	7.49
印刷业、记录媒介的复制	Printing and Record Medium Reproduction	6.53
文教体育用品制造业	Cultural, Educational and Sports Goods	4.18
石油加工、炼焦及核燃料加工业	Petroleum Refining, Coking and Nuclear Fuel Processing	26.13
化学原料及化学制品制造业	Raw Chemical Materials and Chemical Products	19.65
医药制造业	Medical and Pharmaceutical Products	10.61
化学纤维制造业	Chemical Fiber	5.46
橡胶制品业	Rubber Products	6.17
塑料制品业	Plastic Products	4.91
非金属矿物制品业	Nonmetal Mineral Products	7.58
黑色金属冶炼及压延加工业	Smelting and Pressing of Ferrous Metals	8.84
有色金属冶炼及压延加工业	Smelting and Pressing of Nonferrous Metals	6.42
金属制品业	Metal Products	9.17
通用设备制造业	General Purposes Equipment Manufacturing	9.22
专用设备制造业	Special Purposes Equipment Manufacturing	8.81
交通运输设备制造业	Transport Equipment Manufacturing	20.48
电气机械及器材制造业	Electric Equipment and Machinery	7.31
通信设备、计算机及其他电子设备制造业	Telecommunications, Computers and Other Electronic Equipment Manufacturing	7.60
仪器仪表及文化、办公用机械制造业	Instruments, Meters, Cultural and Office Machinery	7.00
工艺品及其他制造业	Handicraft and Other Manufacturing	5.96
废弃资源和废旧材料回收加工业	Waste Sources and Materials Recovery Processing	6.56
电力、热力的生产和供应业	Production and Supply of Electric Power and Heating Power	10.16
燃气的生产和供应业	Production and Supply of Gas	0.63
水的生产和供应业	Production and Supply of Tap Water	4.29

注：本表统计范围为规模以上工业。

MAIN INDICATORS ON ECONOMIC BENEFIT OF INDUSTRIAL ENTERPRISES (2004)

资本保值增值率（%） Ratio of Capital Maintenance and Appreciation (%)	资产负债率（%） Assets-Liability Ratio (%)	流动资产周转率（次） Number of Times of Turnover of Circulating Funds (times)	成本费用利润率（%） Ratio of Profits to Industrial Costs (%)	全员劳动生产率（元/人） Overall Labor Productivity (yuan/person)	产品销售率（%） Proportion of Products Sold (%)	综合指数（%） Comprehensive Index (%)
109.53	**58.11**	**2.35**	**5.12**	**87230**	**97.58**	**155.91**
99.07	55.37	2.12	6.89	222891	97.79	244.10
84.73	56.53	2.36	3.75	142390	98.69	179.66
103.68	64.26	2.66	2.59	38540	97.74	111.80
114.06	63.78	2.75	2.96	68667	97.40	137.10
114.92	60.54	2.06	4.76	118844	96.43	171.00
119.35	56.88	2.65	6.92	129872	97.71	198.52
112.60	57.26	2.25	5.00	66500	98.14	137.63
110.85	57.30	2.26	3.79	60206	98.70	131.70
108.60	58.70	2.43	6.13	132609	96.70	189.30
108.73	60.24	2.86	5.72	181020	96.84	224.44
108.40	55.89	2.15	5.49	81752	98.20	149.58
111.72	59.61	2.25	4.12	66097	97.57	133.73
59.59	89.67	5.87	2.99	24291	99.37	163.09
108.65	11.79	9.20	210.88	21344881	102.09	14094.92
151.63	59.17	1.47	47.91	114599	95.81	367.64
112.57	52.17	2.92	10.24	82345	99.37	194.12
109.45	44.19	2.31	4.01	58426	96.85	130.55
114.51	63.78	2.79	0.67	105277	100.68	140.44
115.33	50.57	1.74	9.33	104358	96.18	181.94
100.86	53.21	1.80	7.49	198798	100.12	232.69
126.77	31.03	2.13	30.61	1273251	99.72	1101.89
111.21	57.27	2.38	1.25	56485	97.59	109.71
108.33	55.36	2.80	1.10	32460	97.20	100.85
105.19	60.95	2.37	1.11	24593	97.56	88.28
120.22	58.92	2.35	3.81	63449	95.82	130.39
116.61	61.95	2.26	2.23	37431	99.38	104.14
108.56	56.77	2.07	4.13	80737	97.78	138.62
114.54	51.21	1.62	4.85	58891	97.15	122.61
103.62	54.70	2.08	2.44	24804	98.67	91.80
105.08	51.24	5.82	5.38	644519	98.64	556.59
111.58	51.59	2.28	11.77	273400	93.30	308.82
109.78	50.75	1.10	10.51	129680	93.36	188.23
99.51	54.42	1.87	3.31	97732	97.32	138.87
109.80	48.07	2.17	3.33	48893	99.90	115.35
107.23	57.34	2.10	2.29	51229	98.01	109.12
116.40	62.24	2.03	3.78	65619	95.77	128.07
118.47	65.98	2.63	4.13	192549	96.81	213.91
135.10	66.39	2.60	2.28	145284	97.86	175.69
119.30	59.00	2.51	4.31	70444	98.13	142.05
112.25	56.23	1.77	5.49	84970	97.22	147.04
112.81	54.36	1.57	6.66	73872	96.15	141.88
132.41	58.29	2.04	11.78	151562	98.91	237.80
114.31	63.50	2.19	3.10	75522	97.39	132.12
116.20	63.77	2.54	3.70	108802	97.24	158.69
115.46	54.80	2.78	3.26	58345	99.71	129.05
112.84	51.42	2.63	2.18	38557	97.51	108.96
97.41	78.48	4.15	0.29	113599	100.39	156.15
90.97	56.46	2.41	7.91	405717	99.97	356.16
108.49	61.26	3.97	-0.53	264233	100.00	238.11
101.22	41.23	1.11	8.22	114934	98.34	158.42

Note: The statistical coverage in this table refers to the industrial enterprises above designated size.

12-13 各市工业企业单位数和工业总产值
NUMBER OF INDUSTRIAL ENTERPRISES AND GROSS OUTPUT VALUE BY CITY

市别 City	工业企业单位数（个） Number of Industrial Enterprises (unit)					工业总产值（亿元） Gross Output Value of Industry (100 million yuan)				
	2000	2001	2002	2003	2004	2000	2001	2002	2003	2004
广州 Guangzhou	4531	4572	4632	4709	4727	2568.57	2829.15	3176.43	4017.83	5043.33
深圳 Shenzhen	1834	1749	2134	2317	2350	2566.93	3079.63	3628.52	5245.10	6509.27
珠海 Zhuhai	771	798	790	798	847	630.17	662.30	758.81	1008.98	1262.67
汕头 Shantou	794	834	893	1048	1174	344.34	324.88	361.14	461.17	548.00
佛山 Foshan	2180	2468	2861	3359	4078	1560.55	1782.35	2040.66	2581.96	3331.31
韶关 Shaoguan	406	387	413	369	359	151.01	163.24	185.18	236.27	313.47
河源 Heyuan	148	143	144	163	185	35.81	42.17	49.17	67.82	108.00
梅州 Meizhou	371	373	345	348	338	81.81	83.48	91.09	113.96	156.55
惠州 Huizhou	689	702	765	808	881	657.83	708.12	862.39	1020.44	1119.78
汕尾 Shanwei	94	105	123	145	145	30.08	33.46	38.14	48.92	73.08
东莞 Dongguan	1663	1680	1805	2042	2049	914.64	1039.68	1352.69	2144.93	2583.22
中山 Zhongshan	1074	1516	2018	2496	2542	532.95	684.42	948.08	1309.25	1694.71
江门 Jiangmen	1599	1817	1918	2111	2132	871.15	944.35	1027.74	1116.95	1322.85
阳江 Yangjiang	250	287	325	367	367	66.17	76.99	97.61	120.99	154.23
湛江 Zhanjiang	458	449	484	525	597	269.10	282.01	332.34	404.37	486.52
茂名 Maoming	447	444	491	520	572	373.22	405.43	420.20	521.44	618.21
肇庆 Zhaoqing	981	960	971	820	815	392.04	430.43	484.65	446.65	538.47
清远 Qingyuan	304	265	269	286	313	77.51	77.66	78.51	101.84	171.22
潮州 Chaozhou	326	424	450	495	595	73.88	92.06	119.35	152.75	205.86
揭阳 Jieyang	455	454	481	454	564	136.46	149.64	168.17	209.13	252.64
云浮 Yunfu	320	294	307	314	326	146.71	143.89	157.72	182.68	227.47

注：本表产值按现价计算。
Note: The data of gross industrial output value are calculated at current prices.

12-14 各市工业企业主要经济效益指标（2004 年）
MAIN INDICATORS ON ECONOMIC BENEFIT OF INDUSTRIAL ENTERPRISES BY CITY（2004）

市别 City	总资产贡献率（%）Ratio of Total Assets to Industrial Output Value（%）	资本保值增值率（%）Ratio of Capital Maintenance and Appreciation（%）	资产负债率（%）Assets-Liability Ratio（%）	流动资产周转率（次）Number of Times of Turnover of Circulating Funds（times）	成本费用利润率（%）Ratio of Profits to Industrial Costs（%）	全员劳动生产率（元/人）Overall Labor Productivity（yuan/person）	产品销售率（%）Proportion of Products Sold（%）	综合指数（%）Comprehensive Index（%）
全省合计 Total	**11.06**	**109.53**	**58.11**	**2.35**	**5.12**	**87230**	**97.58**	**155.91**
广 州 Guangzhou	16.98	108.00	53.14	2.36	8.46	107077	97.12	191.37
深 圳 Shenzhen	11.89	113.53	57.94	2.18	6.94	127367	97.76	187.48
珠 海 Zhuhai	7.79	105.79	58.71	2.31	4.23	99270	97.40	152.81
汕 头 Shantou	6.77	102.87	53.98	2.36	2.09	71766	96.46	126.11
佛 山 Foshan	7.72	116.17	62.13	2.44	2.68	82384	97.26	138.52
韶 关 Shaoguan	12.22	109.86	60.89	2.04	6.17	95718	97.13	163.75
河 源 Heyuan	9.99	130.48	57.36	2.18	5.60	63158	96.83	142.06
梅 州 Meizhou	16.72	116.86	57.60	1.78	6.21	69043	98.72	155.05
惠 州 Huizhou	5.61	103.51	65.08	2.47	2.40	66205	97.65	121.53
汕 尾 Shanwei	8.18	108.88	53.07	2.77	4.46	41366	97.28	124.21
东 莞 Dongguan	7.69	105.69	58.70	2.11	3.41	60172	99.58	124.13
中 山 Zhongshan	8.78	117.98	61.22	2.78	2.82	59446	97.13	131.03
江 门 Jiangmen	8.48	106.03	66.11	2.86	2.52	69776	96.87	133.28
阳 江 Yangjiang	5.26	89.63	67.35	2.55	1.06	64933	97.22	113.29
湛 江 Zhanjiang	16.19	93.25	57.89	1.84	13.66	141991	98.18	223.81
茂 名 Maoming	18.05	108.97	44.95	4.40	4.52	120127	97.32	206.76
肇 庆 Zhaoqing	7.95	106.00	56.16	3.04	2.22	69229	96.95	134.44
清 远 Qingyuan	4.70	106.17	67.09	1.89	1.31	64230	97.20	108.43
潮 州 Chaozhou	7.20	116.87	48.27	2.36	1.75	44189	99.38	111.15
揭 阳 Jieyang	5.44	109.71	46.95	2.66	1.26	58609	96.36	116.35
云 浮 Yunfu	8.51	103.75	62.86	2.57	2.19	61797	97.33	125.12

市别 City	总资产贡献率比去年增长百分点 Percentage Points of Ratio of Total Assets to Industrial Output Value Compared with Preceding Year	资本保值增值率比去年增长百分点 Percentage Points of Ratio of Capital Maintenance and Appreciation Compared with Preceding Year	资产负债率比去年增长百分点 Percentage Points of Assets-Liability Ratio Compared with Preceding Year	流动资产周转率比去年增长（次数）Number of Times of Turnover of Circulating Funds Compared with Preceding Year（times）	成本费用利润率比去年增长百分点 Percentage Points of Ratio of Profits to Industrial Costs Compared with Preceding Year	全员劳动生产率比去年增长（%）Overall Labor Productivity Compared with Preceding Year（%）	产品销售率比去年增长百分点 Percentage Points of Proportion of Products Sold Compared with Preceding Year	综合指数比去年增长百分点 Percentage Points of Comprehensive Index Compared with Preceding Year（%）
全省合计 Total	**0.81**	**-1.68**	**1.98**	**0.14**	**-0.01**	**14.54**	**0.40**	**9.40**
广 州 Guangzhou	1.24	-5.50	1.37	0.20	-0.15	19.05	-0.55	13.32
深 圳 Shenzhen	0.71	4.58	2.48	-0.01	-0.52	11.83	1.67	8.22
珠 海 Zhuhai	0.03	-6.31	2.63	0.20	0.13	-2.75	0.56	0.06
汕 头 Shantou	-0.17	-7.19	3.62	0.06	-0.13	9.81	-0.98	2.58
佛 山 Foshan	0.58	5.87	-0.11	0.25	0.16	14.84	1.47	11.55
韶 关 Shaoguan	0.04	-13.09	1.79	0.27	-1.66	33.85	-2.99	8.68
河 源 Heyuan	2.80	-9.83	-0.62	0.18	3.58	28.18	-0.10	27.60
梅 州 Meizhou	5.30	-23.31	-2.04	0.34	0.14	30.15	0.27	20.43
惠 州 Huizhou	-1.22	-6.11	3.36	0.15	0.75	6.85	1.06	-2.77
汕 尾 Shanwei	2.94	-14.68	3.27	0.53	2.14	43.17	0.42	24.49
东 莞 Dongguan	0.39	-5.69	3.41	0.10	0.05	16.31	0.30	6.35
中 山 Zhongshan	0.69	-1.44	0.25	0.14	0.05	11.61	-0.76	6.28
江 门 Jiangmen	1.17	-2.74	1.01	0.23	1.02	15.17	-0.23	13.15
阳 江 Yangjiang	-0.56	-21.57	6.58	0.32	-0.46	17.12	-2.15	1.00
湛 江 Zhanjiang	2.17	-14.25	6.71	0.17	0.43	11.64	-0.50	14.39
茂 名 Maoming	7.72	26.66	0.39	0.38	2.74	22.47	-2.13	45.13
肇 庆 Zhaoqing	0.29	-12.88	0.09	0.31	-0.06	16.14	0.20	7.54
清 远 Qingyuan	-0.80	-16.17	7.51	0.48	-1.47	18.09	-1.76	-0.94
潮 州 Chaozhou	0.69	7.05	-2.38	0.32	0.11	22.28	0.44	10.75
揭 阳 Jieyang	0.24	-3.68	-0.35	0.32	0.06	13.45	0.26	7.56
云 浮 Yunfu	0.69	-12.73	4.40	0.11	-0.25	15.67	-0.08	3.98

注：本表统计范围为规模以上工业。

Note: The statistical coverage in this table refers to the industrial enterprises above designated size.

12-15 各市国有及国有控股工业企业主要经济效益指标（2004 年）

MAIN INDICATORS ON ECONOMIC BENEFIT OF STATE-OWNED AND STATE-HOLDING INDUSTRIAL ENTERPRISES BY CITY (2004)

市 别 City	总资产贡献率（%）Ratio of Total Assets to Industrial Output Value（%）	资本保值增值率（%）Ratio of Capital Maintenance and Appreciation（%）	资产负债率（%）Assets-Liability Ratio（%）	流动资产周转率（次）Number of Times of Turnover of Circulating Funds（times）	成本费用利润率（%）Ratio of Profits to Industrial Costs（%）	全员劳动生产率（元/人）Overall Labor Productivity（yuan/person）	产品销售率（%）Proportion of Products Sold（%）	综合指数（%）Comprehensive Index（%）
全省合计 Total	**12.70**	**99.07**	**55.37**	**2.12**	**6.89**	**222891**	**97.79**	**244.10**
广 州 Guangzhou	17.46	103.47	49.50	2.31	10.09	247561	99.90	282.87
深 圳 Shenzhen	8.66	106.10	56.53	1.48	6.95	367097	94.63	318.50
珠 海 Zhuhai	12.15	103.72	52.17	1.67	14.38	357322	99.74	349.31
汕 头 Shantou	3.75	82.66	60.26	2.44	-0.59	130188	98.69	144.07
佛 山 Foshan	8.38	108.62	45.34	2.83	4.86	112120	96.56	169.47
韶 关 Shaoguan	12.78	103.83	62.16	2.09	6.71	102541	97.60	170.36
河 源 Heyuan	10.26	139.60	65.99	1.75	9.07	79987	96.58	161.08
梅 州 Meizhou	23.21	106.49	69.08	1.69	1.61	113515	98.86	171.81
惠 州 Huizhou	5.51	85.16	69.74	2.34	2.03	123742	94.75	149.35
汕 尾 Shanwei	-1.49	44.35	82.17	1.25	-8.92	24696	91.63	14.57
东 莞 Dongguan	35.30	65.86	39.73	4.97	12.05	1314957	101.35	991.95
中 山 Zhongshan	17.04	118.46	19.32	4.95	2.55	404104	103.24	377.01
江 门 Jiangmen	5.92	83.05	69.84	2.21	3.74	129592	95.37	158.51
阳 江 Yangjiang	1.78	83.09	58.13	2.48	-1.23	153722	116.03	155.13
湛 江 Zhanjiang	6.91	88.25	65.40	1.00	4.36	76982	95.19	120.96
茂 名 Maoming	18.32	106.50	44.81	4.65	4.96	260496	98.13	296.20
肇 庆 Zhaoqing	4.17	100.13	65.46	1.30	1.49	64132	97.83	102.10
清 远 Qingyuan	1.85	81.44	69.74	1.36	-2.50	41694	101.47	66.44
潮 州 Chaozhou	0.97	108.86	50.50	1.81	-2.65	32977	99.23	69.60
揭 阳 Jieyang	-0.35	96.52	73.35	1.90	-5.12	31265	99.68	52.13
云 浮 Yunfu	3.16	74.85	67.77	1.65	-4.56	78605	98.37	85.59

12-16 各市按经济类型分的工业企业资产（2004 年）
TOTAL ASSETS OF INDUSTRIAL ENTERPRISES BY OWNERSHIP BY CITY (2004)

单位：亿元 (100 million yuan)

市 别 City		资产合计 Total Assets	#国有及国有控股工业 State-owned and State-holding	集体工业 Collective-owned	股份合作制工业 Share Holding Cooperative	股份制工业 Share Holding	外商投资工业 Foreign Funded	港澳台投资工业 Funded by Entrepreneurs from Hong Kong, Macao and Taiwan
广 州	Guangzhou	4246.92	1777.61	125.16	28.54	856.90	1208.49	1271.54
深 圳	Shenzhen	5189.88	1549.33	23.48	2.78	1716.85	941.16	2186.37
珠 海	Zhuhai	1044.52	229.50	34.13	0.97	243.73	365.73	357.28
汕 头	Shantou	567.88	176.78	36.85	5.67	192.20	87.69	115.53
佛 山	Foshan	2506.68	341.59	105.25	51.27	930.20	287.58	803.06
韶 关	Shaoguan	461.39	345.91	7.09	3.97	291.50	2.89	62.22
河 源	Heyuan	124.33	50.89	1.85	3.63	42.41	2.78	43.15
梅 州	Meizhou	247.12	110.40	23.06	1.37	76.34	25.95	30.97
惠 州	Huizhou	831.45	273.68	7.59	1.83	50.71	235.05	444.78
汕 尾	Shanwei	72.21	24.50	3.59		8.70	5.81	28.78
东 莞	Dongguan	2207.35	203.66	126.87	2.95	151.80	577.02	1222.61
中 山	Zhongshan	1067.75	61.24	45.64	0.20	199.15	216.74	504.61
江 门	Jiangmen	1000.05	310.96	60.41	14.42	183.74	170.60	230.35
阳 江	Yangjiang	102.89	28.37	2.57		49.20	4.03	12.45
湛 江	Zhanjiang	543.48	251.65	22.49	2.04	97.02	17.47	182.76
茂 名	Maoming	383.75	294.37	9.52	2.03	128.16	6.90	21.02
肇 庆	Zhaoqing	362.53	145.72	22.18	1.01	48.59	50.71	97.66
清 远	Qingyuan	276.71	102.50	6.02	4.19	68.10	14.73	102.64
潮 州	Chaozhou	169.02	31.83	7.16	7.44	59.47	9.48	42.05
揭 阳	Jieyang	203.95	46.92	10.71	9.12	52.41	14.49	52.41
云 浮	Yunfu	188.28	59.03	11.56	3.38	31.01	4.19	89.38

注：本表统计范围为规模以上工业。
Note: The statistical coverage in this table refers to the industrial enterprises above designated size.

12-17 各市大中型工业企业主要指标（2004 年）
MAIN INDICATORS OF LARGE AND MEDIUM-SIZED INDUSTRIAL ENTERPRISES BY CITY (2004)

单位：亿元 (100 million yuan)

市 别 City		企业个数 Number of Enterprises	#大型 Large-sized	工业总产值（当年价）Gross Output Value of Industry (at current prices)	#大型 Large-sized	资产总计 Total Assets	#大型 Large-sized
全省合计	**Total**	**3289**	**187**	**17574.72**	**7874.19**	**14440.93**	**4829.31**
广 州	Guangzhou	577	44	3401.48	1511.80	2890.44	1119.94
深 圳	Shenzhen	651	51	5381.49	3183.89	3911.10	1736.70
珠 海	Zhuhai	115	8	911.36	511.58	731.46	207.80
汕 头	Shantou	59	4	160.80	48.03	237.25	84.47
佛 山	Foshan	389	16	1876.47	807.54	1550.85	489.46
韶 关	Shaoguan	50	3	239.99	134.65	356.30	163.30
河 源	Heyuan	20		43.42		59.83	
梅 州	Meizhou	38	1	88.51	9.74	131.28	15.83
惠 州	Huizhou	168	10	851.69	386.61	568.81	175.92
汕 尾	Shanwei	17	1	44.57	22.81	45.68	10.22
东 莞	Dongguan	472	27	1917.85	518.21	1556.90	332.41
中 山	Zhongshan	235	7	815.43	124.50	549.18	52.30
江 门	Jiangmen	165	8	569.04	162.77	611.74	150.40
阳 江	Yangjiang	26		53.33		45.88	
湛 江	Zhanjiang	63	2	194.46	12.93	261.95	15.28
茂 名	Maoming	29	3	486.23	411.75	301.49	224.53
肇 庆	Zhaoqing	67	2	202.72	27.39	203.73	50.76
清 远	Qingyuan	32		75.36		136.34	
潮 州	Chaozhou	34		56.25		64.56	
揭 阳	Jieyang	44		80.54		101.47	
云 浮	Yunfu	38		123.73		124.69	

注：本表统计范围为规模以上大中型工业。
Note: The statistical coverage in this table refers to the large and medium-sized industrial enterprises above designated size.

12-18 工业企业主要经济指标（2004 年）

单位：亿元

项　　目	Item	企业单位数（个）Number of Enterprises (unit)	工业总产值（当年价）Gross Industrial Output Value (at current prices)
全省总计	**Provincial Total**	**25956**	**26720.87**
按经济类型分	**Grouped by Ownership**		
在总计中：国有及国有控股工业	Of the Total：State-owned and State-holding Industry	2009	4539.18
国有工业	State-owned Industry	1179	1117.70
集体工业	Collective-owned Industry	2388	882.06
股份合作工业	Cooperative Enterprises	344	224.74
股份制工业	Share Holding Enterprises	6622	5925.04
外商投资工业	Foreign Funded Industry	2221	6910.50
港澳台投资工业	Enterprises Funded by Entrepreneurs from Hong Kong, Macao and Taiwan	8848	10270.90
按轻重工业分	**Grouped by Light & Heavy Industry**		
轻　工　业	Light Industry	15787	11899.40
重　工　业	Heavy Industry	10169	14821.47
按企业规模分	**Grouped by Size of Enterprises**		
大型企业	Large	187	7874.19
中型企业	Medium	3102	9700.53
小型企业	Small	22667	9146.15
按行业分	**Grouped by Sector**		
煤炭开采和洗选业	Coal Mining and Dressing	15	5.35
石油和天然气开采业	Petroleum and Natural Gas Extraction	3	352.69
黑色金属矿采选业	Ferrous Metal Minerals Mining and Dressing	20	14.26
有色金属矿采选业	Nonferrous Metals Minerals Mining and Dressing	30	21.36
非金属矿采选业	Nonmetal Minerals Mining and Dressing	184	61.04
农副食品加工业	Farm and Sideline Food Processing	656	640.20
食品制造业	Food Manufacturing	506	343.63
饮料制造业	Beverage Manufacturing	204	263.95
烟草制品业	Tobacco Products	16	155.05
纺织业	Textile Industry	1559	915.78
纺织服装、鞋、帽制造业	Textile Garments, Footwear and Headgear Manufacturing	2110	851.85
皮革、毛皮、羽毛（绒）及其制品业	Feather, Furs, Down and Related Products	1049	572.06
木材加工及木、竹、藤、棕、草制品业	Timber Processing, Bamboo, Cane, Palm Fiber & Straw Products	321	164.42
家具制造业	Furniture Manufacturing	518	276.59
造纸及纸制品业	Papermaking and Paper Products	868	470.98
印刷业和记录媒介的复制	Printing and Record Medium Reproduction	757	317.12
文教体育用品制造业	Cultural, Educational and Sports Goods	657	391.17
石油加工、炼焦及核燃料加工业	Petroleum Refining, Coking and Nuclear Fuel Processing	65	792.94
化学原料及化学制品制造业	Raw Chemical Materials and Chemical Products	1408	1394.43
医药制造业	Medical and Pharmaceutical Products	280	239.10
化学纤维制造业	Chemical Fiber	80	48.47
橡胶制品业	Rubber Products	219	113.45
塑料制品业	Plastic Products	1853	945.44
非金属矿物制品业	Nonmetal Mineral Products	1804	873.74
黑色金属冶炼及压延加工业	Smelting and Pressing of Ferrous Metals	247	485.20
有色金属冶炼及压延加工业	Smelting and Pressing of Nonferrous Metals	336	402.77
金属制品业	Metal Products	2024	1138.03
通用设备制造业	General Purposes Equipment	783	447.63
专用设备制造业	Special Purposes Equipment Manufacturing	545	287.79
交通运输设备制造业	Transport Equipment Manufacturing	642	1189.84
电气机械及器材制造业	Electric Equipment and Machinery	2343	2687.18
通信设备、计算机及其他电子设备制造业	Telecommunications, Computers and Other Electronic Equipment Manufacturing	1860	7465.91
仪器仪表及文化、办公用机械制造业	Instruments, Meters, Cultural and Office Machinery	455	800.86
工艺品及其他制造业	Handicraft and Other Manufacturing	767	352.72
废弃资源和废旧材料回收工业	Waste Sources and Materials Recovery Processing	19	20.37
电力、热力的生产和供应业	Production and Supply of Electric Power and Heating Power	484	1028.58
燃气生产和供应业	Production and Supply of Gas	40	82.75
水的生产和供应业	Production and Supply of Tap Water	229	106.18

注：1. 本表统计范围为规模以上工业。
　　2. 工业增加值分行业按企业数汇总与总计不等。

MAIN ECONOMIC INDICATORS OF INDUSTRIAL ENTERPRISES (2004)

(100 million yuan)

工业增加值 Value Added of Industry	年末资产总计 Total Assets at the Year-end	流动资产年平均余额 Average Balance of Circulating Funds	固定资产净值平均余额 Average Balance of Net Value of Fixed Assets	产品销售收入 Sales Revenue	产品销售税金及附加 Sales Tax and Extra Charges	利润总额 Total Profits	利税总额 Total Pre-tax Profits	本年应交增值税 Value Added Tax Payable in Current Year	全部从业人员年平均人数(万人) Annual Average Number of Employed Persons (10000 persons)
7086.36	**21798.11**	**11335.51**	**7166.97**	**26691.35**	**195.68**	**1274.29**	**2076.89**	**606.92**	**814.21**
1666.33	6416.43	2578.42	2763.65	5469.76	122.20	347.09	712.73	243.44	74.76
475.78	2621.98	867.97	1330.06	2049.87	62.94	71.98	249.86	114.94	33.45
223.96	693.17	314.12	256.45	834.83	6.05	20.45	45.69	19.19	58.11
49.40	146.80	79.92	44.77	219.93	0.81	6.23	11.70	4.66	7.77
1629.39	5478.19	2780.78	1668.80	5731.63	47.85	255.99	474.16	170.32	144.78
1610.61	4249.48	2523.32	1205.95	6699.12	34.17	424.97	588.89	129.75	121.25
2672.71	7901.62	4380.91	2452.37	9857.15	29.30	462.36	632.05	140.39	392.63
3025.90	8908.92	5064.98	2557.73	11436.64	108.07	410.91	769.18	250.20	506.51
4060.47	12889.19	6270.53	4609.24	15254.71	87.61	863.37	1307.70	356.72	307.70
2069.34	4829.31	2778.59	1281.83	7938.58	59.80	423.40	637.06	153.86	103.35
2651.23	9611.62	4737.03	3363.59	10170.43	90.80	520.18	880.30	269.32	316.37
2365.79	7357.17	3819.89	2521.55	8582.34	45.08	330.70	559.53	183.75	394.50
2.30	1.77	0.90	0.69	5.28	0.04	0.15	0.51	0.32	0.95
316.54	118.73	21.07	52.88	193.77	12.10	123.23	146.52	11.19	0.15
6.35	21.61	10.47	6.47	15.37	0.37	4.75	6.44	1.32	0.55
7.84	18.30	7.24	8.08	21.15	0.16	1.98	3.24	1.10	0.95
17.86	49.10	25.28	14.07	58.29	0.62	2.17	4.32	1.53	3.06
117.36	423.39	230.09	116.92	641.46	1.24	4.21	11.25	5.80	11.15
109.24	334.65	187.40	105.19	325.16	1.07	27.33	44.94	16.54	10.47
85.15	299.54	144.57	98.90	260.14	8.59	17.23	41.70	15.88	4.28
106.79	123.13	73.00	25.57	155.52	59.26	21.78	99.46	18.42	0.84
237.45	738.90	368.92	284.59	877.71	2.32	10.61	23.55	10.62	42.04
239.01	486.54	284.94	136.01	798.68	2.85	8.32	23.01	11.84	73.63
144.25	372.02	229.26	93.89	543.05	1.10	5.87	12.52	5.55	58.66
39.38	141.01	64.71	48.45	152.10	0.73	5.16	9.13	3.24	6.21
65.89	195.74	118.46	49.77	268.11	0.78	5.78	9.75	3.19	17.60
114.47	466.82	217.63	188.82	449.50	1.49	17.73	30.32	11.10	14.18
89.38	354.49	185.75	127.11	300.50	0.76	13.42	21.73	7.55	15.18
108.20	304.31	180.14	90.02	375.38	0.58	8.76	12.08	2.74	43.62
139.61	334.05	134.41	148.33	782.63	23.52	38.12	84.32	22.68	2.17
503.76	1124.36	583.00	355.02	1327.68	9.22	138.59	214.91	67.10	18.43
87.19	357.55	191.61	87.55	210.98	0.98	19.69	34.93	14.26	6.72
12.73	53.55	24.82	23.20	46.51	0.08	1.46	2.62	1.08	1.30
29.25	109.00	51.37	38.43	111.64	0.88	3.47	5.89	1.54	5.98
214.86	826.88	444.64	261.42	932.66	1.98	20.38	35.21	12.85	41.94
256.15	864.88	394.74	349.26	802.12	4.82	28.31	58.76	25.63	39.04
86.34	436.57	194.63	155.27	512.71	1.13	20.55	32.33	10.65	4.48
92.60	283.67	152.37	84.48	396.80	0.67	8.65	15.23	5.91	6.37
295.03	720.69	434.86	197.02	1091.70	3.12	44.09	61.97	14.76	41.88
128.66	412.66	241.63	108.91	427.49	1.23	22.10	35.22	11.89	15.14
88.18	286.63	174.27	73.25	272.85	0.82	16.80	23.46	5.84	11.94
303.95	948.71	564.48	224.94	1153.76	32.52	118.76	191.12	39.84	20.05
686.74	1890.77	1200.05	423.75	2627.68	4.46	77.70	128.54	46.38	90.93
1483.22	4447.16	2845.57	901.75	7228.15	8.38	254.25	321.02	58.39	136.32
144.57	444.72	288.23	107.85	800.16	0.41	25.04	30.31	4.86	24.78
94.98	201.48	122.04	54.24	321.41	0.98	6.72	11.15	3.45	24.63
4.55	6.09	4.79	0.98	19.86	0.04	0.05	0.30	0.21	0.40
541.13	3133.32	818.11	1856.14	1971.75	5.47	144.01	275.65	126.17	13.39
14.85	71.21	27.55	32.51	109.28	0.06	-0.58	0.19	0.71	0.56
48.74	394.09	92.53	235.23	102.38	0.88	7.66	13.33	4.79	4.24

Note: a) The statistical coverage in this table refers to the industrial enterprises above designated size.
b) The accumulative figure of Value-added of industry by sector on the basis of number of enterprises is not equal to the provincial total.

12-19 国有及国有控股工业企业主要经济指标(2004 年)

单位:亿元

项　　目	Item	企业单位数(个) Number of Enterprises (unit)	工业总产值(当年价) Gross Industrial Output Value (at current prices)
全省总计	**Provincial Total**	**2009**	**4539. 18**
按轻重工业分	**Grouped by Light & Heavy Industry**		
轻　工　业	Light Industry	872	1144. 15
重　工　业	Heavy Industry	1137	3395. 03
按企业规模分	**Grouped by Size of Enterprises**		
大型企业	Large	44	2128. 13
中型企业	Medium	446	1871. 09
小型企业	Small	1519	539. 97
按行业分	**Grouped by Sector**		
煤炭开采和洗选业	Coal Mining and Dressing	3	0. 18
石油和天然气开采业		1	0. 98
黑色金属矿采选业	Ferrous Metal Minerals Mining and Dressing	9	11. 25
有色金属矿采选业	Nonferrous Metals Minerals Mining and Dressing	15	18. 34
非金属矿采选业	Nonmetal Minerals Mining and Dressing	18	6. 88
农副食品加工业	Farm and Sideline Food Processing	120	66. 33
食品制造业	Food Manufacturing	61	32. 02
饮料制造业	Beverage Manufacturing	43	70. 88
烟草制品业	Tobacco Products	14	154. 06
纺织业	Textile Industry	64	68. 55
纺织服装、鞋、帽制造业	Textile Garments, Footwear and Headgear Manufacturing	31	7. 42
皮革、毛皮、羽毛(绒)及其制品业	Feather, Furs, Down and Related Products	14	7. 83
木材加工及木、竹、藤、棕、草制品业	Timber Processing, Bamboo, Cane, Palm Fiber & Straw Products	14	3. 55
家具制造业	Furniture Manufacturing	10	1. 50
造纸及纸制品业	Papermaking and Paper Products	46	59. 74
印刷业和记录媒介的复制	Printing and Record Medium Reproduction	104	19. 71
文教体育用品制造业	Cultural, Educational and Sports Goods	7	9. 18
石油加工、炼焦及核燃料加工业	Petroleum Refining, Coking and Nuclear Fuel Processing	11	630. 87
化学原料及化学制品制造业	Raw Chemical Materials and Chemical Products	114	151. 33
医药制造业	Medical and Pharmaceutical Products	69	78. 81
化学纤维制造业	Chemical Fiber	6	7. 21
橡胶制品业	Rubber Products	18	25. 52
塑料制品业	Plastic Products	34	41. 39
非金属矿物制品业	Nonmetal Mineral Products	144	58. 25
黑色金属冶炼及压延加工业	Smelting and Pressing of Ferrous Metals	13	234. 27
有色金属冶炼及压延加工业	Smelting and Pressing of Nonferrous Metals	19	64. 72
金属制品业	Metal Products	51	29. 42
通用设备制造业	General Purposes Equipment Manufacturing	88	81. 97
专用设备制造业	Special Purposes Equipment Manufacturing	60	19. 55
交通运输设备制造业	Transport Equipment Manufacturing	111	566. 13
电气机械及器材制造业	Electric Equipment and Machinery	96	113. 19
通信设备、计算机及其他电子设备制造业	Telecommunications, Computers and Other Electronic Equipment Manufacturing	147	1043. 52
仪器仪表及文化、办公用机械制造业	Instruments, Meters, Cultural and Office Machinery	32	12. 35
工艺品及其他制造业	Handicraft and Other Manufacturing	23	24. 83
电力、热力的生产和供应业	Production and Supply of Electric Power and Heating Power	298	741. 68
燃气生产和供应业	Production and Supply of Gas	11	22. 97
水的生产和供应业	Production and Supply of Tap Water	90	52. 79

注：1. 本表统计范围为规模以上工业。
　　2. 工业增加值分行业按企业数汇总与总计不等。

MAIN ECONOMIC INDICATORS OF STATE-OWNED AND STATE-HOLDING INDUSTRIAL ENTERPRISES (2004)

(100 million yuan)

工业增加值 Value Added of Industry	年末资产总计 Total Assets at the Year-end	流动资产年平均余额 Average Balance of Circulating Funds	固定资产净值平均余额 Average Balance of Net Value of Fixed Assets	产品销售收入 Sales Revenue	产品销售税金及附加 Sales Tax and Extra Charges	利润总额 Total Profits	利税总额 Total Pre-tax Profits	本年应交增值税 Value Added Tax Payable in Current Year	全部从业人员年平均人数(万人) Annual Average Number of Employed Persons (10000 persons)
1666.33	**6416.43**	**2578.42**	**2763.65**	**5469.76**	**122.20**	**347.09**	**712.73**	**243.44**	**74.76**
397.20	1389.41	684.60	472.13	1102.78	68.42	56.85	172.86	47.59	27.56
1269.13	5027.01	1893.82	2291.52	4366.99	53.79	290.24	539.88	195.85	47.20
677.88	1906.55	906.59	696.80	2331.02	50.56	150.18	271.30	70.56	18.12
788.01	3248.57	1210.07	1446.39	2596.29	68.24	183.02	398.82	147.56	35.58
200.44	1261.31	461.76	620.45	542.44	3.40	13.89	42.61	25.32	21.06
0.11	0.32	0.08	0.13	0.15		-0.01	0.01	0.02	0.07
0.77	0.52	0.33	0.18	0.98	0.03	0.21	0.24		0.10
5.33	20.47	9.96	6.19	12.38	0.34	4.58	6.08	1.16	0.46
7.03	16.36	6.06	7.64	18.33	0.13	1.85	2.96	0.98	0.78
4.35	21.69	8.17	6.26	6.58	0.11	0.29	0.89	0.49	1.23
14.34	68.10	28.73	25.02	64.09	0.19	0.77	2.37	1.41	1.97
8.06	54.80	27.58	17.42	30.23	0.11	1.22	2.88	1.55	1.39
26.18	81.96	32.82	32.36	68.48	4.57	7.90	17.17	4.70	0.98
106.53	121.88	72.84	25.01	154.53	59.25	21.74	99.40	18.41	0.81
16.45	87.46	41.64	36.28	60.99	0.13	-1.29	-0.21	0.95	3.81
2.65	10.41	4.80	4.24	8.13	0.02	0.36	0.53	0.15	1.10
1.64	10.06	7.08	0.85	6.13	0.01	0.16	0.27	0.10	0.66
0.81	15.91	2.39	11.57	3.87	0.04	-0.14	0.08	0.18	0.18
0.59	3.35	1.35	1.94	1.45	0.01	-0.09		0.08	0.26
14.64	114.53	41.86	56.14	57.00	0.07	3.19	5.41	2.15	1.21
6.99	32.38	14.13	13.70	18.26	0.07	0.90	1.81	0.84	1.18
4.16	16.57	8.99	3.87	9.62	0.09	1.23	1.72	0.40	0.33
104.38	240.14	89.82	129.11	623.52	20.71	37.27	79.24	21.26	1.57
32.67	255.44	95.03	130.22	171.38	0.75	2.15	7.13	4.23	3.79
30.79	158.48	86.48	29.24	75.68	0.54	7.77	15.16	6.85	2.51
2.06	10.49	5.26	4.18	7.29		0.60	0.83	0.23	0.20
7.24	39.34	13.14	18.74	25.23	0.12	1.37	1.91	0.42	0.91
7.99	64.71	23.90	27.30	56.54	0.07	1.44	2.65	1.14	0.98
18.69	105.23	40.09	38.38	54.10	0.37	1.53	4.56	2.66	3.42
28.81	271.08	92.40	117.06	281.42	0.55	16.86	25.18	7.77	1.65
12.11	58.61	28.30	24.30	65.57	0.14	0.75	2.52	1.63	0.86
7.81	38.36	21.19	10.76	26.57	0.15	1.60	2.31	0.56	1.05
25.67	124.81	74.24	26.94	77.43	0.22	4.37	7.61	3.02	2.38
4.98	34.26	18.55	9.52	19.18	0.20	0.35	1.17	0.62	1.13
156.70	469.85	291.72	121.77	550.86	24.50	80.87	131.09	25.72	5.37
31.63	139.61	83.60	35.09	117.10	0.36	4.79	7.49	2.34	3.37
360.14	953.88	625.98	121.57	986.45	2.94	42.71	58.42	12.77	13.72
4.50	27.79	15.94	4.08	11.11	0.02	0.85	1.26	0.39	0.56
5.81	5.76	3.93	1.51	13.69	0.02	0.08	0.25	0.15	0.27
405.09	2470.64	598.74	1486.35	1687.76	4.88	99.19	218.97	114.90	11.30
6.93	43.95	15.45	24.34	47.39	0.04	0.96	-0.42	0.50	0.39
26.85	227.24	45.84	154.38	50.29	0.44	0.63	3.77	2.70	2.77

Note: a) The statistical coverage in this table refers to the industrial enterprises above designated size.
b) The accumulative figure of Value-added of industry by sector on the basis of number of enterprises is not equal to the provincial total.

12-20 集体工业企业主要经济指标(2004 年)

单位:亿元

项　目	Item	企业单位数(个) Number of Enterprises (unit)	工业总产值(当年价) Gross Industrial Output Value (at current prices)
全省总计	**Provincial Total**	**2388**	**882.06**
按轻重工业分	**Grouped by Light & Heavy Industry**		
轻　工　业	Light Industry	1347	480.78
重　工　业	Heavy Industry	1041	401.28
按企业规模分	**Grouped by Size of Enterprises**		
大型企业	Large	2	7.77
中型企业	Medium	126	217.19
小型企业	Small	2260	657.10
按行业分	**Grouped by Sector**		
煤炭开采和洗选业	Coal Mining and Dressing	1	2.22
黑色金属矿采选业	Ferrous Metal Minerals Mining and Dressing	5	1.22
有色金属矿采选业	Nonferrous Metals Minerals Mining and Dressing	3	0.52
非金属矿采选业	Nonmetal Minerals Mining and Dressing	52	15.91
农副食品加工业	Farm and Sideline Food Processing	58	22.08
食品制造业	Food Manufacturing	38	9.05
饮料制造业	Beverage Manufacturing	19	3.43
纺织业	Textile Industry	143	46.94
纺织服装、鞋、帽制造业	Textile Garments, Footwear and Headgear Manufacturing	179	65.63
皮革、毛皮、羽毛(绒)及其制品业	Feather, Furs, Down and Related Products	78	34.01
木材加工及木、竹、藤、棕、草制品业	Timber Processing, Bamboo, Cane, Palm Fiber & Straw Products	35	18.92
家具制造业	Furniture Manufacturing	28	9.45
造纸及纸制品业	Papermaking and Paper Products	123	43.31
印刷业和记录媒介的复制	Printing and Record Medium Reproduction	53	12.29
文教体育用品制造业	Cultural, Educational and Sports Goods	65	32.81
石油加工、炼焦及核燃料加工业	Petroleum Refining, Coking and Nuclear Fuel Processing	6	6.28
化学原料及化学制品制造业	Raw Chemical Materials and Chemical Products	121	33.48
医药制造业	Medical and Pharmaceutical Products	25	11.87
化学纤维制造业	Chemical Fiber	2	0.96
橡胶制品业	Rubber Products	21	5.07
塑料制品业	Plastic Products	128	40.62
非金属矿物制品业	Nonmetal Mineral Products	279	98.10
黑色金属冶炼及压延加工业	Smelting and Pressing of Ferrous Metals	24	13.89
有色金属冶炼及压延加工业	Smelting and Pressing of Nonferrous Metals	53	38.43
金属制品业	Metal Products	183	52.58
通用设备制造业	General Purposes Equipment Manufacturing	75	20.60
专用设备制造业	Special Purposes Equipment Manufacturing	33	11.60
交通运输设备制造业	Transport Equipment Manufacturing	54	19.40
电气机械及器材制造业	Electric Equipment and Machinery	167	74.48
通信设备、计算机及其他电子设备制造业	Telecommunications, Computers and Other Electronic Equipment Manufacturing	67	24.27
仪器仪表及文化、办公用机械制造业	Instruments, Meters, Cultural and Office Machinery	25	14.08
工艺品及其他制造业	Handicraft and Other Manufacturing	88	30.61
废弃资源和废旧材料回收工业	Waste Sources and Materials Recovery Processing	4	2.27
电力、热力的生产和供应业	Production and Supply of Electric Power, Steam and Hot Water	45	24.53
燃气生产和供应业	Production and Supply of Gas	5	2.51
水的生产和供应业	Production and Supply of Tap Water	103	38.64

注：1. 本表统计范围为规模以上工业。
2. 工业增加值分行业按企业数汇总与总计不等。

MAIN ECONOMIC INDICATORS OF COLLECTIVE-OWNED INDUSTRIAL ENTERPRISES (2004)

(100 million yuan)

工业增加值 Value Added of Industry	年末资产总计 Total Assets at the Year-end	流动资产年平均余额 Average Balance of Circulating Funds	固定资产净值平均余额 Average Balance of Net Value of Fixed Assets	产品销售收入 Sales Revenue	产品销售税金及附加 Sales Tax and Extra Charges	利润总额 Total Profits	利税总额 Total Pre-tax Profits	本年应交增值税 Value Added Tax Payable in Current Year	全部从业人员年平均人数（万人） Annual Average Number of Employed Persons (10000 persons)
223.96	**693.17**	**314.12**	**256.45**	**834.83**	**6.05**	**20.45**	**45.69**	**19.19**	**58.11**
128.64	385.79	171.84	137.3	448.46	3.39	11.61	24.38	9.38	34.88
95.32	307.37	142.28	119.15	386.37	2.65	8.84	21.31	9.82	23.23
4.04	9.60	4.41	4.06	7.70		0.30	0.32	0.02	3.33
53.27	233.23	99.43	77.32	205.33	1.41	5.22	11.60	4.97	15.25
166.65	450.34	210.28	175.07	621.81	4.63	14.93	33.76	14.20	39.53
0.81	0.07	0.05	0.02	2.22	0.01	0.09	0.19	0.09	0.25
0.36	0.46	0.21	0.08	1.11	0.02	0.07	0.15	0.06	0.05
0.13	0.14	0.08	0.05	0.49	0.01	0.02	0.04	0.01	0.05
3.95	6.04	3.36	1.94	14.79	0.11	0.53	0.87	0.23	0.48
4.73	17.01	8.77	6.80	21.18	0.12	0.20	0.58	0.26	0.53
2.11	7.17	4.38	2.51	8.27	0.09	0.13	0.44	0.22	0.48
0.83	2.45	1.41	0.78	3.09	0.02	0.17	0.26	0.07	0.17
12.47	24.99	12.22	9.43	44.27	0.33	0.68	1.76	0.75	3.15
16.19	32.05	17.46	8.70	60.17	0.46	0.96	2.44	1.02	4.77
7.34	14.03	5.93	3.01	32.14	0.16	0.66	1.30	0.48	3.10
4.47	14.41	7.41	4.41	18.16	0.11	1.16	1.65	0.38	0.48
2.85	8.20	4.19	3.33	7.82	0.03	0.13	0.35	0.19	0.80
10.79	26.80	13.00	11.44	42.32	0.49	1.22	2.60	0.89	1.57
4.04	9.49	4.56	3.05	11.02	0.08	0.19	0.49	0.22	0.53
6.39	13.35	6.29	5.37	32.38	0.10	1.15	1.54	0.29	4.78
0.71	1.60	0.79	0.75	5.98	0.02	0.03	0.17	0.12	0.13
8.26	18.36	9.94	6.34	31.50	0.26	0.43	1.35	0.66	1.00
5.39	13.97	6.27	5.02	10.36	0.06	0.66	1.32	0.60	0.47
0.25	0.32	0.05	0.05	0.91		0.01	0.01		0.02
1.37	3.18	1.87	1.00	4.80	0.05	0.08	0.27	0.14	0.43
10.60	20.91	11.05	6.57	37.67	0.38	0.02	1.19	0.79	1.95
22.06	91.69	33.47	45.98	91.91	0.99	2.33	6.58	3.26	5.39
3.96	3.31	1.59	1.55	13.44	0.06	0.21	0.38	0.11	0.30
9.88	18.82	10.88	7.08	39.77	0.09	0.43	1.16	0.64	0.99
12.91	30.04	18.03	8.75	50.15	0.28	0.32	1.56	0.96	2.61
5.48	11.27	6.96	2.71	18.51	0.12	0.86	1.43	0.45	0.91
3.05	8.47	3.49	3.63	10.27	0.09	0.33	0.65	0.23	0.48
5.11	14.49	8.75	3.50	19.58	0.35	0.31	1.13	0.47	1.06
20.95	62.44	36.64	12.90	69.47	0.37	0.38	2.47	1.72	6.14
8.48	22.33	11.43	4.76	22.70	0.09	-0.28	0.24	0.43	6.55
6.32	10.10	3.28	5.34	13.28	0.04	0.46	0.79	0.29	4.47
8.35	9.29	5.48	2.79	28.83	0.15	0.48	1.15	0.52	2.53
0.48	0.69	0.41	0.16	2.34	0.01	0.03	0.06	0.02	0.04
6.02	55.30	18.46	24.9	23.25	0.14	1.54	2.91	1.23	0.36
0.61	0.62	0.48	0.12	2.48		0.01	0.03	0.02	0.01
15.62	119.28	35.50	51.65	38.21	0.35	4.46	6.18	1.37	1.06

Note: a) The statistical coverage in this table refers to the industrial enterprises above designated size.
b) The accumulative figure of Value-added of industry by sector on the basis of number of enterprises is not equal to the provincial total.

12-21 股份合作工业企业主要经济指标(2004年)

单位:亿元

项　　目	Item	企业单位数(个) Number of Enterprises (unit)	工业总产值(当年价) Gross Industrial Output Value (at current prices)
全省总计	**Provincial Total**	**344**	**224.74**
按轻重工业分	**Grouped by Light & Heavy Industry**		
轻　工　业	Light Industry	183	166.41
重　工　业	Heavy Industry	161	58.33
按企业规模分	**Grouped by Size of Enterprises**		
大型企业	Large	1	104.13
中型企业	Medium	19	30.10
小型企业	Small	324	90.51
按行业分	**Grouped by Sector**		
煤炭开采和洗选业	Coal Mining and Dressing	2	0.51
黑色金属矿采选业	Ferrous Metal Minerals Mining and Dressing	1	0.67
有色金属矿采选业	Nonferrous Metals Mining and Dressing	3	3.74
非金属矿采选业	Nonmetal Minerals Mining and Dressing	2	0.99
农副食品加工业	Farm and Sideline Food Processing	12	5.69
食品制造业	Food Manufacturing	7	1.13
饮料制造业	Beverage Manufacturing	2	0.20
烟草制品业	Tobacco Processing	1	0.07
纺织业	Textile Industry	13	3.06
纺织服装、鞋、帽制造业	Textile Garments, Footwear and Headgear Manufacturing	16	5.94
皮革、毛皮、羽毛(绒)及其制品业	Feather, Furs, Down and Related Products	3	0.87
木材加工及木、竹、藤、棕、草制品业	Timber Processing, Bamboo, Cane, Palm Fiber & Straw Products	2	0.42
家具制造业	Furniture Manufacturing	4	0.85
造纸及纸制品业	Papermaking and Paper Products	16	3.15
印刷业和记录媒介的复制	Printing and Record Medium Reproduction	19	2.99
文教体育用品制造业	Cultural, Educational and Sports Goods	4	0.41
化学原料及化学制品制造业	Raw Chemical Materials and Chemical Products	27	9.61
医药制造业	Medical and Pharmaceutical Products	7	10.61
化学纤维制造业	Chemical Fiber	1	0.09
塑料制品业	Plastic Products	17	2.06
非金属矿物制品业	Nonmetal Mineral Products	33	10.75
黑色金属冶炼及压延加工业	Smelting and Pressing of Ferrous Metals	2	0.61
有色金属冶炼及压延加工业	Smelting and Pressing of Nonferrous Metals	1	0.49
金属制品业	Metal Products	31	16.11
通用设备制造业	General Purposes Equipment Manufacturing	17	3.75
专用设备制造业	Special Purposes Equipment Manufacturing	15	4.62
交通运输设备制造业	Transport Equipment Manufacturing	15	5.45
电气机械及器材制造业	Electric Equipment and Machinery	32	117.97
通信设备、计算机及其他电子设备制造业	Telecommunications, Computers and Other Electronic Equipment Manufacturing	8	5.12
仪器仪表及文化、办公用机械制造业	Instruments, Meters, Cultural and Office Machinery	6	1.31
工艺品及其他制造业	Handicraft and Other Manufacturing	6	1.49
电力、热力的生产和供应业	Production and Supply of Electric Power and Heating Power	15	3.04
燃气生产和供应业	Production and Supply of Gas	2	0.75
水的生产和供应业	Production and Supply of Tap Water	2	0.23

注:1. 本表统计范围为规模以上工业。
　 2. 工业增加值分行业按企业数汇总与总计不等。

MAIN ECONOMIC INDICATORS OF SHARE-HOLDING COOPERATIVE INDUSTRIAL ENTERPRISES (2004)

(100 million yuan)

工业增加值 Value Added of Industry	年末资产总计 Total Assets at the Year-end	流动资产年平均余额 Average Balance of Circulating Funds	固定资产净值平均余额 Average Balance of Net Value of Fixed Assets	产品销售收入 Sales Revenue	产品销售税金及附加 Sales Tax and Extra Charges	利润总额 Total Profits	利税总额 Total Pre-tax Profits	本年应交增值税 Value Added Tax Payable in Current Year	全部从业人员年平均人数（万人） Annual Average Number of Employed Persons (10000 persons)
49.40	**146.80**	**79.92**	**44.77**	**219.93**	**0.81**	**6.23**	**11.70**	**4.66**	**7.77**
32.09	91.82	51.44	26.04	162.00	0.44	3.88	6.90	2.58	5.05
17.31	54.99	28.48	18.73	57.92	0.38	2.35	4.81	2.08	2.72
15.02	42.14	27.42	10.16	103.46		1.55	2.39	0.84	2.09
8.47	35.45	16.64	10.62	27.76	0.19	2.80	4.00	1.01	1.28
25.91	69.21	35.86	23.98	88.70	0.61	1.87	5.29	2.81	4.40
0.33	0.13	0.06	0.06	0.49		0.06	0.11	0.05	0.13
0.16	0.65	0.31	0.27	0.66	0.02	0.33	0.40	0.05	0.03
1.16	0.96	0.73	0.22	3.83	0.04	0.07	0.35	0.24	0.06
0.26	0.59	0.38	0.09	1.03		0.01	0.06	0.05	0.06
1.51	3.84	2.03	1.45	4.67	0.01	-0.06	0.03	0.08	0.19
0.29	0.91	0.58	0.32	1.11	0.01	0.01	0.05	0.03	0.10
0.05	0.40	0.21	0.12	0.13	0.03		0.04	0.01	0.02
0.02	0.07	0.04	0.01	0.11	0.01		0.01		0.01
1.14	1.59	0.58	0.67	2.88	0.03	0.07	0.17	0.07	0.10
1.89	2.24	1.33	0.79	5.76	0.03	0.11	0.27	0.13	0.48
0.13	0.18	0.14	0.04	0.77		0.01	0.03	0.02	0.05
0.10	0.06	0.01	0.05	0.38	0.01	0.01	0.02		0.01
0.37	0.28	0.16	0.07	0.74	0.01	0.02	0.05	0.02	0.07
0.60	2.53	1.17	0.89	3.20	0.05	0.10	0.25	0.10	0.13
0.57	4.95	2.56	1.22	2.83	0.03	0.07	0.16	0.06	0.21
0.09	0.27	0.21	0.05	0.39		0.02	0.03	0.01	0.03
2.60	7.08	4.01	1.87	9.52	0.05	0.29	0.73	0.39	0.42
3.42	16.36	5.82	5.14	9.34	0.07	1.49	2.04	0.48	0.22
0.03	0.09	0.04	0.06	0.09			0.01	0.01	0.01
0.41	1.27	0.81	0.41	2.16	0.02	0.04	0.12	0.06	0.08
2.49	8.23	4.31	3.10	10.45	0.08	0.13	0.53	0.32	0.70
0.10	0.42	0.06	0.18	0.62		-0.01		0.01	0.02
0.13	0.23	0.17	0.06	0.37	0.01		0.01		0.01
4.01	15.16	8.14	3.74	16.02	0.04	1.08	1.45	0.33	0.58
1.34	4.40	2.70	1.23	3.29	0.02	0.07	0.20	0.11	0.21
1.24	4.78	3.20	0.95	3.46	0.02	0.28	0.48	0.18	0.31
1.29	4.78	2.93	1.25	5.08	0.07	0.11	0.34	0.16	0.27
19.81	50.39	32.16	12.43	116.39	0.05	1.83	3.11	1.23	2.50
1.45	0.72	0.56	0.09	4.52	0.02	0.09	0.23	0.12	0.16
0.35	1.31	0.84	0.32	1.34	0.01	0.03	0.11	0.07	0.06
0.65	0.71	0.37	0.22	1.50	0.01		0.03	0.02	0.30
0.87	8.89	2.63	5.84	2.90	0.08	-0.01	0.23	0.16	0.17
0.23	0.65	0.29	0.36	3.66		0.03	0.06	0.03	0.03
0.08	1.67	0.38	1.19	0.23	0.01	-0.07	-0.03	0.03	0.05

Note: a) The statistical coverage in this table refers to the industrial enterprises above designated size.
b) The accumulative figure of Value-added of industry by sector on the basis of number of enterprises is not equal to the provincial total.

12-22 股份制工业企业主要经济指标(2004 年)

单位:亿元

项　　目	Item	企业单位数(个) Number of Enterprises (unit)	工业总产值(当年价) Gross Industrial Output Value (at current prices)
全省总计	**Provincial Total**	**6622**	**5925.04**
按轻重工业分	**Grouped by Light & Heavy Industry**		
轻　工　业	Light Industry	3853	2645.15
重　工　业	Heavy Industry	2769	3279.90
按企业规模分	**Grouped by Size of Enterprises**		
大型企业	Large	33	2059.10
中型企业	Medium	568	1592.71
小型企业	Small	6021	2273.24
按行业分	**Grouped by Sector**		
煤炭开采和洗选业	Coal Mining and Dressing	8	1.97
黑色金属矿采选业	Ferrous Metal Minerals Mining and Dressing	5	10.47
有色金属矿采选业	Nonferrous Metals Minerals Mining and Dressing	11	8.98
非金属矿采选业	Nonmetal Minerals Mining and Dressing	25	8.44
农副食品加工业	Farm and Sideline Food Processing	231	258.53
食品制造业	Food Manufacturing	154	68.83
饮料制造业	Beverage Manufacturing	71	54.45
烟草制品业	Tobacco Products	3	2.02
纺织业	Textile Industry	319	136.94
纺织服装、鞋、帽制造业	Textile Garments, Footwear and Headgear Manufacturing	400	141.13
皮革、毛皮、羽毛(绒)及其制品业	Feather, Furs, Down and Related Products	137	49.78
木材加工及木、竹、藤、棕、草制品业	Timber Processing, Bamboo, Cane, Palm Fiber & Straw Products	76	53.11
家具制造业	Furniture Manufacturing	108	36.27
造纸及纸制品业	Papermaking and Paper Products	256	104.75
印刷业和记录媒介的复制	Printing and Record Medium Reproduction	247	76.31
文教体育用品制造业	Cultural, Educational and Sports Goods	80	43.34
石油加工、炼焦及核燃料加工业	Petroleum Refining, Coking and Nuclear Fuel Processing	35	515.37
化学原料及化学制品制造业	Raw Chemical Materials and Chemical Products	477	273.80
医药制造业	Medical and Pharmaceutical Products	101	88.33
化学纤维制造业	Chemical Fiber	18	12.85
橡胶制品业	Rubber Products	36	21.13
塑料制品业	Plastic Products	420	177.74
非金属矿物制品业	Nonmetal Mineral Products	589	317.60
黑色金属冶炼及压延加工业	Smelting and Pressing of Ferrous Metals	70	203.02
有色金属冶炼及压延加工业	Smelting and Pressing of Nonferrous Metals	124	178.12
金属制品业	Metal Products	558	210.32
通用设备制造业	General Purposes Equipment Manufacturing	243	119.46
专用设备制造业	Special Purposes Equipment Manufacturing	171	71.17
交通运输设备制造业	Transport Equipment Manufacturing	175	148.04
电气机械及器材制造业	Electric Equipment and Machinery	764	1004.00
通信设备、计算机及其他电子设备制造业	Telecommunications, Computers and Other Electronic Equipment Manufacturing	390	1178.04
仪器仪表及文化、办公用机械制造业	Instruments, Meters, Cultural and Office Machinery	66	26.65
工艺品及其他制造业	Handicraft and Other Manufacturing	133	73.11
废弃资源和废旧材料回收工业	Waste Sources and Materials Recovery Processing	6	15.44
电力、热力的生产和供应业	Production and Supply of Electric Power, Steam and Hot Water	72	202.57
燃气生产和供应业	Production and Supply of Gas	8	2.49
水的生产和供应业	Production and Supply of Tap Water	35	30.49

注：1. 本表统计范围为规模以上工业。
2. 工业增加值分行业按企业数汇总与总计不等。

MAIN ECONOMIC INDICATORS OF SHARE-HOLDING INDUSTRIAL ENTERPRISES (2004)

(100 million yuan)

工　业 增加值 Value Added of Industry	年　末 资产总计 Total Assets at the Year-end	流动资产 年平均 余　额 Average Balance of Circulating Funds	固定资产 净　值 平均余额 Average Balance of Net Value of Fixed Assets	产　品 销售收入 Sales Revenue	产品销售 税　金 及附加 Sales Tax and Extra Charges	利润总额 Total Profits	利税总额 Total Pre-tax Profits	本年应交 增值税 Value Added Tax Payable in Current Year	全部从业人员 年平均人数 (万人) Annual Average Number of Employed Persons (10000 persons)
1629. 39	**5478. 19**	**2780. 78**	**1668. 80**	**5731. 63**	**47. 85**	**255. 99**	**474. 16**	**170. 32**	**144. 78**
670. 97	2155. 32	1202. 43	552. 25	2554. 24	16. 22	72. 71	152. 37	63. 44	81. 54
958. 42	3322. 87	1578. 35	1116. 56	3177. 39	31. 63	183. 28	321. 79	106. 88	63. 24
633. 9	1789. 62	1061. 21	384. 34	2054. 19	27. 40	122. 19	216. 86	67. 27	20. 40
413. 45	1784. 45	852. 38	551. 05	1517. 74	8. 85	86. 16	142. 15	47. 14	42. 61
582. 04	1904. 13	867. 20	733. 41	2159. 70	11. 60	47. 64	115. 15	55. 91	81. 77
0. 89	0. 96	0. 54	0. 37	1. 95	0. 02	0. 02	0. 18	0. 14	0. 45
4. 98	19. 42	9. 36	5. 80	11. 82	0. 31	4. 22	5. 59	1. 06	0. 40
4. 20	9. 38	2. 83	5. 99	9. 11	0. 10	1. 09	1. 95	0. 76	0. 50
2. 41	14. 77	6. 34	2. 76	8. 19	0. 08	0. 55	0. 91	0. 28	0. 52
52. 29	196. 10	99. 89	47. 97	254. 65	0. 66	1. 22	5. 10	3. 22	4. 75
20. 18	67. 63	37. 37	20. 19	64. 94	0. 27	2. 57	5. 14	2. 30	2. 83
20. 49	49. 62	21. 11	17. 87	52. 44	5. 82	3. 11	12. 27	3. 34	1. 18
0. 87	3. 96	0. 82	2. 55	1. 91	0. 01	0. 24	0. 38	0. 13	0. 09
34. 25	105. 15	49. 03	41. 74	129. 48	0. 40	1. 47	4. 21	2. 34	6. 37
36. 7	83. 08	46. 41	21. 86	135. 91	0. 67	2. 25	5. 83	2. 91	9. 22
13. 29	21. 87	11. 25	6. 26	48. 10	0. 18	0. 63	1. 58	0. 77	2. 80
12. 18	59. 32	22. 34	21. 82	50. 93	0. 38	2. 87	4. 68	1. 43	1. 90
8. 76	22. 47	11. 66	5. 19	35. 02	0. 15	0. 79	1. 66	0. 72	1. 94
25. 08	87. 38	38. 49	32. 33	98. 83	0. 46	2. 27	5. 15	2. 42	3. 69
20. 06	73. 80	36. 51	25. 54	72. 99	0. 31	2. 39	4. 92	2. 22	2. 77
11. 39	31. 05	15. 58	9. 64	43. 03	0. 19	1. 83	2. 92	0. 90	1. 94
84. 87	186. 86	79. 61	78. 43	509. 15	17. 28	17. 44	47. 64	12. 92	1. 33
50. 63	234. 23	114. 71	72. 16	266. 93	1. 66	9. 78	17. 90	6. 46	5. 54
32. 48	174. 72	92. 56	34. 38	84. 54	0. 62	8. 09	15. 11	6. 40	2. 96
4. 32	6. 05	3. 87	1. 58	11. 31	0. 04	0. 06	0. 32	0. 22	0. 36
5. 21	28. 48	8. 56	14. 60	21. 07	0. 07	1. 33	1. 54	0. 14	0. 52
43. 82	159. 63	70. 41	49. 47	186. 69	0. 62	4. 82	9. 26	3. 82	6. 09
101. 95	262. 55	123. 08	90. 15	289. 18	1. 90	7. 64	18. 92	9. 38	13. 94
42. 68	194. 09	83. 70	72. 52	189. 59	0. 75	11. 00	19. 51	7. 76	2. 53
40. 75	114. 11	57. 13	37. 43	169. 41	0. 43	2. 11	6. 08	3. 54	2. 88
58. 18	111. 52	65. 63	30. 96	198. 80	0. 92	3. 83	8. 71	3. 96	8. 70
34. 92	132. 09	74. 95	28. 61	109. 97	0. 53	3. 30	7. 20	3. 37	4. 95
20. 21	75. 57	44. 60	16. 87	68. 59	0. 31	2. 68	4. 93	1. 94	2. 98
37. 67	124. 27	64. 74	29. 17	133. 54	2. 53	3. 82	8. 60	2. 25	4. 14
307. 15	757. 61	495. 74	137. 07	990. 73	2. 15	32. 73	61. 49	26. 61	23. 49
456. 23	1185. 88	785. 34	157. 94	1145. 32	6. 35	79. 83	117. 24	31. 06	16. 20
8. 38	41. 14	25. 61	4. 91	25. 13	0. 10	1. 87	2. 96	0. 99	1. 17
20. 67	34. 72	22. 58	8. 35	63. 01	0. 15	1. 17	2. 21	0. 89	3. 22
3. 39	4. 53	3. 75	0. 71	14. 74	0. 02	-0. 01	0. 16	0. 15	0. 31
103. 48	684. 48	126. 69	459. 98	203. 92	1. 27	34. 33	57. 79	22. 19	1. 48
0. 45	1. 76	1. 16	0. 29	2. 51		-0. 01		0. 01	0. 03
15. 03	117. 94	26. 80	75. 35	28. 21	0. 12	2. 64	4. 08	1. 32	0. 63

Note: a) The statistical coverage in this table refers to the industrial enterprises above designated size.
b) The accumulative figure of Value-added of industry by sector on the basis of number of enterprises is not equal to the provincial total.

12-23 "三资"工业企业主要经济指标(2004 年)

单位:亿元

项　目	Item	企业单位数(个) Number of Enterprises (unit)	工业总产值(当年价) Gross Industrial Output Value (at current prices)
全省总计	**Provincial Total**	**11069**	**17181. 39**
按经济类型分	**Grouped by Ownership**		
外商投资工业	Foreign Funded Enterprises	2221	6910. 50
港澳台投资工业	Enterprises Funded by Entrepreneurs from Hong Kong, Macao and Taiwan	8848	10270. 90
按轻重工业分	**Grouped by Light & Heavy Industry**		
轻 工 业	Light Industry	7237	7510. 25
重 工 业	Heavy Industry	3832	9671. 14
按企业规模分	**Grouped by Size of Enterprises**		
大型企业	Large	135	5360. 23
中型企业	Medium	2082	7026. 81
小型企业	Small	8852	4794. 35
按行业分	**Grouped by Sector**		
煤炭开采和洗选业	Coal Mining and Dressing	1	0. 47
石油和天然气开采业	Petroleum and Natural Gas Extraction	2	351. 71
有色金属矿采选业	Nonferrous Metals Minerals Mining and Dressing	1	0. 31
非金属矿采选业	Nonmetal Minerals Mining and Dressing	24	14. 75
农副食品加工业	Farm and Sideline Food Processing	181	292. 26
食品制造业	Food Manufacturing	212	244. 87
饮料制造业	Beverage Manufacturing	69	190. 41
纺织业	Textile Industry	804	630. 36
纺织服装、鞋、帽制造业	Textile Garments, Footwear and Headgear Manufacturing	1147	531. 92
皮革、毛皮、羽毛(绒)及其制品业	Feather, Furs, Down and Related Products	656	440. 29
木材加工及木、竹、藤、棕、草制品业	Timber Processing, Bamboo, Cane, Palm Fiber & Straw Products	113	68. 19
家具制造业	Furniture Manufacturing	237	188. 00
造纸及纸制品业	Papermaking and Paper Products	271	270. 18
印刷业和记录媒介的复制	Printing and Record Medium Reproduction	234	192. 85
文教体育用品制造业	Cultural, Educational and Sports Goods	439	293. 24
石油加工、炼焦及核燃料加工业	Petroleum Refining, Coking and Nuclear Fuel Processing	13	81. 14
化学原料及化学制品制造业	Raw Chemical Materials and Chemical Products	522	949. 31
医药制造业	Medical and Pharmaceutical Products	94	102. 43
化学纤维制造业	Chemical Fiber	47	31. 12
橡胶制品业	Rubber Products	114	73. 08
塑料制品业	Plastic Products	952	644. 44
非金属矿物制品业	Nonmetal Mineral Products	416	297. 75
黑色金属冶炼及压延加工业	Smelting and Pressing of Ferrous Metals	44	231. 19
有色金属冶炼及压延加工业	Smelting and Pressing of Nonferrous Metals	72	150. 74
金属制品业	Metal Products	658	671. 27
通用设备制造业	General Purposes Equipment Manufacturing	249	246. 59
专用设备制造业	Special Purposes Equipment Manufacturing	211	168. 67
交通运输设备制造业	Transport Equipment Manufacturing	244	959. 05
电气机械及器材制造业	Electric Equipment and Machinery	954	1330. 07
通信设备、计算机及其他电子设备制造业	Telecommunications, Computers and Other Electronic Equipment Manufacturing	1243	6123. 36
仪器仪表及文化、办公用机械制造业	Instruments, Meters, Cultural and Office Machinery	322	748. 04
工艺品及其他制造业	Handicraft and Other Manufacturing	412	195. 07
废弃资源和废旧材料回收工业	Waste Sources and Materials Recovery Processing	1	0. 65
电力、热力的生产和供应业	Production and Supply of Electric Power, Steam and Hot Water	95	413. 91
燃气生产和供应业	Production and Supply of Gas	13	52. 52
水的生产和供应业	Production and Supply of Tap Water	2	1. 19

注：1. 本表统计范围为规模以上工业。
2. 工业增加值分行业按企业数汇总与总计不等。

MAIN ECONOMIC INDICATORS OF FOREIGN FUNDED INDUSTRIAL ENTERPRISES (2004)

(100 million yuan)

工　业 增加值 Value Added of Industry	年　末 资产总计 Total Assets at the Year-end	流动资产 年平均 余　额 Average Balance of Circulating Funds	固定资产 净　值 平均余额 Average Balance of Net Value of Fixed Assets	产　品 销售收入 Sales Revenue	产品销售 税　金 及附加 Sales Tax and Extra Charges	利润总额 Total Profits	利税总额 Total Pre-tax Profits	本年应交 增值税 Value Added Tax Payable in Current Year	全部从业人员 年平均人数 （万人） Annual Average Number of Employed Persons (10000 persons)
4283.32	**12151.10**	**6904.23**	**3658.32**	**16556.27**	**63.47**	**887.33**	**1220.94**	**270.14**	**513.88**
1610.61	4249.48	2523.32	1205.95	6699.12	34.17	424.97	588.89	129.75	121.25
2672.71	7901.62	4380.91	2452.37	9857.15	29.30	462.36	632.05	140.39	392.63
1993.04	5459.03	3245.76	1537.91	7239.62	22.37	283.23	442.02	136.42	337.60
2290.28	6692.06	3658.48	2120.41	9316.65	41.10	604.10	778.92	133.72	176.28
1084.39	2338.97	1490.49	519.29	5233.37	27.32	272.08	367.14	67.74	72.18
1740.84	5791.64	3172.01	1886.03	6846.86	16.56	372.34	507.84	118.94	234.96
1458.09	4020.48	2241.73	1253.00	4476.04	19.58	242.91	345.96	83.47	206.74
0.17	0.29	0.16	0.12	0.46			0.03	0.03	0.05
315.78	118.21	20.73	52.70	192.79	12.06	123.01	146.26	11.19	0.05
0.07	0.19	0.09	0.01	0.31		0.01	0.01	0.01	
3.71	8.38	5.87	1.93	14.23	0.23	0.46	1.09	0.40	0.40
43.83	171.09	103.23	46.64	303.34	0.22	2.16	3.76	1.38	3.82
82.16	235.14	132.95	75.75	233.11	0.55	24.19	38.23	13.49	5.86
59.83	215.42	111.52	70.33	188.58	2.48	13.46	27.78	11.84	2.46
163.20	545.54	277.05	207.21	612.46	1.06	7.05	13.87	5.76	27.69
154.42	324.65	194.67	89.80	497.74	0.89	3.27	9.93	5.77	51.84
111.32	317.99	201.01	79.53	420.45	0.52	3.32	7.49	3.65	50.15
16.46	59.00	30.57	18.82	61.20	0.07	0.81	1.90	1.02	2.85
42.48	144.87	91.72	34.99	184.59	0.22	3.97	5.65	1.46	12.50
66.74	314.67	147.74	132.74	258.04	0.30	13.60	20.53	6.63	6.66
54.35	234.66	127.29	84.15	184.10	0.17	9.41	13.69	4.11	9.96
85.11	251.27	153.50	72.33	280.67	0.20	5.42	6.72	1.10	35.38
8.80	57.98	27.89	8.24	81.30	2.72	-0.19	3.38	0.85	0.12
406.97	689.56	389.39	183.99	874.28	6.32	125.38	188.42	56.72	8.20
36.19	121.22	69.56	34.92	85.77	0.11	7.89	13.31	5.31	2.24
7.33	41.88	19.58	18.66	30.87	0.01	1.49	2.29	0.79	0.77
18.20	60.08	32.94	16.48	71.97	0.63	1.83	3.28	0.82	4.18
138.13	610.10	343.15	192.82	631.61	0.58	13.99	21.37	6.80	30.08
89.90	391.96	187.85	158.72	274.67	0.52	14.65	23.97	8.80	11.47
30.32	218.96	98.73	73.74	275.07	0.08	8.66	11.03	2.29	1.06
33.54	124.99	72.42	32.61	152.17	0.02	5.83	6.93	1.08	1.67
169.19	487.98	298.73	128.86	652.59	0.56	34.60	42.01	6.85	22.66
72.44	221.15	130.80	65.23	241.07	0.26	16.97	23.72	6.49	6.17
54.64	169.33	107.07	43.08	161.16	0.12	12.66	15.54	2.76	6.61
248.30	641.50	387.49	153.25	940.14	29.00	115.56	180.19	35.63	10.91
292.71	928.05	579.33	237.92	1299.72	1.20	39.94	54.44	13.30	52.52
982.68	3034.14	1924.18	706.25	5923.82	1.60	170.59	196.42	24.23	108.64
126.11	378.21	249.37	94.42	751.48	0.20	22.37	25.80	3.23	18.50
52.69	142.29	84.41	38.65	187.62	0.38	4.18	5.87	1.31	16.64
0.12	0.37	0.25	0.02	0.78		0.01	0.02	0.01	0.01
210.61	848.93	287.42	485.92	413.32	0.20	80.79	105.74	24.75	1.62
6.30	38.20	15.28	15.55	73.72		-0.52	-0.29	0.23	0.12
0.90	2.83	0.27	1.94	1.08		0.50	0.56	0.06	0.02

Note: a) The statistical coverage in this table refers to the industrial enterprises above designated size.
b) The accumulative figure of Value-added of industry by sector on the basis of number of enterprises is not equal to the provincial total.

12-24 大中型工业企业主要经济指标(2004 年)

单位:亿元

项　　目	Item	企业单位数(个) Number of Enterprises (unit)	工业总产值(当年价) Gross Industrial Output Value (at current prices)
全省总计	**Provincial Total**	**3289**	**17574.72**
按轻重工业分	**Grouped by Light & Heavy Industry**		
轻 工 业	Light Industry	1867	7086.72
重 工 业	Heavy Industry	1422	10488.00
按企业规模分	**Grouped by Size of Enterprises**		
大型企业	Large	187	7874.19
中型企业	Medium	3102	9700.53
按行业分	Grouped by Sector		
煤炭开采和洗选业	Coal Mining and Dressing		
石油和天然气开采业	Petroleum and Natural Gas Extraction		
黑色金属矿采选业	Ferrous Metal Minerals Mining and Dressing	2	9.28
有色金属矿采选业	Nonferrous Metals Minerals Mining and Dressing	5	13.23
非金属矿采选业	Nonmetal Minerals Mining and Dressing	11	15.53
农副食品加工业	Farm and Sideline Food Processing	62	187.78
食品制造业	Food Manufacturing	66	191.43
饮料制造业	Beverage Manufacturing	31	177.70
烟草制品业	Tobacco Products	7	153.51
纺织业	Textile Industry	182	443.87
纺织服装、鞋、帽制造业	Textile Garments, Footwear and Headgear Manufacturing	174	292.92
皮革、毛皮、羽毛(绒)及其制品业	Feather, Furs, Down and Related Products	145	304.00
木材加工及木、竹、藤、棕、草制品业	Timber Processing, Bamboo, Cane, Palm Fiber & Straw Products	28	64.69
家具制造业	Furniture Manufacturing	69	138.63
造纸及纸制品业	Papermaking and Paper Products	64	203.44
印刷业和记录媒介的复制	Printing and Record Medium Reproduction	63	148.07
文教体育用品制造业	Cultural, Educational and Sports Goods	130	236.34
石油加工、炼焦及核燃料加工业	Petroleum Refining, Coking and Nuclear Fuel Processing	9	715.99
化学原料及化学制品制造业	Raw Chemical Materials and Chemical Products	91	742.13
医药制造业	Medical and Pharmaceutical Products	57	146.74
化学纤维制造业	Chemical Fiber	9	16.61
橡胶制品业	Rubber Products	23	60.85
塑料制品业	Plastic Products	188	382.54
非金属矿物制品业	Nonmetal Mineral Products	185	348.38
黑色金属冶炼及压延加工业	Smelting and Pressing of Ferrous Metals	26	343.22
有色金属冶炼及压延加工业	Smelting and Pressing of Nonferrous Metals	41	186.54
金属制品业	Metal Products	145	429.16
通用设备制造业	General Purposes Equipment Manufacturing	71	232.98
专用设备制造业	Special Purposes Equipment Manufacturing	54	136.68
交通运输设备制造业	Transport Equipment Manufacturing	124	976.23
电气机械及器材制造业	Electric Equipment and Machinery	380	1825.66
通信设备、计算机及其他电子设备制造业	Telecommunications, Computers and Other Electronic Equipment Manufacturing	563	6831.85
仪器仪表及文化、办公用机械制造业	Instruments, Meters, Cultural and Office Machinery	87	661.55
工艺品及其他制造业	Handicraft and Other Manufacturing	58	126.26
废弃资源和废旧材料回收工业	Waste Sources and Materials Recovery Processing	1	9.96
电力、热力的生产和供应业	Production and Supply of Electric Power, Steam and Hot Water	111	761.02
燃气生产和供应业	Production and Supply of Gas	3	7.53
水的生产和供应业	Production and Supply of Tap Water	24	52.45

注：1. 本表统计范围为规模以上工业。
2. 工业增加值分行业按企业数汇总与总计不等。

MAIN ECONOMIC INDICATORS OF LARGE AND MEDIUM-SIZED INDUSTRIAL ENTERPRISES (2004)

(100 million yuan)

工业增加值 Value Added of Industry	年末资产总计 Total Assets at the Year-end	流动资产年平均余额 Average Balance of Circulating Funds	固定资产净值平均余额 Average Balance of Net Value of Fixed Assets	产品销售收入 Sales Revenue	产品销售税金及附加 Sales Tax and Extra Charges	利润总额 Total Profits	利税总额 Total Pre-tax Profits	本年应交增值税 Value Added Tax Payable in Current Year	全部从业人员年平均人数（万人） Annual Average Number of Employed Persons (10000 persons)
4720.57	**14440.93**	**7515.62**	**4645.42**	**18109.01**	**150.60**	**943.58**	**1517.35**	**423.17**	**419.72**
2045.47	5537.81	3186.13	1526.79	6853.40	88.24	318.05	573.36	167.07	245.08
2675.10	8903.12	4329.49	3118.63	11255.61	62.36	625.53	943.99	256.10	174.64
2069.34	4829.31	2778.59	1281.83	7938.58	59.80	423.40	637.06	153.86	103.35
2651.23	9611.62	4737.03	3363.59	10170.43	90.80	520.18	880.30	269.32	316.37
4.54	19.04	9.19	5.76	10.56	0.30	4.13	5.42	0.99	0.37
5.41	13.95	4.50	6.88	13.16	0.09	1.68	2.44	0.67	0.61
6.53	21.96	8.94	6.19	15.41	0.23	0.91	1.80	0.66	1.09
28.40	169.74	85.93	44.69	200.69	0.33	4.97	7.88	2.58	4.39
68.97	189.91	106.53	57.11	184.11	0.36	20.28	32.00	11.36	5.05
55.72	199.86	98.34	61.06	174.99	6.99	11.01	29.31	11.31	2.34
106.20	116.58	68.80	23.77	153.99	59.23	21.69	99.26	18.34	0.75
115.10	419.52	210.94	163.55	429.6	0.81	4.79	10.09	4.49	17.31
81.26	204.57	115.62	58.80	272.17	0.61	3.98	8.35	3.76	24.61
74.75	211.13	129.49	54.81	287.03	0.37	2.61	4.94	1.96	32.98
13.48	65.14	33.42	14.21	62.69	0.29	3.36	5.08	1.43	2.25
31.77	105.60	64.92	26.51	134.50	0.21	3.06	4.26	0.99	9.23
46.52	279.29	107.07	127.99	194.46	0.35	9.34	14.72	5.03	4.76
42.54	172.71	95.19	58.74	142.04	0.18	8.87	12.43	3.38	7.38
68.97	199.86	119.69	59.66	228.48	0.19	7.18	8.59	1.22	25.34
114.10	299.02	113.23	140.20	707.03	23.39	36.19	81.29	21.71	1.83
337.04	614.01	303.37	200.52	711.90	6.68	108.99	165.01	49.34	7.52
54.47	233.19	129.53	50.16	133.24	0.72	14.98	25.73	10.03	3.83
4.27	24.78	10.28	12.78	17.25	0.01	1.60	2.27	0.66	0.46
15.26	68.42	25.39	27.83	60.25	0.62	2.80	4.23	0.81	2.87
73.66	406.00	204.21	133.21	394.03	0.21	11.47	16.59	4.91	16.13
109.08	417.11	182.96	170.60	320.90	1.48	18.93	31.84	11.43	12.52
55.43	358.44	149.10	133.45	379.46	0.71	18.08	27.87	9.08	2.83
41.24	155.68	75.54	47.84	180.37	0.28	3.39	6.39	2.72	2.70
115.09	302.47	190.36	75.78	414.21	0.37	23.69	27.88	3.82	14.13
69.28	225.45	128.27	61.59	226.64	0.38	14.68	21.94	6.88	5.90
46.19	134.98	81.17	35.27	130.74	0.32	10.60	13.24	2.32	5.18
259.80	689.66	410.29	159.68	948.33	30.88	113.32	179.66	35.46	12.06
463.12	1340.17	868.23	292.24	1808.51	2.12	57.13	91.00	31.75	56.12
1318.50	3896.77	2501.24	765.07	6622.12	6.87	238.14	294.43	49.42	102.23
110.09	315.75	204.07	78.89	664.01	0.14	20.81	23.82	2.87	15.80
38.24	76.84	45.31	22.43	114.49	0.16	3.01	3.91	0.74	7.55
2.43	2.70	2.22	0.48	8.95		0.03	0.09	0.06	0.18
450.02	2229.09	574.47	1303.46	1701.12	4.22	134.51	246.71	107.98	9.21
1.18	24.86	6.52	15.33	10.73	0.04	0.05	0.44	0.35	0.34
28.39	236.67	51.30	148.91	50.84	0.44	3.33	6.43	2.66	1.88

Note: a) The statistical coverage in this table refers to the industrial enterprises above designated size.

b) The accumulative figure of Value-added of industry by sector on the basis of number of enterprises is not equal to the total figure.

12-25 工 业 产 品 产 量
OUTPUT OF INDUSTRIAL PRODUCTS

产品名称		Item		1995	2003	2004
化学纤维	（万吨）	Chemical Fiber	（10000 tons）	33.94	42.54	56.02
#合成纤维		Synthetic Fiber		32.42	42.51	44.09
纱	（万吨）	Yarn	（10000 tons）	15.90	23.48	25.05
布	（亿米）	Cloth	（100 million m）	11.65	17.29	21.54
#纯棉布		Pure Cotton Cloth		8.05	12.14	15.40
丝	（万吨）	Silk	（10000 tons）	0.27	0.11	0.10
呢绒	（万米）	Woolen Piece Goods	（10000 m）	1263.30	775.82	814.14
机制纸及纸板	（万吨）	Machine-made Paper and Paperboard	（10000 tons）	288.10	542.69	597.73
家用电冰箱	（万台）	Household Refrigerators	（10000 sets）	213.23	533.38	850.91
冷柜	（万台）	Freezers	（10000 sets）	13.87	77.26	46.96
家用洗衣机	（万台）	Household Washing Machines	（10000 sets）	187.51	178.86	184.03
吸尘器	（万台）	Dust Catchers	（10000 sets）	566.99	826.71	1087.10
电风扇	（万台）	Electric Fans	（10000 sets）	7999.52	9900.96	10108.60
房间空气调节器	（万台）	House Air Conditioners	（10000 sets）	256.79	2130.75	2842.22
排油烟机	（万台）	Smoke Absorbers	（10000 sets）	179.78	80.71	187.79
微波炉	（万台）	Microwave Ovens	（10000 sets）	67.24	2082.38	2235.09
日用精铝制品	（万吨）	Fine Aluminum Products for Daily Use	（10000 tons）	16.64	3.86	5.55
日用陶瓷	（亿件）	Household Ceramics	（100 million pcs）	3.91	18.66	22.91
日用玻璃制品	（万吨）	Daily Use Glassware	（10000 tons）	159.67	80.84	81.94
合成洗涤剂	（万吨）	Synthetic Detergents	（10000 tons）	34.90	80.78	111.81
原盐	（万吨）	Salt	（10000 tons）	25.55	20.70	19.13
机制糖	（万吨）	Sugar	（10000 tons）	107.22	113.97	95.60
卷烟	（万支）	Cigarettes	（10000 units）	157.27	967.54	1018.29
罐头	（万吨）	Canned Food	（10000 tons）	14.06	8.04	10.60
饮料酒（混合量）	（万千升）	Alcoholic Beverages (mixed weight)	（10000 kiloliter）	132.52	230.31	292.01
#白酒（商品量）		Spirits (commodity weight)		34.77	13.13	7.91
啤酒		Beer		93.86	213.79	253.68
乳制品	（万吨）	Dairy Products	（10000 tons）	1.39	2.67	14.13
中成药	（万吨）	Traditional Chinese Patent Medicine	（10000 tons）	8.16	11.26	6.60
化学原料药	（万吨）	Chemical Raw Medicine	（10000 tons）	2.48	1.44	2.02
电视机	（万部）	Television Sets	（10000 units）	882.80	3588.28	4265.98
#彩色电视机		Color TV Sets		763.92	3149.15	3626.13
组合音响	（万部）	Hi-fi Stereo Component System	（10000 units）	2094.09	4121.31	4285.38
照相机	（万架）	Camera	（10000 units）	3277.71	3719.15	3723.10
缝纫机	（万架）	Sewing Machine	（10000 units）	126.92	121.50	177.39
表	（万只）	Watches	（10000 units）	38512.21	13558.62	8464.78
收音机	（万台）	Radios	（10000 sets）	7341.19	4613.95	5232.70
农用化肥	（万吨）	Chemical Fertilizer	（10000 tons）	53.90	18.30	19.62
#氮肥		Nitrogen Fertilizer		35.23	2.18	1.51
磷肥		Phosphate Fertilizer		18.67	16.12	18.11
化学农药	（万吨）	Chemical Pesticide	（10000 tons）	2.02	0.61	1.47
乙烯	（万吨）	Ethylene	（10000 tons）	0.11	56.01	61.09
合成橡胶	（万吨）	Synthetic Rubber	（10000 tons）	5.30	5.32	7.39
轮胎外胎	（万条）	Tires	（10000 pieces）	755.15	592.53	701.51
交流电动机	（万千瓦）	Alternating Current Motors	（10000 kw）	399.67	247.53	349.28
汽车	（万辆）	Motor Vehicles	（10000 units）	2.64	18.89	27.66
#载货汽车		Trucks		0.33	0.40	0.55
客车		Buses		0.74	0.15	0.47
轿车		Cars		1.12	18.33	26.65

12-25 **续表** continued

产品名称	Item	1995	2003	2004
摩托车 （万辆）	Motorcycles （10000 units）	82. 29	276. 60	380. 99
自行车 （万辆）	Bicycles （10000 units）	744. 86	1701. 37	1650. 34
小型拖拉机 （万台）	Mini tractors （10000 units）	4. 60	1. 50	1. 74
内燃机 （万千瓦）	Internal Combustion Engine （10000 kw）	114. 00	42. 58	52. 44
移动通信设备 （万部）	Mobile Communication Equipment （10000 units）	541. 81	117. 05	77. 05
电话单机 （万部）	Telephone Sets （10000 units）	8141. 80	10727. 03	12296. 08
传真机 （万部）	Fax Machines （10000 units）	130. 07	216. 00	412. 36
磁带(折 6. 30 毫米) （亿米）	Tapes (converted into 6. 30 mm) （100 million m）	479. 79	36. 25	
微型电子计算机 （万部）	Micro-computers （10000 units）	41. 67	845. 23	1218. 41
半导体集成电路 （亿块）	Semiconductor Integrated Circuit （100 million pieces）	44. 62	31. 23	46. 95
原煤 （万吨）	Coal （10000 tons）	1069. 38	202. 34	219. 35
原油 （万吨）	Crude Oil （10000 tons）	650. 97	2060. 45	1467. 47
汽油 （万吨）	Gasoline （10001 tons）	286. 47	371. 44	400. 36
柴油 （万吨）	Diesel Oil （10000 tons）	377. 36	716. 37	866. 50
天然气 （亿立方米）	Natural Gas （100 million cu. m）	1. 03	26. 88	43. 54
发电量 （亿千瓦小时）	Electricity （100 million kwh）	821. 06	1783. 80	2022. 53
#水电	Hydropower	131. 10	114. 97	99. 84
生铁 （万吨）	Pig Iron （10000 tons）	140. 95	348. 80	409. 42
钢 （万吨）	Steel （10000 tons）	207. 44	595. 89	717. 47
成品钢材 （万吨）	Rolled Steel Products （10000 tons）	247. 26	788. 69	1141. 68
焦炭 （万吨）	Coke （10000 tons）	54. 47	56. 06	90. 72
水泥 （万吨）	Cement （10000 tons）	5317. 92	6872. 67	7785. 23
平板玻璃 （万重量箱）	Plate Glass （10000 wt. cases）	854. 78	739. 32	965. 06
硫酸 （万吨）	Sulphuric Acid （10000 tons）	111. 58	142. 89	160. 53
纯碱 （万吨）	Soda Ash （10000 tons）	13. 61	28. 81	29. 08
烧碱 （万吨）	Caustic Soda （10000 tons）	15. 97	19. 73	21. 21
合成氨 （万吨）	Synthetic Ammonia （10000 tons）	52. 61	5. 43	4. 43

注:1. 纱包括纯棉纱、棉混纺纱、纯化纤纱,不包括棉线、代用纤维纱和手工纺纱。
2. 布包括纯棉布、棉混纺布、纯化纤布,不包括代用纤维布、手工织布。
3. 卷烟 1995 年计量单位为万箱。
4. 农用化肥按有效成分 102% 计算。
5. 发电设备指 500 千瓦以上的,包括水轮发电机组、汽轮发电机和燃气轮发电机。
6. 原煤包括无烟煤、烟煤、褐煤,不包括石煤。
7. 原油包括天然原油和人造原油,1995 年不包括人造原油。
8. 成品钢材已剔除重复加工的钢材。
9. 1998 年以后统计范围为规模以上工业,1998 年以前为全社会数。

Note: a) Yarn includes pure and blended cotton yarn, pure chemical fiber yarn, but excludes cotton thread, substitute fiber yarn and hand made yarn.
b) Cloth includes pure and blended cotton cloth, pure chemical fiber cloth and canvas, but excludes substitute fiber cloth, hand woven cloth and cord fabric.
c) Cigarettes of 1995 were calculated by ten thousand cases as measurement unit.
d) The output of chemical fertilizers is calculated on the basis of 100 per cent effective content equivalent.
e) Power generating equipment refers to units with a generating capacity of 500 kw and above, including hydro-turbine generating units, steam turbine generating units and gas turbine generating units.
f) Crude coal includes anthracite, bituminous coal and lignite, but excludes stone coal.
g) Crude oil includes natural and synthetic crude oil. But the synthetic crude oil was excluded in 1995.
h) The output of rolled steel products excludes the steel products reprocessed.
i) Since 1998, the statistical coverage in this table has referred to the industrial enterprises above designated size, whereas it covered the whole society before 1998.

12-26　重点企业集团主要经济指标(2004 年)

单位:万元

项　　目	Item	单位数(个) Number of Enterprise Groups (unit)	年末资产合计 Total Assets at the Year-end	固定资产原价 Original Value of Fixed Assets	累计折旧 Depreciation of Fixed Assets
总　计	**Total**	**137**	**138800820**	**82530350**	**24020476**
按集团审批部门分	**Grouped by Examination and Approval Department**				
国务院主管部门	Responsible Department with the State Council	14	36494750	29115503	8231403
省级人民政府	Provincial People's Government	64	74257896	41631859	11687923
省级人民政府主管部门	Responsible Department with the Provincial People's Government	14	4319121	1953714	573374
其他	Others	45	23729053	9829274	3527776
按母公司控股情况分	**Grouped by Shares Held by Parent Company**				
国有及国有控股小计	State-owned Enterprises and Joint-ownership Enterprises	112	124943047	77813654	22472044
国有绝对控股	Shares Absolutely Held by State	98	117070775	75218076	21570839
国有相对控股	Shares Relatively Held by State	14	7872272	2595578	901205
集体及集体控股小计	Collective-owned and Collective-holding Enterprises	7	2657181	1018887	286220
集体绝对控股	Shares Absolutely Held by Collective	5	1138750	331673	126887
集体相对控股	Shares Relatively Held by Collective	2	1518431	687214	159333
其他	Others	18	11200592	3697809	1262212
按集团主营行业类别分	**Grouped by Sector of Main Business**				
第一产业合计	Primary Industry	2	1260847	701727	163362
农、林、牧、渔业	Farming, Forestry, Animal Husbandry and Fishery	2	1260847	701727	163362
第二产业合计	Secondary Industry	91	110758448	68470266	21267600
工业小计	Industry	83	104973353	66963088	20829198
制造业	Manufacturing	71	45058247	17122343	5778060
电力、煤气及水的生产和供应业	Production and Supply of Electric Power, Gas and Tap Water	12	59915106	49840745	15051138
建筑业	Construction	8	5785095	1507178	438402
第三产业合计	Tertiary Industry	44	26781525	13358357	2589514
交通运输、仓储和邮政业	Transport, Storage and Postal Services	9	15884296	10011539	1596014
批发和零售业	Wholesale and Retail Trade	15	4801202	1547773	417800
住宿和餐饮业	Hotels and Catering Services	1	60704	28427	22070
房地产业	Real Estate	14	4681953	1127124	316959
其他合计	Others	5	1353370	643494	236671
租赁和商务服务业	Leasing and Business Services	5	1353370	643494	236671
按母公司登记注册类型分	**Grouped by Ownership of Parent Company**				
国有企业	State-owned Enterprises	31	27162767	17121258	4752050
公司制企业小计	Incorporated Enterprises	103	109383148	64947388	19120550
国有独资公司	Companies Exclusively Funded by State	46	71611458	47368707	12959900
其他有限责任公司	Other Limited Liability Companies	24	20207328	11247908	3896089
股份有限公司	Share-holding Companies	28	15533127	5027243	1621274
中外合资企业	Sino-foreign Joint Ventures	4	1549911	1022249	473369
港澳台合资企业	Joint Ventures with Hong Kong, Macao and Taiwan	1	481324	281281	169918
其他	Others	3	2254905	461704	147876

MAIN ECONOMIC INDICATORS OF KEY ENTERPRISE GROUPS(2004)

(10000 yuan)

本年折旧 Depreciation in Current Year	累计对外投资 Cumulative Foreign Investment	本年对外投资 Foreign Investment in Current Year	存货 Inventory	流动资产年平均余额 Annual Average Balance of Circulating Funds	应收帐款 Debts Receivable	年末负债合计 Total Liabilities at the Year-end	流动负债 Liquid Liabilities	年末股东(所有者)权益总计 Total Shareholders′(Creditors′) Equity at the Year-end	股本(实收资本) Stock Capital (Total Capital Hold)	投资收益 Investment Revenue
3880343	**5705618**	**629067**	**12198492**	**53344008**	**8740445**	**79309582**	**49979233**	**59491238**	**23890561**	**703602**
1461699	445312	41117	1530579	9900022	1326746	22699745	10442374	13795005	7133384	10716
1866700	3964808	396417	6610709	28773931	4670146	41237378	26742841	33020518	12335426	348228
75807	111664	17197	398722	1959107	429431	2641685	2035397	1677436	753568	9622
476137	1183834	174336	3658482	12710948	2314122	12730774	10758621	10998279	3668183	335036
3656966	5402604	536262	9548713	46677914	6847461	70673768	42560621	54269279	22449351	645211
3485594	5202367	503295	7613770	41500202	5651967	65636321	38229476	51434454	21588739	642852
171372	200237	32967	1934943	5177712	1195494	5037447	4331145	2834825	860612	2359
35819	125162	15074	381122	1312884	229047	1916381	1518749	740800	323704	7111
16407	30672	6326	128923	714019	95119	896319	780353	242431	188964	435
19412	94490	8748	252199	598865	133928	1020062	738396	498369	134740	6676
187558	177852	77731	2268657	5353210	1663937	6719433	5899863	4481159	1117506	51280
21658	108598		109564	507910	50231	710652	544945	550195	208272	3395
21658	108598		109564	507910	50231	710652	544945	550195	208272	3395
3435653	3590973	470216	9341348	43376423	7468975	62155943	39396027	48602505	19296181	465044
3382221	2309728	422142	8692796	40725643	6886081	58591327	36544726	46382026	18848411	413750
878022	1683947	274961	7629236	25169764	5585213	27549879	24089342	17508368	5478471	306746
2504199	625781	147181	1063560	15555879	1300868	31041448	12455384	28873658	13369940	107004
53432	1281245	48074	648552	2650780	582894	3564616	2851301	2220479	447770	51294
423032	2006047	158851	2747580	9459675	1221239	16442987	10038261	10338538	4386108	235163
321483	1039913	112861	559730	3022538	341256	8750727	3046504	7133569	2539823	173553
40044	343637	12945	548679	3046463	553209	3474372	3233762	1326830	664323	19166
938			15353	44101	5644	25435	11629	35269	420	414
36663	434294	7111	1466009	3169877	231368	3520748	3176929	1161205	820764	24592
23904	188203	25934	157809	176696	89762	671705	569437	681665	360778	17438
23904	188203	25934	157809	176696	89762	671705	569437	681665	360778	17438
754857	1801739	27017	1309604	9528294	1154600	14625803	10281138	12536964	6923124	79138
3097434	3871716	596396	10223826	42171270	7408771	62988926	38086877	46394222	16896077	617243
2129870	2696281	404699	3858825	23250214	3165581	40680756	21782374	30930702	12811589	415441
613841	493179	64318	2841315	8857818	1805646	12391911	7747098	7815417	1937969	63872
294182	541722	56486	3339393	8988530	2309750	8878937	7584697	6654190	1805039	138712
44825	45819	12444	86725	765304	115308	612544	564289	937367	316406	-44
14716	94715	58449	97568	309404	12486	424778	408419	56546	25074	-738
28052	32163	5654	665062	1644444	177074	1694853	1611218	560052	71360	7221

12-26 **续表**

单位:万元

项　　目	Item	营业收入 Business Revenue	主营业务收入 Main Business Revenue	主营业务成本 Main Business Cost	主营业务税金及附加 Tax and Extra Charges of Main Business	其他业务收入 Other Business Revenue	营业外收入 Nonbusiness Revenue
总　　计	**Total**	**98199968**	**95659670**	**80589326**	**918753**	**2540298**	**309876**
按集团审批部门分	**Grouped by Examination and Approval Department**						
国务院主管部门	Responsible Department with the State Council	22469574	22281395	19971070	134638	188179	47734
省级人民政府	Provincial People's Government	55865077	54689306	46723105	591699	1175771	160716
省级人民政府主管部门	Responsible Department with the Provincial People's Government	2580450	2534429	2051900	56940	46021	8513
其他	Others	17284867	16154540	11843251	135476	1130327	92913
按母公司控股情况分	**Grouped by Shares Held by Parent Company**						
国有及国有控股小计	State-owned Enterprises and Joint-ownership Enterprises	83703368	81317093	69584309	832962	2386275	296299
国有绝对控股	Shares Absolutely Held by State	75330169	73216401	62796960	796695	2113768	283103
国有相对控股	Shares Relatively Held by State	8373199	8100692	6787349	36267	272507	13196
集体及集体控股小计	Collective-owned and Collective-holding Enterprises	2118536	2089049	1863840	7232	29487	2664
集体绝对控股	Shares Absolutely Held by Collective	642154	626726	539648	2841	15428	1923
集体相对控股	Shares Relatively Held by Collective	1476382	1462323	1324192	4391	14059	741
其他	Others	12378064	12253528	9141177	78559	124536	10913
按集团主营行业类别分	**Grouped by Sector of Main Business**						
第一产业合计	Primary Industry	494805	489324	418281	3154	5481	2222
农、林、牧、渔业	Farming, Forestry, Animal Husbandry and Fishery	494805	489324	418281	3154	5481	2222
第二产业合计	Secondary Industry	83664136	81481095	68690428	659687	2183041	216822
工业小计	Industry	79947384	77910512	65502995	591105	2036872	207041
制造业	Manufacturing	45790118	43934700	35166736	409205	1855418	122508
电力、煤气及水的生产和供应业	Electric Power, Gas and Water Production and Supply	34157266	33975812	30336259	181900	181454	84533
建筑业	Construction	3716752	3570583	3187433	68582	146169	9781
第三产业合计	Tertiary Industry	14041027	13689251	11480617	255912	351776	90832
交通运输、仓储和邮政业	Transport, Storage and Postal Services	2741501	2613794	1688681	159192	127707	11294
批发和零售业	Wholesale and Retail Trade	8609349	8425158	7745860	14974	184191	51234
住宿和餐饮业	Hotels and Catering Services	51421	51360	13485	2400	61	140
房地产业	Real Estate	1720901	1693738	1252054	68500	27163	14558
其他合计	Others	917855	905201	780537	10846	12654	13606
租赁和商务服务业	Leasing and Business Services	917855	905201	780537	10846	12654	13606
按母公司登记注册类型分	**Grouped by Ownership of Parent Company**						
国有企业	State-owned Enterprises	20587210	20244553	18401214	214096	342657	56896
公司制企业小计	Incorporated Enterprises	75186898	73776856	60821877	698385	1410042	252272
国有独资公司	Companies Exclusively Funded by State	43532046	42636753	36632336	501741	895293	203521
其他有限责任公司	Other Limited Liability Companies	15279359	15078018	11542743	62313	201341	24308
股份有限公司	Share-holding Companies	14720599	14421582	11305981	82891	299017	20740
中外合资企业	Sino-foreign Joint Ventures	1489731	1477499	1223762	50680	12232	2688
港澳台合资企业	Joint Ventures with Hong Kong, Macao and Taiwan	165163	163004	117055	760	2159	1015
其他	Others	2425860	1638261	1366235	6272	787599	708

(10000 yuan)

新产品销售收入 Sales Revenue of New Products	存货跌价损失和营业、管理、财务等费用合计 Total Loss of Stock due to Drop in Price and Expenses on Operation, Management and Finance				利润总额 Total Profits	应交所得税 Income Tax Payable	应缴增值税 Value Added Payable	固定资产投资完成额 Completed Investment in Fixed Assets	研究开发费用 Expenditure on Research and Development
		#税金 Taxes	劳动、待业保险费 Expenses on Labor and Unemployed Insurance	利息支出 Interest Expenditure					
13195145	**9699205**	**156708**	**414118**	**1643314**	**4943441**	**1217677**	**3018789**	**11527490**	**1265003**
241936	1586190	26439	104269	611092	717041	272132	920962	3537880	55381
8668202	4830527	73302	183520	775652	2758531	693956	1505931	6453059	499197
211873	306204	6690	19972	40566	154462	37867	59604	399856	21972
4073134	2976284	50277	106357	216004	1313407	213722	532292	1136695	688453
10330910	7526457	143753	401897	1501704	3984520	1081234	2583518	10755275	690896
6017503	6361267	127721	386485	1432969	3818989	1042014	2428927	10513730	466894
4313407	1165190	16032	15412	68735	165531	39220	154591	241545	224002
553881	181626	782	1650	22760	53332	11715	32590	257644	57265
79711	78531	357	1423	7454	11928	4375	15670	101803	5140
474170	103095	425	227	15306	41404	7340	16920	155841	52125
2310354	1991122	12173	10571	118850	905589	124728	402681	514571	516842
	74048	785	14696	17880	14010	140	8392	28054	188
	74048	785	14696	17880	14010	140	8392	28054	188
13183443	7946565	112246	292344	1243247	4346814	1061265	2943739	8744464	1261640
13183443	7670959	106253	266014	1188605	4245850	1048522	2911171	8466726	1258186
13183443	6117019	60490	152994	451386	2215786	371013	1193170	1845561	1224796
	1553940	45763	113020	737219	2030064	677509	1718001	6621165	33390
	275606	5993	26330	54642	100964	12743	32568	277738	3454
11702	1678592	43677	107078	382187	582617	156272	66658	2754972	3175
	614483	3402	46811	232125	397959	92889	14644	2350810	1421
11702	571759	15031	34313	56386	103985	32586	35350	41629	1315
	24585	83	1756	335	7459	2729	346	434	
	359486	13635	13559	84529	47447	21267	5218	358886	346
	108279	11526	10639	8812	25767	6801	11100	3213	93
	108279	11526	10639	8812	25767	6801	11100	3213	93
226003	1356352	16775	84489	269472	391389	308021	602599	2685205	23455
12417007	8079414	137840	329518	1358251	4510819	898279	2367447	8668106	1229037
2583251	3400590	98146	256690	881700	2554237	603671	1518860	6833717	137485
3103629	2228612	24016	16746	335051	1263598	194202	564794	1134425	589822
6063403	2190731	13734	48854	124691	704629	85720	237491	649638	472327
666724	145447	1451	7106	3207	65166	13429	38050	39278	29389
	114034	493	122	13602	-76811	1257	8252	11048	14
552135	263439	2093	111	15591	41233	11377	48743	174179	12511

12-27 重点企业集团财务指标
FINANCIAL INDICATORS OF KEY ENTERPRISE GROUPS

单位：万元 (10000 yuan)

指　　标	Item	2003	2004
企业集团单位总数	Total Number of Enterprise Groups	137	137
年末资产总计	Total Assets at the Year-end	127046669	138800820
固定资产原价	Original Value of Fixed Assets	70403464	82530350
累计折旧	Cumulative Depreciation	20927010	24020476
#本年折旧	Depreciation in Current Year	3421979	3880343
累计对外投资	Cumulative Foreign Investment	6440492	5705618
#本年对外投资	Foreign Investment in Current Year	1634967	629067
存货	Inventory	10746829	12198492
流动资产年平均余额	Annual Average Balance of Circulating Funds	50560263	53344008
应收帐款	Debts Receivable	7506484	8740445
年末负债合计	Total Liabilities at the Year-end	71603700	79309582
流动负债	Liquid Liabilities	43939297	49979233
年末少数股东权益	Minority of Creditors Equity at the Year-end	9020577	10013335
年末股东（所有者）权益合计	Total Shareholders (Creditors) Equity at the Year-end	46422392	49477903
股本（实收资本）	Capital Stock (Total Capital Hold)	23490181	23890561
主营业务收入	Revenue of Main Business	77761640	95659670
# 主营业务成本	Costs of Main Business	65730966	80589326
主营业务税金及附加	Taxes and Extra Charges	758087	918753
其他业务收入	Other Business Revenue	2093789	2540298
新产品销售收入	Sales Revenue of New Products	11636001	13195145
出口销售总额	Total Export Sales	12002765	15898630
存货跌价损失和营业、管理、财务等费用合计	Total Losses of Stock due to Drop in Price and Expenses on Operation, Management and Finance	8427088	9699205
# 税金	Taxes	147467	156708
劳动、待业保险费	Expenses on Labor and Unemployed Insurance	389355	414118
# 利息支出	Interest Expenditure	1554954	1643314
投资收益	Investment Revenue	709899	703602
营业外收入	Nonbusiness Revenue	322707	309876
利润总额	Total Profits	4338251	4943441
应交所得税	Income Tax Payable	922568	1217677
应缴增值税	Value Added Tax Payable	2658565	3018789
固定资产投资完成额	Completed Investment in Fixed Assets	8532654	11527490
研究开发费用	Expenditure on Research and Development	939910	1265003

12-28 重点企业集团劳动工资及主营业务指标
WAGES AND MAIN BUSINESS INDICATORS OF KEY ENTERPRISE GROUPS

指　　标	Item	2003	2004
年末从业人员（人）	Number of Employed Persons at the Year-end (person)	1173967	1253782
# 在岗职工	Fully Employed Staff and Workers	1104417	1169117
其他从业人员	Others	69550	84665
研究开发人员	Persons Engaged in Research and Development	37874	42419
从业人员劳动报酬（万元）	Earnings of Employed Persons (10000 yuan)	3446512	4014507
# 在岗职工	Fully Employed Staff and Workers	3353175	3894417
其他从业人员	Others	93337	120090
研究开发人员劳动报酬	Earnings of Persons Engaged in Research and Development	270520	329256
主营业务指标	**Main Business**		
农林牧渔业总产值（现价）（万元）	Total Value of Farming, Forestry, Animal Husbandry and Fishery (at current prices) (10000 yuan)	397248	403664
采矿业工业总产值（现价）（万元）	Total Value of Mining and Quarrying Industry (at current prices) (10000 yuan)	23502	74852
制造业工业总产值（现价）（万元）	Total Value of Manufacturing Industry (at current prices) (10000 yuan)	32407751	39869608
电力、煤气及水的生产和供应业工业总产值（现价）（万元）	Total Value of Electric Power, Gas and Water Production and Supply (at current prices) (10000 yuan)	27719498	32937360
建筑业总产值（现价）（万元）	Total Value of Construction (at current prices) (10000 yuan)	3058085	3534115
交通运输业	Transport		
货运量（万吨）	Freight Traffic (10000 tons)	86394	120884
客运量（万人）	Passenger Traffic (10000 persons)	64269	69614
批发零售业商品销售总额（万元）	Total Sales of Commodities by Wholesale and Retail Trade (10000 yuan)	12780957	14252182
外贸企业	Foreign Trade Enterprises		
进出口总额（万美元）	Total Exports and Imports (USD 10000)	726818	755456
#出口额（万美元）	Exports (USD 10000)	477455	487666

注：按 137 户企业集团汇总。
Note: The data refer to the tabulation of 137 enterprise groups.

12-29 重点企业主要经济指标（2004 年）

单位：万元

项　　目	Item	单位数（个）Number of Enterprises (unit)	注册资本金合计 Total Registered Capital	年末资产合计 Total Assets at the Year-end	固定资产原价 Original Value of Fixed Assets	累计折旧 Depreciation of Fixed Assets
总计	**Total**	**156**	**14991505**	**87825340**	**59982851**	**17282886**
按控股情况分	**Grouped by Shares Held**					
国有绝对控股	Shares Absolutely Held by State	105	13589114	75798370	55738858	15605552
国有相对控股	Shares Relatively Held by State	16	923553	5541934	1925105	663154
集体绝对控股	Shares Absolutely Held by Collective	2	42228	1966260	325448	110111
集体相对控股	Shares Relatively Held by Collective	4	14920	50930	38805	18171
其他	Others	29	421690	4467846	1954635	885898
按企业规模分	**Grouped by Size of Enterprises**					
大型	Large	66	13544910	81836461	57310658	16243108
中型	Medium	59	972878	4377132	2374721	970902
小型	Small	24	137688	488642	225296	43037
其他	Others	7	336029	1123105	72176	25839
按主营行业分	**Grouped by Sector of Main Business**					
采掘业	Mining and Quarrying	2	64681	155880	122320	55696
制造业	Manufacturing	92	2927505	23286750	10020738	3783084
电力、煤气及水的生产和供应业	Production and Supply of Electric power, Gas and Water	6	7588598	43475314	37470354	10250015
建筑业	Construction	7	164083	1174479	109402	48088
交通运输、仓储和邮政业	Transport and Postal Services	7	3085806	12276954	11192340	2879720
批发和零售业	Wholesale and Retail Trade	27	377563	2789038	832501	195826
住宿和餐饮业	Hotels and Catering Services	3	10352	29702	15948	5055
房地产业	Real Estate Trade	3	107693	533443	77206	22821
租赁和商务服务业	Leasing and Business Services	9	665224	4103780	142042	42581
按登记注册类型分	**Grouped by Registration Ownership**					
国有企业	State-owned Enterprises	38	3885197	20225602	12907961	3455509
国有独资企业	Companies Exclusively Funded by State	27	7299681	41376365	34061459	9281435
其他有限责任公司	Other Limited Liability Companies	39	2004272	12134682	8404845	2747269
股份有限公司	Share-holding Companies	43	1531224	11201037	3591301	1374712
中外合资企业	Sino-foreign Joint Ventures	2	31006	103196	85294	40705
港澳台合资企业	Joint Ventures with Hong Kong, Macao and Taiwan	3	194586	804042	600784	270150
其他	Others	4	45539	1980416	331207	113106
国家重点企业	**Key State Enterprise Groups**	**49**	**12800481**	**77013208**	**55670320**	**15695992**

MAIN ECONOMIC INDICATORS OF KEY ENTERPRISES (2004)

(10000 yuan)

本年折旧 Deprecia-tion in Current Year	存货 Inventory	累计对外投资 Cumulative Foreign Investment	#本年对外投资 Foreign Investment in Current Year	流动资产年平均余额 Annual Average Balance of Circulating Funds	应收帐款 Debts Receivable	年末负债合计 Total Liabilities at the Year-end	流动负债 Liquid Liabilities	年末股东（所有者）权益合计 Total Shareholders´ (Creditors´) Equity at the Year-end	股本（实收资本）Capital St-ock (Total Capital Hold)	投资收益 Investment Revenue	营业外收入 Nonbusi-ness Revenue
2716983	**6093013**	**3900042**	**844982**	**29361719**	**3843619**	**47861705**	**29261240**	**39963635**	**23242861**	**418325**	**137767**
2484273	3300773	3524527	700956	23112133	2520399	40374987	22481992	35423383	21824946	334421	129321
70729	1365002	105801	60636	2301375	717195	2891792	2522165	2650142	967060	49146	2323
18346	586662	32163	5654	1542852	169931	1540823	1507931	425437	32964	7221	656
3885	7057			18856	10408	25574	12740	25356	13207	51	55
139750	833519	237551	77736	2386503	425686	3028529	2736412	1439317	404684	27486	5412
2591236	5638770	3369387	745655	26740065	3366109	44658674	26674030	37177787	21601116	341591	108051
117365	430927	394894	40000	1848273	383625	2393590	1865890	1983542	1113856	43830	26469
5397	20743	70775		195724	58072	256737	226891	231905	209889	2421	3138
2985	2573	64986	59327	577657	35813	552704	494429	570401	318000	30483	109
5623	14230	1522		73880	18123	72295	71384	83585	64681	－24	607
456107	4496235	919340	157194	12254551	2406890	13924948	11752694	9361802	3758059	254007	51974
1867713	626112	589513	38607	10520106	705354	24141801	9548025	19333513	11502926	39090	48721
6841	197457	178876	8523	796073	163868	921354	812888	253125	161488	4572	407
351686	146162	616476	133797	2137803	231674	4084040	2648744	8192914	6457709	12963	16772
22529	331295	119759	16835	1743650	236830	2145828	1988287	643210	426728	13283	16131
555	230	1342		9590	268	17956	17924	11746	10068	－216	14
1878	281272	24023	1309	418370	11855	365224	292676	168219	98929	4412	169
4051	20	1449191	488717	1407696	68757	2188259	2128618	1915521	762273	90238	2972
424557	1116717	2030938	603674	5895376	726106	9040876	7260702	11184726	7400762	115901	40461
1683191	771473	880305	54567	11000773	769715	23022060	11011551	18354305	11740110	49022	67740
401304	1186491	475754	42398	4202316	576289	7707609	3672449	4427073	1451544	66628	14784
151571	2287639	384160	77994	6289059	1519445	5933869	5344389	5267168	2388577	179520	10102
4056	13965			47524	9327	50177	44777	53019	31007		76
33841	124565	96722	60695	372337	72361	556667	410098	247375	194586	33	3938
18463	592163	32163	5654	1554334	170376	1550447	1517274	429969	36275	7221	666
2537042	**4036889**	**3324819**	**783231**	**23317973**	**2988598**	**40592854**	**23023878**	**36420354**	**21158962**	**367803**	**96320**

12-29 续表

单位：万元

项　目	Item	营业收入 Business Revenue	主营业务收入 Main Business Revenue	新产品销售收入 Sales Revenue of New Products	出口销售总额 Total Export Sales	主营业务成本 Main Business Cost
总计	**Total**	**58788453**	**57172891**	**4986699**	**7995730**	**50117983**
按控股情况分	**Grouped by Shares Held**					
国有绝对控股	Shares Absolutely Held by State	46947076	46267123	2349623	3329247	41060671
国有相对控股	Shares Relatively Held by State	5662937	5566439	1506721	2859292	4737448
集体绝对控股	Shares Absolutely Held by Collective	2291779	1504975	552135	242145	1252441
集体相对控股	Shares Relatively Held by Collective	41710	41710	7100	11759	33965
其他	Others	3844951	3792644	571120	1553287	3033458
按企业规模分	**Grouped by Size of Enterprises**					
大型	Large	55845298	54296922	4867117	7656706	47608191
中型	Medium	2451652	2393407	119351	327261	2042790
小型	Small	100304	93819	231	11763	84666
其他	Others	391199	388743			382336
按主营行业分	**Grouped by Sector of Main Business**					
采掘业	Mining and Quarrying	73240	72317		703	41574
制造业	Manufacturing	20476919	19348170	4980481	6565486	15445392
电力、煤气及水的生产和供应业	Production and Supply of Electric Power, Gas and Water	28196128	28141033	6218	320298	26182189
建筑业	Construction	662577	648906			591142
交通运输、仓储和邮政业	Transport and Postal Services	3679676	3415431		1246	2701617
批发和零售业	Wholesale and Retail Trade	5152950	5036028		1107997	4705516
住宿和餐饮业	Hotels and Catering Services	9622	9500			2740
房地产业	Real Estate Trade	115353	113693			65827
租赁和商务服务业	Leasing and Business Services	421988	387813			381986
按登记注册类型分	**Grouped by Registration Ownership**					
国有企业	State-owned Enterprises	9855828	9367864	169612	1063909	7934003
国有独资企业	Companies Exclusively Funded by State	29362644	29261327	121654	184088	27435599
其他有限责任公司	Other Limited Liability Companies	5826226	5749584	712210	2013430	4701190
股份有限公司	Share-holding Companies	11009674	10848841	3431088	4444671	8440578
中外合资企业	Sino-foreign Joint Ventures	71745	72702		22898	68314
港澳台合资企业	Joint Ventures with Hong Kong, Macao and Taiwan	354505	351612		24521	270781
其他	Others	2307831	1520961	552135	242213	1267518
国家重点企业	**Key State Enterprise Groups**	**50736563**	**50001766**	**4163037**	**6298104**	**43910783**

12-29 continued

(10000 yuan)

主营业务税金及附加 Main Business Tax and Extra Charges	其他业务收入 Other Business Revenue	存货跌价损失和营业、管理、财务等费用合计 Total Loss of Stock due to Drop in Price and Expenses on Operation, Management and Finance	税金 Taxes	劳动、待业保险费 Expenses on Labor and Unemployed Insurance	利息支出 Interest Expenditure	利润总额 Total Profits	应交所得税 Income Tax Payable	应缴增值税 Value Added Tax Payable	固定资产投资完成额 Completed Investment in Fixed Assets	研究开发费用 Expenditure on Research and Development
588432	**1615562**	**4362717**	**53424**	**267855**	**959694**	**2199770**	**666545**	**1849798**	**2457646**	**583164**
556178	679953	3023990	45975	247660	849134	1726781	629420	1615674	2257848	375102
7863	96498	542046	4651	12294	50479	349516	9872	84780	52395	87133
4617	786804	249850			11929	45328	9876	45804	89823	12056
213		4828	128	417	791	3175	516	895	2400	2413
19561	52307	542003	2670	7484	47361	74970	16861	102645	55180	106460
564668	1548376	4027742	46776	239861	895311	2075239	645133	1782964	2326733	526818
21998	58245	300432	5754	24945	52173	100505	21148	65610	122529	12444
1509	6485	16495	545	2644	1538	944	232	1224	7712	41
257	2456	18048	349	405	10672	23082	32		672	43861
1028	923	23726	76	1702	574	4010	2500	6223	3997	161
307133	1128749	2487658	19050	63957	236565	1034576	152955	506663	855644	505914
152016	55095	864629	16191	81943	568887	1002711	449140	1302837	211407	31523
17461	13671	42687	450	5767	3373	8496	4006	456	4564	
97933	264245	508468	10663	96028	66737	58179	36775	7152	1368264	847
7764	116922	325643	5749	16298	34224	37677	19066	25730	13013	608
452	122	6659	159	481	575	-468		54	60	
4452	1660	41382	743	804	10123	5446	2103	683		250
193	34175	61865	343	875	38636	49143			697	43861
338765	487964	947536	17370	105452	172417	284280	93675	145657	1418655	9354
164594	101317	748707	17323	94708	415549	895943	437908	1252594	330599	79377
43975	76642	800478	7546	24022	250694	403685	69262	218460	474147	114411
35624	160833	1503848	10176	39216	89372	604931	52723	166855	117622	367828
	-957	5441	141	349	1124	-2759	263	2747	250	
810	2893	106121	863	4076	18559	-31780	2812	17298	26274	133
4664	786870	250586	5	32	11979	45470	9902	46187	90099	12061
534735	**734797**	**3466869**	**42184**	**221698**	**833989**	**2043014**	**610801**	**1712970**	**2215570**	**548476**

12-30 重点企业财务指标

FINANCIAL INDICTORS OF KEY ENTERPRISES

单位：万元　　　　(10000 yuan)

指　　标	Item	2003	2004
单位个数	Number of Enterprises	156	156
年末资产总计	Total Assets at the Year-end	80057072	87825340
固定资产原价	Original Value of Fixed Assets	53128707	59982851
累计折旧	Cumulative Depreciation	14901846	17282886
# 本年折旧	Depreciation in Current Year	2467615	2716983
累计对外投资	Cumulative Foreign Investment	3993862	3900042
# 本年对外投资	Foreign Investment in Current Year	689768	844982
存货	Inventory	5149912	6093013
流动资产年平均余额	Annual Average Balance of Circulating Funds	29444338	29361719
应收帐款	Debts Receivable	3683627	3843619
年末负债合计	Total Liabilities at the Year-end	43109503	47861705
流动负债	Liquid Liabilities	26192650	29261240
年末股东（所有者）权益合计	Total Shareholders Creditors Equity at Year-end	36947569	39963635
股本（实收资本）	Capital Stock（ Total Capital Hold）	21532567	23242861
营业收入	Business Revenue	48567233	58788453
主营业务收入	Revenue of Main Business	46895931	57172891
# 出口销售总额	Total Export Sales	6145353	7995730
# 主营业务成本	Costs of Main Business	41691947	50117983
主营业务税金及附加	Tax and Extra Charges	522332	588432
其他业务收入	Other Business Revenue	1671302	1615562
新产品销售收入	Sales Revenue of New Products	4134548	4986699
存货跌价损失和营业、管理、财务等费用合计	Total Losses of Stock due to Drop in Price and Expenses on Operation, Management and Finance	4013115	4362717
# 税金	Taxes	49580	53424
劳动、待业保险费	Expenses on Labor and Unemployed Insurance	237713	267855
# 利息支出	Interest Expenditure	949865	959694
投资收益	Investment Revenue	258763	418325
营业外收入	Nonbusiness Revenue	153029	137767
利润总额	Total Profits	1409788	2199770
应交所得税	Income Tax Payable	430404	666545
应缴增值税	Value Added Tax Payable	1613034	1849798
固定资产投资完成额	Completed Investment in Fixed Assets	1322405	2457646
研究开发费用	Expenditure on Research and Development	390041	583164

注：重点企业数据是对广东省156家重点企业跟踪监测调查所得

Note: The data of key enterprises are obtained on the basis of the tracking monitoring survey of 156 key enterprises establishing modern enterprise system.

12-31 重点企业劳动工资和主营业务指标
WAGES AND MAIN BUSINESS INDICATORS OF KEY ENTERPRISES

指　　标		Item		2003	2004
单位数	（个）	Number of Enterprises	(unit)	156	156
年末从业人员	（人）	Number of Employed Persons at the Year-end	(person)	719943	723900
# 在岗职工		Fully Employed Staff and Workers		696027	699691
其他从业人员		Others		23916	24209
从业人员劳动报酬	（万元）	Earnings of Employed Persons	(10000 yuan)	2207435	2528237
# 在岗职工		Fully Employed Staff and Workers		2179013	2497236
其他从业人员		Others		28422	31001
主营业务指标		**Main Business**			
采掘业工业总产值（现价）	（万元）	Total Value of Mining and Quarrying Industry (at current prices)	(10000 yuan)	45718	70779
制造业工业总产值（现价）	（万元）	Total Value of Manufacturing Industry (at current prices)	(10000 yuan)	16043797	22699548
电力、煤气及水的生产和供应业工业总产值（现价）	（万元）	Total Value of Electric Power, Gas and Water Production and Supply (at current prices)	(10000 yuan)	23074882	27972055
建筑业总产值（现价）	（万元）	Total Value of Construction (at current prices)	(10000 yuan)	610626	633219
交通运输业		Transport			
货运量	（万吨）	Freight Traffic	(10000 tons)	28858	34254
客运量	（万人）	Passenger Traffic	(10000 persons)	12006	13825
批发零售贸易业商品销售总额	（万元）	Total Sales of Commodities by Wholesale and Retail Trade	(10000 yuan)	4765450	5541193
外贸企业		Foreign Trade Enterprises			
进出口总额	（万美元）	Total Exports and Imports	(USD 10000)	165983	170810
# 出口额	（万美元）	Exports	(USD 10000)	126511	128227

12-32 企业家信心指数（2004年）
ENTREPRENEURS' CONFIDENCE INDEX (2004)

项目	Item	一季度 1st Quarter	二季度 2nd Quarter	三季度 3rd Quarter	四季度 4th Quarter
总指数	**Total Index**	**138.38**	**135.03**	**138.12**	**136.61**
按行业分	**Grouped by Sector**				
工业	Industry	139.11	134.45	138.58	137.66
#采掘业	Mining and Dressing	164.87	137.03	160.56	179.15
制造业	Manufacturing	139.31	135.30	134.33	136.96
电力、煤气及水的生产与供应业	Production and Supply of Electric Power, Gas and Water	139.96	132.42	160.42	144.23
建筑业	Construction	124.89	125.77	118.56	120.87
交通运输、仓储及邮政业	Transport, Storage and Postal Services	131.61	123.02	130.17	129.60
批发和零售业	Wholesale and Retail Trade	133.88	129.30	135.56	126.66
房地产业	Real Estate	149.35	145.02	141.68	145.68
社会服务业	Social Services	130.51	138.03	142.21	132.65
信息传输、计算机服务和软件业	Data Transmission, Computer Services and Software	165.25	161.31	164.35	161.02
住宿和餐饮业	Hotels and Catering Services	116.80	120.61	124.76	127.56
按企业登记注册类型分	**Grouped by Registration Ownership**				
国有企业	State-owned Enterprises	133.09	126.59	133.93	133.19
集体企业	Collective-owned Enterprises	116.36	115.89	112.85	110.92
股份合作企业	Cooperative Enterprises	115.48	103.94	121.81	124.48
联营企业	Joint Ownership Enterprises	105.00	90.00	100.00	90.00
有限责任公司	Limited Liability Companies	136.50	133.07	143.19	133.44
股份有限公司	Share-holding Companies	156.95	154.79	154.56	151.62
私营企业	Private Enterprises	129.75	129.09	129.26	124.60
外商及港、澳、台投资企业	Enterprises Funded by Foreigners or Investors from Hong Kong, Macao and Taiwan	142.48	138.27	136.34	141.61
按企业规模分	**Grouped by Size of Enterprises**				
总大型	Total Large	157.35	152.15	162.51	157.74
#特大型	Extraordinary Large	137.62	149.68	179.12	139.92
大型	Large	162.68	152.82	158.02	162.57
中小型	Small and Medium	126.50	123.23	123.46	122.71
#中型	Medium	133.02	129.49	128.16	128.56
小型	Small	118.36	115.43	117.56	115.32
特殊分组	**Special Group**				
国家重点企业	Key State Enterprises	153.44	148.82	175.80	149.77
乡镇企业	Township Enterprises	132.96	125.80	131.09	125.11
上市企业	Listed Enterprises	161.46	160.48	161.54	163.47
国有控股企业	State-holding Enterprises	139.18	132.90	143.06	137.38

注：企业的景气指数是由广东省企业调查队对全省3037家企业的企业家定期进行问卷调查得出的数（下同）。

Note: The business climate index is the index compiled on the basis of regular questionnaires of 3037enterprises surveyed by Guangdong Enterprise Survey Organization of the National Bureau of Statistics. The same as in the following tables.

12-33 企业景气指数（2004 年）
BUSINESS CLIMATE INDEX (2004)

项　目	Item	一季度 1st Quarter	二季度 2nd Quarter	三季度 3rd Quarter	四季度 4th Quarter
总指数	**Total Index**	**134.42**	**139.40**	**138.94**	**139.75**
按行业分	**Grouped by Sector**				
工业	Industry	133.29	142.84	140.30	142.43
# 采掘业	Mining and Dressing	157.72	164.87	157.72	186.30
制造业	Manufacturing	133.73	140.58	138.08	139.74
电力、煤气及水的生产与供应业	Production and Supply of Electric Power, Gas and Water	131.84	150.64	151.22	149.49
建筑业	Construction	119.63	118.08	122.45	124.29
交通运输、仓储及邮政业	Transport, Storage and Postal Services	136.02	128.34	127.12	123.59
批发和零售业	Wholesale and Retail Trade	137.60	137.48	134.45	137.11
房地产业	Real Estate	137.87	138.70	137.30	136.51
社会服务业	Social Services	125.07	135.05	146.34	133.68
信息传输、计算机服务和软件业	Data Transmission, Computer Services and Software	167.91	160.49	166.71	167.35
住宿和餐饮业	Hotels and Catering Services	116.45	120.56	118.93	125.89
按企业登记注册类型分	**Grouped by Registration Ownership**				
国有企业	State-owned Enterprises	133.58	131.36	130.21	138.06
集体企业	Collective-owned Enterprises	113.09	109.79	109.50	109.93
股份合作企业	Cooperative Enterprises	114.85	122.03	95.84	108.68
联营企业	Joint Ownership Enterprises	75.00	85.00	100.00	100.00
有限责任公司	Limited Liability Companies	131.72	141.16	141.95	143.17
股份有限公司	Share-holding Companies	156.09	160.44	156.19	149.54
私营企业	Private Enterprises	123.26	115.53	123.33	119.88
外商及港、澳、台投资企业	Enterprises Funded by Foreigners or Investors from Hong Kong, Macao and Taiwan	137.99	146.09	144.56	144.97
按企业规模分	**Grouped Size of by Enterprises**				
总大型	Total Large	159.23	171.30	169.15	169.76
# 特大型	Extraordinary Large	147.16	187.52	186.47	172.42
大型	Large	162.49	166.91	164.46	169.04
中小型	Small and Medium	120.09	120.92	120.50	121.64
# 中型	Medium	126.64	128.83	128.16	128.56
小型	Small	111.93	111.07	110.87	112.91
特殊分组	**Special Group**				
国家重点企业	Key State Enterprises	153.52	182.75	178.13	165.33
乡镇企业	Township Enterprises	120.91	126.70	123.80	129.22
上市企业	Listed Enterprises	164.27	174.28	164.04	154.92
国有控股企业	State-holding Enterprises	138.64	142.72	139.76	142.24

12-34 主要行业大类企业家信心指数(2004年)
ENTREPRENEURS' CONFIDENCE INDEX BY MAJOR SECTORS (2004)

指　　标	Item	一季度 1st Quarter	二季度 2nd Quarter	三季度 3rd Quarter	四季度 4th Quarter
工业	**Industry**				
农副食品加工业	Farm and Sideline Food Processing	123.50	133.07	140.17	124.36
食品制造业	Food Manufacturing	133.22	122.31	141.17	135.09
饮料制造业	Beverage Manufacturing	149.17	160.27	156.46	143.07
纺织业	Textile Industry	107.93	111.38	137.79	114.81
纺织服装、鞋、帽制造业	Textile Garments, Footwear and Headgear Manufacturing	121.29	133.69	135.65	124.07
皮革、毛皮、羽绒及其制品业	Feather, Furs, Down and Related Products	140.47	156.85	142.31	145.52
造纸及纸制品业	Papermaking and Paper Products	125.80	113.76	127.58	130.88
印刷业、记录媒介的复制	Printing and Record Medium Reproduction	144.10	141.66	135.78	143.10
文教体育用品制造业	Cultural, Educational and Sports Goods	149.02	142.47	145.32	134.40
化学原料及化学制品制造业	Raw Chemical Materials and Chemical Products	115.29	117.47	120.16	102.88
医药制造业	Medical and Pharmaceutical Products	163.23	138.72	142.79	121.45
塑料制品业	Plastic Products	126.77	123.52	99.06	105.41
非金属矿物制品业	Nonmetal Mineral Products	135.96	138.85	111.39	137.51
金属制品业	Metal Products	137.91	154.41	150.78	154.91
通用设备制造业	General Purposes Equipment Manufacturing	123.05	127.32	129.44	119.89
专用设备制造业	Special Purposes Equipment Manufacturing	137.33	115.67	110.91	120.28
交通运输设备制造业	Transport Equipment Manufacturing	146.04	103.98	105.45	118.38
电气机械及器材制造业	Electric Equipment and Machinery	142.02	139.63	140.66	146.05
通信设备、计算机及其它电子设备制造业	Telecommunications, Computers and Other Electronic Equipment Manufacturing	145.10	145.65	139.97	144.85
仪器仪表及文化、办公用机械制造业	Instruments, Meters, Cultural and Office Machinery	152.92	158.45	158.45	150.57
电力、热力的生产和供应业	Production and Supply of Electric Power and Heating Power	144.51	134.71	162.52	149.49
建筑业	**Construction**				
房屋和土木工程建筑业	Building and Civil Engineering Construction	122.64	123.77	116.72	117.42
交通运输、仓储及邮政业	**Transport, Storage and Postal Services**				
道路运输业	Road Transport	113.23	91.71	106.37	102.15
城市公共交通业	Urban Public Traffic	134.27	111.22	104.93	109.51
水上运输业	Waterway Transport	130.72	139.07	134.64	130.01
邮政业	Postal Services	137.53	148.44	157.33	165.00
批发和零售业	**Wholesale and Retail Trade**				
批发业	Wholesale	128.85	125.87	131.71	122.38
零售业	Retail Trade	147.96	138.29	143.83	144.42
房地产业	**Real Estate**	149.35	145.02	141.68	145.68
社会服务业	**Social Services**				
商务服务业	Business Services	131.63	138.59	140.74	134.25
信息传输和计算机服务及软件业	**Data Transmission, Computer Services and Software**				
信息传输业	Data Transmission	168.32	165.81	168.14	163.00
软件业	Software	151.46	142.77	155.17	157.29
住宿和餐饮业	**Hotels and Catering Services**				
住宿业	Hotels	115.43	119.55	121.33	130.25
餐饮业	Catering Services	118.94	122.04	129.55	123.95

12-35 主要行业大类企业景气指数（2004 年）
BUSINESS CLIMATE INDEX BY MAJOR SECTORS (2004)

项　目	Item	一季度 1st Quarter	二季度 2nd Quarter	三季度 3rd Quarter	四季度 4th Quarter
工业	**Industry**				
农副食品加工业	Farm and Sideline Food Processing	109.19	116.05	123.08	124.95
食品制造业	Food Manufacturing	162.97	153.53	159.30	162.30
饮料制造业	Beverage Manufacturing	156.65	161.30	161.65	141.88
纺织业	Textile Industry	104.18	109.67	121.79	108.31
纺织服装、鞋、帽制造业	Textile Garments, Footwear and Headgear Manufacturing	118.29	143.03	133.57	134.14
皮革、毛皮、羽绒及其制品业	Feather, Furs, Down and Related Products	127.28	138.09	136.06	141.29
造纸及纸制品业	Papermaking and Paper Products	114.08	119.79	143.39	126.63
印刷业、记录媒介的复制	Printing and Record Medium Reproduction	128.76	130.93	110.31	137.22
文教体育用品制造业	Cultural, Educational and Sports Goods	136.36	142.13	144.98	133.54
化学原料及化学制品制造业	Raw Chemical Materials and Chemical Products	134.40	143.30	148.00	139.02
医药制造业	Medical and Pharmaceutical Products	153.06	132.59	116.27	137.61
塑料制品业	Plastic Products	136.40	139.88	117.45	118.14
非金属矿物制品业	Nonmetal Mineral Products	116.36	137.94	117.98	145.09
金属制品业	Metal Products	122.68	147.55	152.76	149.06
通用设备制造业	General Purposes Equipment Manufacturing	108.08	107.74	120.06	112.28
专用设备制造业	Special Purposes Equipment Manufacturing	122.28	126.02	101.55	117.15
交通运输设备制造业	Transport Equipment Manufacturing	148.68	131.95	133.77	144.58
电气机械及器材制造业	Electric Equipment and Machinery	148.62	145.80	138.04	139.90
通信设备、计算机及其它电子设备制造业	Telecommunications, Computers and Other Electronic Equipment Manufacturing	134.50	150.83	148.15	142.73
仪器仪表及文化、办公制造业	Instruments, Meters, Cultural and Office Machinery	129.24	145.49	137.85	147.75
电力、热力的生产和供应业	Production and Supply of Electric Power and Heating Power	134.45	155.85	152.12	154.31
建筑业	**Construction**				
房屋和土木工程建筑业	Building and Civil Engineering Construction	117.09	116.24	120.07	120.71
交通运输、仓储及邮政业	**Transport, Storage and Postal Services**				
道路运输业	Road Transport	117.70	104.41	104.36	98.71
城市公共交通业	Urban Public Traffic	137.79	118.12	90.13	111.83
水上运输业	Waterway Transport	127.21	125.79	136.40	132.89
邮政业	Postal Services	170.54	162.53	162.33	178.89
批发和零售业	**Wholesale and Retail Trade**				
批发业	Wholesale	135.26	133.43	131.71	134.86
零售业	Retail Trade	144.05	145.82	142.05	139.55
房地产业	**Real Estate**	137.87	138.70	137.30	136.51
社会服务业	**Social Services**				
商务服务业	Business Services	125.90	134.01	149.93	136.12
信息传输和计算机服务及软件业	**Data Transmission, Computer Services and Software**				
信息传输业	Data Transmission	175.16	172.59	179.37	175.75
软件业	Software	146.51	113.14	120.55	136.72
住宿和餐饮业	**Hotels and Catering Services**				
住宿业	Hotels	112.44	119.22	114.68	132.12
餐饮业	Catering Services	121.92	122.19	125.06	116.62

12-36 各行业企业景气指数（2004 年）
BUSINESS CLIMATE INDEX BY SECTOR (2004)

指　　标	Item	一季度 1st Quarter	二季度 2nd Quarter	三季度 3rd Quarter	四季度 4th Quarter
总指数	**Total Index**	**134.42**	**139.40**	**138.94**	**139.75**
工业	**Industry**				
企业综合生产经营	Comprehensive Production and Management	133.29	142.84	140.30	142.43
生产成本	Production Cost	66.24	63.46	64.26	77.08
生产总量	Total Output	115.20	137.41	127.40	118.99
产品订货	Product Order	119.30	130.38	128.43	122.94
# 国外订货	Overseas Order	114.03	122.26	122.62	117.33
产品销售量	Product Sales	106.71	138.07	130.12	120.80
产品销售价格	Product Sales Price	90.30	88.50	96.63	97.09
产成品库存	Finished Product Inventories	125.13	121.15	123.75	127.47
税后利润	After-tax Profits	91.87	121.75	120.12	123.28
流动资金	Circulating Funds	114.02	110.15	106.65	109.73
企业融资	Corporate Financing	104.89	102.23	107.31	104.15
货款拖欠	Delinquent Loans	112.97	106.92	102.36	107.35
劳动力需求	Demand for Labor Force	111.68	120.82	117.04	117.00
固定资产投资	Investment in Fixed Assets	117.27	123.67	118.06	118.71
科技创新	Scientific and Technologic Innovation	199.99	121.57	118.10	117.61
主要原材料及能源购进价格	Purchasing Price of Main Raw Materials and Energies	51.78	58.71	53.26	52.49
主要原材料及能源供应	Supply of Main Raw Materials and Energies	113.05	111.14	111.26	118.58
建筑业	**Construction**				
企业综合生产经营	Comprehensive Production and Management	119.63	118.08	122.45	124.29
工程合同	Number of Contracts Signed	92.12	112.74	100.91	110.92
# 国（境）外合同	Overseas Contracts	87.48	89.37	92.03	93.05
建筑工程量	Volume of Construction Projects	83.59	130.37	116.30	119.61
新开工工程量	Volume of Newly-started Construction	95.29	119.53	104.37	108.04
技术设备能力	Capacity of Technology and Equipment	143.60	143.21	150.87	149.29
工程进度	Progress of Project	118.75	135.57	133.25	143.52
工程结算收入	Revenue of Project Settlement Accounts	84.52	106.92	109.87	116.27
建筑材料购进价格	Purchasing Price of Construction Materials	31.39	116.86	67.86	65.28
工程结算成本	Cost of Project Settlement Accounts	57.53	80.23	69.06	69.28
税后利润	After-tax Profits	88.13	113.35	109.82	119.14
流动资金	Circulating Funds	68.01	67.74	68.87	67.75
企业融资	Corporate Financing	77.83	75.12	73.90	76.83
工程款拖欠	Default on construction cost	94.54	88.60	90.79	89.97
劳动力需求	Demand for Labor Force	87.63	126.58	114.93	116.36
固定资产投资	Investment in Fixed Assets	86.57	100.73	97.72	99.47
交通运输、仓储及邮政业	**Transport, Storage and Postal Services**				
企业综合生产经营	Comprehensive Production and Management	136.02	128.34	127.12	123.59
业务预订	Business Reservation	127.59	115.55	128.11	100.46
业务量	Business Volume	128.20	117.67	135.63	99.91
业务收费价格	Business Prices	118.67	95.57	106.49	93.27
营业成本	Business Costs	49.07	60.48	46.96	62.92
税后利润	After-tax Profits	112.87	108.77	117.51	98.20
流动资金	Circulating Funds	101.86	98.52	92.84	97.06
企业融资	Corporate Financing	95.22	91.14	97.45	101.50
货款拖欠	Delinquent Loans	96.09	101.31	105.08	109.63
劳动力需求	Demand for Labor Force	108.00	93.34	102.80	103.12
固定资产投资	Investment in Fixed Assets	105.79	113.92	124.98	120.54

12-36 续表 1 continued

指标	Item	一季度 1st Quarter	二季度 2nd Quarter	三季度 3rd Quarter	四季度 4th Quarter
批发和零售贸易业	**Wholesale and Retail Trade**				
企业综合生产经营	Comprehensive Production and Management	137.60	137.48	134.45	137.11
商品购进	Purchase of Commodities	112.72	106.57	108.06	113.91
商品购进价格	Purchasing Price	71.52	71.61	63.99	87.77
商品销售	Sales of Commodities	111.57	120.39	115.37	113.15
# 出口	Exports	85.95	109.91	105.38	108.57
商品销售价格	Selling Price	110.99	108.68	116.55	105.28
商品库存	Inventories	119.31	118.39	119.49	124.14
经营费用	Operating Expenses	82.75	79.95	63.90	72.19
竞争能力	Competitiveness	133.24	135.19	134.50	131.04
税后利润	After-tax Profits	115.71	118.02	123.23	113.58
流动资金	Circulating Funds	111.92	108.54	107.51	103.77
企业融资	Corporate Financing	101.65	101.66	104.60	104.89
货款拖欠	Delinquent Loans	100.11	102.25	110.77	115.80
劳动力需求	Demand for Labor Force	103.05	104.01	99.04	103.74
固定资产投资	Investment in Fixed Assets	96.41	106.09	104.97	99.60
房地产业	**Real Estate**				
企业综合生产经营	Comprehensive Production and Management	137.87	138.70	137.30	136.51
土地开发面积	Land Areas Developed	104.12	100.09	106.25	106.71
完成投资	Investment Completed	105.21	124.08	118.33	120.18
新开工面积	Area of Newly Started Projects	99.25	105.13	100.62	113.68
房屋竣工面积	Floor Space Completed	96.06	102.00	106.20	113.24
商品房预售面积	Floor Space of Commercial Houses Sold in Advance	96.70	115.44	105.74	112.63
商品房销售面积	Floor Space of Commercial Houses Sold	104.99	121.22	111.87	111.14
商品房销售价格	Selling Price of Commercial Houses	109.87	108.43	104.92	115.43
空置商品房面积	Floor Space of Vacant Commercial Houses	153.19	154.56	159.34	153.31
税后利润	After-tax Profits	111.26	115.46	115.46	116.07
流动资金	Circulating Funds	102.52	102.13	102.87	97.06
企业融资	Corporate Financing	94.30	84.49	85.42	81.13
货款拖欠	Delinquent Loans	124.32	127.66	130.39	126.73
劳动力需求	Demand for Labor Force	105.39	106.94	110.09	103.73
固定资产投资	Investment in Fixed Assets	116.58	112.27	114.83	122.74
社会服务业	**Social Services**				
企业综合生产经营	Comprehensive Production and Management	125.07	135.05	146.34	133.68
服务预订	Service Reservation	110.39	117.75	131.82	104.18
竞争能力	Competitiveness	151.59	144.05	140.07	143.93
旅游客源	Tourist Source	123.25	135.63	163.85	106.06
收费服务价格	Price of Pay Service	84.65	82.82	93.40	84.16
业务量	Business Volume	118.95	118.38	129.97	110.31
营业成本	Business Costs	63.17	81.81	72.11	95.66
税后利润	After-tax Profits	95.36	115.42	120.67	94.98
流动资金	Circulating Funds	98.79	98.38	98.63	92.16
企业融资	Corporate Financing	80.54	80.93	78.50	83.86
货款拖欠	Delinquent Loans	101.59	108.58	102.25	117.63
劳动力需求	Demand for Labor Force	108.39	103.44	116.61	85.44
固定资产投资	Investment in Fixed Assets	103.14	99.60	104.41	109.56

12-36 **续表2** continued

指标	Item	一季度 1st Quarter	二季度 2nd Quarter	三季度 3rd Quarter	四季度 4th Quarter
信息传输、计算机服务和软件业	**Data Transmission, Computer Services and Software**				
企业综合生产经营	Comprehensive Production and Management	167.91	160.49	166.71	167.35
产品销售	Product Sales	130.87	131.15	153.88	139.51
产品订货	Product Order	123.87	125.95	124.64	137.54
竞争能力	Competitiveness	164.17	162.67	167.48	166.66
销售价格	Selling Price	63.84	67.61	66.11	70.42
营业收入	Business Revenue	124.21	146.50	136.33	144.26
营业成本	Business Costs	99.19	101.70	72.37	61.91
税后利润	After-tax Profits	128.69	117.21	122.99	133.90
流动资金	Circulating Funds	140.36	135.16	135.65	137.57
企业融资	Corporate Financing	129.90	117.11	108.49	105.80
货款拖欠	Delinquent Loans	104.20	98.45	92.40	93.52
劳动力需求	Demand for Labor Force	120.51	114.17	123.01	115.64
固定资产投资	Investment in Fixed Assets	115.90	135.96	135.20	123.84
住宿和餐饮业	**Hotels and catering Services**				
企业综合生产经营	Comprehensive Production and Management	116.45	120.56	118.93	125.89
业务预订	Business Reservation	91.67	105.20	100.01	126.41
业务量	Business Volume	96.96	111.72	106.15	127.92
竞争能力	Competitiveness	128.21	129.56	129.05	133.64
客房出租	Guest Rooms for Rent	81.75	89.68	92.93	100.90
收费服务价格	Price of Pay Service	83.97	109.56	89.90	101.35
营业收入	Business Revenue	86.99	109.46	104.42	117.14
营业成本	Business Costs	83.98	85.12	63.94	70.39
税后利润	After-tax Profits	92.98	102.58	95.51	108.05
流动资金	Circulating Funds	96.42	100.68	98.48	101.94
企业融资	Corporate Financing	90.69	90.18	87.94	91.63
货款拖欠	Delinquent Loans	106.57	99.46	99.87	99.99
劳动力需求	Demand for Labor Force	105.39	107.16	110.93	109.95
固定资产投资	Investment in Fixed Assets	106.86	112.37	112.08	114.18

12-37 企业宏观经济景气状况
MACRO ECONOMIC CLIMATE SITUATIONS OF ENTERPRISES

指 标	Item	1999	2000	2001	2002	2003	2004
一 季 度	1st Quarter						
乐观	Optimistic	29. 37	40. 81	40. 27	39. 73	40. 18	45. 98
一般	Neither Optimistic Nor Pessimistic	47. 13	47. 87	46. 85	47. 24	50. 00	46. 42
不乐观	Pessimistic	23. 50	11. 32	12. 88	13. 03	9. 82	7. 60
企业家信心指数	Entrepreneurs´Confidence Index	105. 88	129. 49	127. 39	126. 70	130. 35	138. 38
二 季 度	2nd Quarter						
乐观	Optimistic	26. 99	41. 58	39. 33	36. 24	32. 21	43. 02
一般	Neither Optimistic Nor Pessimistic	50. 09	45. 96	46. 24	52. 15	51. 23	48. 97
不乐观	Pessimistic	22. 92	12. 46	14. 43	11. 61	16. 56	8. 00
企业家信心指数	Entrepreneurs´Confidence Index	104. 07	129. 12	124. 91	124. 63	115. 66	135. 03
三 季 度	3rd Quarter						
乐观	Optimistic	28. 37	40. 41	32. 48	33. 20	39. 99	45. 78
一般	Neither Optimistic Nor Pessimistic	49. 54	46. 64	54. 86	54. 21	51. 97	46. 55
不乐观	Pessimistic	22. 09	12. 95	12. 66	12. 59	8. 04	7. 67
企业家信心指数	Entrepreneurs´Confidence Index	106. 28	127. 45	119. 82	120. 61	131. 95	138. 12
四 季 度	4th Quarter						
乐观	Optimistic	30. 44	40. 96	37. 77	35. 81	43. 46	44. 54
一般	Neither Optimistic Nor Pessimistic	52. 16	45. 05	47. 11	53. 95	48. 82	47. 55
不乐观	Pessimistic	17. 40	13. 99	15. 12	10. 24	7. 72	7. 92
企业家信心指数	Entrepreneurs´Confidence Index	113. 04	126. 97	122. 65	125. 57	135. 74	136. 61

12-38 企业综合生产经营状况
COMPREHENSIVE PRODUCTION AND MANAGERMET SITUATIONS OF ENTERPRISES

指 标	Item	1999	2000	2001	2002	2003	2004
一 季 度	1st Quarter						
良好	Improving	37. 88	45. 01	40. 77	38. 39	42. 88	43. 40
一般	Retaining the Same Level	47. 02	37. 43	41. 77	48. 99	45. 70	47. 62
不佳	Worse	15. 10	17. 56	17. 46	12. 62	11. 42	8. 98
企业景气指数	Business Climate Index	122. 77	127. 44	123. 30	125. 77	131. 46	134. 42
二 季 度	2nd Quarter						
良好	Improving	35. 23	40. 84	42. 58	40. 44	38. 54	48. 12
一般	Retaining the Same Level	49. 21	44. 84	42. 12	48. 54	43. 42	43. 15
不佳	Worse	15. 56	14. 32	15. 30	11. 02	18. 04	8. 73
企业景气指数	Business Climate Index	119. 68	126. 52	127. 27	129. 42	120. 50	139. 40
三 季 度	3rd Quarter						
良好	Improving	33. 40	45. 43	40. 87	40. 50	44. 28	47. 97
一般	Retaining the Same Level	51. 40	40. 38	47. 72	48. 80	46. 87	42. 99
不佳	Worse	15. 20	14. 19	11. 41	10. 70	8. 85	9. 03
企业景气指数	Business Climate Index	118. 19	131. 25	129. 46	129. 80	135. 42	138. 94
四 季 度	4th Quarter						
良好	Improving	38. 19	46. 51	41. 00	41. 00	47. 62	48. 82
一般	Retaining the Same Level	48. 40	40. 66	41. 77	48. 52	44. 01	42. 11
不佳	Worse	13. 41	12. 83	17. 23	10. 48	8. 37	9. 07
企业景气指数	Business Climate Index	124. 78	133. 68	123. 78	130. 51	139. 25	139. 75

12-39　全省固定资产净值最大的50家工业企业（2004年）
NET VALUE OF FIXED ASSETS OF THE PROVINCES TOP 50 INDUSTRIAL ENTERPRISES (2004)

序号 Order	企业名称	Name of Enterprises	固定资产净值（万元）Net Value of Fixed Assets (10000 yuan)
1	岭澳核电有限公司	LING'AO NUCLEAR POWER	2421924
2	广东核电合营有限公司	GUANGDONG NUCLEAR POWER JOINT VENTURE CO., LTD.	1493451
3	广东省广电集团有限公司广州供电分公司	GUANGDONG GUANG-DIAN POWER GRID CO., LTD. GUANGZHOU POWER SUPPLY BRANCH	1249877
4	广东省广电集团有限公司佛山供电分公司	GUANGDONG GUANG-DIAN POWER GRID CO., LTD. FOSHAN POWER SUPPLY BRANCH	951495
5	广东省珠海发电厂有限公司	GUANGDONG ZHUHAI POWER STATION	667112
6	广东省广电集团有限公司深圳分公司	GUANGDONG GUANG-DIAN POWER GRID CO., LTD. SHENZHEN POWER SUPPLY BRANCH	618043
7	中国石化股份有限公司茂名分公司	SINOPEC MAOMIN BRANCH	601978
8	华为技术有限公司	HUAWEI TECHNOLOGIES CO., LTD.	580591
9	广东省韶关钢铁集团有限公司	SHAOGUAN IRON & STEEL GROUP LIMITED COMPANY OF GUANGDONG PROVINCE	549703
10	广东省广电集团有限公司东莞供电分公司	GUANGDONG GUANG-DIAN POWER GRID CO., LTD. DONGGUAN POWER SUPPLY BRANCH	527390
11	中海石油（中国）有限公司湛江分公司	CNOOC CHINA LIMITED—ZHANJIANG	526663
12	深圳市水务（集团）有限公司	SHENZHEN WATER (GROUP) CO., LTD.	473100
13	江门电力工业局	JIANGMEN ELECTRIC POWER BUREAU	453724
14	广州珠江钢铁有限责任公司	GUANGZHOU ZHUJIAN STEEL CO., LTD.	448868
15	广东国华粤电台山发电有限公司	GUANGDONG GUOHUA YUEDIAN TAISHAN POWER GENERATION CO., LTD	443104
16	中国石化集团茂名石油化工公司	MAOMING PETROCHEMICAL CORP. OF SINOPEC	437082
17	中国石油化工股份有限公司广州分公司	SINOPEC GUANGZHOU BRANCH	430427
18	深圳赛意法微电子有限公司	SHENZHEN MICROELECTRONICS CO., LTD.	393304
19	广东蓄能发电有限公司	GUANGDONG PUMPED STORAGE POWER STATION JOINT VENTURE CORPORATION	382865
20	广州本田汽车有限公司	GUANGZHOU HONDA AUTOMOBILE CO., LTD.	368650
21	广东广合电力有限公司	GUANGDONG GUANG HOPE ELECTRIC POWER CO., LTD.	349243
22	广东省电力集团有限公司惠州供电分公司	GUANGDONG GUANG-DIAN POWER GRID CO., LTD. HUIZHOU POWER SUPPLY BRANCH	339690
23	广东省广电集团有限公司中山供电分公司	GUANGDONG GUANG-DIAN POWER GRID CO., LTD. ZHONGSHAN POWER SUPPLY BRANCH	335058
24	广州市自来水公司	GUANGZHOU WATER SUPPLY COMPANY	330247
25	广东省开平涤纶企业集团公司	KAI PING POLYESTER ENTERPRISES GROUP CO., LTD. GUANGDONG	290515
26	湛江发电厂	ZHANJIANG POWER PLANT	272224
27	广东省广电集团有限公司珠海供电分公司	GUANGDONG GUANG-DIAN POWER GRID CO., LTD. ZHUHAI POWER SUPPLY BRANCH	264292
28	珠海碧阳化工有限公司	BP ZHUHAI CHEMICAL CO., LTD.	263803
29	深圳市比亚迪实业有限公司	BYD COMPAMG LIMITED	259052
30	华能国际电力股份有限公司广东分公司	HUANENG INTERNATIONAL ELECTRIC POWER DEVELOPMENT CORPORATION GUANGDONG BRANCH	244017
31	广东美的企业集团有限公司	GUANGDONG MD HOLDING CO., LTD.	243731
32	中国石化茂名炼油化工股份有限公司	SINOPEC MAOMING REFINING & CHEMICAL CO., LTD.	242851
33	深圳市西部电力有限公司	SHENZHEN WEST POWER CO., LTD.	226436
34	广州东方电力有限公司	GUANGZHOU ORIENTAL POWER CO., LTD.	217428
35	佛山塑料集团股份有限公司	FOSHAN PLASTICS GROUP CO., LTD.	215736
36	广东科龙电器股份有限公司	GUANGDONG KELON ELECTRICAL HOLDING COMPANY LTD.	205885
37	广州恒运企业集团股份有限公司	GUANGZHOU HENGYUN ENTERPRISES HOLDING LTD.	200721
38	广东省连州粤连电厂有限公司	GUANGDONG LIANZHOU YUELIAN POWER STATION JOINT VENTURE COMPANY LIMITED	174499
39	广东省广电集团有限公司肇庆供电分公司	GUANGDONG GUANG-DIAN POWER GRID CO., LTD. ZHAOQING POWER SUPPLY BRANCH	171467
40	广东省广电集团公司汕头供电分公司	GUANGDONG GUANG-DIAN POWER GRID CO., LTD. SHANTOU POWER SUPPLY BRANCH	165940
41	东莞玖龙纸业有限公司	NINE DRAGONS PAPER INDUSTRIES CO., LTD.	163372
42	广东电力发展股份有限公司沙角发电厂	GUANGDONG ELECTRIC POWER DEVELOPMENT CO., LTD.	159729
43	广东亨达利水泥厂有限公司	YUNFU HENGDALI CEMENT PRODUCTS CO., LTD.	154494
44	广东省清远电力工业局	GUANGDONG QINGYUAN ELECTRIC POWER BUREAU	145267
45	深圳市中兴通讯股份有限公司	ZHONGXING COMMUNICATION EQUIPMENT CO., LTD.	143607
46	广东省广电集团有限公司茂名供电分公司	GUANGDONG GUANG-DIAN POWER GRID CO., LTD. MAOMIN POWER SUPPLY BRANCH	142412
47	佛山市沙口发电厂有限公司	FOSHAN SHAKOU POWER PLANT CO., LTD.	140858
48	东莞理文造纸厂有限公司	DONGGUAN LEE & MAN PAPER FACTORY CO., LTD.	139196
49	广州市煤气公司	GUANGZHOU GAS COMPANY	137469
50	广州宝洁有限公司	PROCTER & GAMBLE (GUANGZHOU) CO., LTD.	137191

12-40 全省工业总产值最大的50家工业企业（2004年）
GROSS OUTPUT VALUE OF THE PROVINCES TOP 50 INDUSTRIAL ENTERPRISES (2004)

序号 Order	企业名称	Name of Enterprises	工业总产值（现价）（万元） Gross Industrial Output Value (at current prices) (10000 yuan)
1	长城国际信息产品（深圳）有限公司	CHANGCHENG INTERNATIONAL INFORMATION PRODUCTS .(SHENZHEN) CO., LTD	4969143
2	广州本田汽车有限公司	GUANGZHOU HONDA AUTOMOBILE CO., LTD.	3258747
3	华为技术有限公司	HUAWEI TECHNOLOGIES CO., LTD.	2658903
4	深圳市中兴通讯股份有限公司	ZHONGXING COMMUNICATION EQUIPMENT CO., LTD.	2438701
5	中海石油（中国）有限公司深圳分公司	CNOOC CHINA LIMITED—SHENZHEN	2416894
6	中国石化茂名炼油化工股份有限公司	SINOPEC MAOMING REFINING & CHEMICAL CO., LTD.	2335469
7	安利（中国）日用品有限公司	ANLI (CHINA) DAILY NECESSITIES CO., LTD.	2268822
8	中国石油化工股份有限公司广州分公司	SINOPEC GUANGZHOU BRANCH	2001661
9	广东美的企业集团有限公司	GUANGDONG MD HOLDING CO., LTD.	1855222
10	中国石化股份有限公司茂名分公司	SINOPEC MAOMIN BRANCH	1747680
11	伟创力实业（珠海）有限公司	FLEXTRONICS INDUSTRIAL (ZHUHAI) CO., LTD.	1662024
12	顺德区顺达电脑厂有限公司	MITAC COMPUTER (SHUNDE) LTD.	1495116
13	东莞诺基亚移动电话有限公司	NOKIA AUTOMOBILE TELEPHONE CO., LTD. DONGGUAN	1472595
14	康佳集团股份有限公司	KONKA GROUP JOINT STOCK CO., LTD.	1447402
15	广州宝洁有限公司	PROCTER & GAMBLE (GUANGZHOU) CO., LTD.	1422748
16	富泰宏精密工业有限公司	SHENZHEN FUTAIHONG PRECISION INDUSTRIAL CO., LTD.	1403871
17	珠海格力电器股份有限公司	GREE ELECTRIC APPLIANCES INCORPORATED CO. OF ZHUHAI	1365396
18	深圳创维－RGB电子有限公司	SHENZHEN CHUANG WEI RGB ELECTRONIC CO., LTD.	1304134
19	广东科龙电器股份有限公司	GUANGDONG KELON ELECTRICAL HOLDING COMPANY LTD.	1234239
20	乐金电子（惠州）有限公司	LG ELECTRONICS (HUIZHOU) INC.	1227824
21	东风汽车有限公司乘用车公司	DONGFENG NISSAN PASSENGER VEHICLE LOMPANY	1138778
22	中海石油（中国）有限公司湛江分公司	CNOOC (CHINA) LIMITED—ZHANJIANG	1100193
23	恩斯迈电子（深圳）有限公司	MSI COMPUTER (SHENZHEN) CO., LTD.	1084726
24	建兴光电科技（广州）有限公司	LITEON OPTO TECHNOLOGY (GUANGZHOU) CO., LTD.	1083525
25	广东省韶关钢铁集团有限公司	SHAOGUAN IRON & STEEL GROUP LIMITED COMPANY OF GUANGDONG PROVINCE	1061882
26	广东格兰仕企业（集团）公司	GALANZ ELECTRIC APPLIANCE FACTORY CO., LTD. GUANGDONG	1041318
27	东风本田发动机有限公司	DONGFENG HONDA ENGINE CO., LTD.	1009635
28	伟创力科技（珠海）有限公司	FLEXTRONICS TECHNOLOGY (ZHUHAI) CO., LTD.	875379
29	鑫茂科技（深圳）有限公司	PC PRO TECHNOLOGY (SHENZHEN) CO., LTD.	804978
30	TCL王牌电器（惠州）有限公司	TCL ELECTRIC APPLIANCE HOLDING COMPANY LIMITED	788566
31	佳能珠海有限公司	CANON ZHUHAI INC.	783659
32	广州珠江钢铁有限责任公司	GUANGZHOU ZHUJIAN STEEL CO., LTD.	716889
33	深圳三星科健移动通信技术有限公司	SHENZHEN SAMSUNG KEJIAN MOBILE TELECOMMUNICATION TECHNOLOGY CO., LTD.	708338
34	广东核电合营有限公司	GUANGDONG NUCLEAR POWER JOINT VENTURE CO., LTD.	695725
35	深圳开发科技股份有限公司	SHENZHEN KAIFA TECHNOLOGY JOINT STOCK CO., LTD.	676500
36	广州卷烟二厂	GUANGZHOU NO. 2 CIGARETTE FACTORY	670625
37	深圳南方中集集装箱制造有限公司	SHENZHEN SOUTHERN CIMC CONTAINERS MANUFACTURE CO., LTD.	661067
38	深圳市比亚迪实业有限公司	BYD COMPAMG LIMITED	648337
39	爱普生技术深圳有限公司	EPSON ENGINEERING (SHENZHEN) COMPANY LIMITED	638741
40	江门市大长江集团有限公司	JIANGMEN GREAT CHANGJIANG GROUP CO., LTD.	577683
41	深圳三星视界有限公司	SHENZHEN SANXING SDI CO., LTD.	568552
42	东莞三星视界有限公司	GUANGDONG SANXING SDI CO., LTD.	564564
43	湛江东兴石油企业有限公司	ZHANJIANG DONGXING OIL ENTERPRISE CO., LTD.	545371
44	环旭电子（深圳）有限公司	USI ELECTRONICS (SHENZHEN) CO., LTD.	535725
45	伟创力电脑（珠海）有限公司	FLEXTRONICS COMPUTER (ZHUHAI) CO., LTD.	533197
46	飞利浦桑达消费通信（深圳）有限公司	SHENZHEN SANG FEI CONSUMER COMMUNICATIONS CO., LTD.	531647
47	宏基电脑（中山）有限公司	WISTRON INFOCOMM (ZHONGSHAN) CORPORATION	527644
48	佛山普立华科技有限公司	PREMIER CAMERA (CHINA) LIMITED	507933
49	岭澳核电有限公司	LINGAO NUCLEAR POWER	503810
50	佳能中山办公设备有限公司	CANON ZHONGSHAN BUSINESS MACHINES CO., LTD.	502641

12-41 全省产品销售收入最大的50家工业企业（2004年）

SALES REVENUE OF THE PROVINCES TOP 50 INDUSTRIAL ENTERPRISES (2004)

序号 Order	企业名称	Name of Enterprises	产品销售收入（万元） Sales Revenue (10000 yuan)
1	长城国际信息产品（深圳）有限公司	CHANGCHENG INTERNATIONAL INFORMATION PRODUCTS (SHENZHEN) CO., LTD.	4671664
2	广州本田汽车有限公司	GUANGZHOU HONDA AUTOMOBILE CO., LTD.	3181766
3	华为技术有限公司	HUAWEI TECHNOLOGIES CO., LTD.	2844139
4	中国石化茂名炼油化工股份有限公司	SINOPEC MAOMING REFINING & CHEMICAL CO., LTD.	2301543
5	深圳市中兴通讯股份有限公司	ZHONGXING COMMUNICATION EQUIPMENT CO., LTD.	2283286
6	广东美的企业集团有限公司	GUANGDONG MD HOLDING CO., LTD.	2259674
7	广东省广电集团有限公司东莞供电分公司	GUANGDONG GUANG-DIAN POWER GRID CO., LTD. DONGGUAN POWER SUPPLY BRANCH	2007758
8	中国石油化工股份有限公司广州分公司	SINOPEC GUANGZHOU BRANCH	1997042
9	广东省广电集团有限公司广州供电分公司	GUANGDONG GUANG-DIAN POWER GRID CO., LTD. GUANGZHOU POWER SUPPLY BRANCH	1881175
10	广东省广电集团有限公司（深圳分公司）	GUANGDONG GUANG-DIAN POWER GRID CO., LTD. (SHENZHEN POWER SUPPLY BRANCH)	1753364
11	安利（中国）日用品有限公司	ANLI (CHINA) DAILY NECESSITIES CO., LTD.	1728290
12	伟创力实业（珠海）有限公司	FLEXTRONICS INDUSTRIAL (ZHUHAI) CO., LTD.	1712024
13	中国石化股份有限公司茂名分公司	SINOPEC MAOMIN BRANCH	1710671
14	广东省广电集团有限公司佛山供电分公司	GUANGZHOU GUANG-DIAN POWER GRID CO., LTD. FOSHANG POWER SUPPLY BRANCH	1557758
15	广州宝洁有限公司	PROCTER & GAMBLE (GUANGZHOU) CO., LTD.	1471861
16	东莞诺基亚移动电话有限公司	NOKIA AUTOMOBILE TELEPHONE CO., LTD. DONGGUAN	1451150
17	顺德区顺达电脑厂有限公司	MITAC COMPUTER (SHUNDE) LTD.	1440614
18	富泰宏精密工业有限公司	SHENZHEN FUTAIHONG PRECISION INDUSTRIAL CO., LTD.	1416496
19	康佳集团股份有限公司	KONKA GROUP JOINT STOCK CO., LTD.	1298871
20	珠海格力电器股份有限公司	GREE ELECTRIC APPLIANCES INCORPORATED CO. OF ZHUHAI	1294521
21	乐金电子（惠州）有限公司	LG ELECTRONICS (HUIZHOU) INC.	1213450
22	深圳创维-RGB电子有限公司	SHENZHEN CHUANG WEI RGB ELECTRONIC CO., LTD.	1151935
23	中海石油（中国）有限公司深圳分公司	CNOOC CHINA LIMITED—SHENZHEN	1121915
24	建兴光电科技（广州）有限公司	LITEON OPTO TECHNOLOGY (GUANGZHOU) CO., LTD.	1072187
25	东风汽车有限公司乘用车公司	DONGFENG NISSAN PASSENGER VEHICLE LOMPANY	1071372
26	广东格兰仕企业（集团）公司	GALANZ ELECTRIC APPLIANCE FACTORY CO., LTD. GUANGDONG	1034610
27	广东省韶关钢铁集团有限公司	SHAOGUAN IRON & STEEL GROUP LIMITED COMPANY OF GUANGDONG PROVINCE	1033694
28	恩斯迈电子（深圳）有限公司	MSI COMPUTER (SHENZHEN) CO., LTD.	1014988
29	东风本田发动机有限公司	DONGFENG HONDA ENGINE CO., LTD.	1000941
30	广东科龙电器股份有限公司	GUANGDONG KELON ELECTRICAL HOLDING COMPANY LTD.	988903
31	广州钢铁股份有限公司	GUANGZHOU IRON AND STEEL (GROUP) CO., LTD.	961857
32	中海石油（中国）有限公司湛江分公司	CNOOC (CHINA) LIMITED—ZHANJIANG	805965
33	佳能珠海有限公司	CANON ZHUHAI INC.	801021
34	TCL王牌电器（惠州）有限公司	TCL ELECTRIC APPLIANCE HOLDING COMPANY LIMITED	767265
35	鑫茂科技（深圳）有限公司	PC PRO TECHNOLOGY (SHENZHEN) CO., LTD.	756045
36	广东核电合营有限公司	GUANGDONG NUCLEAR POWER JOINT VENTURE CO., LTD.	723607
37	广州珠江钢铁有限责任公司	GUANGZHOU ZHUJIAN STEEL CO., LTD.	716658
38	伟创力科技（珠海）有限公司	FLEXTRONICS TECHNOLOGY (ZHUHAI) CO., LTD.	715707
39	深圳三星科健移动通信技术有限公司	SHENZHEN SAMSUNG KEJIAN MOBILE TELECOMMUNICATION TECHNOLOGY CO., LTD.	708113
40	深圳开发科技股份有限公司	SHENZHEN KAIFA TECHNOLOGY JOINT STOCK CO., LTD.	694947
41	广州卷烟二厂	GUANGZHOU NO. 2 CIGARETTE FACTORY	672516
42	深圳南方中集集装箱制造有限公司	SHENZHEN SOUTHERN CIMC CONTAINERS MANUFACTURE CO., LTD.	661067
43	爱普生技术深圳有限公司	EPSON ENGINEERING (SHENZHEN) COMPANY LIMITED	638741
44	东莞三星视界有限公司	DONGGUAN SANXING SDI CO., LTD.	633782
45	深圳市比亚迪实业有限公司	BYD COMPAMG LIMITED	607351
46	江门市大长江集团有限公司	JIANGMEN GREAT CHANGJIANG GROUP CO., LTD.	577683
47	广东省广电集团有限公司中山供电分公司	GUANGDONG GUANG-DIAN POWER GRID CO., LTD. ZHONGSHAN POWER SUPPLY BRANCH	576425
48	深圳三星视界有限公司	SHENZHEN SANXING SDI CO., LTD.	568557
49	湛江东兴石油企业有限公司	ZHANJIANG DONGXING OIL ENTERPRISE CO., LTD.	534121
50	唯冠科技（深圳）有限公司	PROVIEW TECHNOLOGY (SHENZHEN) CO., LTD.	529245

主要统计指标解释

工业 指从事自然资源的开采，对采掘品和农产品进行加工和再加工的物质生产部门。具体包括：(1) 对自然资源的开采，如采矿、晒盐、森林采伐等（但不包括禽兽捕猎和水产捕捞）；(2) 对农副产品的加工、再加工，如粮油加工、食品加工、轧花、缫丝、纺织、制革等；(3) 对采掘品的加工、再加工，如炼铁、炼钢、化工生产、石油加工、机器制造、木材加工等，以及电力、自来水、煤气的生产和供应等；(4) 对工业品的修理、翻新，如机器设备的修理、交通运输工具（包括小卧车）的修理等。

1984 年以前农村的村及村以下办工业归属农业，1984 年以后划归工业。

工业统计调查单位 工业统计调查单位为分两类：独立核算法人工业企业和工业生产活动单位。

(1) 独立核算法人工业企业 是指从事工业生产经营活动的单位。独立核算法人工业企业应同时具备以下条件：①依法成立，有自己的名称、组织机构和场所，能够承担民事责任；②独立拥有和使用资产，承担负债，有权与其他单位签订合同；③独立核算盈亏，并能够编制资产负债表。

(2) 工业生产活动单位 是指在一个场所从事一种或主要从事一种工业生产活动的经济单位。它包括独立核算工业企业按主营业务活动（即工业生产活动）划分的主营业务活动单位和非工业企业所属的工业生产活动单位（即原非独立核算工业生产单位）。工业生产活动单位，一般应同时具备以下三个条件：①具有一个场所，从事一种或主要从事一种工业活动；②单独组织工业生产、经营或业务活动；③单独核算收入和支出。

本年鉴中涉及的企业登记注册类型：

(1) 国有及国有控股企业 指国有企业加上国有控股企业。国有企业（即过去的全民所有制工业或国营工业）是指企业全部资产归国家所有，并按《中华人民共和国企业法人登记管理条例》规定登记注册的非公司制的经济组织。包括国有企业、国有独资公司和国有联营企业。1957 年以前的公私合营和私营工业，后均改造为国营工业，1992 年改为国有工业，这部分工业的资料不单独分列时，均包括在国有企业内。国有控股企业是对混合所有制经济的企业进行的“国有控股”分类。它是指这些企业的全部资产中国有资产（股份）相对其他所有者中的任何一个所有者占资（股）最多的企业。该分组反映了国有经济控股情况。

(2) 集体企业 指企业资产归集体所有，并按《中华人民共和国企业法人登记管理条例》规定登记注册的经济组织。是社会主义公有制经济的组成部分。包括城乡所有使用集体投资举办的企业，以及部分个人通过集资自愿放弃所有权并依法经工商行政管理机关认定为集体所有制的企业。

(3) 股份有限公司 指根据《中华人民共和国企业法人登记管理条例》规定登记注册，其全部注册资本由等额股份构成并通过发行股票筹集资本，股东以其认购的股份对公司承担有限责任，公司以其全部资产对其债务承担责任的经济组织。

(4) 港、澳、台商投资企业 指企业注册登记类型中的港澳台、合资、合作、独资经营企业和股份有限公司之和。

(5) 外商投资企业 指企业注册登记类型中的中外合资、合作经营企业、外资企业和外商投资股份有限公司之和。

(6) 本年鉴中涉及的名为“其他”的企业 均指除国有企业、集体企业、个体经营以外的其他类型工业企业（单位）。包括联营企业、私营企业、股份有限公司、有限责任公司；外商投资企业（中外合资经营、中外合作经营、外资企业），港、澳、台投资企业（与大陆合资经营、与大陆合作经营、港、澳、台独资企业）及其他企业。

轻工业 指主要提供生活消费品和制作手工工具的工业。按其所使用的原料不同，可分为两大类：(1) 以农产品为原料的轻工业，是指直接或间接以农产品为基本原料的轻工业。主要包括食品制造、饮料制造、烟草加工、纺织、缝纫、皮革和毛皮制作、造纸以及印刷等工业；(2) 以非农产品为原料的轻工业，是指以工业品为原料的轻工业。主要包括文教体育用品、化学药品制造、合成纤维制造、日用化学制品、日用玻璃制品、日用金属制品、手工工具制造、医疗器械制造、文化和办公用机械制造等工业。

重工业 是指为国民经济各部门提供物质技术基础的主要生产资料的工业。按其生产性质和产品用途，可分为下列三类：(1) 采掘（伐）工业，是指对自然资源的开采，包括石油开采、煤炭开采、金属矿开采、非金属矿开采和木材采伐等工业；(2) 原材料工业，指向国民经济各部门提供基本材料、动力和燃料的工业。包括金属冶炼及加工、炼焦及焦炭化学、化工原料、水泥、人造板以及电力、石油和煤炭加工等工业；(3) 加工工业，是指对工业原材料进行再加工制造的工业。包括装备国民经济各部门的机械设备制造工业、金属结构、水泥制品等工业，以及为农业提供的生产资料如化肥、农药等工业。

根据上述划分原则，修理业中以重工业产品为修理作业对象的划为重工业，反之划为轻工业。

工业总产值 是以货币表现的工业企业在一定时期内生产的已出售或可供出售工业产品总量，它反映一定时间内工业生产的总规模和总水平。它包括：在本企业内不再进行加工，经检验、包装入库（规定不需包装的产品除外）的成品价值，对外加工费收入，自制半成品、在产品期末期初差额价值。工业总产值采用“工厂法”计算，即以工业企业作为一个整体，按企业工业生产活动的最终成果来计算，企业内部不允许重复计算，不能把企业内部各个车间（分厂）生产的成果相加。但在企业之间、行业之间、地区之间存在着重复计算。

轻重工业总产值的划分也是按“工厂法”计算的，即一个工业企业在正常情况下生产的主要产品的性质属于轻工业，则该企业的全部总产值作为轻工业总产值；一个工业企业生产的主要产品的性质属于重工业，则该企业的全部总产值作为重工业总产值。

工业增加值 是指工业行业在报告期内以货币表现的工业生产活动的最终成果，是企业全部生产活动的总成果扣除了在生产过程中消耗或转移的物质产品和劳务价值后的余额，是企业生产过程中新增加的价值。

实收资本 指企业实际收到的投资人投入的资本。按投资主体可分为国家资本、集体资本、法人资本、个人资本、港澳台资本和外商资本等。

资产合计 指企业拥有或控制的能以货币计量的经济资源。包括各种财产、债权和其他权利。资产按其流动性划分为流动资产、长期投资、固定资产、无形及递延资产和其他资产。

（1）流动资产　指企业可以在一年内或者超过一年的一个生产周期内变现或者耗用的资产合计，包括现金及各种存款、短期投资、应收及预付款项、存货等。

（2）固定资产　指企业固定资产净值、固定资产清理、在建工程、待处理固定资产损失所占用的资金合计。

（3）无形资产　指企业长期使用而没有实物形态的资产。包括专利权、非专利技术、商标权、著作权、土地使用权、商誉等。

负债合计 指企业承担的能以货币计量，将以资产或劳务偿付的债务。负债一般按偿还期长短分为流动负债和长期负债、递延税项等。

（1）流动负债　指企业在一年内或者超过一年的一个营业周期内需要偿还的债务合计，其中包括短期借款、应付及预收款项、应付工资、应交税金和应交利润等。

（2）长期负债　指企业在一年以上或者超过一年的一个营业周期以上需要偿还的债务合计，其中包括长期借款、应付债务、长期应付款项等。

所有者权益 指企业投资人对企业净资产的所有权。企业净资产等于企业全部资产减去全部负债后的余额，其中包括投资者对企业的最初投入，以及资本公积金、盈余公积金和未分配利润，对股份制企业即为股东权益。

固定资产原价 指企业在建造、购置、安装、改建、扩建、技术改造某项固定资产时所支出的全部货币总额。它一般包括买价、包装费、运杂费和安装费等。

固定资产净值 是指固定资产原价减去历年已提折旧额后的净额。

产品销售收入 指企业销售产品和提供劳务等主要经营业务取得的业务总额。

产品销售成本 指企业销售产品和提供劳务等主要经营业务的实际成本。

产品销售税金及附加 指企业销售产品和提供工业性劳务等主要经营业务应负担的城市维护建设税、消费税、资源税和教育费附加。

产品销售利润 指企业销售产品和提供工业性劳务等主要经营业务收入扣除其成本、费用、税金后的利润。

利润总额 指企业实现的利润。

应交增值税 指企业在报告期内应交纳的增值税额。

工业经济效益综合指数 是指现行综合评价工业经济效益总体水平及工业经济运行质量的指数。它是以若干项代表性经济效益指标，分别除以各项指标的标准值，再乘以各自的权数，加总后除以总权数求得。其计算公式为：

$$\text{工业经济效益综合指数} = \left(\frac{\text{某项经济效益指标报告期数值}}{\text{该项指标标准值}} \times \text{权数}\right) \div \text{总权数}$$

上式总权数为100。

（1）总资产贡献率　是指企业在一定时期内全部资产获利能力，是企业经营业绩和管理水平的集中体现，是评价和考核企业盈利能力的核心指标。计算公式为：

$$总资产贡献率（\%）=\frac{利润总额+税金总额+利息支出}{平均资产总额}\times100\%\times\frac{12}{累计月数}$$

税金总额为产品销售税金及附加与应交增值税之和，平均资产总额为期初、期末资产总计的算术平均值。

（2）资本保值增值率　是反映企业净资产变动状况的一个重要指标，是企业发展能力的集中体现。它是指报告期末所有者权益总额与上年同期期末所有者权益总额的比率。计算公式为：

$$资本保值增值率（\%）=\frac{报告期期末所有者权益}{上年同期期末所有者权益}\times100\%$$

所有者权益等于资产总计减负债总计。

（3）资产负债率　是指反映企业经营风险的大小，反映企业利用债权人提供的资金从事经营活动的能力。计算公式为：

$$资产负债率（\%）=\frac{负债总计}{资产总计}\times100\%$$

资产及负债均为报告期末数。

（4）流动资产周转率　是指一定时期内流动资产完成的周转次数，反映投入工业企业流动资金的周转速度，一般以一年时间内周转多少次表示。计算公式为：

$$流动资产周转次数=\frac{产品销售收入}{流动资产平均余额}\times\frac{12}{累计月数}$$

（5）成本费用利润率　是指工业企业投入生产成本及费用的经济效益，同时也反映企业降低成本所取得的经济效益。计算公式是：

$$成本费用利润率（\%）=\frac{利润总额}{成本费用总额}\times100\%$$

成本费用总额为产品销售成本、销售费用、管理费用、财务费用之和。

（6）增加值现价劳动生产率　是指反映企业的生产效率和劳动投入的经济效益。一般用平均每人一年创造的工业增加值表示。计算公式为：

$$增加值现价劳动生产率（元/人）=\frac{工业增加值}{全部职工平均人数}\times\frac{12}{累计月数}$$

（7）产品销售率　是指反映工业产品已实现销售的程度，是分析工业产销衔接情况、研究工业产品满足社会需求的指标。计算公式是：

$$产品销售率（\%）=\frac{现价工业销售产值}{现价工业总产值}\times100\%$$

企业集团　指以母公司为主体，通过投资及生产经营协作等多种方式，与众多的企事业单位共同组成的经济联合体。企业集团不具有企业法人资格。统计范围：1. 省人民政府批准成立的企业集团；2. 年营业收入（主营业务收入与其他业务收入合计数）和资产总计均在5亿元以上的企业集团；3. 省重点企业，包括：省工业龙头企业；4. 国家重点企业，包括：国务院批准的国家试点企业集团，520户国家重点企业，重组为集团公司的原512户国家重点企业；5. 国务院主管部门批准成立的企业集团；6. 中央企工委管理的企业集团；7、广东省属资产经营公司、省政府授权经营企业集团公司、省政府持股企业。共有137家企业上报2004年企业集团年报。

现代企业制度　是适应市场经济要求、依法规范的企业制度。其典型形式是公司。其基本特征是产权清晰、权责明确、政企分开、管理科学。它包含两个层次的涵义：现代企业制度是市场经济体制的基础；现代企业制度就是现代公司制度。

1. 重点企业建立现代企业制度试点企业调查：调查企业包括国家重点企业和省重点企业。由于企业重组、兼并、破产等原因，2004年年报有156家重点企业上报资料。

2. 国家重点企业：即国家重点联系的企业，包括中央企业、520户国家重点企业、重组为集团公司的原512户国家重点企业、现代企业制度原国家百户试点企业和国家试点企业集团母公司等五类企业。这次调查的156家企业中，有49家国家重点企业。

景气指数　又称为景气度，它是对企业景气调查中的定性指标通过定量方法加工汇总，综合反映某一特定调查群体或某一社会经济现象所处的状态或发展趋势的一种指标。

企业家信心指数 也称“宏观经济景气指数”．是根据企业家对企业外部市场经济环境与宏观政策的认识、看法、判断与预期（通常为对“乐观”、“一般”、“不乐观”的选择）而编制的指数，用以综合反映企业家对宏观经济环境的感受与信心。

企业景气指数 也称“企业综合生产经营景气指数”，是根据企业家对本企业综合生产经营情况的判断与预期（通常为对“良好”、“一般”、“不佳”的选择）而编制的指数，用以综合反映企业的生产经营状况。

景气指数的数值范围为0—200之间，100为景气指数的临界值；当景气指数大于100时，表明经济状况趋于上升或改善，处于景气状态；当景气指数小于100时，表明经济状况趋于下降或恶化，处于不景气状态。

Explanatory Notes on Main Statistical Indicators

Industry refers to the material production sector which is engaged in extraction of natural resources and processing and reprocessing of minerals and agricultural products, including (1) extraction of natural resources, such as mining, salt production, logging (but not including hunting and fishing); (2) processing and reprocessing of farm and sideline products, such as rice husking, flour milling, wine making, oil pressing, cotton ginning, silk reeling, spinning and weaving, and leather making; (3) manufacture of industrial products, such as steel making, iron smelting, chemicals manufacturing, petroleum processing, machine building, timber processing; water and gas production and electricity generation and supply; (4) repairing of industrial products such as the repairing of machinery and means of transport (including cars).

Prior to 1984, the rural industry run by villages and cooperative organizations under village was classified into agriculture. Since 1984, it has been grouped into industry.

Units of Industrial Statistics and Inquiry They are classified into two categories: corporate industrial enterprises with independent accounting system and industrial establishments.

(1) Corporate industrial enterprises with independent accounting system refer to enterprises engaging in industrial production activities, which meet the following requirements: ①They are established legally, having their own names, organizations, location, able to take civil liability; ②They possess and use their assets in dependently, assume liabilities, and are entitled to sign contracts with other units; ③They are financially independent and compile their own balance sheets.

(2) Industrial establishments refer to economic units which located in one single place and engaged entirely or primarily in one kind of industrial activity, including financially independent industrial enterprises and units engaged in industrial activities under the non-industrial enterprises (or financially dependent). Industrial establishments generally meet the following requirements: ①They have each one location and are engaged in one kind of industrial activity each; ②They operate and manage their industrial production activities separately; ③They have accounts of income and expenditure separately.

The registered types of enterprise ownership involving in this yearbook include:

(1) State-owned and state-holding enterprises refer to state-owned enterprises and the enterprises which state holds majority shares. State-owned enterprises (industrial ownership by the whole people or state-run industry) refer to non-corporation economic units, where the entire assets are owned by the state and which have registered in accordance with the Regulation of thePeople's Republic of China on the Management of Registration of Corporate Enterprises, including the state-owned enterprises, sole state-funded corporation and state-owned joint ownership enterprises. Joint state-private industries and private industries, which existed before 1957, have been transformed into state-run industries. Since 1992, those have been named state-owned industries. Statistics on these enterprises has been included in the state-owned industries since 1957 when separation of data was no longer necessary. The enterprises which state holds majority shares are classified as "state holds majority shares" in the enterprises with mixed ownership. They refer to those enterprises with their state assets (shares) more than any other ownership in terms of their total assets. Such classification reflects the basic conditions of state holding majority shares.

(2) Collective-owned enterprises refer to industrial enterprises where the means of production are owned collectively, which have registered in accordance with the Regulation of the People's Republic of China on the Management of Registration of Corporate Enterprises, including urban and rural enterprises invested by collectives and some enterprises which were formerly owned privately but have been registered in industrial and commercial administration agency as collective units through raising funds from the public.

(3) Limited liability corporations refer to economic units registered in accordance with the Regulation of the People's Republic of China on the Management of Registration of Corporate Enterprises, with total registered capital divided into equal shares and raised through issuing stocks. Each investor hears limited liability to the corporation depending on the holding of shares, and the corporation bears liability to its debt to its the maximum of its total assets.

(4) Enterprises with funds from Hong Kong, Macao and Taiwan refer to all the joint ventures, cooperative operation, exclusively-operated enterprises and share-holding companies funded by entrepreneurs from Hong Kong,

Macao and Taiwan in the registered types of enterprise ownership.

(5) Foreign funded enterprises refer to all the joint ventures, cooperative operation, exclusively-operated enterprises and share-holding companies funded by foreigners in the registered types of enterprise ownership.

(6) "Other" enterprises involving in the yearbook refer to other types of industrial enterprises (units) except state-owned enterprises, collective owned enterprises and individual operation, including joint ventures, private owned enterprises, share-holding companies, limited companies, foreign funded enterprises (joint ventures, cooperative operation and exclusively-operated enterprises), enterprises funded by entrepreneurs from Hong Kong, Macao and Taiwan (joint ventures, cooperative operation and exclusively-operated enterprises) and other enterprises.

Light Industry refers to industry which produces consumer goods and hand tools. It consists of two categories, depending on the materials used:

(1) Industries using farm products as raw materials. These are branches of light industry which directly or indirectly use farm products as basic raw materials, including the manufacture of food and beverages, tobacco processing, textile, clothing, fur and leather manufacturing, paper -making and printing, etc.

(2) Industries using non-farm products as raw materials. These are branches of light industry which use manufactured goods as raw materials, including the manufacture of cultural, educational articles and sports goods, chemicals, synthetic fiber, chemical products for daily use, glass products for daily use, metal products for daily use, hand tools, medical apparatus and instruments, and the manufacturing of cultural and office machinery, etc.

Heavy Industry refers to the industry which produces capital goods, and provides various sectors of the national economy with necessary material and technical basis. It consists of the following three branches according to the purpose of production or the use of products:

(1) Mining, quarrying and logging industry refers to the industry that extracts natural resources, including extraction of petroleum, coal, metal and nonmetalores and logging.

(2) Raw materials industry refers to the industry that provides various sectors of the national economy with raw materials, fuels and power. It includes smelting and processing of metals, coking and coke chemistry, chemical materials and building materials such as cement, plywood, and power, petroleum refining and coal dressing.

(3) Manufacturing industry refers to the industry that processes raw materials. It includes machine building industry which equips sectors of the national economy, industry of metal structure and cement products, industries producing means of agricultural production, such as chemical fertilizers and pesticides.

According to the above principle of classification, the repairing trades which are engaged primarily in repairing products of heavy industry are classified into heavy industry while these engaged in repairing products of light industry are classified into light industry.

Gross Industrial Output Value is the total volume of industrial products sold or available for sale in value terms which reflects the total achievements and overall scale of industrial production during a given period. It includes the value of the finished products, which are not to be further processed in the enterprises and have been inspected, packed and put in storage, the value of industrial services rendered to other units, and the changes in the value of the semi-finished products and products in process between the beginning and closing of the period. The gross industrial output value is calculated with the factory method. No double calculations are to be made within the same enterprise. However, double counting does occur among different enterprises.

Output value of light and heavy industries is also classified with the factory method. Under normal conditions, if the major products of an industrial enterprise belong to light industry products, the gross output value of that enterprise is classified wholly into light industry; the same principle applies to heavy industry.

Value-added of Industry refers to the final results of industrial production of the industrial trade in money terms during the reference period.

Capital Obtained refers to capital actually received by the enterprises from investors. It can be further classified by investors as state capital, collective capital, corporate capital, individual capital, capital from Hong Kong, Macao and Taiwan and foreign capital.

Total Assets refer to all assets which are owned or controlled by enterprises, including circulating assets, long-term investment, fixed assets, intangible assets and deferred assets, other long-term assets, and deferred taxes, etc. The summation of above items is equal to total assets shown in the balance sheets of the enterprises.

(1) Circulating assets (working capital) refer to assets which can be cashed in or spent or consumed in an operating cycle of one year or over one year, including cash, all kinds of deposits, short-term investment, receivables, advance payment and stock, etc.

(2) Fixed assets refer to the net value of fixed assets, clearance of fixed assets, project under construction, fixed assets losses in suspense. These are corporations´funds holdings.

(3) Intangible assets refer to the assets without material form used by enterprises over a long time, such as patents, nonpatent technologies, trade marks, copyright, land use right and business reputation, etc.

Total Liabilities refer to the debts that enterprises are responsible for repayment, including liquid liabilities, long-term liabilities and deferred taxes, etc. Total liabilities correspond to the summation item of liabilities shown in the balance sheets of the enterprise.

(1) Liquid liabilities (also called quick liabilities or immediate liabilities) refer to enterprises total debt payable within an operating cycle of one year or over one year, including short term loans, payables and advance payments, wages payable, taxes payable and profit payable, etc.

(2) Long-term liabilities refers to total debt payable within an operation cycle of one year or over one year, including long-term loans, payable liabilities and long-term payables, etc.

Creditors´Equity refers to investors´ownership of net assets of the enterprise. It is equal to the total assets of the enterprise minus its total liabilities, including the primary input from investors, capital accumulation fund, surplus accumulation fund and undistributed profit. It is the stock holders´equity in stock companies.

Original Value of Fixed Assets refers to the original value of all fixed assets owned by industrial enterprises, calculated at the cost paid at the time of purchase, installation, reconstruction, expansion, and technical innovation and transformation of the said assets, which includes expenses on purchase, package, transportation, and installation, etc.

Net Value of Fixed Assets is obtained by deducting depreciation over years from the original value of fixed assets.

Sales Revenue of Industrial Products refers to the revenue from the sales of products by industrial enterprises and the revenue from services provided, etc.

Sales Cost of Industrial Products refers to the actual cost of products of industrial enterprises and industrial services provided, etc.

Tax and Extra Charges on Sales of Products refer to the tax on city maintenance and construction, consumption tax, resources tax and extra charges for education, which should be borne by the enterprises in selling products and providing industrial services.

Sales Profit of Products refers to the profit gained by the enterprises by deducting cost, charges and taxes from the business income of the enterprises obtained in selling products and providing industrial services.

Total Profits refer to the profits gained by the enterprises.

Value Added Tax Payable refers to the amount of the value added tax which should be paid by the enterprises in the reporting period.

Aggregative Index on Economic Results of Industry refers to the current comprehensive index to evaluate the general level of economic results of industry and the performance quality of industrial economy. It is calculated as follows:

$$\text{Aggregative Index on Economic Results of Industry} = \left(\frac{\text{Value of an Indicator on Economic Results in Reference Period}}{\text{Standard Value of the Indicator}} \times \text{Weight}\right) \div \text{Total Weight}$$

Total Weight = 100

(1) Contribution Rate of Total Assets refers to the capability of making profits of total assets in a given period, which gives a concentrated picture of operational achievement and management level of an enterprise. It is the main indicator to evaluate the capability of making profits. The formula used is:

$$\text{Contribution Rate of Total Assets (\%)} = \frac{\text{Total profits} + \text{Total Taxes} + \text{Interest Expenditure}}{\text{Average Assets}} \times 100\%$$

Total taxes include sales tax and extra charges of products as well as the value added tax payable. Average assets refer to the arithmetic average of total assets at the beginning and end of a period.

(2) Value Preserving and Increasing Rate of Capital is an important indicator to reflect the changes of net assets of an enterprise, which embodies a concentrated picture of development capability. It is the ratio of the reference period over the same period of the previous year. The formula is as follows:

$$\text{Value Preserving and Increasing Rate of Capital } (\%) = \frac{\text{Total Creditors' Equity at the End of Reference Period}}{\text{Total Creditors' Equity of the Same Period of the Previous Year}} \times 100\%$$

Creditors' equity is equal to the total assets of the enterprise minus its total liabilities.

(3) Ratio of Debts to Assets reflects both the operation risk and the capability of the enterprises in making use of the capital from the creditors. It is calculated as follows:

$$\text{Ratio of Debts to Assets } (\%) = \frac{\text{Total Debts}}{\text{Total Assets}} \times 100\%$$

(4) Rate of Turnover of Working Capital refers to the number of times of turnover of working capital in a given period of time, which reflects the speed of the turnover of working capital and is calculated as follows:

$$\text{Turnover of Working Capital} = \frac{\text{Sales Revenue of Products}}{\text{Average Balance of Total Working Capital}} \times \frac{12}{\text{Number of Cumulative Months}}$$

(5) Ratio of Profits to Total Industrial Costs refers to the ratio of profits realized in a given period to the total costs in the same period, which reflects the economic efficiency of input cost and is calculated as follows:

$$\text{Ratio of Profits to Total Industrial Costs } (\%) = \frac{\text{Total Profits}}{\text{Total Costs}} \times 100\%$$

(6) Value-added Labor Productivity of Industrial Enterprises refers to the average output per employed person in industrial enterprises in value terms. At present, the value added and the average number of staff and workers of an industrial enterprises in a given period are used to calculate the overall labor productivity. The formula used is:

$$\text{Value-added Labor Productivity (yuan/person)} = \frac{\text{Value Added of Industry}}{\text{Average Number of Staff and Workers}} \times \frac{12}{\text{Number of Cumulative Months}}$$

(7) Ratio of Sale to Gross Output Value refers to the sales of industrial products to the gross industrial output value during the reference period, and is used to analyze the linkage between production and sales and the extent of the needs of the society that has been met by the supply of industrial products. It is calculated as follows:

$$\text{Ratio of Sales to Gross Output Value } (\%) = \frac{\text{Industrial Sales}}{\text{Gross Industrial Output Value (at Current Prices)}} \times 100\%$$

Enterprise Group refers to an economic union, with parent company as mainstay, made up of many enterprises and institutions by means of various forms such as investment and production cooperation, etc. It is not qualified as a legal person. The statistical coverage includes: 1. the enterprise groups approved by Guangdong Provincial People's Government; 2. the enterprises groups with annual business revenue (sum of main business revenue and other business revenues) and assets over 500 million yuan; 3. the key provincial enterprises, including leading provincial industrial enterprises; 4. the key state enterprises, including the pilot state enterprise groups approved by the state, 520 key state enterprises and the groups reorganized from the 512 original key state enterprises; 5. the enterprise groups approved by the competent departments of the State Council; 6. the enterprises groups managed by the Central Enterprise Working Committee; 7. and the assets operation companies under Guangdong Province, the enterprise groups authorized by the provincial government and the enterprises with shares held by the provincial government. There are a total of 137 enterprises reporting their annual group statistics in 2004.

Modern Enterprise System refers to the enterprise system in conformity with the requirements of market economy and the standard of law. Company is its typical form. It is basically characterized with clear property definition, explicit responsibility, separation from government and scientific management. The definition covers two points, including: it is the base of market economic system; it also means modern company system.

1. Pilot enterprises with modern enterprise system refer to key state enterprises and key provincial enterprises. Owing to restructuring, merging, bankruptcy and the other, 156 of the key enterprises reported their annual statistics in 2004.

2. Under the central management, 520 key state enterprises, 512 original enterprises restructured into group

companies, 100 original pilot enterprises with modern enterprises system and pilot state enterprise groups. Among the 156 enterprises surveyed, there are 49 key state enterprises.

Business Climate Index is also called as business climate scores. It is an indicator which comprehensively reflects the situation or the trend of development of a certain group surveyed or a certain social-economic phenomenon. It is calculated by means of quantitative tabulation of the data on the qualitative economic indicators in the business climate survey.

Entrepreneurs′ Confidence Index is also called as " climate index of macro economy" , which is compiled on the basis of the understanding, views, judgment and expectations of the entrepreneurs on the external environment of market economy and the macro polices (usually the choice from the answers " optimistic", " neither optimistic nor pessimistic" and " pessimistic"), so as to comprehensively reflect the feeling and confidence of the entrepreneurs on the macro economic environment.

Business Climate Index is also called " comprehensive production and management climate index of enterprises", which is compiled on the basis of the judgment and expectation of the entrepreneurs on the overall situation of production and management of their own enterprises (usually the choice from the answers " improving", " retaining the same level" or " worse"), so as to comprehensively reflect the situation of production and management of the enterprises.

The numerical values of the business climate index lie between 0 and 200. 100 is the critical value of the business climate index. When the business climate index is greater than 100, it indicates that the economic indicators are picking up and the economic situation is improving and it is in a state of prosperity. When the business climate index is smaller than 100, it indicates that the economic indicators are declining and the economic situation is worse than before and it is in a state of depression.

十三 建筑业

CONSTRUCTION

13

十三　建筑业

简要说明

一、本篇资料反映广东省建筑业发展情况。主要包括全省、各市全社会建筑业企业生产经营的资料，指标有企业个数、从业人员数、建筑业总产值、房屋建筑面积、建筑业增加值、利润总额、利税总额等。

二、本篇资料由广东省统计局固定资产投资统计处整理提供。

三、本资料是由国家统计局制定的“建筑业统计报表制度”规定收集的年报资料，其统计范围包括：广东境内各种经济类型（除个体外）的具有法人资格的独立核算建筑业企业和辖区内其它行业的企、事业单位附营的建筑业活动单位（该附营单位具备能独立填报财务报表）。

四、2004 年数据为全部资质以上企业的快报数据。

13　CONSTRUCTION

Brief Introduction

Ⅰ. The data in this chapter show the development of the construction industry in Guangdong Province. They cover mainly the statistics of production and management of the enterprises of construction of the whole province and its cities, including the number of enterprises, the number of employed persons, gross output value of construction, floor space of buildings, value-added of construction, total profits and total pre-tax profits, etc.

Ⅱ. The data in this chapter are prepared and provided by the Division of Investment and Construction Statistics of Guangdong Provincial Bureau of Statistics.

Ⅲ. The data in this chapter are collected in accordance with the Reporting Scheme of Construction Statistics stipulated by the National Bureau of Statistics. The coverage of construction statistics includes the construction enterprises of various types of ownership (excluding individual enterprises) with qualification of legal person and independent accounting system and other construction units affiliated with the enterprises and institutions of other industries (with qualification of independent financial statement) under the jurisdiction of Guangdong Province.

Ⅳ. The data of 2004 refer to the advance report data of all the enterprises with qualification certificates.

13-1 建筑业企业生产情况
PRODUCTION CONDITIONS OF CONSTRUCTION ENTERPRISES

项　目	Item	2003 合计 2003 Total	#国有及国有控股企业 State-owned and State-holding Enterprises	2004 合计 2004 Total	#国有及国有控股企业 State-owned and State-holding Enterprises
企业个数　（个）	**Number of Construction Enterprises (unit)**	**4488**	**684**	**3714**	**747**
一、建筑业合同情况	**Conditions of Construction**				
签订的合同额　（亿元）	Value of Contracts Signed (100 million yuan)	3060.86	1460.66	3500.91	1798.12
上年结转合同额（亿元）	Value of Contracts Carried-over from the Previous Year (100 million yuan)	1233.11	588.69	1482.85	764.05
本年新签合同额（亿元）	Value of Newly-Signed Contracts in Current Year (100 million yuan)	1827.75	871.97	2018.05	1034.07
二、承包工程完成情况	**Conditions Projects Completed**				
直接从建设单位承揽工程完成产值　（亿元）	Output Value of Contracted Projects Completed from Construction Units Directly (100 million yuan)	1762.28	760.18	1839.76	851.39
自行完成施工产值(亿元)	Output Value of Self-completed Projects (100 million yuan)	1617.92	651.87	1661.94	701.09
分包出去工程的产值(亿元)	Output Value of Outsourcing Projects (100 million yuan)	144.36	108.31	177.82	150.30
从建设单位以外承揽工程完成产值　（亿元）	Output Value of Contracted Projects Completed outside Construction Units (100 million yuan)	84.94	46.06	87.62	54.86
三、建筑业总产值　（亿元）	**Gross Output Value of Construction (100 million yuan)**	**1702.87**	**697.94**	**1749.56**	**755.95**
#装饰装修产值　（亿元）	Output Value of Decoration Projects (100 million yuan)	174.64	71.93	171.48	75.95
在外省完成的产值(亿元)	Output Value Completed in Other Provinces (100 million yuan)	176.12	102.84	196.13	111.26
建筑工程产值　（亿元）	Output Value of Construction Projects (100 million yuan)	1404.60	578.61	1471.31	636.78
安装工程产值　（亿元）	Output Value of Installation Projects (100 million yuan)	250.17	102.52	230.58	102.55
其他产值　亿元	Other output values (100 million yuan)	48.09	16.80	47.67	16.62
四、竣工产值　（亿元）	**Output Value Completed (100 million yuan)**	**1302.01**	**536.52**	**1161.98**	**498.09**
五、房屋建筑施工面积（万平方米）	**Floor Space of Building Under Construction (10000 sq. m)**	**22184.74**	**7251.29**	**23938.23**	**8912.40**
#新开工面积（万平方米）	Floor Space of Newly-Started Buildings (10000 sq. m)	10927.94	3449.18	10570.91	3513.25
实行投标承包面积（万平方米）	Floor Space of Contracted Projects through Biddings (10000 sq. m)	13454.99	5435.78	15259.71	6564.56
#新开工面积(万平方米)	Floor Space of Newly-Started Building (10000 sq. m)	7153.48	2684.96	6968.21	2725.75
六、劳动人员情况	**Labor Force**				
劳动生产率平均人数(万人)	Average Person in Labor Productivity (10000 persons)	161.65	51.63	150.31	46.94
期末从业人数　（万人）	Number of Employed Persons at the Year-end (10000 persons)	161.48	49.81	152.03	47.15
#工程技术人员（万人）	Number of Engineering Technical Personnel (10000 persons)	24.15	7.87	23.39	8.03

13-2 建筑业企业主要指标

MAIN ECONOMIC INDICATORS ON CONSTRUCTION ENTERPRISES

年份 Year	建筑业企业单位数（个）Number of Construction Enterprises (unit)	建筑业企业总产值（亿元）Gross Output Value of Construction Enterprises (100 million yuan)	建筑业企业增加值（亿元）Value-added of Construction Enterprises (100 million yuan)	建筑业企业利税总额（亿元）Total Pre-tax Profitsof Construction Enterprises (100 million yuan)	建筑业企业从业人员（万人）Number of Employed Persons (10000 persons)
1978	178	5. 47		0. 20	14. 78
1979	188	6. 32		0. 23	16. 27
1980	204	8. 88		0. 32	19. 45
1981	224	13. 44		0. 49	24. 29
1982	246	19. 66		0. 72	29. 94
1983	269	24. 51		0. 90	36. 23
1984	357	36. 83		1. 31	47. 12
1985	462	50. 45		1. 54	54. 47
1986	448	57. 14		1. 28	58. 24
1987	492	65. 96		1. 56	59. 08
1988	596	86. 74		2. 74	66. 56
1989	646	125. 65		3. 62	71. 88
1990	686	113. 40		3. 12	67. 22
1991	705	137. 30		4. 33	67. 71
1992	910	216. 56		9. 65	84. 80
1993	1766	459. 95		23. 03	144. 12
1994	1587	535. 75		31. 29	150. 05
1995	1618	635. 83		39. 47	135. 56
1996	2031	632. 16	182. 74	35. 74	146. 56
1997	2399	732. 97	170. 13	38. 26	143. 89
1998	2961	800. 00	176. 70	43. 11	142. 82
1999	3283	954. 44	199. 50	53. 06	144. 78
2000	4593	1011. 47	205. 89	58. 24	141. 45
2001	3699	1246. 48	266. 00	84. 51	147. 08
2002	4019	1418. 41	363. 65	88. 95	150. 05
2003	4488	1702. 87	364. 20	127. 48	161. 48
2004	3714	1749. 56	377. 58	122. 98	152. 03

注：2004 年为快报数。
Note：The data of 2004 refer to the date from the advance reports.

13-3 各市建筑业企业个数
NUMBER OF CONSTRUCTION ENTERPRISES BY CITY

单位：个　　　　　　　　　　　　　　　　　　　　　　　　　　　　　　　　　　　(unit)

市别 City		1995	2000	2003	2004
全省总计	Provincial Total	1618	4592	4488	3714
广　州	Guangzhou	263	757	1214	721
深　圳	Shenzhen	110	447	623	547
珠　海	Zhuhai	79	142	173	173
汕　头	Shantou	165	271	179	198
佛　山	Foshan	87	248	445	373
韶　关	Shaoguan	54	110	80	61
河　源	Heyuan	36	117	81	76
梅　州	Meizhou	33	154	80	84
惠　州	Huizhou	70	241	115	106
汕　尾	Shanwei	24	100	40	40
东　莞	Dongguan	8	183	253	355
中　山	Zhongshan	10	385	368	217
江　门	Jiangmen	127	342	162	132
阳　江	Yangjiang	60	122	77	84
湛　江	Zhanjiang	123	238	102	102
茂　名	Maoming	97	146	106	107
肇　庆	Zhaoqing	81	136	113	96
清　远	Qingyuan	38	136	82	70
潮　州	Chaozhou	49	139	80	72
揭　阳	Jieyang	61	121	80	65
云　浮	Yunfu	43	57	35	35

13-4 各市建筑业企业总产值
GROSS OUTPUT VALUE OF CONSTRUCTION ENTERPRISES BY CITY

单位：亿元　　　　　　　　　　　　　　　　　　　　　　　　　　　　　　　(100 million yuan)

市别 City		1995	2000	2003	2004
全省总计	Provincial Total	635.83	1011.47	1702.87	1749.56
广　州	Guangzhou	181.61	256.13	478.58	506.39
深　圳	Shenzhen	73.80	153.02	392.18	398.56
珠　海	Zhuhai	17.14	33.11	43.15	48.75
汕　头	Shantou	69.99	80.67	100.40	116.00
佛　山	Foshan	45.45	73.08	132.30	138.57
韶　关	Shaoguan	15.23	24.14	30.46	31.86
河　源	Heyuan	2.95	5.74	11.80	11.56
梅　州	Meizhou	4.71	15.14	55.52	53.40
惠　州	Huizhou	12.36	20.35	37.30	31.31
汕　尾	Shanwei	2.75	5.49	6.55	6.57
东　莞	Dongguan	9.49	40.45	76.48	77.01
中　山	Zhongshan	9.64	26.20	55.65	50.84
江　门	Jiangmen	62.97	47.18	50.66	44.50
阳　江	Yangjiang	12.14	18.80	28.45	27.47
湛　江	Zhanjiang	40.07	45.61	61.66	62.10
茂　名	Maoming	25.74	39.05	56.18	52.88
肇　庆	Zhaoqing	13.12	15.40	24.51	28.93
清　远	Qingyuan	7.11	11.49	18.99	21.07
潮　州	Chaozhou	7.74	12.71	15.07	16.04
揭　阳	Jieyang	13.47	12.24	16.58	14.50
云　浮	Yunfu	8.33	8.61	10.41	11.26

13-5 各市建筑业企业增加值
VALUE-ADDED OF CONSTRUCTION ENTERPRISES BY CITY

单位：亿元 (100 million yuan)

市别 City		1995	2000	2003	2004
全省总计	Provincial Total	185.37	205.89	364.19	377.58
广州	Guangzhou	62.58	60.81	108.77	128.20
深圳	Shenzhen	22.39	33.34	72.54	76.25
珠海	Zhuhai	3.71	5.64	8.00	7.25
汕头	Shantou	17.03	18.24	23.86	26.71
佛山	Foshan	11.82	15.70	31.24	27.93
韶关	Shaoguan	4.21	5.57	6.65	6.19
河源	Heyuan	1.13	1.58	3.29	3.28
梅州	Meizhou	1.59	3.72	14.87	13.21
惠州	Huizhou	3.11	4.76	7.31	6.57
汕尾	Shanwei	0.87	1.47	1.53	2.11
东莞	Dongguan	2.23	7.48	13.99	14.61
中山	Zhongshan	2.05	4.35	11.19	8.92
江门	Jiangmen	14.57	9.71	11.13	8.98
阳江	Yangjiang	3.88	4.24	7.26	4.90
湛江	Zhanjiang	11.73	8.67	11.69	11.70
茂名	Maoming	7.20	8.02	13.00	11.47
肇庆	Zhaoqing	3.95	3.29	5.15	5.20
清远	Qingyuan	1.44	1.35	2.70	3.60
潮州	Chaozhou	2.15	2.26	2.78	2.78
揭阳	Jieyang	4.92	3.32	4.42	4.65
云浮	Yunfu	2.82	2.38	2.81	3.06

13-6 各市建筑业企业利税总额
TOTAL PRE-TAX PROFITS OF CONSTRUCTION ENTERPRISES BY CITY

单位：亿元 (100 million yuan)

市别 City		1995	2000	2003	2004
全省总计	Provincial Total	39.47	58.24	127.48	122.99
广州	Guangzhou	13.54	15.16	35.88	42.05
深圳	Shenzhen	6.83	13.79	28.37	29.22
珠海	Zhuhai	0.73	1.43	2.79	3.06
汕头	Shantou	2.92	4.14	6.40	5.86
佛山	Foshan	3.23	4.70	14.39	8.72
韶关	Shaoguan	0.35	2.00	1.17	1.16
河源	Heyuan	0.29	0.53	1.19	1.46
梅州	Meizhou	0.30	0.81	8.66	6.63
惠州	Huizhou	0.42	1.02	1.92	1.57
汕尾	Shanwei	0.10	0.58	0.43	0.60
东莞	Dongguan	0.36	2.25	4.16	4.41
中山	Zhongshan	0.30	1.53	4.39	3.31
江门	Jiangmen	3.00	2.37	3.36	1.16
阳江	Yangjiang	0.86	1.15	2.25	2.50
湛江	Zhanjiang	1.87	1.69	2.64	2.64
茂名	Maoming	1.22	1.82	4.00	3.09
肇庆	Zhaoqing	0.72	0.77	1.50	1.36
清远	Qingyuan	0.31	0.40	1.07	1.32
潮州	Chaozhou	0.33	0.66	0.82	0.91
揭阳	Jieyang	1.40	0.73	1.20	0.92
云浮	Yunfu	0.41	0.70	0.91	1.03

13-7 各市建筑业企业利润总额
TOTAL PROFITS OF CONSTRUCTION ENTERPRISES BY CITY

单位：亿元 (100 million yuan)

市别 City		1995	2000	2003	2004
全省总计	Provincial Total	19.06	22.73	63.16	57.58
广　州	Guangzhou	7.54	5.19	16.72	19.52
深　圳	Shenzhen	4.18	7.57	13.98	14.14
珠　海	Zhuhai	0.23	0.37	1.34	1.56
汕　头	Shantou	0.96	1.36	2.72	2.34
佛　山	Foshan	1.52	2.00	9.08	4.13
韶　关	Shaoguan	-0.08	0.23	0.27	0.32
河　源	Heyuan	0.08	0.29	0.61	0.92
梅　州	Meizhou	-0.02	0.21	6.32	4.66
惠　州	Huizhou	0.08	0.35	0.61	0.46
汕　尾	Shanwei	0.02	0.22	0.13	0.20
东　莞	Dongguan	0.14	1.14	1.94	2.08
中　山	Zhongshan	0.15	0.78	2.71	1.82
江　门	Jiangmen	1.38	0.34	1.23	-0.47
阳　江	Yangjiang	0.44	0.61	1.03	1.30
湛　江	Zhanjiang	0.66	0.28	0.67	0.71
茂　名	Maoming	0.48	0.77	1.61	1.61
肇　庆	Zhaoqing	0.20	0.09	0.61	0.51
清　远	Qingyuan	0.07	0.01	0.29	0.49
潮　州	Chaozhou	0.12	0.28	0.34	0.34
揭　阳	Jieyang	0.76	0.26	0.53	0.42
云　浮	Yunfu	0.16	0.37	0.43	0.54

13-8 各市建筑业企业房屋建筑施工面积
FLOOR SPACE OF BUILDING UNDER CONSTRUCTION OF CONSTRUCTION ENTERPRISES BY CITY

单位：万平方米 (10000 sq. m)

市别 City		1995	2000	2003	2004
全省总计	Provincial Total	14374.46	16333.82	22184.74	23938.23
广　州	Guangzhou	2708.58	3161.25	4291.55	4546.55
深　圳	Shenzhen	1250.32	1999.65	3840.25	4388.76
珠　海	Zhuhai	338.21	733.57	416.68	524.54
汕　头	Shantou	1794.87	1477.16	1530.69	2044.32
佛　山	Foshan	1466.87	1763.57	2228.07	2417.17
韶　关	Shaoguan	387.54	362.44	390.68	439.88
河　源	Heyuan	112.62	79.80	163.09	164.98
梅　州	Meizhou	205.43	273.56	710.12	779.11
惠　州	Huizhou	309.81	366.05	581.07	914.81
汕　尾	Shanwei	100.26	127.42	100.28	114.96
东　莞	Dongguan	278.72	1217.56	1558.17	1503.69
中　山	Zhongshan	307.69	400.99	823.10	897.18
江　门	Jiangmen	1747.11	1329.02	1555.87	1292.50
阳　江	Yangjiang	264.29	270.81	497.29	547.22
湛　江	Zhanjiang	1185.99	857.19	1002.37	1146.96
茂　名	Maoming	537.02	734.43	989.29	850.14
肇　庆	Zhaoqing	462.08	386.93	465.55	402.88
清　远	Qingyuan	197.32	249.02	444.48	446.52
潮　州	Chaozhou	229.20	217.15	204.65	176.14
揭　阳	Jieyang	258.16	193.91	213.57	157.37
云　浮	Yunfu	232.36	132.34	177.93	182.53

13-9 各市建筑业企业期末从业人员
NUMBER OF EMPLOYED PERSONS OF CONSTRUCTION ENTERPRISES AT THE YEAR-END BY CITY

单位：万人 (10000 persons)

市别 City		1995	2000	2003	2004
全省总计	Provincial Total	135. 56	141. 45	161. 48	152. 03
广　州	Guangzhou	30. 43	26. 40	31. 34	30. 51
深　圳	Shenzhen	10. 67	20. 15	24. 74	23. 80
珠　海	Zhuhai	2. 13	3. 55	4. 24	3. 59
汕　头	Shantou	16. 04	14. 29	12. 35	12. 72
佛　山	Foshan	7. 15	8. 62	11. 27	11. 99
韶　关	Shaoguan	4. 52	4. 46	3. 93	3. 80
河　源	Heyuan	1. 59	1. 74	2. 36	2. 20
梅　州	Meizhou	2. 24	3. 58	5. 64	6. 08
惠　州	Huizhou	2. 98	3. 33	4. 37	3. 69
汕　尾	Shanwei	1. 53	1. 25	1. 37	1. 00
东　莞	Dongguan	2. 24	6. 65	9. 34	9. 70
中　山	Zhongshan	1. 66	3. 71	6. 03	5. 08
江　门	Jiangmen	13. 23	10. 26	10. 25	7. 82
阳　江	Yangjiang	3. 97	3. 54	4. 22	4. 03
湛　江	Zhanjiang	12. 08	8. 03	8. 67	6. 47
茂　名	Maoming	7. 17	8. 92	8. 28	7. 31
肇　庆	Zhaoqing	3. 82	3. 61	3. 62	3. 14
清　远	Qingyuan	2. 74	2. 74	2. 36	2. 28
潮　州	Chaozhou	2. 16	2. 10	1. 93	2. 18
揭　阳	Jieyang	3. 83	2. 88	3. 36	2. 72
云　浮	Yunfu	3. 38	1. 65	1. 83	1. 91

13-10 各市建筑业企业劳动生产率
LABOR PRODUCTIVITY OF CONSTRUCTION ENTERPRISES BY CITY

单位：元/人 (yuan/person)

市别 City		1995	2000	2003	2004
全省总计	Provincial Total	46904	66780	105532	116397
广　州	Guangzhou	59682	97020	152004	173719
深　圳	Shenzhen	69164	80901	143759	157349
珠　海	Zhuhai	80449	93266	103990	140078
汕　头	Shantou	43638	56450	78421	92578
佛　山	Foshan	63568	84781	113673	119151
韶　关	Shaoguan	33688	54118	76283	83613
河　源	Heyuan	18574	33011	52840	50906
梅　州	Meizhou	21030	42280	97708	86971
惠　州	Huizhou	41472	61099	85663	86974
汕　尾	Shanwei	18001	43892	49279	67015
东　莞	Dongguan	42384	60826	79556	82280
中　山	Zhongshan	58090	70621	91448	100480
江　门	Jiangmen	47599	45985	59843	58088
阳　江	Yangjiang	30574	53113	71618	71162
湛　江	Zhanjiang	33173	56804	78326	97795
茂　名	Maoming	35897	43778	70678	76300
肇　庆	Zhaoqing	34340	42654	72430	102213
清　远	Qingyuan	25967	41919	78886	98467
潮　州	Chaozhou	35841	60518	76248	70048
揭　阳	Jieyang	35164	42514	54236	56866
云　浮	Yunfu	24654	52186	56943	60217

主要统计指标解释

建筑业总产值 指以货币表现的建筑安装企业在一定时期内生产的建筑业产品的总和。建筑业总产值包括三部分内容：

⑴建筑工程产值：指列入建筑工程预算内的各种工程价值。

⑵设备安装工程产值：指设备安装工程价值。

⑶其他产值：建筑业总产值中除建筑工程、安装工程以外的产值。包括房屋构筑物修理产值、非标准设备制造产值、总包企业向分包企业收取的管理费以及不能明确划分的施工活动所完成的产值。a. 房屋构筑物修理产值：指房屋和构筑物的修理所完成的价值，但不包括被修理房屋构筑物的本身价值和生产设备的修理价值。b. 非标准设备制造产值：指加工制造没有定型的非标准生产设备的加工费和原材料价值以及附属加工厂为本企业承建工程制作的非标准设备的价值。

竣工产值 一般是以单位工程为对象，当该工程按照设计所规定的工程内容全部完成，达到了设计规定的交工条件，经有关部门检查验收鉴定合格的单位工程价值，即为竣工产值。

建筑业增加值 是指建筑业企业在报告期内以货币表现的建筑业生产经营活动的最终成果。建筑业增加值有两种计算方法：一是生产法，即建筑业总产出中减去建筑业中间消耗后的余额。二是分配法（收入法），即从收入的角度出发，根据生产要素在生产过程中应得到的收入份额计算，具体构成项目有固定资产折旧、劳动者报酬、生产税净额、营业盈余。目前建筑业统计报表制度中采用分配法（收入法）计算建筑业增加值。具体计算公式为：

建筑业增加值 = 本年提取的固定资产折旧 + 主管业务应付工资 + 主管业务应付福利费 + 管理费用中的劳动待业保险费 + 工程结算税金及附加 + 管理费用中的税金 + 营业利润

房屋施工面积 指在报告期内施过工的全部房屋建筑面积，它包括本期新开工的房屋面积、上期跨入本期继续施工的房屋面积、上期停缓建在本期恢复施工的房屋面积、本期竣工的房屋面积以及本期施工后又停缓建的房屋面积。

Explanatory Notes on Main Statistical Indicators

Gross Output Value of Construction refers to total of construction products, expressed in monetary terms, completed by construction and installation enterprises during a given period of time. It includes:

(1) Output value of construction projects, that is the valu-e of projects covered by the project budgets;

(2) Output value of installation projects, that is the value of the installation of equipment;

(3) Other output values, that is the values excluding output value of construction projects and output value of installation projects, including output value of repair of buildings and structures, output value of manufactured non-standard equipment, management expenses received by head enterprises from subcontract enterprises and output value of construction activities completed but unclassified.

a. Output value of repair of buildings and structures, that is the value created through the repairs of buildings or structures, but does not include the value of buildings or structures being repaired and the value of the repair of production equipment.

b. Output value of manufactured non-standard equipment, that is the value of non-standard production equipment (including raw materials and manufacturing cost) made for the construction project, and equipment manufactured by subsidiary workshops.

Output Value Completed refers to the value of unit project completed, which has come up to the designed standards for putting into use and has been checked and accepted as qualified project by related departments.

Value-added of Construction refers to the final result of the activities of production and management of construction in monetary terms in the reference period. The value-added of construction is calculated with two approaches: one is the production approach, that is the total value of construction minus the total intimidate consumption of construction; the other is the allocation approach (income approach), that is the sum of income of various production factors in the production process, including depreciation of fixed assets, labors´remuneration, net taxes on production and operating surplus. At present, the value-added of construction is calculated with the allocation (income) approach according to the statistical reporting system of construction. The formula is as follows:

Value-added of Construction = Depreciation of Fixed Assets in the Year + Wages Payable of Major Business + Welfare Expenses Payable of Major Business + Insurance Premium for Waiting for Employment in the Administrative Expenses + Taxes and Surcharges on Project Settlement + Taxes in the Administrative Expenses + Operating Profit

Floor Space of Buildings under Construction refers to the floor space of buildings under construction during the reference period, including newly started buildings, buildings started earlier and continued during the reference period, and buildings suspended earlier but resumed during the reference period, buildings completed during the reference period, and buildings under construction and then suspended during the reference period.

十四 运输、邮电

TRANSPORTATION,POSTAL AND TELECOMMUNICATION SERVICES

14

十四　运输、邮电

简要说明

一、本篇资料反映广东运输、邮电通信业发展的基本状况。

交通运输业资料主要包括：五种运输方式的线路里程、运输设备拥有量、各种运输方式完成的货物运输量和旅客运输量、港口设备拥有量、港口货物吞吐量等。

邮电通信业资料主要包括：邮电业务量、邮电通信工具、邮电通信网、邮电通信水平等。

二、本篇资料由广东省统计局工业交通统计处整理、编辑。

三、资料分别来源于各市统计局以及省内民航、铁路、公路、水运、港口、公安、邮电等部门。管道运输资料由有关管道运输企业提供。

14　TRANSPORTATION, POSTAL AND TELECOMMUNICATION SERVICES

Brief Introduction

Ⅰ. The data in this chapter cover mainly the basic conditions of the development of transport, postal and telecommunication services in Guangdong Province.

The data on transport cover mainly the routes length of five means of transportation, the transport equipment owned, the freight and passenger traffic by various means of transportation, the port equipment owned and the cargo handled in ports, etc.

The data on postal and telecommunication services cover mainly the business volume of postal and telecommunication services, means of post and telecommunications, network of post and telecommunications, and the level of the development of postal and telecommunication services, etc.

Ⅱ. The data in this chapter are prepared and compiled by the Division of Industry and Transport Statistics of Guangdong Provincial Bureau of Statistics.

Ⅲ. The data in this chapter come from the statistical bureaus of cities and the provincial departments of civil aviation, railways, highways, waterways, ports, public securities, and post and telecommunications respectively. The data on the pipeline transport are provided by related pipeline transport enterprises.

14-1 运输邮电主要指标

MAIN INDICATORS ON TRANSPORT, POSTAL AND TELECOMMUNICATION SERVICES

指　　标	Item	1995	2000	2003	2004	2004 比 2003 增长% Growth Rate in 2004 over 2003 (%)
铁路营业里程　（公里）	Length of Railways in Operation (km)	1861	1942	1883	1875	-0.4
公路通车里程　（公里）	Length of Highways (km)	84563	102606	110252	111453	1.1
内河通航里程　（公里）	Length of Navigable Inland Waterways (km)	10808	13696	13613	13596	-0.1
民航航线里程　（公里）	Length of Civil Aviation Routes (km)	296226	500322	645409	819626	27.0
港口码头泊位　（个）	Number of Berths in Coastal Ports (unit)	2285	3191	3204	3054	-4.7
#万吨级泊位　（个）	Berths at 10000 Ton Class (unit)	93	126	159	175	10.1
码头泊位长度　（米）	Length of Quay Line (m)	111262	180238	190634	190484	-0.1
公路桥梁　（座）	Highway Bridges (unit)	15859	19668	22399	23023	2.8
#永久式　（座）	Permanent (unit)	15806	19656	22392	23012	2.8
民用汽车　（辆）	Civil Motor Vehicles (unit)	1147348	1729054	2579592	3054025	18.4
机动船艘数　（艘）	Number of Motor Vessels (unit)	33117	21733	20499	19147	-6.6
吨位数　（净载重吨）	Tonnage (dead weight ton)	7888261	5268845	6525298	6360385	-2.5
民用飞机　（架）	Civil Aircraft (unit)	97	106	125	138	10.4
长途电话交换机容量（路端）	Capacity of Automatic Long-distance Telephone Exchanges (line)	449548	703352	1344478	1853195	37.8
局用电话交换机总容量　（万门）	Total Capacity of Office Telephone Exchanges (10000 gates)	1007.10	1939.45	3551.35	4377.45	23.3
移动电话交换机容量　（万户）	Capacity of Mobile Telephone Exchanges (10000 subscribers)	145.00	1825.40	5328.11	5870.70	10.2
本地电话用户数　（万户）	Number of Subscribers of Local Telephones (10000 subscribers)	501.00	1414.94	2567.01	2954.16	15.1
移动电话用户数　（万户）	Number of Subscribers of Mobile Telephones (10000 subscribers)	98.78	1357.26	4006.96	5373.82	34.1
长途电话业务电路　（路）	Long-distance Telephone Lines (line)	159162	478746	1197567	2999940	150.5
客运量　（万人）	Passenger Traffic (10000 persons)	130998	164791	191202	202414	5.9
旅客周转量　（亿人公里）	Passenger-kilometers (100 million passenger-km)	936.29	1218.59	1505.83	1738.21	15.4
货运量　（万吨）	Freight Traffic (10000 tons)	111063	119216	143964	156094	8.4
货物周转量　（亿吨公里）	Freight Ton-kilometers (100 million ton-km)	4642.91	3064.51	3666.83	4148.54	13.1
港口货物吞吐量　（万吨）	Volume of Freight Handled in Coastal Ports (10000 tons)	18933	31649	51340	62715	22.2
港口旅客吞吐量　（万人）	Volume of Passengers Handled in Coastal Ports (10000 persons)	2795	1710	1948	2161	10.9
航站旅客吞吐量　（万人）	Volume of Passengers Handled at Airports (10000 persons)	1963.00	2142.84	2750.60	3660.71	33.1
邮电业务总量　（亿元）	Business Volume of Postal and Telecommunication Services (100 million yuan)	204.93	602.31	1202.52	1781.78	48.2

注：1. 1995年邮电业务总量按1990年不变价计算，从2000年起，邮电业务总量按2000年不变价计算。
2. 铁路客货运输量按运送数计算，航空货运不计行李，下同。

Note: a) In 1995, the total business volume of postal and telecommunication services was calculated at 1990 constant prices. Since 2000, it has been calculated at 2000 constant prices.

b) The freight and passenger traffic carried by railway is calculated on the basis of the number of transportation, whereas the freight traffic by airway excludes luggage. The same as in the following tables.

14-2 全社会旅客运输量
TOTAL PASSENGER TRAFFIC

年 份 Year	客运量（万人） Passenger Traffic（10000 persons）					旅客周转量（亿人公里） Passenger-kilometers（100 million passenger-km）				
	合计 Total	铁路 Railways	公路 Highways	水路 Waterways	民航 Civil Aviation	合计 Total	铁路 Railways	公路 Highways	水路 Waterways	民航 Civil Aviation
1985	49848	3357	41826	4427	238	270. 23	50. 41	178. 27	20. 46	21. 09
1986	126890	3742	113561	9295	292	450. 35	56. 70	346. 81	19. 82	27. 02
1987	158715	4129	144684	9557	345	796. 86	66. 98	678. 04	21. 20	30. 64
1988	218915	4828	204278	9420	389	402. 34	82. 53	261. 18	22. 43	36. 20
1989	66727	4882	58110	3377	358	447. 62	84. 38	309. 25	20. 50	33. 49
1990	78046	4467	70681	2428	470	453. 21	82. 56	307. 40	19. 68	43. 57
1991	83460	5004	75570	2317	569	526. 66	102. 11	348. 85	20. 89	54. 81
1992	93678	6243	83128	3503	804	624. 55	131. 99	385. 76	25. 75	81. 05
1993	95468	6835	84708	3078	847	696. 92	161. 04	422. 88	25. 60	87. 40
1994	125036	6920	111447	5636	1033	929. 48	164. 11	619. 52	33. 21	112. 64
1995	130998	6283	118406	5146	1163	936. 29	163. 11	613. 07	31. 13	128. 98
1996	128831	5593	117815	4232	1191	938. 65	153. 86	626. 60	20. 65	137. 54
1997	123649	6201	113259	3032	1157	957. 20	177. 61	616. 48	17. 21	145. 90
1998	132462	6743	121795	2729	1195	994. 84	194. 16	630. 65	13. 87	156. 16
1999	148636	7553	137324	2605	1154	1082. 14	212. 13	700. 74	13. 62	155. 65
2000	164791	12165	148945	2363	1318	1218. 59	241. 51	780. 74	11. 65	184. 69
2001	178676	12783	161967	2382	1544	1342. 12	252. 37	858. 86	11. 40	219. 49
2002	188657	13310	171191	2347	1809	1490. 34	273. 19	945. 16	11. 31	260. 68
2003	191202	12935	174288	2208	1771	1505. 83	267. 14	983. 67	11. 41	243. 61
2004	202414	15142	183012	1827	2433	1738. 21	308. 38	1076. 06	10. 17	343. 60

14-3 全社会货物运输量
TOTAL FREIGHT TRAFFIC

年 份 Year	货运量（万吨） Freight Traffic（10000 tons）						货物周转量（亿吨公里） Freight Ton-kilometers（100 million ton-km）					
	合计 Total	铁路 Railways	公路 Highways	水路 Waterways	民航 Civil Aviation	管道 Pipelines	合计 Total	铁路 Railways	公路 Highways	水路 Waterways	民航 Civil Aviation	管道 Pipelines
1984	33152	2844	18984	10467	3	854	1618. 72	91. 51	75. 75	1445. 95	0. 26	5. 25
1985	58726	3000	42813	12045	4	864	1767. 86	102. 29	156. 45	1503. 47	0. 38	5. 27
1986	65078	4269	49030	10831	4	944	1845. 33	130. 02	127. 28	1581. 60	0. 45	5. 98
1987	74571	4493	57393	11664	5	1016	1982. 59	142. 56	179. 41	1653. 81	0. 54	6. 27
1988	79811	4504	57717	16583	6	1001	2209. 11	151. 55	216. 22	1834. 41	0. 67	6. 26
1989	85054	4888	63254	15820	6	1086	2419. 57	168. 39	301. 16	1942. 79	0. 71	6. 52
1990	85809	4803	63709	16198	8	1091	2598. 88	179. 54	346. 27	2065. 69	0. 90	6. 48
1991	94136	5347	69784	17718	10	1277	3181. 83	206. 18	386. 49	2580. 79	1. 06	7. 31
1992	113119	6089	84181	21346	12	1491	3560. 59	239. 34	583. 36	2727. 97	1. 41	8. 51
1993	125273	6595	87567	29660	14	1437	3797. 09	261. 91	428. 17	3097. 19	1. 70	8. 12
1994	119901	6971	81361	30165	20	1384	4326. 09	280. 31	443. 54	3592. 35	2. 39	7. 50
1995	111063	7634	68884	32952	21	1572	4642. 91	290. 78	352. 45	3990. 19	2. 75	6. 74
1996	95598	8138	60131	25699	24	1606	3761. 09	294. 12	327. 81	3129. 27	3. 27	6. 62
1997	99763	8430	62728	26873	25	1707	3837. 78	294. 45	341. 08	3185. 26	3. 99	13. 00
1998	101933	8288	65682	25669	28	2266	3453. 92	290. 65	371. 08	2750. 19	4. 90	37. 10
1999	106334	8150	70626	24857	31	2670	2980. 69	282. 68	426. 70	2223. 75	5. 45	42. 11
2000	119216	15172	75365	25696	31	2952	3064. 51	295. 97	472. 49	2247. 86	6. 45	41. 74
2001	131621	15435	86555	26434	35	3162	3221. 47	296. 79	522. 89	2350. 73	7. 54	43. 52
2002	137032	14790	92736	26263	42	3201	3229. 39	277. 87	576. 35	2323. 27	9. 94	41. 96
2003	143964	15375	97806	27412	42	3329	3666. 83	285. 02	614. 01	2719. 83	11. 76	36. 21
2004	156094	19495	102843	29783	49	3924	4148. 54	341. 26	657. 49	3091. 39	13. 22	45. 18

14-4 运输工具拥有量和线路里程
NUMBER OF MEANS OF TRANSPORT AND LENGTH OF TRANSPORT ROUTES

项目		Item		1995	2000	2003	2004
一、铁路		**Railways**					
铁路机车	(台)	Locomotives	(unit)	431	538	442	470
铁路营业里程	(公里)	Length of Railways in Operation	(km)	1861	1942	1883	1875
中央铁路	(公里)	National Railways	(km)	684	694	691	641
地方铁路	(公里)	Local Railways	(km)	1177	1248	1192	1234
二、公路		**Highways**					
公路通车里程	(公里)	Length of Highways	(km)	84563	102606	110252	111453
(一) 民用汽车	(辆)	Civil Motor Vehicles	(unit)	1147348	1729054	2579592	3054025
载客汽车	(辆)	Buses and Cars	(unit)	447346	853375	1597383	1987336
	(客位)		(seat)	3845569	7969195	12516077	14967204
载货汽车	(辆)	Trucks	(unit)	670659	843779	937949	1010707
	(吨位)		(tonnage)	2310232	3517470	2095356	2036568
其他汽车	(辆)	Other Vehicles	(unit)	29343	31900	44260	55982
(二) 农用运输车	(辆)	Vehicles for Agricultural Use	(unit)			21193	21629
(三) 拖拉机	(台)	Tractors	(unit)	38213	35925	8184	8489
(四) 摩托车	(辆)	Motorcycles	(unit)	3429133	6799167	9284836	9910316
(五) 其他类型车	(辆)	Other Kinds of Vehicles	(unit)	339645	137332	109286	108121
(六) 挂车	(辆)	Trailers	(unit)	3451	6040	12768	30494
三、水运		**Waterways**					
内河通航里程	(公里)	Length of Navigable Inland Waterways	(km)	10808	13696	13613	13596
(一) 机动船	(艘)	Motor Vessels	(unit)	33117	21733	20499	19147
	(净载重吨位)		(dead weight tonnage)	7888261	5268845	6525298	6360385
	(客位)		(seat)	171298	149004	83546	73485
	(总功率千瓦)		(kw)			3892383	3767247
(二) 驳船	(艘)	Barges	(unit)	2014	1076	453	254
	(净载重吨位)		(dead weight tonnage)	601040	274836	116288	82372
	(客位)		(seat)	160	395	164	121
四、民航		**Civil Aviation**					
民用航空航线里程	(公里)	Length of Civil Aviation Routes	(km)	296226	500322	645409	819626
民用飞机	(架)	Number of Civil Aircrafts	(unit)	97	106	125	138
五、管道		**Pipelines**					
条数	(条)	Number of Pipelines	(line)	26	45	60	64
输油(气)里程	(公里)	Length of Pipelines	(km)	324.90	1535.57	1615.92	1809

14-5 各市机动车辆拥有量（2004 年）
NUMBER OF MOTOR VEHICLES OWNED BY CITY (2004)

单位：辆 (unit)

市 别 City	总 计 Total	汽 车 Motor Vehicles	载客汽车 Passenger Vehicles	载货汽车 Trucks	其他汽车 Others Motor cycles	农用运输车 Vehicles for Agriculture Use	拖拉机 Trackers	摩托车 Motor-cycles	其它类型车 Other Kinds of Vehicles
广 州 Guangzhou	1722105	682444	477092	190530	14822	1713	41	1028043	2017
深 圳 Shenzhen	659472	605354	452531	135917	16906			43964	
珠 海 Zhuhai	145932	82770	56220	24948	1602	10	11	59624	1494
汕 头 Shantou	588582	110468	74681	34339	1448	1555	4	472262	3523
佛 山 Foshan	1620360	366078	213950	147044	5084	364	24	1246591	5389
韶 关 Shaoguan	292240	39601	22333	16654	614	695	1392	236212	13986
河 源 Heyuan	277634	24929	14031	10277	621	1114	531	248179	2441
梅 州 Meizhou	572752	41381	22515	18402	464	2599	24	518068	10145
惠 州 Huizhou	528295	88511	54068	32658	1785	442		438740	
汕 尾 Shanwei	171948	16114	10447	5465	202	2222	2	150649	2804
东 莞 Dongguan	1009535	319725	210531	105050	4144	233	8	687651	
中 山 Zhongshan	497222	148387	88084	58361	1942	89		347718	
江 门 Jiangmen	1114090	124760	69074	53907	1779	2384	134	975159	10307
阳 江 Yangjiang	476454	24646	14171	10243	232	284	2	444936	6521
湛 江 Zhanjiang	434733	53512	27981	24572	959	431	2691	376989	402
茂 名 Maoming	909083	70237	28634	40813	790	821	1414	830235	6099
肇 庆 Zhaoqing	523820	51512	25586	25349	577	784	306	460398	10672
清 远 Qingyuan	384273	43910	22052	21408	450	522	1863	321493	16382
潮 州 Chaozhou	345863	44998	27417	17263	318	2610	2	297723	307
揭 阳 Jieyang	397670	48239	32832	15123	284	725	1	342948	5659
云 浮 Yunfu	400295	33159	15310	17518	331	2032	39	355013	9973
不分地区 Unclassified by Region	61012	33290	27796	4866	628			27721	

14-6 各市公路基本情况（2004 年）
BASIC CONDITIONS OF HIGHWAYS BY CITY (2004)

单位：公里 (km)

市 别 City	通车里程 Length of Highways	晴雨通车里程 Length of Highways in Any Weathers	按等级分 By Class		按路面分 By Pavement		桥梁 Bridges	
			等级路 Expressways and Class I to IV Highways	等外路 Highways below Class IV	有路面里程 Paved Highways	无路面里程 Not-paved Highways	座 Unit	米 Meter
广 州 Guangzhou	5059.9	5058.4	4405.0	654.9	4980.8	79.1	1287	67461
深 圳 Shenzhen	1337.4	1185.1	1337.4		1337.4		492	17155
珠 海 Zhuhai	1040.8	919.8	1007.8	33.0	1040.8		246	26392
汕 头 Shantou	1757.4	889.6	1747.6	9.8	1757.4		410	12298
佛 山 Foshan	3924.2	3264.3	3838.8	85.4	3924.2		1254	83485
韶 关 Shaoguan	9035.2	7500.2	6616.4	2418.8	8901.6	133.6	1187	37634
河 源 Heyuan	8895.7	2817.8	6446.5	2449.2	7772.0	1123.7	1448	41633
梅 州 Meizhou	10349.9	3416.8	9423.9	926.0	10324.4	25.5	1979	52966
惠 州 Huizhou	7103.7	4136.9	6920.1	183.6	7103.7		1135	42425
汕 尾 Shanwei	3426.8	3201.4	3178.3	248.5	3420.8	6.0	741	21952
东 莞 Dongguan	2637.6	2405.4	2600.8	36.8	2621.1	16.5	597	44321
中 山 Zhongshan	1036.5	853.3	993.4	43.1	1036.5		534	29162
江 门 Jiangmen	4114.3	3545.8	4057.8	56.5	4086.1	28.2	1262	48645
阳 江 Yangjiang	4290.8	3239.6	4222.0	68.8	4290.8		673	26376
湛 江 Zhanjiang	7532.7	6161.5	6715.5	817.2	7330.5	202.2	801	27560
茂 名 Maoming	8759.0	7150.6	8461.4	297.6	8545.0	214.0	1885	58448
肇 庆 Zhaoqing	7989.4	6211.9	7721.3	268.1	7985.7	3.7	1222	40289
清 远 Qingyuan	10326.1	6482.8	9703.0	623.1	10279.2	46.9	1527	62492
潮 州 Chaozhou	1833.3	1574.3	1549.6	283.7	1833.3		442	15021
揭 阳 Jieyang	4144.7	2219.3	3979.1	165.6	4144.0	0.7	1014	32844
云 浮 Yunfu	4338.1	3123.2	4262.8	75.3	4338.1		784	21533
高速公路公司 Expressway Company	2519.2	2519.2	2519.2		2519.2		2103	314356

14-7 公路通车里程和桥梁数
LENGTH OF HIGHWAYS AND NUMBER OF BRIDGES

项目	Item	1995	2000	2003	2004
一、通车里程 （公里）	**Length of Highways (km)**	**84563**	**102606**	**110252**	**111453**
#晴雨通车里程	Length of Highways in Any Weathers	78974	100863	109447	77877
（一）按等级分	By Class				
等级路	Expressways and Class Ⅰ to Ⅳ Highways	70413	93695	99734	101708
高速公路	Expressways	358	1186	2303	2519
一 级	First Class	2731	5391	6542	7030
二 级	Second Class	6374	13397	15926	16590
三 级	Third Class	5190	9156	10807	11629
四 级	Fourth Class	55760	64565	64156	63940
等外公路	Highways below Class Ⅳ	14150	8911	10518	9745
（二）按路面分	By Pavement				
有路面里程	Paved Highways	77879	100733	108271	109573
高级、次高级	High Class, Second High Class	22565	39265	51891	58729
中 级	Medium Class	13860	14510	13076	12024
低 级	Low Class	41454	46958	43304	38820
无路面里程	Not-paved Highways	6684	1873	1981	1880
二、桥 梁 （座）	**Bridges (unit)**	**15859**	**19668**	**22399**	**23023**
（米）	(m)	569525	819770	1029090	1124448
# 永久式 （座）	Permanent (unit)	15806	19656	22392	23012
（米）	(m)	568022	819502	1028915	1124122
半永久式 （座）	Semi-permanent (unit)	43	12	4	8
（米）	(m)	1327	268	119	270
三、渡 口 （个）	**Ferries (unit)**	**37**	**33**	**26**	**25**

14-8 输油（气）管道长度和运输量
LENGTH AND TRAFFIC OF PETROLEUM AND GAS PIPELINES

项 目		Item		1995	2000	2003	2004
总 计		**Total**					
条 数	（条）	Number of Pipelines	(line)	26	45	60	64
输油（气）里程	（公里）	Length of Pipelines	(km)	324.90	1535.57	1615.92	1808.87
输油（气）延展里程	（公里）	Extended Length of Pipelines	(km)	339.68	1551.15	1628.72	1808.87
输油（气）量	（万吨）	Pipeline Traffic	(10000 tons)	1572	2952	3329	3924
输油（气）周转量	（万吨公里）	Ton-kilometers	(10000 ton-km)	67382	417432	362066	451815
一、输原油管道		**Crude Oil Pipelines**					
条 数	（条）	Number of Pipelines	(line)	4	7	4	4
输油里程	（公里）	Length of Pipelines	(km)	173.79	352.67	345.30	345.17
输油延展里程	（公里）	Extended Length of Pipelines	(km)	186.97	365.85	355.70	345.17
输 油 量	（万吨）	Pipeline Traffic	(10000 tons)	1134	1912	2077	2316
输油周转量	（万吨公里）	Ton-kilometers	(10000 ton-km)	64063	189623	204601	230527
二、输成品油管道		**Refined Oil Pipelines**					
条 数	（条）	Number of Pipelines	(line)	22	27	42	46
输油里程	（公里）	Length of Pipelines	(km)	151.11	211.00	295.22	444.22
输油延展里程	（公里）	Extended Length of Pipelines	(km)	152.71	213.40	297.62	444.22
输 油 量	（万吨）	Pipeline Traffic	(10000 tons)	438	663	955	1186
输油周转量	（万吨公里）	Ton-kilometers	(10000 ton-km)	3319	13250	13370	18602
三、输气管道		**Gas Pipelines**					
条 数	（条）	Number of Pipelines	(line)		11	14	14
输气里程	（公里）	Length of Pipelines	(km)		971.90	975.40	1019.48
输气延展里程	（公里）	Extended Length of Pipelines	(km)		971.90	975.40	1019.48
输 气 量	（万吨）	Pipeline Traffic	(10000 tons)		377	297	422
输气周转量	（万吨公里）	Ton-kilometers	(10000 ton-km)		214559	144095	202686

14-9 民航航站吞吐量
VOLUME OF CIVIL AVIATION HANDLED AT AIRPORTS

年 份 Year	合计 Total			进港 In-port			出港 Out-port		
	架次（万次）Sorties (10000 sorties)	旅客（万人）Passenger Traffic (10000 persons)	货、邮、行（万吨）Freight Traffic (10000 tons)	架次（万次）Sorties (10000 sorties)	旅客（万人）Passenger Traffic (10000 persons)	货、邮、行（万吨）Freight Traffic (10000 tons)	架次（万次）Sorties (10000 sorties)	旅客（万人）Passenger Traffic (10000 persons)	货、邮、行（万吨）Freight Traffic (10000 tons)
1980	1.6	161	2.9	0.8	81	1.4	0.8	80	1.5
1985	4.0	318	6.2	2.0	160	3.0	2.0	158	3.2
1990	6.2	687	13.5	3.1	343	5.9	3.1	344	7.6
1995	17.7	1963	39.5	8.8	963	14.1	8.9	1000	25.4
1996	18.2	2025	45.6	9.1	993	15.9	9.1	1032	29.7
1997	19.0	1981	49.0	9.5	974	16.7	9.5	1007	32.3
1998	20.8	2010	55.8	10.4	986	20.8	10.4	1024	35.0
1999	22.2	1929	63.7	11.1	942	25.6	11.1	987	38.1
2000	23.6	2143	73.0	11.8	1044	30.9	11.8	1099	42.1
2001	25.1	2344	81.0	12.5	1136	33.9	12.6	1208	47.1
2002	28.0	2731	95.7	14.0	1340	40.4	14.0	1391	55.3
2003	28.1	2751	82.4	14.1	1351	34.9	14.0	1400	47.5
2004	34.7	3661	115.8	17.3	1801	50.8	17.4	1860	65.0

14-10 港口货物吞吐量
VOLUME OF FREIGHT HANDLED IN PORTS

单位：万吨 (10000 tons)

项　目	Item	2000	2002	2003	2004
全省总计	**Total**	**31649**	**44102**	**51340**	**62715**
一、按港口分	**Grouped by Port**				
沿海港口	Grouped by Coastal Port	25495	35847	42158	51877
内河港口	Grouped by Inland River	6154	8255	9182	10838
二、按市别分	**Grouped by City**				
广　州	Guangzhou	12455	16772	19200	23887
深　圳	Shenzhen	5697	8767	11220	13537
珠　海	Zhuhai	1770	2340	2470	3203
汕　头	Shantou	1284	1380	1470	1576
佛　山	Foshan	2033	2990	3076	3798
韶　关	Shaoguan	131	121	108	140
河　源	Heyuan	45	45	22	29
梅　州	Meizhou	145	335	340	360
惠　州	Huizhou	825	956	1098	1542
汕　尾	Shanwei	25	6	64	108
东　莞	Dongguan	746	1611	2352	2600
中　山	Zhongshan	635	850	1478	1960
江　门	Jiangmen	879	1942	1960	2030
阳　江	Yangjiang	68	122	144	155
湛　江	Zhanjiang	2688	3586	3985	5096
茂　名	Maoming	1104	1113	1262	1409
肇　庆	Zhaoqing	189	357	341	428
清　远	Qingyuan	193	234	143	
潮　州	Chaozhou	60	24	47	68
揭　阳	Jieyang	266	233	234	245
云　浮	Yunfu	411	318	326	543

14-11 沿海主要港口吞吐量
VOLUME OF FREIGHT HANDLED IN MAJOR COASTAL PORTS

项　目	Item	1985	1990	1995	2000	2003	2004
一、货物吞吐量合计（万吨）	**Total Volume of Freight Handled (10000 tons)**	**5073**	**6895**	**11904**	**18674**	**30727**	**38302**
广州港	Guangzhou	3446	4163	7299	11128	17187	21520
湛江港	Zhanjiang	1231	1557	1895	2038	2866	3780
汕头港	Shantou	201	279	716	1284	1470	1576
蛇口港	Shekou	130	480	1001	1016	1890	2089
赤湾港	Chiwan	65	412	777	1077	2477	3489
妈湾港	Mawan		4	149	443	1016	1119
盐田港	Yantian			67	1143	2732	3366
SCT码头	SCT Port				545	1089	1363
二、集装箱吞吐量合计（TEU）	**Total Volume of Containers Handled (TEU)**		**154132**	**539491**	**5577402**	**13323424**	**17057220**
广州港	Guangzhou		109394	245955	1429807	2769049	3304026
湛江港	Zhanjiang		5669	29994	74842	129213	167200
汕头港	Shantou		5259	69742	114369	222816	284707
蛇口港	Shekou		17946	23229	325232	871793	1150326
赤湾港	Chiwan		15864	64835	643838	2235946	3427954
妈湾港	Mawan				121514	301085	340599
盐田港	Yantian			105736	2147476	5258212	6259515
SCT码头	SCT Port				720324	1535310	2122893
三、旅客吞吐量合计（万人）	**Total Volume of Passengers Handled (10000 persons)**	**460.2**	**707.20**	**664.40**	**253.40**	**11.60**	**63.56**
广州港	Guangzhou	354.3	434.80	307.10	15.00	9.10	62.71
湛江港	Zhanjiang	1.8	9.20	49.10	29.60	1.20	0.01
汕头港	Shantou	21.2	33.20	12.80	5.50	1.30	0.84
蛇口港	Shekou	82.9	230.00	295.40	203.40		
赤湾港	Chiwan						
妈湾港	Mawan						
盐田港	Yantian						
SCT码头	SCT Port						

14-12 港口码头泊位数
NUMBER OF BERTHS IN PORTS

项　目	Item	2000	2002	2003	2004
全省总计	**Total**				
码头泊位个数（个）	Number of Berths (unit)	3191	3279	3204	3054
#万吨级泊位	Berths at 10000 Ton Class	126	130	159	175
码头长度（米）	Length of Quay Line (m)	180238	194101	190634	190484
一、沿海港口	**Coastal Ports**				
码头泊位个数（个）	Number of Berths (unit)	1373	1417	1456	1308
生产用	For Production	1177	1219	1259	1108
非生产用	For Non-production	196	198	197	200
万吨级泊位个数（个）	Number of Berths at 10000 Ton Class (unit)	126	130	159	168
生产用	For Production	126	130	159	168
非生产用	For Non-production				
码头长度（米）	Length of Quay Line (m)	105193	113149	116173	114769
生产用	For Production	91423	99002	102082	100166
非生产用	For Non-production	13770	14147	14091	14603
二、内河港口	**Ports of Inland Rivers**				
码头泊位个数（个）	Number of Berths (unit)	1818	1862	1748	1746
生产用	For Production	1803	1847	1733	1735
非生产用	For Non-production	15	15	15	11
码头长度（米）	Length of Quay Line (m)	75045	80952	74461	75715
生产用	For Production	74632	80538	74047	75373
非生产用	For Non-production	413	414	414	342

14-13 各市邮电业务总量（2004 年）
POSTAL AND TELECOMMUNICATION SERVICES BY CITY (2004)

市　别 City	业务总量（亿元）（2000年不变价）Business Volume (100 million yuan) (at 2000 constant prices)	函件（万件）Letters (10000 pcs)	报刊累计数（万份）Newspaper and Magazine Circulation (10000 copies)	特快专递（万件）Pieces of Express Mail Services (10000 pcs)	移动电话用户（万户）Subscribers of Mobile Telephones (10000 subscribers)	城市电话用户（万户）Telephone Subscribers in Urban Areas (10000 subscribers)	乡村电话用户（万户）Telephone Subscribers in Rural Areas (10000 subscribers)
总　计　Total	**1781. 78**	**106730. 70**	**112590. 70**	**2689. 40**	**5373. 82**	**2128. 21**	**825. 95**
广　州　Guangzhou	383. 83	26633. 42	18390. 60	835. 49	1053. 47	484. 00	24. 00
深　圳　Shenzhen	368. 10	16029. 35	17145. 92	590. 54	1003. 58	395. 00	
珠　海　Zhuhai	51. 60	3176. 54	2186. 72	113. 26	164. 81	64. 00	6. 00
汕　头　Shantou	63. 91	3047. 58	4250. 73	52. 64	216. 35	91. 00	57. 00
佛　山　Foshan	143. 42	9556. 49	15661. 26	275. 09	490. 42	230. 00	
韶　关　Shaoguan	22. 78	2243. 63	2425. 20	26. 52	85. 34	48. 00	25. 00
河　源　Heyuan	16. 15	580. 25	2729. 79	16. 18	56. 06	25. 00	30. 00
梅　州　Meizhou	23. 04	920. 78	2990. 15	27. 15	92. 03	44. 00	41. 00
惠　州　Huizhou	66. 49	1613. 35	3861. 63	57. 24	202. 49	88. 00	39. 00
汕　尾　Shanwei	18. 00	463. 49	1513. 99	13. 85	60. 29	24. 00	28. 00
东　莞　Dongguan	245. 52	10205. 26	10111. 80	235. 01	761. 07	111. 00	164. 00
中　山　Zhongshan	73. 45	9327. 77	6422. 06	130. 42	227. 12	43. 00	76. 00
江　门　Jiangmen	59. 25	9395. 34	7393. 77	108. 88	217. 94	102. 00	35. 00
阳　江　Yangjiang	19. 07	1053. 69	3156. 50	17. 35	56. 36	29. 00	24. 00
湛　江　Zhanjiang	43. 16	2861. 76	3002. 86	43. 20	132. 96	60. 00	41. 00
茂　名　Maoming	31. 76	3584. 10	2537. 57	44. 15	98. 25	51. 00	52. 00
肇　庆　Zhaoqing	31. 89	1722. 02	2222. 22	35. 82	105. 60	47. 00	32. 00
清　远　Qingyuan	23. 87	996. 56	1446. 60	17. 68	92. 48	29. 00	27. 00
潮　州　Chaozhou	24. 10	1175. 69	1673. 91	15. 69	88. 34	38. 00	33. 00
揭　阳　Jieyang	33. 90	1558. 04	2158. 03	20. 41	118. 39	49. 00	53. 00
云　浮　Yunfu	14. 13	568. 83	1309. 39	12. 84	50. 46	18. 00	27. 00
不分地区 Unclassified by Region	24. 36	16. 76				58. 21	11. 95

注：网通和铁通的业务总量、铁通的城市电话用户和乡村电话用户因不能按市分，全部归入“不分地区”里。

Notes: Owing to the business volume of China Netcom Corp. Ltd. Guangdong Bvanch and China Tietong Telecommunications Corp. Ltd. Guangdong Branch, the telephone subscribers in urban areas and rural areas couldn't be classified by citie, so they are included in the column of "unclassified by region".

14-14 邮电通信业基本情况
BASIC CONDITIONS OF POSTAL AND TELECOMMUNICATIONS SERVICES

项　　目	Item	1985	1990	1995	2000	2003	2004
邮运汽车 (辆)	Vehicles for Mail Use (unit)	383	613	1173	1154	1020	1168
邮路长度 (公里)	Length of Postal Routes (km)	224922	96269	113240	180724	301873	330783
农村投递路线 (公里)	Length of Rural Delivery Routes (km)		142790	152152	185223	196480	197650
长途电话业务电路 (路)	Long-distance Telephone Lines (line)	3346	20845	159162	478746	1197567	2999940
数据通信网长途电路 (万路)	Long-distance Digital Telecommunication Lines (10000 lines)					141.70	175.92
长途光缆线路长度 (公里)	Length of Long-distance Optical Cable Routes (km)					39300	45807
数字微波线路长度 (公里)	Length of Digital Micro-wave Routes (km)					22862	21429
长途电话交换机容量 (万路端)	Capacity of Long-distance Telephone Exchanges (10000 lines)	0.17	3.80	44.95	70.34	134.45	185.32
局用电话交换机容量 (万门)	Capacity of Telephone Exchanges (10000 gates)	40.00	180.70	1007.10	1939.45	3551.35	4377.45
移动电话交换机容量 (万户)	Capacity of Mobile Telephone Exchanges (10000 gates)			145.00	1825.40	5328.11	5870.70
本地电话用户 (万户)	Number of Subscribers of Local Telephones (10000 subscribers)	24.00	113.00	591.00	1414.94	2567.01	2954.16
#城市电话	Urban Subscribers	13.00	72.00	361.00	916.03	1690.56	2128.21
移动电话用户 (万户)	Number of Mobile Telephones Subscribers (10000 subscribers)		1.11	98.78	1357.26	4006.96	5373.82
数字数据用户 (户)	Number of Digital Data Subscribers (subscriber)					54125	44464
国际互联网用户 (万户)	Number of Internet Subscribers (10000 subscribers)				216.41	1177.67	1159.95
互联网用户使用时长 (万分钟)	Time Length of Internet Subscribers (10000 minutes)				900585	1421663	17541852
函件 (万件)	Number of Letters (10000 pcs)	37580	47188	98535	106603	130705	106731
特快专递 (万件)	Pieces of Express Mail Services (10000 pcs)		124.40	687.30	1327.80	2180.11	2689.40
报刊累计数 (万份)	Cumulative Number of Newspapers and Magazines (10000 copies)	142491	116253	155920	107755	108886	112591
全省平均每人每年发函件数 (件)	Annual Number of Per Capita Letter Mailed (piece)	6.00	8.70	14.40	13.80	16.43	13.00
全省平均每百人每年订报刊数 (份)	Annual Average Number of Newspapers and Magazines Subscribed per 100 Persons (copy)	22.50	16.60	18.00	15.10	13.11	13.00
本地电话主线普及率 (线/百人)	Popularization Rate of Main Lines of Local Telephones (line/100 persons)	0.42	1.78	8.61	18.40	32.27	37.33
移动电话普及率 (部/百人)	Popularization Rate of Mobile Telephones (set/100 persons)		0.02	1.44	17.61	50.38	67.64

注：1985 年以前的“农村投递路线”含在“邮路长度”中。
Note: Before 1985, the length of postal routes included the length of rural delivery routes.

主要统计指标解释

公路里程 指在一定时期内实际达到《公路工程技术标准 JTJ01-88》规定的等级公路，并经公路主管部门正式验收交付使用的公路里程数。其计算单位为公里。它包括大中城市的郊区公路以及通过小城镇街道部分的公路里程，也包括桥梁、渡口的长度，但不包括大中城市的街道、厂矿、林区生产用道和农业生产用道的里程。两条或多条公路共同经由同一路段，只计算一次，不得重复计算里程长度。公路里程是反映公路建设发展规模的重要指标，也是计算运输网密度等指标的基础资料。

货（客）运量 指运输业实际运送的货物（旅客）数量。货运按吨计算，客运按人计算。货物不论运输距离长短，货物类型，均按实际重量统计；旅客不论行程远近或票价多少，均按一人一次作为客运量统计。半价票、小孩票也按一人统计。货（客）运量反映运输业为国民经济和人民生活服务的数量，也是制定和检查运输生产计划，研究运输发展规模和速度的重要指标。

货物（旅客）周转量 指运输业运送的货物（旅客）与其相应运输距离的乘积之和，通常以吨公里和人公里为计算单位。计算货物周转量通常按发出站与到达站之间的最短距离，也就是计费距离计算。它是反映运输业生产总成果的重要指标，也是编制和检查运输生产计划，计算运输效率，劳动生产率以及核算运输单位成本的主要基础资料。

货物吞吐量 是指经由水运进、出港区范围，并经过装卸的货物数量。货物吞吐量分别按国内进口（卸船）、出口（装船）、外贸进口、出口统计。货物吞吐量按货物实际重量吨统计，以货物交接清单或货单上记载的重量吨为准。如无实际重量吨，可根据船舶装载情况来推算。在本港区内的水运转口分别按进口和出口各计算一次吞吐量。货物吞吐量是衡量港口生产规模的一个主要数量指标。

邮电业务总量 指以货币表现的邮电部门为用户传递信息和提供其他邮电服务的总量。它用各种邮电分类业务量，如函件件数、电报份数、长话张数、市内电话和农村电话的年均户数、订销报刊、累计份数等，分别乘以相应的平均单价（不变价），加总后再加上出租电路和设备收入，代用户维护电话交换机和线路等设备的收入，其他业务收入求得。邮电业务总量综合反映了一定时期邮电工作的总成果，是研究邮电业务量构成和发展趋势的重要指标。

本地电话用户 是指在本企业登记注册、报告期末实际已接入本企业本地电话网上的电话用户数。计量单位为：户。

本地电话用户按计费方式分为包月制电话用户和计次制电话用户。

本地包月制电话用户是指不管用户通话次数多少，按月缴纳固定月租费的用户。

本地计次制电话用户是指用户除每月缴纳基本月租费外，还要根据通话次数缴纳通话费的用户。

城市电话用户 是指按行政区划属于中央直辖市、省辖市、地级市、县级市的市区、市郊区及县城区范围内的电话用户数。包括分布在农村地区但以县团级以上建制的独立工矿区、林区、驻军的电话用户。N-ISDN 用户、无线接入（PHS）电话用户、智能网专用接入终端用户、集中用户交换机（Centrex）用户均按城市电话用户统计。

乡村电话用户 是指按行政区划属于城市范围以外的乡（镇）、村电话用户。

移动电话用户 指在邮电部门登记，通过移动电话交换机进入移动电话网、占有移动电话号码的电话用户。计量单位为“户”。用户数字以实际办理登记手续进入邮电部门移动电话网的户数进行计算，一部或一台移动电话统计为一户。

Explanatory Notes on Main Statistical Indicators

Length of Highways refers to the length of highways which are built in conformity with the grades specified by the highway engineering standard formulated by the Ministry of Communications, and have been formally checked and accepted by the departments of highways and put into use. The length of highways includes that of the suburb highways at large and medium-sized cities, highways passing through streets at small cities and towns, and also the length of bridges and ferries. It does not include the length of streets in large and medium-sized cities and highways built for the production purpose at factories, mines, forest areas and agricultural areas. If two or more highways go the same section of the way, the length of the section is only calculated for once and no duplication is allowed. The length of highways is an important indicator to show the development of the highway construction and to provide essential information to calculate the transport network density.

Freight (Passenger) Traffic refers to the volume of freight (passenger) transported with various means. Freight transport is calculated in tons and passenger traffic is calculated in the number of persons. Despite the type of freight and traveling distance, the freight transport is calculated in the actual weight of the goods; and despite the traveling distance and ticket price, the passenger traffic is calculated by the principle that one person can be counted only once in one travel. The passenger who travels with a half price ticket or a child ticket is also calculated as one person. The freight (passenger) traffic provides a quantitative measure to show how the transport industry serves the national economy and people, and is also an important indicator for planning the transport industry serves the national economy and people, and is also an important indicator for planning the transport industry and for studying the development scale and speed of the transport industry.

Freight Ton-kilometers (Passenger-kilometers) refer to the sum of the products of the volume of transported cargo (passengers) multiplying by the transport distance, usually using ton-kilometer and passenger-kilometer as units for measurement. Normally, the shortest distance between the departure station and the destination station (i. e. the payable distance) is the basis to calculate the freight ton-kilometers. This is an important indicator to show the total results of the transport industry, to prepare and examine the transport plan and to measure the efficiency, the labor productivity and the unit cost of transport.

Volume of Freight Handled refers to the volume of cargo passing in and out the harbor area and having been loaded and unloaded. The volume of freight handled may be classified as import, export or as domestic trade and foreign trade. The volume of freight handled is calculated in the actual weight ton of the goods, based on the weight ton under the delivery order or bill of loading. If no actual weight ton available, it can be estimated according to the loading of goods. As for the transit goods in the harbor area, the volume of freight handled is calculated according to the import and export respectively. It is a major indicator to show the scale of the port production.

Business Volume of Posts and Telecommunications refers to the total amount of postal and telecommunication services, expressed in value terms, provided by the postal and telecommunication departments for the society. Postal and telecommunication services can be classified as letters, parcels, remittance, issue of newspapers and magazines, fast mail service, express mail service, savings deposits, stamps for collection, public and individual telegraph service, facsimiles, long-distance telephone service, leasing of telephone lines, urban paging service, mobile telephone service, data transfer and transmission, etc. The accounting approach is to multiply the service products of all types with their average unit price (constant prices) to get sum of business value, plus income from other services such as leasing of telephones lines and equipment, maintenance of telephone switchboards and lines on behalf of customers. This indicator reflects the overall results of postal and telecommunication services during a given period, and is important to study the composition of business service and the development of postal and telecommunication services.

Local Telephone Subscribers refer to the registered subscribers who are connected to the local telephone network (measured in subscriber). The subscribers are divided into subscribers with monthly fixed payment and those with message call payment.

The subscribers with monthly fixed payment refer to those who pay the monthly telephone expenses with a fixed lease rate regardless of the message calls.

The subscribers with message call payment refer to those who pay the telephone expenses with a message rate besides the basic monthly fixed lease rate.

Urban Telephone Subscribers refer to the telephone subscribers, located at municipalities directly under the central government, cities under the jurisdiction of province, cities at prefectual level, downtown and suburb of city at county level and county towns according to the administrative division, that are connected to the public line telephone network, including the rural independent mineral area, forest area and military area at county (regimental) level. N-ISDN subscribers, PHS telephone subscribers, subscribers connected with intelligent terminal, Centrex subscribers are also included.

Rural Telephone Subscribers refer to the telephone subscribers, located at towns under county town and county level, that are connected to the public line telephone network.

Mobile Telephone Subscribers refer to the persons who own mobile telephone number connected with the mobile telephone communication network and registered by postal and telecommunication organization. The number of subscribers is calculated only when the subscriber who has gone through all the register formalities and entered into the mobile telephone network. One mobile telephone is treated as a subscriber.

十五 国内贸易

DOMESTIC TRADE

15

十五　国内贸易

简要说明

一、本篇资料反映广东省国内市场发展情况。主要内容包括批发零售贸易业商品流通情况，餐饮业销售情况，社会消费品零售总额等。

二、本篇资料主要根据国家统计局的《批发零售贸易业、餐饮业统计报表制度》，通过全面调查、抽样调查推断等，自下而上逐级综合汇总而得。城乡集市贸易情况由广东省工商行政管理部门提供。

三、各表的调查范围：

商品购、销、存总额、类值表为各种经济类型的限额以上和限额以下及个体户批发零售贸易业法人及产业活动单位。

社会消费品零售总额表，为各种经济类型的法人及产业活动单位、个体户对城乡居民和社会集团的零售。

四、本篇资料由广东省统计局贸易外经处整理提供。

15　DOMESTIC TRADE

Brief Introducion

Ⅰ. The date in this chapter show the development of Guangdong's domestic market, including mainly the circulation of commodities in the wholesale and retail trade, the sales in the catering services, and the total retail sales of consumer goods, etc.

Ⅱ. The data are obtained mainly in accordance with the Statistical Reporting Scheme on Wholesale and Retail Trade and Catering Services stipulated by the National Bureau of Statistics. The methods used in data collection for enterprises (units) are complete enumeration and sample surveys, under which data are reported from lower to higher level statistical offices. The statistics on urban and rural fair market is provided by Guangdong Provincial Administration of Industry and Commerce.

Ⅲ. The statistical coverage in this chapter comes as follows:

The tables of total purchases, sales, inventory, value of sales by category of commodities and volume of sales include the corporate units and economic active units above designated size and below designated size with various types of ownership and individuals in the wholesale and retail trade.

The tables of total retail sales of consumer goods include the retail sales of the corporate units and economic active units with various types of ownership and individuals to urban and rural residents and institutions.

Ⅳ. The data in this chapter are prepared and provided by the Division of External Economic Relations Statistics of Guangdong Provincial Bureau of Statistics.

15-1 国内贸易主要指标
MAIN INDICATORS ON DOMESTIC TRADE

指　　标	Item	1990	1995	2000	2003	2004	2004 比 2003 增长 (%) Growth Rate in 2004 over 2003 (%)
贸易企业单位数　（万个）	Number of Trade Units (10000 units)			10.08	13.72		
按行业分	By Sector						
批发业	Wholesale Trade			5.09	7.11		
零售业	Retail Trade			4.99	6.61		
按登记注册类型分	By Status of Registration						
内资企业	Domestic Funded Enterprises			10.00	13.49		
港、澳、台商投资企业	Enterprises with Funds from Hong Kong, Macao and Taiwan			0.05	0.14		
外商投资企业	Foreign Investment Enterprises			0.03	0.09		
贸易企业从业人数　（万人）	Number of Employed Persons (10000 persons)			135.89	190.58		
按行业分	By Sector						
批发业	Wholesale Trade			84.78	103.03		
零售业	Retail Trade			51.11	87.55		
按登记注册类型分	By Status of Registration						
内资企业	Domestic Funded Enterprises			133.43	182.04		
港、澳、台商投资企业	Enterprises with Funds from Hong Kong, Macao and Taiwan			1.54	5.72		
外商投资企业	Foreign Investment Enterprises			0.92	2.82		
社会消费品零售总额　（亿元）	Total Retail Sales of Consumer Goods (100 million yuan)	667.36	2176.28	4071.95	5606.02	6370.42	13.6
按行业分	By Sector						
批发零售业	Wholesale and Retail Trade	463.92	1339.39	2894.29	4681.08	5338.79	14.1
餐饮业	Catering Services	71.11	276.76	646.64	877.29	997.51	13.7
其他行业	Others	132.33	560.13	531.02	47.65	34.12	-28.4
按城乡分	By Urban and Rural Areas						
城镇	Urban Areas	457.34	1552.06	2907.53	3987.70	4578.77	14.8
乡村	Rural Areas	210.02	624.22	1164.42	1618.33	1791.65	10.7
贸易业商品销售总额　（亿元）	Total Sales in Wholesale and Retail Trade (100 million yuan)		5369.83	8203.96	11784.12	14051.24	19.2
批发额	Wholesale Trade		4030.44	5309.67	7103.04	8712.45	22.7
零售额	Retail Trade		1339.39	2894.29	4681.08	5338.79	14.1
限额以上连锁总店数　（个）	Number of General Chain Stores above Designated Size (unit)				118	127	7.6
限额以上连锁门店数　（个）	Number of Branch Chain Stores above Designated Size (unit)				3823	4657	21.0
限额以上连锁店销售总额（亿元）	Total Sales of Chain Stores above Designated Size (100 million yuan)				401.58	736.72	42.1
# 零售额　（亿元）	Retail Trade (100 million yuan)				388.57	713.93	43.5

注：连锁经营指标增长速度按可比口径计算。
Notes: The growth rates of operating indicators of chain stores are calculated at comparable stipulations.

15-2 社会消费品零售总额（按行业及城乡分）
TOTAL RETAIL SALES OF CONSUMER GOODS BY SECTOR AND BY URBAN & RURAL AREAS

单位：亿元 (100 million yuan)

年份 Year	社会消费品零售总额 Total Retail Sales of Consumer Goods	按行业分 By Sector			按城乡分 By Urban and Rural Areas	
		批发和零售业 Wholesale and Retail Trade	餐饮业 Catering Services	其他行业 Others	城镇 Urban Areas	乡村 Rural Areas
1952	18. 87	14. 81	1. 90	2. 16	9. 50	9. 37
1957	30. 48	23. 65	2. 50	4. 33	15. 67	14. 81
1962	40. 81	30. 82	4. 97	5. 02	17. 63	23. 18
1965	40. 19	34. 48	2. 73	2. 98	18. 29	21. 90
1970	49. 19	42. 22	2. 95	4. 02	21. 65	27. 54
1975	66. 73	55. 64	4. 39	6. 70	34. 17	32. 56
1978	79. 86	66. 92	5. 39	7. 55	38. 42	41. 44
1979	92. 69	76. 76	6. 09	9. 84	43. 25	49. 44
1980	117. 67	94. 52	7. 30	15. 85	66. 72	50. 95
1981	142. 38	114. 56	8. 85	18. 97	71. 19	71. 19
1982	164. 23	131. 86	10. 19	22. 18	82. 77	81. 46
1983	183. 62	144. 88	11. 58	27. 16	97. 32	86. 30
1984	226. 13	170. 06	16. 04	40. 03	131. 61	94. 52
1985	289. 23	209. 38	26. 74	53. 11	178. 45	110. 78
1986	327. 02	235. 59	28. 68	62. 75	172. 67	154. 35
1987	405. 19	294. 17	37. 83	73. 19	214. 34	190. 85
1988	568. 07	414. 30	50. 79	102. 98	306. 19	261. 88
1989	636. 15	451. 24	65. 69	119. 22	345. 43	290. 72
1990	667. 36	463. 92	71. 11	132. 33	457. 34	210. 02
1991	786. 64	535. 40	87. 87	163. 37	531. 57	255. 07
1992	984. 16	644. 79	111. 76	227. 61	679. 96	304. 20
1993	1371. 02	876. 63	164. 38	330. 01	976. 17	394. 85
1994	1851. 36	1169. 07	234. 75	447. 54	1337. 25	514. 11
1995	2176. 28	1339. 39	276. 76	560. 13	1552. 06	624. 22
1996	2577. 93	1678. 78	352. 00	547. 15	1851. 00	726. 93
1997	2918. 66	1921. 38	411. 48	585. 80	2088. 36	830. 30
1998	3316. 28	2184. 77	496. 88	634. 63	2387. 20	929. 08
1999	3656. 03	2433. 45	559. 16	663. 42	2596. 39	1059. 64
2000	4071. 95	2894. 29	646. 64	531. 02	2907. 53	1164. 42
2001	4515. 28	3234. 28	739. 52	541. 48	3213. 89	1301. 39
2002	5013. 59	3638. 51	829. 64	545. 44	3573. 10	1440. 49
2003	5606. 02	4681. 08	877. 29	47. 65	3987. 70	1618. 32
2004	6370. 42	5338. 79	997. 51	34. 12	4578. 77	1791. 65

15-3 各市社会消费品零售总额（2004 年）
TOTAL RETAIL SALES OF CONSUMER GOODS BY CITY (2004)

单位：亿元 (100 million yuan)

市别 City	社会消费品零售总额 Total Retail Sales of Consumer Goods	按行业分 By Sector			按城乡分 By Urban and Rural Area	
		批发和零售业 Wholesale and Retail Trade	餐饮业 Catering Services	其他行业 Others	城镇 Urban Areas	乡村 Rural Areas
合计 Total	**6370.42**	**5338.79**	**997.51**	**34.12**	**4578.77**	**1791.65**
广州 Guangzhou	1675.05	1363.45	300.45	11.15	1536.62	138.43
深圳 Shenzhen	915.45	758.87	156.58		734.10	181.35
珠海 Zhuhai	179.89	150.95	28.87	0.07	159.44	20.45
汕头 Shantou	292.05	263.48	28.08	0.49	201.14	90.91
佛山 Foshan	542.20	438.73	103.39	0.08	367.72	174.48
韶关 Shaoguan	129.37	113.44	15.49	0.44	97.67	31.70
河源 Heyuan	60.12	52.85	7.04	0.23	33.67	26.45
梅州 Meizhou	104.11	91.97	9.76	2.38	54.72	49.39
惠州 Huizhou	212.75	175.83	36.92		151.19	61.56
汕尾 Shanwei	126.53	104.51	17.38	4.64	73.76	52.77
东莞 Dongguan	389.04	334.75	54.22	0.07	135.92	253.12
中山 Zhongshan	178.84	151.26	27.28	0.30	81.36	97.48
江门 Jiangmen	311.57	259.77	48.60	3.20	158.40	153.17
阳江 Yangjiang	109.81	94.09	13.88	1.84	70.41	39.40
湛江 Zhanjiang	231.66	193.45	36.57	1.64	175.33	56.33
茂名 Maoming	260.21	228.39	30.31	1.51	151.36	108.85
肇庆 Zhaoqing	193.91	164.69	28.44	0.78	118.15	75.76
清远 Qingyuan	110.48	94.65	15.67	0.16	73.27	37.21
潮州 Chaozhou	91.71	78.01	12.69	1.01	50.24	41.47
揭阳 Jieyang	185.25	169.25	13.96	2.04	113.79	71.46
云浮 Yunfu	70.42	56.40	11.93	2.09	40.51	29.91

15-4 各市批发零售贸易企业商品销售总额
TOTAL SALES IN WHOLESALE AND RETAIL TRADE BY CITY

单位：亿元 (100 million yuan)

市别 City	2003			2004		
	销售总额 Total Sales	批发 Wholesale Trade	零售 Retail Trade	销售总额 Total Sales	批发 Wholesale Trade	零售 Retail Trade
合计 Total	**11784.12**	**7103.04**	**4681.08**	**14051.24**	**8712.45**	**5338.79**
广州 Guangzhou	4236.87	3039.14	1197.73	5178.85	3815.39	1363.46
深圳 Shenzhen	1676.30	1014.95	661.35	2055.40	1296.53	758.87
珠海 Zhuhai	339.96	204.88	135.08	371.64	220.69	150.95
汕头 Shantou	399.69	172.69	227.00	449.72	186.24	263.48
佛山 Foshan	1038.97	656.79	382.18	1229.38	790.66	438.72
韶关 Shaoguan	166.79	66.64	100.15	188.37	74.93	113.44
河源 Heyuan	73.08	26.83	46.25	84.38	31.53	52.85
梅州 Meizhou	149.21	69.56	79.65	170.29	78.32	91.97
惠州 Huizhou	303.96	150.39	153.57	321.37	145.54	175.83
汕尾 Shanwei	132.55	40.36	92.19	153.27	48.76	104.51
东莞 Dongguan	434.07	141.20	292.87	516.65	181.90	334.75
中山 Zhongshan	352.00	223.02	128.98	433.34	282.08	151.26
江门 Jiangmen	548.49	315.72	232.77	580.41	320.64	259.77
阳江 Yangjiang	172.05	88.88	83.17	189.00	94.91	94.09
湛江 Zhanjiang	358.50	189.83	168.67	403.17	209.72	193.45
茂名 Maoming	532.17	330.48	201.69	675.68	447.29	228.39
肇庆 Zhaoqing	245.69	100.29	145.40	296.45	131.76	164.69
清远 Qingyuan	116.64	35.28	81.36	148.52	53.87	94.65
潮州 Chaozhou	148.94	79.32	69.62	178.15	100.14	78.01
揭阳 Jieyang	267.85	115.32	152.53	303.90	134.65	169.25
云浮 Yunfu	90.34	41.47	48.87	123.30	66.90	56.40

15-5 各市限额以上批发零售贸易企业商品购、销、存总额（2004 年）
TOTAL PURCHASES, SALES AND INVENTORY OF ENTERPRISES ABOVE DESIGNATED SIZE IN WHOLESALE AND RETAIL TRADE BY CITY (2004)

单位：亿元　　　　(100 million yuan)

市别 City	商品购进总额 Total Purchases	#进口 Imports	商品销售总额 Total Sales	批发 Wholesale Trade	#出口 Exports	零售 Retail Trade	年末库存总额 Inventory at the Year-end
合计 Total	**5745.22**	**550.31**	**6162.74**	**4945.00**	**957.22**	**1217.74**	**353.66**
广州 Guangzhou	2498.08	243.76	2651.81	2289.57	334.20	362.24	167.30
深圳 Shenzhen	1139.05	195.11	1288.18	876.41	207.89	411.78	88.71
珠海 Zhuhai	133.30	9.07	135.58	90.25	14.03	45.33	9.42
汕头 Shantou	70.32	4.75	65.84	46.28	8.34	19.55	3.97
佛山 Foshan	606.24	49.71	641.57	512.64	126.11	128.93	35.20
韶关 Shaoguan	40.52		46.50	41.37		5.13	1.74
河源 Heyuan	11.99	0.59	18.91	12.48		6.44	0.49
梅州 Meizhou	48.52	0.17	55.64	49.71	3.59	5.93	2.03
惠州 Huizhou	125.97	2.73	128.33	111.29	10.14	17.04	4.74
汕尾 Shanwei	14.00		15.51	10.50		5.00	0.85
东莞 Dongguan	171.26	9.42	180.58	113.85	55.02	66.73	10.80
中山 Zhongshan	218.82	21.26	234.88	192.40	122.75	42.48	8.74
江门 Jiangmen	114.79	8.79	124.82	87.99	30.51	36.83	6.19
阳江 Yangjiang	13.38		14.03	12.31	1.94	1.72	0.62
湛江 Zhanjiang	96.58	3.18	94.27	83.05	12.45	11.22	3.76
茂名 Maoming	292.41		302.48	283.31	4.85	19.17	3.37
肇庆 Zhaoqing	55.23	1.50	60.49	46.66	22.27	13.83	2.25
清远 Qingyuan	26.85	0.28	29.45	19.33	0.40	10.12	1.01
潮州 Chaozhou	19.27		20.78	18.52	1.09	2.25	0.94
揭阳 Jieyang	31.80		34.96	33.02	1.48	1.93	1.15
云浮 Yunfu	16.85		18.14	14.05	0.17	4.09	0.36

15-6 限额以上批发零售贸易企业主要商品销售类值（2004 年）
TOTAL SALES OF ENTERPRISES ABOVE DESIGNATED SIZE IN WHOLESALE AND RETAIL TRADE BY CATEGORY OF COMMODITIES (2004)

单位：亿元 (100 million yuan)

项目	Item	销售额 Total Sales	批发 Wholesale Trade	零售 Retail Trade
食品类	Food	382. 16	235. 09	147. 07
饮料	Beverage	52. 02	26. 25	25. 77
烟酒类	Tobacco and Liquor	628. 13	579. 49	48. 64
服装、鞋帽类	Garments, Shoes and Hats	316. 28	214. 24	102. 04
针、纺织品类	Knitted Goods and Textiles	95. 25	82. 92	12. 33
化妆品类	Cosmetics	30. 96	7. 83	23. 13
金银珠宝类	Jewelry	19. 63	3. 33	16. 30
日用品类	Daily Use Articles	259. 20	189. 33	69. 87
五金、电料类	Hardware and Electric Appliances	67. 26	62. 34	4. 92
体育、娱乐用品类	Sports and Recreational Articles	36. 23	27. 03	9. 20
书报杂志类	Newspapers and Magazines	44. 34	26. 37	17. 97
电子出版物及音像制品类	E-journal and Video Products	6. 28	3. 04	3. 24
家用电器和音像器材类	Household Electric Appliances and Video Appliances	382. 53	278. 01	104. 52
中西药品类	Traditional Chinese and Western Medicines	331. 65	254. 49	77. 16
文化办公用品类	Articles for Cultural and Office Use	107. 88	92. 18	15. 70
家具类	Furniture	48. 69	35. 69	13. 00
通讯器材类	Communication Appliances	227. 90	200. 69	27. 21
煤炭及制品类	Coal and Related Products	205. 00	204. 99	0. 01
木材及制品类	Timber and Related Products	13. 18	12. 88	0. 30
石油及制品类	Petroleum and Related Products	2041. 28	1740. 37	300. 91
化工材料类	Chemical Materials	267. 57	266. 21	1. 36
金属材料类	Metal Materials	779. 96	779. 29	0. 67
建筑及装潢材料类	Building and Decoration Materials	69. 99	61. 38	8. 61
机电产品及设备类	Mechanical and Electrical Products and Equipment	669. 57	365. 05	304. 52
种子饲料类	Seed and Feedstuff	11. 43	11. 43	
棉麻类	Cotton and Hemp	4. 05	4. 05	

主要统计指标解释

社会消费品零售总额 指各种经济类型的批发零售贸易业、餐饮业、制造业和其他行业，对城乡居民和社会集团的消费品零售额，以及农民对非农业居民零售额的总和。

批发零售贸易业商品购进总额 指从本企业以外的单位和个人购进（包括从国外直接进口）作为转卖或加工后转卖的商品金额。本指标由“从生产者购进额”、“从批发零售贸易业购进额”、“进口额”和“其他项目”组成。这个指标反映批发零售贸易企业从国内、国外市场上购进商品的总量。

批发零售贸易业商品销售总额 指对本企业以外的单位和个人出售的商品（包括对国（境）外直接出口及售给本单位消费用的商品）。本指标由“对生产经营单位批发额”、“对批发零售贸易业批发额”、“出口额”和“对居民和社会集团商品零售额”项目组成。这个指标反映批发零售贸易企业在国内市场上销售商品以及出口商品的总量。

批发 指除零售以外的一切商品销售活动，包括对生产经营单位批发、对批发零售贸易业批发和出口。

对生产经营单位批发 指售给国民经济和社会各部门作为生产或经营使用的商品。

零售 指售给城乡居民直接用于生活消费的商品和社会集团直接用于公用消费的商品。

批发零售贸易业餐饮业法人单位 指各种经济类型独立核算法人批发零售贸易企业、餐饮企业的单位个数。法人单位应同时具备以下条件：1. 依法成立，有自己的名称、组织机构和场所，能够独立承担民事责任；2. 独立拥有和使用资产，承担负债，有权与其他单位签订合同；3. 独立核算盈亏，并能够编制资产负债表。

批发贸易业 是指从工农业生产者或从商品流通企业购进商品，转卖给工业、农业、建筑业、运输邮电业、餐饮业、服务业等生产经营单位作为生产经营用，以及将商品转卖给其他批发贸易企业或零售贸易企业的商品流通企业。

零售贸易业 是指从工农业生产者、批发贸易业或居民购进商品，转卖给城乡居民作为生活消费和售给社会集团作为公共消费的商品流通企业。

餐饮业 是指从事食品的烹饪、调制并直接售给居民和社会集团的机构。

Explanatory Notes on Main Statistical Indicators

Total Retail Sales of Consumer Goods refer to the sum of retail sales of consumer goods by the establishments in wholesale trade, retail trade, catering services, manufacturing industry and other industries of various types of ownership, to urban and rural residents and social groups, and by the farmers to non-agricultural residents.

Total Purchases of Commodities by Wholesale and Retail Trade refer to the purchases of commodities by the establishments from other establishments or individuals (including direct import from abroad) for the purpose of reselling, either with or without further processing of the commodities purchased. This indicator includes the purchases from producers, the purchase from wholesale and retail trade, imports and others. It is used to show the total value of purchases of commodities by wholesale and retail establishments from domestic and overseas markets.

Total Sales of Commodities by Wholesale and Retail Trade refer to selling of commodities (including commodities for self-consumption) by the establishments to other establishments and individuals (including direct export). This indicator includes the value of wholesale to establishments of production and operation, the value of wholesale to wholesale and retail trade, exports and sales to urban and rural residents and social groups. It is used to show the total value of sales of commodities at domestic markets and export.

Wholesale refers to all selling activities of commodities except retail Trade, including wholesale to production and operation units, wholesale to wholesale and retail trade and export.

Wholesale to Production and Operation Units refers to commodities sold to national economy and social departments for their production and operation.

Retail Sale refers to commodities sold to urban and rural residents directly for living consumption and to social groups directly for public consumption.

Corporate Enterprises in Wholesale and Retail Trade and Catering Services refer to the number of corporate enterprises of various types of ownership in the wholesale and retail trade and catering trade with independent accounting system. An enterprise can be called a corporate enterprise only when it meets the following requirements: (1) It is established according to law; it has its own name, organization and location for business operation and can assume the civil responsibility; (2) It owns and uses its assets independently; assumes the liabilities and is entitled to sign contracts with other units; (3) It has the independent accounting system and is able to compile balance sheet.

Wholesale Trade refers to the commodity circulation enterprises which purchase commodities from producers in industry and agriculture or from commodity circulation enterprises for the purpose of reselling them to establishments in industry, agriculture, construction, transportation, posts and telecommunications, catering trade and services for their production and operation as well as reselling them to other wholesale or retail enterprises.

Retail Trade refers to the commodity circulation enterprises which purchase commodities from producers in industry and agriculture, wholesale trade or residents for the purpose of reselling them to urban and rural residents for living consumption and to social groups for public consumption.

Catering Services refer to the establishments engaged in food cooking, seasoning and selling food directly to residents and social groups.

十六、对外经济与旅游

FOREIGN ECONOMY AND TOURISM

16

十六　对外经济与旅游

简要说明

一、本篇资料反映广东对外贸易、利用外资、对外承包工程和劳务合作、"三资"企业工商登记、以及国际旅游等基本情况。

二、本篇资料由广东省统计局贸易外经处负责整理、编辑。

三、资料来源及统计范围：

1. 人民币对美元、日元、港元的年平均汇价资料来源于外汇管理部门，是根据当年国家外汇管理局提供的每日汇价进行加权平均计算而得出的。

2. 进出口贸易的规模、结构情况的资料，主要来源于广州海关，统计范围为在广东境内经海关报关注册登记的经营单位（包括有进出口经营权和无进出口经营权的经营单位）。进出口商品价值，出口按离岸价（FOB）、进口按到岸价（CIF）统计；进出口商品分类按海关合作理事会制定的《商品名称及编码协调制度》（HS）目录进行分类统计。

3. 利用外资规模、结构和广东对外承包工程和劳务合作状况的资料来源于省外经贸厅。

4. 外商投资企业注册登记情况的资料来源于省工商行政管理局。

5. 对外开放使用的口岸分布状况的资料来源于省外经贸厅。

6. 旅游业发展情况的资料由省旅游局提供。

16　FOREIGN ECONOMY AND TOURISM

Brief Introduction

Ⅰ. The data in this chapter show the summary data of Guangdong's foreign trade, utilization of foreign capital, contracted projects and labor cooperation with the foreign countries or territories, basic indicators of three kinds of registered foreign funded enterprises, international tourism.

Ⅱ. The data in this chapter are prepared and edited by the Division of Trade and External Economic Relations Statistics of Guangdong Provincial Bureau of statistics.

Ⅲ. Data sources and statistical coverage:

(1) The data on the average exchange rates of RMB yuan to US dollar, Japanese yen and Hong Kong dollar over the years come from the State Administration of Foreign Exchange. The annual average exchange rate is calculated as the weighted mean of the daily exchange rates provided by the State Administration of Foreign Exchange in the year.

(2) The data on the size and composition of Guangdong's imports and exports come from: Guangzhou Customs Office, the statistical coverage covers the operating units (with or without the right to handle imports and exports) which have a declaration and register at customs within the boundary of Guangdong. The values of export commodities are calculated at FOB and the values of import commodities are calculated at CIF. The Harmonized Commodity Description and Coding System (HS) stipulated by the Customs Cooperation Council is used in the classification of the import and export commodities.

(3) The data on the scale and composition of the utilization of foreign capitals and the contracted projects and labor cooperation with the foreign countries or territories in Guangdong come from the Department of Foreign Trade and Economic Cooperation of Guangdong Province .

(4) The basic indicators of the registered foreign funded enterprises come from the Administration of Industry and Commerce of Guangdong Province.

(5) The data on the port distribution for opening to the outside world come from the Department of Foreign Trade and Economic Cooperation of Guangdong Province.

(6) The data on the development of tourism are provided by the Tourism Administration of Guangdong Province.

16-1 对外经济主要指标

MAIN INDICATORS ON FOREIGN TRADE AND ECONOMIC COOPERATION AND INTERNATIONAL TOURISM

指标	Item	1995	2000	2003	2004	2004比2003增长(%) Growth Rate in 2004 over 2003 (%)
海关进出口总额（亿美元）	Total Imports and Exports (USD 100 million)	1039.72	1701.06	2835.22	3571.29	26.0
出口总额	Total Exports	565.92	919.19	1528.48	1915.69	25.3
初级产品	Primary Goods	37.57	34.20	40.01	47.89	19.7
工业制成品	Manufactured Goods	528.35	884.99	1488.47	1867.80	25.5
# 机电产品	Mechanical and Electrical Products	241.33	499.75	997.13	1297.45	30.1
高新技术产品	High and New-tech Products		170.20	480.85	664.80	38.3
进口总额	Total Imports	473.80	781.87	1306.74	1655.60	26.7
初级产品	Primary Goods	35.76	93.74	140.42	185.09	31.8
工业制成品	Manufactured Goods	438.04	688.13	1166.32	1470.51	26.1
# 机电产品	Mechanical and Electrical Products	195.33	358.34	740.35	961.98	29.9
高新技术产品	High and New-tech Products		183.15	454.05	589.50	29.8
签订利用外资协议（合同）项目（个）	Number of Projects of Utilization of Foreign Capital through Signed Agreements and Contracts (unit)	9345	16879	11472	10530	
# 对外借款	Foreign Loans	65	57	65		
外商直接投资	Foreign Direct Investment	8177	4245	7306	8322	14.0
签订利用外资协议（合同）金额（亿美元）	Total Amount of Foreign Capital Utilized through Signed Agreements and Contracts (USD 100 million)	261.05	110.86	244.67	221.78	
# 对外借款	Foreign Loans	11.44	7.29	11.02		
外商直接投资	Foreign Direct Investment	248.32	86.84	217.89	193.60	-11.0
实际利用外资额（亿美元）	Total Amount of Foreign Capital Actually Used (USD 100 million)	121	145.75	189.41	128.99	
# 对外借款	Foreign Loans	18.40	7.02	10.93		
外商直接投资	Foreign Direct Investment	101.80	122.37	155.78	110.12	
外商投资企业年底工商登记数（户）	Number of Registered Foreign-funded Enterprises at the Year-end (household)	59582	49865	51672	55259	6.9
投资总额（亿美元）	Total Investment (USD 100 million)	2046.27	2165.09	2412.82	2609.56	8.2
注册资本（亿美元）	Registered Capital (USD 100 million)	1291.32	1280.86	1405.14	1520.15	8.2
对外承包工程合同数（份）	Number of Contracted Projects with Foreign Countries (unit)	29	86	193	810	319.7
合同金额（亿美元）	Contracted Value (USD 100 million)	1.92	3.66	9.71	16.83	73.3
完成营业额（亿美元）	Volume of Business Fulfilled (USD 100 million)	1.09	3.45	8.69	16.13	85.6
对外劳务合作合同数（份）	Number of Contracted Labor Services Cooperation with Foreign Countries (unit)	1251	6626	12100	11482	-5.1
合同金额（亿美元）	Contracted Value (USD 100 million)	2.06	1.29	2.31	2.74	18.6
完成营业额（亿美元）	Volume of Business Fulfilled (USD 100 million)	1.78	1.08	2.19	2.83	29.2
城市接待海外旅游者（万人次）	Number of Foreign Tourists Received by Cities (10000 person/times)	620.68	1198.94	1187.27	1540.97	29.8
外国人	Foreigners	118.47	212.85	232.51	366.80	57.8
港澳台同胞	Compatriots from Hong Kong, Macao and Taiwan	482.83	986.09	954.76	1174.17	23.0
旅游外汇收入（亿美元）	Total Foreign Exchange Earnings from International Tourism (USD 100 million)	23.94	41.12	42.68	53.80	26.1
旅游宾馆（饭店）数（个）	Number of Tourist Hotels (unit)	962	2655	3647	3696	1.3

注：1. 2000 年以后"外国人"包括"华侨"。

2. 2004 年外商直接投资实际利用外资统计口径调整，与 2003 年以前的年份不可比。

Note: a) Since 2000, the number of foreigners have included the number of overseas Chinese.

b) The foreign direct investment and the foreign capital actually used has been adjusted in 2004, it isn't compareable with these years before 2003.

16-2 人民币对主要外币年平均汇价

AVERAGE EXCHANGE RATE OF RMB YUAN AGAINST MAIN CONVERTIBLE CURRENCIES

单位：人民币：元 (RMB yuan)

年 份 Year	100 美元 100 US Dollars	100 日元 100 Japanese Yen	100 港元 100 Hong Kong Dollars	100 欧元 100 Euro Dollars
1987	372.21	2.5799	47.74	
1988	372.21	2.9082	47.70	
1989	376.59	2.7360	48.28	
1990	478.38	3.3233	61.39	
1991	532.27	3.9602	68.45	
1992	551.49	4.3608	71.24	
1993	576.19	5.2020	74.41	
1994	861.87	8.4370	111.53	
1995	835.07	8.9225	107.96	
1996	830.57	7.6238	107.40	
1997	828.97	6.8623	107.09	
1998	827.90	6.3487	106.88	
1999	827.83	7.2913	106.66	
2000	827.84	7.6950	106.17	
2001	827.71	6.8098	106.07	
2002	827.70	6.6651	106.08	801.45
2003	827.70	7.1347	106.24	937.77
2004	827.70	7.6552	106.23	1029.00

16-3 海关进出口总额

TOTAL VALUE OF IMPORTS AND EXPORTS (CUSTOMS STATISTICS)

单位：亿美元 (USD 100 million)

年 份 Year	进出口总额 Total Imports & Exports	出 口 Exports	进 口 Imports	差 额 Balance	初级产品 Primary Goods		工业制成品 Manufactured Goods	
					出 口 Exports	进 口 Imports	出 口 Exports	进 口 Imports
1987	210.37	101.40	108.97	-7.57	15.40	7.52	86.00	101.45
1988	310.19	148.17	162.02	-13.85	21.71	11.22	126.46	150.80
1989	355.78	181.13	174.65	6.48	22.06	17.59	159.07	157.06
1990	418.98	222.21	196.77	25.44	21.70	16.78	200.51	179.99
1991	525.21	270.73	254.48	16.25	20.58	21.92	250.15	232.56
1992	657.48	334.58	322.90	11.68	21.41	22.12	313.17	300.78
1993	783.44	373.94	409.50	-35.56				
1994	966.63	502.11	464.52	37.59				
1995	1039.72	565.92	473.80	92.12	37.57	35.76	528.35	438.04
1996	1099.60	593.46	506.14	87.32	37.55	41.72	555.91	464.42
1997	1301.20	745.64	555.56	190.08	47.65	51.60	697.99	503.96
1998	1297.98	756.18	541.80	214.38	39.85	53.53	716.33	488.27
1999	1403.68	777.05	626.63	150.42	30.54	64.36	746.51	562.27
2000	1701.06	919.19	781.87	137.32	34.20	93.74	884.99	688.13
2001	1764.87	954.21	810.66	143.55	35.78	100.77	918.43	709.89
2002	2210.92	1184.58	1026.34	158.24	36.72	103.15	1147.86	923.19
2003	2835.22	1528.48	1306.74	221.74	40.01	140.42	1488.47	1166.32
2004	3571.29	1915.69	1655.60	260.09	47.89	185.09	1867.80	1470.51

注：进出口差额负数为入超。

Note: A negative balance indicates an unfavourable balance of foreign trade.

16-4 按贸易方式和经济类型分的海关进出口额
TOTAL VALUE OF IMPORTS AND EXPORTS BY TRADE FORM AND TYPE OF OWNERSHIP (CUSTOMS STATISTICS)

单位：亿美元　　　　(USD 100 million)

项　　目	Item	1990		1995		2000	
		出　口 Exports	进　口 Imports	出　口 Exports	进　口 Imports	出　口 Exports	进　口 Imports
总　　计	**Total**	**222.21**	**196.77**	**565.92**	**473.80**	**919.19**	**781.87**
按贸易方式分	**By Trade Form**						
一般贸易	General Trade	59.52	34.52	136.01	46.41	174.36	208.55
来料加工	Processing and Assembling with Customer's Materials	91.66	76.24	159.36	118.93	265.80	179.09
补偿贸易	Compensation Trade	1.26	0.99	0.89	0.15	0.08	
进料加工	Processing and Assembling with Import Materials	68.42	51.37	263.40	205.00	452.00	314.62
加工设备	Processing Equipment		7.39		11.72		15.24
外资设备	Foreign Funded Equipment		21.45		57.03		34.53
易货贸易	Barter Trade			0.19	0.44		
保税仓库	Bonded Warehouse			4.05	27.33	24.04	23.36
捐　　赠	Donation of Overseas Chinese		0.82		3.24	0.02	0.19
其　　他	Others	1.35	3.99	2.02	3.55	2.89	6.29
按经济类型分	**By Ownership**						
国有经济	State-owned	166.45	124.13	296.67	181.03	389.65	317.51
集体经济	Collective Owned			9.19	8.20	25.31	25.64
私营经济	Private			0.03	0.07	6.14	5.54
外商投资经济	Foreign Funded	54.81	70.86	257.59	274.51	495.09	425.27
其他经济	Others	0.95	1.78	2.44	9.99	3.00	7.91

项　　目	Item	2002		2003		2004	
		出　口 Exports	进　口 Imports	出　口 Exports	进　口 Imports	出　口 Exports	进　口 Imports
总　　计	**Total**	**1184.58**	**1026.34**	**1528.48**	**1306.74**	**1915.69**	**1655.60**
按贸易方式分	**By Trade Form**						
一般贸易	General Trade	217.10	266.37	291.92	359.85	379.62	447.53
来料加工	Processing and Assembling with Customer's Materials	313.57	222.73	339.73	237.49	390.92	273.15
补偿贸易	Compensation Trade	0.09		0.02		…	
进料加工	Processing and Assembling with Import Materials	618.29	432.50	841.72	571.45	1065.37	723.94
加工设备	Processing Equipment		15.68		17.48		22.79
外资设备	Foreign Funded Equipment		41.51		45.70		65.36
易货贸易	Barter Trade						0.01
保税仓库	Bonded Warehouse	35.40	42.06	54.93	69.48	79.52	116.02
捐　　赠	Donation of Overseas Chinese	0.05	0.20	0.01	0.12	0.08	0.14
其　　他	Others	0.08	5.29	0.15	5.17	0.18	6.66
按经济类型分	**By Ownership**						
国有经济	State-owned	401.75	355.42	405.53	365.17	436.67	388.51
集体经济	Collective Owned	44.91	30.36	56.01	35.17	73.62	44.17
私营经济	Private	41.48	44.13	112.99	110.94	187.76	170.63
外商投资经济	Foreign Funded	696.21	589.79	953.73	793.03	1217.21	1048.09
其他经济	Others	0.23	6.64	0.22	2.43	0.43	4.20

16-5 按产品类型分的海关进出口额

TOTAL VALUE OF IMPORTS AND EXPORTS BY PRODUCT TYPE (CUSTOMS STATISTICS)

单位：亿美元 (USD 100 million)

项目	Item	2003		2004	
		金额 Amount	比重（%） Percentage	金额 Amount	比重（%） Percentage
出口总额	**Total Exports**	**1528.48**	**100.00**	**1915.69**	**100.00**
初级产品	Primary Goods	40.01	2.62	47.89	2.50
# 农产品	# Farm Produce	19.39	1.27	22.78	1.19
工业制成品	Manufactured Goods	1488.47	97.38	1867.80	97.50
# 机电产品	Mechanical and Electrical Products	997.13	65.24	1297.45	67.73
金属制品	Metal Products	57.53	3.76	73.80	3.85
机械及设备	Machinery and Equipment	361.04	23.62	459.96	24.01
电器及电子产品	Electric and Electronic Products	424.93	27.80	577.69	30.16
运输工具	Transport Equipment	33.09	2.16	41.39	2.16
仪器仪表	Instruments and Meters	35.80	2.34	45.41	2.37
其他	Others	84.74	5.54	99.20	5.18
# 高新技术产品	High and New_ tech Products	480.85	31.46	664.80	34.70
生物技术	Biologic Technology	0.06	…	0.05	…
生命科学技术	Life Sciences Technology	2.74	0.18	3.28	0.17
光电技术	Photoelectric Technology	9.32	0.61	13.96	0.73
计算机与通信技术	Computer and Communication Technology	430.92	28.19	594.34	31.02
电子技术	Electronic Technology	32.98	2.16	45.95	2.40
计算机集成制造技术	Computer Integrated Manufacturing Technology	2.81	0.18	3.84	0.20
材料技术	Material Technology	1.01	0.07	2.23	0.12
航空航天技术	Aerospace Technology	0.35	0.02	0.44	0.02
其他	Others	0.66	0.04	0.71	0.04
进口总额	**Total Imports**	**1306.74**	**100.00**	**1655.60**	**100.00**
初级产品	Primary Goods	140.42	10.75	185.09	11.18
# 农产品	# Farm Produce	33.71	2.58	42.85	2.59
工业制成品	Manufactured Goods	1166.32	89.25	1470.51	88.82
# 机电产品	Mechanical and Electrical Products	740.35	56.66	961.98	58.10
金属制品	Metal Products	11.38	0.87	14.50	0.88
机械及设备	Machinery and Equipment	187.17	14.32	236.28	14.27
电器及电子产品	Electric and Electronic Products	448.14	34.29	580.52	35.06
运输工具	Transport Equipment	24.69	1.89	30.45	1.84
仪器仪表	Instrument and Meters	57.75	4.42	88.68	5.36
其他	Others	11.22	0.86	11.55	0.70
# 高新技术产品	High and New_ tech Products	454.05	34.75	589.50	35.61
生物技术	Biologic Technology	0.23	0.02	0.23	0.01
生命科学技术	Life Sciences Technology	5.12	0.39	5.41	0.33
光电技术	Photoelectric Technology	5.32	0.41	7.32	0.44
计算机与通信技术	Computer and Communication Technology	154.37	11.81	189.00	11.42
电子技术	Electronic Technology	251.21	19.22	331.99	20.05
计算机集成制造技术	Computer Integrated Manufacturing Technology	24.57	1.88	34.70	2.10
材料技术	Material Technology	4.44	0.34	8.55	0.52
航空航天技术	Aerospace Technology	8.28	0.63	11.85	0.72
其他	Others	0.51	0.04	0.45	0.03

16-6 广东同主要国家（地区）海关进出口额

GUANGDONG'S TOTAL VALUE OF IMPORTS AND EXPORTS WITH MAIN COUNTRIES AND TERRITORIES (CUSTOMS STATISTICS)

单位：亿美元 (USD 100 million)

国别（地区）	Country (Territory)	2003 进出口 Total	2003 出口 Exports	2003 进口 Imports	2004 进出口 Total	2004 出口 Exports	2004 进口 Imports
合计	**Total**	**2835.22**	**1528.48**	**1306.74**	**3571.29**	**1915.69**	**1655.60**
亚洲	**Asia**	**1886.62**	**829.63**	**1056.99**	**2381.11**	**1046.11**	**1335.00**
中国香港	Hong Kong, China	592.54	538.58	53.96	745.25	686.41	58.84
中国澳门	Macao, China	12.36	10.58	1.78	15.68	13.59	2.09
中国台湾	Taiwan, China	255.56	25.24	230.32	301.91	27.93	273.98
日本	Japan	345.98	116.80	229.18	409.42	127.89	281.53
韩国	Republic of Korea	130.37	25.22	105.15	181.87	41.11	140.76
菲律宾	Philippines	32.39	5.14	27.25	40.99	6.59	34.40
泰国	Thailand	51.13	12.27	38.86	65.64	14.32	51.32
马来西亚	Malaysia	77.33	14.67	62.66	88.80	16.13	72.67
新加坡	Singapore	70.7	27.61	43.09	83.54	35.40	48.14
印度尼西亚	Indonesia	25.74	7.76	17.98	32.59	11.72	20.87
印度	India	11.53	4.21	7.32	18.51	8.17	10.34
沙特阿拉伯	Saudi Arabia	13.11	5.39	7.72	16.85	6.51	10.34
阿联酋	United Arab Emirates	13.22	10.69	2.53	18.21	14.05	4.16
东盟（10国）	Association of Southeast Asian Nations	264.86	72.99	191.87	322.93	92.70	230.23
非洲	**Africa**	**28.19**	**18.69**	**9.50**	**39.46**	**24.50**	**14.96**
埃及	Egypt	2.01	1.63	0.38	2.49	2.19	0.30
南非	South. Africa	11.08	4.65	6.43	16.81	6.43	10.38
欧洲	**Europe**	**356.21**	**244.77**	**111.44**	**444.64**	**299.08**	**145.56**
比利时	Belgium	18.84	10.72	8.12	25.21	13.97	11.24
丹麦	Denmark	6.28	3.92	2.36	8.06	5.04	3.02
英国	United Kingdom	47.95	40.08	7.87	58.97	48.36	10.61
德国	Germany	87.15	53.93	33.22	97.11	58.10	39.01
法国	France	28.93	21.11	7.82	40.28	25.87	14.41
意大利	Italy	23.89	14.27	9.62	36.88	22.08	14.80
荷兰	Netherlands	52.44	48.43	4.01	57.88	52.68	5.20
西班牙	Spain	11.97	9.65	2.32	16.14	13.56	2.58
奥地利	Austria	2.93	1.46	1.47	3.98	1.91	2.07
芬兰	Finland	6.52	3.48	3.04	7.88	3.79	4.09
瑞士	Switzerland	10.41	3.41	7.00	15.92	5.27	10.65
波兰	Poland	3.03	2.59	0.44	3.48	2.98	0.50
俄罗斯	Russia	15.63	6.85	8.78	22.70	10.89	11.81
欧盟	European Economic & Monetary Union	305.12	218.32	86.80	395.19	276.03	119.16
拉丁美洲	**Latin America**	**51.98**	**26.63**	**25.35**	**72.42**	**39.74**	**32.68**
阿根廷	Argentina	7.05	0.76	6.29	8.08	1.87	6.21
巴西	Brazil	11.36	4.85	6.51	16.81	7.51	9.30
智利	Chile	4.88	2.79	2.09	7.20	3.59	3.61
墨西哥	Mexico	15.01	8.36	6.65	19.20	11.70	7.50
北美洲	**North America**	**470.72**	**387.07**	**83.65**	**580.62**	**478.63**	**101.99**
加拿大	Canada	25.29	16.69	8.60	33.44	20.67	12.77
美国	United States	445.41	370.36	75.05	547.17	457.95	89.22
大洋洲	**Oceania**	**41.50**	**21.69**	**19.81**	**53.04**	**27.63**	**25.41**
澳大利亚	Australia	35.76	19.46	16.30	45.75	24.88	20.87
新西兰	New Zealand	5.12	2.02	3.10	6.81	2.46	4.35

注：本表数字按产销国别原则统计。
Note: The data in the table are calculated with the principle of the country of production and marketing.

16-7 外贸进出口市场结构
MARKET STRUCTURE OF IMPORTS AND EXPORTS

金额单位：亿美元 (USD 100 million)

地　　区	Region	2000		2003		2004	
		金额 Amount	比重（%）Percentage	金额 Amount	比重（%）Percentage	金额 Amount	比重（%）Percentage
出口总额	**Total Value of Exports**	**919.19**	**100.0**	**1528.48**	**100.0**	**1915.69**	**100.0**
亚　　洲	Asia	491.57	53.5	829.63	54.3	1046.11	54.6
#港澳地区	Hong Kong and Macao	321.05	34.9	549.16	35.9	700.00	36.5
中国台湾	Taiwan, China	17.51	1.9	25.24	1.7	27.93	1.5
日　　本	Japan	77.47	8.4	116.80	7.6	127.89	6.7
东　　盟	Association of Southeast Asian Nations	42.41	4.6	72.99	4.8	92.70	4.8
中东十七国	The Seventeen Countries of Middle East of Asia			32.86	2.1	42.48	2.2
非　　洲	Africa	9.70	1.1	18.69	1.2	24.50	1.3
欧　　洲	Europe	137.14	14.9	244.77	16.0	299.08	15.6
#欧　盟	European Economic & Monetary Union	125.79	13.7	218.32	14.3	276.03	14.4
俄罗斯	Russia	1.43	0.2	6.85	0.4	10.89	0.6
拉丁美洲	Latin America	21.21	2.3	26.63	1.8	39.74	2.1
北 美 洲	North America	247.14	26.9	387.07	25.3	478.63	25.0
#美　国	United States	236.27	25.7	370.36	24.2	457.95	23.9
大 洋 洲	Oceania	12.43	1.4	21.69	1.4	27.63	1.4
进口总额	**Total Value of Imports**	**781.87**	**100.0**	**1306.74**	**100.0**	**1655.60**	**100.0**
亚　　洲	Asia	602.64	77.1	1056.99	80.9	1335.00	80.6
#港澳地区	Hong Kong and Macao	53.35	6.8	55.74	4.3	60.84	3.7
中国台湾	Taiwan, China	151.28	19.3	230.32	17.6	273.98	16.5
日　　本	Japan	140.13	17.9	229.18	17.5	281.53	17.0
东　　盟	Association of Southeast Asian Nations	91.25	11.7	191.87	14.7	230.23	13.9
中东十七国	The Seventeen Countries of Middle East of Asia			43.12	3.3	57.87	3.5
非　　洲	Africa	7.61	1.0	9.50	0.7	14.96	0.9
欧　　洲	Europe	84.64	10.8	111.44	8.5	145.56	8.8
#欧　盟	European Economic & Monetary Union	70.03	9.0	86.80	6.6	119.16	7.2
俄罗斯	Russia	6.22	0.8	8.78	0.7	11.81	0.7
拉丁美洲	Latin America	8.52	1.1	25.35	1.9	32.68	2.0
北 美 洲	North America	60.26	7.7	83.65	6.4	101.99	6.2
#美　国	United States	53.05	6.8	75.05	5.7	89.22	5.4
大 洋 洲	Oceania	18.21	2.3	19.81	1.5	25.41	1.5

16-8 海关进出口商品分类金额
VALUE OF IMPORTS AND EXPORTS BY CATEGORY OF COMMODITIES (CUSTOMS STATISTICS)

单位：万美元　　(USD 10000)

商品类别	Category of Commodities	2003 出口 Exports	2003 进口 Imports	2004 出口 Exports	2004 进口 Imports
总　计	**Total Value**	**15284830**	**13067411**	**19156929**	**16556041**
第一类 活动物；动物产品	**Live Animals and Animal Products**	**78476**	**70891**	**86184**	**51720**
活　动　物	Live Animals	11660	143	9865	971
肉及食用杂碎	Meat and Edible Haslets	8682	44207	9162	19850
水　产　品	Aquatic Products	50031	9726	58503	11534
乳品、蛋品、天然蜂蜜、其他食用动物产品	Dairy Products, Eggs, Natural Honey and Other Edible Animal Products	4117	8301	4458	10200
其他动物产品	Other Animal Products	3986	8514	4197	9165
第二类　植物产品	**Plant Products**	**56464**	**139834**	**69266**	**201329**
树苗及花草	Saplings, Flowers and Herbs	2067	1416	2224	1430
蔬　　菜	Edible Vegetables	18133	1964	22614	3052
水果及坚果	Fruits and Nuts	9866	18986	13594	30631
咖啡、茶叶及调味香料	Coffee, Tea and Spices	9887	1387	12569	1504
谷　　物	Cereals	156	14220	40	25646
制粉工业产品	Flour, Starch and Related Products	4320	7604	4430	7075
植物油籽及果实、种子、药材及饲料	Oil seeds and Kernels, Seeds Medical Materials and Forage	9285	89590	10794	127190
虫胶、树胶、树脂	Shellac, Gum, Resin	1048	1891	1316	2099
编结植物材料、其他植物产品	Stuff of Knitting Plant, Other Plants and Related Products	1702	2776	1685	2701
第三类　动、植物油脂及蜡	**Animal Fat, Vegetable Oil and Wax**	**2674**	**41233**	**3133**	**62476**
动、植物油脂及蜡	Animal Fat, Vegetable Oil and Wax	2674	41233	3133	62476
第四类　食品、烟草及制品	**Food, Tobacco and Related Products**	**148175**	**60248**	**181121**	**83507**
动物产品制品	Animal Products	51641	328	63413	140
糖　及　糖　食	Sugar and Sugar Products	10820	4464	12723	6439
可可及可可制品	Cocoa and Cocoa Products	682	2350	1002	2926
粮食及乳制品、糕饼点心	Foodstuff, Dairy Products and Pastry Products	15726	9058	18409	11787
蔬菜、水果等植物制品	Products of Vegetables and Fruits	15564	3624	15175	3350
杂　项　制　品	Miscellaneous Edible Products	13306	18642	14737	31776
饮料、酒及醋	Beverages, Liguor and Vinegar	34123	4933	48591	3964
食品的残渣、动物饲料	Dreg of Food, Animal Forage	2048	16758	2095	23036
烟草及烟草制品	Tobacco and Related Products	4265	91	4977	88
第五类　矿产品	**Minerals**	**101773**	**759154**	**127356**	**977148**
盐、硫磺、建筑材料	Salt, Sulphur, Building Materials	10903	29626	11348	33623
矿砂、矿渣及矿灰	Ore, Slag and Mortar	386	29438	317	63541
矿物燃料、矿物油及产品	Mineral Fuels, Lubricants and Related Materials	90484	700090	115691	879985
第六类　化 工 产 品	**Chemicals**	**227214**	**697638**	**270721**	**868917**
无机化学品	Inorganic Chemicals	25149	53397	35094	75718
有机化学品	Organic Chemicals	33153	273954	42055	370272
药　　品	Medicinal and Pharmaceutical Products	12959	38531	14688	37660
肥　　料	Fertilizers	4653	22639	2506	18940
鞣料、染料浸膏、染料、颜料、油漆、油墨	Tanning Materials, Dyeing Extracts, Dyestuff Colourant, Paint and Printing Ink	25717	92105	33227	105427

16-8 续表 1 continued

单位：万美元 (USD 10000)

商品类别	Category of Commodities	2003 出口 Exports	2003 进口 Imports	2004 出口 Exports	2004 进口 Imports
化妆品及其原料、芳香料制品	Cosmetics and Cosmetic Raw Materials, Perfume Products	39317	11903	44620	13456
洗涤用品	Detergents	17231	25359	20696	29757
蛋白类物质、改性淀粉、胶、酶	Protein Materials, Modified Starch, Gum and Enzyme	5707	22086	7800	26738
炸药、烟火制品、易燃材料制品	Explosive, Pyrotechnic Products, Inflammable Material Products	7913	72	8074	78
照相及电影用品	Photographic and Film Products	26317	37004	24348	42010
杂项化学产品	Miscellaneous Chemical Products	29098	120588	37613	148859
第七类 塑料、橡胶及其制品	**Plastics, Rubber and Related Products**	**479162**	**1118399**	**577800**	**1397961**
塑料及其制品	Plastics and Related Products	441445	1037226	529978	1296466
橡胶及其制品	Rubber and Related Products	37717	81173	47821	101494
第八类 皮革、毛皮及其制品、旅行用品、手提包	**Leather, Furs and Related Products, Travel Articles, Handbags**	**411103**	**181263**	**399864**	**227609**
生皮及皮革	Raw Hides and Leather	44053	162461	48191	196969
皮革制品、旅行用品及手提包	Leather Products, Travel Articles and Handbags	347846	2285	321701	4254
毛皮、人造毛皮及制品	Furs, Artificial Furs and Related Products	19204	16517	29971	26386
第九类 木及木制品、草柳编结品	**Wood and Wooden Products, Straw and Wicker Knitting Products**	**96666**	**130293**	**112933**	**133910**
木及木制品、木炭	Wood and Wooden Products, Charcoal	71580	129769	86790	133280
软木及软木制品	Cork and Related Products	53	204	164	282
草柳编结品	Straw and Wicker Knitting Products	25033	320	25979	347
第十类 木浆、纸、纸板及制品	**Wood Pulp, Paper, Paperboard and Related Products**	**158642**	**335373**	**199320**	**368951**
木浆及其他纤维素浆、废碎纸板	Wood Pulp and Cellulose Pulp, Waste Paper and Paperboard	35	72642	30	94067
纸及纸板、纸浆、纸制品	Paper, Paperboard, Paper Pulp, Paper Products	98335	251958	121775	263314
书籍、印刷品、设计图纸	Books, Printed Matter, Design Blueprint	60272	10773	77515	11570
第十一类 纺织原料及纺织制品	**Textile Materials and Products**	**1489676**	**762137**	**1682952**	**788890**
蚕丝	Natural Silk	7699	4751	9520	5546
羊毛、动物毛、毛纱线及制品	Wool, Animal Hair, Woolen Yarn and Woven Fabrics	12012	25736	14377	26572
棉花	Cotton	120666	239704	129546	247016
其他纺织纤维、纸纱线及机织物	Other Textile Fibers, Yarn and Related Woven Fabrics	12475	16335	11311	14953
化学纤维长丝	Chemical Fiber, Continuous Filament	21094	123186	24780	129654
化学纤维短丝	Chemical Fiber, Staple Fiber	27230	103454	29038	97142
絮胎、毡尼及无纺物、特种纱线、线绳索缆	Wadding, Felt and Adhesive-bond Fabrics, Special Yarn, Thread, Rope, Cable	15761	17611	18058	20369
地毯及纺织铺地制品	Carpets and Related Woven Products	4835	975	6199	1060
特种机织物、纺织装饰品、刺绣品	Special Woven Fabrics, Woven Ornaments, Embroidery	27371	22001	30989	23161
浸渍、涂布、包覆或层压的纺织物	Soaked, Coated or Overlapping Textile Products	11197	46450	15021	49254
针织物及钩编织物	Knit Wear and Crocheted Febrics	159226	76938	176066	81017
针织或钩编的服装及衣着附件	Knitted or Crocheted Garments and Clothing Accessories	483092	44265	561605	47277
非针织或非钩编的服装及衣着附件	Garments Not Knitted or Not Crocheted and Clothing Accessories	531981	38746	590484	43439
其他纺织制成品、成套物品	Other Textile Products	55037	1985	65958	2430
第十二类 鞋帽伞杖、加工羽毛、人造花、人发制品	**Footwear, Headgear, Umbrellas, Canes, Processed Feather, Artifical Flowers, Wigs**	**641247**	**9404**	**729204**	**12874**
鞋类及零件	Footwear and Accessories	543521	7680	625815	10857
帽类及零件	Headgear and Accessories	23062	153	27789	209

16-8 续表2 continued

单位：万美元 (USD 10000)

商品类别	Category of Commodities	2003 出口 Exports	2003 进口 Imports	2004 出口 Exports	2004 进口 Imports
伞、杖、鞭及零件	Umbrellas, Canes, Whips and Accessories	31418	487	31287	531
加工羽毛、羽绒及制品、人造花、人发制品	Processed Feathers, Down and Related Products, Artificial Flowers, Wigs	43246	1084	44312	1278
第十三类 石材制品、陶瓷产品、玻璃及其制品	**Stone Products, Ceramics, Glass and Glassware**	**211730**	**81499**	**287852**	**103395**
石材制品	Stone and Related Products	23378	9976	28787	13438
陶瓷产品	Ceramics	133457	4722	180740	5870
玻璃及其制品	Glass and Glassware	54895	66801	78325	84086
第十四类 珠宝首饰、硬币	**Jewellery, Coins**	**194939**	**103385**	**254859**	**145425**
珠宝首饰	Jewellery	194939	103385	254859	145425
第十五类 贱金属及其制品	**Base Metals and Related Products**	**691130**	**1172487**	**931914**	**1533088**
钢铁	Iron and Steel	18837	597594	50365	714798
钢铁制品	Iron and Steel Products	294891	66346	381106	87514
铜及其制品	Copper and Related Products	30480	255246	53273	374001
镍及其制品	Nickel and Related Products	254	14007	336	19988
铝及其制品	Aluminum and Related Products	98061	159099	133169	231208
铅及其制品	Lead and Related Products	2296	2217	2632	4595
锌及其制品	Zinc and Related Products	11146	25756	8179	33419
锡及其制品	Tin and Related Products	562	8343	917	13638
其他贱金属金属陶瓷及其制品	Other Base Metals, Metallic Ceramics and Related Products	3557	4870	6988	7971
贱金属工具器具利口器餐具及零件	Base Metals Tools, Utensils, Sharp Tools, Dinner-sets and Accessories	119143	25786	139363	29000
贱金属杂项制品	Miscellaneous Base Metals Products	111903	13223	155588	16955
第十六类 机械、电气设备、电视机及音响设备	**Machinery, Electric Equipment, TV Sets, Sound Appliances**	**7859732**	**6353052**	**10376496**	**8167962**
核反应堆、锅炉、机械设备及零件	Nuclear Reactor, Boilers, Mechanic Equipment and Accessories	3610431	1871681	4599590	2362757
机电、电气设备、电视机及音响设备	Machinery, Electric Equipment, TV Sets and Sound Appliances	4249301	4481371	5776906	5805205
第十七类 车辆、航空器、船舶及有关运输设备	**Vehicles, Aircraft, Ships and Related Transport Equipment**	**330883**	**246878**	**413846**	**304791**
铁道及电车机车、车辆及零件	Rail Locomotives, Tramcars and Accessories	103095	503	133689	823
车辆及零附件	Vehicles and Related Parts and Accessories	196992	170116	246899	202890
航空器、航天器及零件	Aircraft, Spacecraft and Related Parts and Accessories	480	67668	339	92761
船舶及浮动结构体	Ships and Related Products	30316	8591	32918	8317
第十八类 仪器、医疗器械、钟表及乐器	**Instruments, Medical Instruments and Equipment, Clocks and Watches, Musical Instruments**	**537989**	**647631**	**645542**	**961499**
光学、照相电影、计量检验、医疗仪器设备	Optical, Photographic, Film, Measuring and Checking, Medical Instruments and Equipment	357952	577540	454139	886844
钟表及零件	Clocks, Watches and Spare Parts	161090	68384	168558	73083
乐器及零附件	Musical Instruments and Accessories	18947	1707	22845	1573
第十九类 杂项制品	**Miscellaneous Manufactured Articles**	**1565028**	**57101**	**1799750**	**65431**
家具、床上用品、照明装置、发光标志	Furniture, Bed Articles, Lighting Apparatus, Radiate Marks	599760	9047	733112	12278
玩具、游戏、运动用品及零附件	Toys, Game Goods, Sports Goods and Related Parts and Accessories	900239	34576	985960	36926
杂项制品	Other Miscellaneous Manufactured Articles	65029	13478	80678	16228
第二十类 艺术品、收藏品及古物	**Works of Art, Collection Pieces and Antiques**	**760**	**16**	**919**	**24**
第二十一类 特殊交易品及未分类商品	**Special Trading Goods and Unclassified Goods**	**1367**	**99495**	**5898**	**99135**

16-9 海关出口主要商品数量和金额

VOLUME AND VALUE OF MAIN COMMODITIES FOR EXPORT (CUSTOMS STATISTICS)

金额单位：万美元　　　　(USD 10000)

商品名称		Item		2003 数量 Volume	2003 金额 Value	2004 数量 Volume	2004 金额 Value
活猪	(万头)	Live Hogs	(10000 heads)	36	4710	45	5913
活家禽	(万只)	Live Poultry	(10000 heads)	3521	5855	1745	2880
鲜、冻猪肉	(吨)	Fresh and Frozen Pork	(ton)	10823	1544	7677	1234
冻鸡	(吨)	Frozen Chicken	(ton)	24448	3282	13451	1579
水产品	(吨)	Aquatic Products	(ton)	241097	49936	260946	58278
# 活鱼	(吨)	Live Fish	(ton)	50605	7039	52891	8884
鲜冻对虾	(吨)	Fresh and Frozen Prawn	(ton)	29672	11752	25300	10117
谷物	(吨)	Cereals	(ton)	154931	3980	139480	4055
# 大米	(吨)	Rice	(ton)	7203	243	3097	108
蔬菜	(吨)	Vegetables	(ton)	820349	19693	874995	24676
# 鲜蔬菜	(吨)	Fresh Vegetables	(ton)	738854	12442	799627	15183
鲜、干果类	(吨)	Fresh and Dried Fruit	(ton)	319603	8701	364458	12622
# 柑桔橙	(吨)	Mandarins and Oranges	(ton)	70282	1801	89902	3393
食用油籽	(吨)	Edible Oil Seeds	(ton)	11522	605	11857	546
食用植物油	(吨)	Edible Vegetable Oil	(ton)	26361	2394	31503	2754
食糖	(吨)	Sugar	(ton)	67837	1870	60549	1753
茶叶	(吨)	Tea	(ton)	23998	4004	23515	4294
猪肉罐头	(吨)	Canned Pork	(ton)	6349	708	4574	515
蘑菇罐头	(吨)	Canned Mushroom	(ton)	22863	1932	17204	1346
羽毛、羽绒	(吨)	Feather and Down	(ton)	7085	3077	6789	3120
药材	(吨)	Medicinal Materials	(ton)	71995	6116	69016	7725
纸烟	(万条)	Rubber Tire	(10000 units)	797	2272	901	2751
生丝	(吨)	Raw Silk	(ton)	1377	2079	1099	2005
成品油	(吨)	Finished Petroleum Products	(ton)	645308	16674	1429641	43430
合成有机染料	(吨)	Synthetic Organic Dyestuff	(ton)	5534	1718	5856	1730
医药品	(吨)	Medicinal and Pharmaceutical Products	(ton)	32994	19881	38212	21994
# 抗菌素	(吨)	Antibiotics	(ton)	1202	3312	1287	3691
烟花爆竹	(吨)	Fireworks and Firecrackers	(ton)	62368	7329	66296	7566
松香、树脂	(吨)	Rosin, Resin	(ton)	88877	4162	111150	5293
轮胎	(万条)	Rubber Tire	(10000 units)	3390	15726	3877	21590
纸及纸板	(吨)	Paper and Paperboard	(ton)	146851	11668	172195	14083
纺织品		Textiles			472939		527783
# 棉纱线	(吨)	Cotton Yarn	(ton)	114394	35128	115377	35392
丝绸	(万米)	Silk	(10000 m)	1448	4748	2122	6250
棉布	(万米)	Cotton Cloth	(10000 m)	76127	95083	73285	101487
麻纺布	(万米)	Line Cloth	(10000 m)	5836	9007	5433	8781
混纺布	(万米)	Mixed Cloth	(10000 m)	2461	1998	2603	2293
玻璃制品		Glass Products			24811		35043
家用陶瓷器皿		Porcelain and Pottery Wares for Household Use			45923		62131
装饰用陶瓷器皿		Porcelain and Pottery Wares for Decoration Use			38522		39781
珍珠、宝石	千克	Pearls and Gems	(1000 grams)	4552939	62404	5218169	86185

16-9 **续表** continued

金额单位：万美元 (USD 10000)

商品名称		Item		2003 数量 Volume	2003 金额 Value	2004 数量 Volume	2004 金额 Value
贵金属及首饰		Precious Metal and Jewelry			117374		149018
钢材	(吨)	Steel Products	(ton)	414586	23097	807650	51975
铝材	(吨)	Aluminum Products	(ton)	152570	34989	219613	54069
铜材	(吨)	Copper Products	(ton)	73777	24369	104138	41171
工具		Tools			28392		34850
锁	(吨)	Locks	(ton)	68194	20235	84663	28150
电扇	(万台)	Electric Fans	(10000 sets)	25081	110150	30764	140181
普通缝纫机	(万台)	Sewing Machines	(10000 sets)	641	10390	459	11091
金属加工机床	(台)	Machine Tools	(sets)	185323	3083	232487	4631
电子计算器	(万台)	Electric Calculators	(10000 sets)	28663	58160	28016	48393
数据处理设备	(万台)	Data Processing Equipment	(10000 sets)	66644	1773279	77021	2318901
电动、发电机	(万台)	Electric Motors and Generators	(10000 sets)	237395	121486	253698	141307
静止式变流器	(万个)	Static Converters	(10000 units)	91567	194097	123909	281560
原电池	(万个)	Primary Cells and Batteries	(10000 units)	1217922	48635	1303150	55054
蓄电池	(万个)	Electric Accumulators	(10000 units)	103968	112042	141782	169887
有线电话	(万台)	Line Telephone Sets	(10000 sets)	17366	151238	17474	182020
手持或车载无线电话	(万台)	Radio Telephores Carried by Hand or Vehicle	(10000 sets)	2952	190275	4334	373483
扬声器	(万个)	Loud speakers	(10000 units)	99734	88682	109798	109819
收录机、组合音响	(万台)	Sound Recording Apparatus	(10000 sets)	18033	240027	17311	211588
收音机	(万台)	Radio Sets	(10000 sets)	23716	28372	25068	31797
彩电（整套散件）	(万台)	Colour TV Sers (Complete Set of Spare Parts)	(10000 sets)	1620	123247	2706	222584
集成电路、微电子件	(万个)	Integrated Circuit and Parts of Electronic Components	(10000 units)	315423	80298	351983	115122
集装箱	(个)	Containers	(unit)	482583	102822	490620	133450
自行车	(万辆)	Bicycles	(10000 units)	1876	57379	1780	57580
船舶	(艘)	Ships	(unit)	10038	30292	14366	32819
照相机	(万架)	Cameras	(10000 sets)	4682	35428	4618	22392
手表	(万只)	Wrist watches	(10000 units)	83960	90691	87426	91823
# 电子手表	(万只)	Electronic Watches	(10000 units)	83155	89042	86775	89514
日用钟	(万只)	Clocks	(10000 sets)	28270	30290	27864	31800
家具		Furniture			360135		446065
床垫、卧具用品		Mattress and Bedding Articles			16231		24049
灯具、照明用品		Lights and Lighting Apparatus			219721		256897
箱包、旅行用品		Boxes and Bags, Travel Goods			222357		263095
服装、衣着附件		Garments and Clothing Accessories			1177701		1255275
# 织物服装		Textile Garments			936351		1064421
皮革服装	(万件)	Leather Garments	(10000 pcs)	788	16084	724	16395
皮革手套	(万双)	Leather Gloves	(10000 pairs)	68521	101680	39998	31884
帽类	(万个)	Headgear	(10000 units)	91985	22404	107246	26792
鞋	(万双)	Footwear	(10000 pairs)	221102	527027	246937	606733
# 橡胶、塑料鞋	(万双)	Rubber and Plastic Shoes	(10000 pairs)	127349	192275	145033	214670
皮鞋	(万双)	Leather Shoes	(10000 pairs)	64061	285419	70267	332991
塑料制品		Plastic Articles			342837		396062
玩具		Toys			422961		446706
人造花		Artificial Flowers			39578		40296

16-10 海关进口主要商品数量和金额
VOLUME AND VALUE OF MAIN COMMODITIES FROM IMPORT（CUSTOMS STATISTICS）

金额单位：万美元 （USD 10000）

商品名称		Item		2003 数量 Volume	2003 金额 Value	2004 数量 Volume	2004 金额 Value
谷物	（吨）	Cereals	(ton)	590777	14732	900692	26127
#小麦	（吨）	Wheat	(ton)	205188	3849	120878	2512
稻谷和大米	（吨）	Paddy and Rice	(ton)	180979	6760	547602	19064
玉米	（吨）	Corn	(ton)	66	8	37	4
大豆	（吨）	Soybean	(ton)	3221145	85744	3492642	122409
鲜、干果类	（吨）	Fresh and Dried Fruit	(ton)	263981	18943	369561	30512
#柑桔橙	（吨）	Mandaris and Oranges	(ton)	43720	2751	37431	2701
食用植物油	（吨）	Edible Vegetable Oil	(ton)	691716	33411	946183	48776
其他植物油	（吨）	Other Vegetable Oil	(ton)	59532	2877	72034	4936
食糖	（吨）	Sugar	(ton)	114173	2396	171457	3692
饲料	（吨）	Forage	(ton)	248890	16074	327541	21589
纸烟	（条）	Rubber Tire	(units)	97150	73	125700	88
天然橡胶	（吨）	Natural Rubber	(ton)	120044	11021	133379	13398
合成橡胶	（吨）	Synthetic Rubber	(ton)	342912	34624	394871	43016
原木	（立方米）	Logs	(cu. m)	2016428	26187	1711823	26757
锯材	（立方米）	Timbering	(cu. m)	2544355	50546	2604102	56368
纸浆	（吨）	Paper Pulp	(ton)	684142	29304	778165	36744
羊毛	（吨）	Wool	(ton)	16466	5803	14295	5200
原棉	（吨）	Raw Cotton	(ton)	70330	9747	97548	15615
合成纤维	（吨）	Synthetic Fiber	(ton)	246302	23720	218279	23649
#聚酯纤维	（吨）	Polyester Fiber	(ton)	201395	17156	174021	16563
聚丙烯晴纤维	（吨）	Polyacrylonitrile Fibre	(ton)	32763	4513	33048	4935
人造纤维	（吨）	Artificial Fiber	(ton)	2137	437	2638	541
铁矿砂	（吨）	Iron Ore	(ton)	3916150	17989	5180428	43874
氧化铝	（吨）	Alumina Oxide	(ton)	221126	5554	426477	13432
原油	（万吨）	Crude Oil	(tons)	1445	315293	1388	367682
成品油	（万吨）	Finished Petroleum Products	(tons)	1113	216210	1390	299628
液化石油气	（万吨）	LPG	(tons)	416	131302	417	156892
乙二醇	（吨）	Glycol	(ton)	214694	12852	217965	18234
对苯二甲酸	（吨）	Paraxylene Acid	(ton)	328353	18640	158086	11009
己内酰胺	（吨）	Caprolactam	(ton)	73816	8558	95494	15834
医药品	（吨）	Medicinal and Pharmaceutical Products	(ton)	14282	42216	14202	41738
#抗菌素	（吨）	Antibiotics	(ton)	280	2916	222	2815
肥料	（吨）	Fertilizer	(ton)	1422430	22639	1006452	18939
#尿素	（吨）	Urea	(ton)	3	0.45	145	5
氯化钾	（吨）	Potassium Chloride	(ton)	421758	4878	168316	2798
复合肥料	（吨）	Compound Fertilizer	(ton)	997401	17663	823170	15814
合成有机染料	（吨）	Synthetic Organic Dyestuff	(ton)	31728	10348	31205	11013
初级型状聚乙烯	（吨）	Polyethylene in Primary Form	(ton)	1271695	89779	1259460	105499
初级型状聚丙烯	（吨）	Polypropylene in Primary Form	(ton)	1510322	111339	1653485	136109
初级型状聚苯乙烯	（吨）	Polystyrene in Primary Form	(ton)	2887733	263226	2957375	286665
#ABS树脂	（吨）	ABS Copolymer Resin	(ton)	1401181	140295	1489203	157404
初级型状聚氯乙烯	（吨）	Polyvinyl Chloride in Primary Form	(ton)	1303191	83994	1325880	99649
初级型状聚酯	（吨）	Polyester in Primary Form	(ton)	636181	97692	757966	129375
农药	（吨）	Pesticides	(ton)	4853	1925	5042	1849
牛皮革、马皮革	（吨）	Cattlehide and Horsehide	(ton)	680864	132764	730857	157966

16-10 **续表** continued

金额单位：万美元 (USD 10000)

商品名称		Item		2003		2004	
				数量 Volume	金额 Value	数量 Volume	金额 Value
胶合板	(立方米)	Plywood	(cu. m)	354117	13754	366598	15537
纸及纸板	(吨)	Paper and Paperboard	(ton)	4551514	227489	4350761	232758
# 牛皮纸	(吨)	Kraft-paper	(ton)	863733	33694	875383	35282
毛纱线	(吨)	Wool and Cotton Thread	(ton)	30090	14098	28748	14530
棉纱线	(吨)	Cotton Yarn	(ton)	644555	134838	631218	131541
合成纤维纱线	(吨)	Synthetic Fiber, Continuous Filament and Yarn	(ton)	409639	84318	406606	84807
丝绸	(万米)	Silk	(10000 m)	2641	4440	2920	4978
棉布	(万米)	Cotton Cloth	(10000 m)	123441	99721	123856	103743
化纤布	(万米)	Chemical Fibre Cloth	(10000 m)	127485	68512	122388	66575
钢材	(万吨)	Rolled Steel	(tons)	1063	554346	1036	657895
# 钢铁板材	(万吨)	Iron & Steel Plate	(tons)	937	487823	909	574440
铜材	(吨)	Rolled Copper	(ton)	768770	188407	873574	248730
铝材	(吨)	Rolled Aluminium	(ton)	242273	62716	259516	76548
制冷压缩机	(台)	Refrigeration Compressors	(set)	4553739	22651	8258930	37313
空调	(台)	Air Conditioners	(set)	20594	4235	14411	2902
制冷设备		Refrigerating Equipment			4465		6038
机械装卸设备		Mechanical Handling Equipment			44845		39192
建筑采矿设备		Building and Mining Equipment			41180		34732
食品机械		Food-processing Machinery			2822		2707
造纸、纸品机械		Paper and Pulp Mill Machinery			17082		13835
印刷机械		Printing Machinery			46986		55946
纺织机械		Textile Machinery			57590		74134
工业缝纫机	(台)	Industrial Sewing Machines	(set)	110070	7244	90991	9385
机床	(台)	Machine Tools	(set)	55141	95054	50454	139906
橡、塑加工机械		Rubber and Plastic Processing Machinery			64287		76311
数据处理设备	(万台)	Data Processing Equipment	(10000 sets)	9932	411559	12183	498676
电动、发电机	(万台)	Electric Motors and Generators	(10000 sets)	125193	74015	121632	83495
发电机组、变流机	(台)	Generating and Converters	(set)	18074	16114	18162	57229
电话、电报交换机	(台)	Telephonic and Telegraphic Switching Apparatus	(set)	17840	4737	16501	995
磁带		Tapes			29962		42254
手持或车载无线电话	(万台)	Radio Telephores Carried by Hand or Vehicle	(10000 sets)	765	100217	524	55485
电视摄像机	(万台)		(10000 sets)	465	40905	1877	72764
电视机	(台)	TV Sets	(set)	877438	4120	552531	6532
# 彩色电视机	(台)	Colour TV Sets	(set)	833790	4079	271093	6418
半导体器件	(万个)	Parts of Semi-conductor Devices	(10000 units)	9288100	308928	10861081	399486
电路保护装置		Protection Fixtures of Circuit			199643		278837
显像管	(万只)	Kinescopes	(10000 units)	1320	46106	1584	51685
集成电路、电子件	(万个)	Integrated Circuit and Parts of Electronic Components	(10000 units)	3120062	2008008	3973247	2651392
电线、电缆	(吨)	Electric Wires and Cables	(ton)	155185	71230	174796	91774
汽车及底盘	(辆)	Motor Vehicles and Chassis	(unit)	28379	77609	29802	86673
# 小轿车	(辆)	Cars	(unit)	15352	47740	19193	58916
旅行车	(辆)	Station Wagons	(unit)	3169	6092	2989	6030
船舶	(艘)	Ships	(unit)	495	1944	610	2116
塑料制品		Plastic Products			47647		57983
玩具		Toys			5743		7753

16-11 机电产品出口分类值

EXPORT VALUE OF MECHANICAL AND ELECTRICAL PRODUCTS BY CATEGORY OF COMMODITIES

单位：万美元 (USD 10000)

产品分类	Category of Commodities	2003	2004
合　计	**Total**	**9971279**	**12974497**
建筑材料	**Building Materials**	**868**	**1040**
玻璃及制品	**Glass and Glassware**	**523**	**905**
钢铁制品	**Iron and Steel Products**	**286003**	**364754**
#其他钢铁结构体、部件及加工钢材	Other Iron and Steel Structure, Parts and Rolled Steel	27512	24669
不锈钢餐具、厨具	Stainless Steel Tablewares and Kitchenwares	98263	74991
铜制品	**Copper Products**	**6335**	**11822**
铝制品	**Aluminium Products**	**45339**	**54274**
#铝制门窗及配件	Aluminium Window, Door and Fittings	6934	7908
其他贱金属制品	**Other Base Metals Products**	**6574**	**7486**
贱金属工具、利口器、餐具及零件	**Base Metals Tools, Sharp Tools, Tablewares and Accessories**	**142521**	**168834**
#工具	Tools	27163	33668
利口器	Sharp Tools	55685	57337
厨具、餐具	Kitchenwares and Tablewares	36289	47559
锁类	Locks	23884	28150
贱金属杂项制品	**Miscellaneous Base Metals Products**	**88017**	**122837**
#贱金属制铰链（折叶）	Base Metals Hinge	11008	15949
家具用其他贱金属附件及架座	Other Base Metals Accessories and Frame Foundation for Furniture Used	24094	37928
办公用品	Articles for Office	8704	10638
日用五金	General Metalwares	7034	8595
锅炉、机械设备及零件	**Boilers, Mechanical Equipment and Accessories**	**3610431**	**4599590**
#电扇	Electric Fans	110150	140181
电子计算器	Electronic Calculators	58160	48393
电动、发电机	Electric Motors and Generators	121486	141307
手提式电钻	Portable Electric Drills	23537	32156
空调	Air Conditioners	131975	205269
数据处理设备	Data Processing Equipment	1773279	2318901
#显示器	Displays	300136	485819
激光打印机	Laserprinters	228420	296569
机电、电气设备、电视机及音响设备	**Machinery, Electric Equipment, TV Sets and Sound Appliances**	**4249186**	**5776906**
#镇流器	Fluorescent Tube Starters	21525	26436
电感器	Inducors	41028	48537
原电池	Primary Cells and Batteries	48635	55054
蓄电池	Electric Accumulators	112042	169887
真空吸尘器	Vacuum Cleaners	31252	36469

16-11 续表1 continued

单位：万美元 (USD 10000)

产品分类	Category of Commodities	2003	2004
食品研磨机及搅拌器，水果或蔬菜　的榨汁器	Food Grinders and Blenders, Fruit or Vegetable Juicers	35022	41942
电动剃须刀	Shavers	8386	11948
电吹风机	Hair Dryers	13163	14757
其他电热理发器具	Others Electric Haircut Utensils	12528	13989
电熨斗	Electric Ironers	15226	16386
微波炉	Microwave Ovens	58745	70557
电咖啡壶、电茶壶	Electric Coffee Pots and Electric Tea Pots	42439	47476
电热烤面包器	Electric Toasters	28381	27478
有线电话机	Telephone Sets	151238	182020
无绳电话机	Wireless Telephones	120741	142124
传真机	Fax Printers	36332	33679
单喇叭音箱	Single Speaker Sound Boxes	25567	29392
多喇叭音箱	Multispeaker Sound Boxes	38208	50569
其他扬声器	Other Loudspeakers	24908	29846
耳机、耳塞及头戴送受话器	Earphones, Earplugs and Headphones	22666	29959
音频扩大器	Audio Amplifiers	23190	27245
拾音头	Pick-up Heads	3761	2684
激光视盘放像机	LDPs	318157	481021
激光唱机	Laser　Players	77018	86223
盒式磁带录放机	Cassette Tape Recorders	7810	7031
袖珍盒式磁带收放机	Pocket Radio Cassette Players	2163	1140
其他收录（放）音组合机	Other Sound Recording Apparatus	176548	137254
带时钟的收音机	Radio sets with Clocks	7732	9018
其他无线电收音机	Other Radio Sets	12362	12351
彩色电视机	Colour TV sets	123247	222584
黑白电视机	Black-and-white TV sets	12209	9983
防盗或防火报警器及类似装置	Theftproof or Fireproof Annunciators and Similar Sets	12472	14989
装有液晶装置或发光二极管的显示板	Display with LCD or Screen of Light-emitting Diode	24365	26039
电容器	Capacitors	46755	55748
电阻器	Resistors	14686	16957
电路保护装置	Protection Fixtures of Circuit	122660	169411
显像管	Kinescopes	42404	72724
半导体器件	Parts of Semi-conductor Devices	57704	69712
电线电缆	Electric Wires and Cables	129933	155194

16-11 续表2 continued

单位：万美元 (USD 10000)

产品分类	Category of Commodities	2003	2004
集成电路	Integrated Circuit	72940	102130
微电子组件	Microelectronics Device	15204	12992
铁道及电车机车、车辆及零件	**Rail Locomotives, Tramccars and Accessories**	**103095**	**133787**
集装箱	Containers	102822	133450
其他车辆及零件	**Others Vehicles and Related Parts and Accessories**	**196980**	**246799**
# 自行车	Bicycles	57879	57580
摩托车	Motorcycles	21046	38073
婴孩车及其零件	Baby Carriages and Accessories	27832	26289
航空器、航天器及零件	**Aircraft, Spacecraft and Related Parts and Accessories**	**480**	**339**
船舶及浮动物结构体	**Ship and Related Products**	**30316**	**32918**
船舶	Ships	30292	32819
光学、照相电影、计量检验、医疗设备	**Optical, Photographic, Film, Measuring and Checking, Medical Instruments and Equipment**	**357952**	**454097**
# 太阳镜	Sun-glasses	5171	6290
双筒望远镜	Binoculars	4937	4410
照相机	Cameras	35428	22392
医疗器械	Medical Instruments and Equipment	24192	33341
钟表及零件	**Clocks, Watches and Spare Parts**	**161090**	**168564**
# 电子手表	Electronic Watches	89042	89514
钟	Clocks	30239	31800
表芯	Movements	14716	16850
贱金属表壳	Base Metals Cases	5529	6026
贱金属表带	Base Metals Bands	5173	5310
其他钟表零件	Other Spare Parts	1971	2785
乐器及零件	**Musical Instruments and Spare Parts**	**8976**	**10736**
金属家具、照明装置、发光标志	**Metallic Furniture, Lighting Apparatus and Radiate Marks**	**276834**	**337947**
# 金属家具	Metallic Furniture	57116	74780
吊灯、壁灯	Ceiling Lamps, Wall Lamps	59263	76170
台灯、床头灯或落地灯	Table Lamps, Bed Lamps, Floor Lamps	39550	42227
圣诞树用的成套灯具	Festival Decoration Lamp Sets	27145	28509
玩具、游戏、运动用品及零件附件	**Toys, Game Goods, Sports Goods and Related Parts and Accessories**	**395666**	**474854**
# 电子、机械玩具	Electronic and Machinery Toys	62725	71782
与电视接收机配套使用的电子游戏机	Electroni Game Machines Used with TV Receivers	250249	278776
杂项制品	**Miscellaneous Manufactured Articles**	**3427**	**5895**
# 一次性袖珍气体打火机	Once-off Pocket Gas Lighters	1870	1927
其他机电产品	**Other Mechanical and Electrical Product**	**666**	**113**

16-12 各市进出口总额

TOTAL VALUE OF IMPORTS AND EXPORTS BY CITY

单位：亿美元　　　　　　　　　　　　　　　　　　　　　　　　　　　　　　(USD 100 million)

市　别 City	2000			2003			2004		
	进出口 Imports & Exports	出口 Export	进口 Imports	进出口 Imports & Exports	出口 Export	进口 Imports	进出口 Imports & Exports	出口 Export	进口 Imports
全省合计　Total	**1701.06**	**919.19**	**781.87**	**2835.22**	**1528.48**	**1306.74**	**3571.29**	**1915.69**	**1655.60**
广　州　Guangzhou	233.51	117.90	115.60	349.41	168.89	180.52	447.88	214.74	233.14
深　圳　Shenzhen	639.44	345.64	293.80	1174.00	629.71	544.29	1472.76	778.43	694.33
珠　海　Zhuhai	91.65	36.46	55.19	167.82	69.09	98.73	218.01	90.39	127.62
汕　头　Shantou	42.12	25.95	16.17	33.46	18.92	14.54	41.78	25.45	16.33
佛　山　Foshan	103.27	57.36	45.91	164.69	102.25	62.44	216.90	138.34	78.56
韶　关　Shaoguan	2.68	1.32	1.36	4.34	2.01	2.33	8.42	3.06	5.36
河　源　Heyuan	1.61	0.93	0.67	2.98	1.56	1.42	3.45	1.97	1.48
梅　州　Meizhou	3.49	2.97	0.52	2.97	2.08	0.89	3.59	2.49	1.10
惠　州　Huizhou	82.09	44.97	37.12	131.32	71.46	59.86	166.35	87.39	78.96
汕　尾　Shanwei	6.08	3.64	2.44	5.44	2.67	2.77	8.39	4.05	4.34
东　莞　Dongguan	320.23	171.42	148.82	520.12	279.08	241.04	645.12	351.91	293.21
中　山　Zhongshan	60.89	36.77	24.12	131.28	82.53	48.75	156.36	100.06	56.30
江　门　Jiangmen	48.33	29.85	18.48	58.76	36.57	22.19	78.46	50.77	27.69
阳　江　Yangjiang	6.20	5.43	0.77	8.06	6.88	1.18	10.70	8.40	2.30
湛　江　Zhanjiang	11.67	3.78	7.89	19.35	9.01	10.34	18.43	9.42	9.01
茂　名　Maoming	12.59	10.03	2.56	13.61	12.63	0.98	10.04	6.38	3.66
肇　庆　Zhaoqing	11.50	7.40	4.11	15.63	10.98	4.65	19.03	12.40	6.63
清　远　Qingyuan	4.40	2.41	1.98	6.18	3.08	3.10	11.93	5.27	6.66
潮　州　Chaozhou	8.21	6.94	1.27	11.64	9.40	2.24	15.35	11.79	3.56
揭　阳　Jieyang	7.82	5.98	1.84	9.29	6.84	2.45	12.32	9.48	2.85
云　浮　Yunfu	3.28	2.03	1.24	4.87	2.84	2.03	6.02	3.50	2.52

16-13 各市外商投资企业进出口总额

TOTAL VALUE OF IMPORTS AND EXPORTS OF FOREIGN FUNDED ENTERPRISES BY CITY

单位：亿美元　　　　　　　　　　　　　　　　　　　　　　　　　　　　　　(USD 100 million)

市　别 City	2000			2003			2004		
	进出口 Imports & Exports	出口 Exports	进口 Imports	进出口 Imports & Exports	出口 Exports	进口 Imports	进出口 Imports & Exports	出口 Exports	进口 Imports
全省合计　Total	**920.36**	**495.09**	**425.27**	**1746.76**	**953.73**	**793.03**	**2265.30**	**1217.21**	**1048.09**
广　州　Guangzhou	118.20	60.29	57.91	197.19	99.79	97.40	268.80	134.63	134.17
深　圳　Shenzhen	357.14	194.97	162.17	738.99	403.49	335.50	964.10	509.76	454.34
珠　海　Zhuhai	51.43	26.24	25.19	110.83	54.93	55.90	147.22	73.23	73.99
汕　头　Shantou	14.30	7.10	7.20	19.41	9.80	9.61	23.61	12.81	10.80
佛　山　Foshan	70.23	36.21	34.02	118.63	69.36	49.27	149.90	89.41	60.49
韶　关　Shaoguan	1.57	0.64	0.93	1.23	0.60	0.63	2.35	1.21	1.14
河　源　Heyuan	1.09	0.63	0.46	2.64	1.34	1.30	2.96	1.63	1.33
梅　州　Meizhou	1.25	0.78	0.47	1.17	0.64	0.53	1.34	0.41	0.93
惠　州　Huizhou	55.93	31.56	24.37	98.77	56.43	42.34	131.33	69.80	61.53
汕　尾　Shanwei	1.46	0.85	0.61	3.16	1.63	1.53	5.89	2.78	3.11
东　莞　Dongguan	154.10	83.51	70.59	280.79	149.90	130.89	360.34	194.85	165.49
中　山　Zhongshan	35.77	20.16	15.61	86.58	50.25	36.33	103.29	61.42	41.87
江　门　Jiangmen	27.24	15.15	12.09	34.75	21.50	13.25	47.71	30.56	17.15
阳　江　Yangjiang	1.48	1.27	0.21	2.35	2.15	0.20	2.70	2.46	0.24
湛　江　Zhanjiang	7.96	1.36	6.60	12.63	3.65	8.98	11.16	4.33	6.83
茂　名　Maoming	3.21	2.92	0.29	9.27	8.97	0.30	2.97	2.31	0.66
肇　庆　Zhaoqing	7.13	4.16	2.97	9.29	5.78	3.51	12.25	7.22	5.03
清　远　Qingyuan	2.30	1.18	1.12	4.32	2.46	1.86	8.25	4.24	4.01
潮　州　Chaozhou	3.69	3.14	0.55	5.02	4.50	0.52	7.38	5.84	1.54
揭　阳　Jieyang	2.54	1.65	0.89	5.64	4.13	1.51	6.94	5.37	1.57
云　浮　Yunfu	2.33	1.31	1.02	4.10	2.43	1.67	4.81	2.94	1.87

注：本表为海关按经营单位所在地统计。

Note: The data in the table are calculated with location of the foreign trade managing units by customs.

16-14 外商投资企业进出口主要指标
MAIN INDICATORS ON IMPORTS AND EXPORTS OF FOREIGN FUNDED ENTERPRISES

单位：亿美元 (USD 100 million)

项　　目	Item	2000 出口 Exports	2000 进口 Imports	2003 出口 Exports	2003 进口 Imports	2004 出口 Exports	2004 进口 Imports
总　　计	**Total**	**495.09**	**425.27**	**953.73**	**793.03**	**1217.21**	**1048.09**
按贸易方式分	**By Trade Form**						
一般贸易	General Trade	28.43	53.31	70.31	99.27	92.52	136.27
来料加工	Processing and Assembling with Customers´ Materials	19.10	15.51	38.15	28.28	46.94	37.2
进料加工	Processing and Assembling with Import Materials	433.45	303.68	815.78	560.34	1030.90	708.46
加工设备	Processing Equipment		0.66		3.81		5.61
外资设备	Foreign Funded Equipment		34.56		45.70		65.36
保税仓库	Bonded Warehouse	10.65	7.71	29.48	55.43	46.85	94.78
其他	Others	3.46	9.84	0.01	0.20		0.41
按经济类型分	**By Ownership**						
合作经营企业	Joint Venture	67.01	56.76	91.75	69.32	97.45	74.81
合资经营企业	Cooperative Operation	166.18	157.15	255.57	215.99	327.75	289.60
外资（独资）企业	Exdusively Funded by Foreign Investors	261.90	211.36	606.41	507.72	792.01	683.68
按产品类型分	**By Products**						
机电产品	Mechanical and Electrical Products	303.39	221.20	688.03	497.45	906.58	678.76
# 机械及设备	Machinery and Equipment	96.26	63.55	281.10	124.88	353.97	166.32
电器及电子产品	Electric and Electronic Products	138.36	129.97	278.87	314.52	394.24	428.06
高新技术产品	High and New-tech Products	125.41	117.56	379.15	316.72	522.76	432.71
# 计算机与通信技术	Computer and Communication Technology	105.81	42.16	342.82	106.43	468.61	141.05
电子技术	Electronic Technology	14.23	61.10	26.16	184.10	38.11	250.77
按主要国家（地区）分	**Main Countries and Territories**						
亚　洲	**Asia**	**267.86**	**336.86**	**538.66**	**667.73**	**696.12**	**874.94**
中国香港	Hong Kong，China	172.95	27.00	364.85	27.80	478.09	28.77
中国澳门	Macao，china	2.38	0.47	5.88	1.18	7.79	1.53
中国台湾	Taiwan，China	9.21	87.26	16.09	151.09	18.58	188.07
日　　本	Japan	44.36	87.18	77.26	148.55	86.07	192.33
韩　　国	Republic of Korea	6.47	36.06	18.99	63.71	33.86	93.18
东　　盟	Association of Southeast Asian Nations	25.88	51.42	41.93	122.79	52.41	146.82
中东十七国	The Seventeen Countries of Middle East of Asia			11.07	10.96	14.22	14.72
非　洲	**Africa**	**2.10**	**2.48**	**4.27**	**3.73**	**5.56**	**5.89**
欧　洲	**Europe**	**72.82**	**44.27**	**148.34**	**54.05**	**177.11**	**77.26**
欧　盟	European Economic & Monetary Union	65.75	35.43	135.09	43.32	166.98	65.65
# 英　国	United Kingdom	13.52	5.17	24.23	4.38	28.37	6.11
德　国	Germany	14.87	11.44	32.76	14.62	34.39	20.09
法　国	France	8.46	5.06	13.06	3.93	15.83	8.14
意大利	Italy	3.37	3.80	6.35	4.78	11.54	8.46
荷　兰	Netherlands	13.52	1.64	33.63	2.30	33.26	3.27
芬　兰	Finland	1.15	1.10	2.27	1.63	2.38	2.50
瑞　士	Switzerland	1.30	3.61	1.97	4.33	3.65	6.47
俄罗斯	Russia	0.61	2.96	2.19	2.49	4.03	3.19
拉丁美洲	**Latin America**	**7.56**	**5.32**	**12.17**	**15.27**	**17.99**	**19.72**
北美洲	**North America**	**138.75**	**28.63**	**237.58**	**41.19**	**304.94**	**57.08**
加拿大	Canada	6.16	4.09	9.28	4.11	11.48	7.09
美　国	United States	132.67	24.54	228.28	37.08	293.45	49.99
大洋洲	**Oceania**	**6.00**	**7.71**	**12.71**	**11.06**	**15.49**	**13.20**
澳大利亚	Australia	5.45	6.26	11.58	9.70	14.21	11.81
新西兰	New Zealand	0.49	0.66	1.05	1.10	1.18	1.36

16-15 外商投资企业出口主要商品数量和金额
VOLUME AND MAIN VALUE OF COMMODITIES FOR EXPORT OF FOREIGN FUNDED ENTERPRISES

金额单位：万美元 （USD 10000）

商品名称		Item		2003		2004	
				数 量 Volume	金 额 Value	数 量 Volume	金 额 Value
活猪	（万头）	Live Hogs	（10000 heads）	1. 33	179	2. 27	314
活家禽	（万只）	Live Poultry	（10000 heads）	41	94	20	43
冻鸡	（吨）	Frozen Chicken	（ton）	7134	894	1623	218
水产品	（吨）	Aquatic Products	（ton）	68380	21614	76813	23595
# 活鱼	（吨）	Live Fish	（ton）	641	356	464	350
鲜冻对虾	（吨）	Fresh and Frozen Prawn	（ton）	18520	8838	15512	7260
谷物	（吨）	Cereals	（ton）	142325	3601	129144	3713
# 大米	（吨）	Rice	（ton）	1595	51	881	28
蔬菜	（吨）	Vegetables	（ton）	71981	4740	58218	6967
# 鲜蔬菜	（吨）	Fresh Vegetables	（ton）	46511	1176	31791	1254
鲜、干果类	（吨）	Fresh and Dried Fruit	（ton）	19308	1483	24920	1938
# 柑桔橙	（吨）	Mandarins and Oranges	（ton）	665	35	3035	151
食用植物油	（吨）	Edible Vegetable Oil	（ton）	25551	2254	30616	2572
食糖	（吨）	Sugar	（ton）	13734	283	5582	125
茶叶	（吨）	Tea	（ton）	52	49	136	67
烤鳗鱼	（吨）	Daked Eel	（ton）	9042	7647	10296	11355
蘑菇罐头	（吨）	Canned Mushroom	（ton）	4047	394	2882	304
羽毛、羽绒	（吨）	Feather and Down	（ton）	3096	485	2813	594
药材	（吨）	Medicinal Materials	（ton）	5350	1793	4286	2191
成品油	（吨）	Finished Petroleum Products	（ton）	118307	4181	291687	9980
合成有机染料	（吨）	Synthetic Organic Dyestuff	（ton）	2356	866	2508	886
医药品	（吨）	Medicinal and Pharmaceutical Products	（ton）	18506	7769	21178	9462
# 抗菌素	（吨）	Antibiotics	（ton）	284	1001	534	1613
美容护肤用品	（吨）	Beauty and Tonic Cosmetics	（ton）	40761	19761	38968	18389
口腔清洁剂	（吨）	Dental Cleanser	（ton）	9762	1599	17923	3057
轮胎	（万条）	Rubber Tire	（10000 units）	1648	3484	1971	5336
纸及纸板	（吨）	Paper and Paperboard	（ton）	89062	6965	118734	10044
纺织品		Textiles			320047		354308
# 棉纱线	（吨）	Cotton Yarn	（ton）	93557	29046	99568	30379
丝绸	（万米）	Silk	（10000 m）	439	1543	401	1246
棉布	（万米）	Cotton Cloth	（10000 m）	42725	53504	39349	55300
麻纺布	（万米）	Line Cloth	（10000 m）	2974	3889	3123	3954
混纺布	（万米）	Mixed Cloth	（10000 m）	817	679	802	725
玻璃制品		Glass Products			11385		14528
家用陶瓷器皿		Porcelain and Pottery Wares for Household Use			17275		24342
装饰用陶瓷器皿		Porcelain and Pottery Wares for Decoration Use			17391		18940
珍珠、宝石	（千克）	Pearls and Gems	（1000 grams）	1383768	58340	1077652	74549

16-15 **续表** continued

金额单位：万美元 (USD 10000)

商品名称		Item		2003 数 量 Volume	2003 金 额 Value	2004 数 量 Volume	2004 金 额 Value
贵金属及首饰		Precious Metal and Jewelry			44650		66083
钢材	(吨)	Steel Products	(ton)	269756	14810	506000	33126
铝材	(吨)	Aluminum Products	(ton)	112200	26525	143209	34054
铜材	(吨)	Copper Products	(ton)	48292	17822	66955	30015
工具		Tools			11373		14731
锁	(吨)	Locks	(ton)	20853	7347	34137	13558
电扇	(万台)	Electric Fans	(10000 sets)	8208	41869	11960	58053
普通缝纫机	(万台)	Sewing Machines	(10000 sets)	124	8532	150	9786
金属加工机床	(台)	Machine Tools	(sets)	79280	641	112107	1439
电子计算器	(万台)	Electric Calculators	(10000 sets)	11296	39155	11752	27680
数据处理设备	(万台)	Data Processing Equipment	(10000 sets)	40954	1461231	49793	1864465
# 显示器	(万台)	Displays	(10000 sets)	1053	146506	1619	223157
电动、发电机	(万台)	Electric Motors and Generators	(10000 sets)	50319	46407	50824	55961
静止式变流器	(万个)	Static Converters	(10000 units)	51159	128955	74609	199484
原电池	(万个)	Primary Cells and Batteries	(10000 units)	275386	20603	321703	23953
蓄电池	(万个)	Electric Accumulators	(10000 units)	64756	70514	97483	111919
有线电话	(万台)	Line Telephone Sets	(10000 sets)	8993	101758	9571	131023
手持或车载无线电话	(万台)	Radio Telephones Carried by Hand or Vehicle	(10000 sets)	2917	187122	4125	354231
扬声器	(万个)	Loud speakers	(10000 units)	37871	45182	47098	55370
收录机、组合音响	(万台)	Sound Recording Apparatus	(10000 sets)	7483	163241	6759	129560
收音机	(万台)	Radio Sets	(10000 sets)	3686	9589	4055	11130
彩电（整套散件）	(万台)	Colour TV Sets (Complete Set of Spare Parts)	(10000 sets)	1103	88552	1807	149246
电路保护装置		Protection Fixtures of Circuit			87570		127605
半导体器件	(万个)	Parts of Semi-conductor Devices	(10000 units)	1880242	44819	3201998	56164
集成电路、微电子件	(万个)	Integrated Circuit and Parts of Electronic Components	(10000 units)	206164	48366	252169	82599
电线、电缆	(吨)	Electric Wires and Cables	(ton)	241873	83326	299253	103287
集装箱	(个)	Containers	(unit)	447997	95331	490451	133420
自行车	(万辆)	Bicycles	(10000 units)	1082	37854	1034	37289
船舶	(艘)	Ships	(unit)	2491	23739	3343	17549
照相机	(万架)	Cameras	(10000 sets)	2428	29037	2287	17451
手表	(万只)	Wristwatches	(10000 units)	16163	37925	18345	36607
# 电子手表	(万只)	Electronic Watches	(10000 units)	16060	37070	18218	35013
日用钟	(万只)	Clocks	(10000 sets)	8373	12313	8254	12272
家具		Furniture			211972		266657
床垫、卧具用品		Mattress and Bedding Articles			7132		10691
灯具、照明用品		Lights and Lighting Apparatus			95762		113530
箱包、旅行用品		Boxes and Bags and Travel Goods			84202		102275
服装、衣着附件		Garments and Clothing Accessories			510358		532565
# 织物服装		Textile Garments			379950		438549
皮革服装	(万件)	Leather Garments	(10000 units)	259	6545	303	7557
裘皮服装		Fur Garments			2470		3400
皮革手套	(万双)	Leather Gloves	(10000 pairs)	40496	60205	17201	14302
帽类	(万个)	Headgear	(10000 units)	38530	11352	44280	13482
鞋	(万双)	Footwear	(10000 pairs)	78856	291348	89383	336127
# 橡胶、塑料鞋	(万双)	Rubber and Plastic Shoes	(10000 pairs)	38606	86831	42787	93334
皮鞋	(万双)	Leather Shoes	(10000 pairs)	31405	179562	37004	215827
塑料制品		Plastic Articles			158120		190429
圣诞用品		Articles for Christmas			31454		24489
玩具		Toys			169505		179915
人造花		Artificial Flowers			12539		12944

16-16 外商投资企业进口主要商品数量和金额

VOLUME AND VALUE OF MAIN IMPORT COMMODITIES OF FOREIGN FUNDED ENTERPRISES

金额单位：万美元 (USD 10000)

商品名称		Item		2003		2004	
				数量 Volume	金额 Value	数量 Volume	金额 Value
谷物	(吨)	Cereals	(ton)	301708	6221	329690	6830
#小麦	(吨)	Wheat	(ton)	154200	3090	86707	1996
大米	(吨)	Rice	(ton)	574	28	10999	290
玉米	(吨)	Corn	(ton)	48	7	36	4
面粉	(吨)	Flour	(ton)	11332	395	10278	321
大豆	(吨)	Soya	(ton)	1940667	52884	2310249	79574
食用植物油	(吨)	Edible Vegetable Oil	(ton)	512935	24789	593706	30845
其他植物油	(吨)	Other Vegetable Oil	(ton)	50370	2497	53271	3589
食糖	(吨)	Sugar	(ton)	22881	664	32753	853
饲料	(吨)	Forage	(ton)	23965	1821	30492	2339
天然橡胶	(吨)	Natural Rubber	(ton)	61447	5609	70674	7127
合成橡胶	(吨)	Synthetic Rubber	(ton)	207871	20837	232884	25763
原木	(立方米)	Logs	(cu. m)	460752	4670	309276	4044
纸浆	(吨)	Paper Pulp	(ton)	560402	24186	616664	29268
羊毛	(吨)	Wool	(ton)	12993	4362	10966	3807
原棉	(吨)	Raw Cotton	(ton)	50678	7294	64951	10635
合成纤维	(吨)	Synthetic Fiber	(ton)	80436	8837	83914	9694
#聚酯纤维	(吨)	Polyester Fiber	(ton)	50543	4823	54685	5421
聚丙烯晴纤维	(吨)	Polyacrylonitrile Fibre	(ton)	23752	3132	23116	3286
人造纤维	(吨)	Artificial Fiber	(ton)	860	186	1503	294
铁矿砂	(吨)	Iron Ore	(ton)	333779	1680	577545	5669
氧化铝	(吨)	Alumina Oxide	(ton)	50265	1522	87692	2842
原油	(吨)	Crude Oil	(ton)	2253254	56373	904788	28150
成品油	(吨)	Finished Petroleum Products	(ton)	2225900	47045	2067983	50955
纯碱	(吨)	Soda Ash	(ton)	53586	581	62730	773
乙二醇	(吨)	Glycol	(ton)	95330	5459	101189	8108
对苯二甲酸	(吨)	Paraxylene Acid	(ton)	113734	6392	72365	5018
己内酰胺	(吨)	Caprolactam	(ton)	15374	1780	37001	6404
医药品	(吨)	Medicinal and Pharmaceutical Products	(ton)	424	2885	459	4568
肥料	(吨)	Fertilizer	(ton)	123413	19830	935989	17606
#氯化钾	(吨)	Potassium Chloride	(ton)	318044	3639	138269	2309
复合肥料	(吨)	Compound Fertilizer	(ton)	914413	16160	784345	15061
合成有机染料	(吨)	Synthetic Organic Dyestuff	(ton)	23250	7924	22783	8340
初级型状聚乙烯	(吨)	Polyethylene in Primary Form	(ton)	564755	40199	555318	46055
初级型状聚丙烯	(吨)	Polypropylene in Primary Form	(ton)	680581	51403	780016	67500
初级型状聚苯乙烯	(吨)	Polystyrene in Primary Form	(ton)	1198537	119117	1290465	138038
#ABS树脂	(吨)	ABS Copolymer Resin	(ton)	580570	64062	659591	77220
初级型状聚氯乙烯	(吨)	Polyvinyl Chloride in Primary Form	(ton)	891297	57377	985326	74873
初级型状聚酯	(吨)	Polyester in Primary Form	(ton)	320891	59566	405472	80113
农药	(吨)	Pesticides	(ton)	1511	338	687	166
牛皮革、马皮革	(吨)	Cattlehide and Horsehide	(ton)	235151	86552	286389	104090

16-16 **续表** continued

金额单位：万美元 (USD 10000)

商品名称		Item		2002		2003	
				数量 Volume	金额 Value	数量 Volume	金额 Value
胶合板	(立方米)	Plywood	(cu. m)	219153	9511	253512	11985
纸及纸板	(吨)	Paper and Paperboard	(ton)	1943567	106008	1939435	115619
# 牛皮纸	(吨)	Kraft-paper	(ton)	403679	16103	425602	17958
毛纱线	(吨)	Wool and Cotton Thread	(ton)	10713	5137	11971	6016
合成纤维纱线	(吨)	Synthetic Fiber, Continuous Filament and Yarn	(ton)	238752	54008	242627	55491
丝绸	(万米)	Silk	(10000 m)	1917	3492	2137	3830
棉布	(万米)	Cotton Cloth	(10000 m)	82251	69532	84591	74161
化纤布	(万米)	Chemical Fibre Cloth	(10000 m)	66486	39511	62030	38337
钻石	(千克拉)	Diamond	(1000 carat)	4283	69347	6154	92551
钢材	(吨)	Rolled Steel	(ton)	5850811	324969	6340256	432466
# 钢铁板材	(吨)	Iron & Steel Plate	(ton)	5088992	282953	5472289	372842
铜材	(吨)	Rolled Copper	(ton)	423864	116958	527305	171211
铝材	(吨)	Rolled Aluminium	(ton)	168383	46396	186099	59008
制冷压缩机	(台)	Refrigeration Compressors	(set)	1704505	9232	5063716	20849
空调	(台)	Air Conditioners	(set)	755	564	2279	637
制冷设备		Refrigeration Equipment			1494		2662
机械装卸设备		Mechanical Handling Equipment			35243		29879
建筑采矿设备		Building and Mining Equipment			3677		2624
食品机械		Food-processing Machinery			2035		2161
造纸、纸品机械		Paper and Pulp Mill Machinery			14091		8839
印刷机械		Printing Machinery			20234		24466
纺织机械		Textile Machinery			34598		45054
工业缝纫机	(台)	Industrial Sewing Machines	(set)		3983	37383	5719
机床	(台)	Machine Tools	(set)	22859	60633	25528	98218
橡、塑加工机械		Rubber and Plastic Processing Machinery			39750		48330
数据处理设备	(万台)	Data Processing Equipment	(10000 sets)	6614	236989	8433	327422
电动、发电机	(万台)	Electric Motors and Generators	(10000 sets)	76090	51678	80869	60308
发电机组、变流机	(台)	Generating Sets and Converters	(set)	1614	9001	3294	39848
电话、电报交换机	(台)	Telephonic and Telegraphic Switching Apparatus	(set)	722	4245	4939	123
磁带		Tapes			18002		28207
电视摄像机	(万台)	Electric Motors and Generators	(10000 sets)	416	38784	1626	66560
电视机	(台)	Colour TV Sets	(set)	259638	988	373706	5125
半导体器件	(万个)	Parts of Semi-conductor Devices	(10000 unit)	5319847	216518	6325423	291090
电路保护装置		Protection Fixtures of Circuit			133268		194185
显像管	(万只)	Kinescopes	(10000 unit)	1113	37929	1283	43492
集成电路、电子件	(万个)	Integrated Circuit and Parts of Electronic Components	(10000 unit)	1886190	1481295	2511893	2007997
电线、电缆	(吨)	Electric Wires and Cables	(ton)	84853	49484	101057	67375
汽车及底盘	(辆)	Motor Vehicles and Chassis	(unit)	2701	7676	1432	3940
# 小轿车	(辆)	Cars	(unit)	1338	4438	672	1908
旅行车	(辆)	Station Wagons	(unit)	483	820	243	443
船舶	(艘)	Ships	(unit)	237	1050	250	579
塑料制品		Plastic Products			35133		45364
玩具		Toys			2360		3273

16-17 私营企业进出口主要指标
MAIN INDICATORS ON IMPORTS AND EXPORTS OF PRIVATE ENTERPRISES

单位：亿美元 (USD 100 million)

项目	Item	2003		2004	
		出口 Exports	进口 Imports	出口 Exports	进口 Imports
总计	**Total**	**112.98**	**110.94**	**187.76**	**170.63**
按贸易方式分	**By Trade Form**				
一般贸易	General Trade	74.67	77.50	125.83	113.31
来料加工	Processing and Assembling with Customers´Materials	30.56	24.69	48.01	39.49
进料加工	Processing and Assembling with Import Materials	7.20	3.93	12.15	7.09
加工设备	Processing Equipment		0.30		0.78
保税仓库	Bonded Warehouse	0.55	4.51	1.75	9.94
其他	Others		0.01	0.02	0.02
按产品类型分	**By Products**				
机电产品	Mechanical and Electrical Products	52.18	58.16	87.87	79.74
# 机械及设备	Machinery and Equipment	9.62	17.91	18.96	22.98
电器及电子产品	Electric and Electronic Products	27.66	29.85	42.18	42.15
高新技术产品	High and New-tech Products	18.79	32.05	28.72	41.40
# 计算机与通信技术	Computer and Communication Technology	17.54	11.68	26.00	13.24
电子技术	Electronic Technology	0.36	16.32	0.95	22.93
按主要国家（地区）分	**Main Countries and Territories**				
亚洲	**Asia**	**56.81**	**77.47**	**97.58**	**118.41**
中国香港	Hong Kong, China	31.44	5.60	55.45	9.91
中国澳门	Macao, china	1.64	0.04	2.18	0.08
中国台湾	Taiwan, China	1.63	14.11	1.95	22.29
日本	Japan	3.62	17.21	6.88	23.85
韩国	Republic of Korea	1.36	8.49	2.54	12.27
东盟	Association of Southeast Asian Nations	9.92	18.54	15.59	25.50
中东十七国	The Seventeen Countries of Middle East of Asia	6.22	1.97	10.80	3.44
非洲	**Africa**	**3.48**	**1.10**	**6.50**	**2.44**
欧洲	**Europe**	**20.21**	**15.76**	**33.43**	**25.26**
欧盟	European Economic & Monetary Union	15.34	13.19	27.90	21.93
# 英国	United Kingdom	3.05	1.14	5.08	2.15
德国	Germany	2.84	5.76	4.67	8.26
法国	France	1.65	0.99	2.64	1.80
意大利	Italy	1.50	1.65	3.17	2.61
荷兰	Netherlands	3.04	0.52	4.61	0.65
俄罗斯	Russia	2.28	0.65	3.16	1.15
拉丁美洲	**Latin America**	**3.80**	**2.53**	**8.37**	**4.97**
北美洲	**North America**	**26.77**	**12.33**	**38.40**	**15.24**
加拿大	Canada	1.59	0.77	2.85	1.85
美国	United States	25.18	11.55	35.55	13.38
大洋洲	**Oceania**	**1.91**	**1.75**	**3.48**	**4.31**
澳大利亚	Australia	1.69	0.97	3.05	2.91
新西兰	New Zealand	0.19	0.75	0.36	1.31

16-18 利用外资情况
UTILIZATION OF FOREIGN CAPITAL

年 份 Year	签订项目（个） Number of Signed Projects (unit)	#外商直接投资 Foreign Direct Investment	合同外资额（万美元） Amount of Foreign Capital (USD 10000)	#外商直接投资 Foreign Direct Investment	实际利用外资（万美元） Amount of Foreign Capital Actually Used (USD 10000)	#外商直接投资 Foreign Direct Investment
1979	1642	70	22889	14616	9143	3074
1980	5048	188	138920	120046	21419	12320
1981	6803	236	167507	156206	28837	17326
1982	8171	151	155916	147698	28103	17123
1983	11318	412	72660	61552	40685	24523
1984	17452	1105	144489	116958	64379	54163
1985	13621	1640	256521	200073	91910	51529
1986	9417	774	183480	85902	142829	64392
1987	6999	1186	201750	124647	121671	59396
1988	7662	2741	382748	224196	243965	91906
1989	6636	2438	362311	243813	239915	115644
1990	7196	3042	316751	268958	202347	145984
1991	8507	4554	580152	490530	258250	182286
1992	12916	9769	1986673	1885764	486147	355150
1993	19012	16768	3489660	3314887	965225	749805
1994	11956	10558	2638753	2382441	1144664	939708
1995	9345	8177	2610480	2483244	1210037	1018028
1996	5955	4608	1744639	1554584	1389943	1162362
1997	17737	3744	964527	769202	1420519	1171083
1998	15459	4349	1237802	916180	1509945	1202005
1999	14824	3013	871592	617451	1447383	1220300
2000	16879	4245	1108598	868393	1457466	1223720
2001	13198	5317	1580386	1343463	1575526	1297240
2002	11706	6613	1890108	1617119	1658946	1311071
2003	11472	7306	2446711	2178926	1894081	1557779
2004	10530	8322	2217800	1936046	1289900	1001158

注：1. 2002 年起“外商直接投资”统计口径调整，“企业投资总额内的境外借款”只包括“外方股东贷款”。
2. 2004 年外商直接投资、实际利用外资统计口径调整，与 2003 年以前的年份不可比。
3. 2004 年“签订项目数”、“合同外资额”、“实际利用外资”不包括“对外借款”。

Note: a) Since 2002, the foreign direct investment has been adjusted, of which the overseas borrowings in total investment of enterprises only include the loans by the foreign shareholders.
b) The foreign direct investment and the foreinqn capital actually used has been adjusted in 2004, it isn't compareable with these years before 2003.
c) The "number of signed project"、"amount of foreign capital" and "foreign capital actually used" exclude the "foreign borrowings" in 2004.

16-19 分方式利用外资（2004 年）
UTILIZATION OF FOREIGN CAPITAL BY MODE (2004)

指　　标	Item	签订项目（个）Number of Signed Project (unit)	合同外资额（亿美元）Amount of Foreign Capital Actually Used (USD 100 million)	实际利用外资（亿美元）Amount of Foreign Capital (USD 100 million)
总　计	**Total**	**10530**	**221. 78**	**128. 99**
外商直接投资	**Foreign Direct Investment**	**8322**	**193. 60**	**100. 12**
合资经营企业	Joint Venture	1215	30. 38	22. 52
合作经营企业	Cooperative Operation	206	9. 16	8. 37
外资（独资）企业	Exclusively Funded by Foreign Investors	6898	152. 34	67. 92
外商投资股份制	Shareholding Foreign Investment	3	1. 72	1. 31
合作开发	Cooperative Development			
其他	Others			
外商其它投资	**Other Foreign Investment**	**2208**	**28. 18**	**28. 88**
对外发行股票	Shares Issued Abroad		3. 34	3. 34
国际租赁	International Lease			
补偿贸易	Compensation Trade			
加工装配	Processing and Assembly	2208	24. 84	25. 54

16-20 分行业外商直接投资（2004 年）
FOREIGN DIRECT INVESTMENT BY SECTOR (2004)

指　　标	Item	签订项目（个）Number of Signed Project (unit)	合同外资额（万美元）Amount of Foreign Capital Actually Used (USD 10000)	实际利用外资（万美元）Amount of Foreign Capital (USD 10000)
总　计	**Total**	**8322**	**1936046**	**1001158**
农、林、牧、渔业	Farming, Forestry, Animal Husbandry and Fishery	190	31098	13029
采矿业	Mining and Quarrying	16	21863	12385
制造业	Manufacturing	5935	1442813	732503
电力、煤气及水的生产和供应业	Production and Supply of Electricity, Gas and Water	58	43493	18032
建 筑 业	Construction	37	13904	9961
交通运输、仓储和邮政业	Transport, Storage and Postal Services	159	31378	25350
信息传输、计算机服务和软件业	Information Transfer, Computer Services and Software	464	43394	17888
批发和零售业	Wholesale and Retail Trade	218	22128	7135
住宿和餐饮业	Hotels and Catering Services	150	21840	16177
金融业	Finance	6	3683	1630
房地产业	Real Estate	229	111568	70693
租赁和商务服务业	Leasing and Business Services	586	97748	49671
科学研究、技术服务和地质勘查业	Scientific Research, Technical Services and Geological Prospecting	205	20216	8090
水利、环境和公共设施管理业	Water Conservancy, Environment and Public Facilities Management	9	2795	2023
居民服务和其他服务业	Resident Services and Other Services	27	15832	7056
教育	Education	4	287	15
卫生、社会保障和社会福利业	Health Care, Social Security and Social Welfare	2	1219	477
文化、体育和娱乐业	Culture, Sports and Recreation	27	10787	9043

16-21 分国别（地区）外商直接投资
FOREIGN DIRECT INVESTMENT BY COUNTRY（REGION）

指　　标	Item	1979－2004	2000	2003	2004
一、签订协议（合同）数（个）	**Number of Agreements（Contracts）Signed（unit）**	**111326**	**4245**	**7306**	**8322**
亚洲	**Asia**	**101131**	**3482**	**6003**	**6860**
#中国香港	Hong Kong, China	82066	2474	4531	5122
中国澳门	Macao, China	5790	304	300	418
中国台湾	Taiwan, China	8243	482	674	589
日本	Japan	1310	51	132	220
菲律宾	Philippines	75	5	6	6
泰国	Thailand	564	12	15	13
马来西亚	Malaysia	422	14	45	49
新加坡	Singapore	1506	76	86	137
印度尼西亚	Indonesia	121	6	19	7
韩国	Republic of Korea	679	52	122	127
以色列	Israel	13	2	2	4
印度	India	15			6
文莱	Brunei	199		56	112
非洲	**Africa**	**305**	**14**	**65**	**75**
#毛里求斯	Mauritius	241	12	56	57
南非	South Africa	15		2	4
欧洲	**Europe**	**1407**	**81**	**136**	**169**
#波兰	Poland	19			2
德国	Germany	203	11	27	28
法国	France	173	7	19	20
意大利	Italy	130	8	22	30
荷兰	Netherlands	107	14	11	12
比利时	Belgium	22		3	2
英国	United Kingdom	487	18	29	38
丹麦	Denmark	21	1	3	1
瑞典	Sweden	19	2	1	3
挪威	Norway	14	2	3	1
瑞士	Switzerland	56	3	7	2
奥地利	Austria	17		1	2
西班牙	Spain	35	4	4	9
俄罗斯联邦	Russian	26	2	2	6
拉丁美洲	**Latin America**	**3661**	**428**	**597**	**675**
#巴拿马	Panama	66	3	4	3
维尔京群岛	Virgin Islands	3228	380	540	610
委内瑞拉	Venezuela	26	2	1	6
巴哈马	Bahamas	52	8	4	6
开曼群岛	Cayman Islands.	184	26	34	28
伯利兹	Belize	35	9	5	9
北美洲	**North America**	**3753**	**229**	**359**	**386**
#加拿大	Canada	628	32	66	74
美国	United States	3098	193	288	309
百慕大	Bermuda	24	3	5	3
大洋洲	**Oceania**	**1489**	**96**	**270**	**324**
#澳大利亚	Australia	510	31	58	65
新西兰	New Zealand	66	4	7	13
萨摩亚	Samoa	825	52	201	234
东萨摩亚	American Samoa	46	8		
海外机构	**Overseas Organizations**	**278**			
其它	**Others**	**103**	**2**	**10**	**17**

16-21 续表 1 continued

指 标	Item	1979-2004	2000	2003	2004
二、协议利用外资额 （万美元）	**Amount of Utilization of Foreign Capital through Signed Agreements （USD 10000）**	**24122895**	**868393**	**2178926**	**1936046**
亚洲	**Asia**	**18958420**	**548646**	**1418473**	**1251727**
# 中国香港	Hong Kong, China	15603302	412219	1017848	952000
中国澳门	Macao, China	681026	12863	54258	60998
中国台湾	Taiwan, China	881935	48354	62822	63108
日本	Japan	562164	19608	72832	87224
菲律宾	Philippines	10120		3213	
泰国	Thailand	127265		3023	7366
马来西亚	Malaysia	77449	4006	7565	13400
新加坡	Singapore	710590	46516	150727	29506
印度尼西亚	Indonesia	42427		7508	
韩国	Republic of Korea	179903	8143	31380	21388
阿联酋	Unit Arab Emirates	40567	27	31	2327
文莱	Brunei	22201		4679	14441
印度	India	6704			94
非洲	**Africa**	**78392**	**4397**	**18801**	**16521**
# 毛里求斯	Mauritius	71182	4275	14793	15666
埃及	Egypt	4345	6	3678	
欧洲	**Europe**	**970823**	**28033**	**55154**	**60584**
# 德国	Germany	129362	2461	6169	13509
法国	France	83651	5670	5686	5824
意大利	Italy	24276	411	4340	5124
荷兰	Netherlands	267690	5948	8475	10884
比利时	Belgium	2748	187		2295
英国	United Kingdom	349435	7158	21448	21994
爱尔兰	Eire	4022		1615	239
丹麦	Denmark	16522	765	1405	1123
芬兰	Finland	7361	440	280	75
瑞典	Sweden	1472	333	31	117
瑞士	Switzerland	34362	619	5243	
奥地利	Austria	3011		218	469
西班牙	Spain	9662	858	184	2502
俄罗斯联邦	Russian	3859	24	198	122
拉丁美洲	**Latin America**	**2456173**	**208680**	**448785**	**413287**
# 巴拿马	Panama	22105	1793	2647	2437
巴西	Brazil	4125		5	2115
维尔京群岛	Virgin Islands.	2181122	181692	381019	361931
委内瑞拉	Venezuela	2054	15	23	414
开曼群岛	Cayman Islands.	186943	20578	55935	38193
伯利兹	Belize	12403	1690	674	1498
巴哈马	Bahamas	37644	2897	8098	972
北美洲	**North America**	**1000449**	**48580**	**106356**	**90570**
# 加拿大	Canada	122344	3126	4837	2300
美国	United States	819895	44389	90744	56640
百慕大	Bermuda	58044	1039	10775	31630
大洋洲	**Oceania**	**410590**	**26715**	**114643**	**56584**
# 澳大利亚	Australia	92078	7507	12694	1918
新西兰	New Zealand	4132	108	205	489
萨摩亚	Samoa	290826	16151	102406	48389
东萨摩亚	American Samoa	12922	1866	270	250
马绍尔群岛	Marshall Islands	6232	1073		5039
海外机构	**Overseas Organizations**	**124675**		**14096**	
其它	**Others**	**123373**	**3342**	**2618**	**46773**

16-21 续表2 continued

指 标	Item	1979-2004	2000	2003	2004
三、实际利用外资（万美元）	**Foreign Capital Actually Used (USD 10000)**	**15049075**	**1223720**	**1557779**	**1001158**
亚洲	**Asia**	**12015414**	**927071**	**1077590**	**662584**
# 中国香港	Hong Kong, China	9960057	744826	864593	501219
中国澳门	Macao, China	337182	26137	31241	22421
中国台湾	Taiwan, China	579428	49746	67688	34897
日本	Japan	522650	30852	46969	52676
菲 律 宾	Philippines	6898	191	67	462
泰国	Thailand	48855	2895	1723	1516
马来西亚	Malaysia	38963	4993	4032	4617
新 加 坡	Singapore	380974	49115	39689	28354
印度尼西亚	Indonesia	29408	3352	1440	1362
韩国	Republic of Korea	97957	13671	17412	12365
阿联酋	Unit Arab Emirates	2187	100	665	227
文莱	Brunei	4364		1511	2371
印度	India	3153	964	289	30
非洲	**Africa**	**44131**	**4272**	**8736**	**10526**
# 利比里亚	Liberia	2498		9	16
毛里求斯	Mauritius	39475	4576	8551	10417
欧洲	**Europe**	**519833**	**38643**	**75989**	**57640**
# 德国	Germany	74387	10057	12162	5527
法国	France	51080	4551	3925	4645
意大利	Italy	19705		544	572
荷兰	Netherlands	122949	7886	39614	26236
比利时	Belgium	2716	499	132	19
英国	United Kingdom	183818	8258	13680	17256
爱尔兰	Ireland	3105		960	150
丹麦	Denmark	5220		2042	554
芬兰	Finland	11180	2302	149	30
瑞典	Sweden	2961	360	33	235
挪威	Norway	1731	710	114	31
瑞士	Switzerland	25925	3349	1500	1159
奥地利	Austria	6255	101	211	60
西班牙	Spain	4328	44	388	616
拉丁美洲	**Latin America**	**1453876**	**161983**	**256329**	**173870**
# 巴拿马	Panama	14476	1544	1815	1081
维尔京群岛	Virgin Islands.	1318361	149200	226214	152323
开曼群岛	Cayman Islands.	88541	6694	23368	18131
伯利兹	Belize	3343	423	1075	143
巴哈马	Bahamas	24300	3543	3543	1633
北美洲	**North America**	**629212**	**74453**	**88271**	**39912**
# 加拿大	Canada	65280	5161	5768	2724
美国	United States	540645	66972	77117	31032
百慕大	Bermuda	21661	2320	5273	6156
大洋洲	**Oceanic**	**178398**	**14510**	**32327**	**37928**
# 澳大利亚	Australia	47541	4697	6114	2457
萨摩亚	Western Samoa	115882	8942	23399	34419
东萨摩亚	Amrican Samoa	6505	105	927	184
马绍尔群岛	Marshall Islands	2271	680	851	250
大洋洲及太平洋岛屿	Other Oceanic and Pacific Islands	2642		408	190
亚洲开发银行	**Asian Development Bank**	**44550**			
海外机构	**Overseas Organizations**	**107717**		**14521**	**29**
其它	**Others**	**55944**	**2788**	**4016**	**18669**

16-22 各市外商直投资
FOREIGN DIRECT INVESTMENT BY CITY

市别 City	2003 签订项目（个）Number of Signed Project (unit)	2003 合同外资额（万美元）Amount of Foreign Capital (USD 10000)	2003 实际利用外资（万美元）Amount of Foreign Capital Actually Used (USD 10000)	2004 签订项目（个）Number of Signed Project (unit)	2004 合同外资额（万美元）Amount of Foreign Capital (USD 10000)	2004 实际利用外资（万美元）Amount of Foreign Capital Actually Used (USD 10000)
全省合计 Provincial Total	**7306**	**2178926**	**1557779**	**8322**	**1936046**	**1001158**
广 州 Guangzhou	870	351118	258075	1046	320484	240065
深 圳 Shenzhen	2254	484687	362345	2718	412131	234994
珠 海 Zhuhai	423	159693	84890	472	176182	47022
汕 头 Shantou	64	98903	20038	78	17505	7828
佛 山 Foshan	346	126569	122508	542	115692	69136
韶 关 Shaoguan	110	32596	30496	133	39926	14290
河 源 Heyuan	126	39976	17348	135	33824	16065
梅 州 Meizhou	73	16798	14023	87	21580	8866
惠 州 Huizhou	388	154329	140703	549	129822	63228
汕 尾 Shanwei	39	13700	12689	57	15544	9435
东 莞 Dongguan	1132	266093	175399	1030	273690	96749
中 山 Zhongshan	374	102217	77023	380	82254	50978
江 门 Jiangmen	374	106739	84934	446	101100	51205
阳 江 Yangjiang	47	14188	13256	56	18403	5749
湛 江 Zhanjiang	50	25663	17977	50	21354	7136
茂 名 VMaoming	199	14499	10103	80	13319	5864
肇 庆 Zhaoqing	139	91953	68202	183	55336	48213
清 远 Qingyuan	142	55080	18014	137	53561	8119
潮 州 Chaozhou	45	12040	11927	58	10073	5825
揭 阳 Jieyang	32	12357	13615	26	12918	8277
云 浮 Yunfu	49	14131	4214	59	11409	2118

16-23 各市重点外商投资企业主要经济指标（2004年）
MAIN ECONOMIC INDICATORS OF KEY FOREIGN FUNDED ENTERPRISES BY CITY (2004)

单位：亿元 (100 million yuan)

市别 City	企业数（户）Number of Enterprises (unit)	资产总计 Total Assets	负债合计 Total Liabilities	主营业务收入 Main Business Income	营业税金 Business Tax	利润总额 Total Profits	所得税 Income Tax
全省合计 Provincial Total	**712**	**6505.92**	**3463.22**	**5152.52**	**55.62**	**695.55**	**96.75**
广 州 Guangzhou	139	2817.27	1399.10	1995.89	43.68	464.83	73.69
深 圳 Shenzhen	100	1376.72	683.39	1017.68	7.74	122.94	9.56
珠 海 Zhuhai	62	479.85	292.31	629.53	0.53	28.00	2.27
汕 头 Shantou	22	88.41	69.81	53.21	0.10	-2.09	0.02
韶 关 Shaoguan	14	48.35	25.50	22.03	0.14	1.46	0.12
河 源 Heyuan	13	19.55	10.28	18.99		3.03	0.37
梅 州 Meizhou	10	32.81	12.63	11.77	0.04	2.51	0.04
惠 州 Huizhou	58	310.43	202.22	391.88	0.49	18.28	1.57
汕 尾 Shanwei	6	20.36	5.41	31.69	0.38	3.86	0.51
东 莞 Dongguan	44	406.76	219.08	346.64	0.24	25.45	4.02
中 山 Zhongshan	40	142.98	85.29	193.41	0.45	9.50	1.62
江 门 Jiangmen	29	91.15	56.38	66.90	0.12	2.09	0.29
佛 山 Foshan	61	404.40	240.43	227.84	0.76	14.01	2.01
阳 江 Yangjiang	8	26.98	22.47	2.60	0.10	-0.74	0.06
湛 江 Zhanjiang	9	30.62	17.34	23.81		0.83	0.17
茂 名 Maoming	17	11.19	5.20	4.95	0.06	0.94	0.09
肇 庆 Zhaoqing	41	72.70	38.77	60.65	0.56	1.86	0.13
清 远 Qingyuan	15	91.65	63.90	31.28	0.14	-1.19	0.16
潮 州 Chaozhou	10	10.66	3.41	7.84	0.01	-0.28	0.02
揭 阳 Jieyang	9	16.85	6.16	8.36	…	0.03	0.01
云 浮 Yunfu	5	6.23	4.14	5.57	0.08	0.23	0.02

16-24 对外经济技术合作情况

CONDITIONS OF ECONOMIC AND TECHNICAL COOPERATION WITH FOREIGN COUVTRIES AND TERRITORIES

单位：个

项 目 Item	签订合同数（宗）Number of Contract Signed (unit)	合同金额（万美元）Contracted Value (USD 10000)	营业金额（万美元）Value of Business (USD 10000)	年末在外人数（人）Number of Persons Abroad at the Year-end (person)
一、对外承包工程 Foreign Contracted Projects				
1982	9	1316	1398	770
1985	28	1897	2491	305
1990	23	5953	7586	688
1995	29	19183	10924	850
1996	37	14823	9474	1680
1997	67	22435	10940	354
1998	28	13331	17526	566
1999	63	52961	21857	603
2000	86	36555	34515	634
2001	250	53924	26192	641
2002	165	64827	58986	643
2003	193	97055	86898	730
2004	810	168338	161287	856
二、对外劳务合作 Foreign Labor Cooperation				
1982	106	1368	1170	657
1985	273	424	433	1197
1990	1101	6055	3189	8045
1995	1251	20593	17775	33263
1996	1493	11784	19365	23319
1997	2616	17356	14743	22857
1998	2360	12925	14464	20816
1999	5863	9327	13230	19128
2000	6626	12941	10777	19564
2001	1039	13271	11752	30695
2002	8252	19114	17059	18922
2003	12100	23132	21926	21738
2004	11482	27392	28315	17043
三、对外设计咨询 Foreign Design for Consultation				
1995	9	139	41	10
1996	3	11	4	4
1997	6	90	88	
1998	17	402	339	
1999	19	408	218	
2000	14	1064	987	
2001	17	66	267	14
2002	34	258	144	39
2003	42	97	419	39
2004	2	220	421	49
四、对外生产合作 Foreign Production Cooperation				
2001	9	2738	2668	
五、其它 Others				
2001	12931	12290	9913	226

注：对外设计咨询1995年以前无发生数；对外生产合作、其它2001年以前无发生数。

Note: Before 1995, the data of foreign design and consultation were not occurred; Before 2001, the data of foreign production cooperation and others were not occurred。

16-25 分行业外商投资企业工商注册登记情况（2004 年末）
REGISTRATION STATUS OF FOREIGN FUNDED ENTERPRISES BY SECTOR (YEAR-END OF 2004)

行业	Sector	企业数(户) Number of Registered Enterprises (unit)	投资总额(亿美元) Total Investment (USD 100 million)	注册资本(亿美元) Registered Capital (USD 100 million)	#外方 Capital Invested by Foreign Partner
总计	**Total**	**55259**	**2609.56**	**1520.15**	**1218.50**
农、林、牧、渔业	Farming, Forestry, Animal Husbandry and Fishery	1000	23.72	15.09	12.55
采矿业	Mining and Quarrying	140	6.41	3.58	2.71
制造业	Manufacturing	43088	1538.06	1023.26	845.56
电力、煤气及水的生产和供应业	Production and Supply of Electricity, Gas and Water	338	201.88	67.87	38.65
建筑业	Construction	415	66.46	26.12	14.87
交通运输、仓储和邮政业	Transport, Storage and Postal Services	1467	151.70	63.02	41.60
信息传输、计算机服务和软件业	Information Transfer, Computer Services and Software	1188	44.37	21.70	19.65
批发和零售业	Wholesale and Retail Trade	661	21.98	12.60	9.42
住宿和餐饮业	Hotels and Catering Services	880	54.76	32.06	24.24
金融业	Finance	15	4.47	4.20	2.97
房地产业	Real Estate	2266	358.90	163.00	134.67
租赁和商务服务业	Leasing and Business Services	546	18.88	10.65	9.29
科学研究、技术服务和地质勘查业	Scientific Research, Technical Services and Geological Prospecting	505	11.74	8.22	7.15
水利、环境和公共设施管理业	Water Conservancy, Environment and Public Facilities Management	95	11.75	6.79	4.39
居民服务和其他服务业	Resident Services and Other Services	433	18.11	11.98	9.44
教育	Education	23	0.53	0.40	0.32
卫生、社会保障和社会福利业	Health Care, Social Security and Social Welfare	34	2.18	1.30	0.94
文化、体育和娱乐业	Culture, Sports and Recreation	342	25.76	15.57	12.39
其他	Others	1823	47.90	32.73	27.69

16-26 各市外商投资企业工商注册登记情况（2004 年末）
REGISTRATION STATUS OF FOREIGN FUNDED ENTERPRISES BY CITY (YEAR-END OF 2004)

市别 City	企业数（户） Number of Registered Enterprises (unit)	投资总额（亿美元） Total Investment (USD 100 million)	注册资本（亿美元） Registered Capital (USD 100 million)	#外方 Capital Invested by Foreign Partners
全省合计 Provincial Total	**55259**	**2609.56**	**1520.15**	**1218.50**
广州 Guangzhou	7933	564.33	286.28	229.95
深圳 Shenzhen	14551	537.33	318.70	255.89
珠海 Zhuhai	3109	136.73	77.86	60.64
汕头 Shantou	1398	60.28	38.08	31.20
佛山 Foshan	3856	198.49	118.99	82.38
韶关 Shaoguan	494	19.63	11.46	9.13
河源 Heyuan	512	19.90	13.12	11.79
梅州 Meizhou	524	15.60	9.58	6.26
惠州 Huizhou	3347	180.21	102.51	83.44
汕尾 Shanwei	303	12.10	9.37	8.43
东莞 Dongguan	7387	271.24	202.90	187.51
中山 Zhongshan	2399	97.19	62.93	54.96
江门 Jiangmen	3088	112.37	75.52	58.85
阳江 Yangjiang	287	11.14	6.95	5.01
湛江 Zhanjiang	604	36.09	20.72	14.16
茂名 Maoming	1331	29.88	18.67	12.45
肇庆 Zhaoqing	978	42.96	25.23	21.22
清远 Qingyuan	656	36.69	21.87	17.47
潮州 Chaozhou	491	14.34	9.23	5.99
揭阳 Jieyang	565	18.88	13.60	10.25
云浮 Yunfu	289	9.60	5.96	4.26
局本部	1157	184.58	70.63	47.27

16-27 一类口岸开放使用情况（2004 年末）
OPENNING AND OPERATING STATUS OF PORTS WITH GRADE 1 (YEAR-END OF 2004)

市别 City	个数	口岸名称		
		水运 Water Transport	陆运 Land Transport	空运 Air Transport
合计 Total	**51**	**36**	**10**	**5**
广州 Guangzhou	6	广州港 Guangzhou Port	天河直通车站 Tianhe Railway Stations Directly to Hong Kong	白云机场 Baiyun Airport
		南沙港 Nansha Port		
		莲花山港 Lianhuashan Port		
		新塘港 Xintang Port		
深圳 Shenzhen	12	蛇口港 Shekou Port	罗湖 Luohu	深圳机场 Shenzhen Airport
		赤湾港 Chiwan Port	文锦渡 Wenjindu	
		梅沙港 Meisha Port	沙头角 Shatoujiao	
		东角头港 Dongjiaotou Port	皇岗 Huanggang	
		妈湾港 Mawan Port		
		盐田港 Yiantian Port		
		西涌港 Xichong Port		
珠海 Zhuhai	7	九州港 Jiuzhou Port	拱北 Gongbei	
		湾仔港 Wanzai Port	横琴 Hengqin	
		珠海港 Zhuhai Port		
		万山港 Wanshan Port		
		斗门港 Doumen Port		
汕头 Shantou	4	汕头港 Shantou Port		汕头机场 Shantou Airport
		潮阳港 Chaoyang Port		
		南澳港 Nanao Port		
梅州 Meizhou	1			梅州机场 Meizhou Airport
惠州 Huizhou	1	惠州港 Huizhou Port		
汕尾 Shanwei	1	汕尾港 Shanwei Port		
东莞 Dongguan	2	虎门港 Humen Port	东莞铁路客运 Dongguan Railway Stations for Passenger Service	
中山 Zhongshan	1	中山港 Zhongshan Port		
江门 Jiangmen	5	江门港 Jiangmen Port		
		三埠港 Sanfu Port		
		广海港 Guanghai Port		
		鹤山港 Heshan Port		
		新会港 Xinhui Port		
佛山 Foshan	4	顺德港 Shunde Port	佛山铁路客运 Foshan Railway Stations for Passenger Service	
		南海港 Nanhai Port		
		高明港 Gaoming Port		
阳江 Yangjiang	1	阳江港 Yangjiang Port		
湛江 Zhanjiang	2	湛江港 Zhanjiang Port		湛江机场 Zhanjiang Airport
茂名 Zhaoqing	1	水东港 Shuidong Port		
肇庆 Maoming	2	肇庆港 Zhaoqing Port	肇庆铁路客运 Zhaoqing Railway Station for Passenger Service	
潮州 Chaozhou	1	潮州港 Chaozhou Port		

注：2004 年末全省二类口岸 89 个，其中，装卸点 88 个，起运点 1 个。直通港澳货运车辆 检查场 59 个。

Note: The provincial total of ports with Grade Ⅱ was 99 at the end of 2004, of which the loading and unloading places were 98, the dispatch place was 1 and the inspection places for vehicles carrying goods directly to Hong Kong and Macao amounted to 59.

16-28 旅 游 人 数
NUMBER OF TOURISTS

指　　标	Item	1995	2000	2003	2004
一、国际游客出入境人数(万人次)	**Number of International Tourists (10000 person-times)**	**7442. 18**	**13431. 21**	**13934. 71**	**15731. 67**
外国人	Foreigners	340. 02	567. 14	553. 79	742. 74
华侨	Overseas Chinese	17. 44	6. 81		
港澳同胞	Compatriots from Hong Kong and Macao	6913. 78	12479. 92	13099. 54	14654. 45
台湾同胞	Compatriots from Taiwan	170. 94	377. 34	281. 38	334. 48
入境人数	Number of Tourists Arrival to China	3615. 03	6729. 18	6991. 13	8741. 00
外国人	Foreigners	159. 40	280. 49	285. 78	457. 00
华侨	Overseas Chinese	8. 11	3. 10		
港澳同胞	Compatriots from Hong Kong and Macao	3364. 15	6254. 38	6566. 38	8545. 50
台湾同胞	Compatriots from Taiwan	83. 37	191. 21	138. 97	195. 50
二、城市接待旅游人数　(万人次)	**Number of Tourists Received by Cities (10000 person-times)**	**3504. 75**	**7662. 95**	**8688. 85**	**10508. 39**
国际游客	International Tourists	620. 68	1198. 94	1187. 27	1540. 97
外国人	Foreigners	118. 47	212. 85	232. 51	366. 80
华侨	Overseas Chinese	19. 38			
港澳同胞	Compatriots from Hong Kong and Macao	430. 55	813. 84	805. 47	984. 76
台湾同胞	Compatriots from Taiwan	52. 28	172. 25	149. 29	189. 41
国内游客	Domestic Tourists	2884. 07	6464. 01	7501. 58	8967. 42
三、旅行社组织接待人数　(万人)	**Number of Tourists Received by Travel Agencies (10000 persons)**	**859. 20**	**653. 41**	**705. 68**	**1298. 69**
国际游客	International Tourists	257. 19	264. 22	255. 03	331. 43
国内游客	Domestic Tourists		389. 19	450. 65	967. 26
四、团体出境旅游人数　(万人)	**Number of Tourists Outbound through Group Tours (10000 persons)**	**67. 71**	**116. 20**	**126. 20**	**171. 79**
港澳游	Tours to Hong Kong and Macao	58. 67	86. 07	87. 83	111. 02
其他	Others	9. 04	30. 13	38. 37	60. 77

注：2000 年以后城市接待旅游人数和宾馆（酒店）接待人数中，外国人数包括华侨在内。

Note：Among the number of tourists received by cities and the number of tourists received by hotels，the number of foreigners have included that of the overseas Chinese since 2000.

16-29 旅游部门基本情况
BASIC STATISTICS ON TOURIST AGENCIES

指标		Item		2000	2003	2004
旅游宾馆（酒店）	（家）	Number of Tourist Hotels	(unit)	2655	3647	3696
按星级分：五星		By Star Class: Five Star Class		19	33	39
四星		Four Star Class		61	112	124
三星		Three Star Class		283	426	452
二星		Two Star Class		339	468	418
一星		One Star Class		48	56	38
未评星级		Star Class Not Appraised		1905	2552	2625
旅游宾馆酒店接待能力		Receiving Capability of Tourist Hotels				
客房	（间）	Number of Guest Rooms	(room)	202277	246246	266985
床位	（张）	Number of Beds	(unit)	401718	461566	486605
客房出租率	（%）	Room Occupancy	(%)	58.0	56.5	60.5
旅行社	（家）	Number of Travel Agencies	(unit)	504	701	821
国际旅行社		International Travel Agencies		176	176	184
国内旅行社		Domestic Travel Agencies		328	525	637

16-30 城市接待外国游客人数
NUMBER OF FOREIGN TOURISTS RECEIVED BY CITY

单位：人次 (person-time)

国别	Country	1995	2000	2003	2004
总计	**Total**	**1173919**	**2128501**	**2324666**	**3667989**
日本	Japan	288978	413833	476589	891496
韩国	Republic of Korea	25172	71841	115519	185941
菲律宾	Philippines	10312	20793	11409	25525
新加坡	Singapore	60760	93762	61877	140842
泰国	Thailand	51185	48341	39501	116650
印度尼西亚	Indonesia	40583	63159	45929	114290
马来西亚	Malaysia	70639	110384	64580	184941
美国	United States	129238	196362	188072	322752
加拿大	Canada	24908	35968	27076	59975
英国	United Kingdom	41020	59123	44617	91895
法国	France	29728	43578	22825	74893
德国	Germany	32864	44707	26531	67949
意大利	Italy	19187	19792	15182	41439
俄罗斯	Russia	1937	10407	6048	23308
澳大利亚	Australia	28789	34595	24887	57963
新西兰	New Zealand	4133	5835	4580	13156
其他	Others	314486	856021	1149444	1254974

16-31 各市旅游宾馆（酒店）住宿设施（2004 年）
LODGING FACILITIES OF TOURIST HOTELS BY CITY (2004)

市别 City	宾馆、酒店（个） Number of Hotels (unit)	五星级 Five Star Class	四星级 Four Star Class	三星级 Three Star Class	二星级 Two Star Class	一星级 One Star Class	客房（间） Number of Rooms (unit)	床位（张） Number of Beds (unit)	客房出租率（%） Room Occupancy (%)
全省合计 Provincial Total	**3696**	**39**	**124**	**452**	**418**	**38**	**266985**	**486605**	**60.5**
广　州 Guangzhou	1402	5	23	86	78	5	91808	171983	62.9
深　圳 Shenzhen	486	10	20	65	73	2	41360	70143	60.6
珠　海 Zhuhai	320	5	9	41	16	2	21000	46000	67.1
汕　头 Shantou	52	2	6	17	16	3	6848	12221	52.0
佛　山 Foshan	108	1	15	29	27	3	10042	18075	61.3
韶　关 Shaoguan	57		1	20	23	4	4737	8495	46.2
河　源 Heyuan	317		1	10	23	3	7819	15268	57.3
梅　州 Meizhou	30		3	8	13		2594	4873	64.4
惠　州 Huizhou	65		2	22	12	1	8838	15911	66.4
汕　尾 Shanwei	21			9	5		3800	7220	60.8
东　莞 Dongguan	429	13	18	28	23	2	31110	46420	65.0
中　山 Zhongshan	111	2	3	18	11	2	8387	16774	57.2
江　门 Jiangmen	56	1	4	19	5		8767	16023	53.5
阳　江 Yangjiang	32		2	12	17		2894	5692	61.8
湛　江 Zhanjiang	32		2	18	11		2375	4285	45.6
茂　名 Maoming	27		1	7	14		2869	5266	66.1
肇　庆 Zhaoqing	54		2	13	14	5	4697	9112	52.6
清　远 Qingyuan	46		6	17	21	2	3135	6199	48.0
潮　州 Chaozhou	19		2	8	4	1	1393	2713	67.0
揭　阳 Jieyang	17		4	2	2	1	1208	1649	54.0
云　浮 Yunfu	15			3	10	2	1304	2283	51.8

注：本表星级宾馆（酒店）指2004年底止已得到国家旅游局或省旅游局批准的，不包已报未批部份。

Note: The star class hotels in this table referred to those approved by the National Tourism Administration or Guangdong Provincial Tourism Administration, whereas they excluded those reported but unapproved yet at the end of 2004.

16-32 各市接待过夜旅游者人数
NUMBER OF TOURISTS STAYING OVERNIGHT RECEIVED BY CITY

单位：万人次　　(10000 person-times)

市别 City	2003			2004		
	合计 Total	国际游客 International Tourists	国内游客 Domestic Tourists	合计 Total	国际游客 International Tourists	国内游客 Domestic Tourists
全省合计 Provincial Total	**8688.85**	**1187.27**	**7501.58**	**10508.39**	**1540.97**	**8967.42**
广　州 Guangzhou	2369.82	362.54	2007.29	2674.71	437.15	2237.56
深　圳 Shenzhen	1448.82	435.13	1013.68	1942.93	559.79	1383.14
珠　海 Zhuhai	438.19	105.45	332.74	561.18	140.32	420.87
汕　头 Shantou	248.16	16.83	231.34	283.15	19.25	263.91
佛　山 Foshan	364.48	51.85	312.63	548.78	28.55	478.02
韶　关 Shaoguan	238.65	1.58	237.07	297.95	70.76	290.14
河　源 Heyuan	125.99	2.68	123.31	188.00	7.81	184.26
梅　州 Meizhou	199.36	4.65	194.71	268.13	3.74	260.02
惠　州 Huizhou	271.62	22.26	249.36	352.01	8.11	320.83
汕　尾 Shanwei	140.34	2.27	138.07	151.00	31.18	148.86
东　莞 Dongguan	705.41	66.58	638.83	712.86	2.14	589.00
中　山 Zhongshan	386.61	57.56	329.04	430.09	123.86	367.93
江　门 Jiangmen	500.41	23.00	477.41	540.55	62.16	512.00
阳　江 Yangjiang	234.93	4.33	230.59	244.81	7.14	237.67
湛　江 Zhanjiang	76.80	1.50	75.29	122.96	2.03	120.93
茂　名 Maoming	120.14	0.63	119.51	144.58	0.79	143.79
肇　庆 Zhaoqing	429.84	10.14	419.69	473.76	11.25	462.51
清　远 Qingyuan	114.07	2.91	111.16	206.63	4.28	202.35
潮　州 Chaozhou	111.13	12.20	98.93	145.63	15.86	129.77
揭　阳 Jieyang	73.65	1.78	71.87	90.62	2.49	88.13
云　浮 Yunfu	90.44	1.39	89.05	128.06	2.32	125.74

16-33 各市旅行社组团出境游人数（2004年）
NUMBER OF TOURISTS OUTBOUND THROUND GROUP TOURS BY CITY (2004)

单位：人 (person)

市别 City	合计 Total	香港 Hong Kong	澳门 Macao	其它 Others
全省合计 Provincial Total	**1715909**	**771437**	**323064**	**621408**
广州 Guangzhou	524434	196860	108952	216273
深圳 Shenzhen	562466	218099	74872	269495
珠海 Zhuhai	89947	38381	38750	11817
汕头 Shantou	36666	18740	2647	15279
佛山 Foshan	134527	62075	30517	41935
韶关 Shaoguan	4905	1850	1009	2047
河源 Heyuan	3701	2481	1050	170
梅州 Meizhou	11522	6911	1020	3592
惠州 Huizhou	8985	6307	733	1945
汕尾 Shanwei	7199	6691	462	42
东莞 Dongguan	62000	29757	11499	20744
中山 Zhongshan	152663	116332	16194	20137
江门 Jiangmen	47370	25800	15546	6025
阳江 Yangjiang				
湛江 Zhanjiang	7295	3530	2492	1274
茂名 Maoming	11205	7230	1012	2963
肇庆 Zhaoqing	14378	7863	5395	1120
清远 Qingyuan	20817	12825	6692	1300
潮州 Chaozhou	9128	2127	2155	4846
揭阳 Jieyang	1960	1180	622	158
云浮 Yunfu	4741	3052	1449	241

16-34 各市旅游业收入
EARNINGS OF TOURISM TRADE BY CITY

单位：亿元 (100 million yuan)

市别 City	收入合计 Total Earnings		旅游外汇收入 Foreign Exchange Earnings		国内旅游收入 Domestic Travel Earnings	
	2003	2004	2003	2004	2003	2004
全省合计 Provincial Total	**1338.11**	**1664.05**	**352.92**	**444.96**	**985.19**	**1219.09**
广州 Guangzhou	455.03	547.03	134.14	156.85	320.88	390.18
深圳 Shenzhen	294.64	381.06	107.60	147.76	187.04	233.30
珠海 Zhuhai	83.71	103.72	38.21	46.53	45.50	57.19
汕头 Shantou	37.80	43.16	7.56	5.44	30.24	37.72
佛山 Foshan	58.26	89.56	13.53	21.18	44.73	68.38
韶关 Shaoguan	20.62	24.42	0.19	1.02	20.43	23.39
河源 Heyuan	12.19	13.84	0.52	0.67	11.67	13.17
梅州 Meizhou	12.43	19.08	1.22	2.16	11.21	16.92
惠州 Huizhou	27.26	39.06	4.76	7.14	22.50	31.92
汕尾 Shanwei	12.45	12.69	0.32	0.32	12.13	12.37
东莞 Dongguan	79.92	85.70	11.43	19.38	68.49	66.32
中山 Zhongshan	49.17	57.21	15.47	17.11	33.69	40.10
江门 Jiangmen	42.33	46.10	6.35	7.65	35.98	38.45
阳江 Yangjiang	13.50	17.65	0.64	0.66	12.86	16.99
湛江 Zhanjiang	28.04	29.22	1.21	0.89	26.83	28.34
茂名 Maoming	23.87	40.07	0.28	0.46	23.59	39.61
肇庆 Zhaoqing	30.16	35.21	3.66	3.80	26.51	31.41
清远 Qingyuan	16.40	30.74	1.90	1.09	14.50	29.64
潮州 Chaozhou	16.17	20.74	2.98	3.82	13.19	16.92
揭阳 Jieyang	11.74	13.43	0.42	0.45	11.32	12.98
云浮 Yunfu	12.42	14.36	0.54	0.59	11.89	13.77

16-35 国际旅游外汇收入
FOREIGN EXCHANGE EARNINGS FROM INTERNATIONAL TOURISM

单位：万美元 (USD 10000)

指　　标	Item	2000	2003	2004
全省总计	**Provincial Total**	**411221**	**426752**	**538041**
商品性收入	**Commodity Earnings**	**87837**	**75962**	**97385**
商品销售收入	Sales Revenue	40834	40115	60261
饮食销售收入	Catering Trade Income	47003	35847	37125
劳务性收入	**Service Earnings**	**323384**	**350790**	**440656**
景区游览费	View Tourism Fee	14804	41395	39815
宿费	Accommodation Fee	59216	74255	62413
长途交通费	Long Distance Transportation Fee	173535	151924	192081
民航	Civil Aviation	113086	96873	126978
铁路	Railway	43589	7255	12375
轮船	Steamship	6991	10242	16679
汽车	Vehicle	9869	37554	36049
市内交通费	Local Transportation Fee	7813	8962	11299
邮政电讯费	Telecommunications Fee	9458	8535	11299
文化娱乐费	Cultural and Recreational Fee	37010	42248	48424
其他	Others	21548	23471	75326

16-36 各市国际旅游外汇收入
TOTAL FOREIGN EXCHANGE EARNINGS FROM INTERNATIONAL TOURISM BY CITY

单位：万美元 (USD 10000)

市　　别　City	2000	2003	2004
全省合计　Provincial Total	**411221**	**426752**	**538041**
广　州　Guangzhou	150580	162207	189665
深　圳　Shenzhen	141669	130103	178672
珠　海　Zhuhai	39395	46201	56258
汕　头　Shantou	11705	9137	6574
佛　山　Foshan	15973	16360	25606
韶　关　Shaoguan	351	233	1238
河　源　Heyuan	798	630	808
梅　州　Meizhou	1487	1472	2611
惠　州　Huizhou	5333	5756	8628
汕　尾　Shanwei	387	381	389
东　莞　Dongguan	7618	13826	23437
中　山　Zhongshan	14692	18712	20688
江　门　Jiangmen	8295	7673	9254
阳　江　Yangjiang	230	770	794
湛　江　Zhanjiang	1004	1462	1071
茂　名　Maoming	169	339	558
肇　庆　Zhaoqing	6264	4422	4594
清　远　Qingyuan	834	2303	1321
潮　州　Chaozhou	3071	3605	4614
揭　阳　Jieyang	701	510	545
云　浮　Yunfu	665	650	714

注：本表数为省旅游局抽样调查测算数。
Note: Data in this table are obtained from the sample survey of Guangdong Provincial Tourism Administration.

主要统计指标解释

海关进出口总额 指实际进出我国国境的货物（包括贸易和非贸易）的价值总和。主要包括对外贸易实际进出口货物，来料加工装配、补偿贸易、进料加工进出口货物，国家间及国际组织无偿援助物资和赠送品，华侨、港澳台同胞和外籍华人捐赠品，租赁期满归承租人所有的租赁货物，边境地方贸易及边境地区小额贸易进出口货物（边民互市贸易除外），中外合资、合作经营企业、外商独资经营企业进出口货物和公用物品，到、离岸价格在规定限额以上的进出口货样和广告品（无商业价值、无使用价值和免费提供出口的除外），从保税仓库提取在中国境内销售的进出口货物，以及其他进出口货物。海关进出口总额反映一个国家在对外经济贸易方面实际进出口货物的总规模。

产消国 即原产国（地）和最终目的国。原产国指进口货物的生产、开采或加工制造的国家。最终目的国指出口货物已知的消费、使用或进一步加工制造的国家。

利用外资 指我国政府、部门、企业和其他经济组织通过对外借款、吸收客商直接投资以及向境外发行债券、股票等方式筹借的境外资金。

外资的形式可以是现汇、实物、工业产权或专有技术等有形资本和无形资本。

我国自有外汇和中国银行自有外汇资金发放的外汇贷款购置国外设备和材料，华侨、港澳同胞的捐赠，联合国或其他国际组织的无偿赠送资金、无偿援建的项目均不属于外资范围 。

利用外资的方式有：对外借款，外国（或港澳地区）企业和经济组织或个人在我国境内开办独资企业、与我国境内的企业或组织共同开办合资企业、合作经营（企业）项目或合作开发资源，以及补偿贸易、国际租赁等。2004 利用外资不包括“对外借款”。

补偿贸易 是以商品或劳务偿还贷款的一种贸易方式。即由客商提供设 备、原材料、生产技术，以这些设备、原材料、生产技术生产的产品或是用双方协商的其他产品价值去支付（偿还）进口设备、原材料价款。

对外借款 指我国政府、部门、企业和中国银行等单位向国际金融组织 、外国政府、企业等借用的长期、短期资本，到期需还本付息。借款按不同渠道划分为：①外国政府贷款；②国际金融组织贷款；③外国银行贷款；④出口信贷；⑤发行债券。

外商直接投资 指外国企业和经济组织或个人（包括华侨、港澳同胞以及我在境外注册的企业）按我国有关政策、法规，在我国境内开办外商独资企业，与我国境内的企业或经济组织共同举办中外合资企业、合作经营企业或合作开发资源的投资，以及外商从企业得到收益的再投资。2002 年起“外商直接投资”统计口径调整，“企业投资总额内的境外借款”只包括“企业投资总额内直接投资者对企业的贷款，即外方股东贷款”。不包括“直接投资者提供担保的第三方对企业的贷款即外方股东担保贷款”和“其他方式的企业境外借款即其他境外借款。”

国际租赁 指出租者用自有资金，或向银行借款购买资本设备租给承租者在约定的期限内使用，承租者依约按期付给出租者一定租金，在租赁期内设备的使用属于承租者，设备的所有权属于出租者，租期满后，出租者对设备具有支配权：收回、作价出卖或赠送企业。

国际旅游人数 指来我国参观、访问、旅行、探亲、访友、休养 、考察、参加会议和从事经济、科技、文化、教育、体育、宗教等活动的外国人、华侨、港澳台同胞的人数。不包括外国在我国的常驻机构，如使领馆、通讯社、企业办事处的工作人员；来我国常驻的外国专家、留学生以及在岸逗留不过夜人员。

国际旅游外汇收入 指入境旅游的外国人、华侨、港澳台同胞在中国大陆旅游过程中发生的一切旅游支出，对于国家来说就是国际旅游外汇收入。

中间价 指人民银行每日公布的银行买入卖出外汇的参考价。银行在买入卖出业务中可以在中间价上下浮动 5‰。

Explanatory Notes on Main Statistical Indicators

Total Imports and Exports at Customs refer to the value of commodities imported into and exported from the boundary of China (including trade and nontrade). They mainly include the actual imports and exports through foreign trade, imported and exported goods under the processing and assembling trades an d materials, compensation trade, imported and exported commodities processed with imported materials, supplies and gifts as aid given gratis between governments and by the United Nations and other international organizations, and contributions donated by overseas Chinese, compatriots in Hong Kong, Macao and Taiwan and Chinese with foreign citizenship, leasing commodities owned by tenant at the expiration of leasing period, local trading and small commodities trading in border areas (excluding mutual exchange goods), imported and exported commodities and articles for public use of the Sino-foreign joint ventures, cooperative enterprises and ventures exclusively with foreign investment. Also included are importor export of samples and advertising goods for those CIF or FOB value are beyond the permitted ceiling (excluding goods of no trading or use value and free commodities for export), imported goods sold in China from bonded warehouse and other imported or external goods. The indicator of the total imports and exports at customs can be used to observe the total size of external trade in a country.

Production and Consumption Country refers to the country of origin and the country of final destination. The country of origin refers to the country where the imported goods are produced, exploited or processed. The country of final destination refers to the country where the imported goods are produced, exploited or processed. The country of final destination refers to the country where the exported goods are consumed, used or further processed.

Utiliization of Foreign Capitals refers to funds financed from abroad by means of issuing Chinese bonds and shares, by various departments, enterprises and other economic units.

The types of foreign capital include tangible capital and intangible capital, such as remittance, goods, industrial property rights or know-how, etc.

Those excluded are the purchases of foreign equipment and materials with foreign exchange loans issued from the state-owned foreign exchange and the owned foreign exchange of the Bank of China, contributions donated by overseas Chinese, compatriots in Hong Kong and Macao, funds and projects as aid given gratis by the United Nations and other international organizations.

The modes of utilization of foreign capitals include loans from abroad, foreign-funded enterprises in the boundary of China owned by foreign (or Hong Kong and Macao) enterprises, economic organizations or individuals, and the Sino-foreign joint ventures, cooperation projects (enterprises), cooperation exploitation of natural resources with enterprises or organizations in China, compensation trade and international lease, etc. in 2004, the utilization of foreign capitals exclude the "foreign borrowings"

Compensation Trade is a kind of trade returning loans with commodities or services, i. e. paying for (returning) imported equipment and raw materials by means of the products produced with the equipment, raw materials and productive technology which are provided by foreign entrepreneurs or other products negotiated by both sides.

Foreign Borrowings refer to long-term capital and short-term capital borrowed from international financial organizations, foreign governments and enterprises by the Chinese governments at all levels, by various departments, enterprises and the Bank of China, etc. repayed with interest at muturity. Through different channels, foreign loans can be divided into: ①loans from foreign governments; ②loans from international financial organizations; ③loans from foreign banks; ④export credit; ⑤bonds and shares issued abroad.

Direct Investment by Foreign Entrepreneurs refers to the investments inside China by foreign enterprises and economic organizations or individuals (including overseas Chinese, compatriots from Hong Kong and Macao, and Chinese enterprises registered abroad), following the relevant policies and laws of China, for the establishment of ventures exclusively with foreign investment, Sino-foreign joint ventures and cooperative enterprises or for cooperative exploitation of resources with enterprises or economic organizations in China, and the re-investment of the foreign entrepreneurs with the profits gained from the investment. In 2002, the statistical coverage of direct investment by foreign entrepreneurs has been adjusted, i. e. the overseas borrowings in total investment of enterprises only include the loans from the direct investors or the loans from the foreign shareholders but excluded the loans from the third party guaranteed by the direct investors or the guaranteed loans from the foreign shareholders and the overseas borrowings by enterprises with other means or other overseas borrowings.

International Lease refers to the lease of which tenants hold on lease the capital and equipment purchased by lessors with their own money or loans from banks during a fixed period and tenants repay a sum of leasing expenses to lessors according to contracts. During the leasing period, tenants have the right to use the equipment and lessors have the possesion of the equipment. At the expiration of leasing period, lessors have the right to dispose the equipment: to take it back, to sell it at a fixed price or to donate it to the enterprise.

Number of International Tourists refers to the number of foreigners, overseas Chinese, and compatriots from Hong Kong, Macao and Taiwan coming to China for sightseeing, visits, tours, family reunions, vacations, study tours and other activities of an economic, scientific and technological, cultural, physical culture and religious nature. This does not include the number of employees of foreign organizations stationed in China such as embassies, consulates, news agencies, the offices of corporations and enterprises and foreign experts and students residing in China and the persons staying briefly in China but not for passing the night.

Foreign Exchange Earnings from International Tourism refer to the total expenditures of the foreigners, overseas Chinese, compatriots from Hong Kong, Macao and Taiwan in the process of their tourism in the mainland of China. Their expenditures mentioned above are foreign exchange earnings to China.

Middle Exchange Rate refers to the reference rate of buying and selling foreign exchanges between banks issued by the People's Bank of China every day. There is a 5‰ floating range for the middle exchange rate in the operation of buying and selling foreign exchanges between banks.

十七 教育、科技、文化

EDUCATION,SCIENCE&TECHNOLOGY AND CULTURE

17

十七　教育、科技、文化

简要说明

一、本篇反映广东教育、科学技术活动及文化事业的基本情况，由广东省统计局人口和社会科技处负责整理、编辑。

二、教育部分包括高、中、初等教育，幼儿教育和各种类型的各级成人教育。主要指标有各级各类的学校数、在校生数、招生数、毕业生数、教职工数、专任教师数等。

教育统计资料根据省教育厅、省劳动和社会保障厅提供的统计年报加工整理。

三、科学技术部分主要反映广东科技的规模、构成和发展状况。包括科技活动基本情况，科技人员人数，科技成果奖励和技术市场情况，专利申请受理量和批准量，研究与开发机构基本情况，高校研究与发展人员及经费，大中型工业企业技术开发基本情况，科协系统科技活动情况等数据。

科学技术统计资料来源：科技活动基本情况和大中型工业企业技术开发基本情况根据国家统计局科技统计报表进行加工整理，其余资料根据省科技厅、省经贸委、省科协等部门提供的统计年报加工整理。

四、文化部分主要包括文化艺术、文物、图书馆、新闻出版、广播、电影、电视等文化事业的机构、人员及业务活动开展情况等。

文化统计资料根据省文化厅、省新闻出版局、省广播电影电视局及省电影公司等有关部门提供的统计年报加工整理。

17　EDUCATION, SCIENCE & TECHNOLOGY AND CULTURE

Brief Introduction

Ⅰ. The data in this chapter show the basic conditions of Guangdong's education, activities of science and technology as well as its culture. The data are prepared and edited by the Division of Population, Social, Science and Technology Statistics of Guangdong Provincial Bureau of Statistics.

Ⅱ. The data on education cover the situations on higher education, secondary education, primary education, kindergartens and various types of adult education at all levels. The main indicators cover the number of schools, the number of students enrolled, the number of new entrants, the number of graduates, the number of staff and workers, the number of teachers and the other of various levels and categories.

The data on education are processed and prepared in accordance with the annual statistical reports provided by Guangdong Provincial Department of Education and Guangdong Provincial Department of Labor and Social Security.

Ⅲ. The data on science and technology mainly show the scale, composition and development of Guangdong´ sscience and technological personnel, the scientific and technological results, encouragement and rewards, the technical market, the number of patent applications examined and granted, the basic conditions of research and development institutions, the research and development personnel in universities and colleges as well as their incomes and expenditures, the technical development of large and medium-sized industrial enterprises, the scientific and technological activities of the associations for science and technology, etc.

The data on the basic conditions of the scientific and technological activities and the technical development of large and medium-sized industrial enterprises are processed and prepared in accordance with the reporting scheme on science and technology statistics of the National Bureau of Statistics. The other data are processed and prepared in accordance with the annual statistical reports provided by Guangdong Provincial Department of Science and Technology, Guangdong Provincial Economy and Trade Commission and Guangdong Provincial Association for Science and Technology, etc.

Ⅳ. The data on culture mainly cover the situations on institutions, personnel andbusiness activities of arts, cultural relics, libraries, news and publication, broadcasting, film and television, etc.

The data on culture are processed and prepared in accordance with the annual statistical reports provided by Guangdong Provincial Department of Culture, Guangdong Provincial Press and Publication Administration, Guangdong Provincial Department of Radio, Film and Television, Guangdong Provincial Film Company and the related departments.

17-1 教育、科技、文化主要指标
MAIN INDICATORS ON EDUCATION, SCIENCE & TECHNOLOGY AND CULTURE

指标	Item	1990	1995	2000	2003	2004
在校学生数（人）	Enrolled Students (person)					
普通高等学校	Regular Institutions of Higher Education	95929	151788	299475	587779	726866
成人高等学校	Institutions of Higher Education for Adults	87850	135053	201410	349481	258364
普通中等学校	Regular Secondary Schools	2735691	3912264	5235845	6208349	6644711
成人中等学校	Secondary Schools for Adults	168044	335849	233498	121083	117126
小学毕业生升学率（%）	Percentage of Graduates of Primary School Entering Junior Secondary School (%)	87.56	95.38	96.15	97.63	97.41
学龄儿童入学率（%）	Percentage of School-age Children Enrolled (%)	99.29	99.71	99.70	99.53	99.66
每万人口普通高校在校学生数（人）	Number of Students Enrolled in Regular Institutions of Higher Education per 10000 Population (person)	15.36	22.36	41.19	74.80	91.40
科技活动统计单位数（个）	Number of Statistical Units Engaged in Scientific and Technological Activities (unit)	1589	2600	6246	10417	
科技活动机构数（个）	Number of Institutions Engaged in Scientific and Technological Activities (unit)	993	1685	2566	2491	
各级学会及研究会（个）	Number of Learned Societies and Research Societies (unit)	2829	4387	3780	2790	2886
专业技术人员数（人）	Scientific and Technologic Personnel (person)	838403	1077848	1297804	1264983	1372618
从事科技活动人员（人）	Number of Personnel Engaged in Scientific and Technological Activities (person)	84576	105469	222073	277576	
各级学会及农技协会员（人）	Number of Members of Learned Societies and Agricultural Technological Associations at Various Levels (person)	345234	537525	704094	429229	675508
科技活动经费筹集总额（亿元）	Funds Raised for Scientific and Technological Activities (100 million yuan)	14.95	45.42	240.81	362.96	
科技活动经费使用总额（亿元）	Expenditures on Scientific and Technological Activities (100 million yuan)	12.82	39.82	214.65	332.40	
研究与发展经费支出（亿元）	Research and Development Expenses (100 million yuan)		10.57	107.12	179.84	
占本省生产总值比例（%）	Percentage of Research and Development Expenses to GDP (%)		0.20	1.11	1.34	
科技活动课题（项目）数（个）	Number of Research Subjects (Projects) on Scientific and Technological Activities (unit)	9488	16512	21355	28991	
省级及以上科技奖励成果（项）	Number of Prize Achievements in Science and Technology Awarded by Provincial Level and above (item)	186	263	289	282	291
技术合同成交额（亿元）	Transaction Value of Technological Contracts (100 million yuan)	2.03	12.60	48.21	80.57	57.27
专利申请受理量（件）	Number of Patent Applications Examined (item)	1947	7729	21123	43186	52201
专利申请批准量（件）	Number of Patent Applications Granted (item)	889	4611	15799	29235	31446
电影放映单位（个）	Number of Film Projection Units (unit)	4024	3780	1626	840	684
艺术表演团体（个）	Number of Art Performance Troupes (unit)	130	134	138	144	140
文化馆（个）	Number of Cultural Centers (unit)	113	115	119	118	119
公共图书馆（个）	Number of Public Libraries (unit)	103	114	125	129	128
博物馆（个）	Number of Museums (unit)	106	113	131	144	143
档案馆（个）	Number of Archives (unit)	138	155	161	185	185
图书出版量（万册）	Number of Books Published (10000 copies)	28070	36911	26978	26373	25733
杂志出版量（万册）	Number of Magazines Published (10000 copies)	11325	22810	26299	22527	20640
报纸出版量（万份）	Number of Newspapers Published (10000 copies)	138060	226441	346268	424751	438834
广播电台（座）	Number of Broadcasting Stations (set)	87	96	106	22	22
电视台（座）	Number of TV Stations (set)	38	56	67	24	24

注：科技活动有关指标1995年及以前只包括四大科技主体，从2000年起为全社会口径。

Note: In 1995 and prior to it, only four scientific and technological principals were included in the indicators on scientific and technological activities, whereas the data have referred to the statistical coverage of the whole society since 2000.

17-2 各级各类学校在校学生数
NUMBER OF ENROLLED STUDENTS BY LEVEL AND TYPE OF SCHOOL

单位：万人 （10000 persons）

年份 Year	高等学校 Institutions of Higher Education	中等学校 Secondary Schools			小学 Primary Schools
		中等职业教育学校 Vocational Education Secondary Schools	技工学校 Technical Schools	普通中学 Regular Secondary Schools	
1949	1.30	1.70		12.21	134.56
1952	1.00	3.57		20.53	300.00
1957	1.46	3.59		41.40	343.52
1962	3.52	3.80		47.43	481.59
1965	2.77	1.95		50.06	704.24
1970	0.58	1.62		236.55	521.09
1975	2.41	3.51		233.56	773.85
1978	3.07	3.64		313.32	743.02
1979	3.79	4.51	0.71	268.73	743.81
1980	4.10	6.28	1.61	252.11	748.86
1981	4.47	6.12	1.39	218.71	734.78
1982	4.09	6.51	0.99	200.19	723.03
1983	4.56	9.96	0.92	199.59	705.34
1984	5.47	12.99	1.01	220.69	692.73
1985	6.99	18.01	1.45	236.45	671.25
1986	7.83	28.22	1.45	249.93	670.62
1987	8.63	34.26	2.63	252.60	677.37
1988	9.72	37.63	3.40	244.23	688.72
1989	10.04	42.09	3.93	235.73	715.15
1990	9.59	45.27	5.22	234.03	747.29
1991	9.27	44.74	5.63	238.28	788.93
1992	9.74	46.29	6.58	255.02	808.98
1993	11.70	50.24	7.68	277.19	832.14
1994	13.75	55.89	9.57	307.38	862.21
1995	15.18	66.67	11.10	339.46	883.19
1996	16.40	67.30	12.28	373.19	897.64
1997	17.47	72.70	13.29	400.85	911.34
1998	18.50	70.50	14.50	423.61	918.02
1999	22.08	69.50	23.00	443.91	920.96
2000	29.95	65.57	15.46	460.69	929.93
2001	38.19	62.00	16.67	489.70	952.98
2002	46.78	61.20	17.82	513.40	979.61
2003	58.78	63.08	23.90	545.91	1025.37
2004	72.69	65.54	28.11	580.86	1049.62

注：1986 年后中等职业教育学校包括普通中专、成人中专、职业高中，1986 年前缺成人中专数据。

Note: Since 1986, the vocational education secondary schools have included the regular specialized secondary schools, the specialized secondary schools for adults and the vocational senior secondary schools. Prior to 1986, no data of the specialized secondary schools for adults were available.

17-3 各级各类学校情况
STATISTICS ON VARIOUS LEVELS AND TYPES OF SCHOOLS

项　　目	Item		1980	1990	1995	2000	2003	2004
一、高等学校	**Institutions of Higher Education**							
学校数　（所）	Number of Schools	(unit)	27	45	42	52	77	94
毕业生数　（万人）	Number of Graduates	(10000 persons)	0. 76	3. 37	3. 48	5. 00	10. 55	12. 52
本　科	Regular College Course			1. 25	1. 47	2. 40	3. 93	4. 89
专　科	Specialized Subject (Three Years)			2. 12	2. 01	2. 60	6. 62	7. 63
招生数　（万人）	Number of New Entrants	(10000 persons)	0. 97	2. 96	4. 94	12. 08	22. 58	26. 46
本　科	Regular College Course			1. 32	2. 13	5. 01	9. 04	11. 99
专　科	Specialized Subject (Three Years)			1. 64	2. 81	7. 07	13. 54	14. 47
在校学生数（万人）	Number of Enrolled Students	(10000 persons)	4. 10	9. 59	15. 18	29. 95	58. 78	72. 69
本　科	Regular College Course			5. 47	7. 68	15. 03	27. 78	35. 07
专　科	Specialized Subject (Three Years)			4. 13	7. 50	14. 92	31. 00	37. 62
教职工数　（万人）	Number of Teachers and Staff	(10000 persons)	2. 42	3. 88	4. 15	4. 68	7. 04	7. 98
# 专任教师	Full-time Teachers		0. 95	1. 57	1. 66	2. 04	4. 02	4. 69
二、中等职业教育	**Vocational Education Secondary Schools**							
学校数　（所）	Number of Schools	(unit)	336	749	744	658	717	684
毕业生数　（万人）	Number of Graduates	(10000 persons)			18. 13	21. 54	17. 65	18. 97
招生数　（万人）	Number of New Entrants	(10000 persons)			27. 99	21. 10	23. 30	24. 65
在校学生数（万人）	Number of Enrolled Students	(10000 persons)			66. 67	65. 57	63. 08	65. 54
教职工数　（万人）	Number of Teachers and Staff	(10000 persons)			5. 34	5. 70	4. 96	4. 95
# 专任教师	Full-time Teachers				3. 20	3. 70	3. 37	3. 38
三、技工学校	**Technical Schools**							
学校数　（所）	Number of Schools	(unit)	82	127	717	186	156	186
毕业生数　（万人）	Number of Graduates	(10000 persons)	0. 97	1. 56	2. 83	4. 45	4. 20	5. 54
招生数　（万人）	Number of New Entrants	(10000 persons)	0. 85	2. 09	4. 69	5. 84	9. 97	11. 52
在校学生数（万人）	Number of Enrolled Students	(10000 persons)	1. 61	5. 22	11. 10	15. 46	23. 90	28. 11
教职工数　（万人）	Number of Teachers and Staff	(10000 persons)	0. 40	0. 88	1. 24	1. 18	1. 27	1. 40
# 专任教师	Full-time Teachers		0. 16	0. 39	0. 61	0. 68	0. 88	0. 95
四、普通中学	**Regular Secondary Schools**							
学校数　（所）	Number of Schools	(unit)	2681	3879	3845	3964	4176	4241
毕业生数　（万人）	Number of Graduates	(10000 persons)	66. 52	71. 29	85. 82	131. 82	155. 73	163. 22
招生数　（万人）	Number of New Entrants	(10000 persons)	97. 42	83. 36	131. 18	171. 16	199. 12	209. 45
在校学生数（万人）	Number of Enrolled Students	(10000 persons)	252. 11	234. 03	339. 46	460. 69	545. 91	580. 86
教职工数　（万人）	Number of Teachers and Staff	(10000 persons)	16. 62	17. 84	22. 31	27. 57	32. 31	34. 00
# 专任教师	Full-time Teachers		13. 50	13. 47	17. 57	22. 86	27. 16	28. 9

17-3 续表 continued

项　目		Item		1980	1990	1995	2000	2003	2004
五、小学		**Primary Schools**							
学校数	（万所）	Number of Schools	（10000 units）	2.50	2.46	2.46	2.42	2.28	2.19
毕业生数	（万人）	Number of Graduates	（10000 persons）	104.32	82.49	121.56	148.48	158.67	162.87
招生数	（万人）	Number of New Entrants	（10000 persons）	149.31	129.93	151.55	155.73	172.99	168.47
在校学生数	（万人）	Number of Students Enrolled	（10000 persons）	748.86	747.29	883.19	929.93	1025.37	1049.62
教职工数	（万人）	Number of Teachers and Staff	（10000 persons）	33.14	32.95	37.68	42.08	44.70	45.57
#专任教师		Full-time Teachers		28.14	27.73	32.14	36.41	38.92	39.65
六、学龄儿童入学率		**Status of School-age Children Enrolled**							
学龄儿童总数	（万人）	Total School-age Children	（10000 persons）	612.38	583.88	832.40	905.39	985.46	1010.08
已入学学龄儿童数	（万人）	Number of School-age Children Enrolled in Schools	（10000 persons）	589.21	579.76	829.99	902.65	980.77	1006.63
学龄儿童入学率	（%）	Percentage of School-age Children Enrolled	（%）	96.22	99.29	99.71	99.70	99.52	99.66
七、小学毕业生升学率		**Status of Graduates of Primary Schools Entering Junior Secondary Schools**							
小学毕业生人数	（万人）	Number of Graduates of Primary Schools	（10000 persons）	104.32	82.49	121.56	148.48	158.67	162.87
已升学人数	（万人）	Number of Students Entering Secondary Schools	（10000 persons）	96.45	82.49	121.56	142.77	154.92	158.64
小学毕业生升学率	（%）	Percentage of Graduates of Primary Schools Entering Junior Secondary Schools	（%）	73.28	87.56	95.38	96.15	97.63	97.41
八、幼儿园		**Kindergartens**							
幼儿园数	（所）	Number of Kindergartens	（unit）	6513	7469	7923	12027	10067	10213
在园幼儿数	（万人）	Number of Children in Kindergartens	（10000 persons）	47.92	150.05	200.01	214.18	212.52	213.20
教职工数	（万人）	Number of Teachers and Staff	（10000 persons）	2.89	6.52	9.09	12.91	14.34	14.93
#专任教师		Full-time Teachers		1.53	4.29	5.93	8.36	8.22	8.58

注：1. 1995 年以来小学毕业生升学率采用国家教委口径，即升学率＝初中招生数/小学毕业生数。
2. 2003 年起中等职业教育学校包括：普通中等专业学校、成人中等专业学校、职业高中数据。

Note: a) Since 1995, the percentage of graduates of primary schools entering junior secondary schools has been calculated in accordance with the statistical coverage of the National Education Committee, i. e. Percentage of Graduates of Primary Schools Entering Junior Secondary Schools = Number of New Entrants of Junior Secondary Schools ÷ Graduates of Primary Schools.

b) Since 2003, the vocational education secondary schools include the regular specialized secondary schools, the specialized secondary schools for adults and the vocational senior secondary schools.

17-4 研究生教育情况
STATISTICS ON POSTGRADUATE EDUCATION

项　　目	Item	1990	1995	2000	2003	2004
一、培养单位数　（个）	**Institutions of Postgraduate Education（unit）**	**28**	**23**	**26**	**25**	**29**
高等学校	Institutions of Higher Education	16	15	18	17	21
科研单位	Research Institutions	12	8	8	8	8
二、招生数　（人）	**Number of New Entrants　（person）**	**1125**	**1922**	**5672**	**11619**	**14822**
攻读博士学位	For Doctor Degree	76	407	1053	2124	2679
高等学校	Institutions of Higher Education	75	387	1001	1928	2458
科研单位	Research Institutions	1	20	52	196	221
攻读硕士学位	For Master Degree	1049	1515	4619	9495	12143
高等学校	Institutions of Higher Education	1027	1442	4510	9230	11865
科研单位	Research Institutions	22	73	109	265	278
三、在学生数　（人）	**Number of Enrolled Students　（person）**	**3367**	**5405**	**13023**	**27896**	**37022**
攻读博士学位	For Doctor Degree	293	935	2558	5541	7533
高等学校	Institutions of Higher Education	292	894	2445	5139	6999
科研单位	Research Institutions	1	41	113	402	534
攻读硕士学位	For Master Degree	3074	4470	10405	22355	29489
高等学校	Institutions of Higher Education	2984	4308	10161	21716	28726
科研单位	Research Institutions	90	162	244	639	763
四、毕业生数　（人）	**Number of Graduates　（person）**	**1404**	**1265**	**2182**	**4701**	**6893**
攻读博士学位	For Doctor Degree	101	154	417	777	1165
高等学校	Institutions of Higher Education	101	147	387	733	1079
科研单位	Research Institutions		7	30	44	86
攻读硕士学位	For Master Degree	1303	1111	1765	3924	5728
高等学校	Institutions of Higher Education	1250	1074	1692	3828	5576
科研单位	Research Institutions	53	37	73	96	152

17-5 各级各类成人教育在校学生数
NUMBER OF ENROLLED STUDENTS BY LEVEL AND TYPE OF ADULT SCHOOL

单位：人 (person)

项　　目	Item	1990	1995	2000	2003	2004
一、成人高等教育	**Higher Education for Adults**	**87850**	**135053**	**201410**	**349481**	**258364**
成人高等学校	Institutions of Higher Education for Adults	59787	86757	84057	86847	51335
广播电视大学	Radio and TV Universities	17090	38822	34242	20238	13868
职工高等学校	Schools of Higher Education for Staff and Workers	14712	16445	17147	25176	12653
管理干部学院	Colleges for Management Cadres	5488	13342	20142	22061	14454
教育学院	Pedagogical Colleges	22497	18148	12526	19372	10360
普通高校附设	Departments Run by Institutions of Higher Education	28063	48296	117353	262634	207029
函授部	Correspondence Divisions	15878	20929	51028	129197	98086
夜大学	Evening Universities	11488	15215	43063	114601	96685
成人脱产班	Courses in Form of Full Time for Adults	697	12152	23262	18836	12258
二、成人中等教育	**Secondary Education for Adults**				**121083**	**117106**
成人中专学校	Specialized Secondary Schools for Adults				118923	100446
农林类	Farming and Forestry				2172	1704
资源与环境类	Resource and Environment				39	
能源类	Energy				850	
土木水利工程类	Civil Construction and Water Conservancy Engineering				1530	1246
加工制造类	Processing Manufacturing				9989	10648
交通运输类	Transport				3536	4448
信息技术类	Information Technology				33654	26679
医药卫生类	Medicine and Public Health				15897	8240
商贸与旅游类	Trade and Tourism				11916	12794
财经类	Finance and Economics				19796	18537
文化艺术与体育类	Culture，Arts and Sports				2112	1965
社会公共事业类	Social Public Utilities				4243	3286
师范类	Teacher Training				11787	10148
其他	Others				1402	751
成人中学	Secondary Schools for Adults	50574	67888	44006	2160	16660
三、成人初等教育	**Primary Education for Adults**	**1041748**	**342318**	**235926**	**8935**	**4148**
职工初等教育	Primary Schools for Staff and Workers	21836	20522	10825	246	460
农民初等教育	Primary School for Farmers	1019912	321796	225101	8689	3688
# 扫盲班	Literacy Courses	99396	7483	2389	1066	1630

17-6 高等学校情况（2004 年）
STATISTICS ON INSTITUTIONS OF HIGHER EDUCATION (2004)

学校类别	Type of School	学校数（所） Number of Schools (unit)	毕业生数（人） Number of Graduates (person)	招生数（人） Number of New Entrants (person)	在校学生数（人） Number of Enrolled Students (person)	教职工数（人） Number of Teachers and Staff (person)	#专任教师 Full-time Teachers
总　计	**Total**	**94**	**125229**	**264569**	**726866**	**79820**	**46951**
#女性	Female		54275	117034	325262	35276	19472
一、按隶属关系分	**Grouped by Relation of Leadership**						
中央属	Central Government	4	10436	18030	56872	13635	6317
地方属	Local Government	90	114793	246539	669994	66185	40634
二、按学校类别分	**Grouped by Types of School**						
综合大学	University	43	49817	110662	312899	38423	22252
理工院校	Science and Engineering College	21	25152	60937	149439	15480	9646
农业院校	Agriculture College	3	7515	16456	49840	4787	2671
医药院校	Medicine College	6	4448	17183	42586	6402	3662
师范院校	Teacher Training College	4	11593	23485	70814	6571	3871
语文院校	Language and Literature College	1	2342	4510	12366	1438	817
财经院校	Economics and Finance College	6	8008	14062	43111	3723	2253
政法院校	Politics and Law College	2	1561	2709	7402	785	428
体育院校	Physical Culture College	3	1073	1446	5636	1002	599
艺术院校	Art College	5	1043	2764	6066	1209	752
职业技术学院	Vocational Technical College	55	31358	85118	201121	19185	12962
其他	Others		12677	10355	26707		

17-7 中等学校情况（2004 年）
STATISTICS ON SECONDARY SCHOOLS (2004)

学校类别	Type of School	学校数（所） Number of Schools (unit)	毕业生数（人） Number of Graduates (person)	招生数（人） Number of New Entrants (person)	在校学生数（人） Number of Enrolled Students (person)	教职工数（人） Number of Teachers and Staff (person)	#专任教师 Full-time Teachers
一、中等职业教育	**Vocational Secondary Education**	**684**	**189729**	**246461**	**655428**	**49485**	**33794**
调整后中等职业学校	Vocational Secondary Schools after Adjustment	130	35531	52922	140530	10560	7531
中等技术学校	Technical Secondary Schools	153	69394	84655	224450	15820	9683
成人中等专业学校	Specialized Secondary Schools for Adults	152	31251	35959	100446	7074	4597
职业高中学校	Vocational Senior Secondary Schools	249	53553	72925	190002	16031	11983
二、技工学校	**Technical Schools**	**186**	**55381**	**115201**	**281055**	**13988**	**9537**
三、普通中学	**Regular Secondary Schools**	**4241**	**1632196**	**2094477**	**5808649**	**339997**	**288970**
#高中	Senior Schools	998	318190	508059	1313116		75330

17-8 各市普通中学情况（2004 年）

STATISTICS ON REGULAR SECONDARY SCHOOLS BY CITY (2004)

市别 City	学校数（所）Number of Schools (unit)	毕业生数（人）Number of Graduates (person)	招生数（人）Number of New Entrants (person)	在校学生数（人）Number of Enrolled Students (person)	教职工数（人）Number of Teachers and Staff (person)	#专任教师 Full-time Teachers
广州 Guangzhou	437	156828	185073	530776	39039	30711
深圳 Shenzhen	216	48061	79359	211224	15401	11625
珠海 Zhuhai	53	20152	26606	74426	4899	4025
汕头 Shantou	230	86952	128848	342565	18300	15327
佛山 Foshan	177	89852	104412	302784	20073	17440
韶关 Shaoguan	201	63081	77906	219869	14556	12384
河源 Heyuan	185	63379	76560	212155	13383	11642
梅州 Meizhou	284	108368	132458	371628	22919	19691
惠州 Huizhou	171	60248	78501	212095	12972	10943
汕尾 Shanwei	149	55490	75748	203313	10441	8858
东莞 Dongguan	114	43471	63085	171336	10841	8437
中山 Zhongshan	86	33705	44160	126397	7680	6529
江门 Jiangmen	271	81261	95665	272406	16769	15246
阳江 Yangjiang	108	50871	63345	179867	9750	8462
湛江 Zhanjiang	354	167976	208512	576776	26533	22754
茂名 Maoming	316	138713	195013	532256	27342	24990
肇庆 Zhaoqing	181	76966	88040	254417	14834	13279
清远 Qingyuan	216	77452	93395	262288	15380	13306
潮州 Chaozhou	121	53371	63940	181231	9776	8467
揭阳 Jieyang	258	103425	145697	383409	18649	15515
云浮 Yunfu	113	52574	68154	187431	10460	9339

17-9 各市中等职业教育基本情况（2004 年）

BASIC STATISTICS ON VOCATIONAL SECONDARY EDUCATION (2004)

市别 City	学校数（所）Number of Schools (unit)	毕业生数（人）Number of Graduates (person)	招生数（人）Number of New Entrants (person)	在校学生数（人）Number of Enrolled Students (person)	教职工数（人）Number of Teachers and Staff (person)	#专任教师 Full-time Teachers
广州 Guangzhou	154	63174	65699	184682	12526	7747
深圳 Shenzhen	13	5680	7430	18833	1758	1215
珠海 Zhuhai	9	3693	4210	12455	798	560
汕头 Shantou	26	6062	7891	19818	1709	1088
佛山 Foshan	49	16638	15891	47313	4042	3086
韶关 Shaoguan	35	7274	12823	28947	2593	1686
河源 Heyuan	8	2786	4291	11242	476	361
梅州 Meizhou	58	7183	10860	27871	2561	1759
惠州 Huizhou	33	5829	12757	32331	1934	1152
汕尾 Shanwei	8	604	1869	4656	324	238
东莞 Dongguan	20	8669	10630	29309	1992	1463
中山 Zhongshan	19	7256	8385	23261	1629	1274
江门 Jiangmen	52	14740	18729	50383	3552	2853
阳江 Yangjiang	15	2982	4435	12898	1128	840
湛江 Zhanjiang	61	9317	15095	37830	3369	2208
茂名 Maoming	26	5000	13069	30010	2021	1487
肇庆 Zhaoqing	32	8989	15295	38135	2712	1750
清远 Qingyuan	18	4469	6118	16546	1235	877
潮州 Chaozhou	18	3259	3575	10203	1046	700
揭阳 Jieyang	15	3764	4369	10088	1039	695
云浮 Yunfu	15	2361	3040	8617	1041	755

17-10 各市小学情况（2004 年）
STATISTICS ON PRIMARY SCHOOLS BY CITY (2004)

市 别 City	学校数（所）Number of Schools (unit)	毕业生数（人）Number of Graduates (person)	升学率（%）Percentage of Graduates of Primary Schools Entering Junior Secondary Schools (%)	招生数（人）Number of New Entrants (person)	在校学生数（人）Number of Enrolled Students (person)	教职工数（人）Number of Teachers and Staff (person)	#专任教师 Full-time Teachers
广 州 Guangzhou	1429	134174	94.6	140556	874749	47864	39983
深 圳 Shenzhen	378	62032	93.0	96554	526419	25460	19660
珠 海 Zhuhai	140	18418	98.0	19735	120823	6124	5080
汕 头 Shantou	838	108764	92.8	123473	741519	24575	21571
佛 山 Foshan	519	67916	100.0	68988	422951	19918	17546
韶 关 Shaoguan	849	59469	99.4	46332	306287	17066	15379
河 源 Heyuan	1428	59315	98.6	55799	363932	18006	15982
梅 州 Meizhou	1997	96771	100.0	80407	539441	25178	22515
惠 州 Huizhou	1170	59661	100.0	67728	418989	21251	18986
汕 尾 Shanwei	789	63805	97.5	71399	424996	18246	15662
东 莞 Dongguan	498	51831	88.0	80525	448296	19469	15512
中 山 Zhongshan	266	31862	100.0	37857	208727	8812	7354
江 门 Jiangmen	962	69367	98.6	60586	400271	16179	14891
阳 江 Yangjiang	787	50712	98.4	40658	288306	15531	14306
湛 江 Zhanjiang	2266	171900	97.9	175048	1070785	41071	35730
茂 名 Maoming	1988	149376	97.4	146467	959358	34006	30761
肇 庆 Zhaoqing	1372	67900	99.6	72909	433368	18945	17183
清 远 Qingyuan	1328	74594	99.6	64255	425177	20655	18296
潮 州 Chaozhou	731	48208	98.8	45429	291849	12057	10561
揭 阳 Jieyang	1358	126270	96.0	140514	902312	31361	26982
云 浮 Yunfu	851	56324	98.5	49463	327666	13905	12547

17-11 各市学龄儿童入学情况
STATISTICS ON SCHOOL-AGE CHILDREN ENROLLED IN SCHOOLS BY CITY

市 别 City	2003			2004		
	学龄儿童人数（人）Number of School-age Children (person)	已入学人数（人）Number of School-age Children Enrolled in Schools (person)	入学率（%）Enrollment Rate (%)	学龄儿童人数（人）Number of School-age Children (person)	已入学人数（人）Number of School-age Children Enrolled in Schools (person)	入学率（%）Enrollment Rate (%)
广 州 Guangzhou	757848	752176	99.3	787281	787177	100.0
深 圳 Shenzhen	404667	404667	100.0	480552	480552	100.0
珠 海 Zhuhai	104323	103960	99.7	108326	107775	99.5
汕 头 Shantou	691368	682239	98.7	712195	699988	98.3
佛 山 Foshan	377171	376743	99.9	391572	389287	99.4
韶 关 Shaoguan	303906	301095	99.1	289742	285357	98.5
河 源 Heyuan	366274	361205	98.6	357882	356617	99.6
梅 州 Meizhou	542429	542022	99.9	538171	537605	99.9
惠 州 Huizhou	383748	383400	99.9	409497	409390	100.0
汕 尾 Shanwei	411032	407804	99.2	416220	413621	99.4
东 莞 Dongguan	339723	339723	100.0	391630	391630	100.0
中 山 Zhongshan	176196	176196	100.0	187316	187316	100.0
江 门 Jiangmen	397388	397352	100.0	392230	391800	99.9
阳 江 Yangjiang	298544	298045	99.8	286054	285684	99.9
湛 江 Zhanjiang	1038746	1036153	99.8	1038654	1037624	99.9
茂 名 Maoming	919760	917172	99.7	957182	955351	99.8
肇 庆 Zhaoqing	408856	408169	99.8	430357	429831	99.9
清 远 Qingyuan	430713	427852	99.3	418826	417225	99.6
潮 州 Chaozhou	284346	279814	98.4	279606	278703	99.7
揭 阳 Jieyang	889847	885784	99.5	899686	896817	99.7
云 浮 Yunfu	327667	326146	99.5	327860	326961	99.7

17-12 国有企业、事业单位专业技术人员年末人数

NUMBER OF SCIENTIFIC AND TECHNICAL PERSONNEL IN STATE-OWNED ENTERPRISES AND INSTITUTIONS AT THE YEAR-END

单位：人 (person)

年份 Year	专业技术人员 Scientific and Technical Personnel	工程技术人员 Engineering	农业技术人员 Agriculture	卫生技术人员 Health Care	科学技术人员 Scientific Research	教学人员 Teaching
1952	10937	2203	965	7746		23
1957	33580	8544	7732	14487	2	2815
1962	70433	23348	12613	24442	449	7763
1965	72738	23779	12746	25486	765	8318
1971	138188	33865	11849	32355	3297	53356
1975	167716	40232	14567	44360	1996	62809
1978	211149	48836	16017	53068	7852	80287
1979	211117	48641	16975	53155	7277	79748
1980	291939	56144	18176	61445	7356	86192
1981	303892	60071	19017	63536	6763	97109
1982	328455	70699	19431	69056	7822	102178
1983	360527	85327	21636	74183	5744	109210
1984	389206	89348	22505	79806	5573	120016
1985	426491	102506	23030	86174	6431	133013
1986	619877	108210	23854	89545	6368	313009
1987	664085	118601	23553	93553	6231	333245
1988	674085	119167	19478	85092	4904	313419
1989	810130	137803	20644	90751	5986	364965
1990	838403	145535	21194	92912	5731	379894
1991	814651	140906	13050	93141	4810	398276
1992	883821	149916	13749	104334	4566	412681
1993	957725	163440	14246	117959	4388	434036
1994	1017804	174960	14670	128079	4118	460702
1995	1077848	180530	15219	134586	4425	511418
1996	1167583	186156	15449	147155	4610	573934
1997	1223897	191954	15779	156889	4443	613121
1998	1262343	190486	15703	165721	4413	649873
1999	1291078	184304	15660	171461	4585	677110
2000	1297804	180223	15083	175521	4705	696005
2001	1285708	168354	14151	181703	4467	710967
2002	1274140	160458	13386	184192	4425	721719
2003	1264983	135621	12575	202548	4918	734721
2004	1372618	142307	16942	234297	5235	772936

注：本表未包中央驻粤单位专业技术人员数。

Note: The data in this table do not include the scientific and technical personnel from the central units in Guangdong.

17-13 国有企业、事业单位各行业技术人员年末人数（2004 年）
NUMBER OF SCIENTIFIC AND TECHNICAL PERSONNEL IN STATE-OWNED ENTERPRISES AND INSTITUTIONS AT THE YEAR-END BY SECTOR (2004)

单位：人 (person)

		专业技术人员 Scientific and Technical Personnel	工程技术人员 Engineering	农业技术人员 Agriculture	卫生技术人员 Health Care	科学研究人员 Scientific Research	教学人员 Teaching
总　计	**Total**	**1372618**	**142307**	**16942**	**234297**	**5235**	**772936**
农、林、牧、渔业	Farming, Forestry, Animal Husbandry and Fishery	30112	5102	14430	945	92	1688
采矿业	Mining and Quarrying	3513	1746	2	341		380
制造业	Manufacturing	48207	26211	264	1382	165	1182
电力、燃气及水的生产和供应业	Production and Supply of Electricity, Gas and Water	19007	13149	16	178	19	243
建筑业	Construction	33674	24884	28	424	24	273
交通运输、仓储和邮政业	Transport, Storage and Postal Services	32683	13585	30	615	25	443
信息传输、计算机服务和软件业	Information Transmission, Computer Services and Software	2758	1858	1	185	14	95
批发和零售业	Wholesale and Retail Trade	22043	2986	246	1385	43	152
住宿和餐饮业	Hotels and Catering Services	3495	678	7	70		89
金融业	Finance	48684	3250	2	1518	24	97
房地产业	Real Estate	11259	4844	37	150	8	130
租赁和商务服务业	Leasing and Business Services	6264	1477	24	30	2	31
科学研究、技术服务和地质勘查业	Scientific Research, Technical Services and Geological Prospecting	20892	14351	589	843	1568	318
水利、环境和公共设施管理业	Water Conservancy, Environment and Public Facilities Management	19032	13475	517	244	71	110
居民服务和其他服务业	Resident Services and Other Services	4555	1308	34	287	3	79
教育	Education	783548	3135	305	5429	2495	761310
卫生、社会保障和社会福利业	Health Care, Social Security and Social Welfare	235017	2184	92	219058	287	1515
文化、体育和娱乐业	Culture, Sports and Recreation	35958	5204	50	272	331	4465
公共管理和社会组织	Public Administration and Social Organizations	11917	2880	268	941	64	336

注：本表未包中央驻粤单位专业技术人员数。
Note: The data in this table do not include the scientific and technical personnel from the central units in Guangdong.

17-14 国有企业、事业单位平均每万在岗职工专业技术人员数
NUMBER OF SCIENTIFIC AND TECHNICAL PERSONNEL IN STATE-OWNED ENTERPRISES AND INSTITUTIONS PER 10000 FULLY EMPLOYED STAFF AND WORKERS

单位:人 (person)

项　　目	Item	1990	1995	2000	2003	2004
专业技术人员	Scientific and Technological Personnel	1587.50	2222.73	3289.86	3878.95	4694.59
# 工程技术人员	Engineering	275.57	371.70	456.86	415.87	486.71
农业技术人员	Agriculture	40.13	31.33	38.23	38.56	57.95
卫生技术人员	Health Care	175.93	277.10	444.94	621.09	801.34
科学研究人员	Scientific Research	10.85	9.11	11.93	15.08	17.90
教学人员	Teaching	719.32	1052.96	1764.33	2252.95	2643.58

注:1.本表未包中央驻粤单位专业技术人员数。
2.2003 年及以前数据包括在岗职工和离岗职工,2004 年为在岗职工数。

Note: a) The data in this table do not include the scientific and technical personnel from the central units in Guangdong.
b) In 2003 and prior to it, the data include fully employed and not fully-employed staff and workers, and only include fully employed staff and workers in 2004.

17-15 高层次人才情况
STATISTICS ON HIGH-LEVEL TALENTS

单位:人 (person)

项　　目	Item	2000	2001	2003	2004
院士人数	Number of Academicians	41	43	46	53
享受国家津贴的人数	Number of Persons Granted State Allowances	164	97		
高级职称批准人数	Number of Persons with Senior Professional Titles	6111	7260	11278	16235
博士后招收人数	Number of Persons in Working Stations for Post-doctoral Research	163	180	280	350
博士生情况	Status of Doctorate Students				
招生数	Number of New Entrants	1053	1358	2124	2679
在学生	Number of Enrolled Students	2558	3436	5541	7533
毕业生	Number of Graduates	417	1038	777	1165

17-16 科技成果项数
NUMBER ON ACHIEVEMENTS FOR SCIENTIFIC AND TECHNOLOGICAL RESEARCH

单位:项 (item)

项　　目	Item	1980	1990	1995	2000	2003	2004
一、国家级科技奖励成果	**National Prizes for Scientific and Technological Research Achievements**	**3**	**21**	**27**	**24**	**14**	**21**
国家发明奖	Number of National Invention Prizes Awarded		4	3		2	1
国家自然科学奖	Number of National Natural Sciences Prizes Awarded		2	4			
国家科技进步奖	Number of National Scientific and Technological Progress Prizes Awarded		15	20	24	12	20
二、省级重大科技成果	**Major Provincial Scientific and Technological Achievements**		**718**	**323**	**746**	**668**	**684**
三、省级科技奖励成果	**Provincial Prizes for Scientific and Technological Achievements**	**147**	**165**	**236**	**265**	**268**	**270**
省科技进步奖	Number of Provincial Scientific and Technological Progress Prizes Awarded	147	115	213	265	268	270
农业方面	Agriculture	25	21	40	46	34	35
工业方面	Industry	102	75	101	113	119	120
医药卫生方面	Medicine and Health Care	20	12	41	72	74	60
其他	Others		7	31	34	41	55

17-17 县级以上政府部门属研究与开发机构基本情况
BASIC STATISTICS ON RESEARCH AND DEVELOPMENT INSTITUTIONS AT AND ABOVE COUNTY LEVEL

项　　目		Item		1990	1995	2000	2003	2004
总　计		**Total**						
机构数	（个）	Number of Institutions	(unit)	294	298	296	207	196
职工总数	（人）	Number of Staff and Workers	(person)	32291	27367	24926	14579	14285
# 科学家工程师		Scientists and Engineers		13454	11937	9582	6291	6395
经费收入	（万元）	Funds	(10000 yuan)	66785	201834	358844	346771	352769
# 政府拨款		Government Appropriations		20025	35364	98386	146535	134239
经费支出	（万元）	Expenditures	(10000 yuan)	56522	190944	330098	316315	332669
资产购建支出	（万元）	Expenditures on Purchase of Assets	(10000 yuan)	7588	15614	36382	33442	31671
一、自然科学及技术领域		**Natural Sciences and Technology**						
机构数	（个）	Number of Institutions	(unit)	267	271	263	176	166
职工总数	（人）	Number of Staff and Workers	(person)	31067	26234	23623	13360	12971
# 科学家工程师		Scientists and Engineers		12722	11189	8763	5567	5641
经费收入	（万元）	Funds	(10000 yuan)	64917	196728	345582	316530	326755
# 政府拨款		Government Appropriations		18892	32083	89595	126683	116634
经费支出	（万元）	Expenditures	(10000 yuan)	54842	186095	317219	294975	310189
资产购建支出	（万元）	Expenditures on Purchase of Assets	(10000 yuan)	6774	15379	34037	30812	30207
二、社会及人文科学领域		**Social Sciences and Humanities**						
机构数	（个）	Number of Institutions	(unit)	13	13	16	15	14
职工总数	（人）	Number of Staff and Workers	(person)	679	692	780	757	742
# 科学家工程师		Scientists and Engineers		445	486	538	428	428
经费收入	（万元）	Funds	(10000 yuan)	904	2372	6906	15702	13691
# 政府拨款		Government Appropriations		959	2137	5908	13448	11451
经费支出	（万元）	Expenditures	(10000 yuan)	756	2332	6897	10134	12047
资产购建支出	（万元）	Expenditures on Purchase of Assets	(10000 yuan)	814	235	1769	498	462
三、科技情报和文献机构		**Scientific-Technological Information and Literature Institutions**						
机构数	（个）	Number of Institutions	(unit)	14	14	17	16	16
职工总数	（人）	Number of Staff and Workers	(person)	545	441	523	462	572
# 科学家工程师		Scientists and Engineers		287	262	281	296	326
经费收入	（万元）	Funds	(10000 yuan)	964	2734	6356	14539	12323
# 政府拨款		Government Appropriations		538	1144	2883	6404	6154
经费支出	（万元）	Expenditures	(10000 yuan)	924	2517	5982	11206	10433
资产购建支出	（万元）	Expenditures on Purchase of Assets	(10000 yuan)			576	2132	1002

17-18 县级政府部门属研究与开发机构基本情况
BASIC STATISTICS ON RESEARCH AND DEVELOPMENT INSTITUTIONS UNDER THE JURISDICTION OF COUNTY GOVERNMENTS

项　　目		Item		1990	1995	2000	2003	2004
机构数	（个）	Number of Institutions	(unit)	211	192	183	171	167
职工总数	（人）	Number of Staff and Workers	(person)	6315	5234	4379	3714	3414
# 科学家工程师		Scientists and Engineers		361	403	359	321	327
其他科技人员	（人）	Other Scientific and Technological Personnel	(person)	1062	963	844		
经费收入	（万元）	Funds	(10000 yuan)	4062	11976	13409	14019	11948
# 来自政府的经费		Government Funds		1281	3149	5426	6103	5530

17-19 各市县级及以上政府部门属研究与开发机构基本情况(2004 年)
BASIC STATISTICS ON RESEARCH AND DEVELOPMENT INSTITUTIONS AT AND ABOVE COUNTY LEVEL BY CITY (2004)

市别	City	机构数(个) Number of Institutions (unit)	从业人员(人) Number of Employed Persons (person)	#科学家工程师 #Scientists and Engineers	经费收入(万元) Funds (10000 yuan)	#政府拨款 Government Appropriations	经费支出(万元) Expenditure (10000 yuan)	资产购建支出(万元) Expenditures on Purchase of Assets (10000 yuan)
全省合计	**Provincial Total**	**363**	**17699**	**6722**	**364716**	**139769**	**344171**	**32886**
广州	Guangzhou	113	10912	5514	319535	115703	305069	28752
深圳	Shenzhen	6	142	47	2505	2224	2511	196
珠海	Zhuhai	9	360	106	8772	2157	3476	1724
汕头	Shantou	13	679	157	5780	2911	5562	347
佛山	Foshan	16	333	83	2677	1830	2608	118
韶关	Shaoguan	27	521	101	3441	1229	3224	151
河源	Heyuan	5	53	11	62	33	85	2
梅州	Meizhou	8	311	48	1209	983	1209	28
惠州	Huizhou	19	560	80	1949	1240	2189	240
汕尾	Shanwei	19	464	56	595	333	593	22
东莞	Dongguan	4	256	39	2895	1689	3164	157
中山	Zhongshan	5	138	30	1734	948	1597	107
江门	Jiangmen	19	390	42	2103	812	2045	128
阳江	Yangjiang	17	291	15	1215	577	1063	66
湛江	Zhanjiang	19	956	216	5891	4244	5553	423
茂名	Maoming	19	332	68	980	661	992	83
肇庆	Zhaoqing	24	477	54	2035	1150	1808	265
清远	Qingyuan	1	4		9		12	
潮州	Chaozhou	8	284	37	824	705	896	65
揭阳	Jieyang	10	190	15	378	247	385	13
云浮	Yunfu	2	46	3	127	95	129	

注:本表统计范围不含已转制的科研机构。

Note: The statistical coverage of this table excludes the scientific and technological institutions reorganized.

17-20 高等院校研究与发展人员及经费
RESEARCH AND DEVELOPMENT PERSONNEL AND FUNDS IN INSTITUTIONS OF HIGHER EDUCATION

项目	Item	1990	1995	2000	2003	2004
研究与发展人员总数 (人)	Number of Research and Development Personnel (person)	12163	15858	9056	15003	12008
# 科学家工程师	# Scientists and Engineers	11420	15006	8731	14415	11522
其他科技人员 (人)	Other Scientific and Technological Personnel (person)	482	561		2922	5581
当年拨入研究与发展课题费 (万元)	Funds for Research and Development Subjects in Current Year (10000 yuan)	5750	6624	32574	46824	86998
研究发展经费内部支出 (万元)	Internal Expenditures on Researchand Development (10000 yuan)	4896	6106	36656	27403	98807

注:1. 当年拨入研究与发展经费不包括上年结转经费。研究与发展经费内部支出不包括转拨外单位经费。
2. 2000 年及以后的人员指标为折合全时人员,单位是"人年"。

Note: a) The funds for research and development subjects in the current year exclude the balance carried forward from the previous year. The internal expenditures on research and development exclude the figures from the external units.
b) The number of personnel of 2000, 2001 and 2002 referred to the full-time equivalent of persons (person-year).

17-21 三种专利申请受理量与批准量
THREE TYPES OF PATENT APPLICATIONS EXAMINED AND GRANTED

单位:件 (item)

项　　目	Item	1985	1990	1995	2000	2003	2004
一、受理量	**Number of Patent Applications Examined**	**286**	**1947**	**7729**	**21123**	**43186**	**52201**
发明	Inventions	128	231	463	1760	6181	8093
实用新型	Utility Models	136	1000	2367	6033	12985	14682
外观设计	Designs	22	716	4899	13330	24020	29426
二、批准量	**Number of Patent Applications Granted**	**1**	**889**	**4611**	**15799**	**29235**	**31446**
发明	Inventions		40	57	261	953	1941
实用新型	Utility Models	1	571	1446	4797	7921	9307
外观设计	Designs		278	3108	10741	20361	20198

17-22 各类技术合同签订情况
STATISTICS ON TECHNICAL CONTRACTS SIGNED BY TYPE

项　　目	Item	1990	1995	2000	2003	2004
一、技术合同项目数 (项)	**Number of Technical Contracts (item)**	**5813**	**5098**	**5464**	**11924**	**11328**
技术开发合同	Technical Development Contracts	2050	547	921	3291	4540
技术咨询合同	echnical Consultation Contracts	462	299	572	1057	737
技术转让合同	Technical Transfer Contracts	260	515	297	974	578
技术服务合同	Technical Service Contracts	3041	3737	3674	6602	5473
二、技术合同金额 (万元)	**Amount of Technical Contracts (10000 yuan)**	**20262**	**125972**	**482104**	**805730**	**572651**
技术开发合同	Technical Development Contracts	7290	46820	142107	365336	341901
技术咨询合同	Technical Consultation Contracts	1118	9109	12530	25178	23559
技术转让合同	Technical Transfer Contracts	3114	18396	110279	336499	143479
技术服务合同	Technical Service Contracts	8740	51647	217188	78717	63712

17-23 科协机构及活动情况
STATISTICS ON ASSOCIATIONS FOR SCIENCE AND TECHNOLOGY AND THEIR ACTIVITIES

项目	Item	1990	1995	2000	2003	2004
一、科协机构 (个)	**Number of Associations for Science & Technology (unit)**	**194**	**321**	**357**	**182**	**196**
省科协	Provincial Associations	1	1	1	1	1
市科协	City Associations	18	21	21	21	21
县(市、区)科协	County (County-level City, District) Associations	77	116	123	120	120
厂矿科协	Factory and Mine Associations	98	183	212	40	54
二、各级学会及研究会 (个)	**Number of Learned Societies and Research Societies at Various Levels (unit)**	**2829**	**4387**	**3780**	**2790**	**2886**
省级学会	Provincial Learned Societies	132	150	146	151	151
市级学会	City Learned Societies	718	963	734	828	786
农村专业技术协会	Rural Specialized Technological Societies	1979	3274	2900	1811	1949
三、各级学会及农技协会员 (人)	**Member of Learned Societies and Research Societies (person)**	**345234**	**537525**	**704094**	**606229**	**675508**
省级学会会员	Member of Provincial Societies	151129	173526	203861	196688	204860
市级学会会员	Member of City Societies	141585	259894	276546	307492	361807
农村专业技术协会会员	Member of Rural Specialized Technological Societies	52520	104105	223687	102049	108841
四、科协活动开展情况	**Activities of Associations for Science and Technology Technology**					
完成各类合同和无偿咨询项目 (项)	Number of Contracts and Free Consultative Projects Completed (item)	2546	18637	12553	2904	3140
举办各类学术交流会 (次)	Number of Academic Meetings Held (time)	1585	2129	4769	1846	1701
接待国外来访 (次)	Number of Foreign Visitors Received (time)	591	440	511	80	131
科技考察 (人次)	Number of Scientific and Technological Investigations (person-time)	478	10998	993	501	1315
举办科技科普展览 (次)	Number of Scientific and Technological Popularization Exhibitions (time)	836	3601	2258	819	1869
举办科普讲座 (次)	Number of Scientific and Technological Popularization Lectures (time)	17453	13365	12014	1505	5388
青少年科技竞赛 (次)	Number of Scientific and Technological Competitions for Adolescent (time)	4247	896	1286	21	398
五、参加科协各类活动人次 (人次)	**Number of Participants in Activities of AST (person-time)**	**6344088**	**4976747**	**8367629**	**4360290**	**8187528**
参加各类学术交流会	Number of Participants in Academic Meetings	95821	80247	505235	237250	187914
参加各类科技培训	Number of Participants in Training Programs	369151	33600	654742	400585	424799
参加各类科普活动	Number of Participants in Scientific and Technological Popularization Activities	5879116	4862900	7207652	3722455	7574815
六、出版各类学术刊物、科普读物 (种)	**Publications of Academic Journals and Scientific & Technological Popularization Readings (kind)**	**581**	**451**	**582**		**324**
各类学术刊物、科普读物发行量 (万册、万份)	Number of Academic Journals and Scientific & Technological Popularization Readings Issued (10000 copies)	666	973	562	4008	645

17-24 文化艺术、文物事业机构数
NUMBER OF INSTITUTIONS FOR CULTURE, ARTS AND CULTURAL RELICS

单位:个 (unit)

年份 Year	电影放映单位 Film Projection Units	艺术表演团体 Art Performance Troupes	文化馆 Cultural Centers	公共图书馆 Public Libraries	博物馆 Museums	档案馆 Archives
1949	60	6		7	1	
1952	187	55	117	4	2	
1957	561	164	125	19	6	
1962	941	158	93	22	20	
1965	1065	151	118	38	28	
1970	1341	115	71	22	14	
1975	3293	158	113	68	24	
1978	6346	172	124	76	30	
1980	7375	195	113	97	26	
1985	6037	171	123	117	106	
1990	4024	130	113	103	106	138
1991	4041	122	110	104	107	147
1992	3917	125	113	108	108	150
1993	3974	126	115	110	108	148
1994	3750	132	116	111	111	156
1995	3668	134	115	114	113	155
1996	3670	136	115	115	114	157
1997	3463	138	117	119	117	157
1998	3621	139	117	120	122	157
1999	2938	140	117	121	128	162
2000	1626	138	119	125	131	161
2001	1794	139	118	129	140	175
2002	904	141	120	131	140	185
2003	840	144	118	129	144	185
2004	684	140	119	128	143	185

17-25 文化部门艺术表演团体演出基本情况(2004年)
BASIC STATISTICS ON PERFORMANCES OF ART TROUPES UNDER CULTURAL DEPARTMENTS (2004)

项目	Item	剧团数(个) Number of Troupes (unit)	国内演出场次(万场) Number of Domestic Performances (10000 shows)	#到农村演出 Shows in Rural Areas	国内演出观众人次(万人次) Number of Domestic Spectators (10000 person-times)
合计	**Total**	**140**	**1.6**	**1.1**	**2183**
# 国营剧团	Troupes Sponsored by State-owned Units	123	1.4	1.0	1924
集体经营剧团	Troupes Sponsored by Collective Units	12	0.2	0.1	201
按剧种分	**By Type of Art Troupes**				
话剧、儿童剧、滑稽剧团	Drama, Children's Play and Comedy Troupes	9	0.1		73.0
歌剧、舞剧、歌舞剧团	Opera, Dance Drama, Song and Dance Drama Troupes	2			142
歌舞团、轻音乐团	Song and Dance Troupes, Light Music Troupes	23	0.2	0.1	352
乐团	Philharmonic Troupes	3			75
文工团、文宣队	Cultural and Performance Troupes	4			27
戏曲剧团	Traditional Opera Troupes	80	1.0	0.9	1339
曲、杂、木、皮团	Recitation and Balled Troupes, Acrobatics and Circus Troupes, Puppet Show Troupes and Shadow Play Troupes	13			129

17-26 文化、文物事业机构及人员数(2004 年)
NUMBER OF INSTITUTIONS AND PERSONNEL IN CULTURE AND CULTURAL RELICS (2004)

项　　目	Item	合计 Total		文化部门 Cultural Departments		其他部门 Others	
		机构数(个) Number of Institutions (unit)	人数(人) Number of Personnel (person)	机构数(个) Number of Institutions (unit)	人数(人) Number of Personnel (person)	机构数(个) Number of Institutions (unit)	人数(人) Number of Personnel (person)
总　计	**Total**	**20477**	**194635**	**2519**	**28771**	**17958**	**165864**
一、文化合计	**Culture**	**20270**	**191650**	**2315**	**25794**	**17955**	**165856**
艺术事业	Arts	245	8611	244	8604	1	7
图书馆事业	Libraries	128	3161	128	3161		
群众文化事业	Mass Culture	1742	8946	1732	8925	10	21
教育事业	Education	8	859	8	859		
文化市场经营单位	Operating units in culture market	18025	167691	81	1863	17944	165828
文艺科研	Scientific Research on Arts	8	105	8	105		
其他	Others	114	2277	114	2277		
二、文物合计	**Cultural Relics**	**207**	**2985**	**204**	**2977**	**3**	**8**
文物机构	Institutions for Cultural Relics	53	339	52	339	1	
博 物 馆	Museums	143	2478	143	2478		
文物商店	Cultural Relics Stores	11	168	9	160	2	8

17-27 公共图书馆、群众文化事业机构及人员数(2004 年)
NUMBER OF INSTITUTIONS AND PERSONNEL IN PUBLIC LIBRARIES AND MASS CULTURE (2004)

项　　目	Item	合计 Total		文化部门 Cultural Departments		其他部门 Others	
		机构数(个) Number of Institutions (unit)	人数(人) Number of Personnel (person)	机构数(个) Number of Institutions (unit)	人数(人) Number of Personnel (person)	机构数(个) Number of Institutions (unit)	人数(人) Number of Personnel (person)
一、图书馆事业	**Libraries**	**128**	**3161**	**128**	**3161**		
#少儿图书馆	Children's Libraries	24	648	24	648		
二、群众文化事业	**Mass Culture**	**1742**	**8946**	**1732**	**8925**	**10**	**21**
群众艺术馆	Mass Art Centers	22	488	22	488		
文化馆	Cultural Centers	119	1473	119	1473		
文化站	Cultural Stations	1601	6985	1591	6964	10	21

17-28 各市文化、文物事业机构数(2004 年)

NUMBER OF INSTITUTIONS IN CULTURE AND CULTURAL RELICS BY CITY (2004)

单位:个 (unit)

市别 City	艺术表演团体 Art Performance Troupes	文化馆 Cultural Centers	公共图书馆 Public Libraries	博物馆 Museums	档案馆 Archives
广州 Guangzhou	12	12	15	26	16
深圳 Shenzhen	4	6	8	12	8
珠海 Zhuhai	2	3	2	2	5
汕头 Shantou	8	6	8	5	10
佛山 Foshan	6	5	6	6	8
韶关 Shaoguan	9	10	9	9	13
河源 Heyuan	6	6	6	6	9
梅州 Meizhou	11	8	10	8	10
惠州 Huizhou	6	5	5	5	8
汕尾 Shanwei	5	4	4	4	6
东莞 Dongguan	2		1	3	2
中山 Zhongshan	1		1	2	3
江门 Jiangmen	12	7	6	8	11
阳江 Yangjiang	3	4	4	2	8
湛江 Zhanjiang	9	9	7	6	13
茂名 Maoming	12	5	5	5	8
肇庆 Zhaoqing	9	8	7	8	11
清远 Qingyuan	5	8	9	9	10
潮州 Chaozhou	2	3	3	4	4
揭阳 Jieyang	5	5	6	5	6
云浮 Yunfu	3	5	5	5	6
省直属单位 Units Directly under Provincial Government	8		1	3	10

17-29 各市文化、文物事业机构的人员数(2004 年)

NUMBER OF PERSONNEL IN INSTITUTIONS IN CULTURE AND CULTURAL RELICS BY CITY (2004)

单位:人 (person)

市别 City	艺术表演团体 Personnel in Art Performance Troupes	文化馆 Personnel in Cultural Centers	公共图书馆 Personnel in Public Libraries	博物馆 Personnel in Museums	档案馆 Personnel in Archives
广州 Guangzhou	825	162	450	611	236
深圳 Shenzhen	235	128	420	212	79
珠海 Zhuhai	77	10	55	57	54
汕头 Shantou	403	89	126	39	78
佛山 Foshan	189	71	242	202	74
韶关 Shaoguan	222	82	121	86	42
河源 Heyuan	194	78	56	49	32
梅州 Meizhou	281	107	135	75	56
惠州 Huizhou	173	75	111	55	60
汕尾 Shanwei	234	45	35	59	24
东莞 Dongguan	76		132	282	27
中山 Zhongshan	44		51	134	18
江门 Jiangmen	469	83	123	68	75
阳江 Yangjiang	88	31	82	19	78
湛江 Zhanjiang	387	98	115	67	79
茂名 Maoming	429	77	109	41	38
肇庆 Zhaoqing	112	87	83	58	54
清远 Qingyuan	126	66	84	36	58
潮州 Chaozhou	140	31	35	43	32
揭阳 Jieyang	279	104	168	79	20
云浮 Yunfu	56	49	62	27	26
省直属单位 Units Directly under Provincial Government	1173		366	179	226

17-30 图书、杂志、报纸出版数量
NUMBER OF BOOKS, MAGAZINES AND NEWSPAPERS PUBLISHED

项目		Item		1980	1990	1995	2000	2003	2004
一、图书出版		**Books Published**							
种数	（种）	Number of Publications	（kind）	690	1941	2510	4374	5439	5427
总印数	（万册）	Total Printed Copies	（10000 copies）	16845	28070	36911	26978	26463	25733
总印张数	（千印张）	Total Printed Sheets	（1000 sheets）	684121	891563	1800632	1482942	1708559	1721884
二、杂志出版		**Magazines Published**							
种数	（种）	Number of Publications	（kind）	34	253	329	337	367	356
总印数	（万册）	Total Printed Copies	（10000 copies）	1927	11325	22740	26299	22768	20640
总印张数	（千印张）	Total Printed Sheets	（1000 sheets）	58717	288263	674634	919514	931283	1032081
三、报纸出版		**Newspapers Published**							
种数	（种）	Number of Publications	（kind）	9	91	130	101	128	133
总印数	（万份）	Total Printed Copies	（10000 copies）	48808	138060	226441	346268	424755	438834
总印张数	（千印张）	Total Printed Sheets	（1000 sheets）	484173	1365246	4747000	17669099	27274093	29215424

18-31 图书出版情况（2004 年）
STATISTICS ON BOOKS PUBLISHED（2004）

门类	Category	本版图书种数（种） Number of Publications （kind）	#新出 New Publications	总印数（万册） Total Printed Copies （10000 copies）	总印张数（千印张） Total Printed Sheets （1000 sheets）
合计	**Total**	**5247**	**3310**	**25733**	**1721884**
马克思主义、列宁主义、毛泽东思想	Marxism, Leninism and Mao Zedong Thought	14	9	16	2215
哲学	Philosophy	109	88	111	12350
社会科学总论	General Social Sciences	97	64	64	10917
政治、法律	Politics and Law	172	136	150	19379
经济	Economy	702	504	431	70167
军事	Military Affairs	3	3	3	499
文化、科学、教育、体育	Culture, Science, Education and Sports	1909	890	22434	1400403
语言、文字	Language, Philology	271	151	237	31410
文学	Literature	502	446	441	44778
艺术	Arts	167	131	787	34235
历史、地理	History and Geography	322	238	319	20081
自然科学总论	General Natural Sciences	19	4	6	404
数理科学、化学	Mathematics, Physics and Chemistry	78	42	53	7220
天文学、地理科学	Astronomy and Geology	16	15	12	847
生物科学	Biological Science	22	14	12	944
医药、卫生	Medicine and Health Care	303	194	210	20650
农业科学	Agricultural Science	42	28	24	1363
工业技术	Industrial Technology	445	306	380	39080
交通运输	Transportation	22	17	22	1952
环境科学	Environmental Science	16	15	8	991
航空、航天	Aerospace and Aerospace	3	3	1	87
综合性图书	General Books	13	12	12	1912

17-32 杂志出版情况(2004 年)
STATISTICS ON MAGAZINES PUBLISHED (2004)

项　目	Item	种数(种) Number of Publications (kind)	平均期印数(万册) Average Printed Copies per Issue (10000 copies)	总印数(万册) Total Printed Copies (10000 copies)	总印张数(千印张) Total Printed Sheets (1000 sheets)
合计	**Total**	**356**	**1083**	**21640**	**1032081**
一、综合	**General**	**68**	**558**	**10561**	**539747**
哲学、社会科学	Philosophy, Social Sciences	66	63	1025	44761
自然科学、技术	Natural Sciences, Technology	166	198	3638	167514
文化、教育	Culture, Education	22	98	1916	70662
文学、艺术	Literature, Arts	28	91	1832	122993
画刊	Pictorials	2	34	802	74212
二、少年儿童读物	**Publications for Children**	**4**	**41**	**866**	**12192**

17-33 报纸出版情况(2004 年)
STATISTICS ON NEWSPAPERS PUBLISHED (2004)

项　目	Item	种数(种) Number of Publications (kind)	平均期印数(万份) Average Printed Copies per Issue (10000 copies)	总印数(万份) Total Printed Copies (10000 copies)	总印张数(千印张) Total Printed Sheets (1000 sheets)
合计	**Total**	**133**	**1766**	**438834**	**29215424**
综合报	General Newspapers	91	1377	398665	27435766
专业报	Specialized Newspapers	42	390	40169	1779658
省级	Provincial-level Newspapers	35	885	204704	14758497
市级	City-level Newspapers	98	881	234130	14456927

17-34 广播、电视事业发展情况
STATISTICS ON BROADCASTING AND TELEVISION STATIONS

项　目	Item	1980	1990	1995	2000	2003	2004
广播电台 (座)	Broadcasting Stations (set)	4	87	96	106	22	22
中波广播发射台和转播台 (座)	Medium Wave Broadcasting Transmission Stations and Relaying Stations (set)	9	12	13	10	13	13
电视台 (座)	Television Stations (set)	1	38	56	67	24	24
1000 瓦及以上电视发射台和转播台 (座)	Television Transmission and Relaying Stations at 1000 W and above (set)	10	23	41	49	39	39
县、市广播电视台 (座)	Broadcasting and Television Stations in Counties and Cities (set)	93	93	67	83	79	76

17-35 广播电台宣传基本情况(2004 年)
BASIC STATISTICS ON BROADCASTING STATIONS (2004)

项目 Item	广播电台(座) Broadcasting Stations (set)	节目套数(套) Number of Programs (set)	平均每日播音时间(小时) Average Daily Broadcasting Hours (hour)	#自办节目时间 Self-produced Programs	#新闻节目 News Programs	#专题节目 Special Subject Programs	#文艺节目 Programs of Entertainment
合计 Item	**22**	**114**	**1863**	**1474**	**325**	**425**	**701**
省级 Provincial Level	1	9	158	157	12	23	73
市级 City Level	21	36	744	598	145	219	242
县级 County Level		69	961	720	171	182	406

17-36 电视台宣传基本情况(2004 年)
BASIC STATISTICS ON TELEVISION STATIONS (2004)

项目 Item	广播电台(座) Broadcasting Stations (set)	节目套数(套) Number of Programs (set)	平均每日播出音时间(小时) Average Daily Broadcasting Hours (hour)	#自办节目时间 Self-produced Programs	#新闻节目 News Programs	#专题节目 Special Subject Programs	#文艺节目 Programs of Entertainment
合计 Item	**24**	**62**	**1219**	**505**	**198**	**196**	**497**
省级 Provincial Level	2	11	209	75	22	29	97
市级 City Level	22	49	725	324	105	147	304
县级 County Level		2	285	106	71	20	96

17-37 各市广播、电视事业机构数(2004 年)
NUMBER OF INSTITUTIONS OF BROADCASTING AND TELEVISION BY CITY (2004)

市别 City	广播电台(座) Broadcasting Stations (set)	中波广播发射台和转播台(座) Medium Wave Broadcasting Transmission Stations and Relaying Stations (set)	电视台(座) Television Stations (set)	1000 瓦及以上电视发射台和转播台(座) Television Transmission and Relaying Stations at 1000 w and above (set)	县、市广播电视台(座) Broadcasting and Television Stations in Counties and Cities (set)
广州 Guangzhou	1	1	4		2
深圳 Shenzhen	1	2	3	1	1
珠海 Zhuhai	1	1			1
汕头 Shantou	1	1	3	1	1
韶关 Shaoguan	1	1	8	1	3
河源 Heyuan	1	1	5	1	1
梅州 Meizhou	1	1	7	2	3
惠州 Huizhou	1	1	4		2
汕尾 Shanwei	1	1	3		2
东莞 Dongguan	1	1			1
中山 Zhongshan	1	1			1
江门 Jiangmen	1	1	5		3
佛山 Foshan	1	1	4		2
阳江 Yangjiang	1	1	3		1
湛江 Zhanjiang	1	1	5	1	6
茂名 Maoming	1	1	4	1	2
肇庆 Zhaoqing	1	1	7	1	2
清远 Qingyuan	1	1	7		2
潮州 Chaozhou	1	1	2		2
揭阳 Jieyang	1	1	4		3
云浮 Yunfu	1	1	3		
省直属单位 Units Directly under Provincial Government	1	2		4	6

主要统计指标解释

普通高等学校　指按照国家规定的设置标准和审批程序批准举办，通过国家统一招生考试，收高中毕业生为主要培养对象，实施高等教育的全日制大学、独立设置的学院和高等专科学校短期职业大学。

成人高等学校　指按照国家有关规定审批、招收通过全国成人高教统一招生考试的具有高中毕业或同等学历的在职从业人员利用脱产、半脱产、业余或函授等多种形式对其实施高等学历教育，培养高等教育专科或本科毕业水平的专门人才，修业年限、课程设置和总学时的数按高等学历教育要求付诸实施的学校。包括广播电视大学、职工高等学校、农民高等学校、管理干部学院、教育学院、独立设置的函授学院等。

小学学龄儿童入学率　指调查范围内已入小学学习的学龄儿童占校内外学龄儿童总数（包括弱智儿童在内，但不包括盲聋哑儿童）的比重。

科技活动　是指在所有科学技术领域内，即自然科学、农业科学、医学科学、工程与技术科学、人文科学与社会科学中，与科技知识的产生、发展、传播和应用密切相关的全部的、有组织的、系统的科技活动。所谓有组织的、系统的科技活动，是指在一个机构的范围之内，并列入这一机构的工作计算，由这一机构的人员有计划地进行的科技活动。目前，我们统计的科技活动，是指调查范围内有组织有系统开展的科技活动。它包括三类活动(1)研究与试验发展活动;(2)研究与试验发展成果应用活动;(3)科技服务活动。

研究与发展活动　指为增进知识，及利用这些知识去开创新的用途而进行的系统的创造性工作。它具备四种基本因素:(1)创造性的因素;(2)新颖性或创新的因素;(3)科学方法的运用;(4)新知识的产生。它包括三种类:(1)基础研究;(2)应用研究;(3)实验发展。

科技活动统计单位　指制度调查范围内的调查单位个数，对于自然科学领域、社会与人文科学领域的科学研究与技术开发机构（含县属研究与开发机构）、科学技术情报与文献机构是以一个机构为一个调查单位；对于高等学校，是以一个学校为一个调查单位；对于企业是以一个企业为一个调查单位。

科技活动机构　是指调查范围内有建制的从事科技活动科研机构。包括国有独立核算的科学研究与技术开发机构自然科学领域、社会与人文科学领域）（含机构、大中型工业企业附属的技术开发机构。全日制附属科技活动机构，是指经学校及上级主管部门正式批准的以科技活动为主，相对稳定的开展科技活动机构；大中型工业企业附属的技术开发机构是指企业自办、或与外单位合办、管理上同生产系统相对独立的，或单独核算的专门技术开发机构（如企业办研究所或开发中心开发部等专门技术开发机构）。

从事科技活动人员　指报告期内调查单位中从事科技活动的人员。调查单位中从事科技活动人员为直接从事科技活动和科技活动提供直接服务，累计时间占全年工作时间10%以上的人员。

科学家和工程师　具有大学本科以及以上学历的和不具备上述学历但有高、中级职称的人员。

技术员　指具有大、中专学历和不具备大、中专学历，但有初级职称的人员。

研究与发展人员　指报告期内从事研究与发展活动的人员。调查单位直接从事研究与发展课题活动以及院、所等从事科技行政管理、科技服务等工作为研究与发展课题活动服务，累计时间占全年工作时间10%以上的人员。人员数为全时人员数加非全时人员数之和。

科技活动经费筹集总额　指报告期内调查单位从各种渠道筹集到的科技活动经费（含科研基建费）。包括政府资金、自筹资金、银行贷款、其他经费。

科技活动经费使用总额（内部支出）　指报告期内调查单位用于科技活动的实际支出。包括劳务费、科研业务费、科研管理费、非基建投资购建的固定资产、科研基建支出以及其他用于科技活动的支出。但不包括生产性活动支出、归还贷款支出及转拨外单位支出。

研究与发展经费支出　指报告期内用于研究与发展课题活动（基础研究、应用研究、实验发展）的全部实际支出。包括用于研究与发展课题活动的直接支出，还包括间接用于研究与发展活动的一切支出（院、所管理费，维持院、所正常运转的必需费用和与研究发展有关的基本建设支出）。

省级以上获奖成果　指科技活动单位在本年度内从省以上政府科技管理部门获得的各种科技成果奖。由于几个单位合作获得的科技成果奖，为防止重复，仅由第一完成单位填报，多次获奖的成果只填一个。获奖成果包括:国家级奖、省部级奖和地市级奖。国家级奖:指国家自然科学奖、国家发明奖、国家科技进步奖、国家星火奖等。省、部级奖:指以国务院各部门和省、自治区、直辖市名义颁发的重大科技成果奖和科技进步奖。

科技机构内课题（项目）个数　指调查单位列入科研计划或已为本单位科研管理部门认可，可作为本单位科研工作任务，并在当年开展活动的研究与发展、研究与发展成果应用、科技服务课题（项目）数。包括当年新开课题和上年尚未完成，在统计年度内继续进行的课题。

文化事业机构　指从事专业文化工作和为专业文化工作服务的独立建制的单独核算的单位。不包括这些单位另外举办独立核算的其他机构和各部门的业余文化组织。

艺术表演团体 指从事戏曲、音乐、舞蹈、杂技等专业艺术表演,有独立帐户,实行单独核算的团体。不包括半工半艺、半农半艺和民间职业剧团。

电影放映单位 指具有放映机器设备、固定或不固定的放映场所与专职或兼职的放映技术人员,经有关部门登记批准,经常为一定的观众对象放映电影的机构。包括经批准对外开放进行营业,并与电影发行放映管理机构分帐的专用放映单位和军委系统租片单位。

艺术表演观众人数(人次) 指售票、包场演出或民族地区免费演出的艺术表演观众人次数。不包括彩排审查和内部观摩演出的观看人次数。

Explanatory Notes on Main Statistical Indicators

Regular Institutions of Higher Education refer to educational establishments set up according to the government evaluation and approval procedures enrolling graduates from senior secondary schools and providing higher education and training for senior professionals. They include full-time universities, colleges, high professional and short-term professional universities.

Institutions of Higher Learning for Adults refer to educational establishments, set up in line with relevant rules approved by the government, enrolling staff and workers with senior secondary school or equivalent education, and providing higher education courses in many forms of full-time, part-time, spare-time, or correspondence for adults. Professionals thus trained receive a qualification equivalent to graduates studying regular courses at regular universities, colleges and professional colleges. Adult higher education schools include radio and TV universities, schools of higher education for staff and workers and farmers, colleges for management cadres, pedagogical colleges and independent correspondence colleges.

Enrollment Rate of Primary School-age Children refers to the proportion of school-age children enrolled at school to the total number of school-age children both in and outside schools (including retarded children, but excluding blind, deaf and mute children).

Scientific and Technological Activities refer to all those organized and systematic activities of science and technology which are closely connected with the emergence, development, diffusion and application of scientific and technological knowledge in all the scientific and technological fields, such as natural sciences, agricultural science, medical science, engineering and technical science, humanities and social sciences. The organized and systematic activities refer to the activities organized in a planned way by the personnel of an institution. At present, its statistical coverage includes the activities in an organized and systematic way within the survey coverage, which are: (1) activities of research and experimental development; (2) applied activities of research and experimental achievements; (3) service activities of science and technology.

Activities of Research and Development refer to the systematic and creative work with the aim of widening knowledge and using it to find new ways. They cover four basic factors: (1) creative factor; (2) novel or innovative factor; (3) application of scientific methods; (4) emergence of new knowledge. They include three types: (1) basic research; (2) applied research; (3) experimental development.

Statistical Units of Scientific and Technological Activities refer to the number of survey units within the survey coverage. As for research and development institutions (including those under county administration) and humanities , one institution is a survey unit; as for institutions of higher education, one university or colleague is a survey unit; as for enterprises, an enterprise is a survey unit.

Institutions of Scientific and Technological Activities refer to the organic institutions engaged in scientific and technological activities within the survey coverage, including the state-owned research and development institutions with independent accounting system (in the field of natural sciences, social sciences and humanities) and the technical development institutions affiliated to institutions and large and medium-sized industrial enterprises. The full-time affiliated institutions refer to those which are mainly engaged in the scientific and technological activities with the formal ratification of schools and higher authorities. The technical development institutions affiliated to large and medium-sized industrial enterprises refer to the special development institutions run by enterprise or collectively run with other units but keeping relatively independent administration from production system, or having their independent accounting system (such as research institutions or development departments of development centers run by enterprises, etc).

Personnel Engaged in Scientific and Technological Activities refer to all the persons in the survey units engaged in scientific and technological activities during the reference period, i. e. those who are directly engaged in the activities and provide direct services to the activities with 10 percent or more of work time of the year.

Scientists and Engineers refer to persons who have completed university of higher education or without above record of formal schooling but titles of senior or middle level professional positions.

Other Technical Personnel refer to persons involved in science and technology with secondary specialized education or three year college education and persons with junior professional titles.

Personnel of Research and Development refer to the persons who are engaged in research and development activities during the reference period, i. e. those in the survey units who are directly engaged in R & D activities and provide services to R & D activities with 10% or more of work time of the year. It is the sum o f full-time personnel and non full-time personnel.

Total Funds for Scientific and Technological Activities refer to the funds for scientific and technological activities (including capital construction funds for scientific research) raised by the survey units from various channels during the reference period, including government funds, self-raised funds, bank loans and other funds.

Total Expenditure for Scientific and Technological Activities (Intramural Expenditure) refers to the actual expenditure made for scientific and technological activities by the survey units during the reference period, including service expenses, professional expenses for scientific research, management expenses for scientific research, purchases of fixed assets with investment in non-capital construction, capital construction expenditure for scientific research and others, but excluding expenditure for productive activities, expenditure for return of loans and transfer of expenditure of other units.

Total Expenditure on Research and Development refers to all actual expenditure made for R & D (basic research, applied research and experimental development) in reference period. It includes direct expenditure on R & D activities and indirect expenditure on R & D activities(including management expenses, administrative expense and investment in capital construction relating to R & D).

Number of Prizes Won at and above Provincial Level refers to the number of various prizes in scientific and technological research won by the units engaged in scientific and technological activities from provincial level and above in the current year. If a prize is won in a cooperative way, it is reported only by the first listed unit so as to avoid duplication. As for the achievement won for several times, it is reported only once. Achievements and prizes won include all those at country level, at provincial level and at city (prefecture) level. The prizes at country level cover: national prize for natural sciences prize for invention, national prize for scientific and technological progress and national spark prize etc. The prizes at provincial and ministry level refer to major achievements and progress in science and technology awarded by the departments of the state council, provinces, autonomous regions and municipalities directly under the central government.

Number of Research Tasks (Projects) of Scientific and Technological Institutions refers to the number of research tasks (projects) on R & D, application of R & D and scientific and technological services, which are listed in the plans of scientific research or approved by administrative departments of the survey units and start research in the current year. It includes those newly started and uncompleted in the preceding year and going on in the statistical year.

Cultural Institutions refer to units which have their own organizational system and independent accounting system and specialize in or serve cultural development. They exclude other establishments run by these cultural institutions and amateur cultural groups established by various departments.

Art Troupes refer to the troupes which are engaged in drama, opera, music, dance, acrobatics or other art performance, open independent accounts with banks and self supporting accounting system; excluding the troupes which are engaged partly in industrial or agricultural activities, partly in art performance and the professional troupes organized by the people.

Film Projection Units refer to units with film projection equipment, full or part-time projectionists, permanent or non-permanent places, approved by related administrative departments to show films regularly for certain groups of audience, including those film projection units which have been approved to give commercial shows and run business with independent accounting system as well as those film renting units of the military system.

Number of Spectators at Art Performance refers to the number of attendants at commercial shows, completely booked shows or free shows given in minority national areas, and does not include the number of spectators at rehearsals for examination and internal shows for study.

十八、体育、卫生、社会福利、环保和其他

SPORTS,PUBLIC HEALTH,SOCIAL WELFARE, ENVIRONMENTAL PROTECTION AND OTHERS

18

十八　体育、卫生、社会福利、环保和其他

简要说明

一、本篇主要反广东映体育、卫生、社会福利、环保及其他事业的发展情况，由广东省统计局人口和社会科技处负责整理、编辑。

二、体育部分主要包括体育系统职工人数、群众体育活动开展情况及运动竞技成绩等，资料由省体育局提供。

三、卫生部分主要包括卫生事业机构、床位及人员数等，资料由省卫生厅提供。

四、社会福利部分主要包括各种社会福利事业的机构数、收养救济人数、城乡基层社会保障情况、婚姻登记状况等，资料由省民政厅提供。

五、环保部分主要包括“三废”的排放、治理、综合利用、自然保护区、环境管理、环保系统自身建设情况等，资料由省环保局提供。

六、其他部分主要包括司法工作开展情况和交通、火灾事故发生情况等，资料由省司法厅、省公安厅提供。

18　SPORTS, PUBLIC HEALTH, SOCIAL WELFARE, ENVIRONMENTAL PROTECTION AND OTHERS

Brief Introduction:

Ⅰ. The data in this chapter mainly show the development of sports, public health, social welfare, environment protection and other undertakings. The data are prepared by the Division of Population, Social, Science and Technology Statistics of Guangdong Provincial Bureau of Statistics.

Ⅱ. The data on sports mainly include the number of staff and workers in sports departments, mass sports and athletics sports, etc. The data are provided by Guangdong Provincial Bureau of Sports.

Ⅲ. The data on public health mainly include the number of institutions, hospital beds and personnel, etc. The data are provided by Guangdong Provincial Department of Public Health.

Ⅳ. The data on social welfare mainly include the number of institutions, the number receiving social welfare relief funds, social security of urban and rural grassroots and martial status, etc. The data are provided by Guangdong Provincial Department of Civil Affairs.

Ⅴ. The data on environmental protection mainly include the discharge and treatment and comprehensive utilization of waste water, waste gas and solid wastes, the natural protection zones, the administration of environment and the improvement of the departments of environmental protection, etc. The data are provided by Guangdong Provincial Bureau of Environmental Protection.

Ⅵ. The data on others mainly include the judicial conditions, basic statistics on traffic accidents and fires, etc. The data are provided by Guangdong Provincial Department of Justice and Guangdong Provincial Department of Public Security.

18-1 体育、卫生、社会福利、环保及其他主要指标
MAIN STATISTICS ON SPORTS, PUBLIC HEALTH, SOCIAL WELFARE, ENVIRONMENT PROTECTION AND OTHERS

指标	Item	1990	1995	2000	2003	2004
举办县区级及以上体育运动会（次）	Number of Sports Meets Held at and above County (District) Level (time)	2901	2514	1817	2196	2221
参加运动会的运动员人数（万人次）	Number of Athletes Attending Sports Meets (10000 person-times)	128.33	130.62	142.84	150.26	153.6
卫生事业机构数（个）	Number of Health Institutions (unit)	8989	8848	8984	15409	15744
#医院	Hospitals	1885	2267	2426	2410	2391
卫生事业机构床位数（万张）	Number of Beds in Health Institutions (10000 units)	12.40	14.88	16.81	18.85	20.01
#医院床位	Hospital Beds	11.41	13.78	15.72	17.30	18.31
卫生技术人员数（万人）	Medical Technical Personnel (10000 persons)	19.48	22.99	26.5	27.36	28.34
#医生	Doctors	8.11	9.89	11.12	10.87	11.33
平均每千人口有医院床位数（张）	Number of Hospital Beds per 1000 Population (unit)	1.83	2.03	2.12	2.24	2.35
平均每千人口有卫生技术人员数	Number of Medical Technical Personnel per 1000 Population (person)	3.12	3.39	3.57	3.54	3.63
#医生（人）	Doctors (person)	1.30	1.46	1.50	1.41	1.45
优抚收养性单位收养人数（人）	Number of Persons Adopted by Special Care Units (person)	1556	1918	1785	1955	2319
社会救济总人数（万人）	Number of Persons Receiving Relief Funds (10000 person)	541.00	337.80	154.70	202.90	224.4
农村建立社会保障网络乡镇数（个）	Number of Towns with the Social Network Established (unit)	225	1223	1536	1298	1302
准予登记结婚对数（对）	Registered Marriages (couples)	506597	596689	562118	589022	630418
#涉外婚姻	Marriages with Foreigners	14661	12837	11730	8601	9149
准予登记离婚数（对）	Registered Divorces (couples)	25882	34175	47521	66618	49481
环保投资占本省生产总值比重（%）	Proportion of Environmental Investment to GDP (%)	0.37	0.64	1.96	2.67	2.71
废水中COD排放量（万吨）	Volume of COD Emission in Waste Water (10000 tons)	69.50	112.36	95.12	98.19	92.7
废气中二氧化硫排放量（万吨）	Volume of Sulphur Dioxide Emission in Waste Gas (10000 tons)	39.64	75.31	90.47	107.52	114.79
工业固体废物排放量（万吨）	Volume of Industrial Solid Wastes Discharged (10000 tons)	74.00	12.60	11.70	17.81	15.93
执业律师人数（人）	Number of Full-time Lawyers (person)	3264	5692	7292	9808	11081
公证人员数（人）	Number of Notarial Personnel (person)	909	1210	1380	1329	1300
人民调解委员会调解人员数（人）	Number of Mediators of People's Mediation Committees (person)	219082	285288	250117	223389	180154
交通事故发生数（起）	Number of Traffic Accidents (case)	25909	42115	66072	68903	68423
交通事故损失折款（万元）	Losses of Traffic Accidents Converted into Cash (10000 yuan)	5044	28700	27526	31388	24127
火灾事故发生数（起）	Number of Fires (case)	1725	1254	8622	16133	16090
火灾事故损失折款（万元）	Losses of Fires Converted into Cash (10000 yuan)	9102	17419	10065	7822	11476

18-2 体育事业情况
STATISTICS ON SPORTS

指 标	Item	1990	1995	2000	2003	2004
体育系统年末职工人数（人）	**Number of Staff and Workers in Sports Departments at the Year-end (person)**	**7392**	**8730**	**9635**	**9217**	**9650**
运动员	Athletes	1296	1043	1462	1403	1724
专职教练员	Full-time Coaches	1455	1464	1469	1407	1567
专职文化教师	Full-time Teachers for Literacy Classes	362	644	785	765	655
科技人员	Scientific and Technical Personnel	63	76	90	70	158
宣传出版人员	Publicity and Publishing Personnel	22	17	5	13	
医务人员	Medical Personnel	142	163	196	132	130
管理人员	Administrative Personnel	2188	2743	3131	2074	2036
其他人员	Others	1864	2580	2497	3353	3380
群众体育活动开展情况	**Activities of Mass Sports**					
举办各级运动会次数（次）	Number of Sports Meets Held at all Levels (time)	8555	9503	8950	9444	2221
# 县区级及以上	At and above County (District) Level	2901	2514	1817	2196	2221
参赛运动员人数（万人次）	Number of Athletes Attending Sports Meets (10000 person-times)	227.30	319.13	332.76	310.74	153.6
# 县区级及以上	At and above County (District) Level	128.33	130.62	142.84	150.26	153.6
社会体育指导员人数	**Number of Instructors of Social Sports**					
当年发展数	Number of New Instructors in current year				11702	14017
# 高级	# Senior				296	156
中级	Intermediate				2679	6520
初级	Junior				8727	7341
体育比赛成绩	**Achievements in Sports Tournament**					
破世界纪录（项）	World Records Chalked up (item)	9	3	5		10
获世界冠军（个）	World Championships Won (unit)	14	31	36	13	23
破亚洲纪录（项）	Asia Records Chalked up (item)	4	3	4		
破全国纪录（项次）	National Records Chalked up (item)	28	10	6	6	15
获得全国冠军（项次）	National Championships Won (item)	92	113	156	138	120

18-3 卫生事业机构、床位及人员数

NUMBER OF HEALTH INSTITUTIONS, BEDS AND PERSONNEL

年 份 Year	机构（个） Health Institutions (unit)	#医院及卫生院 Hospitals	床位（张） Beds (unit)	#医院及卫生院床位 Hospital Beds	卫生工作人员（人） Medical Personnel (person)	#卫生技术人员 Medical Technical Personnel
1950	512	180	11037	9785	40445	36952
1952	1500	183	15984	12467	51961	45554
1957	4823	212	23486	16864	78471	67330
1962	13783	921	50733	37150	99268	83353
1965	1287	1807	54271	43964	100137	86036
1970	5934	1844	66448	54184	105643	86023
1975	5970	1858	80960	75311	137755	108973
1978	6949	1968	90645	84120	159583	126606
1979	7304	1974	91955	85144	171703	136568
1980	7649	1988	92506	84999	181480	144537
1981	8045	2002	94794	87010	191370	151971
1982	8331	2014	97441	88688	202162	160710
1983	8443	2037	100042	90851	208506	166543
1984	8525	2042	103231	93770	213193	170495
1985	8479	1853	107702	98231	220593	175337
1986	8713	1860	110022	99632	225526	180045
1987	8705	1880	114773	104932	230444	184126
1988	8820	1906	119328	109280	234807	187307
1989	8948	1886	122055	111816	240581	192147
1990	8989	1885	124015	114056	244039	194771
1991	9032	1906	129774	119079	249717	199051
1992	8989	1943	135527	124835	257043	205110
1993	8572	2198	139812	129317	267432	211874
1994	8720	2231	144865	134334	277398	220153
1995	8848	2267	148825	137756	288715	229894
1996	8921	2319	151553	141221	196108	237623
1997	8942	2348	155313	144496	305562	245862
1998	8805	2373	158351	147604	313737	252213
1999	8699	2415	162398	151367	320432	258591
2000	8984	2426	168143	157164	327065	264990
2001	8636	2444	172735	162197	330418	268347
2002	15500	2444	180791	169259	325328	264667
2003	15409	2410	188543	172981	336175	273620
2004	15744	2391	200056	183107	348203	283351

18-4 卫生事业机构、床位和人员数（2004 年）
NUMBER OF HEALTH INSTITUTIONS, BEDS AND PERSONNEL (2004)

机构类别	Type of Institutions	机构（个） Number of Institutions (unit)	床位数（张） Beds (unit)	人员数（人） Personnel (person)	#卫生技术人员 Medical Technical Personnel	#执业（助理）医师 Certified (Assistant) Doctors
合　计	**Total**	**15744**	**200056**	**348203**	**283351**	**113266**
医院	Hospitals	2391	183107	270357	218331	83757
#卫生院	Health Centers	1487	38691	73570	60956	24398
疗养院	Sanatoriums	24	3745	1656	741	274
社区卫生服务中心	Community Health Service Centers	379	872	1779	1435	589
门诊部、所	Outpatient Departments and Clinics	12189	769	36281	34296	16587
# 诊所	Outpatient Departments	7227		15462	15462	7226
卫生所（医务室）	Clinics (Medical Stations)	3310		8087	8087	4503
社区卫生服务站	Community Health Service Stations	355		1924	1924	661
急救中心（站）	Emergency Centers (Stations)	6		287	240	127
采供血机构	Blood Taking and Supply Agencies	44		1166	802	109
妇幼保健院（所、站）	Maternity and Children Care Centers	125	8054	15922	12929	4880
专科疾病防治院（所、站）	Specialized Prevention and Treatment Stations	155	2097	5973	4562	1908
疾病预防控制中心（防疫站）	Disease Prevention and Control Centers (Antiepidemic Stations)	131	16	8804	6293	3223
卫生监督所	Sanitation Supervision Stations	110		3047	1924	1088
卫生监督检验（监测、检测）所（站）	Sanitation Supervision Quarantine Stations					
医学科学研究机构	Research Institutions of Medical Science	20		168	104	47
医学在职培训机构	Medical On-the-job Training Institutions	16		600	260	104
健康教育所（站、中心）	Health Education Stations (Centers)	33		196	84	16
其他卫生机构	Other Health Agencies	121	1396	1967	1350	557
#乡村医疗点	Rural Medical Stations	21529		2297	2297	2297

注：从 2002 年开始，机构数中包含个体诊所机构数，但不含乡村医疗点机构数；人员数中未含乡村医疗点中的执业（助理）医师数。
Note: Since 2002, the number of institutions includes the number of individual clinics, but it excludes the number of rural medical stations. The number of personnel includes the number of certified (assistant) doctors in rural medical stations.

18-5 各市卫生事业机构、床位和人员数（2004 年）
NUMBER OF HEALTH INSTITUTIONS, BEDS AND PERSONNEL BY CITY (2004)

市别 City	机构（个） Number of Institutions (unit)	#医院 Hospitals	床位数（张） Beds (unit)	#医院床位 Hospital Beds	卫生工作人员（人） Medical Personnel (person)	#卫生技术人员 Medical Technical Personnel	执业医师（人） Certified Doctors (person)
全省合计 Total	15744	2391	200056	183107	348203	283351	113266
广　州 Guangzhou	2443	263	45687	39361	74406	59887	24486
深　圳 Shenzhen	1239	93	15069	14228	28649	22938	10386
珠　海 Zhuhai	427	48	4814	4273	8425	7181	2905
汕　头 Shantou	729	76	7831	7350	15732	12717	4891
佛　山 Foshan	892	85	16447	15221	23792	20176	8467
韶　关 Shaoguan	739	184	8757	8064	13905	11267	4286
河　源 Heyuan	364	123	4150	3802	9222	7829	2947
梅　州 Meizhou	1414	189	8180	7219	17256	14204	5921
惠　州 Huizhou	576	123	7513	7067	14035	11289	4214
汕　尾 Shanwei	439	76	3574	3398	7678	5882	2499
东　莞 Dongguan	355	53	10797	10528	13126	11121	4407
中　山 Zhongshan	311	35	5438	5420	8612	7311	2975
江　门 Jiangmen	931	119	9359	8786	17094	14218	5484
阳　江 Yangjiang	337	72	4332	3996	7751	6239	2245
湛　江 Zhanjiang	921	166	13186	12263	21792	17179	6471
茂　名 Maoming	579	145	9767	8665	15169	12649	4532
肇　庆 Zhaoqing	711	139	7034	6432	14971	11841	4242
清　远 Qingyuan	592	154	6863	6558	10851	9010	3328
潮　州 Chaozhou	800	66	2361	2180	7535	6111	2849
揭　阳 Jieyang	549	101	5556	5264	11449	8932	3801
云　浮 Yunfu	396	81	3341	3032	6753	5370	1930

18-6 各类卫生事业机构、床位和人员数
NUMBER OF HEALTH INSTITUTIONS, BEDS AND PERSONNELL

指　　标	Item	1990	1995	2000	2003	2004
一、机构数　（个）	**Number of Institutions　（unit）**	**8989**	**8848**	**8984**	**15409**	**15744**
医院	Hospitals	1885	2267	2426	2410	2391
#卫生院	Health Centers	1331	1602	1680	1531	1487
门诊部　（所）	Outpatient Departments	6353	5737	5710	12025	12189
专科防治院（所、站）	Specialized Prevention and Treatment Stations	152	165	158	160	155
卫生防疫机构	Sanitation and Antiepidemic Institutions	149	177	171	131	131
妇幼保健院（所、站）	Maternity and Children Care Centers	63	67	31	125	125
医学科学研究机构	Research Institutions of Medical Science	17	20	20	19	20
其他卫生机构	Other Health Care Institutions	370	415	468	539	733
二、床位数　（张）	**Number of Beds　（unit）**	**124015**	**148825**	**168143**	**188543**	**200056**
三、人员数　（人）	**Number of Personnel　（person）**	**244039**	**288715**	**327065**	**336175**	**348203**
卫生技术人员	Medical Technical Personnel	194771	229894	264990	273620	283351
#医生	Doctors	81067	98877	111172	108677	113266
护师、护士	Senior and Junior Nurses	48454	64504	83198	88536	92287
其他技术人员	Other Technical Personnel	4065	6728	8910	12615	15068
管理人员	Managerial Personnel	18554	22944	24320	21281	20921
工勤人员	Logistics Personnel	26649	29149	28845	28659	28863

注：从2002年开始，机构数中包含个体诊所机构数，归入门诊部（所）统计；妇幼保健院归入妇幼保健机构统计；医生指执业（助理）医师；护师、士指注册护士。

Note: Since 2002, the number of institutions includes the number of individual clinics under the outpatient departments (clinics), the maternity and children care centers are included in the number of maternity and children care institutions, the doctors refer to the certified (assistant) doctors, and the senior and junior nurses refer to registered nurses.

18-7 优抚、社会救济和福利事业情况
STATISTICS ON SPECIAL CARE, SOCIAL RELIEF AND WELFARE

项目	Item	1990	1995	2000	2003	2004
一、优抚事业	**Special Care**					
优抚收养性事业单位数 （个）	Number of Special Care Units (unit)	40	58	63	76	79
国家办	Run by Civil Administration Departments	31	38	51	64	79
集体办	Run by Collective Units	9	20	12	12	
优抚收养性单位收养人数 （人次）	Number of Persons Adopted by Special Care Units (person-time)	1556	1918	1785	1955	2319
国家办	Adopted by Civil Administration Departments	1515	1694	1761	1926	2319
集体办	Adopted by Collective Units	41	224	24	29	
优抚事业费用 （万元）	Expenses of Special Care (10000 yuan)	12250	30749	57759	82103	101568
民政部门支出	Expenses of Civil Administration Departments	5941	16003	31503	55976	70240
群众优待	Mass Special Care	6309	14746	26256	26127	31328
二、社会救济	**Social Relief**					
社会救济总人数 （万人）	Total Number under Social Relief (10000 persons)	541.0	337.8	154.7	202.9	224.4
#农村传统救济对象人数 （万人）	Number of People Receiving Traditional Social Relief in Rural Areas (10000 persons)	221.5	244.3	87.1	19.6	17.6
城乡居民最低生活保障人数 （万人）	Number of Urban and Rural Residents Receiving Minimum Income Relief (10000 persons)			38	102.4	116.3
城镇 （万人）	Urban Areas (10000 persons)			14.9	35.3	37.8
农村 （万人）	Rural Areas (10000 persons)			23.1	67.1	78.5
城乡居民最低生活保障家庭户数 （万户）	Number of Urban and Rural Households Receiving Minimum ncome Relief (10000 households)			15	41.4	46.3
城镇 （万户）	Urban Areas (10000 households)			5.5	12.6	13.8
农村 （万户）	Rural Areas (10000 households)			9.5	28.8	32.5
城乡居民最低生活保障金支出 （万元）	Expenditures on Minimum Income Relief by Urban and Rural Residents (10000 yuan)			19334	53364	63722
城镇 （万元）	Urban Areas (10000 yuan)			11460	29158	33364
农村 （万元）	Rural Areas (10000 yuan)			7874	24205	30358
社会救济福利事业费 （万元）	Expenses on Social Relief and Welfare (10000 yuan)	6418	18975	61538	97626	111249
自然灾害救济费 （万元）	Relief Funds for Natural Calamities (10000 yuan)	2679	10356	8456	15588	10110
三、社会福利	**Social Welfare**					
社会福利收养性事业单位数 （个）	Number of Social Welfare Institutions (unit)	1313	1887	2086	2053	1979
#国家办	Run by Civil Administration Departments	53	70	97	181	193
集体办	Run by Collective Units	1260	1817	1989	1800	1806
社会福利收养性事业单位收养人数 （人）	Number of People Taken in by Social Welfare Institutions (person)	21810	37364	51085	58921	55287
#国家办	Run by Civil Administration Departments	4312	6437	10660	15397	16292
集体办	Run by Collective Units	17498	30927	40425	38061	39991
社会福利企业单位 （个）	Number of Social Welfare Enterprises (unit)	1506	4440	517	336	284
安排“四残”人员就业数 （人）	Number of “Four Kinds of Disabled Persons” Arranged for Employment (person)	13152	20365	8165	6923	6641
#国家办	Arranged by Civil Administration Departments	4649	5025	1891	1263	993
集体办	Arranged by Collective Units	8503	15340	6274	4673	5147
四、城乡基层社会保障	**Urban and Rural Social Security**					
农村建立社会保障网络乡镇数 （个）	Number of Townships with Rural Social Security Network (unit)	225	1223	1536	1298	1302
城镇社区服务设施数 （个）	Number of Urban Community Service Facilities (unit)	4985	2505	4983	6953	7452
#社区服务中心数 （个）	Community Service Centers (unit)			787	820	831

18-8 婚姻登记情况
STATISTICS ON MARRIAGE REGISTRATION

项　目		Item		1990	1995	2000	2003	2004
一、国内结婚登记		**Domestic Marriage Registration**						
准予登记结婚	（对）	Registered Marriages	（couple）	491936	583852	550388	580421	621269
#恢复结婚		Resumption of Marriages		790	753	1515	1510	1686
初婚人数	（人）	Number of First Marriages	（person）	963070	1143110	1058051	1094892	1173540
再婚人数	（人）	Number of Remarriages	（person）	20802	24594	42725	48776	50700
男性		Male		10652	13682	25251	27736	29494
女性		Female		10150	10912	17474	21040	21206
晚婚率	（%）	Late Marriage Rate	（%）	68.3	71.3	73.22	69.29	68.45
二、涉外结婚登记		**Marriage Registration Concerning**						
准予登记结婚	（对）	Registered Marriages	（couple）	14661	12837	11730	8601	9149
准予登记结婚人数	（人）	Number of Persons Registered	（person）	29322	25674	23460	17202	18298
国内公民		Domestic Citizens		14660	12837	11608	8392	9055
男性		Male		1005	1272	1932	1986	1749
女性		Female		13655	11565	9676	6406	7306
港澳同胞		Compatriots from Hong Kong and Macao		10730	8060	5247	3180	3273
台湾同胞		Compatriots from Taiwan		63	652	1409	1099	949
华侨		Overseas Chinese		2224	2032	1848	1268	1540
外国人		Foreigners		1645	2093	3348	3263	3481
三、离婚登记		**Divorce Registration**						
准予离婚总数	（对）	Total Number of Registered Divorces	（couple）	25882	34175	47521	66618	49481
民政部门办理离婚		Divorces Handled through Civil Administration Departments		8695	13181	19786	32611	26187
#涉外、华侨、港澳台婚姻		Divorces from Foreigners, Overseas Chinese and Citizens of Hong Kong, Macao and Taiwan		248	299	249	585	578
法院调解离婚		Divorces through Law Court Mediation		12301	13101	15973	17436	12295
法院判决离婚		Divorces through Law Court Judgment		4886	7893	11762	16571	10999

18-9 环境保护基本情况
BASIC STATISTICS ON ENVIRONMENTAL PROTECTION

项　　目	Item	1990	1995	2000	2003	2004
一、废水	**Waste Water**					
废水排放总量（万吨）	Total Volume of Waste Water Discharged (10000 tons)	251262	381657	447543	546430	541717
#生活污水	Living Waste Water	111012	212369	333488	397563	376989
工业废水	Industrial Waste Water	140250	160979	114055	148867	164728
废水中COD排放量（万吨）	Volume of COD Discharged from Waste Water (10000 tons)	69.50	112.36	95.12	98.19	92.7
废水中氨氮排放量（万吨）	Volume of Ammonia and Nitrogen Discharged from Waste Water (10000 tons)				9.32	8.67
城镇生活污水处理率（%）	Percentage of Treatment of Urban Living Waste Water (%)				24.69	35.74
工业废水排放达标率（%）	Percentage of Industrial Waste Water up to the Discharge Standards (%)	47.08	56.34	81.75	82.93	83.87
二、废气	**Waste Gas**					
工业废气排放总量（亿标立米）	Total Volume of Industrial Waste Gas Emission (100 million m3)	3588	8510	8326	11075	12543
燃烧废气	From the Burning Process of Fuels	1938	4570	5169	6934	7805
工艺废气	From the Process of Production	1650	3940	3157	4141	4738
二氧化硫排放总量（万吨）	Total Volume of Industrial Sulfur Dioxide Emission (10000 tons)	39.64	75.31	90.47	107.52	114.79
#工业二氧化硫	Volume of Industrial Sulfur Dioxide Emission	39.64	74.10	88.16	105.43	112.76
工业二氧化硫去除量（万吨）	Volume of Industrial Sulfur Dioxide Removed (10000 tons)				15.2	19.4
工业二氧化硫排放达标率（%）	Percentage of Industrial Sulfur Dioxide up to the Discharge Standards (%)				66.41	74.6
工业烟尘排放量（万吨）	Volume of Industrial Soot Emission (10000 tons)	21.96	57.70	26.45	21.93	25.23
工业烟尘去除量（万吨）	Volume of Industrial Soot Removed (10000 tons)	186.98	444.32	570.43	756.32	935.32
工业烟尘去除率（%）	Percentage of Industrial Soot Removed (%)	89.51	88.51	97.38	97.18	97.37
工业烟尘排放达标率（%）	Percentage of Industrial Soot Emission up to the Discharge Standards (%)				82.61	75.99
工业粉尘去除量（万吨）	Volume of Industrial Dust Removed (10000 tons)	126.17	229.93	251.77	301.02	255.04
工业粉尘排放量（万吨）	Volume of Industrial Dust Emission (10000 tons)	41.72	140.50	59.07	43.84	39.36
工业粉尘排放达标率（%）	Percentage of Industrial Dust Emission up to the Discharge Standards (%)				76.59	75.99
工业粉尘去除率（%）	Percentage of Industrial Dust Removed (%)			89.02	87.29	98.48
三、工业固体废物	**Industrial Solid Wastes**					
固体废物产生量（万吨）	Volume of Industrial Solid Wastes Produced (10000 tons)	1678.00	2209.00	1694.33	2245.66	2609.2
固体废物排放量（万吨）	Volume of Industrial Solid Wastes Discharged (10000 tons)	74.0	12.6	11.7	17.81	15.9
固体废物贮存量（万吨）	Volume of Industrial Solid Wastes Accumulated (10000 tons)			360.4	163.34	228.47
固体废物综合利用率（%）	Percentage of Wastes Utilized in a Comprehensive Way (%)	33.70	49.48	68.48	79.03	80.31
四、工业"三废"综合利用	**Comprehensive Utilization of Industrial Waste Water, Waste Gas and Solid Wastes**					
综合利用产品产值（万元）	Output Value of Products Made from Comprehensive Utilization of Waste Gas, Waste Water and Solid Wastes (10000 yuan)	31624	129418	161400	210895	304539
综合利用利润（万元）	Profits Obtained from Comprehensive Utilization of Waste Water, Waste Gas and Solid Wastes (10000 yuan)	7762	25000	23200		

18-9 续表 continued

项 目	Item	1990	1995	2000	2003	2004
五、工业“三废”治理设施	**Number of Facilities for Treatment of Industrial Waste Water, Waste Gas and Solid Wastes**					
工业废水处理设施总数 （套）	Number of Facilities for Treatment of Waste Water （set）	3336	10347	7273	8234	7206
工业废水治理设施总投资 （万元）	Total Investment in Facilities for Treatment of Waste water （10000 yuan）	80183	357613	784200		
工业废气治理设施总数 （套）	Number of Facilities for Treatment of Waste Gas （set）	5766	10669	10901	9985	10128
工业废气治理设施总投资 （万元）	Total Investment in Facilities for Treatment of Waste Gas （10000 yuan）	45450	179568	527000		
六、企事业单位污染治理	**Pollution Treated by Enterprises and Institutions**					
污染治理资金 （万元）	Funds for Pollution Treatment （10000 yuan）	18331	30007	167707	250650	260626
国家预算内资金	Government Budgetary Funds				69673	349
综合利用利润留成	Profits Obtained from Comprehensive Utilization of Waste Water, Waste Gas and Solid Wastes	302	693	7823		
环境保护补助	Subsidies for Environmental Protection	4789	246	5499	3082	3593
其他资金	Other Funds	7905	20473	152190	177895	256685
当年安排治理项目 （个）	Number of Projects for Pollution Treatment in Current Year （unit）	1108	665	2543	1166	1347
当年竣工项目数 （个）	Number of Projects Completed in Current Year （unit）	1110	861	1438	1054	1248
七、自然保护区情况	**Natural Reserves**					
自然保护区数 （个）	Number of Natural Reserves （unit）	42	32	153	209	278
自然保护区面积 （万公顷）	Area of Natural Reserves （sq. km）	10. 6	41. 1	299. 5	305. 5	362. 2
八、环境管理	**Environmental Management**					
环保投资占 GDP 比重 （%）	Percentage of Investment in Environmental Protection to GDP （%）	0. 37	0. 64	1. 96	2. 67	2. 71
当年制定环保法规及标准 （件）	Number of Environment Protection Laws, Regulations, Standards Drawn up in Current Year （case）	5	1	4		2
当年排污收费总额 （万元）	Total Fees for Discharging Waste and Fines for Pollution in Current Year （10000 yuan）	9786	45953	60190. 9	70654	74002
环境影响评价制度执行率 （%）	Percentage of Implementation of the Evaluation Program on Impact of Projects in Question against Environment （%）		87. 93	98. 89	99. 8	99. 9
当年“三同时”执行合格率 （%）	Percentage of Implementation of Design, Construction and Operation of Environment Protection Facilities While Projects are Conducted in Current Year （%）				96. 9	97. 1
建成生态示范区总数 （个）	Number of Ecological Demonstration Zones Completed （unit）			6	117	165
建成生态示范区面积 （万公顷）	Areas of Ecological Demonstration Zones Completed （sq. km）			177. 8	305. 56	326. 5
建成烟尘控制区总数 （个）	Number of Soot Control Regions Completed （unit）		190	94	174	175
建成烟尘控制区面积 （平方公里）	Area of Soot Control Regions Completed （sq. km）		805	2526	2913	3257
建成噪声达标区总数 （个）	Number of Noise Control Regions up to the Standards （unit）		81	126	228	235
建成噪声达标区面积 （平方公里）	Area of Noise Control Regions up to the Standards （sq. km）		234	1049	1675	1740
九、环保系统自身建设情况	**Statistics on Environmental Protection Agencies**					
年末机构数 （个）	Number of Agencies at the Year-end （unit）	333	461	1006	1206	1125
环境监测站数 （个）	Number of Environmental Monitoring Stations （unit）		111	121	125	123
年末实有人数 （人）	Number of Personnel at the Year-end （person）	3337	5286	6313	9365	9418

注：1997 年以来部分指标的统计范围只包括部分乡镇企业。
Note: The figures of some indicators have only included part of the township enterprises since 1997.

18-10 各市“三废”排放及治理情况（2004 年）

STATISTICS ON DISCHARGE AND TREATMENT OF WASTE WATER, WASTE GAS AND SOLID WASTES BY CITY (2004)

市别 City		废水排放总量（万吨） Total Volume of Waste Water Discharged (10000 tons)	#工业废水 Industrial Waste Water	工业废水达标率（%） Percentage of Industrial Waste Water up to the Discharge Standards(%)	工业废气排放总量（亿标立米） Total Volume of Industrial Waste Gas Emission (100millionm^{3})	二氧化硫排放总量（万吨） Total Volume of Sulphur Dioxide Emission (10000 tons)	#工业二氧化硫 Industrial Sulphur Dioxide	工业二氧化硫达标率（%） Percentage of Sulphur Dioxide up to the Standards for Emission Standards(%)	工业烟尘排放量（万吨） Volume of Industrial Soot Emission (10000 tons)
广　州	Guangzhou	113567.63	21637.63	89.8	2618.88	18.55	18.11	87.95	2.39
深　圳	Shenzhen	72351.15	6483.15	96.0	1082.42	4.36	4.36	99.64	0.61
珠　海	Zhuhai	12962.02	2721.02	95.4	568.86	3.80	3.74	99.75	0.46
汕　头	Shantou	19245.95	4893.95	96.7	285.00	2.69	2.64	96.48	0.46
佛　山	Foshan	43112.11	17874.11	88.8	1244.18	12.63	12.60	54.17	1.49
韶　关	Shaoguan	21678.35	14767.35	71.5	940.89	6.73	6.70	21.29	1.65
河　源	Heyuan	8174.69	1937.69	83.9	91.43	0.68	0.48	47.79	0.92
梅　州	Meizhou	11001.61	4138.61	73.0	479.20	2.69	2.68	68.83	0.93
惠　州	Huizhou	13584.88	4038.88	95.1	302.47	1.04	0.75	93.76	0.10
汕　尾	Shanwei	9444.79	4842.79	41.0	2.35	0.12	0.12		
东　莞	Dongguan	68541.05	22501.05	90.1	1674.55	19.94	19.75	92.87	2.93
中　山	Zhongshan	17156.54	6348.54	95.7	279.62	3.48	3.44	83.66	0.32
江　门	Jiangmen	23567.72	11660.72	95.1	622.83	3.64	3.64	90.44	1.54
阳　江	Yangjiang	6462.68	1591.68	64.8	75.95	0.60	0.54	65.00	0.40
湛　江	Zhanjiang	20564.45	6782.45	70.1	481.31	4.82	4.74	82.16	1.42
茂　名	Maoming	15323.55	6600.55	87.7	389.95	3.96	3.86	42.93	0.92
肇　庆	Zhaoqing	14298.90	6839.90	95.4	243.11	2.58	2.33	87.80	0.84
清　远	Qingyuan	11928.93	2994.93	83.3	496.34	2.22	2.12	70.57	0.75
潮　州	Chaozhou	6925.16	1749.16	71.4	11.57	0.41	0.37	84.45	0.09
揭　阳	Jieyang	13872.18	1952.18	82.5	11.46	0.22	0.18	89.16	0.03
云　浮	Yunfu	8952.71	3371.71	85.9	640.27	2.38	2.34	89.67	0.50

市别 City		工业烟尘去除率（%） Percentage of Industrial Soot Removed (%)	工业烟尘排放达标率（%） Percentage of Industrial Soot Emission up to the Discharge Standards (%)	工业粉尘排放量（吨） Volume of Industrial Dust Emission (ton)	工业粉尘排放达标率（%） Percentage of Industrial Dust Emission (%)	工业固体废物排放量（万吨） Volume of Industrial Solid Wastes Discharged (10000 tons)	工业固体废物利用率（%） Percentage of Industrial Solid Wastes Utilized (%)	工业固体废物处置率（%） Percentage of Industrial Solid Wastes Disposed (%)
广　州	Guangzhou	99.00	82.00	7605.9	89.40	0.20	92.70	6.70
深　圳	Shenzhen	98.40	99.20	110.0	99.10	0.05	87.20	11.70
珠　海	Zhuhai	98.90	98.60	386.4	99.10	0.12	78.80	10.10
汕　头	Shantou	98.20	99.10	7.1	100.00	0.03	95.80	4.10
佛　山	Foshan	96.00	79.00	6342.1	95.90	0.68	91.70	7.90
韶　关	Shaoguan	92.90	53.70	41009.6	81.50	4.97	59.50	21.30
河　源	Heyuan	25.10	50.70	5714.4	43.70	1.15	80.20	17.30
梅　州	Meizhou	99.60	81.70	127047	75.80	0.48	93.90	1.30
惠　州	Huizhou	91.20	94.10	1362.8	93.40	0.19	87.50	11.00
汕　尾	Shanwei	61.60	49.80			0.09	91.70	4.70
东　莞	Dongguan	98.30	74.50	5827.3	69.30	2.86	82.60	3.90
中　山	Zhongshan	94.90	94.40	400.3	95.00	0.24	84.80	14.10
江　门	Jiangmen	94.50	96.90	21507.8	93.70	0.36	92.10	7.40
阳　江	Yangjiang	78.20	58.00	9588.6	71.60	1.54	92.80	0.10
湛　江	Zhanjiang	98.00	79.40	10804.5	77.50	1.18	95.00	4.60
茂　名	Maoming	33.80	72.90	3734.8	84.30	0.00	93.70	6.30
肇　庆	Zhaoqing	71.20	91.60	18500.4	93.20	0.05	44.10	52.90
清　远	Qingyuan	97.40	79.90	24361.7	72.10	1.14	57.10	37.90
潮　州	Chaozhou	47.40	85.50	66.4	90.40	0.10	90.20	6.90
揭　阳	Jieyang	84.60	91.30	4.8	100.00	0.11	95.40	1.10
云　浮	Yunfu	98.10	90.00	29930.2	64.70	0.40	81.60	18.20

注：废水排放总量、工业废水排放量等绝对数指标的全省总数在统计时做了修正，故分市合计数与之略有出入。

Note: Some indicators such as total volume of waste water and volume of industrial waste water discharged have been revised, so the provincial total may be unequal to the sum of cities.

18-11 律师、公证、基层司法及法学教育基本情况
BASIC STATISTICS ON LAWYERS, NOTARIZATION, BASIC LEVEL JUDICIAL WORK AND LAW EDUCATION

项目		Item		1990	1995	2000	2003	2004
一、律师工作		**Lawyers**						
律师事务所	(个)	Number of Law Offices	(unit)	236	564	822	1187	1061
执业律师	(人)	Number of Full-time Lawyers	(person)	3264	5692	7292	9808	11081
担任常年法律顾问	(家)	Number of Units with Permanent Legal Advisors	(unit)	7774	16414	15759	18039	17437
民事代理	(件)	Agent of Civil Cases	(case)	22203	17460	29769	51093	55781
非诉讼法律事务	(件)	Agent of Non-litigious Legal Affairs	(case)	16066	33579	50795	163412	145652
刑事辩护	(件)	Defender of Criminal Cases	(case)	11647	8755	13364	15420	16703
涉外法律事务	(件)	Agent of Foreign-related Legal Affairs	(case)	4217	4515	6541	10255	14765
#涉外及港澳台经济法律事务		Agent of Foreign-related and Hong Kong, Macao and Taiwan Related Economic Legal Affairs		936	312	725	2612	2546
解答法律询问	(件)	Agent of Legal Advisory Services	(case)	104735	74691	101104	174080	107622
二、公证工作		**Notarization**						
公证处	(个)	Number of Notary Offices	(unit)	135	142	146	146	145
公证人员	(人)	Number of Notarial Personnel	(person)	909	1210	1380	1329	1300
办结公证总数	(件)	Number of Notarized Documents	(case)	610101	705022	1189475	1001435	1081210
#国内民事公证		Domestic Civil Case Notarization		163511	209053	326921	294096	321962
国内经济公证		Domestic Economic Notarization		109008	192569	373505	310217	361745
涉外及港澳台民事经济公证		Foreign-related and Hong Kong, Macao and Taiwan Related Civil Economic Notarization		337582	303400	489049	397122	397503
协助调入非贸易外汇	(万元)	Assisting to Transfer Non-trade Foreign Exchange in	(10000 yuan)	4385	12834	5599	2034	2872
三、基层司法工作		**Grassroots Judicial Work**						
法律服务所	(个)	Number of Law Services	(unit)	1816	1899	1916	1491	1387
法律服务所人员	(人)	Number of Law Service Personnel	(person)	5553	5974	5992	4729	4304
担任法律顾问	(家)	Number of Units with Legal Advisors	(unit)	12945	30292	28723	21688	22365
民事诉讼代理	(件)	Agent of Civil Cases	(case)	6137	12444	16668	14366	15376
非诉讼代理	(件)	Agent of Non-litigious Legal Affairs	(case)	62436	80212	66132	42803	36327
避免、挽回经济损失	(万元)	Avoiding and Retrieving Economic Losses	(10000 yuan)	15233	106835	139935	165352	89954
人民调解委员会	(个)	Number of People's Mediation Committees	(unit)	32076	31811	29548	29866	29494
调解人员	(人)	Number of Mediators	(person)	219082	285288	250117	223389	180154
调解纠纷总数	(件)	Number of Disputes Mediated	(case)	184231	170165	136598	132488	134836
四、法学教育	(人)	**Law Education**	**(person)**					
普通成人高等法学教育		Regular Higher Law Education for Adults						
招生数		Number of New Entrants		3747	4698	5184	2926	2431
在校生数		Number of Enrolled Students		9746	11445	12442	5527	5569
毕业生数		Number of Graduates		919	1306	1350	423	435
普通成人中等法学教育		Regular Secondary Law Education for Adults						
招生数		Number of New Entrants		855	2110	1940	2043	2138
在校生数		Number of Enrolled Students		2475	5127	5691	7735	7136
毕业生数		Number of Graduates		2065	1054	1780	3019	2200

18-12 交通事故发生情况（2004 年）
STATISTICS ON TRAFFIC ACCIDENTS (2004)

项目 Item	合计 Total	按事故发生程度分 By Serious Degree of Traffic			按事故发生地区分 By Place of Traffic Accidents	
		特大 Extra-ordinarily Serious	重大 Serious	一般 Ordinary	城市 City	郊区、县 Suburb, County
发生（起）Number of Traffic Accidents (case)	68423	172	9381	58870	32635	35788
死亡（人）Number of Deaths (person)	10657	605	10021	31	3028	7629
受伤（人）Number of Injuries (person)	78562	466	4885	73211	37294	41268
损失折款（万元）Losses Converted into Cash (10000 yuan)	24127. 2	838. 2	5572. 8	17716. 2	8743. 8	15383. 4
平均每起事故损失（元）Average Loss per Traffic Accidents (yuan)	3526. 2	48732. 6	5940. 5	3009. 4	2679. 3	4298. 5

18-13 火灾事故发生情况（2004 年）
STATISTICS ON FIRES (2004)

项目 Item	合计 Total	特大 Extraordinarily Serious	重大 Serious	一般 Ordinary
发生（起）Number of Traffic Accidents (case)	16090	1	49	16040
死亡（人）Number of Deaths (person)	280	2	94	184
受伤（人）Number of Injuries (person)	384	4	22	358
损失折款（万元）Losses Converted into Cash (10000 yuan)	11476	3440. 4	1864. 4	6171. 2
平均每起事故损失（元）Average Loss per Traffic Accidents (yuan)	7132. 4	34404332	380490	3847. 4

主要统计指标解释

卫生技术人员 指卫生事业机构支付工资的全部固定职工和合同制职工，现任职务为卫生技术工作的专业人员。包括中医师、西医师、中西医结合高级医师、护师、中药师、西药师、检验师、其他技师、中医士、西医士、护士、助产士、中药剂士、西药剂士、检验士、其他技士、其他中医、护理员、中药剂员、西药剂员、检验员，其他初级卫生技术人员。

医生 指经卫生部门审查合格，具有执业资格的医疗专业人员。

社会福利事业单位 指集中收养社会孤、老、残、幼的机构，包括由民政部门管理的社会福利院、儿童福利院、精神病人福利院和城镇集体办的福利院、以及农村集体举办的敬老院。

社会福利事业单位收养人数 包括民政部门管理的和城镇及农村集体举办的社会福利事业单位中收养的老人、少年儿童、缺乏生活自理能力的残疾人员和精神病人。

律师 指受聘参加法律顾问处工作，提任法律顾问、刑（民）事代理人、刑事辩护人，办理非诉讼事件、解答法律询问，代写法律事务文书等主要从事律师事务的司法人员。

公证人员 指在国家公证机关依法办理公证事务的司法人员。包括公证员、助理公证员和在公证处工作的其他人员。

办理公证文书 指公证处在一定时期内办结的公证文书件数。公证文书是按司法部规定或批准的格式制作。包括国内公证和涉外公证两部分。其中国内公证分为经济合同公证和民事法律关系公证两大类。

调解人员 在人民调解委员会担负调解民间一般民事纠纷和轻微违法行为所引起的纠纷的工作人员。包括调解委员会的委员和调解小组的调解员。

调解民间纠纷 指调解委员会依照法律规定，根据自愿原则，用说服教育的方法调解民间发生的有关民事权利和义务的争执，促成当事双方达到协议和谅解，解决纠纷。包括婚烟家庭纠纷，财产权益纠纷等，不包括法院受理调解的民事案件数。

废水排放总量 包括生产废水和生活污水。生产废水指企、事业单位在生产、科研过程中所有排放口向外环境排放的废水量总和。生活污水指城镇居民区和企、事业单位职工集中居住区排放的污水量。

工业废水排放总量 指经过工业企业厂区所有排放口排到企业外部的工业废水量。包括外排的直接冷却水、超标排放的矿井地下水和与工业废水混排的厂区生活污水，不包括外排的间接冷却水（清污不分流的间接冷却水应计算在内）。

废气排放总量 指燃料燃烧和生产工艺过程中排放的各种废气总量，以标准状态下每年万标立方米表示。

燃料燃烧过程废气排放量 指燃煤、燃油、燃气锅炉、锻造加热炉、退火炉和其它工业炉窑在燃烧过程（燃料和物料不混合的纯加热过程）中所排废气的总量。它可以根据烟气计算公式或经验计算公式求得。

工业粉尘排放量 指工业企业在生产工艺过程中排入的固体微粒总重量。如钢铁企业的耐火材料粉尘、焦化企业的筛焦系统粉尘、烧结机的粉尘、石灰窑的粉尘、建材企业的水泥粉尘等。不包括电厂排入大气的烟尘。

工业固体废物产生量 指工业企业在生产过程中产生的固体状、半固体状和高浓度液体状废弃物的总量，包括冶炼废渣、粉煤灰、炉渣、煤矸石、化工废渣、尾矿、放射性废渣和其它废渣等；不包括矿山开采的剥离废石和掘进废石（煤矸石和呈酸性或碱性的废石除外）。酸性或碱性废石是指采掘的废石其流经水、雨淋水PH值小于4或PH值大于10.5者。

工业固体废物综合利用量 指已用作农业肥料、造田、生产建筑材料、筑路以及其它方式综合利用的固体废物量（包括当年利用往年的工业固体废物堆存量）。综合利用量由原产固体废物的单位统计。

“三废”综合利用产品产值 指工业企业回收利用“三废”作为主要原料生产的产品值。按国发（1985）117号文规定执行。

Explanatory Notes on Main Statistical Indicators

Medical Technical Personnel refers to all permanent medical staff and workers employed by medical institutions, including doctors of Chinese and Western medicine, senior doctors who integrate traditional Chinese therapeutics with Western therapeutics in practice, senior nurses, pharmacists of Chinese and Western medicine, laboratory specialists, other specialists, paramedics of Chinese and Western medicine, nurses, midwives, druggists in Chinese and Western medicine, laboratory technicians, other technicians, other practitioners of Chinese medicine, nursing attendants, pharmacological workers of Chinese and Western medicine, laboratory workers, and other primary medical personnel.

Doctors refer to qualified professional medical workers approved to practice by public health departments.

Social Welfare Institutions refer to institutions taking care of old people without children, handicapped people and orphans. They include social welfare institutions run by civil affairs departments, children's welfare institutions, social welfare institutions for mental patients, and collective owned old people's homes in rural areas.

Number of People Taken in by Social Welfare Institutions refers to the number of old people, children, totally dependent handicapped people and mental patients taken in by social welfare institutions run by civil affairs departments and those run by collective units in urban and rural areas.

Lawyers are legal workers who are employed full-time by legal counseling firms to act as legal advisers, agents in criminal or civil lawsuits, or defenders in criminal lawsuits, or to handle non-litigious legal affairs, to advise on matters of law or to write legal papers for others. Both full-time and part-time lawyers are included.

Notary Personnel refers to judicial workers of the state notary offices handling notarization work according to law. They include notaries, assistant notaries, and other people working for notary offices.

Notarized Documents refer to the documents settled by notary offices in a year. The notarial documents are drawn up in accordance with the regulations of the Ministry of Justice, including domestic documents and foreign-related documents. Domestic documents are divided into two major categories: documents on economic contracts and documents on civil legal relations.

Mediators refer to workers on people's mediation committees responsible for mediating in civil disputes and cases of slight infraction of the law. They include members of the mediation committees and mediators of mediation groups.

Mediation of Civil Disputes refers to mediation committees' work in mediating in civil disputes concerning civil rights and duties through persuasion and education in accordance with the provisions of law on a voluntary basis, so as to solve disputes by helping the parties involved come to an agreement and understanding. These disputes include divorce cases and disputes over property ownership, but exclude the civil cases to be handled by the court.

Total Volume of Waste Water Discharged includes the volume of production waste water and domestic sewage. The production waste water refer to the total waste water discharged in the process of production and scientific research by enterprises and institutions, through all outlets to the outside environment. The domestic sewage refers to the sewage volume discharged in the urban residential areas and the residential areas of staff and workers of enterprises and institutions.

Volume of Industrial Waste Water Discharged refers to the volume of industrial waste water discharged, through all outlets to the outside of industrial enterprises, including waste water produced, direct cooling water, underground water from mines that does not meet the standard of discharge, and the domestic sewage mixed up with industrial waste water when discharged, but excluding discharged indirect cooling water.

Volume of Waste Gas Emission refers to waste gas emitted from burning of fuels and from production process, and is measured by 10,000 standard cubic meters each year under normal condition.

Volume of Waste Gas Emission from Burning of Fuels refers to the total volume of waste gas emitted from burning of fuels (the pure heating process not mixed with materials), such as burning of coal, burning of oil, gas fired boiler, drying furnace, forge furnace, annealing furnace and other industrial furnaces. It can be calculated with gas smoke formula and empirical formula.

Industrial Dust Discharged refers to the total weight of solid dust discharged by industrial enterprises in the production process, such as dust of refractory materials from iron plants, dust from coke screening system or from sintering machines of coking plants, dust from lime kilns, cement dust from building material of enterprises, etc., but excluding smoke and dust discharged by power plants.

Volume of Industrial Solid Wastes Produced refers to the total volume of solid, semi-solid of high concentration liquid residues produced by industrial enterprises in their production process, including dangerous wastes, residues from melting, slag, powdered coal ash, gangue, chemical residues, tailings, radioactive residues and other residues, but excluding stripped or dug stones in mining (except gangue and acid or alkali stones which are stones washed or soaked by water with a PH value smaller than 4 or larger than 10.5).

Volume of Industrial Solid Wastes Utilized in a Comprehensive Way refers to the volume of solid wastes utilized in a comprehensive way, such as the solid wastes utilized as fertilizers, building materials, for building up fields and making roads or for other purposes (including the volume of industrial solid wastes stored up in the previous years and utilized in the current year). Statistical data on utilization of industrial solid wastes are collected by solid wastes producing units.

Output Value of Products Made from Utilization of Waste Gas, Waste Water and Industrial Solid Wastes refers to the value of products made by industrial enterprises using recovered waste water, waste gas or solid wastes as ma in raw materials, in accordance with No. 117 Document (1985).

十九 经济地带

SPECIAL ECONOMIC REGIONS

19

十九　经济地带主要指标

简要说明

一、本篇主要包括：广东境内的珠江三角洲经济区、广州和深圳、山区县、东西两翼以及少数民族县等经济区域的主要统计指标数据。

二、本篇资料分别由广东省统计局综合处和工业交通处负责整理、编辑。

三、资源来源：本篇资料根据国家统计局制定的各有关专业年度统计报表制度和广东省统计局制发的《县区国民经济主要指标年报》制度，由全省 21 个市统计局填报汇总而成。

四、本篇各项产值指标数据，由于各市汇总数不等于全省数，因此各经济地带产值指标汇总数，仅适合反映该地区发展变化情况。

19　SPECIAL ECONOMIC REGIONS

Brief Introduction

Ⅰ. The data in this chapter mainly include those of the Pearl River Delta Economic Zone, Guangzhou, Shenzhen, counties in mountainous areas, east and west wings and minority nationality counties in Guangdong Province.

Ⅱ. The data in this chapter are prepared by both the Division of Comprehensive Statistics and the Division of Industry and Transport Statistics of Guangdong Provincial Bureau of Statistics.

Ⅲ. Data sources:

The data in this chapter are tabulated and reported by the twenty-one prefectural statistical bureaus of Guangdong Province in accordance with the various annual statistical reporting schemes stipulated by the National Bureau of Statistics and the Annual Reporting Scheme of Main Indicators of National Economy of Counties and Districts by Guangdong Provincial Bureau of Statistics.

Ⅳ. The total output values of each economic region in this chapter only show its own development and changes because the total figures of these cities are not equal to the sum of the whole province.

19-1 珠江三角洲经济区主要经济指标
MAIN ECONOMIC INDICATORS OF THE PEARL RIVER DELTA ECONOMIC ZONE

指　　标	Item	1995	2003	2004	2004 比 2003 增长% Growth Rate in 2004 over 2003
一、人口、土地面积和从业人数	**Population, Total Land Area and Employment**				
年末户籍总人口	Total Year-end Population with Residence Registration (10000 persons)	2137.73	2398.63	2451.34	2.2
农业人口 (万人)	Agricultural Population (10000 persons)		824.95	687.33	-16.7
土地面积 (平方公里)	Land Area (sq. km)		41698	41698	0.0
常用耕地面积 (公顷)	Area of Regularly Cultivated Land (ha.)		568567	565470	-0.5
年末从业人员数 (万人)	Number of Employed Persons at the Year-end (10000 persons)	1510	2072.69	2173.33	4.9
城镇就业人员	Number of Employed Persons in Urban Areas		1048.65	1079.82	3.0
乡村从业人员	Number of Employed Persons in Rural Areas		824.93	880.94	6.8
职工人数	Number of Staff and Workers (100 million yuan)		501.80	544.01	8.4
二、经济总量指标	**Aggregate Indicators on Economy**				
地区生产总值 (亿元)	Gross Domestic Product (100 million yuan)	3899.69	11341.13	13394.02	16.0
第一产业	Primary Industry	314.93	470.49	506.33	1.3
第二产业	Secondary Industry	1957.09	5939.63	7206.42	19.5
#工业	Industry		5380.38	6569.57	20.8
第三产业	Tertiary Industry	1627.67	4930.01	5681.27	13.1
人均生产总值 (元)	Per Capita Gross Domestic Product (yuan)		39782	46304	12.8
三、运输、邮电	**Transportation, Postal and Telecommunication Services**				
公路通车里程 (公里)	Total Length of Highways in Operation (km)	20323	30919	31582	2.1
邮电业务总量 (亿元)	Total Business Volume of Postal and Telecommunication Services (100 million yuan)		947.77	992.15	4.7
本地电话年末用户 (万户)	Number of Year-end Subscribers of Local Telephones (10000 subscribers)		1663.32	1915.25	15.1
移动电话年末用户 (万户)	Number of Year-end Subscribers of Mobile Telephones (10000 subscribers)		3118.25	4502.45	44.4
四、全社会固定资产投资额 (亿元)	**Total Amount of Investment in Fixed Assets (100 million yuan)**	**1491.02**	**3739.71**	**4487.01**	**20.0**
基本建设投资	Investment in Capital Construction	503.74	1394.95	1899.32	36.2
更新改造投资	Investment in Innovation	168.81	400.78	434.20	8.3
房地产开发投资	Investment in Real Estate Development		1132.41	1274.85	12.6
五、社会消费品零售总额 (亿元)	**Total Amount of Retail Sales of Consumer Goods (100 million yuan)**	**1544.66**	**3976.59**	**4498.51**	**13.1**
六、对外经济贸易	**Foreign Trade**				
外贸出口总额 (亿美元)	Total Amount of Exports (USD 100 million)	461.06	1450.56	1818.45	25.4
实际外商直接投资额 (亿美元)	Foreign Capitals Actually Utilized (USD 100 million)	85.79	139.71		
七、财政、金融	**Finance and Banking**				
地方财政一般预算收入 (亿元)	Local Government Budgetary Revenue (100 million yuan)	315.31	848.03	931.96	9.9
地方财政一般预算支出 (亿元)	Local Government Budgetary Expenditure (100 million yuan)	316.57	1075.00	1209.96	12.6
城乡居民储蓄存款年末余额 (亿元)	Savings Deposits by Urban and Rural Residents at the Year-end (100 million yuan)	2810.42	11068.92	12679.98	14.6

注：1. 珠江三角洲经济区包括 13 个市、县（区）：广州、深圳、珠海、佛山、江门、东莞、中山、惠州市区、惠东县、博罗县、肇庆市区、高要市、四会市。表中数据按各地级市统计局上报数汇总。

2. 本表地区生产总值绝对数按当年价格计算，增长速度按可比价格计算。

3. 2003、2004 年地方财政一般预算收支根据广东省财政厅提供的广东省地（市）县财政基金预算收支及平衡表整理。

Note: a) The Pearl River Delta Economic Zone covers the areas of 13 cities and counties (districts), including Guangzhou, Shenzhen, Zhuhai, Foshan, Jiangmen, Dongguan, Zhongshan, urban districts of Huizhou, Huidong County, Boluo County, urban districts of Zhaoqing, Gaoyao County-level City and Sihui County-level City. Data in this table are reported by the prefectual bureaus of statistics.

b) The figures in value terms on GDP are calculated at current prices, whereas the growth rates are calculated at comparable prices.

c) The figures of local government budgetary revenue and expenditure of 2003 and 2004 are prepared on the basis of the prefectual (county) government revenue and expenditure balanced sheet provided by Guangdong Provincial Department of Finance.

19-2 珠江三角洲经济区工业企业主要指标（2004 年）

单位：亿元

项目	Item	企业单位数（个）Number of Enterprises (unit)	#亏损企业 Loss-making Enterprises
总计	**Total**	**20052**	**4345**
按经济类型分	**Grouped by Ownership**		
在总计中：国有及国有控股经济	Of the Total: State-owned and State-holding Enterprises	1091	337
国有经济	State-owned Enterprises	458	172
集体经济	Collective-owned Enterprises	1672	275
股份合作经济	Cooperative Operation	215	40
股份制经济	Share Holding Enterprises	4824	760
外商投资经济	Foreign Funded Enterprises	1943	517
港澳台投资经济	Enterprises with Funds from Hong Kong, Macao and Taiwan	7526	2298
按轻重工业分	**Grouped by Light & Heavy Industry**		
轻 工 业	Light Industry	12434	2796
重 工 业	Heavy Industry	7618	1549
按企业规模分	**Grouped by Size of Enterprises**		
大型企业	Large	171	17
中型企业	Medium	2608	501
小型企业	Small	17273	3827
按行业分	**Grouped by Sector**		
煤炭开采和洗选业	Coal Mining and Dressing		
石油和天然气开采业	Petroleum and Natural Gas Extraction	1	
黑色金属矿采选业	Ferrous Metal Minerals Mining and Dressing	2	
有色金属矿采选业	Nonferrous Metals Minerals Mining and Dressing	2	1
非金属矿采选业	Nonmetal Minerals Mining and Dressing	103	12
农副食品加工业	Farm and Sideline Food Processing	347	89
食品制造业	Food Manufacturing	316	95
饮料制造业	Beverage Manufacturing	122	39
烟草制品业	Tobacco Products	4	1
纺织业	Textile Industry	1190	290
纺织服装、鞋、帽制造业	Textile Garments, Footwear and Headgear Manufacturing	1692	419
皮革、毛皮、羽毛（绒）及其制品业	Feather, Furs, Down and Related Products	823	192
木材加工及木、竹、藤、棕、草制品业	Timber Processing, Bamboo, Cane, Palm Fiber & Straw Products	186	45
家具制造业	Furniture Manufacturing	417	65
造纸及纸制品业	Papermaking and Paper Products	685	124
印刷业、记录媒介的复制	Printing and Record Medium Reproduction	561	120
文教体育用品制造业	Cultural, Educational and Sports Goods	521	164
石油加工、炼焦及核燃料加工业	Petroleum Refining, Coking and Nuclear Fuel Processing	38	6
化学原料及化学制品制造业	Raw Chemical Materials and Chemical Products	1071	191
医药制造业	Medical and Pharmaceutical Products	191	49
化学纤维制造业	Chemical Fiber	67	19
橡胶制品业	Rubber Products	180	37
塑料制品业	Plastic Products	1487	339
非金属矿物制品业	Non-metal Mineral Products	1157	190
黑色金属冶炼及压延加工业	Smelting and Pressing of Ferrous Metals	169	8
有色金属冶炼及压延加工业	Smelting and Pressing of Nonferrous Metals	283	34
金属制品业	Metal Products	1654	262
通用设备制造业	General Purposes Equipment Manufacturing	653	106
专用设备制造业	Special Purposes Equipment Manufacturing	437	88
交通运输设备制造业	Transport Equipment Manufacturing	544	117
电气机械及器材制造业	Electric Equipment and Machinery	2107	436
通信设备、计算机及其他电子设备制造业	Telecommunications, Computers and Other Electronic Equipment Manufacturing	1819	469
仪器仪表及文化、办公用机械制造业	Instruments, Meters, Cultural and Office Machinery	408	128
工艺品及其他制造业	Handicraft and Other Manufacturing	503	114
废弃资源和废旧材料回收加工业	Waste Sources and Materials Recovery Processing	11	
电力、热力得生产和供应业	Production and Supply of Electric Power and Heating Power	143	66
燃气生产和供应业	Production and Supply of Gas	15	8
水的生产和供应业	Production and Supply of Tap Water	143	22

注：1. 本表统计范围为全部国有及年销售收入 500 万元以上非国有工业企业。
2. 工业增加值分行业按企业数汇总与总计不等。

MAIN INDICATORS OF INDUSTRIAL ENTERPRISES IN THE PEARL RIVER DELTA ECONOMIC ZONE (2004)

(100 million yuan)

工业总产值（当年价） Gross Industrial Output Value (at current prices)	工业增加值（生产法） Value Added of Industry (by production approach)	年末资产总计 Total Assets at the Year-end	#产成品 Finished Products	流动资产年平均余额 Annual Average Balance of Circulating Funds	固定资产净值平均余额 Average Balance of Net Value of Fixed Assets	年末负债合计 Total Liabilities at the Year-end	年末所有者权益合计 Total Creditors´ Equity at the Year-end
23153.00	**6121.65**	**18233.39**	**1360.05**	**9840.00**	**5656.45**	**10649.11**	**7584.28**
3491.06	1219.18	4824.7	194.72	2015.46	1985.34	2576.1	2248.60
615.59	298.76	1621.18	28.34	503.27	823.3	848.72	772.46
652.32	173.73	540.2	35.91	248.37	192.2	359.63	180.57
178.45	36.68	102.98	10.05	59.91	27.48	69.74	33.24
4676.38	1455.27	4359.85	413.97	2329.62	1228.18	2693.6	1666.25
6658.67	1506.07	4012.31	259.46	2406.96	1118.56	2284.72	1727.59
9219.96	2295.48	7007.8	556.66	3959.76	2105.93	4054.07	2953.73
10286.32	2752.28	7668.04	698.93	4433.41	2130.86	4393.61	3274.43
12866.70	3369.37	10565.35	661.12	5406.59	3525.59	6255.50	4309.85
7214.39	1747.15	4296.75	354.45	2579.47	1031.28	2635.42	1661.33
8563.19	2249.51	8127.83	492.87	4138.54	2732.58	4481.49	3646.34
7375.42	2124.99	5808.81	512.73	3121.99	1892.58	3532.20	2276.61
241.69	234.37	48.06	1.85	3.87	0.04	10.09	37.97
0.46	0.29	0.29		0.27	0.02	0.24	0.05
5.95	1.49	1.63	0.04	0.73	0.44	0.7	0.93
42.38	10.54	27.67	2.27	15.25	5.86	11.62	16.05
379.13	55.13	254.5	23.33	139.33	67.32	163.13	91.37
282.53	89.7	268.51	20.96	149.69	84.93	133.72	134.79
233.72	76.68	270.38	9	132.37	87.79	142.33	128.05
84.76	63.26	77.97	0.11	45.02	12.64	14.55	63.42
726.79	193.03	593.77	57.88	299.75	221.97	337.41	256.36
688.4	196.05	389.73	39.81	228.96	107.22	226.47	163.26
505.55	125.49	329.6	32.09	202.47	84.1	200.62	128.98
97.55	23.68	83.26	8.36	39.95	28.56	51.56	31.70
246.55	57.46	174.82	14.09	108.09	40.63	107.29	67.53
403.94	97.47	405.77	27.5	192.78	162.82	227.89	177.88
249.94	72.04	287.86	17.46	152.02	104.65	146.07	141.79
343.8	96.5	274.73	21.74	166.04	78.52	153.82	120.91
288.15	63.5	119.36	5.93	47.84	54.7	62.02	57.34
1248.53	470.33	932.74	82.27	511.49	267.35	502.11	430.63
200.14	75.17	310.01	17.88	170.53	72.08	159.42	150.59
42.07	11.51	48.17	5.09	23.17	20.08	26.61	21.56
99.89	25.69	100.27	6.85	47.69	33.86	48.11	52.16
815.68	183.27	748.18	62.64	404.53	232.4	434.36	313.82
674.96	200.73	610.17	58.19	299.64	239.14	382.01	228.16
309.26	50.1	269.07	15.19	130.39	85.85	194.34	74.73
321.34	73.95	197.4	20.55	114.32	54.27	132.48	64.92
1013.58	261.26	659.82	83.02	401.13	175.65	390.1	269.72
394.78	114.48	353.06	33.7	205.5	97.19	197.91	155.15
234.71	74.22	229.11	23.92	141.13	57.63	121.22	107.89
1135.6	289.88	830.74	46.05	490.56	199.3	465.98	364.76
2559.7	656.72	1787.44	212.59	1153.25	396.19	1134.56	652.88
7267.23	1424.23	4296.40	353.85	2758.42	856.52	2756.18	1540.22
787.68	141.06	435.37	30.06	282.18	105.15	240.04	195.33
276.07	75.08	160.36	20.43	97.29	41.93	84.08	76.28
18.12	4.02	5.32	0.22	4.37	0.74	4.29	1.03
802.43	444.53	2284.69	2.9	584.93	1371.49	1245.95	1038.74
38.19	2.42	42.35	0.43	13.51	21.53	21.06	21.29
91.8	43.03	324.81	1.78	81.54	185.89	118.76	206.05

Note: a) The statistical coverage of this table includes all state-owned enterprises and non-state-owned enterprises with an annual sales revenue over 5 million yuan.

b) The acumulative figure of Value-added of industry by sector on the basis of number of enterprises is not aqual to the Provincial total.

19-2 续表1

单位：亿元

项　　目	Item	产品销售收入 Sales Revenue
总　计	**Total**	**23072.18**
按经济类型分	**Grouped by Ownership**	
在总计中：国有及国有控股经济	Of the Total：State-owned and State-holding Enterprises	4215.66
国有经济	State-owned Enterprises	1351.63
集体经济	Collective-owned Enterprises	619.41
股份合作经济	Cooperative Operation	174.24
股份制经济	Share Holding Enterprises	4539.3
外商投资经济	Foreign Funded Enterprises	6434.94
港澳台投资经济	Enterprises with Funds from Hong Kong，Macao and Taiwan	8874.37
按轻重工业分	**Grouped by Light & Heavy Industry**	
轻工业	Light Industry	9879.20
重工业	Heavy Industry	13192.98
按企业规模分	**Grouped by Size of Enterprises**	
大型企业	Large	7236.47
中型企业	Medium	8927.53
小型企业	Small	6908.18
按行业分	**Grouped by Sector**	
煤炭开采和洗选业	Coal Mining and Dressing	
石油和天然气开采业	Petroleum and Natural Gas Extraction	112.19
黑色金属矿采选业	Ferrous Metal Minerals Mining and Dressing	0.39
有色金属矿采选业	Nonferrous Metals Minerals Mining and Dressing	5.56
非金属矿采选业	Nonmetal Minerals Mining and Dressing	39.94
农副食品加工业	Farm and Sideline Food Processing	395.49
食品制造业	Food Manufacturing	269.58
饮料制造业	Beverage Manufacturing	231.31
烟草制品业	Tobacco Products	85.46
纺织业	Textile Industry	699.27
纺织服装、鞋、帽制造业	Textile Garments，Footwear and Headgear Manufacturing	643.85
皮革、毛皮、羽毛（绒）及其制品业	Feather，Furs，Down and Related Products	478.9
木材加工及木、竹、藤、棕、草制品业	Timber Processing，Bamboo，Cane，Palm Fiber & Straw Products	89.47
家具制造业	Furniture Manufacturing	240.58
造纸及纸制品业	Papermaking and Paper Products	386.88
印刷业、记录媒介的复制	Printing and Record Medium Reproduction	238.13
文教体育用品制造业	Cultural，Educational and Sports Goods	332.22
石油加工、炼焦及核燃料加工业	Petroleum Refining，Coking and Nuclear Fuel Processing	284.8
化学原料及化学制品制造业	Raw Chemical Materials and Chemical Products	1168.27
医药制造业	Medical and Pharmaceutical Products	178.06
化学纤维制造业	Chemical Fiber	40.23
橡胶制品业	Rubber Products	98.89
塑料制品业	Plastic Products	808.24
非金属矿物制品业	Non-metal Mineral Products	614.53
黑色金属冶炼及压延加工业	Smelting and Pressing of Ferrous Metals	345.94
有色金属冶炼及压延加工业	Smelting and Pressing of Nonferrous Metals	322.41
金属制品业	Metal Products	975.26
通用设备制造业	General Purposes Equipment Manufacturing	376.53
专用设备制造业	Special Purposes Equipment Manufacturing	224.81
交通运输设备制造业	Transport Equipment Manufacturing	1100.51
电气机械及器材制造业	Electric Equipment and Machinery	2507.95
通信设备、计算机及其他电子设备制造业	Telecommunications，Computers and Other Electronic Equipment Manufacturing	7032.66
仪器仪表及文化、办公用机械制造业	Instruments，Meters，Cultural and Office Machinery	788.27
工艺品及其他制造业	Handicraft and Other Manufacturing	248.64
废弃资源和废旧材料回收加工业	Waste Sources and Materials Recovery Processing	17.69
电力、热力得生产和供应业	Production and Supply of Electric Power and Heating Power	1558.94
燃气生产和供应业	Production and Supply of Gas	41.4
水的生产和供应业	Production and Supply of Tap Water	88.92

(100 million yuan)

产品销售税金及附加 Sales Tax and Extra Charges	利润总额 Total Profits	#亏损总额 Total Losses	利税总额 Total Pretax Profits	本年应交增值税 Value Added Tax Payable in Current Year	全部从业人员年平均人数（万人） Annual Average Number of Employed Persons (10000 persons)
134.94	**1125.81**	**108.38**	**1751.23**	**490.48**	**681.10**
76.73	307.74	18.71	568.06	183.6	47.78
27.69	62.9	10.38	169.47	78.88	14.86
4.23	16.22	4.84	34.16	13.71	45.96
0.48	4.12	0.46	7.51	2.91	5.5
34.03	209.38	11.79	374.93	131.51	109.55
33.98	417.42	21.51	573.89	122.49	110.36
21.7	389.46	57.31	529.38	118.22	351.01
72.98	375.27	57.51	655.35	207.10	428.00
61.96	750.54	50.87	1095.88	283.38	253.09
46.39	383.33	3.62	558.63	128.95	96.63
54.76	482.14	43.56	758.86	221.96	273.51
33.79	260.34	61.20	433.74	139.57	310.97
8.32	75.44		90.1	6.34	0.02
0.01	0.03		0.08	0.04	0.02
0	0.44		0.46	0.01	0.08
0.38	1.38	0.12	2.56	0.8	1.19
0.6	3.22	3.74	6.97	3.15	4.81
0.85	25.33	2.24	41.32	15.14	7.48
8.03	16.97	4.77	39.81	14.81	3.35
30.01	15.03	0.01	55.17	10.13	0.37
1.84	9.06	6.52	18.91	8.01	31.49
2.44	6.1	6.05	17.87	9.34	62.79
0.96	5.74	2.68	10.64	3.94	52.12
0.29	2.07	0.93	4.04	1.67	4.02
0.65	5.49	0.67	8.68	2.54	14.86
1.19	16.05	1.57	26.5	9.26	11.8
0.54	10.77	1.58	16.88	5.58	13.39
0.39	7.97	2.73	10.22	1.86	39.02
8.66	12.86	0.04	28.67	7.15	0.75
7.94	134.01	5.17	203.81	61.86	14.34
0.82	16.93	2.02	30.4	12.64	5.3
0.08	1.54	0.67	2.62	1.0	1.08
0.73	3.28	0.63	5.31	1.29	5.52
1.53	18.57	5.96	30.92	10.82	35.81
3.86	22.08	4.11	43.61	17.67	25.8
0.33	9.26	0.1	13.05	3.46	2.06
0.48	7.7	0.77	11.74	3.56	5.25
2.44	42.33	2.86	57.13	12.36	34.54
1.01	20.43	1.34	31.35	9.91	12.92
0.54	12.34	1.52	17.59	4.71	9.88
32.39	117.63	4.33	188.85	38.83	17.39
3.99	75.85	10.86	123.57	43.73	85.92
8.30	244.10	16.78	309.23	56.84	127.29
0.38	24.85	2.18	29.91	4.68	24.01
0.57	4.99	1.42	7.52	1.96	18.59
0.03	0.1		0.27	0.14	0.3
3.55	147.33	12.98	251.8	100.93	4.59
0.04	-0.21	0.61	0.28	0.45	0.39
0.76	8.78	0.44	13.4	3.86	2.54

19-3 珠江三角洲经济区国有及国有控股工业企业单位数及产值(2004 年)

NUMBER AND OUTPUT VALUE OF STATE-OWNED AND STATE-HOLDING INDUSTRIAL ENTERPRISES IN THE PEARL RIVER DELTA ECONOMIC ZONE(2004)

单位:亿元 (100 million yuan)

项 目	Item	企业单位数(个) Number of Enterprises (unit)	工业总产值(当年价) Gross Industrial Output Value At Current Prices
总 计	**Total**	**1091**	**3491. 06**
按轻重工业分	**Grouped by Light & Heavy Industry**		
轻工业	Light Industry	517	933. 49
重工业	Heavy Industry	574	2557. 57
按企业规模分	**Grouped by Size of Enterprises**		
大型企业	Large	34	1559. 03
中型企业	Medium	291	1548. 45
小型企业	Small	766	383. 58
按行业分	**Grouped by Sector**		
煤炭开采和洗选业	Coal Mining and Dressing		
石油和天然气开采业	Petroleum and Natural Gas Extraction		
黑色金属矿采选业	Ferrous Metal Minerals Mining and Dressing	1	0. 34
有色金属矿采选业	Nonferrous Metals Minerals Mining and Dressing	1	5. 58
非金属矿采选业	Nonmetal Minerals Mining and Dressing	9	2. 43
农副食品加工业	Farm and Sideline Food Processing	51	38. 41
食品制造业	Food Manufacturing	32	30. 72
饮料制造业	Beverage Manufacturing	20	64. 13
烟草制品业	Tobacco Products	4	84. 76
纺织业	Textile Industry	42	49. 81
纺织服装、鞋、帽制造业	Textile Garments, Footwear and Headgear Manufacturing	24	6. 6
皮革、毛皮、羽毛(绒)及其制品业	Feather, Furs, Down and Related Products	8	5. 91
木材加工及木、竹、藤、棕、草制品业	Timber Processing, Bamboo, Cane, Palm Fiber & Straw Products	7	1. 91
家具制造业	Furniture Manufacturing	4	1. 04
造纸及纸制品业	Papermaking and Paper Products	30	50. 24
印刷业、记录媒介的复制	Printing and Record Medium Reproduction	70	17. 56
文教体育用品制造业	Cultural, Educational and Sports Goods	7	9. 18
石油加工、炼焦及核燃料加工业	Petroleum Refining, Coking and Nuclear Fuel Processing	6	204. 02
化学原料及化学制品制造业	Raw Chemical Materials and Chemical Products	70	125. 24
医药制造业	Medical and Pharmaceutical Products	48	74. 27
化学纤维制造业	Chemical Fiber	6	7. 21
橡胶制品业	Rubber Products	13	23. 63
塑料制品业	Plastic Products	24	36. 24
非金属矿物制品业	Non-metal Mineral Products	64	36. 33
黑色金属冶炼及压延加工业	Smelting and Pressing of Ferrous Metals	10	127. 39
有色金属冶炼及压延加工业	Smelting and Pressing of Nonferrous Metals	13	39. 71
金属制品业	Metal Products	37	26. 96
通用设备制造业	General Purposes Equipment Manufacturing	56	72. 4
专用设备制造业	Special Purposes Equipment Manufacturing	34	9. 29
交通运输设备制造业	Transport Equipment Manufacturing	63	545. 58
电气机械及器材制造业	Electric Equipment and Machinery	67	102. 33
通信设备、计算机及其他电子设备制造业	Telecommunications, Computers and Other Electronic Equipment Manufacturing	131	1032. 44
仪器仪表及文化、办公用机械制造业	Instruments, Meters, Cultural and Office Machinery	30	12. 33
工艺品及其他制造业	Handicraft and Other Manufacturing	17	24. 18
废弃资源和废旧材料回收加工业	Waste Sources and Materials Recovery Processing		
电力、热力得生产和供应业	Production and Supply of Electric Power and Heating Power	61	574. 04
燃气的生产和供应业	Production and Supply of Gas	5	7. 7
水的生产和供应业	Production and Supply of Tap Water	26	41. 17

19-4 广州、深圳主要经济指标(2004年)

MAIN ECONOMIC INDICATORS OF GUANGZHOU AND SHENZHEN (2004)

指标	Item	合计 Total	广州市 Guangzhou	深圳市 Shenzhen
一、人口、土地面积和从业人员	**Population, Total Land Area and Employment**			
土地面积 (平方公里)	Land Area (sq. km)	9387	7434	1949
常用耕地面积 (万亩)	Area of Regularly Cultivated Land (ha.)	201.85	197.93	3.92
年底户籍总人口 (万人)	Total Year-end Population with Residence Registration (10000 persons)	902.81	737.67	165.14
#非农业人口	Non-agricultural Population	812.82	652.05	164.77
年底从业人员数 (万人)	Number of Employed Persons at the Year-end (10000 persons)	996.79	540.71	456.08
二、经济总量指标	**Aggregate Indicators on Economy**			
地区生产总值 (亿元)	Gross Domestic Product (100 million yuan)	7538.61	4115.81	3422.80
第一产业	Primary Industry	129.68	115.50	14.18
第二产业	Secondary Industry	3925.85	1817.71	2108.14
#工业	Industry	3540.07	1627.11	1912.96
第三产业	Tertiary Industry	3483.08	2182.60	1300.48
人均生产总值 (元)	Per Capita Gross Domestic Product (yuan)	57594	56271	59271
地区生产总值指数 (上年=100)	Index of Gross Domestic Product (preceding year=100)	116.1	115.0	117.3
第一产业	Primary Industry	102.0	105.4	80.2
第二产业	Secondary Industry	119.4	117.2	121.3
#工业	Industry	121.4	118.6	123.8
第三产业	Tertiary Industry	112.8	113.8	111.3
人均生产总值指数 (上年=100)	Index of Per Capita Gross Domestic Product (preceding year=100)	111.2	113.7	107.8
三、运输、邮电	**Transportation, Postal and Telecommunication Services**			
公路通车里程 (公里)	Total Length of Highways in Operation (km)	6397	5060	1337
民用汽车拥有量 (辆)	Number of Civil Vehicles Owned (unit)	1287798	682444	605354
邮电业务总量 (亿元)	Total Business Volume of Postal and Telecommunication Services (100 million yuan)	751.93	383.83	368.10
本地电话年末用户 (万户)	Number of Year-end Subscribers of Local Telephones (10000 subscribers)	926.19	524.95	401.24
#城市	# Subscribers in Urban Areas	879.00	484.00	395.00
移动电话年末用户 (万户)	Number of Year-end Subscribers of Mobile Telephones (10000 subscribers)	2057.05	1053.47	1003.58
四、全社会固定资产投资额 (亿元)	**Total Amount of Investment in Fixed Assets (100 million yuan)**	**2402.83**	**1312.71**	**1090.12**
#国有经济单位投资	Invested by State-owned Units	879.59	537.11	342.48
集体经济单位投资	Invested by Collective-owned Units	97.14	30.86	66.28
五、社会消费品零售总额 (亿元)	**Total Amount of Retail Sales of Consumer Goods (100 million yuan)**	**2590.50**	**1675.05**	**915.45**
六、对外经济贸易	**Foreign Trade**			
外贸出口总额 (亿美元)	Total Amount of Exports (USD 100 million)	993.17	214.74	778.43
外贸进口总额 (亿美元)	Total Amount of Imports (USD 100 million)	927.47	233.14	694.33
新签利用外资合同数 (宗)	Number of Utilization of Foreign Capital through Newly Signed Contracts (unit)	3764.00	1046.00	2718.00
合同外资额 (亿美元)	Contracted Foreign Capital (USD 100 million)	73.26	32.05	41.21
实际利用外资 (亿美元)	Foreign Capital Actually Utilized (USD 100 million)	47.51	24.01	23.50
七、财政、金融	**Finance Banking**			
地方财政一般预算收入 (亿元)	Local Government Budgetary Revenue (100 million yuan)	624.34	302.87	321.47
地方财政一般预算支出 (亿元)	Local Government Budgetary Expenditure (100 million yuan)	785.91	408.34	377.57
城乡居民储蓄存款年末余额 (亿元)	Savings Deposits by Urban and Rural Residents at the Year-end (100 million yuan)	6882.21	4256.82	2625.39
金融机构人民币存款 (亿元)	Deposits in Renminbi in Financial Institutions (100 million yuan)	16746.39	9645.64	7100.75
金融机构人民币贷款 (亿元)	Loans in Renminbi in Financial Institutions (100 million yuan)	11799.71	6556.94	5242.77
八、人民生活	**Peoples Life**			
城镇居民人均可支配收入 (元)	Per Capita Annual Disposable Income of Urban Residents (yuan)	19582	16884	27896
农村居民人均纯收入 (元)	Per Capita Annual Net Income of Rural Residents (yuan)		6625	
职工平均工资 (元)	Average Wage of Staff and Workers (yuan)	31705	31593	31928

注：本表地区生产总值绝对数按当年价格计算，指数按可比价格计算。

Note: The figures in value terms on GDP are calculated at current prices, whereas their indexes are calculated at comparable prices.

19-5 山区县(市、区)主要经济指标

MAIN ECONOMIC INDICATORS OF THE COUNTIES (COUNTY-LEVEL CITIES, DISTRICTS) IN MOUNTAINOUS AREAS

指　　标		Item		2003	2004	2004 比 2003 增长% Growth Rate in 2004 over 2003
一、人口、土地面积和从业人员		**Population, Total Land Area and Employment**				
年末户籍总人口	(万人)	Total Year-end Population with Residence Registration	(10000 persons)	3119.02	3139.44	0.7
年末从业人员数	(万人)	Number of Employed Persons at the Year-end	(10000 persons)			
土地面积	(平方公里)	Land Area	(sq. km)	117500	114414	-2.6
常用耕地面积	(万亩)	Area of Regularly Cultivated Land	(10000 mu)	993076	1006755	1.4
二、经济总量指标		**Aggregate Indicators on Economy**				
地区生产总值	(亿元)	Gross Domestic Product	(100 million yuan)	2193.71	2514.83	12.2
第一产业		Primary Industry		623.62	687.45	4.4
第二产业		Secondary Industry		838.29	998.49	17.0
#工业		Industry		706.43	830.27	16.5
第三产业		Tertiary Industry		731.81	828.89	13.2
人均生产总值	(元)	Per Capita Gross Domestic Product	(yuan)	7604	8726	10.9
工业总产值	(亿元)	Gross Output Value of Industry	(100 million yuan)	1255.01	1558.21	20.1
农业总产值	(亿元)	Gross Output Value of Agriculture	(100 million yuan)	942.44	992.07	5.3
乡镇企业营业收入	(亿元)	Business Income of Township Enterprises	(100 million yuan)	2556.48	2860.25	11.9
三、主要农业产品产量		**Output of Major Agricultural Products**				
粮食	(万吨)	Grain	(10000 tons)	864.14	881.76	2.0
油料	(万吨)	Oil bearing Crops	(10000 tons)	48.39	51.30	6.0
猪牛羊肉	(万吨)	Pork, Beef and Mutton	(10000 tons)	112.64	123.67	9.8
水果	(万吨)	Fruits	(10000 tons)	385.58	428.68	11.2
茶叶	(万吨)	Tea	(10000 tons)	3.45	3.57	3.6
四、运输、邮电		**Transportation, Postal and Telecommunication Services**				
公路通车里程	(公里)	Total Length of Highways in Operation	(km)	63885	65766	2.9
邮电业务总量	(亿元)	Total Business Volume of Postal and Telecommunication Services	(100 million yuan)	76.32	90.73	18.9
五、全社会固定资产投资额	**(亿元)**	**Total Amount of Investment in Fixed Assets**	**(100 million yuan)**	**553.88**	**690.30**	**24.6**
基本建设投资		Investment in Capital Construction		177.02	225.32	27.3
更新改造投资		Investment in Innovation		61.49	89.57	45.7
房地产开发投资		Investment in Real Estate Development		38.42	45.62	18.7
六、社会消费品零售总额	**(亿元)**	**Total Amount of Retail Sales of Consumer Goods**	**(100 million yuan)**	**816.59**	**868.95**	**6.4**
七、财政、金融		**Finance and Banking**				
地方财政一般预算收入	(亿元)	Local Government Budgetary Revenue	(100 million yuan)	50.66	61.09	20.6
地方财政一般预算支出	(亿元)	Local Government Budgetary Expenditure	(100 million yuan)	181.37	209.83	15.7
城乡居民储蓄存款年末余额	(亿元)	Savings Deposits by Urban and Rural Residents at the Year-end	(100 million yuan)	1334.90	1556.35	16.6
八、农村居民人均纯收入	**(元)**	**Per Capita Net Income of Rural Residents**	**(yuan)**	**3662**	**3774**	**3.1**
九、对外经济		**Foreign Trade**				
外贸出口总额	(亿美元)	Total Exports	(USD 100 million)	38.84	43.22	11.3
实际利用外商直接投资	(亿美元)	Foreign Capital Actually Utilized	(USD 100 million)		11.33	

注:1. 本表地区生产总值绝对数按当年价格计算,增长速度按可比价格计算。表中数据按各地级市统计局上报数汇总。
2. 2003、2004 年地方财政一般预算收支根据广东省财政厅提供的广东省地(市)县级财政一般预算收支及平衡表整理。

Note: a) The figures in value terms on GDP are calculated at current prices, whereas the growth rates are calculated at comparable prices. Data in this table are reported by the prefectual bureaus of statistics.

b) The figures of local government budgetary revenue and expenditure of 2002 and 2003 are prepared on the basis of the prefectual (county) government revenue and expenditure balanced sheet provided by Guangdong Provincial Department of Finance.

19-6 东西两翼主要经济指标（2004年）
MAIN ECONOMIC INDICATORS OF BOTH EAST AND WEST WINGS (2004)

指标	Item	东西翼合计 Total	东翼 East Wing	西翼 West Wing
一、人口、土地面积和从业人数	**Population, Total Land Area and Employment**			
土地面积（平方公里）	Land Area (sq. km)	47425	15683	31742
常用耕地面积（亩）	Area of Regularly Cultivated Land (mu)	856550	224680	631870
年末户籍总人口（万人）	Total Year-end Population with Residence Registration (10000 persons)	3299.91	1650.55	1649.36
年末从业人员数（万人）	Year-end Employed Persons (10000 persons)	1421.42	672.40	749.02
二、经济总量指标	**Aggregate Indicators on Economy**			
地区生产总值（亿元）	Gross Domestic Product (100 million yuan)	3253.28	1620.93	1632.35
第一产业	Primary Industry	639.76	240.92	398.85
第二产业	Secondary Industry	1431.12	789.74	641.39
#工业	Industry	1248.57	711.41	537.16
第三产业	Tertiary Industry	1182.39	590.27	592.12
人均生产总值（元）	Per Capita Gross Domestic Product (yuan)	10341	10191	10495
地区生产总值指数（上年=100）	Index of Gross Domestic Product (preceding year = 100)	111.4	110.2	112.7
第一产业	Primary Industry	104.6	103.7	105.1
第二产业	Secondary Industry	114.0	112.7	115.9
#工业	Industry	114.0	113.2	115.1
第三产业	Tertiary Industry	112.2	109.7	114.8
人均生产总值指数（上年=100）	Index of Per Capita Gross Domestic Product (preceding year = 100)	110.4	109.0	111.9
三、运输、邮电	**Transportation, Postal and Telecommunication Services**			
公路通车里程（公里）	Total Length of Highways in Operation (km)	31452	11437	20015
邮电业务总量（亿元）	Total Business Volume of Postal and Telecommunication Services (100 million yuan)	173.64	103.90	74.09
本地电话年末用户（万户）	Number of Year - end Subscribers of Local Telephones (10000 subscribers)	637.35	364.44	272.91
移动电话年末用户（万户）	Number of Year-end Subscribers of Mobile Telephones (10000 subscribers)	806.58	505.1	301.48
四、全社会固定资产投资（亿元）	**Total Amount of Investment in Fixed Assets (100 million yuan)**	**706.76**	**370.79**	**335.97**
五、社会消费品零售总额（亿元）	**Total Amount of Retail Sales of Consumer Goods (100 million yuan)**	**1296.61**	**694.93**	**601.68**
六、对外经济贸易	**Foreign Trade**			
外贸出口总额（亿美元）	Total Amount of Exports (USD 100 million)	65.81	51.04	14.77
外贸进口总额（亿美元）	Total Amount of Imports (USD 100 million)	32.75	26.79	5.96
实际利用外商直接投资（亿美元）	Foreign Capital Actually Utilized (USD 100 million)	5.63	3.76	1.88
七、财政、金融	**Finance and Banking**			
地方财政一般预算收入（亿元）	Local Government Budgetary Revenue (100 million yuan)	87.00	44.91	42.09
地方财政一般预算支出（亿元）	Local Government Budgetary Expenditure (100 million yuan)	219.32	108.41	110.91
城乡居民储蓄存款余额（亿元）	Savings Deposits by Urban and Rural Residents at the Year-end (100 million yuan)	2275.73	1281.21	994.52
金融机构人民币存款（亿元）	Deposit of Financial Lustilations in Renmibi (100 million yuan)	2949.29	1645.83	1303.46
金融机构人民币贷款（亿元）	Loan of Financial Lustilations in Renmibi (100 million yuan)	1431.28	780.84	650.44

注：1 东翼指汕头、汕尾、潮州和揭阳四个市，西翼指湛江、茂名和阳江三个市。表中数据按各地级市统计局上报数汇总。

2. 本表地区生产总值绝对数按当年价格计算，指数按可比价格计算。

Note: a) The East Wing refers to Shantou, Shanwei, Chaozhou and Jieyang, and the West Wing refers to Zhanjiang, Maoming and Yangjiang. Data in this table are reported by the prefectual bureaus of statistics.

b) The figures in value terms on GDP are calculated at current prices, whereas their indexes are calculated at comparable prices.

19-7 少数民族县主要经济指标(2004 年)
MAIN ECONOMIC INDICATORS OF THE MINORITY NATIONALITY COUNTIES (2004)

指　　标	Item	合　计 Total	连南县 Liannan County	连山县 Lianshan County	乳源县 Ruyuan County
一、人口、土地面积和从业人数	**Population, Total Land Area and Employment**				
土地面积（平方公里）	Land Area (sq. km)	4681.22	1289.38	1164.84	2227
常用耕地面积（万亩）	Area of Regularly Cultivated Land (10000 mu)	23173	6965	6088	10120
年末户籍总人口（万人）	Total Year-end Population with Residence Registration (10000 persons)	47.34	15.46	11.51	20.37
少数民族人口	Population of Minority Nationalities	17.16	8.05	6.80	2.31
农业人口	Agricultural Population	38.01	12.66	8.94	16.42
从业人数（万人）	Employment (10000 persons)	24.19	8.28	4.73	11.18
二、经济总量指标	**Aggregate Indicators on Economy**				
地区生产总值（亿元）	Gross Domestic Product (100 million yuan)	28.32	5.96	5.76	16.60
第一产业	Primary Industry	6.86	1.99	2.37	2.50
第二产业	Secondary Industry	14.35	2.11	1.40	10.84
#工业	Industry	10.33	1.02	0.63	8.68
第三产业	Tertiary Industry	7.11	1.86	2.00	3.26
人均生产总值（元）	Per Capita Gross Domestic Product (yuan)	6827	4295	5758	9430
地区生产总值指数（上年=100）	Index of Gross Domestic Product (preceding year=100)	113.6	108.6	108.9	117.5
第一产业	Primary Industry	102.2	100.3	102.7	103.3
第二产业	Secondary Industry	122.6	116.3	115.4	125.1
#工业	Industry	128.8	106.6	117.4	133.7
第三产业	Tertiary Industry	110.3	110.0	112.2	109.3
人均生产总值指数（上年=100）	Index of Per Capita Gross Domestic Product (preceding year=100)	112.2	108.6	108.7	116.4
三、运输、邮电	**Transportation, Postal and Telecommunication Services**				
公路通车里程（公里）	Total Length of Highways in Operation (km)	2809	693	653	1463
本地电话年末用户（万户）	Number of Year-end Subscribers of Local Telephones (10000 subscribers)	6.60	1.88	1.56	3.16
#乡村	Subscribers in Rural Areas	3.52	0.85	0.79	1.88
移动电话年末用户（万户）	Number of Year-end Subscribers of Mobile Telephones (10000 subscribers)	7.34	3.83	2.59	0.92
邮电业务总量（亿元）	Total Business Volume of Postal and Telecommunication Services (100 million yuan)	1.71	0.76	0.54	0.41
四、全社会固定资产投资额（亿元）	**Total Amount of Investment in Fixed Assets (100 million yuan)**	**20.47**	**3.27**	**4.24**	**12.96**
#基本建设投资	# Investment in Capital Construction (100 million yuan)	5.46	0.99	1.34	3.14
更新改造投资	Investment in Innovation (100 million yuan)	3.12	1.49	1.30	0.33
五、社会消费品零售总额（亿元）	**Total Amount of Retail Sales of Consumer Goods (100 million yuan)**	**7.35**	**1.95**	**1.30**	**4.09**
六、财政	**Finance**				
地方财政一般预算收入（亿元）	Local Government Budgetary Revenue (100 million yuan)	1.46	0.35	0.20	0.91
地方财政一般预算支出（亿元）	Local Government Budgetary Expenditure (100 million yuan)	5.93	1.82	1.62	2.49
城乡居民储蓄存款年末余额（亿元）	Savings Deposits by Urban and Rural Residents at the Year-end (100 million yuan)	19.08	6.04	4.68	8.35
七、人民生活	**Peoples Life**				
职工年平均工资（元）	Annual Average Wage of Staff and Workers (yuan)		13954	12722	11938
农村居民人均纯收入（元）	Per Capita Net Income of Rural Residents (yuan)		2454	2562	2921
八、教育	**Education**				
普通中学（所）	Number of Regular Secondary Schools (unit)	42	14	13	15
在校学生数（人）	Number of Students Enrolled in Regular Secondary Schools (person)	30916	8872	8944	13100
小学（所）	Number of Primary Schools (unit)	212	76	63	73
在校学生数（人）	Number of Students Enrolled in Primary Schools (person)	50100	16800	12900	20400

注：本表地区生产总值绝对数按当年价计算，指数按可比价格计算。
Note: The figures in value terms on GDP are calculated at current prices, whereas their indexes are calculated at comparable prices.

二十 城市主要指标

CITIES

20

二十　城市主要指标

简要说明

一、本篇资料反映广东城市社会、经济发展和城市建设的规模、速度、效益及综合水平等基本情况。

二、本篇资料由广东省统计局综合处整理提供。

三、本篇资料依据国家统计局制定的《城市社会经济基本情况统计报表制度》，由全省21个地级市统计局填报后汇总、加工而成。资料的统计范围为广东21个省辖城市的市区。其中深圳 、珠海、东莞、中山、佛山为全市。

20　CITIES

Brief Introduction

Ⅰ. The data in this chapter show the social and economic development as well as the scale, growth rates, economic efficiency, overall level and other basic conditions of the cities of Guangdong Province.

Ⅱ. The data in this chapter are prepared and provided by the Division of Comprehensive Statistics of Guangdong Provincial Bureau of Statistics.

Ⅲ. The data in this chapter are reported, tabulated and processed by the twenty-one statistical bureaus at the prefectural level in accordance with the "Statistical Reporting Scheme on the Basic Social and Economic Situations of the Cities" stipulated by the National Bureau of Statistics. The statistical coverage includes the urban districts but excludes the counties under the jurisdiction of the twenty-one cities of Guangdong Province, among which Shenzhen, Zhuhai, Dongguan, Zhongshan and Foshan refer to the whole cities, with their towns and villages included.

20-1 城市主要经济指标
MAIN ECONOMIC INDICATORS ON CITIES

指 标	Item	2003	2004
土地面积 （平方公里）	Total Land Area (sq. km)	29150	31351
#建城区面积	Developed Land Area	2178	2326
年末户籍总人口 （万人）	Total Year-end Population with Residence Registration (10000 persons)	2899.99	2982.16
#非农业人口	Non-agricultural Population	2383.60	2485.76
年末总户数 （万户）	Total Number of Households at the Year-end (10000 households)	824.18	849.34
年末单位从业人员数 （万人）	Number of Persons Employed in Units at the Year-end (10000 persons)	566.16	617.63
城镇私营和个体从业人员 （万人）	Number of Persons Employed in Private Enterprises and Self-employed Individuals in Urban Areas (10000 persons)	535.87	609.31
地区生产总值（当年价） （亿元）	Gross Domestic Product (at current prices) (100 million yuan)	11756.68	13965.99
第一产业	Primary Industry	437.99	468.51
第二产业	Secondary Industry	6138.53	7516.67
#工业	Industry	5520.67	6801.22
第三产业	Tertiary Industry	5187.95	5980.80
邮政业务总量 （亿元）	Total Business Volume of Postal Services (100 million yuan)	55.90	42.26
电信业务总量 （亿元）	Total Business Volume of Telecommunication Services (100 million yuan)	542.75	782.56
本地电话机用户数 （万户）	Number of Telephone Subscribers (10000 subscribers)	1613.62	2174.93
年末移动电话用户数 （万户）	Number of Mobile Telephone Subscribers at the Year-end (10000 subscribers)	3515.44	4520.13
国际互联网用户数 （万户）	Number of Internet Subscribers (10000 subscribers)	713.62	690.15
生活用水量 （万立方米）	Water Consumption for Residential Use (10000 cu. m)	238951	286481
全年用电量 （亿千瓦时）	Annual Electricity Consumption (100 million kwh)	1551.73	1821.61
#工业用电	Electricity Consumption for Industry	1015.02	1201.59
城乡居民生活用电	Electricity Consumption for Residential Use	191.04	193.70
全社会固定资产投资 （亿元）	Total Investment in Fixed Assets (100 million yuan)	3940.02	4617.89
房地产开发投资额 （亿元）	Investment in Real Estate Development (100 million yuan)	1158.06	1266.43
#住宅	Residential Buildings	765.17	833.42
社会消费品零售总额 （亿元）	Total Retail Sales of Consumer Goods (100 million yuan)	4286.39	4876.75
外商直接投资	Foreign Direct Investment Made by Foreigners and Entrepreneurs from Hong Kong, Macao and Taiwan		
合同外资额 （亿美元）	Contracted Foreign Capital (USD 100 million)	176.95	163.61
实际利用外资 （亿美元）	Foreign Capital Actually Used (USD 100 million)	133.53	120.36
地方财政一般预算收入 （亿元）	Total Budgetary Revenue of Local Governments (100 million yuan)	893.16	983.49
地方财政一般预算支出 （亿元）	Total Budgetary Expenditure of Local Governments (100 million yuan)	1179.17	1317.71
城乡居民储蓄存款年末余额（亿元）	Savings Deposits by Urban and Rural Residents at the Year-end (100 million yuan)	11637.33	13580.99
在岗职工工资总额 （亿元）	Total Wages of Fully Employed Staff and Workers (100 million yuan)	1286.07	1512.24

注：表中数据按各地级市统计局上报数汇总。
Note: All data in this table are reported by the prefectual bureaus of statistics.

20-2 城市基本情况(2004年)

指 标		Item		21个城市合计 Total of 21 Cities
一、人口、从业人员和土地面积		**Population, Employment and Total Land Area**		
年末总人口	(万人)	Total Year-end Population with Residence Registration	(10000 persons)	2982.16
#非农业人口		Non-agricultural Population		2485.76
年末总户数	(万户)	Total Number of Households at the Year-end	(10000 households)	849.34
年末单位从业人员数	(万人)	Number of Persons Employed in Units at the Year-end	(10000 persons)	617.63
第一产业(农、林、牧、渔业)		Primary Industry		3.68
第二产业		Secondary Industry		319.01
第三产业		Tertiary Industry		294.94
私营和个体从业人员	(万人)	Persons Employed in Private Enterprises and Self-employed Individuals in Urban Areas	(10000 persons)	609.31
年末城镇登记失业人员数	(万人)	Number of Year-end Unemployed Persons Registered in Urban Areas	(10000 persons)	27.66
行政区域土地面积	(平方公里)	Total Area	(sq. km)	31351
#建成区面积		Developed Land Area		2326
二、经济总量指标		**Aggregated Economic Indicators**		
地区生产总值(当年价格)	(亿元)	Gross Domestic Product (at current prices)	(100 million yuan)	13965.99
第一产业		Primary Industry		468.51
第二产业		Secondary Industry		7516.67
#工业		Industry		6801.22
第三产业		Tertiary Industry		5980.81
人均地区生产总值	(元)	Per Capita Gross Domestic Product	(yuan)	38337
地区生产总值增长率	(%)	Growth Rate of Gross Domestic Product	(%)	16
三、工业		**Industry**		
工业企业数	(个)	Number of Industrial Enterprises	(unit)	20053
内资企业		Domestic Funded Enterprises		10746
港、澳、台商投资企业		Enterprises Funded by Entrepreneurs from Hong Kong, Macao and Taiwan		6989
外商投资企业		Foreign Funded Enterprises		1856
工业总产值(当年价)	(亿元)	Total Industrial Output Value (at current prices)	(100 million yuan)	23722.04
内资企业		Domestic Funded Enterprises		7871.21
港、澳、台商投资企业		Enterprises Funded by Entrepreneurs from Hong Kong, Macao and Taiwan		7837.44
外商投资企业		Foreign Funded Enterprises		7125.40
产品销售收入	(亿元)	Sales Revenue	(100 million yuan)	23478.06
#产品销售税金及附加	(亿元)	Sales Tax and Extra Charges	(100 million yuan)	180.89
本年应交增值税	(亿元)	Value Added Tax Payable	(100 million yuan)	531.52
利润总额	(亿元)	Total Profits	(100 million yuan)	1259.75

注:1. 本表按2004年底止的行政区划范围统计。
2. 工业统计范围为国有及年销售收入500万元以上的非国有工业企业。

BASIC STATISTICS ON CITIES (2004)

广州市 Guangzhou	深圳市 Shenzhen	珠海市 Zhuhai	汕头市 Shantao	佛山市 Foshan	韶关市 Shaoguan	河源市 Heyuan	梅州市 Meizhou	惠州市 Huizhou
599.91	165.14	86.17	480.27	350.89	90.09	28.69	30.61	111.57
473.28	164.77	86.17	480.27	350.89	59.95	28.45	23.53	63.47
187.61	52.04	24.29	105.04	103.96	29.10	11.55	9.54	33.23
180.53	137.04	41.28	29.22	48.99	11.96	5.88	4.45	40.30
0.89	0.70	0.90	0.05	0.06	0.06	0.03	0.07	0.08
79.06	74.99	29.81	11.43	26.30	6.72	3.17	1.34	31.33
100.58	61.35	10.57	17.74	22.63	5.18	2.68	3.04	8.89
105.92	149.15	31.44	41.06	97.80	9.96	1.22	2.36	15.70
6.26	2.61	1.11	1.68	2.85		0.35	0.26	0.89
3719	1949	1688	1956	3848	2856	450	298	2672
670	551	106	193	123	56	12	48	74
3771.00	3422.80	546.28	596.68	1656.46	166.78	34.73	48.81	415.06
81.33	14.18	18.63	48.83	82.31	11.99	2.38	2.24	19.87
1598.22	2108.14	311.44	301.40	957.76	94.50	19.21	31.26	272.98
1424.60	1912.96	261.35	279.68	912.21	83.50	13.35	29.00	236.58
2091.45	1300.48	216.20	246.46	616.39	60.28	13.14	15.31	122.20
63456	59271	41848	12456	42658	18614	11824	15706	37681
15.6	17.3	13.8	11.1	16.3	12.8	29.0	37.6	16.3
3657	2355	847	1316	4078	171	69	46	593
2079	505	254	958	2991	147	30	33	131
1120	1495	453	251	929	16	34	13	
458	355	140	107	158	8	5		
4433.57	6509.27	1262.67	545.05	3331.31	229.06	39.25	49.43	970.33
1432.92	1358.03	270.86	381.03	1959.44	200.00	13.86	14.50	44.21
1172.29	2472.08	332.92	127.64	1065.86		22.00	34.93	
1828.36	2679.16	658.88	111.68	306.01	6.46	3.38		
4538.22	6333.49	1293.30	610.94	2955.38	238.00	43.74	56.16	985.24
72.47	24.28	1.66	3.22	9.91	10.63	0.09	16.99	0.45
162.85	95.07	18.35	16.54	61.25	15.80	0.97	5.42	10.99
373.65	400.04	50.49	23.43	85.63	17.31	2.96	0.99	23.65

Note: a) Figures in this table are calculated in accordance with the administrative divisions at the end of 2004.
b) The scope of indicators in industry refers to the state-owned industrial enterprises and non-state-owned industrial enterprises with an annual sales revenue over 5 million yuan.

20-2 续表1

指　　标	Item	汕尾市 Shanwei	东莞市 Dongguan
一、人口、从业人员和土地面积	**Population, Employment and Total Land Area**		
年末总人口 （万人）	Total Year-end Population with Residence Registration (10000 persons)	45.72	161.97
#非农业人口	Non-agricultural Population	45.72	61.48
年末总户数 （万户）	Total Number of Households at the Year-end (10000 households)	10.91	45.46
年末单位从业人员数 （万人）	Number of Persons Employed in Units at the Year-end (10000 persons)	4.01	18.35
第一产业（农、林、牧、渔业）	Primary Industry	0.11	0.06
第二产业	Secondary Industry	1.69	7.89
第三产业	Tertiary Industry	2.21	10.40
私营和个体从业人员 （万人）	Persons Employed in Private Enterprises and Self-employed Individuals in Urban Areas (10000 persons)		15.72
年末城镇登记失业人员数 （万人）	Number of Year-end Unemployed Persons Registered in Urban Areas (10000 persons)	0.24	0.55
行政区域土地面积 （平方公里）	Total Area (sq. km)	150	2465
#建成区面积	Developed Land Area	13	39
二、经济总量指标	**Aggregated Economic Indicators**		
地区生产总值（当年价格） （亿元）	Gross Domestic Product (at current prices) (100 million yuan)	48.74	1155.30
第一产业	Primary Industry	9.99	27.74
第二产业	Secondary Industry	21.80	640.60
#工业	Industry	16.89	599.51
第三产业	Tertiary Industry	16.95	486.96
人均地区生产总值 （元）	Per Capita Gross Domestic Product (yuan)	10193	71995
地区生产总值增长率 （%）	Growth Rate of Gross Domestic Product (%)	26.1	19.6
三、工业	**Industry**		
工业企业数 （个）	Number of Industrial Enterprises (unit)	45	2049
内资企业	Domestic Funded Enterprises	23	415
港、澳、台商投资企业	Enterprises Funded by Entrepreneurs from Hong Kong, Macao and Taiwan	21	1346
外商投资企业	Foreign Funded Enterprises	1	288
工业总产值（当年价） （亿元）	Total Industrial Output Value (at current prices) (100 million yuan)	46.27	2583.22
内资企业	Domestic Funded Enterprises	11.80	373.45
港、澳、台商投资企业	Enterprises Funded by Entrepreneurs from Hong Kong, Macao and Taiwan	34.46	1325.58
外商投资企业	Foreign Funded Enterprises	0.01	884.19
产品销售收入 （亿元）	Sales Revenue (100 million yuan)	49.81	2733.19
#产品销售税金及附加 （亿元）	Sales Tax and Extra Charges (100 million yuan)	0.06	2.72
本年应交增值税 （亿元）	Value Added Tax Payable (100 million yuan)	0.54	52.64
利润总额 （亿元）	Total Profits (100 million yuan)	2.16	145.40

中山市 Zhongshan	江门市 Jiangmen	阳江市 Yangjiang	湛江市 Zhanjiang	茂名市 Maoming	肇庆市 Zhaoqing	清远市 Qingyuan	潮州市 Chaozhou	揭阳市 Jieyang	云浮市 Yunfu
139.45	133.08	63.31	144.17	119.88	48.00	54.59	34.31	66.03	28.32
59.59	133.08	44.19	77.62	117.65	35.90	54.33	31.06	66.03	28.32
38.79	42.86	18.72	41.15	30.40	14.68	16.51	9.08	16.12	8.30
18.15	17.49	6.64	16.37	9.09	9.84	5.56	4.91	4.92	2.65
0.04	0.02	0.13	0.36	0.03	0.03	0.03	0.01	0.01	0.01
10.74	10.05	2.23	5.46	3.65	5.46	2.05	2.36	1.94	1.34
7.37	7.42	4.28	10.55	5.41	4.35	3.48	2.54	2.97	1.30
82.62	13.89	5.87	9.18	5.02	4.62	3.85	7.07	5.84	1.02
1.34	3.15	3.09	0.76	0.71	0.51	0.25	0.44	0.35	0.24
1800	1818	658	1460	874	664	927	152	181	762
33	95	35	70	35	52	38	38	27	18
610.14	408.11	118.49	325.19	246.55	126.71	65.67	57.37	101.85	43.27
30.51	22.74	21.74	18.18	21.14	8.68	9.71	1.19	6.15	7.93
396.49	194.29	44.28	193.69	128.52	53.70	32.64	30.11	64.11	21.52
371.99	183.24	28.80	170.51	113.64	44.73	20.70	24.16	58.87	14.94
183.14	191.08	52.47	113.32	96.90	64.33	23.31	26.08	31.58	13.82
44006	30791	18778	24248	20541	26468	12005	16714	15422	15294
18.7	16.2	12.9	14.8	22.5	11.9	23.2	8.0	7.7	15.7
2542	1092	137	284	149	177	78	170	159	39
1585	763	123	195	121	92	35	118	119	29
787	266	12	53	19	58	34	43	31	8
170	63	2	36	9	27	9	9	9	2
1694.71	692.00	70.68	403.16	509.84	146.02	59.19	51.78	64.34	30.89
614.53	342.52	58.92	141.40	470.94	59.35	36.00	30.17	39.10	18.17
726.87	148.46	11.00	229.16	34.74	18.69	15.63	17.41	19.90	4.89
353.31	201.02	0.66	33.11	4.16	38.19	7.56	3.87	5.10	0.28
1622.30	691.32	64.35	380.17	539.84	112.73	68.45	63.79	74.47	23.16
2.50	9.41	0.45	10.18	12.71	0.95	0.17	0.19	0.18	1.68
35.98	13.55	0.75	13.78	16.86	3.73	1.68	1.90	1.51	1.37
43.73	17.39	-0.03	52.64	24.30	1.90	-1.01	2.10	-8.04	1.04

指 标		Item		21个城市合计 Total of 21 Cities
四、邮电通信和电力		**Postal and Telecommunication Services and Electricity**		
邮政业务总量	(亿元)	Total Business Volume of Postal Services	(100 million yuan)	42.26
电信业务总量	(亿元)	Total Business Volume of Telecommunication Services	(100 million yuan)	782.56
固定电话用户数	(万户)	Number of Telephone Subscribers	(10000 subscribers)	2174.93
年末移动电话用户数	(万户)	Number of Mobile Telephone Subscribers at the Year-end	(10000 subscribers)	4520.13
国际互联网用户数	(万户)	Number of Internet Subscribers	(10000 subscribers)	690.15
全年用电量	(亿千瓦时)	Annual Electricity Consumption	(100 million kwh)	1821.61
#工业用电		Electricity Consumption for Industry		1201.59
城乡居民生活用电		Electricity Consumption for Residential Use		193.70
五、固定资产投资		**Investment in Fixed Assets**		
全社会固定资产投资总额	(亿元)	Total Investment in Fixed Assets	(100 million yuan)	4817.89
#房地产开发投资完成额		Total Investment in Real Estate Development		1266.43
#住宅		Residential Buildings		833.42
商品房屋销售面积	(万平方米)	Floor Space of Commercial Buildings Sold	(10000 sq. m)	2577.15
商品房屋销售额	(亿元)	Total Sales of Commercial Buildings	(100 million yuan)	983.21
六、市政公用事业		**Urban Public Utilities**		
年末实有铺装道路面积	(万平方米)	Area of Paved Roads at the Year-end	(10000 sq. m)	34821
供水总量	(万立方米)	Annual Supply of Tap Water	(10000 cubic meters)	686098
#居民家庭用水量		Water Consumption for Residential Use		286481
液化石油气供气总量	(吨)	Total Supply of Liquefied Petroleum Gas	(ton)	2836210
年末实有公共汽(电)车营运车辆数	(辆)	Number of Public Vehicles (Buses and Trolley-buses) at the Year-end	(unit)	33965
年末实有出租汽车数	(辆)	Number of Taxis at the Year-end	(unit)	40799
园林绿地面积	(公顷)	Area of Urban Gardens and Green Areas	(ha.)	257094
七、批发零售贸易和外经		**Wholesale, Retail Trade and Foreign Trade**		
限额以上批发零售贸易业商品销售总额	(亿元)	Total Sales of Commodities in Wholesale and Retail Trade	(100 million yuan)	7551.40
社会消费品零售额	(亿元)	Total Retail Sales of Consumer Goods	(100 million yuan)	4876.75
外商直接投资		Foreign Direct Investment Made by Foreigners and Entrepreneurs from Hong Kong, Macao and Taiwan		
新签项目(合同)个数	(个)	Number of Agreements and Contracts Newly Signed	(unit)	7409
合同外资金额	(亿美元)	Contracted Foreign Capital	(USD 100 million)	163.61
实际使用外资金额	(亿美元)	Foreign Capital Actually Used	(USD 100 million)	120.36

20-2 continued 2

广州市 Guangzhou	深圳市 Shenzhen	珠海市 Zhuhai	汕头市 Shantao	佛山市 Foshan	韶关市 Shaoguan	河源市 Heyuan	梅州市 Meizhou	惠州市 Huizhou
11.85	10.10	1.66	1.60	4.04	0.59	0.20	0.30	0.89
236.43	255.91	23.27	35.85	69.52	7.29	1.23	5.70	0.00
482.39	387.27	68.34	146.22	227.21	44.20	12.09	15.08	79.09
1017.62	986.00	180.90	191.31	566.43	14.05	20.21	20.47	129.50
234.16	231.31	19.55	15.24	48.48			3.37	8.96
303.55	390.31	52.23	75.23	292.00		14.19	4.70	55.48
148.55	223.48	32.21	46.25	227.44		4.01	2.82	36.08
57.14	46.10	6.71	15.71	29.65		1.01	0.70	6.40
1242.03	1092.55	179.80	130.20	565.40	65.24	26.22	31.84	247.26
412.74	431.81	40.46	17.14	96.40	5.50	5.37	2.23	26.76
323.33	248.55	32.27	13.50	60.10	4.65		1.78	
772.00	384.61	115.69	128.04	392.36	45.71	18.92	13.94	
366.65	259.67	38.00	27.57	113.57	6.50	2.86	1.67	
7706	7216	2511	1485	1710	504	199	442	810
188675	135026	23051	27548	55215	11108	2930	2401	16327
75572	52842	13747	11630	16565	3615	950	1397	5774
686628	880513	92500	198547	347524	29377	1000	25000	68094
8105	18991	1138	439	798	211	65	93	544
16918	10305	1882	2109	2098	886	195	317	778
109014	97580	4840	4848	4668	1606	379	897	2286
3183.59	2031.62	300.86	119.71	730.77	49.21	16.37	4.18	
1566.97	915.45	179.89	286.83	542.19	79.60	17.54	12.41	121.26
955	2718	475	76	542	47	68	42	332
28.53	41.21	17.66	1.74	18.17	1.52	2.58	1.63	8.79
21.72	23.50	5.10	0.78	17.25	1.30	1.19	0.76	3.19

20-2 续表 3

指 标	Item	汕尾市 Shanwei	东莞市 Donggua
四、邮电通信和电力	**Postal and Telecommunication Services and Electricity**		
邮政业务总量 (亿元)	Total Business Volume of Postal Services (100 million yuan)	0.15	5.31
电信业务总量 (亿元)	Total Business Volume of Telecommunication Services (100 million yuan)		44.83
固定电话用户数 (万户)	Number of Telephone Subscribers (10000 subscribers)	12.32	274.37
年末移动电话用户数 (万户)	Number of Mobile Telephone Subscribers at the Year-end (10000 subscribers)	18.04	841.05
国际互联网用户数 (万户)	Number of Internet Subscribers (10000 subscribers)	0.47	50.42
全年用电量 (亿千瓦时)	Annual Electricity Consumption (100 million kwh)	4.53	350.28
# 工业用电	Electricity Consumption for Industry	1.70	296.61
城乡居民生活用电	Electricity Consumption for Residential Use	0.68	
五、固定资产投资	**Investment in Fixed Assets**		
全社会固定资产投资总额 (亿元)	Total Investment in Fixed Assets (100 million yuan)	23.85	433.90
# 房地产开发投资完成额	Total Investment in Real Estate Development	0.47	93.45
# 住宅	Residential Buildings	0.40	66.68
商品房屋销售面积 (万平方米)	Floor Space of Commercial Buildings Sold (10000 sq. m)	8.21	160.58
商品房屋销售额 (亿元)	Total Sales of Commercial Buildings (100 million yuan)	0.93	59.18
六、市政公用事业	**Urban Public Utilities**		
年末实有铺装道路面积 (万平方米)	Area of Paved Roads at the Year-end (10000 sq. m)	110	7824
供水总量 (万立方米)	Annual Supply of Tap Water (10000 cubic meters)	2051	146000
# 居民家庭用水量	Water Consumption for Residential Use	1411	65700
液化石油气供气总量 (吨)	Total Supply of Liquefied Petroleum Gas (ton)	20000	
年末实有公共汽(电)车营运车辆数 (辆)	Number of Public Vehicles (Buses and Trolley-buses) at the Year-end (unit)	95	1068
年末实有出租汽车数 (辆)	Number of Taxis at the Year-end (unit)		
园林绿地面积 (公顷)	Area of Urban Gardens and Green Areas (ha.)	452	11404
七、批发零售贸易和外经	**Wholesale, Retail Trade and Foreign Trade**		
限额以上批发零售贸易业商品销售总额 (亿元)	Total Sales of Commodities in Wholesale and Retail Trade (100 million yuan)	8.44	
社会消费品零售额 (亿元)	Total Retail Sales of Consumer Goods (100 million yuan)	25.20	389.04
外商直接投资	Foreign Direct Investment Made by Foreigners and Entrepreneurs from Hong Kong, Macao and Taiwan		
新签项目(合同)个数 (个)	Number of Agreements and Contracts Newly Signed (unit)	28	1032
合同外资金额 (亿美元)	Contracted Foreign Capital (USD 100 million)	1.15	13.40
实际使用外资金额 (亿美元)	Foreign Capital Actually Used (USD 100 million)	1.12	21.39

20-2 continued 3

中山市 Zhongshan	江门市 Jiangmen	阳江市 Yangjiang	湛江市 Zhanjiang	茂名市 Maoming	肇庆市 Zhaoqing	清远市 Qingyuan	潮州市 Chaozhou	揭阳市 Jieyang	云浮市 Yunfu
2.00	1.09	0.35	0.65	0.43	0.30	0.18		0.33	0.23
32.05	6.76	6.02	10.86	9.78	8.71	7.91	16.69	1.67	2.10
119.52	98.65	22.22	55.32	30.53	27.71	18.24	14.09	26.57	13.50
243.45		39.88	73.56		51.08	32.88	10.55	70.44	12.72
31.81	11.08	1.27	12.25	2.68	9.75	3.07	4.23	2.06	
111.05	53.91	9.20	23.15	23.56	13.57	12.58	8.63	17.83	5.62
73.56	33.10	5.51	13.91	19.56	8.68	8.37	2.25	13.66	3.82
11.39	3.91	0.65	2.98	1.60	1.78	1.68	3.28	1.97	0.35
291.29	95.34	35.90	100.58	53.45	41.80	71.35	36.29	23.62	29.97
62.46	15.44	8.44	10.34	4.65	14.08	13.15	2.15	1.70	1.70
32.64	14.53	4.70	8.04	2.52	9.87	5.97	1.58	1.36	0.96
159.27	109.30	29.18	35.67	54.48	66.87	35.27	23.39	23.66	
40.63	19.77	4.28	6.73	8.48	14.02	6.00	2.86	2.74	1.11
539	1084	239	692	245	405	538	202	303	58
7548	16295	4582	11560	11700	7887	3643	5725	5303	1523
5597	7566	2967	6140	2951	3035	1570	3109	3587	756
44744	60971	186119	30826	30120	20474	17500	64323	25500	6450
691	500	140	318	135	257	153	100	69	55
1034	436	357	800	435	595	239	470	850	95
1158	8244	888	2238	1239	1707	716	1465	851	614
292.58	255.73	12.24	67.64	373.42	67.19	14.33	0.24	14.82	8.45
178.84	112.87	44.78	119.28	91.95	58.35	38.91	30.36	51.51	13.52
380	234	23	38	23	47	53	33	5	22
8.22	4.91	0.85	1.22	0.47	1.56	1.56	0.70	0.11	0.42
5.10	2.72	0.27	0.55	0.26	0.82	0.26	0.22	0.18	0.07

指　　标		Item		21 个城市合计 Total of 21 Cities
八、财政、金融和保险		**Finance and Insurance**		
地方财政一般预算内收入	(亿元)	Local Government Budgetary Revenue	(100 million yuan)	983.49
地方财政一般预算内支出	(亿元)	Local Government Budgetary Expenditure	(100 million yuan)	1317.71
年末金融机构存款余额	(亿元)	Deposits in Financial Institutions at the Year-end	(100 million yuan)	27409.95
# 城乡居民储蓄年末余额	(亿元)	Savings Deposits by Urban and Rural Residents at the Year-end	(100 million yuan)	13580.99
年末金融机构各项贷款余额	(亿元)	Loans in Financial Institutions at the Year-end	(100 million yuan)	18249.52
保费收入	(亿元)	Premium	(100 million yuan)	361.16
赔款、给付	(亿元)	Settled Claim	(100 million yuan)	80.26
九、人民生活		**People's Livelihood**		
在岗职工平均人数	(万人)	Average Number of Fully Employed Staff and Workers	(10000 persons)	601.13
在岗职工工资总额	(亿元)	Total Wages of Fully Employed Staff and Workers	(100 million yuan)	1512.24
居民人均可支配收入	(元)	Per Capita Disposable Income of Urban Residents	(yuan)	235668.31
居民人均消费支出	(元)	Per Capita Living Expenditure of Urban Residents	(yuan)	182465.76
居民消费价格指数（上年为100）	(%)	Price Index of Consumer Goods (preceding year = 100)	(%)	
基本养老保险参保人数	(万人)	Number of Staff and Workers in Basic Retirement Security Program	(10000 persons)	906.20
基本医疗保险参保人数	(万人)	Number of Staff and Workers in Basic Health Care Program	(10000 persons)	908.02
失业保险参保人数	(万人)	Number of Staff and Workers in Unemployment Insurance Program	(10000 persons)	808.64
十、教育、科技、文化和卫生		**Education, Science and Technology, Culture and Health Care**		
学校数		Number of Schools	(unit)	
高等学校	(所)	Colleges and Universities	(unit)	90
中等专业学校	(所)	Specialized Secondary Schools	(unit)	299
普通中学	(所)	Regular Secondary Schools	(unit)	1533
小学	(所)	Primary Schools	(unit)	4869
在校学生数		Number of Students Enrolled		
高等学校	(人)	In Colleges and Universities	(person)	700295
中等专业学校	(人)	In Specialized Secondary Schools	(person)	372938
普通中学	(万人)	In Regular Secondary Schools	(10000 persons)	205.38
小学	(万人)	In Primary Schools	(10000 persons)	364.91
各类专业技术人员数	(万人)	Number of Specialized Technical Personnel	(10000 persons)	184.92
#中级职称以上人员数	(万人)	Personnel with Medium Technical Titles and above	(10000 persons)	69.46
剧场、影剧院数	(个)	Number of Theatres and Cinemas	(unit)	311
公共图书馆图书总藏量	(千册)	Total Book Collections of Public Libraries	(1000 volumes)	26936.80
医院、卫生院数	(个)	Number of Hospitals	(unit)	1031
医院、卫生院床位数	(张)	Number of Hospital Beds	(unit)	128357
医生数	人	Number of Doctors	(person)	72312

广州市 Guangzhou	深圳市 Shenzhen	珠海市 Zhuhai	汕头市 Shantao	佛山市 Foshan	韶关市 Shaoguan	河源市 Heyuan	梅州市 Meizhou	惠州市 Huizhou
288.48	327.71	34.46	24.40	95.29	11.63	2.20	5.01	19.59
388.19	386.29	50.89	43.10	130.93	24.35	7.33	10.20	30.51
9268.35	7100.75	769.71	833.69	3258.85	240.62		50.28	464.18
4016.64	2625.39	408.57	637.83	2028.81	158.22		33.96	287.63
6394.62	5242.77	417.18	417.75	2030.12	127.63		16.85	298.75
130.39	91.77		12.43	45.43	4.09	0.85		
27.03	24.61		1.60	12.11	0.69	0.21		
173.24	135.88	41.00	28.34	47.63	8.22	5.85	4.39	40.06
564.10	419.28	79.70	45.30	92.83	16.63	9.21	7.38	58.02
16884	27596	18347	9930	16045	9930		8049	13822
13121	19569	12826	8393	12774	7532		6529	11929
101.7	101.3	102.9	103.0	102.7	103.6	102.8	103.4	102.1
174.19	295.89	42.20	37.29	126.60	13.88	4.07	6.71	33.45
190.45	231.36	46.68	16.49	107.97	20.66	2.19	5.00	26.93
209.64	128.15	39.32	33.04	96.30	15.75	4.01	6.04	31.00
50	9		1	3	2	2	1	1
61	4	3		57	6	5	23	18
360	216	52		177	22	17	19	65
948	378	140		519	40	46	55	405
451988	41251			25712	19779	3641	12924	8046
98883	987	5511		61558	5890	5381	16551	26429
42.66	21.12	7.44		30.28	2.37	2.29	3.14	9.38
68.95	52.64	12.08		42.30	4.62	3.87	3.63	18.71
43.04	66.34	8.47	14.67	7.29			1.14	4.45
16.62	23.37	3.16	4.81	5.21		2.53	0.56	1.53
13	69	11	5	50	3	1	2	4
9390.00	3850.00	350.00	857.00	1743.80	200.00	91.00	31.00	277.00
228	87	48	73	169	52	10	15	56
36936	14186	4273	7254	16447	3819	991	1494	4016
22528	9846	2410	4562	7318	2031	880	915	2630

20-2 续表5

指　标		Item		汕尾市 Shanwei	东莞市 Dongguan
八、财政、金融和保险		**Finance and Insurance**			
地方财政一般预算内收入	（亿元）	Local Government Budgetary Revenue	（100 million yuan）	1.99	82.64
地方财政一般预算内支出	（亿元）	Local Government Budgetary Expenditure	（100 million yuan）	5.41	94.16
年末金融机构存款余额	（亿元）	Deposits of Financial Institutions	（100 million yuan）	47.29	2462.87
#城乡居民储蓄年末余额	（亿元）	Savings Deposits by Urban and Rural Residents at the Year-end	（100 million yuan）	28.01	1431.68
年末金融机构各项贷款余额	（亿元）	Loans of Financial Institutions	（100 million yuan）	37.58	1405.25
保费收入	（亿元）	Premium	（100 million yuan）		28.82
赔款、给付	（亿元）	Settled Claim	（100 million yuan）		5.15
九、人民生活		**People's Livelihood**			
在岗职工平均人数	（万人）	Average Number of Fully Employed Staff and Workers	（10000 persons）	3.84	17.54
在岗职工工资总额	（亿元）	Total Wages of Fully Employed Staff and Workers	（100 million yuan）	5.50	43.29
居民人均可支配收入	（元）	Per Capita Disposable Income of Urban Residents	（yuan）	8056	20526
居民人均消费支出	元	Per Capita Living Expenditure of Urban Residents	（yuan）	7068	18426
居民消费价格指数（上年为100）	（%）	Price Index of Consumer Goods（preceding year = 100）	（%）		103.0
基本养老保险参保人数	（万人）	Number of Staff and Workers in Basic Retirement Security Program	（10000 persons）	4.65	3.67
基本医疗保险参保人数	（万人）	Number of Staff and Workers in Basic Health Care Program	（10000 persons）	2.35	105.95
失业保险参保人数	万人	Number of Staff and Workers in Unemployment Insurance Program	（10000 persons）	4.58	100.08
十、教育、科技、文化和卫生		**Education, Science and Technology, Culture and Health Care**			
学校数		Number of Schools	（unit）		
高等学校	（所）	Colleges and Universities	（unit）	1	2
中等专业学校	（所）	Specialized Secondary Schools	（unit）	2	4
普通中学	（所）	Regular Secondary Schools	（unit）	24	114
小学	（所）	Primary Schools	（unit）	86	498
在校学生数		Number of Students Enrolled			
高等学校	（人）	In Colleges and Universities	（person）	2023	9104
中等专业学校	（人）	In Specialized Secondary Schools	（person）	2477	5196
普通中学	（万人）	In Regular Secondary Schools	（10000 persons）	3.14	17.13
小学	万人	In Primary Schools	（10000 persons）	6.08	44.83
各类专业技术人员数	万人	Number of Specialized Technical Personnel	（10000 persons）	1.60	
#中级职称以上人员数	（万人）	Personnel with Medium Technical Titles and above	（10000 persons）	0.50	
剧场、影剧院数	（个）	Number of Theatres and Cinemas	（unit）	7	78
公共图书馆图书总藏量	（千册）	Total Book Collections of Public Libraries	（1000 volumes）		6306.00
医院、卫生院数	（个）	Number of Hospitals	（unit）	14	53
医院、卫生院床位数	（张）	Number of Hospital Beds	（unit）	720	10528
医生数	（人）	Number of Doctors	（person）	596	4870

20-2 continued 5

中山市 Zhongshan	江门市 Jiangmen	阳江市 Yangjiang	湛江市 Zhanjiang	茂名市 Maoming	肇庆市 Zhaoqing	清远市 Qingyuan	潮州市 Chaozhou	揭阳市 Jieyang	云浮市 Yunfu
34. 54	16. 99	2. 62	5. 16	11. 55	5. 98	3. 30	3. 08	3. 85	3. 02
43. 18	26. 29	7. 69	10. 29	17. 85	11. 55	8. 24	7. 14	8. 68	5. 44
959. 72	572. 12	115. 68	372. 45	206. 54	218. 88	135. 84	140. 92	123. 97	67. 26
614. 92	389. 12	84. 77	249. 58	132. 41	130. 22	87. 99	99. 86	88. 18	47. 19
477. 42	404. 07	74. 12	230. 51	143. 20	170. 38	120. 25	85. 82	96. 45	58. 78
17. 06	9. 56	2. 24	6. 90	7. 34			3. 08	1. 18	0. 00
3. 25	1. 54	0. 68	1. 79	0. 69			0. 44	0. 47	0. 00
17. 82	17. 13	6. 55	15. 79	8. 88	10. 59	5. 39	4. 79	5. 01	3. 19
38. 64	27. 66	9. 11	28. 73	20. 64	17. 33	9. 93	7. 73	6. 12	5. 11
15836	11958		8919	8269	9261	8182	8351	8508	7199. 00
12487	9228		7447	6431	7436	6604	7455	7212	
103. 1	102. 5	102. 8	104. 0	102. 3	103. 1	103. 0	102. 5	102. 3	101. 9
66. 05	14. 13	8. 90	24. 73	14. 73	11. 99	6. 51	6. 01	6. 94	3. 63
69. 54	16. 30	4. 90	23. 51	11. 77	13. 18	5. 36	1. 83	2. 12	3. 46
65. 65	11. 00	6. 89	17. 34	9. 07	11. 41	4. 16	5. 85	6. 18	3. 18
3	1	1	3	2	4	1	1	2	
2	14	5	35	11	29	3	11	3	3
86	104	25	77	63	23	34	20	31	4
266	220	145	383	307	88	100	57	105	83
8772	8791	4754	48066	14376	16237	7885	8925	8021	
3259	28178	8268	27188	14737	43045	6870	7991	2912	1627
12. 64	9. 58	4. 91	12. 87	9. 18	3. 44	3. 94	2. 83	5. 46	1. 58
20. 87	13. 53	7. 42	20. 20	16. 66	4. 95	5. 85	4. 22	10. 01	3. 50
16. 83	3. 75		5. 24	1. 91	1. 48	2. 20	1. 79	2. 88	1. 85
3. 87	1. 19		2. 11	0. 80	0. 51	0. 85	0. 36	0. 94	0. 55
38	12	1	2	2	4	2	3	2	2
524. 00	908. 00	389. 00	629. 00	225. 00	225. 00	348. 00	251. 00	260. 00	82. 00
29	42	21	34	22	21	19	17	15	6
5438	4643	1808	5725	2540	2682	1657	1139	1287	774
2975	2607	758	1871	903	1412	880	1019	864	437

主要统计指标解释

建成区土地面积 是指城市建筑基本连片、公用设施达到的地区，区域中的水域面积（包括河流、湖泊）亦计算在内。

年末实有铺装道路面积 指除土路外，路面经过铺装宽度在3.5米以上的道路，包括高级、次高级道路和普通道路。

城市园林绿地面积 指城市公共绿地、专用绿地、生产绿地、防护绿地、郊区风景名胜区的全部面积。

全年供水总量 指公用自来水和自备水源的社会单位全年的供水总量，包括有效供水量及损失水量。

生活用水量 指居民日常生活与公共福利设施的用水量。包括居民、饮食店、旅馆、医院、理发店、浴池、洗衣店、游泳池、商店、学校、机关、部队等单位的用水量。

年末实有公共汽(电)车 指年底可参加营运的全部车辆数，包括年底营运车辆数和库存查封未参加营运的车辆，不包括非营运车辆，如架线车、油罐车、工程车、货车及其他专用车辆和借入的客运车辆。

Explanatory Notes on Main Statistical Indicators

Developed Land Area refers to the area basically connected by the urban constructions and provided with the public utilities, including the water area within it (e. g. rivers and lakes).

Area of Paved Roads at the Year-end refers to the length of roads with a paved surface, and with a width of more than 3-5 meters, including high quality, medium quality and ordinary roads.

Area of Urban Gardens and Green Areas refers to the total area of urban public green land, special green land, production green land, protection green land and suburban scenic spots.

Annual Volume of Water Supply refers to the total volume of water supplied by the public water-works and those owned by individual enterprises and institutions during the whole year, including both the effective water supply and loss during the water supply.

Consumption of Water for Residential Use refers to the water consumption of residents for daily life and the water consumption of public welfare facilities, including the consumption of restaurants, hotels, hospitals, barber shops, public bathhouses, laundries, swimming pools, shops, schools, institutions, army units and other units.

Number of Public Vehicles (Buses and Trolley-buses) at the Year-end refers to the total number of operational vehicles available at the year-end, including the year-end operational vehicles and vehicles in stock, non-operational vehicles such as stringing cars, tank cars, engineering cars, trucks and other special vehicles and the borrowed passenger vehicles are excluded.

二十一 县区主要经济指标

COUNTIES AND DISTRICTS

21

二十一　县（市）区主要经济指标

简要说明

一、本篇资料反映广东县区经济发展的基本情况，主要包括：各县区的人口、耕地面积及地区生产总值、工、农业产值、主要农产品产量、乡镇企业基本情况、固定资产投资、消费品零售总额、在岗职工人数和职工工资、财政收支以及居民储蓄存款等内容。

二、本篇资料由广东省统计局各有关专业处整理提供，综合处负责编辑。

三、本篇资料依据国家统计局制定的各有关专业年度报表制度和广东省统计局制发的《县区国民经济主要指标年报》，并由 21 个地级市统计局填报、汇总而成。

四、本篇各县区产值、金融、财政类指标数据汇总数不等于全省数。

21　COUNTIES AND DISTRICTS UNDER CITY ADMINISTRATION

Brief Introduction

Ⅰ. The data in this chapter show the basic conditions of the economic development of the counties and districts under city administration in Guangdong Province, mainly including the data on population, regularly cultivated land, gross local product value, gross output value of industry and agriculture, output of major farm products, basic statistics on township enterprises, investment in fixed assets, total retail sales of consumer goods, number and wages of fully employed staff and workers, local government budgetary revenue and expenditure and savings deposits by urban and rural residents, etc.

Ⅱ. The data in this chapter are prepared and provided by the related specialized divisions and compiled by the Division of Comprehensive Statistics of Guangdong Provincial Bureau of Statistics.

Ⅲ. The data in this chapter are based on the related specialized annual report schemes formulated by the National Bureau of Statistics and the Annual Report of Major Indicators on National Economy by County and District formulated by Guangdong Provincial Bureau of Statistics, and then tabulated in accordance with the figures reported by the twenty-one statistics bureaus at the prefectural level.

Ⅳ. The tabulated data on output value, banking and government finance of the counties and districts in this chapter are not equal to the sum of the whole province.

21-1 各县（市）区户籍人口数及常用耕地面积（2004 年）

RESIDENCE REGISTRATION POPULATION AND REGULARLY CULTIVATED LAND BY COUNTY (COUNTY-LEVEL CITY) AND DISTRICT (2004)

县（市）、区别 County (County-level City) and District	总人口（人） Total Population (person)	按性别分 By Sex		按农业、非农业分 By Agricultural and Non-agricultural Population		常用耕地面积（亩） Regularly Cultivated Land (mu)
		男 Male	女 Female	非农业人口 Non-agricultural Population	农业人口 Agricultural Population	
广州市 Guangzhou						
市辖区 Urban District	5999184	3076779	2922405	5983252		1061643
从化市 Conghua City	535756	272785	262971	217941	311396	324580
增城市 Zengcheng City	841780	430193	411587	319269	517114	593087
深圳市 Shenzhen	1651346	875849	775497	1647719	2179	39190
珠海市 Zhuhai	861741	441101	420640	861741		248195
汕头市 Shantou						
市辖区 Urban District	4802738	2419126	2383612	4802738		650001
南澳县 Nanao County	72449	36574	35875	27199	44923	6395
佛山市 Foshan	3508898	1761859	1747039	3508898		869760
韶关市 Shaoguan						
市辖区 Urban District	900861	474352	426509	599528	299954	314474
乐昌市 Lechang City	518850	277658	241192	260940	257532	286606
南雄市 Nanxiong City	457883	231360	226523	81996	375177	436096
仁化县 Renhua County	227182	114927	112255	59191	167991	189605
始兴县 Shixing County	241725	120685	121040	51788	189937	157322
翁源县 Wengyuan County	380611	195138	185473	107744	272867	279658
新丰县 Xinfeng County	238948	124761	114187	61515	175803	135946
乳源县 Ruyuan County	203712	105242	98470	39544	164063	151750
河源市 Heyuan						
市辖区 Urban District	286867	145532	141335	284530		33508
东源县 Dongyuan County	519987	267406	252581	63679	456308	278044
和平县 Heping County	480120	246684	233436	68284	411836	211976
龙川县 Longchuan County	867758	442830	424928	150822	708646	436884
紫金县 Zijin County	801020	409436	391584	205197	595097	382131
连平县 Lianping County	376335	194943	181392	81825	294510	220708
梅州市 Meizhou						
市辖区 Urban District	306090	158224	147866	235264	70826	33908
兴宁市 Xingning City	1135966	586120	549846	316078	819888	418673
梅　县 Meixian County	606303	307796	298507	139768	466535	300800
平远县 Pingyuan County	252560	129290	123270	82429	170131	138713
蕉岭县 Jiaoling County	225172	115773	109399	61811	163361	91529
大埔县 Dapu County	527745	271462	256283	111245	416496	166726
丰顺县 Fengshun County	669431	346399	323032	102935	566496	220184
五华县 Wuhua County	1245618	642826	602792	166266	1079352	462342
惠州市 Huizhou						
市辖区 Urban District	1115714	566240	549474	634774	480264	371095
惠东县 Huidong County	731444	375264	356180	229049	500389	451829
博罗县 Boluo County	764476	392312	372164	192382	568375	515006
龙门县 Longmen County	320596	164991	155605	86527	233648	191997
汕尾市 Shanwei						
市辖区 Urban District	457242	238781	218461	457242		68603
陆丰市 Lufeng City	1597787	829764	768023	624921	967853	398191
海丰县 Haifeng County	759438	397946	361492	368039	371725	320020
陆河县 Luhe County	302204	156249	145955	113258	188946	108791
东莞市 Dongguan	1619690	822475	797215	623186	993219	489448
中山市 Zhongshan	1394450	698930	695520	573176	816082	444316
江门市 Jiangmen						
市辖区 Urban District	1330761	667261	663500	1330761		426021
台山市 Taishan City	990838	506375	484463	271655	719068	661666
开平市 Kaiping City	681120	341826	339294	283941	397179	424849
鹤山市 Heshan City	357986	181575	176411	149217	208769	177530
恩平市 Enping City	494594	258210	236384	177348	317246	315902

21-1 **续表** continued

县（市）、区别 County (County-level City) and District	总人口（人） Total Population (person)	按性别分 By Sex		按农业、非农业分 By Agricultural and Non-agricultural Population		常用耕地面积（亩） Regularly Cultivated Land (mu)
		男 Male	女 Female	非农业人口 Non-agricultural Population	农业人口 Agricultural Population	
阳江市 Yangjiang						
市辖区 Urban District	633091	327083	306008	441861	188626	193299
阳春市 Yangchun City	1068510	565788	502722	223707	843332	672715
阳东县 Yangdong County	453352	246340	207012	81394	370993	366519
阳西县 Yangxi County	473320	259661	213659	91752	378742	320249
湛江市 Zhanjiang						
市辖区 Urban District	1422466	739932	682534	765643	650081	586708
雷州市 Leizhou City	1484246	786109	698137	275277	1208969	1187580
廉江市 Lianjiang City	1509408	808481	700927	333797	1146866	778798
吴川市 Wuchuan City	1007287	534188	473099	284691	702075	305875
遂溪县 Suixi County	965312	506627	458685	177650	787662	873060
徐闻县 Xuwen County	675273	351047	324226	144770	530503	782825
茂名市 Maoming						
市辖区 Urban District	1198779	625230	573549	1176522		463994
信宜市 Xinyi City	1246462	648230	598232	341871	894903	479329
高州市 Gaozhou City	1595037	846904	748133	366566	1205324	811446
化州市 Huazhou City	1432943	759651	673292	241415	1181228	898104
电白县 Dianbai County	1232690	635003	597687	345150	885856	757391
肇庆市 Zhaoqing						
市辖区 Urban District	480027	244992	235035	358960	118757	135247
四会市 Sihui City	425927	220503	205424	130141	294897	223677
高要市 Gaoyao City	727853	372686	355167	109186	618412	460038
广宁县 Guangning County	540559	284829	255730	112019	428142	243287
德庆县 Deqing County	357488	187712	169776	71933	285499	209744
封开县 Fenkai County	472762	243234	229528	74144	398319	306315
怀集县 Huaiji County	935891	477504	458387	118931	816549	407318
清远市 Qingyuan						
市辖区 Urban District	545889	277795	268094	543337		229650
英德市 Yingde City	1051091	559471	491620	215856	835235	782840
连州市 Lianzhou City	505965	260527	245438	92412	413172	349162
清新县 Qingxin County	700562	360759	339803	86861	613701	148762
佛冈县 Fogang County	309855	159901	149954	61045	248810	310165
连山县 Lianshan County	115060	59976	55084	24711	89357	91315
连南县 Liannan County	154643	79898	74745	28076	126555	104478
阳山县 Yangshan County	529503	275882	253621	73410	455892	436227
潮州市 Chaozhou						
市辖区 Urban District	343103	170320	172783	310646	32457	16810
饶平县 Raoping County	967273	499279	467994	221892	745381	286564
潮安县 Chaoan County	1185554	602764	582790	176609	1008603	260533
揭阳市 Jieyang						
市辖区 Urban District	660278	337293	322985	660278		78762
普宁市 Puning City	2092206	1074703	1017503	627022	1438564	386782
揭东县 Jiedong County	1216751	628143	588608	249401	949417	368614
揭西县 Jiexi County	907970	468391	439579	240993	653897	249543
惠来县 Huilai County	1140521	581794	558727	303839	820391	294787
云浮市 Yunfu						
市辖区 Urban District	283221	148024	135197	283221		113946
罗定市 Luoding City	1098077	579468	518609	366905	704337	484631
新兴县 Xinxing County	451109	229627	221482	157671	291123	279241
郁南县 Yunan County	479016	252926	226090	94918	384098	227764
云安县 Yunan County	308216	158736	149480	76082	227268	147438

注：按农业、非农业分的人口不包括未落常住户口的人数。

Note: The agricultural and non-agricultural population exclude the population without permanent resident registration.

21-2 各县（市）区地区生产总值（2004 年）

GROSS DOMESTIC PRODUCT VALUE BY COUNTY (COUNTY-LEVEL CITY) AND DISTRICT (2004)

单位：万元 (10000 yuan)

县（市）区别 County (County-level City) and District	地区生产总值 Gross Local Product Value	第一产业 Primary Industry	第二产业 Secondary Industry	第三产业 Tertiary Industry
广州市 Guangzhou				
市　区 Urban District	37710026	813296	15982212	20914518
从化市 Conghua City	1079737	103486	699077	277174
增城市 Zengcheng City	2368314	238175	1495863	634276
深圳市 Shenzhen	34227939	141777	21081396	13004766
珠海市 Zhuhai	5462802	186328	3114441	2162033
汕头市 Shantou				
市　区 Urban District	5966815	488253	3013987	2464575
南澳县 Nanao County	70810	21409	23890	25511
佛山市 Foshan	16564573	823066	9577564	6163943
韶关市 Shaoguan				
市　区 Urban District	1667828	119940	945041	602847
乐昌市 Lechang City	292503	70950	110825	110728
南雄市 Nanxiong City	301640	106102	85053	110485
仁化县 Renhua County	210219	66835	69913	73471
始兴县 Shixing County	161783	64277	58463	39043
翁源县 Wengyuan County	194512	77036	52208	65268
新丰县 Xinfeng County	142965	34344	54196	54425
乳源县 Ruyuan County	165969	24989	108425	32555
河源市 Heyuan				
市　区 Urban District	347283	23823	192106	131354
东源县 Dongyuan County	242357	79870	94191	68296
和平县 Heping County	188234	76201	44343	67690
龙川县 Longchuan County	440003	111842	145669	182492
紫金县 Zijin County	329061	134527	89517	105017
连平县 Lianping County	252983	45647	113942	93394
梅州市 Meizhou				
市　区 Urban District	488148	22422	312627	153099
兴宁市 Xingning City	489726	133386	165335	191005
梅　县 Meixian County	581690	160733	295133	125824
平远县 Pingyuan County	155016	46040	55877	53099
蕉岭县 Jiaoling County	229174	41627	112040	75507
大埔县 Dapu County	217514	60877	85862	70775
丰顺县 Fengshun County	263915	89534	84278	90103
五华县 Wuhua County	327902	115750	77248	134904
惠州市 Huizhou				
市　区 Urban District	4150614	198724	2729845	1222045
惠东县 Huidong County	1250380	265478	618450	366452
博罗县 Boluo County	1269619	249818	674641	345160
龙门县 Longmen County	260780	97100	76610	87070
汕尾市 Shanwei				
市　区 Urban District	487418	99924	218037	169457
陆丰市 Lufeng City	588401	210417	224865	153119
海丰县 Haifeng County	1030713	204511	325232	500970
陆河县 Luhe County	220218	66077	79820	74321
东莞市 Dongguan	11552982	277357	6405998	4869627
中山市 Zhongshan	6101413	305094	3964900	1831419
江门市 Jiangmen				
市　区 Urban District	4081073	227436	1942859	1910778
台山市 Taishan City	1414677	202485	635246	576946
开平市 Kaiping City	1343011	133403	664558	545050
鹤山市 Heshan City	942996	82985	516959	343052
恩平市 Enping City	602126	103218	224528	274380

注：本表按当年价格计算。
Note: The data in this table are calculated at current prices.

21-2 **续表** continued

单位：万元 (10000 yuan)

县（市）区别 County (County-level City) and District	地区生产总值 Gross Local Product Value	第一产业 Primary Industry	第二产业 Secondary Industry	第三产业 Tertiary Industry
阳江市 Yangjiang				
市　区 Urban District	1184861	217366	442810	524685
阳春市 Yangchun City	681949	284274	214144	183531
阳东县 Yangdong County	456064	168805	171950	115309
阳西县 Yangxi County	390920	172520	102300	116100
湛江市 Zhanjiang				
市　区 Urban District	3251909	181842	1936889	1133178
雷州市 Leizhou City	665733	286683	116593	262457
廉江市 Lianjiang City	821808	291772	222680	307356
吴川市 Wuchuan City	413616	82013	177065	154538
遂溪县 Suixi County	588144	266985	157560	163599
徐闻县 Xuwen County	356669	183532	66127	107010
茂名市 Maoming				
市　区 Urban District	2465496	211361	1285170	968965
信宜市 Xinyi City	1188800	442257	401439	345104
高州市 Gaozhou City	1449973	431199	482551	536223
化州市 Huazhou City	1332987	425122	381835	526030
电白县 Dianbai County	1209152	411063	407521	390568
肇庆市 Zhaoqing				
市　区 Urban District	1267103	86807	537032	643264
四会市 Sihui City	955098	228379	501118	225601
高要市 Gaoyao City	1634032	405761	550177	678094
广宁县 Guangning County	413021	152514	136674	123833
德庆县 Deqing County	322440	104242	91667	126531
封开县 Fenkai County	408130	178027	114176	115927
怀集县 Huaiji County	641167	301858	152897	186412
清远市 Qingyuan				
市　区 Urban District	656664	97145	326448	233071
英德市 Yingde City	511464	226474	150754	134236
连州市 Lianzhou City	300426	98685	112000	89741
佛冈县 Fogang County	203579	37009	108648	57922
清新县 Qingxin County	377239	135484	144358	97397
连山县 Lianshan County	57639	23665	14023	19951
连南县 Liannan County	59567	19920	21058	18589
阳山县 Yangshan County	254725	117174	72521	65030
潮州市 Chaozhou				
市　区 Urban District	573785	11949	301052	260784
饶平县 Raoping County	713944	227275	228697	257972
潮安县 Chaoan County	1318907	201598	729790	387519
揭阳市 Jieyang				
市　区 Urban District	1018451	61545	641061	315845
普宁市 Puning City	1805441	206970	910270	688201
揭东县 Jiedong County	1392599	242865	808344	341390
揭西县 Jiexi County	597426	176055	256531	164840
惠来县 Huilai County	588893	245175	223602	120116
云浮市 Yunfu				
市　区 Urban District	432655	79270	215232	138153
罗定市 Luoding City	1073464	283606	412756	377102
新兴县 Xinxing County	495621	162246	201832	131543
郁南县 Yunan County	374729	157771	128714	88244
云安县 Yunan County	244035	100128	95747	48160

21-3 各县（市）区地区生产总值增长速度（2004 年）
GROWTH RATE OF GROSS DOMESTIC PRODUCT BY COUNTY (COUNTY-LEVEL CITY) AND DISTRICT (2004)

单位：%　　　　(%)

县（市）区别 County (County-level City) and District	地区生产总值 Gross Local Product Value	第一产业 Primary Industry	第二产业 Secondary Industry	第三产业 Tertiary Industry
广州市 Guangzhou				
市 区 Urban District	15.6	3.9	18.4	14.0
从化市 Conghua City	3.2	13.9	-1.7	13.1
增城市 Zengcheng City	12.1	6.2	15.7	6.6
深圳市 Shenzhen	17.3	-19.8	21.3	11.3
珠海市 Zhuhai	13.8	3.6	15.1	12.7
汕头市 Shantou				
市 区 Urban District	11.1	2.8	13.4	10.2
南澳县 Nanao County	4.6	0.2	6.3	7.0
佛山市 Foshan	16.3	-2.0	21.1	11.8
韶关市 Shaoguan				
市 区 Urban District	8.7	3.6	5.3	15.6
乐昌市 Lechang City	14.1	2.6	30.4	7.9
南雄市 Nanxiong City	10.1	4.8	13.2	13.1
仁化县 Renhua County	12.2	4.2	20.4	13.1
始兴县 Shixing County	12.5	2.7	24.7	12.8
翁源县 Wengyuan County	9.1	3.5	11.3	14.7
新丰县 Xinfeng County	11.8	4.1	18.7	10.4
乳源县 Ruyuan County	17.5	3.3	25.1	9.3
河源市 Heyuan				
市 区 Urban District	28.9	0.3	31.9	31.1
东源县 Dongyuan County	19.6	5.7	38.2	16.0
和平县 Heping County	12.7	5.6	17.1	18.4
龙川县 Longchuan County	17.5	4.4	39.4	12.6
紫金县 Zijin County	16.8	4.6	44.9	14.5
连平县 Lianping County	16.6	2.1	25.3	16.2
梅州市 Meizhou				
市 区 Urban District	37.6	2.6	60.7	11.0
兴宁市 Xingning City	10.2	1.8	18.2	9.3
梅 县 Meixian County	13.1	3.0	19.7	13.0
平远县 Pingyuan County	11.3	2.2	21.0	10.4
蕉岭县 Jiaoling County	10.8	3.0	15.1	9.2
大埔县 Dapu County	8.7	3.4	10.2	11.7
丰顺县 Fengshun County	14.0	3.0	26.8	14.9
五华县 Wuhua County	8.3	1.5	15.9	10.5
惠州市 Huizhou				
市 区 Urban District	16.3	4.3	15.2	21.2
惠东县 Huidong County	13.0	2.0	14.7	18.6
博罗县 Boluo County	14.5	0.7	12.0	33.4
龙门县 Longmen County	12.5	3.5	14.9	21.6
汕尾市 Shanwei				
市 区 Urban District	26.1	4.9	56.0	12.4
陆丰市 Lufeng City	13.0	5.1	27.0	5.8
海丰县 Haifeng County	15.2	7.2	16.1	18.3
陆河县 Luhe County	16.0	7.2	23.2	17.0
东莞市 Dongguan	19.6	-9.6	24.5	14.8
中山市 Zhongshan	18.7	1.8	22.5	13.8
江门市 Jiangmen				
市 区 Urban District	16.2	3.4	14.1	20.4
台山市 Taishan City	11.0	4.2	11.9	12.4
开平市 Kaiping City	10.3	2.5	11.0	11.2
鹤山市 Heshan City	11.1	3.8	11.5	12.4
恩平市 Enping City	10.1	6.3	13.0	9.4

注：本表按可比价格计算，与上年比较。
Note: The figures in this table are calculated at comparable prices and compared with the preceding year.

21-3 **续表** continued

单位:%　　　(%)

县（市）区别 County (County-level City) and District	地区生产总值 Gross Local Product Value	第一产业 Primary Industry	第二产业 Secondary Industry	第三产业 Tertiary Industry
阳江市 Yangjiang				
市　区 Urban District	12. 9	12. 9	12. 9	12. 9
阳春市 Yangchun City	12. 6	4. 0	23. 3	16. 3
阳东县 Yangdong County	14. 2	5. 0	25. 8	13. 6
阳西县 Yangxi County	12. 1	7. 6	16. 2	15. 6
湛江市 Zhanjiang				
市　区 Urban District	14. 8	-10. 8	20. 6	10. 7
雷州市 Leizhou City	9. 5	5. 0	18. 1	11. 2
廉江市 Lianjiang City	9. 2	5. 5	13. 3	10. 1
吴川市 Wuchuan City	9. 2	4. 0	12. 7	8. 4
遂溪县 Suixi County	9. 3	5. 0	17. 9	8. 7
徐闻县 Xuwen County	10. 5	7. 8	21. 9	8. 4
茂名市 Maoming				
市　区 Urban District	22. 5	0. 0	31. 1	18. 5
信宜市 Xinyi City	11. 2	7. 2	15. 4	11. 3
高州市 Gaozhou City	8. 0	4. 2	-0. 1	19. 8
化州市 Huazhou City	11. 1	10. 7	10. 5	11. 8
电白县 Dianbai County	11. 7	9. 2	15. 9	10. 1
肇庆市 Zhaoqing				
市　区 Urban District	11. 9	3. 5	13. 1	12. 0
四会市 Sihui City	17. 0	4. 1	24. 3	15. 3
高要市 Gaoyao City	13. 5	5. 4	20. 4	12. 8
广宁县 Guangning County	13. 5	6. 9	21. 1	13. 7
德庆县 Deqing County	13. 1	6. 1	22. 3	12. 5
封开县 Fenkai County	13. 0	5. 8	23. 4	14. 4
怀集县 Huaiji County	13. 0	7. 7	21. 4	14. 8
清远市 Qingyuan				
市　区 Urban District	23. 2	0. 9	37. 7	16. 6
英德市 Yingde City	18. 2	3. 1	59. 4	12. 3
连州市 Lianzhou City	16. 1	2. 6	34. 6	12. 2
佛冈县 Fogang County	20. 3	1. 9	35. 1	9. 8
清新县 Qingxin County	21. 2	2. 5	54. 4	12. 8
连山县 Lianshan County	8. 9	2. 7	15. 4	12. 2
连南县 Liannan County	8. 6	0. 3	16. 3	10. 0
阳山县 Yangshan County	12. 0	2. 8	29. 2	12. 9
潮州市 Chaozhou				
市　区 Urban District	8. 0	0. 5	27. 7	-8. 2
饶平县 Raoping County	8. 2	2. 0	18. 6	5. 0
潮安县 Chaoan County	13. 6	1. 7	16. 8	14. 2
揭阳市 Jieyang				
市　区 Urban District	7. 7	-3. 6	7. 9	9. 4
普宁市 Puning City	5. 0	-4. 9	5. 9	7. 0
揭东县 Jiedong County	7. 1	1. 3	8. 5	7. 8
揭西县 Jiexi County	8. 1	5. 0	8. 9	10. 3
惠来县 Huilai County	4. 6	1. 0	6. 0	9. 7
云浮市 Yunfu				
市　区 Urban District	15. 7	4. 4	24. 7	9. 9
罗定市 Luoding City	14. 5	5. 1	18. 6	17. 7
新兴县 Xinxing County	14. 5	9. 6	17. 7	15. 9
郁南县 Yunan County	13. 5	6. 0	23. 8	13. 6
云安县 Yunan County	14. 2	5. 2	27. 4	10. 4

21-4 各县（市）区人均地区生产总值及增长速度
PER CAPITA GROSS DOMESTIC PRODUCT AND GROWTH RATE BY COUNTY (COUNTY-LEVEL CITY) AND DISTRICT

县（市）区别 County (County-level City) and District	绝对数（元/人）Absolute Figure (yuan/person)		增长速度（%）Growth Rate (%)	
	2003	2004	2003	2004
广州市 Guangzhou				
市　区 Urban District	54390	63456	14.2	14.1
从化市 Conghua City	18945	20159	13.2	3.0
增城市 Zengcheng City	24939	28329	13.5	11.4
深圳市 Shenzhen	54545	59271	9.3	7.8
珠海市 Zhuhai	37675	41848	16.3	9.5
汕头市 Shantou				
市　区 Urban District	10957	12456	6.2	10.2
南澳县 Nanao County	9238	10030	8.0	4.6
佛山市 Foshan	40444	47658	14.7	14.3
韶关市 Shaoguan				
市　区 Urban District	18614	18614	12.6	8.1
乐昌市 Lechang City	5706	6777	11.4	13.6
南雄市 Nanxiong City	6959	8061	12.1	9.8
仁化县 Renhua County	9150	10792	12.0	11.3
始兴县 Shixing County	6580	7719	13.6	11.8
翁源县 Wengyuan County	5401	6101	10.8	8.3
新丰县 Xinfeng County	6705	7770	10.2	11.3
乳源县 Ruyuan County	7187	9430	16.0	16.4
河源市 Heyuan				
市　区 Urban District	8427	11824	30.2	33.6
东源县 Dongyuan County	3716	4675	13.5	18.7
和平县 Heping County	3251	3891	13.6	13.0
龙川县 Longchuan County	4069	5089	16.2	16.9
紫金县 Zijin County	3371	4107	11.1	15.7
连平县 Lianping County	5154	6748	14.8	15.6
梅州市 Meizhou				
市　区 Urban District	10840	15706	22.6	37.6
兴宁市 Xingning City	4874	5539	7.2	9.6
梅　县 Meixian County	9212	11210	11.9	13.1
平远县 Pingyuan County	5977	7095	8.6	12.4
蕉岭县 Jiaoling County	9673	11424	10.6	10.8
大埔县 Dapu County	5392	6088	8.7	8.6
丰顺县 Fengshun County	4865	5795	9.6	14.0
五华县 Wuhua County	3217	3532	7.4	4.3
惠州市 Huizhou				
市　区 Urban District	32819	37681	17.2	13.5
惠东县 Huidong County	15467	17490	10.2	10.3
博罗县 Boluo County	14417	16677	10.8	13.6
龙门县 Longmen County	6969	8144	10.1	12.0
汕尾市 Shanwei				
市　区 Urban District	8190	10193	12.0	25.0
陆丰市 Lufeng City	3893	4526	9.4	12.6
海丰县 Haifeng County	13491	14595	11.5	8.2
陆河县 Luhe County	7559	8833	11.8	14.1
东莞市 Dongguan	60158	71995	17.6	17.4
中山市 Zhongshan	36615	44006	16.4	17.3
江门市 Jiangmen				
市　区 Urban District	25762	30791	11.1	15.7
台山市 Taishan City	12739	14310	7.7	11.1
开平市 Kaiping City	17973	19718	7.9	10.0
鹤山市 Heshan City	23341	26378	10.4	10.6
恩平市 Enping City	11515	12529	8.5	8.4

注：本表绝对数按当年价格计算，增长速度按可比价格计算。
Note: The values in this table are calculated at current prices while the growth rates are calculated at comparable prices.

21-4 **续表** continued

县（市）区别 County (County-level City) and District	绝对数（元/人）Absolute Figure (yuan/person)		增长速度（%）Growth Rate (%)	
	2003	2004	2003	2004
阳江市 Yangjiang				
市　区 Urban District	16099	18778	14.2	11.6
阳春市 Yangchun City	5555	6429	11.2	11.4
阳东县 Yangdong County	8753	10162	10.8	13.0
阳西县 Yangxi County	7440	8387	12.2	12.7
湛江市 Zhanjiang				
市　区 Urban District	20341	24248	14.5	14.4
雷州市 Leizhou City	4446	5118	7.5	9.2
廉江市 Lianjiang City	6038	6693	8.6	9.1
吴川市 Wuchuan City	4509	4956	8.9	8.0
遂溪县 Suixi County	6200	6893	7.0	8.6
徐闻县 Xuwen County	4983	5610	7.6	10.3
茂名市 Maoming				
市　区 Urban District	18225	20541	22.0	22.0
信宜市 Xinyi City	8353	9664	10.2	10.2
高州市 Gaozhou City	8528	9123	10.0	7.2
化州市 Huazhou City	8294	9355	9.9	9.8
电白县 Dianbai County	8543	9804	10.1	11.2
肇庆市 Zhaoqing				
市　区 Urban District	22621	26468	13.2	11.1
四会市 Sihui City	18611	22471	11.6	16.4
高要市 Gaoyao City	19244	22434	10.2	13.7
广宁县 Guangning County	6502	7644	4.7	13.4
德庆县 Deqing County	7878	9051	8.4	12.4
封开县 Fenkai County	7359	8660	7.3	12.2
怀集县 Huaiji County	5831	6869	4.2	12.3
清远市 Qingyuan				
市　区 Urban District	9896	12005	21.0	15.9
英德市 Yingde City	4977	6208	8.8	17.6
连州市 Lianzhou City	5923	7236	9.1	15.6
佛冈县 Fogang County	6267	7468	13.1	13.8
清新县 Qingxin County	5392	6235	8.3	10.3
连山县 Lianshan County	5095	5758	6.0	8.7
连南县 Liannan County	3745	4295	7.8	8.6
阳山县 Yangshan County	5260	6138	9.9	10.8
潮州市 Chaozhou				
市　区 Urban District	15072	16714	9.1	8.1
饶平县 Raoping County	6601	7394	2.2	7.6
潮安县 Chaoan County	9695	11138	10.5	13.2
揭阳市 Jieyang				
市　区 Urban District	14092	15422	10.3	7.0
普宁市 Puning City	8320	8737	7.4	3.0
揭东县 Jiedong County	10459	11448	11.0	6.8
揭西县 Jiexi County	5921	6599	10.1	7.2
惠来县 Huilai County	4962	5285	7.3	1.8
云浮市 Yunfu				
市　区 Urban District	12543	15294	12.8	15.3
罗定市 Luoding City	8143	9792	12.2	13.9
新兴县 Xinxing County	9195	11011	13.4	14.2
郁南县 Yunan County	6533	7823	12.9	13.4
云安县 Yunan County	6539	7928	13.0	13.8

21-5 各县（市）区工、农业总产值

GROSS OUTPUT VALUE OF INDUSTRY AND AGRICULTURE BY COUNTY (COUNTY-LEVEL CITY) AND DISTRICT

单位：万元 (10000 yuan)

县（市）区别 County (County-level City) and District	工业总产值 Gross Output Value of Industry		农业总产值 Gross Output Value of Agriculture	
	2003	2004	2003	2004
广州市 Guangzhou				
市　区 Urban District	34802692	44335655	1298007	1409899
从化市 Conghua City	2197706	2431903	145655	178534
增城市 Zengcheng City	3177927	3665766	363000	425991
深圳市 Shenzhen	52414276	65092717	337399	299946
珠海市 Zhuhai	10108611	12626696	294396	315033
汕头市 Shantou				
市　区 Urban District	4612136	5450512	669757	727945
南澳县 Nanao County	23502	29450	72802	77674
佛山市 Foshan	26105431	33313103	1488160	1559552
韶关市 Shaoguan				
市　区 Urban District	1739200	2290554	38790	91116
乐昌市 Lechang City	120802	168450	97766	107961
南雄市 Nanxiong City	52769	62442	148268	170813
仁化县 Renhua County	60452	81023	72309	110516
始兴县 Shixing County	97764	129851	77560	83334
翁源县 Wengyuan County	39355	41692	107090	120445
新丰县 Xinfeng County	41213	53317	44355	49095
曲江县 Qujiang County	62972	70223	164733	100528
乳源县 Ruyuan County	144329	237182	32710	36291
河源市 Heyuan				
市　区 Urban District	281263	392542	36163	38554
东源县 Dongyuan County	73833	110749	94768	109940
和平县 Heping County	41698	51055	82279	92368
龙川县 Longchuan County	91400	188493	123724	145015
紫金县 Zijin County	67802	105762	146757	172871
连平县 Lianping County	129502	231419	55244	62590
梅州市 Meizhou				
市　区 Urban District	284428	494323	31735	35933
兴宁市 Xingning City	100783	120038	180510	202714
梅　县 Meixian County	369651	468027	225377	255736
平远县 Pingyuan County	54766	80608	63040	72868
蕉岭县 Jiaoling County	146935	191646	57999	65700
大埔县 Dapu County	55249	60015	86119	98058
丰顺县 Fengshun County	80969	112007	125628	140552
五华县 Wuhua County	32577	38838	158418	176187
惠州市 Huizhou				
市　区 Urban District	8605880	9703323	299448	324622
惠东县 Huidong County	252369	230833	363660	396235
博罗县 Boluo County	939505	1189939	364480	380937
龙门县 Longmen County	65597	73666	119942	131625
汕尾市 Shanwei				
市　区 Urban District	256336	462651	183659	195076
陆丰市 Lufeng City	76839	90477	333406	380498
海丰县 Haifeng County	139494	165539	324219	347132
陆河县 Luhe County	14936	12089	79147	84936
东莞市 Dongguan	20704969	25832222	490222	441912
中山市 Zhongshan	13088050	16947067	451807	494861
江门市 Jiangmen				
市　区 Urban District	5543594	6920009	429526	456311
台山市 Taishan City	2251944	2610581	433400	459147
开平市 Kaiping City	1626762	1823219	229787	240931
鹤山市 Heshan City	1268140	1489572	141966	151903
恩平市 Enping City	333437	385094	191473	213484

注：本表按当年价格计算，工业为规模以上。

Note: Data in this table are calculated at current prices and the industry refers to the industry above designated size.

21-5 **续表** continued

单位：万元 (10000 yuan)

县（市）区别 County (County-level City) and District	工业总产值 Gross Output Value of Industry		农业总产值 Gross Output Value of Agriculture	
	2003	2004	2003	2004
阳江市 Yangjiang				
市　区 Urban District	517856	706819	284211	302046
阳春市 Yangchun City	330483	397313	379090	427251
阳东县 Yangdong County	257410	313126	241140	255379
阳西县 Yangxi County	103170	125061	274374	295271
湛江市 Zhanjiang				
市　区 Urban District	3354810	4031581	278589	304882
雷州市 Leizhou City	125888	157182	368234	432125
廉江市 Lianjiang County	188356	217000	428144	479259
吴川市 Wuchuan City	129870	157520	129177	148552
遂溪县 Suixi County	172495	216418	391832	434473
徐闻县 Xuwen County	71579	85539	239188	265465
茂名市 Maoming				
市　区 Urban District	3874623	5098378	274750	304407
信宜市 Xinyi City	179235	201302	503202	565004
高州市 Gaozhou City	431316	320936	636758	670633
化州市 Huazhou City	267157	282690	493738	574181
电白县 Dianbai County	248018	278815	504941	568050
肇庆市 Zhaoqing				
市　区 Urban District	1242264	1460197	127491	138032
四会市 Sihui City	887614	1164719	288324	321020
高要市 Gaoyao City	1469700	1749098	478443	545230
广宁县 Guangning County	307333	395043	133559	156664
德庆县 Deqing County	192350	238237	152223	161814
封开县 Fenkai County	195284	240853	215089	233182
怀集县 Huaiji County	113952	136521	258388	305958
清远市 Qingyuan				
市　区 Urban District	310950	591919	131266	142347
英德市 Yingde City	114865	209552	292525	325768
连州市 Lianzhou City	86941	121231	126066	140311
佛冈县 Fogang County	260861	410053	50247	55293
清新县 Qingxin County	147558	272285	197743	222106
连山县 Lianshan County	3045	3111	28851	30781
连南县 Liannan County	18247	18253	27948	29777
阳山县 Yangshan County	59637	85841	148760	166108
潮州市 Chaozhou				
市　区 Urban District	428373	517799	15555	16935
饶平县 Raoping County	275294	414468	352773	381073
潮安县 Chaoan County	868772	1126374	206568	212752
揭阳市 Jieyang				
市　区 Urban District	531002	643438	62706	68578
普宁市 Puning City	779820	866438	275618	299557
揭东县 Jiedong County	551596	673262	284682	321503
揭西县 Jiexi County	54047	57491	211974	241864
惠来县 Huilai County	255146	285727	322759	347733
云浮市 Yunfu				
市　区 Urban District	243547	308881	94881	108388
罗定市 Luoding City	745456	915180	315905	360446
新兴县 Xinxing County	581181	702236	244414	290624
郁南县 Yunan County	156454	198855	196234	225733
云安县 Yunan County	91796	149576	121603	138901

21-6 各县（市）区粮食产量

OUTPUT OF GRAIN BY COUNTY (COUNTY-LEVEL CITY) AND DISTRICT

单位：吨、公斤/人 (ton, kg/person)

县（市）区别 County (County-level City) and District	粮食 Grain				人均粮食 Per Capita Grain	
	2003	2004	#稻谷 Rice		2003	2004
			2003	2004		
广州市 Guangzhou						
市　区 Urban District	211616	202723	192651	176225	36	34
从化市 Conghua City	132906	126118	116860	112397	248	235
增城市 Zengcheng City	200631	193032	181009	161733	241	229
深圳市 Shenzhen	1850	2028	8	6	1	1
珠海市 Zhuhai	55723	57913	51569	49765	68	67
汕头市 Shantou						
市　区 Urban District	508236	529179	377711	373288	106	110
南澳县 Nanao County	4527	4614	1164	843	62	64
佛山市 Foshan	141114	144213	124003	108363	41	41
韶关市 Shaoguan						
市　区 Urban District	145710	124385	130355	109667	273	138
乐昌市 Lechang City	105307	121231	73007	78391	204	234
南雄市 Nanxiong City	244040	246852	226881	224032	534	539
仁化县 Renhua County	63942	92460	53918	74713	364	407
始兴县 Shixing County	85111	99132	72447	78146	355	410
翁源县 Wengyuan County	105974	108694	96508	94680	281	286
新丰县 Xinfeng County	48964	48029	37809	35231	206	201
乳源县 Ruyuan County	64507	68519	51627	53532	320	336
河源市 Heyuan						
市　区 Urban District	18659	17123	16635	14806	62	60
东源县 Dongyuan County	205267	186674	183130	156835	397	359
和平县 Heping County	166756	165582	146412	132953	342	345
龙川县 Longchuan County	304543	316173	283818	281337	354	364
紫金县 Zijin County	228482	209592	198992	176521	285	262
连平县 Lianping County	122047	117671	108101	99389	327	313
梅州市 Meizhou						
市　区 Urban District	12571	13695	9500	10241	41	45
兴宁市 Xingning City	349728	351251	312946	307951	309	309
梅　县 Meixian County	202862	215801	168107	176573	335	356
平远县 Pingyuan County	101639	107477	91528	90869	404	426
蕉岭县 Jiaoling County	69700	69994	63796	61513	310	311
大埔县 Dapu County	124671	117207	107640	97828	238	222
丰顺县 Fengshun County	143681	144457	102651	101797	216	216
五华县 Wuhua County	345784	336734	309220	301125	289	270
惠州市 Huizhou						
市　区 Urban District	141193	161070	99982	99420	130	144
惠东县 Huidong County	217687	244340	163594	178603	312	334
博罗县 Boluo County	215529	213327	166360	141972	284	279
龙门县 Longmen County	120704	125676	107018	103047	378	392
汕尾市 Shanwei						
市　区 Urban District	39117	38704	23310	23575	83	85
陆丰市 Lufeng City	208773	232815	121868	132736	134	146
海丰县 Haifeng County	186410	188661	149567	152541	247	248
陆河县 Luhe County	65363	63259	44734	41959	232	209
东莞市 Dongguan	30177	30512	20100	12230	19	19
中山市 Zhongshan	142609	145081	128743	113928	103	104
江门市 Jiangmen						
市　区 Urban District	181594	188259	171934	171687	137	141
台山市 Taishan City	259379	267374	232209	230977	263	270
开平市 Kaiping City	213223	220289	192514	197113	314	323
鹤山市 Heshan City	91778	93620	82721	84305	257	262
恩平市 Enping City	159465	164487	147481	146477	337	333

21-6 续表 continued

单位：吨、公斤/人 (ton, kg/person)

县（市）区别 County (County-level City) and District	粮食 Grain				人均粮食 Per Capita Grain	
	2003	2004	#稻谷 Rice		2003	2004
			2003	2004		
阳江市 Yangjiang						
市　区 Urban District	92324	100583	72954	76453	147	159
阳春市 Yangchun City	303999	322150	244128	256492	289	301
阳东县 Yangdong County	171552	178246	141773	143068	386	393
阳西县 Yangxi County	154054	159252	115543	117182	328	336
湛江市 Zhanjiang						
市　区 Urban District	158852	171499	114189	123302	110	121
雷州市 Leizhou City	314987	333035	274465	285676	209	224
廉江市 Lianjiang County	443805	450234	340243	339021	294	298
吴川市 Wuchuan City	200136	205906	150771	139050	199	204
遂溪县 Suixi County	250911	264770	172756	175795	252	274
徐闻县 Xuwen County	110175	114935	78455	75610	162	170
茂名市 Maoming						
市　区 Urban District	189374	184805	144463	144968	158	154
信宜市 Xinyi City	381338	392433	275943	277545	306	315
高州市 Gaozhou City	332763	338273	286026	289759	210	212
化州市 Huazhou City	366374	376740	295074	298228	259	263
电白县 Dianbai County	267597	272707	221649	221510	217	221
肇庆市 Zhaoqing						
市　区 Urban District	41839	43398	36324	36972	88	90
四会市 Sihui City	130072	138079	109419	111572	307	324
高要市 Gaoyao City	264802	271198	228206	233509	363	373
广宁县 Guangning County	174028	179428	146252	148403	322	332
德庆县 Deqing County	116485	120042	102818	106393	328	336
封开县 Fenkai County	215360	220720	183409	186049	458	467
怀集县 Huaiji County	302609	310907	263984	268234	325	332
清远市 Qingyuan						
市　区 Urban District	104831	99707	97045	91908	193	183
英德市 Yingde City	310634	270246	278425	238267	296	257
连州市 Lianzhou City	120916	128886	91058	100898	240	255
佛冈县 Fogang County	86155	81578	82322	77743	278	116
清新县 Qingxin County	193049	184845	169385	159333	277	597
连山县 Lianshan County	53772	55736	49520	50362	469	484
连南县 Liannan County	42033	42626	30304	29927	270	276
阳山县 Yangshan County	140177	138886	99175	95397	266	262
潮州市 Chaozhou						
市　区 Urban District	6273	6304	5379	5402	18	18
饶平县 Raoping County	173789	190452	124324	130292	180	197
潮安县 Chaoan County	245441	253843	192717	188538	208	214
揭阳市 Jieyang						
市　区 Urban District	71053	68620	65451	62500	108	104
普宁市 Puning City	250433	252648	160688	163176	123	121
揭东县 Jiedong County	277807	285043	196514	199577	228	234
揭西县 Jiexi County	207852	210282	135340	136793	230	232
惠来县 Huilai County	219601	222208	116240	116587	202	195
云浮市 Yunfu						
市　区 Urban District	69954	76120	60639	63924	248	269
罗定市 Luoding City	366828	405035	327202	351719	335	369
新兴县 Xinxing County	152379	167543	141020	143526	339	371
郁南县 Yunan County	174275	193168	135939	136631	364	403
云安县 Yunan County	116507	128779	95092	77588	379	418

21-7 各县（市）区糖蔗及花生产量

OUTPUT OF SUGARCANE AND PEANUTS BY COUNTY (COUNTY-LEVEL CITY) AND DISTRICT

单位：吨　　　　(ton)

县（市）区别 County (County-level City) and District	糖蔗 Sugarcane			花生 Peanuts		
	2003	2004	2004 比 2003 增长% Growth Rate in 2004over 2003 (%)	2003	2004	2004 比 2003 增长% Growth Rate in 2004 over 2003 (%)
广州市　Guangzhou						
市　区　Urban District	88342	105966	19.9	5779	5980	3.5
从化市　Conghua City	165	1	-99.4	10885	11018	1.2
增城市　Zengcheng City	314	1227	290.8	6552	6844	4.5
深圳市　Shenzhen				184	98	-46.7
珠海市　Zhuhai	639354	539568	-15.6	798	917	14.9
汕头市　Shantou						
市　区　Urban District				5207	3721	-28.5
南澳县　Nanao County				169	164	-3.0
佛山市　Foshan	8420	2772	-67.1	6122	5701	-6.9
韶关市　Shaoguan						
市　区　Urban District	2453	1852	-24.5	43045	37438	-13.0
乐昌市　Lechang City	3198	2265	-29.2	5257	7336	39.5
南雄市　Nanxiong City				18455	19099	3.5
仁化县　Renhua County	1494	996	-33.3	17555	23981	36.6
始兴县　Shixing County				9251	8621	-6.8
翁源县　Wengyuan County	201243	203749	1.2	11665	12660	8.5
新丰县　Xinfeng County	589	480	-18.5	3942	4106	4.2
乳源县　Ruyuan County	210	150	-28.6	3875	3905	0.8
河源市　Heyuan						
市　区　Urban District	19940	16924	-15.1	3309	2435	-26.4
东源县　Dongyuan County	9390	9176	-2.3	17202	17109	-0.5
和平县　Heping County				3775	3930	4.1
龙川县　Longchuan County				11794	11179	-5.2
紫金县　Zijin County	18243	10893	-40.3	13334	17641	32.3
连平县　Lianping County	317	198	-37.5	11847	8915	-24.7
梅州市　Meizhou						
市　区　Urban District				926	673	-27.3
兴宁市　Xingning City				3759	3625	-3.6
梅　县　Meixian County				7076	7377	4.3
平远县　Pingyuan County				3312	3360	1.4
蕉岭县　Jiaoling County				3450	3572	3.5
大埔县　Dapu County		920		1822	1953	7.2
丰顺县　Fengshun County				4125	4434	7.5
五华县　Wuhua County	889			4194	4367	4.1
惠州市　Huizhou						
市　区　Urban District	4539	2686	-40.8	14847	17554	18.2
惠东县　Huidong County	12100	6094	-49.6	17013	18265	7.4
博罗县　Boluo County	133614	99326	-25.7	22980	18760	-18.4
龙门县　Longmen County	8396	4820	-42.6	9230	9116	-1.2
汕尾市　Shanwei						
市　区　Urban District				1679	1272	-24.2
陆丰市　Lufeng City	1450	120	-91.7	12300	11112	-9.7
海丰县　Haifeng County	13962	6140	-56.0	5448	5507	1.1
陆河县　Luhe County				1764	2601	47.4
东莞市　Dongguan	2564	1437	-44.0	395	216	-45.3
中山市　Zhongshan	73489	91520	24.5	595	520	-12.6
江门市　Jiangmen						
市　区　Urban District	132037	86562	-34.4	1451	1421	-2.1
台山市　Taishan City	105848	113289	7.0	16058	15950	-0.7
开平市　Kaiping City	40776	32220	-21.0	11105	10516	-5.3
鹤山市　Heshan City	5843	10290	76.1	5990	5753	-4.0
恩平市　Enping City	64281	51095	-20.5	6082	5481	-9.9

21-7 **续表** continued

单位：吨 (ton)

县（市）区别 County（County-level City） and District	糖蔗 Sugarcane 2003	糖蔗 Sugarcane 2004	糖蔗 2004比2003 增长% Growth Rate in 2004 over 2003（%）	花生 Peanuts 2003	花生 Peanuts 2004	花生 2004比2003 增长% Growth Rate in 2004over 2003（%）
阳江市 Yangjiang						
市　区 Urban District	7080			5695	5333	-6.4
阳春市 Yangchun City	15288	2965	-80.6	18583	19984	7.5
阳东县 Yangdong County	36110	45038	24.7	14308	14153	-1.1
阳西县 Yangxi County				9033	9400	4.1
湛江市 Zhanjiang						
市　区 Urban District	417845	425345	1.8	10657	12371	16.1
雷州市 Leizhou City	2694485	2512667	-6.7	21888	27796	27.0
廉江市 Lianjiang County	312324	239126	-23.4	27022	28041	3.8
吴川市 Wuchuan City	16302	12374	-24.1	18022	17685	-1.9
遂溪县 Suixi County	2854951	2839428	-0.5	25488	26122	2.5
徐闻县 Xuwen County	1265116	1160641	-8.3	10464	10523	0.6
茂名市 Maoming						
市　区 Urban District	20151	10692	-46.9	20180	19791	-1.9
信宜市 Xinyi City				12239	10671	-12.8
高州市 Gaozhou City	16075	18808	17.0	20988	24390	16.2
化州市 Huazhou City	264299	245097	-7.3	23934	25399	6.1
电白县 Dianbai County	495			31393	31967	1.8
肇庆市 Zhaoqing						
市　区 Urban District				1240	860	-30.6
四会市 Sihui City	5892	1582	-73.2	14335	14478	1.0
高要市 Gaoyao City	18336	16273	-11.3	14243	14525	2.0
广宁县 Guangning County				6845	6940	1.4
德庆县 Deqing County				9698	9083	-6.3
封开县 Fenkai County	119615	104167	-12.9	13022	13816	6.1
怀集县 Huaiji County	50171	43672	-13.0	10793	10459	-3.1
清远市 Qingyuan						
市　区 Urban District	1900	2154	13.4	8191	8451	3.2
英德市 Yingde City	279763	245212	-12.4	31421	28050	-10.7
连州市 Lianzhou City	340			8462	8148	-3.7
佛冈县 Fogang County	762	567	-25.6	2528	2635	4.2
清新县 Qingxin County	17610	19105	8.5	11403	9964	-12.6
连山县 Lianshan County				2079	2378	14.4
连南县 Liannan County		162		2032	1998	-1.7
阳山县 Yangshan County	1650			10566	9034	-14.5
潮州市 Chaozhou						
市　区 Urban District				85	5	-94.1
饶平县 Raoping County	32001	16104	-49.7	3309	2591	-21.7
潮安县 Chaoan County				2589	2165	-16.4
揭阳市 Jieyang						
市　区 Urban District				30	30	
普宁市 Puning City				925	962	4.0
揭东县 Jiedong County	12150	11960	-1.6	5907	6165	4.4
揭西县 Jiexi County	30748	30311	-1.4	9531	8451	-11.3
惠来县 Huilai County				11000	10456	-4.9
云浮市 Yunfu						
市　区 Urban District	789	630	-20.2	2959	2764	-6.6
罗定市 Luoding City				17381	18176	4.6
新兴县 Xinxing County				6659	6249	-6.2
郁南县 Yunan County	321	850	164.8	11398	14204	24.6
云安县 Yunan County				6213	4748	-23.6

21-8 各县（市）区生猪年末存栏头数、肉猪出栏头数和猪肉产量

NUMBER OF HOGS ON HAND AT THE YEAR-END, SLAUGHTERED FATTENED HOGS AND OUTPUT OF PORK BY COUNTY (COUNTY-LEVEL CITY) AND DISTRICT

县（市）区别 County (County-level City) and District	生猪年末存栏头数（万头） Number of Stock Hogs at the Year-end (10000 heads)		肉猪出栏头数（万头） Slaughtered Fattened Hogs (10000 heads)		猪肉产量（万吨） Output of Pork (10000 tons)	
	2003	2004	2003	2004	2003	2004
广州市 Guangzhou						
市 区 Urban District	52.62	42.04	113.43	113.81	8.41	8.33
从化市 Conghua City	16.63	19.24	27.74	29.45	2.06	2.18
增城市 Zengcheng City	26.24	29.58	50.37	50.78	3.79	3.80
深圳市 Shenzhen	18.56	12.49	60.74	50.68	4.13	3.50
珠海市 Zhuhai	18.82	19.01	34.27	27.66	1.93	1.64
汕头市 Shantou						
市 区 Urban District	37.01	35.66	87.52	89.90	6.19	6.28
南澳县 Nanao County	1.92	2.01	5.03	4.95	0.39	0.37
佛山市 Foshan	87.54	88.85	205.17	212.77	14.71	15.27
韶关市 Shaoguan						
市 区 Urban District	29.06	26.03	42.10	38.85	3.11	2.88
乐昌市 Lechang City	23.46	24.62	33.12	34.45	2.48	2.56
南雄市 Nanxiong City	24.04	22.71	39.84	41.63	2.95	3.08
仁化县 Renhua County	12.15	15.02	15.20	19.65	1.14	1.47
始兴县 Shixing County	9.40	9.88	13.43	14.51	1.01	1.01
翁源县 Wengyuan County	12.52	13.02	18.49	16.61	1.34	1.25
新丰县 Xinfeng County	7.86	7.73	8.99	9.45	0.67	0.71
乳源县 Ruyuan County	9.77	10.28	8.31	8.80	0.61	0.64
河源市 Heyuan						
市 区 Urban District	2.97	3.13	7.54	8.59	0.53	0.59
东源县 Dongyuan County	11.63	12.18	16.78	19.35	1.26	1.45
和平县 Heping County	9.27	9.01	13.42	12.66	0.95	0.91
龙川县 Longchuan County	18.82	19.23	18.82	19.99	1.39	1.50
紫金县 Zijin County	24.26	23.49	24.22	24.94	1.65	1.69
连平县 Lianping County	11.35	11.53	12.78	13.24	0.96	0.98
梅州市 Meizhou						
市 区 Urban District	4.25	4.61	10.68	12.45	0.80	0.93
兴宁市 Xingning City	32.27	31.62	41.05	41.19	3.22	3.25
梅 县 Meixian County	23.67	23.81	39.59	40.06	3.07	2.83
平远县 Pingyuan County	11.81	11.00	16.27	17.61	1.22	1.31
蕉岭县 Jiaoling County	11.03	11.41	19.24	17.65	1.43	1.31
大埔县 Dapu County	14.38	14.21	17.41	18.75	1.30	1.40
丰顺县 Fengshun County	21.75	25.86	28.44	25.58	2.13	1.91
五华县 Wuhua County	41.74	40.81	55.93	53.17	4.19	3.99
惠州市 Huizhou						
市 区 Urban District	28.77	36.40	58.57	65.10	3.94	4.62
惠东县 Huidong County	18.13	20.35	28.83	31.90	2.12	2.02
博罗县 Boluo County	38.44	39.89	57.48	68.32	3.63	4.27
龙门县 Longmen County	4.89	4.98	8.22	7.22	0.49	0.52
汕尾市 Shanwei						
市 区 Urban District	3.49	3.43	11.44	18.39	0.67	0.63
陆丰市 Lufeng City	20.30	19.20	38.83	42.10	2.90	3.15
海丰县 Haifeng County	12.61	11.87	26.62	28.12	2.00	2.11
陆河县 Luhe County	5.62	4.70	12.00	12.91	0.86	0.94
东莞市 Dongguan	74.21	78.53	178.32	160.97	13.53	12.44
中山市 Zhongshan	22.90	24.98	48.48	51.24	3.54	3.74
江门市 Jiangmen						
市 区 Urban District	40.91	49.92	94.19	108.63	6.15	7.59
台山市 Taishan City	26.33	25.44	40.04	40.50	2.68	2.77
开平市 Kaiping City	16.00	17.18	30.14	31.27	2.11	2.19
鹤山市 Heshan City	32.27	33.35	50.39	55.52	2.84	2.78
恩平市 Enping City	15.70	11.55	26.10	18.85	1.83	1.51

21-8 **续表** continued

县（市）区别 County（County-level City）and District	生猪年末存栏头数（万头）Number of Stock Hogs at the Year-end（10000 heads）		肉猪出栏头数（万头）Slaughtered Fattened Hogs（10000 heads）		猪肉产量（万吨）Output of Pork（10000 tons）	
	2003	2004	2003	2004	2003	2004
阳江市 Yangjiang						
市　区 Urban District	11.58	11.03	15.80	17.03	1.19	1.27
阳春市 Yangchun City	77.33	79.18	42.90	49.59	3.43	3.72
阳东县 Yangdong County	18.45	21.12	24.73	26.16	1.71	1.83
阳西县 Yangxi County	13.15	14.46	34.28	20.96	1.29	1.56
湛江市 Zhanjiang						
市　区 Urban District	17.01	19.47	27.42	33.51	2.07	2.48
雷州市 Leizhou City	28.62	31.48	41.88	41.94	3.10	2.95
廉江市 Lianjiang County	60.45	62.87	96.33	102.11	7.50	7.86
吴川市 Wuchuan City	22.00	23.70	28.88	32.91	2.10	2.38
遂溪县 Suixi County	20.24	23.47	43.20	48.81	3.13	3.44
徐闻县 Xuwen County	11.89	11.89	18.58	18.47	1.36	1.34
茂名市 Maoming						
市　区 Urban District	46.60	47.55	71.14	74.38	5.32	5.50
信宜市 Xinyi City	44.03	44.16	73.13	76.34	5.82	6.13
高州市 Gaozhou City	87.09	72.34	125.19	127.78	9.49	9.71
化州市 Huazhou City	63.00	64.67	100.04	108.58	7.80	8.45
电白县 Dianbai County	60.64	61.63	74.89	81.41	5.68	6.14
肇庆市 Zhaoqing						
市　区 Urban District	12.40	23.45	34.31	48.68	2.52	3.43
四会市 Sihui City	62.11	65.35	95.38	102.17	7.11	7.39
高要市 Gaoyao City	32.03	33.39	60.70	65.58	4.54	4.56
广宁县 Guangning County	16.86	22.40	20.96	21.33	1.39	1.49
德庆县 Deqing County	9.89	10.14	12.82	14.34	0.97	1.03
封开县 Fenkai County	26.13	26.47	24.26	24.88	1.82	1.84
怀集县 Huaiji County	51.33	51.94	66.89	68.14	5.01	5.11
清远市 Qingyuan						
市　区 Urban District	10.42	11.75	16.41	19.83	1.31	1.41
英德市 Yingde City	34.76	32.80	41.34	42.54	3.10	3.19
连州市 Lianzhou City	18.27	17.68	24.83	25.32	1.72	1.90
佛冈县 Fogang County	9.71	10.65	7.97	8.67	0.59	0.63
清新县 Qingxin County	30.55	32.80	37.58	45.40	2.75	3.63
连山县 Lianshan County	3.20	3.02	5.00	5.73	0.38	0.43
连南县 Liannan County	3.62	3.27	5.53	5.15	0.39	0.33
阳山县 Yangshan County	22.19	23.65	39.21	40.92	2.92	2.35
潮州市 Chaozhou						
市　区 Urban District	1.84	1.83	3.47	3.48	0.30	0.26
饶平县 Raoping County	31.00	30.38	39.11	39.26	2.93	3.11
潮安县 Chaoan County	16.31	16.30	36.22	35.06	2.70	2.53
揭阳市 Jieyang						
市　区 Urban District	3.97	4.04	7.35	7.07	0.55	0.55
普宁市 Puning City	30.06	30.10	42.79	42.87	3.35	3.36
揭东县 Jiedong County	14.78	12.88	25.44	23.23	1.96	1.63
揭西县 Jiexi County	32.45	33.02	33.86	35.80	2.57	2.61
惠来县 Huilai County	21.60	21.33	31.94	31.26	2.41	2.19
云浮市 Yunfu						
市　区 Urban District	12.53	32.47	22.41	26.77	1.67	1.96
罗定市 Luoding City	19.49	19.92	27.50	29.83	2.06	2.19
新兴县 Xinxing County	30.77	31.33	56.16	61.71	4.20	4.61
郁南县 Yunan County	10.75	10.15	21.82	19.57	1.45	1.27
云安县 Yunan County	9.56	8.54	9.91	11.92	0.69	0.85

21-9 各县（市）区乡镇企业基本情况
BASIC STATISTICS ON TOWNSHIP ENTERPRISES BY COUNTY (COUNTY-LEVEL CITY) AND DISTRICT

县（市）区别 County (County-level City) and District	企业个数（个） Number of Enterprises (unit)		企业人数（人） Number of Employed Persons (person)		2004年现价总产值（万元） Gross Output Value of 2004 at Current Prices (10000 yuan)
	2003	2004	2003	2004	
广州市 Guangzhou					
市　区 Urban District	71599	53928	1093742	872818	14630200
从化市 Conghua City	11729	13470	116849	127667	2409105
增城市 Zengcheng City	13769	11652	209245	199365	3125083
深圳市 Shenzhen	68377		1565154		
珠海市 Zhuhai	10032	10169	173923	174006	3677460
汕头市 Shantou					
市　区 Urban District	25041	32707	519184	573593	7710134
南澳县 Nanao County	472	359	5287	5395	52017
佛山市 Foshan	70996	77713	907731	1050989	20568845
韶关市 Shaoguan					
市　区 Urban District	18384	16175	58473	52321	317080
乐昌市 Lechang City	13673	12873	40866	37029	168541
南雄市 Nanxiong City	17811	17400	50860	49601	190862
仁化县 Renhua County	12346	11696	32967	32203	161765
始兴县 Shixing County	8399	7938	25155	23365	76816
翁源县 Wengyuan County	5849	14684	17599	38336	158527
新丰县 Xinfeng County	4888	4486	12487	10367	53875
乳源县 Ruyuan County	3848	5882	8709	17613	75260
河源市 Heyuan					
市　区 Urban District	1659	1736	10970	12199	64208
东源县 Dongyuan County	4661	5535	18388	20815	82917
和平县 Heping County	8724	8975	19231	20195	54440
龙川县 Longchuan County	9136	9237	28640	30100	162663
紫金县 Zijin County	8224	8263	31382	34521	122379
连平县 Lianping County	8194	8441	27616	31059	142101
梅州市 Meizhou					
市　区 Urban District	6927	8122	13632	16355	262040
兴宁市 Xingning City	40660	38752	135481	133219	422630
梅　县 Meixian County	20694	19583	88453	89553	769024
平远县 Pingyuan County	7670	7715	20680	21545	82865
蕉岭县 Jiaoling County	7988	7960	19839	20932	149992
大埔县 Dapu County	10736	8428	39363	42049	248482
丰顺县 Fengshun County	10220	10421	46007	48388	278600
五华县 Wuhua County	22135	21713	77728	78055	286775
惠州市 Huizhou					
市　区 Urban District	25760	27769	297783	329326	2397808
惠东县 Huidong County	24137	24712	216730	245664	1913934
博罗县 Boluo County	12353	17592	159759	206116	1979956
龙门县 Longmen County	7273	7677	29557	30895	176483
汕尾市 Shanwei					
市　区 Urban District	11316	12971	49080	53279	343400
陆丰市 Lufeng City	15120	14784	100823	128073	731783
海丰县 Haifeng County	16536	16195	139781	164549	1180672
陆河县 Luhe County	3466	3469	15487	15246	77853
东莞市 Dongguan	58293	63957	1346261	2513687	18493032
中山市 Zhongshan	49530	58599	914289	974415	15239257
江门市 Jiangmen					
市　区 Urban District	33410	35137	300892	324348	6094342
台山市 Taishan City	25887	25299	179237	182708	3304801
开平市 Kaiping City	23994	21301	186076	183197	2013194
鹤山市 Heshan City	9887	10897	123262	138302	1947435
恩平市 Enping City	16764	13708	66970	64147	808560

21-9 续表 continued

县（市）区别 County（County-level City）and District	企业个数（个）Number of Enterprises（unit）		企业人数（人）Number of Employed Persons（person）		2004 年现价总产值（万元）Gross Output Value of 2004 at Current Prices（10000 yuan）
	2003	2004	2003	2004	
阳江市 Yangjiang					
市 区 Urban District	3311	4334	41530	53265	880236
阳春市 Yangchun City	15579	15543	65836	71204	455135
阳东县 Yangdong County	6473	5875	42888	40927	412840
阳西县 Yangxi County	7241	7649	44923	48231	450911
湛江市 Zhanjiang					
市 区 Urban District	13708	14633	70114	73154	932061
雷州市 Leizhou City	18044	18005	78464	80478	397295
廉江市 Lianjiang County	25265	24620	111226	117583	1244553
吴川市 Wuchuan City	8429	9385	63276	61342	938427
遂溪县 Suixi County	14930	16555	57302	61619	483644
徐闻县 Xuwen County	5883	5892	25600	25760	159115
茂名市 Maoming					
市 区 Urban District	19138	19450	104844	106191	1401146
信宜市 Xinyi City	25104	25262	180287	182789	1648615
高州市 Gaozhou City	31980	31921	194851	184659	1525159
化州市 Huazhou City	25604	24888	170167	165737	1871886
电白县 Dianbai County	23273	24403	114588	110476	1369670
肇庆市 Zhaoqing					
市 区 Urban District	8661	8955	73272	78185	1265567
四会市 Sihui City	11782	11687	72749	73859	1157134
高要市 Gaoyao City	17632	16824	172808	195938	2462838
广宁县 Guangning County	10714	10065	50065	48561	423652
德庆县 Deqing County	9954	9620	30043	30105	385100
封开县 Fenkai County	14171	12603	56019	51554	279065
怀集县 Huaiji County	14250	11318	74788	53901	348904
清远市 Qingyuan					
市 区 Urban District	11416	11682	52978	85685	605881
英德市 Yingde City	7811	9298	27635	43114	161262
连州市 Lianzhou City					
佛冈县 Fogang County	3515	2786	17470	13373	55944
清新县 Qingxin County	9971	10913	49987	58210	291070
连山县 Lianshan County	528	423	4421	2070	10683
连南县 Liannan County	3039		7337		
阳山县 Yangshan County	7295	7635	19701	30262	100008
潮州市 Chaozhou					
市 区 Urban District	6949	6321	56942	20680	608126
饶平县 Raoping County	8148	6283	76529	79389	614208
潮安县 Chaoan County	23634	30752	218729	267904	3904049
揭阳市 Jieyang					
市 区 Urban District	18340	8633	153825	91734	2266126
普宁市 Puning City	738	5096	10799	150104	3298272
揭东县 Jiedong County	3833	16743	30614	160480	2514722
揭西县 Jiexi County	5355	7600	149989	60134	936502
惠来县 Huilai County	17053	6508	160008	53120	672804
云浮市 Yunfu					
市 区 Urban District	5997	9125	26737	39247	363068
罗定市 Luoding City	3663	12202	34713	106331	624677
新兴县 Xinxing County	12607	4479	107478	35551	562292
郁南县 Yunan County	9025	9225	36547	39322	454881
云安县 Yunan County	3154	3186	16799	18241	309584

21-10 各县（市）区固定资产投资（2004年）

INVESTMENT IN FIXED ASSETS BY COUNTY (COUNTY-LEVEL CITY) AND DISTRICT (2004)

单位：万元 (10000 yuan)

县（市）区别 County (County-level City) and District	基本建设投资 Investment in Capital Construction		更新改造投资 Investment in Innovation		其他投资 Other Investment	房地产投资 Real Estate Development
	投资完成额 Completed Investment	新增固定资产 Newly Increased Fixed Assets	投资完成额 Completed Investment	新增固定资产 Newly Increased Fixed Assets		
广州市 Guangzhou						
市　区 Urban District	5746963	5633017	1563789	1320237	57788	4127437
从化市 Conghua City	254888	69418	20605	20624	22646	226404
增城市 Zengcheng City	62310	10097	41812	43344	2440	54263
深圳市 Shenzhen	5009246	2829245	879996	455690	432246	4318072
珠海市 Zhuhai	1223085	445185	154597	85465		404633
汕头市 Shantou						
市　区 Urban District	296813	175253	134371	85901	312358	171414
南澳县 Nanao County	12362	6901	1110	830	1585	
佛山市 Foshan	1277972	457276	451933	214010	68927	963998
韶关市 Shaoguan						
市　区 Urban District	101371	35274	32551	17198	37470	55008
乐昌市 Lechang City	27768	13977	22942	21694	33024	12849
南雄市 Nanxiong City	29179	30724	7968	12567	23458	9926
仁化县 Renhua County	33154	1783	14480	9540	28976	2028
始兴县 Shixing County	32071	8164	10603		28826	4081
翁源县 Wengyuan County	13349	9327	15683	14165	20958	3956
新丰县 Xinfeng County	44628	25249	5930	15445	2220	1496
曲江县 Qujiang County	64771	65919	292031	85873	37601	15202
乳源县 Ruyuan County	31401	27498	3250	8266	77673	3601
河源市 Heyuan						
市　区 Urban District	179894	106233	768	768	12480	53668
东源县 Dongyuan County	62341	39810	2500		25468	
和平县 Heping County	34873	12688			1795	2395
龙川县 Longchuan County	36334	33893	19124	8588	56159	10178
紫金县 Zijin County	5687	5687	2272	2272		6793
连平县 Lianping County	12296	4296	26078	4008	5000	6639
梅州市 Meizhou						
市　区 Urban District	40639	21470	14873	10053	23922	22235
兴宁市 Xingning City	43320	3290	4461	1160	20565	33486
梅　县 Meixian County	68610	84356	117804		20543	44964
平远县 Pingyuan County	11612	11434	3510	2790	13088	1420
蕉岭县 Jiaoling County	52201	26948	5200	3800	8960	6526
大埔县 Dapu County	16639	4204	980		16544	4666
丰顺县 Fengshun County	16429	13439	6126	6710	27509	12016
五华县 Wuhua County	8477	6209	3955	4043	18262	2630
惠州市 Huizhou						
市　区 Urban District	1905036	371499	120427	33602	38098	267567
惠东县 Huidong County	57670	23640	23000	15000	1563	400
博罗县 Boluo County	119571	62461	7628	7628	7288	7490
龙门县 Longmen County	19218	12265	3521	3249	150	20075
汕尾市 Shanwei						
市　区 Urban District	158392	119441	22823	22246	20998	4596
陆丰市 Lufeng City	20346	4471	5351	2621	106727	8430
海丰县 Haifeng County	86401	86384	13762	13762	8020	117
陆河县 Luhe County	18165	18165	1231	1231		1100
东莞市 Dongguan	1435591	644787	474859	28937	105	934465
中山市 Zhongshan	969593	736918	342140	15502	609884	624615
江门市 Jiangmen						
市　区 Urban District	249674	144994	111514	97093	24562	154377
台山市 Taishan City	305774	265917	24751	15207	11704	56891
开平市 Kaiping City	67128	36550	11860	3144	135072	22570
鹤山市 Heshan City	20505	870	54410	27846	88302	62140
恩平市 Enping City	15569	1012	15708	15708	400	10716

21-10 续表 continued

单位：万元 (10000 yuan)

县（市）区别 County (County-level City) and District	基本建设投资 Investment in Capital Construction		更新改造投资 Investment in Innovation		其他投资 Other Investment	房地产投资 Real Estate Development
	投资完成额 Completed Investment	新增固定资产 Newly Increased Fixed Assets	投资完成额 Completed Investment	新增固定资产 Newly Increased Fixed Assets		
阳江市 Yangjiang						
市　区 Urban District	72970	58402	16103	13031	46788	84265
阳春市 Yangchun City	43639	17554	10030	10030	16007	16513
阳东县 Yangdong County	9056	7797	3200	2020	52788	11711
阳西县 Yangxi County	19053	8880	15505	5954	1980	12921
湛江市 Zhanjiang						
市　区 Urban District	508623	200663	272828	115467	1979	103383
雷州市 Leizhou City	14884	14884	17335	17335		3974
廉江市 Lianjiang City	29718	13778	1980	1980	9960	2750
吴川市 Wuchuan City	15312	9719	3380	2700	300	8284
遂溪县 Suixi County	17656	14486	15933	10333		3330
徐闻县 Xuwen County	23745	24357	11539	11464	3000	6936
茂名市 Maoming						
市　区 Urban District	81857	74164	162367	225677	46534	46459
信宜市 Xinyi City	11984	4557	27046	5824	3883	4937
高州市 Gaozhou City	12149	6940	11674	11432	7776	16365
化州市 Huazhou City	17194	4905	6900	7236	3473	778
电白县 Dianbai County	22683	2505	5780	5750	49199	10944
肇庆市 Zhaoqing						
市　区 Urban District	320510	197941	40544	25867	58443	140760
四会市 Sihui City	38554	23315	6737	1457	74728	11893
高要市 Gaoyao City	34725	19552	33297	32835	42245	4775
广宁县 Guangning County	4151	2752	2729	2816	31958	6816
德庆县 Deqing County	36522	18628	16888	22318	23838	5140
封开县 Fenkai County	12897	19475	8146	10067	35606	2397
怀集县 Huaiji County	31618	1944	8951	18751	38691	3150
清远市 Qingyuan						
市　区 Urban District	160554	79828	78058	74625	269141	131459
英德市 Yingde City	49016	49568	24473	15502	5020	7434
连州市 Lianzhou City	75962	70208			105	6575
佛冈县 Fogang County	22625	18192	21690	13604	105806	7839
清新县 Qingxin County	91046	71424	35598	28937	630	6849
连山县 Lianshan County	13354		13011			
连南县 Liannan County	5788	4607			2	
阳山县 Yangshan County	8458	8014	30792	5100	33599	1096
潮州市 Chaozhou						
市　区 Urban District	211022	155596	71136	75178	35149	21452
饶平县 Raoping County	134215	998	5134	1000	22333	1239
潮安县 Chaoan County	47803	36401	14092	10141	18388	12163
揭阳市 Jieyang						
市　区 Urban District	107256	58036	29764	27385	39401	17048
普宁市 Puning City	68202	45973	18310	5950	33100	25416
揭东县 Jiedong County	34961	12820	20704	4204	26549	4367
揭西县 Jiexi County	31964	10702	12410	7395		6300
惠来县 Huilai County	99852	22382	2720	2720	875	
云浮市 Yunfu						
市　区 Urban District	42551	8579	25602			16918
罗定市 Luoding City	112702	125402	24380	20608	48138	5696
新兴县 Xinxing County	35241	28294	3106	1829	2159	16512
郁南县 Yunan County	23495	3075	11885	3730	5819	875
云安县 Yunan County	45604	11994	4000		22300	3170

注：本表其他投资含城镇集体。

Note: The data of other investment in this table include those of urban collective-owned units.

21-11 各县（市）区社会消费品零售总额
TOTAL RETAIL SALES OF CONSUMER GOODS BY COUNTY (COUNTY-LEVEL CITY) AND DISTRICT

单位：万元 (10000 yuan)

县（市）区别 County (County-level City) and District	社会消费品零售总额 Total Retail Sales of Consumer Goods			#批发零售贸易业零售额 Total Retail Sales of Wholesale and Retail Trade		
	2003	2004	2004 比 2003 增长% Growth Rate in 2004 over 2003 (%)	2003	2004	2004 比 2003 增长% Growth Rate in 2004 over 2003 (%)
广州市 Guangzhou						
市　区 Urban District	13949803	15669727	12.3	11177610	12764847	14.2
从化市 Conghua City	411263	435439	5.9	325041	340255	4.7
增城市 Zengcheng City	581676	645348	10.9	474650	529433	11.5
深圳市 Shenzhen	8017726	9154485	14.2	6613497	7588675	14.7
珠海市 Zhuhai	1591810	1798921	13.0	1350846	1509452	11.7
汕头市 Shantou						
市　区 Urban District	2498038	2868313	14.8	2227401	2587261	16.2
南澳县 Nanao County	46602	52205	12.0	42577	47547	11.7
佛山市 Foshan	4731882	5421916	14.6	3821762	4387223	14.8
韶关市 Shaoguan						
市　区 Urban District	699849	796023	13.7	622686	705473	13.3
乐昌市 Nanxiong City	109560	126330	15.3	96413	110871	15.0
南雄市 Renhua County	97878	114261	16.7	86770	94787	9.2
仁化县 Shixing County	53736	61198	13.9	44379	50260	13.3
始兴县 Wengyuan County	46892	53953	15.1	41265	47454	15.0
翁源县 Xinfeng County	50366	57393	14.0	44322	50871	14.8
新丰县 Qujiang County	37933	43638	15.0	33381	38833	16.3
乳源县 Ruyuan County	36728	40904	11.4	32323	35869	11.0
河源市 Heyuan						
市　区 Urban District	150086	175431	16.9	130372	149829	14.9
东源县 Dongyuan County	67519	78457	16.2	59443	69156	16.3
和平县 Heping County	44757	50854	13.6	39966	45747	14.5
龙川县 Longchuan County	132980	155297	16.8	119997	139235	16.0
紫金县 Zijin County	73836	86159	16.7	69712	76762	10.1
连平县 Lianping County	49450	54980	11.2	43006	47761	11.1
梅州市 Meizhou						
市　区 Urban District	100001	124071	24.1	85637	107795	25.9
兴宁市 Xingning City	182089	202404	11.2	166422	185701	11.6
梅　县 Meixian County	201056	232155	15.5	172954	200193	15.7
平远县 Pingyuan County	48164	54510	13.2	43544	49244	13.1
蕉岭县 Jiaoling County	76171	84368	10.8	65293	74375	13.9
大埔县 Dapu County	99900	121977	22.1	89600	110161	22.9
丰顺县 Fengshun County	72723	83789	15.2	67465	76920	14.0
五华县 Wuhua County	126008	137825	9.4	105551	115337	9.3
惠州市 Huizhou						
市　区 Urban District	1013184	1212606	19.7	819464	942505	15.0
惠东县 Huidong County	449609	503620	12.0	401944	449718	11.9
博罗县 Boluo County	280423	326039	16.3	250891	292886	16.7
龙门县 Longmen County	73508	85278	16.0	63414	73205	15.4
汕尾市 Shanwei						
市　区 Urban District	219844	252009	14.6	183053	201984	10.3
陆丰市 Lufeng City	361945	415113	14.7	293635	331872	13.0
海丰县 Haifeng County	438738	498405	13.6	366576	420360	14.7
陆河县 Luhe County	86775	99817	15.0	78596	90872	15.6
东莞市 Dongguan	3380000	3890380	15.1	2928654	3347523	14.3
中山市 Zhongshan	1536055	1788366	16.4	1289799	1512613	17.3
江门市 Jiangmen						
市　区 Urban District	997380	1128745	13.2	869779	974878	12.1
台山市 Taishan City	681546	756517	11.0	570450	638908	12.0
开平市 Kaiping City	452484	506799	12.0	358968	402338	12.1
鹤山市 Heshan City	322375	364730	13.1	245221	278388	13.5
恩平市 Enping City	324598	358908	10.6	283269	303190	7.0

21-11 **续表** continued

单位：万元 (10000 yuan)

县（市）区别 County（County-level City）and District	社会消费品零售总额 Total Retail Sales of Consumer Goods			#批发零售贸易业零售额 Total Retail Sales of Wholesale and Retail Trade		
	2003	2004	2004 比 2003 增长% Growth Rate in 2004 over 2003（%）	2003	2004	2004 比 2003 增长% Growth Rate in 2004 over 2003（%）
阳江市 Yangjiang						
市　区 Urban District	395421	447834	13.3	335207	379417	13.2
阳春市 Yangchun City	307961	347527	12.8	274214	310042	13.1
阳东县 Yangdong County	120960	136054	12.5	102636	116348	13.4
阳西县 Yangxi County	147706	166693	12.9	119673	135054	12.9
湛江市 Zhanjiang						
市　区 Urban District	1026618	1192792	16.2	808966	936614	15.8
雷州市 Leizhou City	236553	263796	11.5	211060	239245	13.4
廉江市 Lianjiang City	264863	298772	12.8	223422	255303	14.3
吴川市 Wuchuan City	171710	196127	14.2	150003	173646	15.8
遂溪县 Suixi County	177931	193945	9.0	161980	176908	9.2
徐闻县 Xuwen County	150060	171154	14.1	131262	152816	16.4
茂名市 Maoming						
市　区 Urban District	807407	919461	13.9	701330	788357	12.4
信宜市 Xinyi City	397138	448634	13.0	360247	414296	15.0
高州市 Gaozhou City	412122	466665	13.2	361141	407729	12.9
化州市 Huazhou City	374192	422471	12.9	327832	360207	9.9
电白县 Dianbai County	301702	344852	14.3	266367	313347	17.6
肇庆市 Zhaoqing						
市　区 Urban District	522559	583488	11.7	403682	450561	11.6
四会市 Sihui City	271217	307962	13.5	247599	280661	13.4
高要市 Gaoyao City	269312	304363	13.0	240316	270335	12.5
广宁县 Guangning County	195160	224044	14.8	186194	213455	14.6
德庆县 Deqing County	101750	113909	11.9	85832	96256	12.1
封开县 Fenkai County	151762	174526	15.0	127441	145697	14.3
怀集县 Huaiji County	200179	230806	15.3	162911	189890	16.6
清远市 Qingyuan						
市　区 Urban District	344982	389129	12.8	295562	341410	15.5
英德市 Yingde City	231624	265811	14.8	202765	233086	15.0
连州市 Lianzhou City	115964	130653	12.7	87142	99382	14.0
佛冈县 Fogang County	82268	95349	15.9	68376	79027	15.6
清新县 Qingxin County	91765	116835	27.3	81275	102375	26.0
连山县 Lianshan County	11366	13050	14.8	8159	9739	19.4
连南县 Liannan County	17162	19542	13.9	13891	16828	21.1
阳山县 Yangshan County	64719	74459	15.0	56420	64673	14.6
潮州市 Chaozhou						
市　区 Urban District	275281	303580	10.3	244871	269830	10.2
饶平县 Raoping County	227060	250220	10.2	201275	219120	8.9
潮安县 Chaoan County	315074	363311	15.3	250098	291186	16.4
揭阳市 Jieyang						
市　区 Urban District	455900	515091	13.0	415496	466163	12.2
普宁市 Puning City	657680	721500	9.7	610882	671073	9.9
揭东县 Jiedong County	311700	347433	11.5	278010	308528	11.0
揭西县 Jiexi County	117154	131430	12.2	105038	117093	11.5
惠来县 Huilai County	123930	137020	10.6	115903	129652	11.9
云浮市 Yunfu						
市　区 Urban District	119524	135152	13.1	87239	97572	11.8
罗定市 Luoding City	193129	224030	16.0	150791	174476	15.7
新兴县 Xinxing County	131879	154325	17.0	103137	120595	16.9
郁南县 Yunan County	129082	151002	17.0	118967	137973	16.0
云安县 Yunan County	33648	39704	18.0	28595	33347	16.6

21-12 各县（市）区在岗职工人数（2004年）
NUMBER OF FULLY EMPLOYED STAFF AND WORKERS BY COUNTY (COUNTY-LEVEL CITY) AND DISTRICT (2004)

单位：人 (person)

县（市）区别 County (County-level City) and District	在岗职工人数 Number of Fully Employed Staff and Workers	国有经济 State-owned Units	城镇集体经济 Urban Collective-owned Units	其他各种经济 Units of Other Types of Ownership
广州市 Guangzhou				
市　区 Urban District	1732388	757300	123523	851565
从化市 Conghua City	43677	22717	10142	10818
增城市 Zengcheng City	93297	38837	10658	43802
深圳市 Shenzhen	1358764	319383	16623	1022758
珠海市 Zhuhai	410000	77365	32136	300499
汕头市 Shantou				
市　区 Urban District	283359	166094	51097	66168
南澳县 Nanao County	5820	5099	409	312
佛山市 Foshan	476259	176442	40100	259717
韶关市 Shaoguan				
市　区 Urban District	82223	47793	4325	30105
乐昌市 Lechang City	33419	18809	5538	9072
南雄市 Nanxiong City	17847	12788	1764	3295
仁化县 Renhua County	22257	11623	2814	7820
始兴县 Shixing County	19058	8082	1234	9742
翁源县 Wengyuan County	17579	13548	1405	2626
新丰县 Xinfeng County	14819	8679	3643	2497
曲江县 Qujiang County	35834	13128	1772	20934
乳源县 Ruyuan County	19245	9533	1676	8036
河源市 Heyuan				
市　区 Urban District	58533	20279	4405	33849
东源县 Dongyuan County	21954	12152	4049	5753
和平县 Heping County	15604	13066	1181	1357
龙川县 Longchuan County	34117	24272	5698	4147
紫金县 Zijin County	21372	16462	1175	3735
连平县 Lianping County	18359	12102	1575	4682
梅州市 Meizhou				
市　区 Urban District	43896	30372	2412	11112
兴宁市 Xingning City	39004	33229	2442	3333
梅　县 Meixian County	28275	17809	3992	6474
平远县 Pingyuan County	16099	12834	514	2751
蕉岭县 Jiaoling County	18414	13642	1250	3522
大埔县 Dapu County	20565	14859	4113	1593
丰顺县 Fengshun County	26215	16175	6652	3388
五华县 Wuhua County	31709	29349	2278	82
惠州市 Huizhou				
市　区 Urban District	400619	83291	34065	283263
惠东县 Huidong County	53239	27701	9530	16008
博罗县 Boluo County	59812	31575	5343	22894
龙门县 Longmen County	18623	12751	2820	3052
汕尾市 Shanwei				
市　区 Urban District	38436	22842	4259	11335
陆丰市 Lufeng City	40720	33687	5328	1705
海丰县 Haifeng County	26278	20855	3221	2202
陆河县 Luhe County	11541	8390	1995	1156
东莞市 Dongguan	175415	82026	46439	46950
中山市 Zhongshan	178217	60970	11271	105976
江门市 Jiangmen				
市　区 Urban District	171337	59750	14582	97005
台山市 Taishan City	45687	26037	3674	15976
开平市 Kaiping City	60539	23705	7274	29560
鹤山市 Heshan City	39498	12998	3493	23007
恩平市 Enping City	28120	14299	6737	7084

21-12 **续表** continued

单位：人 (person)

县（市）区别 County (County-level City) and District	在岗职工人数 Number of Fully Employed Staff and Workers	国有经济 State-owned Units	城镇集体经济 Urban Collective-owned Units	其他各种经济 Units of Other Types of Ownership
阳江市 Yangjiang				
市　区 Urban District	65500	38144	19271	8085
阳春市 Yangchun City	53143	29164	10168	13811
阳东县 Yangdong County	25909	16037	6970	2902
阳西县 Yangxi County	21065	12546	5014	3505
湛江市 Zhanjiang				
市　区 Urban District	157912	110534	5470	41908
雷州市 Leizhou City	58613	54473	3544	596
廉江市 Lianjiang City	43953	34344	3958	5651
吴川市 Wuchuan City	30951	26728	2677	1546
遂溪县 Suixi County	40394	25154	4436	10804
徐闻县 Xuwen County	36202	29807	2939	3456
茂名市 Maoming				
市　区 Urban District	88861	52279	5885	30697
信宜市 Xinyi City	32422	26563	3863	1996
高州市 Gaozhou City	55108	40344	11945	2819
化州市 Huazhou City	54729	43666	9091	1972
电白县 Dianbai County	50513	34351	14288	1874
肇庆市 Zhaoqing				
市　区 Urban District	105949	43537	5292	57120
四会市 Sihui City	32354	15879	3343	13132
高要市 Gaoyao City	21767	18025	1157	2585
广宁县 Guangning County	18044	14932	725	2387
德庆县 Deqing County	14939	11157	1352	2430
封开县 Fenkai County	18093	14111	1503	2479
怀集县 Huaiji County	21600	18838	1729	1033
清远市 Qingyuan				
市　区 Urban District	53866	26876	5146	21844
英德市 Yingde City	33591	25268	1687	6636
连州市 Lianzhou City	19801	13984	1468	4349
佛冈县 Fogang County	18732	9058	311	9363
清新县 Qingxin County	33918	12892	1933	19093
连山县 Lianshan County	6070	5110	683	277
连南县 Liannan County	9893	7016	612	2265
阳山县 Yangshan County	17225	14033	1182	2010
潮州市 Chaozhou				
市　区 Urban District	47925	24937	6748	16240
饶平县 Raoping County	34470	25675	4639	4156
潮安县 Chaoan County	30970	22117	6931	1922
揭阳市 Jieyang				
市　区 Urban District	50087	29033	10535	10519
普宁市 Puning City	50827	43035	4918	2874
揭东县 Jiedong County	28458	23033	3386	2039
揭西县 Jiexi County	28442	19526	8208	708
惠来县 Huilai County	37065	28164	3042	5859
云浮市 Yunfu				
市　区 Urban District	31869	17842	5507	8520
罗定市 Luoding City	46236	27667	2568	16001
新兴县 Xinxing County	30397	12841	4303	13253
郁南县 Yunan County	19974	12099	1440	6435
云安县 Yunan County	9615	6164	449	3002

21-13 各县（市）区在岗职工工资总额及平均工资（2004年）

TOTAL WAGES AND AVERAGE WAGE OF FULLY EMPLOYED STAFF AND WORKERS BY COUNTY（COUNTY-LEVEL CITY）AND DISTRICT（2004）

县（市）区别 County（County-level City） and District	合计 Total		国有经济单位 State-owned Units		城镇集体经济单位 Urban Collective-owned Units		其他各种经济单位 Units of Other Types of Ownerships	
	工资总额（万元） Total Wages（10000 yuan）	平均工资（元） Average Wage（yuan）	工资总额（万元） Total Wages（10000 yuan）	平均工资（元） Average Wage（yuan）	工资总额（万元） Total Wages（10000 yuan）	平均工资（元） Average Wage（yuan）	工资总额（万元） Total Wages（10000 yuan）	平均工资（元） Average Wage（yuan）
广州市 Guangzhou								
市　区 Urban District	5640954	32618	3309131	43918	216199	17214	2115624	24880
从化市 Conghua City	71781	16490	50096	22163	8577	8716	13108	11823
增城市 Zengcheng City	179032	19470	98860	25382	13170	12258	67002	15854
深圳市 Shenzhen	4192834	31928	1422271	45212	32868	20256	2737695	27868
珠海市 Zhuhai	797026	20087	266610	34488	49466	14890	480950	16801
汕头市 Shantou								
市　区 Urban District	453018	15936	322870	19377	39122	7646	91026	13693
南澳县 Nanao County	6582	11219	6003	11771	347	8206	232	6741
佛山市 Foshan	928296	19562	457697	25914	61860	15452	408740	15849
韶关市 Shaoguan								
市　区 Urban District	166336	19916	115517	23652	4354	9690	46465	15393
乐昌市 Lechang City	43318	12796	29613	15638	4778	8785	8928	9419
南雄市 Nanxiong City	25601	14364	18186	14168	1967	11026	5448	17010
仁化县 Renhua County	33443	15071	16511	14216	2346	8330	14587	18797
始兴县 Shixing County	19612	10475	10952	13384	837	6783	7823	8406
翁源县 Wengyuan County	20707	12253	17364	13156	1388	10225	1956	8342
新丰县 Xinfeng County	15235	10413	10835	12509	2877	7694	1522	6826
曲江县 Qujiang County	84590	23001	20543	14181	2422	12849	61625	30199
乳源县 Ruyuan County	22442	11938	13327	13934	1520	8930	7595	10084
河源市 Heyuan								
市　区 Urban District	92068	17758	47406	23517	4704	11079	39958	14560
东源县 Dongyuan County	28610	13786	19420	16086	3695	10075	5496	10962
和平县 Heping County	19449	12576	17142	13121	1130	9645	1177	9584
龙川县 Longchuan County	40304	11992	32284	13351	4793	8413	3228	8651
紫金县 Zijin County	27857	13265	23283	14112	1195	10763	3380	9963
连平县 Lianping County	23792	13448	16383	13556	1355	8718	6054	14940
梅州市 Meizhou								
市　区 Urban District	73826	16483	60159	19495	2393	9670	11273	9841
兴宁市 Xingning City	45616	11660	39547	11860	2622	10628	3446	10415
梅　县 Meixian County	41555	14734	25545	14120	3003	8650	13007	19586
平远县 Pingyuan County	17094	10618	14276	11122	465	9037	2354	8558
蕉岭县 Jiaoling County	22323	12086	17706	12943	1006	8067	3611	10190
大埔县 Dapu County	24945	12218	19198	12959	3978	9909	1768	11136
丰顺县 Fengshun County	28525	10943	19474	11961	5956	9102	3095	9550
五华县 Wuhua County	34227	10820	32371	11070	1774	7699	82	9391
惠州市 Huizhou								
市　区 Urban District	580235	15276	192071	23847	35096	10266	353068	13318
惠东县 Huidong County	64924	12394	41786	15167	8333	9221	14805	9374
博罗县 Boluo County	72439	12064	43489	13741	6531	11933	22419	9781
龙门县 Longmen County	19933	10747	15196	11925	1959	7049	2778	9180
汕尾市 Shanwei								
市　区 Urban District	54987	14153	36767	16090	4278	9686	13942	12036
陆丰市 Lufeng City	41563	10157	35080	10341	4906	8872	1577	10748
海丰县 Haifeng County	35747	13544	31096	14915	2695	8302	1956	8510
陆河县 Luhe County	11483	9987	9233	11076	1393	6961	857	7380
东莞市 Dongguan	432893	25326	282512	35163	62898	13954	87483	19223
中山市 Zhongshan	386361	22350	204021	34116	21993	21180	160348	15616
江门市 Jiangmen								
市　区 Urban District	276633	16351	139866	23206	18090	12336	118677	12592
台山市 Taishan City	47168	10318	33084	12672	3535	9276	10549	6679
开平市 Kaiping City	73326	11921	34148	14575	6727	7716	32450	11052
鹤山市 Heshan City	44916	11457	20993	16162	3909	11781	20014	8741
恩平市 Enping City	28849	10593	17198	12370	4570	7220	7082	10115

21-13 续表 continued

县（市）区别 County（County-level City）and District	合计 Total 工资总额（万元）Total Wages（10000 yuan）	平均工资（元）Average Wage（yuan）	国有经济单位 State-owned Units 工资总额（万元）Total Wages（10000 yuan）	平均工资（元）Average Wage（yuan）	城镇集体经济单位 Urban Collective-owned Units 工资总额（万元）Total Wages（10000 yuan）	平均工资（元）Average Wage（yuan）	其他各种经济单位 Units of Other Types of Ownership 工资总额（万元）Total Wages（10000 yuan）	平均工资（元）Average Wage（yuan）
阳江市 Yangjiang								
市 区 Urban District	91090	14101	66293	17435	16069	8698	8728	10773
阳春市 Yangchun City	61597	11880	42517	14616	7513	8290	11567	8444
阳东县 Yangdong County	27621	10671	18566	11616	6620	9462	2436	8381
阳西县 Yangxi County	22079	10545	13800	11112	5166	10297	3113	8889
湛江市 Zhanjiang								
市 区 Urban District	287347	18169	225625	20278	4814	8929	56909	13716
雷州市 Leizhou City	51524	9111	47936	9146	3231	9115	358	6008
廉江市 Lianjiang City	49899	11201	42433	11891	3226	8428	4240	8415
吴川市 Wuchuan City	30261	9861	27039	10220	2375	8858	847	5472
遂溪县 Suixi County	41769	10210	31058	12178	3005	6707	7707	7053
徐闻县 Xuwen County	34120	10151	30292	10323	2646	8987	1182	8925
茂名市 Maoming								
市 区 Urban District	206394	23256	125258	24100	10334	17668	70802	22894
信宜市 Xinyi City	36943	11450	31495	11888	3459	9172	1989	9948
高州市 Gaozhou City	62603	11445	49279	12236	9990	8566	3334	12069
化州市 Huazhou City	48007	8790	39291	9015	7531	8283	1185	6109
电白县 Dianbai County	53928	10708	37599	10834	13809	10016	2520	13470
肇庆市 Zhaoqing								
市 区 Urban District	173267	16405	99025	22805	6461	12186	67781	11913
四会市 Sihui City	49162	16080	33293	21434	3343	11255	12526	10377
高要市 Gaoyao City	33590	15236	29115	15889	1810	15808	2665	10338
广宁县 Guangning County	25034	13795	21783	14415	832	11569	2419	10440
德庆县 Deqing County	14879	9676	11974	10347	1104	8015	1801	7419
封开县 Fenkai County	20744	11599	17486	12413	1241	8479	2017	8642
怀集县 Huaiji County	28156	13058	25221	13342	1715	10595	1220	11739
清远市 Qingyuan								
市 区 Urban District	99343	18593	66573	24979	5872	11360	26898	12448
英德市 Yingde City	50595	15404	42652	17032	1492	8762	6450	10576
连州市 Lianzhou City	33160	16084	24021	16803	2141	10429	6998	16396
佛冈县 Fogang County	27760	15593	16846	18682	589	19117	10326	12179
清新县 Qingxin County	41969	13154	22699	17641	2267	11811	17003	9932
连山县 Lianshan County	7784	12722	6943	13466	501	7330	339	12198
连南县 Liannan County	13453	13954	11387	16265	433	11796	1633	7184
阳山县 Yangshan County	27045	15274	24078	16601	1321	10728	1646	8353
潮州市 Chaozhou								
市 区 Urban District	77288	16475	54276	21791	5260	7581	17752	11782
饶平县 Raoping County	32115	8249	28076	9989	1571	2998	2468	4420
潮安县 Chaoan County	37288	11161	30684	13021	5336	6824	1267	6261
揭阳市 Jieyang								
市 区 Urban District	61200	12337	41467	14644	8954	8516	10779	10003
普宁市 Puning City	54468	10838	49318	11559	3036	6353	2115	7521
揭东县 Jiedong County	31036	10859	27497	11991	1838	5591	1700	7196
揭西县 Jiexi County	31211	10754	23050	11676	7288	8649	873	10197
惠来县 Huilai County	34357	9377	27155	9687	1947	6395	5255	9448
云浮市 Yunfu								
市 区 Urban District	51146	16752	36288	20499	5252	9725	9606	12932
罗定市 Luoding City	49646	10356	35978	12765	2330	7937	11338	6742
新兴县 Xinxing County	39332	12952	23158	18099	3290	7716	12885	9682
郁南县 Yunan County	24286	12113	16962	13921	1531	10684	5793	9007
云安县 Yunan County	11820	12469	8620	14185	407	9073	2792	9456

21-14 各县（市）区地方财政一般预算收支及城乡居民储蓄存款余额

LOCAL GOVERNMENT BUDGETARY REVENUE AND EXPENDITURE AND SAVINGS DEPOSITS BY URBAN AND RURAL RESIDENTS BY COUNTY (COUNTY-LEVEL CITY) AND DISTRICT

单位：万元 (10000 yuan)

县（市）区别 County (County-level City) and District	财政收入 Total Revenue		财政支出 Total Expenditure		年末城乡居民储蓄存款余额 Savings Deposits by Urban and Rural Residents at the Year-end	
	2003	2004	2003	2004	2003	2004
广州市 Guangzhou						
本 级 Prefectural-city Level	1611703	1881348	1892321	2090172		
市 区 Urban District	1017172	1003467	1631681	1791708	35123200	40166500
增城市 Zengcheng City	85602	103672	117179	131843	1687800	1878600
从化市 Conghua City	33230	40205	59730	69650	462200	523100
深圳市 Shenzhen	2908370	3214680	3489526	3775720	21994500	26253900
珠海市 Zhuhai	348215	344559	453492	508902	3573900	4085700
汕头市 Shantou						
本 级 Prefectural-city Level	107393	106706	149693	162960		
市 区 Urban District	98021	104775	284588	271750	5579600	6378300
南澳县 Nanao County	2371	2561	13261	10721	33000	36600
佛山市 Foshan	954359	952864	1204456	1309263	17839800	20288100
韶关市 Shaoguan						
本 级 Prefectural-city Level	68538	82572	112819	176882		
市 区 Urban District	11611	33734	21925	66638	1123000	1304000
仁化县 Renhua County	6940	7849	18347	19445	134200	134800
南雄市 Nanxiong City	7312	8077	27030	31334	171400	191900
始兴县 Shixing County	3954	4424	18459	21754	119700	140400
翁源县 Wengyuan County	4886	5398	23505	27952	140700	167900
新丰县 Xinfeng County	3313	3770	20167	21856	87000	98900
曲江县 Qujiang County	19943		37024		280300	315100
乳源县 Ruyuan County	8280	9111	26437	24858	84400	83500
乐昌市 Lechang City	8098	9192	30015	36948	258900	289500
河源市 Heyuan						
本 级 Prefectural-city Level	12314	16088	41949	49871		
市 区 Urban District	4292	5943	17469	23417	94700	434200
和平县 Heping County	3248	3933	34315	34641	67800	127600
龙川县 Longchuan County	7209	9738	49100	59039	256300	292000
紫金县 Zijin County	6466	8633	42540	45546	150300	181700
连平县 Lianping County	5114	7461	27730	34899	112800	136300
东源县 Dongyuan County	4901	6833	42485	52433	73400	85600
梅州市 Meizhou						
本 级 Prefectural-city Level	25130	43213	84868	83096		
市 区 Urban District	5436	6918	16853	18927	461900	618554
梅 县 Meixian County	22284	26571	53811	63583	483100	541500
蕉岭县 Jiaoling County	7102	8968	22613	26274	128600	139900
大埔县 Dapu County	6037	7795	34099	38766	192000	222700
丰顺县 Fengshun County	5450	6376	39963	41655	231700	273000
五华县 Wuhua County	6908	7116	54042	60610	286700	343500
兴宁市 Xingning City	12408	13201	57971	63403	459800	553700
平远县 Pingyuan County	3874	4754	21195	24114	89087	113546
惠州市 Huizhou						
本 级 Prefectural-city Level	112024	121126	149644	183730		
市 区 Urban District	77237	74757	112550	121341	2446100	2876254
惠东县 Huidong County	17283	20093	44531	53091	567900	654909
博罗县 Boluo County	29130	30655	57001	73247	642800	773847
龙门县 Longmen County	5564	7577	24060	28042	138700	167790
汕尾市 Shanwei						
本 级 Prefectural-city Level	13874	14486	37590	36860		
市 区 Urban District	4736	5389	16299	17212	240600	280035
海丰县 Haifeng County	13393	14763	36399	41342	293100	339900
陆河县 Luhe County	3535	3900	19789	23546	62124	74988
陆丰市 Lufeng City	14994	15196	49437	47185	219100	256677
东莞市 Dongguan	674461	721959	765190	941554	12310600	14316800
中山市 Zhongshan	366327	345413	398741	431797	5437000	6149218
江门市 Jiangmen						
本 级 Prefectural-city Level	65377	66631	98761	109007		
市 区 Urban District	102579	77136	128742	114785	3442400	3891300
台山市 Taishan City	38599	37972	56407	66726	1005300	1160800
开平市 Kaiping City	44348	40448	58210	58689	1145500	1269700

注：本级财政收支指市本级地方财政一般预算收支。

Note: The local government revenue and expenditure at the prefectural-city level refer to the budgetary revenue and expenditure actually kept and spent by the same-level local governments.

21-14 续表 continued

单位：万元 (10000 yuan)

县（市）区别 County (County-level City) and District	财政收入 Total Revenue		财政支出 Total Expenditure		年末城乡居民储蓄存款余额 Savings Deposits by Urban and Rural Residents at the Year-end	
	2003	2004	2003	2004	2003	2004
鹤山市 Heshan City	27609	24993	37821	48071	680800	764600
恩平市 Enping City	15233	16068	32814	39456	397800	452800
阳江市 Yangjiang						
本 级 Prefectural-city Level	23796	17729	52636	53502		
市 区 Urban District	8621	8573	20683	24502	751500	847700
阳东县 Yangdong County	13380	13837	35037	38331	192600	218700
阳西县 Yangxi County	4873	4774	22673	27085	151200	181600
阳春市 Yangchun City	15208	14989	48286	61600	397500	463900
湛江市 Zhanjiang						
本 级 Prefectural-city Level	90694	101480	146512	173263		
市 区 Urban District	29694	32583	65450	72848	2251600	2498800
徐闻县 Xuwen County	7759	8890	39975	38004	260400	285400
遂溪县 Suixi County	9347	9739	38758	43312	310500	350000
廉江市 Lianjiang City	10897	10569	56280	61785	480800	551000
吴川市 Wuchuan City	8704	9253	37350	38350	399700	431900
雷州市 Leizhou City	11131	10920	56737	57028	353600	390400
茂名市 Maoming						
本 级 Prefectural-city Level	70645	95961	104322	134845		
市 区 Urban District	17002	19545	38107	43668	1231600	1324100
电白县 Dianbai County	13221	14863	47766	52718	528700	587000
高州市 Gaozhou City	20925	22863	60699	77071	739900	804100
化州市 Huazhou City	11459	13211	47966	55136	462100	506900
信宜市 Xinyi City	9295	11188	46750	56106	452700	503700
肇庆市 Zhaoqing						
本 级 Prefectural-city Level	38355	40439	77132	92269		
市 区 Urban District	22442	22865	33790	40925	1153300	1302200
广宁县 Guangning County	11453	13870	31980	33859	179300	201400
德庆县 Deqing County	9288	10656	29202	32756	145100	163000
封开县 Fenkai County	10026	11689	28962	29932	155500	172800
怀集县 Huaiji County	11830	14014	40887	42511	155700	176900
高要市 Gaoyao City	23387	24950	44028	46435	392500	468200
四会市 Sihui City	17644	19496	33002	36622	385800	446100
清远市 Qingyuan						
本 级 Prefectural-city Level	18626	21897	39082	50240		
市 区 Urban District	9871	11076	26372	32208	726578	879870
清新县 Qingxin County	7751	8946	38283	42148	269152	286751
佛冈县 Fogang County	9564	11039	23380	27754	170582	189571
连山县 Lianshan County	1731	2013	15235	16219	44577	46835
连南县 Liannan County	3080	3481	19137	18183	64067	60440
阳山县 Yangshan County	7848	9028	34149	34656	150189	161934
连州市 Lianzhou City	9596	11126	33971	36261	238990	263726
英德市 Yingde City	11583	14300	52542	56702	403142	463783
潮州市 Chaozhou						
本 级 Prefectural-city Level	31128	26620	57139	60359		
市 区 Urban District	7493	6311	17117	20229	942400	911100
饶平县 Raoping County	7635	6169	48579	49988	285300	356800
潮安县 Chaoan County	12703	13414	50360	58203	508400	805900
揭阳市 Jieyang						
本 级 Prefectural-city Level	25130	21644	70668	68268		
市 区 Urban District	11410	9508	20753	21080	743000	881800
揭东县 Jiedong County	16381	11757	40965	41360	397100	487800
惠来县 Huilai County	6242	6779	45727	46577	182400	229300
揭西县 Jiexi County	6473	6182	44256	47307	365400	438400
普宁市 Puning City	40185	25330	87140	68072	1135400	1334500
云浮市 Yunfu						
本 级 Prefectural-city Level	16715	22545	32307	36845		
市 区 Urban District	6135	7645	16142	19232	352600	409939
新兴县 Xinxing County	12899	13438	32032	36650	269411	310036
郁南县 Yunan County	6005	6942	28632	32973	200200	220000
云安县 Yunan County	4583	6033	19300	21820	63300	61959
罗定市 Luoding City	12892	15246	44336	52401	383000	427400

附　录

APPENDIX

附　录

简要说明

一、本篇资料包括部分省市社会经济主要指标和香港、澳门特别行政区主要统计指标。

二、本篇资料由广东省统计局综合处负责整理、编辑。

三、2004 年资料均为快速年报数。

APPENDIX

Brief Introduction

Ⅰ. The data in this chapter include the main social and economic indicators of some provinces, municipality in the mainland and Hong Kong and Macao Special Administrative regions.

Ⅱ. The data in this chapter are prepared and compiled by the Division of Comprehensive Statistics of Guangdong Provincial Bureau of Statistics.

Ⅲ. Among the data of various provinces and municipality in 2004, all come from their advance annual reports

附录 A　部分省、市社会经济主要指标

APPENDIX A　MAIN SOCIO-ECONOMIC INDICATORS OF SOME PROVINCES AND MUNICIPALITY

省、市名称 Province or Municipality		年末总人口（万人） Total Population at the Year-end（10000 persons）			国内（地区）生产总值（亿元） Gross Domestic Product（100 million yuan）		
		2003	2004	2004 比 2003 增长% Growth Rate in 2004over 2003	2003	2004	2004 比 2003 增长% Growth Rate in 2004 over 2003
全国总计	National Total	129227	129988	0. 6	117390. 2	136875. 9	9. 5
辽　宁	Liaoning	4210	4217	0. 2	6002. 5	6872. 7	12. 8
上　海	Shanghai	1711	1742	1. 8	6250. 8	7450. 3	13. 6
江　苏	Jiangsu	7406	7433	0. 4	12460. 8	15403. 2	14. 9
浙　江	Zhejiang	4680	4720	0. 9	9395. 0	11243. 0	14. 3
安　徽	Anhui	6410	6461	0. 8	3972. 4	4812. 7	12. 5
福　建	Fujian	3488	3511	0. 7	5232. 2	6053. 1	12. 1
山　东	Shandong	9125	9180	0. 6	12435. 9	15490. 7	15. 3
河　南	Henan	9667	9717	0. 5	7048. 6	8815. 1	13. 7
湖　北	Hubei	6002	6016	0. 2	5401. 7	6309. 9	11. 3
湖　南	Hunan	6663	6698	0. 5	4638. 7	5612. 3	12. 0
广　东	Guangdong	7954	8304	4. 4	13625. 9	16039. 5	14. 2
四　川	Sichuan	8700	8725	0. 3	5456. 3	6556. 0	12. 7

省、市名称 Province or Municipality		第三产业增加值（亿元） Value-added of the Tertiary Industry（100 million yuan）			人均国内（地区）生产总值（元） Per Capita Gross Domestic Product（yuan）		
		2003	2004	2004 比 2003 增长% Growth Rate in 2004 over 2003	2003	2004	2004 比 2003 增长% Growth Rate in 2004 over 2003
全国总计	National Total	39188. 0	43720. 6	8. 3	9111	10561	8. 8
辽　宁	Liaoning	2487. 9	2823. 9	10. 7	14258	16297	12. 6
上　海	Shanghai	3029. 5	3565. 3	12. 9	46718	55307	12. 9
江　苏	Jiangsu	4567. 4	5371. 7	13. 7	16796	20705	14. 5
浙　江	Zhejiang	3726. 0	4382. 0	13. 9	19730	23942	13. 5
安　徽	Anhui	1459. 0	1710. 4	13. 0	6457	7768	11. 8
福　建	Fujian	2046. 5	2324. 9	10. 8	15006	17218	
山　东	Shandong	4298. 4	4987. 9	12. 3	13654	16925	14. 7
河　南	Henan	2257. 0	2652. 3	10. 6	7530	9470	14. 0
湖　北	Hubei	2022. 8	2295. 2	10. 0	9001	10500	
湖　南	Hunan	1958. 1	2242. 0	5. 2	7546	9117	11. 7
广　东	Guangdong	5225. 3	5903. 8	10. 4	17213	19707	11. 1
四　川	Sichuan	2061. 7	2471. 8	10. 9	6418	8113	

注：1. 国内（地区）生产总值、农林牧渔业总产值和工业增加值绝对数按当年价格计算，增长速度按可比价格计算。2. 2003、2004 年人口数据为人口变动情况抽样调查推算数。3. 工业增加值统计范围为全部国有及销售收入 500 万元以上非国有工业。4. 分省固定资产投资数据不含除房地产开发投资以外的城乡集体与个体投资。

Note. a) The figures in value terms on gross domestic product, gross output value of farming, forestry, animal husbandry and fishery and value-added of industry are calculated at current prices, whereas the growth rates are calculated at comparable prices. b) The figures for 2003and 2004 are estimated on the basis of the sample surveys on population changes. c) The statistical coverage of value-added of industry refers to the state-owned industrial enterprises and non-state-owned industrial enterprises with an annual sales revenue over 5 million yuan. d) Data of investment in fixed assets by province do not include the investment by urban and rural collective owned units and individuals excluding the investment in in real estate development.

续表1 continued

省、市名称 Province or Municipality		农林牧渔业总产值（亿元） Gross Output Value of Farming, Forestry, Animal Husbandry and Fishery (100 million yuan)			工业增加值（亿元） Value-added of the Secondary Industry (100 million yuan)		
		2003	2004	2004 比 2003 增长% Growth Rate in 2004 over 2003	2003	2004	2004 比 2003 增长% Growth Rate in 2004 over 2003
全国总计	National Total	29691.8	36239.0	7.5	41990.2	54805.1	16.7
辽　宁	Liaoning	1215.0	1510.5	7.9	1715.9	2255.7	23.4
上　海	Shanghai	247.3	248.9	-7.2	2832.9	3427.0	19.0
江　苏	Jiangsu	1952.2	2417.6	8.9	4670.6	6447.5	23.4
浙　江	Zhejiang	1184.0	1332.3	4.4	3097.6	4173.4	21.1
安　徽	Anhui	1305.4	1644.4	8.9	881.5	1082.2	25.1
福　建	Fujian	1151.2	1317.3	5.0	1448.5	1845.8	23.5
山　东	Shandong	2902.5	3453.9	6.0	4701.1	6498.3	26.5
河　南	Henan	2193.1	2963.9	12.9	1740.1	2332.7	23.6
湖　北	Hubei	1342.1	1695.4	5.5	1364.8	1664.7	22.8
湖　南	Hunan	1453.0	1913.3	7.5	888.6	1198.1	24.1
广　东	Guangdong	1908.7	2154.8	4.5	5718.1	7086.4	22.4
四　川	Sichuan	1784.5	2252.3	7.1	1165.7	1546.5	25.8

省、市名称 Province or Municipality		粮食产量（万吨） Output of Grain (10000 tons)			油料产量（万吨） Output of Oil-bearing Crops (10000 tons)		
		2003	2004	2004 比 2003 增长% Growth Rate in 2004 over 2003	2003	2004	2004 比 2003 增长% Growth Rate in 2004 over 2003
全国总计	National Total	43069.5	46946.9	9.0	2811.0	3065.9	8.8
辽　宁	Liaoning	1498.3	1720.0	14.8	61.4	45.9	-25.2
上　海	Shanghai	98.8	106.3	7.6	6.4	7.4	15.6
江　苏	Jiangsu	2471.9	2829.1	14.5	199.5	238.4	19.5
浙　江	Zhejiang	793.4	834.9	5.2	43.8	48.8	11.4
安　徽	Anhui	2214.8	2743.0	23.8	231.5	299.7	29.5
福　建	Fujian	713.2	736.5	3.3	26.0	27.8	6.9
山　东	Shandong	3435.5	3516.7	2.4	361.8	369.7	2.2
河　南	Henan	3569.5	4260.0	19.3	309.9	408.7	31.9
湖　北	Hubei	1921.0	2100.1	9.3	272.7	314.4	15.3
湖　南	Hunan	2442.7	2640.0	8.1	125.7	139.6	11.1
广　东	Guangdong	1488.4	1390.0	-6.6	81.9	77.5	-5.4
四　川	Sichuan	3054.1	3146.7	3.0	217.1	226.3	4.2

续表2 continued

省、市名称 Province or Municipality		肉类总产量（万吨） Total Output of Meat (10000 tons)			水产品产量（万吨） Output of Aquatic Products (10000 tons)		
		2003	2004	2004比2003增长% Growth Rate in 2004 over 2003	2003	2004	2004比2003增长% Growth Rate in 2004 over 2003
全国总计	National Total	6932.9	7244.8	4.7	4704.6	4901.8	3.2
辽　宁	Liaoning	280.1	318.4	13.7	382.0	402.5	5.4
上　海	Shanghai	50.8	12.5	-75.4	35.5	34.4	-3.1
江　苏	Jiangsu	354.8	346.8	-2.3	342.9	366.1	6.8
浙　江	Zhejiang	153.9	161.8	5.1	482.8	493.5	2.2
安　徽	Anhui	329.6	333.7	1.2	165.3	171.3	3.6
福　建	Fujian	146.2	151.3	3.5	572.8	591.2	3.2
山　东	Shandong	662.1	696.5	5.2	706.2	718.2	1.7
河　南	Henan	603.6	641.5	6.3	39.0	42.7	9.6
湖　北	Hubei	301.1	309.3	2.7	286.8	302.1	5.3
湖　南	Hunan	503.8	517.7	2.8	156.6	166.1	6.1
广　东	Guangdong	358.5	365.3	1.9	648.6	671.4	3.5
四　川	Sichuan	581.8	609.1	4.7	76.4	86.1	12.7

省、市名称 Province or Municipality		原煤产量（万吨） Output of Coal (10000 tons)			发电量（亿千瓦小时） Electricity (100 million kwh)		
		2003	2004	2004比2003增长% Growth Rate in 2004 over 2003	2003	2004	2004比2003增长% Growth Rate in 2004 over 2003
全国总计	National Total	166700.0	195600.0	17.3	19105.8	21870.0	14.5
辽　宁	Liaoning	5870.7	6232.5	6.2	837.1	888.7	6.2
上　海	Shanghai				687.6	766.2	11.4
江　苏	Jiangsu	2760.4	2747.0	-0.5	1336.8	1488.4	11.3
浙　江	Zhejiang	69.4	56.3	-18.9	1101.7	1115.2	1.2
安　徽	Anhui	6726.4	7868.1	17.0	557.8	606.9	8.8
福　建	Fujian	778.2	1076.1	38.3	610.7	659.6	8.0
山　东	Shandong	14667.3	14646.2	-0.1	1397.0	1640.3	17.4
河　南	Henan	11871.0	14445.5	21.7	1025.1	1185.6	15.7
湖　北	Hubei	366.4	395.6	8.0	780.5	1105.9	41.7
湖　南	Hunan	2366.7	3036.2	28.3	537.8	605.2	12.5
广　东	Guangdong	202.3	219.4	8.5	1783.8	2022.5	13.4
四　川	Sichuan	3133.9	4429.9	41.4	849.3	881.8	3.8

续表 3 continued

省、市名称 Province or Municipality		钢（万吨） Steel（10000 tons）			全社会固定资产投资总额（亿元） Total Investment in Fixed Assets （100 million yuan）		
		2003	2004	2004 比 2003 增长% Growth Rate in 2004 over 2003	2003	2004	2004 比 2003 增长% Growth Rate in 2004 over 2003
全国总计	National Total	22233. 6	27279. 8	22. 7	55566. 6	70072. 7	25. 8
辽 宁	Liaoning	2227. 8	2595. 5	16. 5	2076. 4	2979. 6	43. 5
上 海	Shanghai	1728. 8	1823. 7	5. 5	2499. 1	3050. 2	22. 0
江 苏	Jiangsu	1742. 2	2222. 7	27. 6	5233. 0	6496. 0	24. 1
浙 江	Zhejiang	334. 2	369. 9	10. 7	4740. 3	5756. 2	21. 4
安 徽	Anhui	692. 7	907. 2	31. 0	1418. 7	1919. 4	35. 3
福 建	Fujian	257. 9	319. 2	23. 8	1496. 4	1893. 1	26. 5
山 东	Shandong	1415. 4	1855. 4	31. 1	5315. 1	6971. 8	31. 2
河 南	Henan	873. 9	974. 7	11. 5	2263. 0	3099. 4	37. 0
湖 北	Hubei	1254. 3	1353. 5	7. 9	1809. 5	2265. 1	25. 2
湖 南	Hunan	592. 2	804. 1	35. 8	1590. 3	2072. 8	30. 3
广 东	Guangdong	595. 9	717. 5	20. 4	4813. 2	5765. 6	19. 8
四 川	Sichuan	738. 9	989. 3	33. 9	2336. 3	2856. 8	22. 3

省、市名称 Province or Municipality		城镇居民人均可支配收入（元） Per Capita Disposable Income of Urban Residents（yuan）			农村居民人均纯收入（元） Per Capita Net Income of Rural Residents（yuan）		
		2003	2004	2004 比 2003 增长% Growth Rate in 2004 over 2003	2003	2004	2004 比 2003 增长% Growth Rate in 2004 over 2003
全国总计	National Total	8472	9422	7. 7	2622	2936	6. 8
辽 宁	Liaoning	7241	8008	7. 6	2934	3307	7. 1
上 海	Shanghai	14867	16683	9. 8	6654	7066	3. 9
江 苏	Jiangsu	9262	10482	9. 1	4239	4754	7. 2
浙 江	Zhejiang	13180	14546	7. 3	5389	5944	4. 5
安 徽	Anhui	6778	7511	6. 2	2127	2499	12. 7
福 建	Fujian	10000	11175	7. 7	3734	4089	5. 5
山 东	Shandong	8400	9438	9. 3	3150	3507	6. 1
河 南	Henan	6926	7705	5. 5	2236	2553	8. 1
湖 北	Hubei	7322	8023	4. 8	2567	2890	6. 7
湖 南	Hunan	7674	8618	7. 9	2533	2838	8. 0
广 东	Guangdong	12380	13628	7. 2	4055	4366	4. 0
四 川	Sichuan	7042	7710	4. 7	2230	2519	7. 0

续表 4　continued

省、市名称 Province or Municipality		社会消费品零售总额（亿元） Total Retail Sales of Consumer Goods (100 million yuan)			地方财政一般预算收入（亿元） Local Government Budgetary Revenue (100 million yuan)		
		2003	2004	2004 比 2003 增长% Growth Rate in 2004 over 2003	2003	2004	2004 比 2003 增长% Growth Rate in 2004 over 2003
全国总计	National Total	45842.0	53950.1	13.3	9850.0	11693.4	18.7
辽　宁	Liaoning	2330.8	2642.8	13.4	447.0	529.6	18.5
上　海	Shanghai	2220.6	2454.6	10.5	886.2	1106.2	24.8
江　苏	Jiangsu	3566.5	4159.7	16.6	798.1	980.5	22.9
浙　江	Zhejiang	3157.1	3645.4	15.5	706.6	805.9	14.1
安　徽	Anhui	1331.2	1503.1	12.9	220.7	274.6	24.4
福　建	Fujian	1740.4	1995.8	14.7	304.7	333.5	9.5
山　东	Shandong	3936.5	4483.4	13.9	713.8	828.3	16.0
河　南	Henan	2426.4	2808.2	15.7	338.1	428.8	26.8
湖　北	Hubei	2358.7	2667.5	13.1	259.8	310.4	19.5
湖　南	Hunan	1816.3	2069.8	14.0	268.6	320.6	19.4
广　东	Guangdong	5606.0	6370.4	13.6	1315.5	1418.5	7.8
四　川	Sichuan	2091.1	2384.0	14.0	336.6	385.8	14.6

省、市名称 Province or Municipality		外贸进口总额（亿美元） Total Imports of Foreign Trade (USD 100 million)			外贸出口总额（亿美元） Total Exports of Foreign Trade (USD 100 million)		
		2003	2004	2004 比 2003 增长% Growth Rate in 2004 over 2003	2003	2004	2004 比 2003 增长% Growth Rate in 2004 over 2003
全国总计	National Total	4127.6	5614.2	36.0	4382.3	5933.7	35.4
辽　宁	Liaoning	119.3	155.2	30.1	145.8	189.2	29.8
上　海	Shanghai	638.9	865.1	35.4	484.5	735.1	51.7
江　苏	Jiangsu	545.3	833.6	52.9	591.1	875.0	48.0
浙　江	Zhejiang	198.2	270.7	36.6	415.9	581.6	39.8
安　徽	Anhui	28.8	32.8	13.8	30.6	39.4	28.5
福　建	Fujian	141.9	181.5	27.9	211.3	294.0	39.1
山　东	Shandong	180.8	248.2	37.3	265.6	358.5	35.0
河　南	Henan	17.3	24.5	41.1	29.8	41.8	40.2
湖　北	Hubei	24.5	33.9	38.1	26.6	33.8	27.4
湖　南	Hunan	15.9	23.4	47.3	21.5	31.0	44.3
广　东	Guangdong	1306.8	1655.8	26.7	1528.5	1915.6	25.3
四　川	Sichuan	24.3	28.9	19.0	32.1	39.8	24.2

续表 5　continued

省、市名称 Province or Municipality		年末职工人数（万人） Number of Staff and Workers at the Year-end (10000 persons)			职工平均工资（元） Average Wage of Staff and Workers (yuan)		
		2003	2004	2004 比 2003 增长% Growth Rate in 2004 over 2003	2003	2004	2004 比 2003 增长% Growth Rate in 2004 over 2003
全国总计	National Total	10492	10575. 9	0. 8	14040	16024	10. 5
辽　宁	Liaoning	483. 5	481. 1	-0. 5	13008	14921	14. 7
上　海	Shanghai	279. 2	264. 4	-5. 3	27304	30085	10. 2
江　苏	Jiangsu	579. 1	575. 1	-0. 7	15712	18202	15. 8
浙　江	Zhejiang	373. 2	434. 6	16. 5	21367	23506	10. 0
安　徽	Anhui	337. 8	324. 8	-3. 8	10581	12928	22. 2
福　建	Fujian	334. 1	365. 6	9. 4	14310	15603	9. 0
山　东	Shandong	762. 3	776. 1	1. 8	12567	14332	14. 0
河　南	Henan	682. 5	676. 9	-0. 8	10479	12114	15. 6
湖　北	Hubei	486. 1	488. 7	0. 5	10692	11855	10. 9
湖　南	Hunan	379. 4	367. 4	-3. 2	12221	13928	14. 0
广　东	Guangdong	763. 5	811. 8	6. 3	19986	22116	10. 7
四　川	Sichuan	486. 7	480. 7	-1. 2	12441	14063	13. 0

省、市名称 Province or Municipality		居民消费价格指数（%） Consumer Price Index (%)			高等学校在校学生数（万人） Number of Enrolled Students in Institutions of Higher Education (10000 persons)		
		2003	2004	2004 比 2003 增长% Growth Rate in 2004 over 2003	2003	2004	2004 比 2003 增长% Growth Rate in 2004 over 2003
全国总计	National Total	101. 2	103. 9	3. 9	1108. 6	1333. 5	20. 3
辽　宁	Liaoning	101. 7	103. 5	3. 5	51. 4	58. 3	13. 4
上　海	Shanghai	100. 1	102. 2	2. 2	37. 9	41. 6	9. 8
江　苏	Jiangsu	101. 0	104. 1	4. 1	86. 0	99. 5	13. 5
浙　江	Zhejiang	101. 9	103. 9	3. 9	48. 4	57. 3	18. 3
安　徽	Anhui	101. 7	104. 5	4. 5	41. 0	50. 1	22. 2
福　建	Fujian	100. 8	104. 0	4. 0	25. 7	32. 6	26. 5
山　东	Shandong	101. 1	103. 6	3. 6	76. 1	94. 6	24. 3
河　南	Henan	101. 6	105. 4	5. 4	55. 7	70. 3	26. 2
湖　北	Hubei	102. 2	104. 9	4. 9	72. 2	89. 2	23. 5
湖　南	Hunan	102. 4	105. 1	5. 1	53. 7	63. 9	19. 0
广　东	Guangdong	100. 6	103. 0	3. 0	58. 8	72. 7	23. 7
四　川	Sichuan	101. 7	104. 9	4. 9	51. 3	63. 7	24. 2

附录 B 香港、澳门特别行政区主要统计资料

APPENDIX B MAIN STATISTICAL INDICATORS OF HONG KONG AND MACAO SPECIAL ADMINISTRATIVE REGIONS

B-1 香港主要统计指标
MAIN STATISTICAL INDICATORS OF HONG KONG SPECIAL ADMINISTRATIVE REGION

项 目	Item	2000	2001	2003	2004
陆地面积 （平方公里）	**Land Area (sq. km)**	**1098**	**1099**	**1102**	**1102**
人口及生命事件	**Population and Vital Events**				
年中人口 （万人）	Mid-year Population (10000 persons)	666.5	672.5	680.3	688.3
粗出生率 （‰）	Crude Birth Rate (‰)	8.1	7.2	6.9	7.0 *
粗死亡率 （‰）	Crude Death Rate (‰)	5.1	5.0	5.4	5.3 *
劳工	**Labor**				
劳动人口 （万人）	Labor Force (10000 persons)	337.4	342.7	349.6	352.9
失业率 （%）	Unemployment Rate (%)	4.9	5.1	7.9	6.8
实际工资指数 （1992 年 9 月 =100）	Real Wage Index (September 1992 = 100)	112.8	114.6	118.6	115.6
对外商品贸易	**External Merchandise Trade**				
进口 （亿港元）	Imports (HKD 100 million)	16579.6	15681.9	18058	21111
港产品出口 （亿港元）	Domestic Exports (HKD 100 million)	1809.7	1535.2	1217	1260
转口 （亿港元）	Re-exports (HKD 100 million)	13917.2	13274.7	16207	18931
工业生产	**Industrial Production**				
工业生产指数 （2000 年 =100）	Index of Industrial Production (2000 = 100)	100	95.6	78	81 *
工业电力消费量 （万亿焦耳）	Industrial Electricity Consumption (terajoules)	17769	16759	14851	15430
工业煤气消费量 （万亿焦耳）	Industrial Gas Consumption (terajoules)	982	1011	1015	955
运输、旅游	**Transport and Tourism**				
进出香港货运车辆 （万辆）	Inward/Outward Movement of Goods Vehicles (10000 vehicles)	937.98	912.88	988.26	974.83
货柜吞吐量 （万标准货柜单位）	Container Throughput (10000 TEUs)	1810	1783	2045	2198
访港旅客① （万人次）	Visitor Arrivals① (10000 person-times)	1305.9	1372.5	1554	2181
酒店入住率 （%）	Hotel Room Occupancy Rate (%)	83	79	70	88
政府收支 （亿港元）	**Public Accounts (HKD 100 million)**				
政府收入总额②	Total Government Revenue②	2251	1756	2073	2617 * *
政府开支及证券投资总额②	Total Government Expenditure and Equity Investments②	2329	2389	2475	2497 * *
居民消费价格指数 （1999 年 10 月至 2000 年 9 月 =100）	**Consumer Price Index** (October 1999 – September 2000 = 100)				
综合消费价格指数	Composite Consumer Price Index	99.4	97.8	92.4	92.0
本地生产总值	**Gross Domestic Product (GDP)**				
以固定（2000 年）价格计算	**At Constant (2000) Market Prices**				
年增长率 （%）	Annual Growth Rate (%)	10.2	0.5	3.2@	8.1@
本地生产总值 （亿港元）	GDP (HKD 100 million)	12883	12944	13612@	14720@
人均本地生产总值 （港元）	Per Capita GDP (HKD)	193299	192476	200088@	213875@
以现价计算	**At Current Market Prices**				
年增长率 （%）	Annual Growth Rate (%)	3.4	-1.4	-2.2@	5.1@
本地生产总值 （亿港元）	GDP (HKD 100 million)	12883	12700	12200@	12820@
人均本地生产总值 （港元）	Per Capita GDP (HKD)	193299	188847	179336@	186267@

注：本表资料根据《中国统计年鉴》、《中国统计摘要》和香港特别行政区政府统计数字一览资料整理。
①访港旅客数字包括经澳门访港的非澳门居民。
②数字是以相应的财政年度为根据，例如 1998 年的数字代表 1998 至 1999 财政年度数字。
@ 日后会作出修订。
* 初步数字。 * * 2004 年为修订预算。

Note: The data in this table are prepared on the basis of China Statistical Yearbook, China Statistical Abstract and the statistical figures provided by the Government of the Hong Kong Special Administrative Region.
① Figures include arrival of non-Macao residents via Macao.
② Figures are for the corresponding financial year. For example, figures for 1998 would represent the figures for financial year 1998/1999.
@ Subject to revision later on.
* Preliminary figures. * * The figures for 2004 refer to the revised budgetary figures.

B-2 澳门主要统计指标
MAIN STATISTICAL INDICATORS OF MACAO SPECIAL ADMINISTRATIVE REGION

项 目		Item		2000	2001	2003	2004
总面积	**（平方公里）**	**Total Land Area**	**（sq. km）**	**25.4**	**25.8**	**25.8**	**25.8**
人口及生命事件		**Population and Demographics Characteristics**					
年中人口估计	（万人）	Mid-year Estimates of Population	（10000 persons）	43.1	43.4	44.5	45.7
粗出生率	（‰）	Crude Birth Rate	（‰）	8.9	7.5	7.2	7.2
粗死亡率	（‰）	Crude Death Rate	（‰）	3.1	3.1	3.3	3.4
劳工		**Labor**					
劳动人口	（万人）	Labor Force	（10000 persons）	20.9	21.7	21.6	22.9
失业率	（%）	Unemployment Rate	（%）	6.8	6.4	6.0	4.8
对外贸易		**External Trade**					
出口	（亿澳门元）	Exports	（MOP 100 million）	204	185	207	225.6
本地产品出口	（亿澳门元）	Domestic Exports	（MOP 100 million）	171	151	163	173.2
转口	（亿澳门元）	Re-exports	（MOP 100 million）	33	33	44	52.4
进口	（亿澳门元）	Imports	（MOP 100 million）	181	192	221	279
工业生产		**Industrial Production**					
工业电力消耗量	（亿千瓦小时）	Industrial Electricity Consumption	（100 million kwh）	1.5	1.4	2.0r	2.1
运输、旅游		**Transport and Tourism**					
进出澳门货运车辆数目②	（万次）	Lorries Entering and Departing Macao②	（10000 times）	45.4	45.8	47.8	56.6
访澳旅客	（万人次）	Visitor Arrivals	（10000 person-times）	916	1028	1189	1667.3
酒店入住率	（%）	Hotel Room Occupancy Rate	（%）	58	61	64	76
财政收支	**（亿澳门元）**	**Government Accounts**	**（MOP 100 million）**				
财政总收入①		Total Government Revenue①		153	156	183.75	193.4p *
财政总支出①		Total Government Expenditure①		150	152	157.75	131.8p *
居民消费物价指数		**Consumer Price Index**					
（1999年10月至2000年9月 = 100）		（October 1999 – September 2000 = 100）					
综合消费物价指数		Composite Consumer Price Index		99.5	97.5	93.5	94.4
本地生产总值①		**Gross Domestic Product（GDP）①**					
以2002年不变价格计算		**At Constant（2002）Prices**					
支出法本地生产总值实际增长率	（%）	Expenditure-based GDP Real Growth Rate	（%）	3.6r	2.2	14.2r	28
本地生产总值	（亿澳门元）	GDP	（MOP 100 million）	489.7r	545.6	625.8r	800.9
人均本地生产总值	（万澳门元）	Per Capita GDP	（10000 MOP）	11.2r	12.6	14.1r	17.5
以当年价格计算		**At Current Prices**					
支出法本地生产总值名义增长率	（%）	Expenditure-based GDP Nominal Growth Rate	（%）	3.6r	0.2	16.0r	30.1
本地生产总值	（亿澳门元）	GDP	（MOP 100 million）	489.7r	498.6	635.6r	826.9
人均本地生产总值	（万澳门元）	Per Capita GDP	（10000 MOP）	11.4r	11.5	14.3r	18.1

注：本表资料根据《中国统计年鉴》、《中国统计摘要》和澳门特别行政区政府统计月刊等资料整理。
①本地生产总值数列于2005年经主要修订，并将基年由1996年更新为2002年。2004年数字在日后得到更多资料时会作出修订。
②包括关闸及路氹城边检站。
"p"临时性数字；"r"更正资料。

Note: The data in this table are prepared on the basis of China Statistical Yearbook, China Statistical Abstract and the monthly bulletins of statistics provided by the Government of the Macao Special Administrative Region.
① The GDP figures are mainly revised in 2005 and the base year is 2002 instead of 1996. The figures of 2004 will be revised on the basis of more data later on.
② Including the Border gate and the Checkpoint of CoTai.
"p" indicates provisional data and "r" indicates rectified data.

中国统计出版社最新资料书简目

（仅供参考，以最后出书为准）

中国统计年鉴—2005
中国统计摘要—2005
2005 中国发展报告
中国城市统计年鉴—2004
中国劳动统计年鉴—2005
中国人口统计年鉴—2005
中国工业经济统计资料—2005
中国市场统计年鉴—2005
2004 中国城市发展报告
中国建筑业统计年鉴—2004
中国价格及城镇居民家庭收支调查统计年鉴—2005
国际统计年鉴—2005
中国对外经济贸易统计年鉴—2004
中国基本单位统计年鉴—2004
中国民政统计年鉴—2005
中国高技术产业统计年鉴—2005
中国房地产行业名录
中国农村统计年鉴—2005
中国农村住户调查年鉴—2005（中文）
中国农村住户调查年鉴—2005（英文）
中国乡镇统计资料—2004
中国县（市）社会经济调查年鉴—2005
中国西部农村统计资料—2005
中国建制镇统计资料—2005
中国农产品价格调查年鉴—2005
中国资金流量核算历史资料（1998－2002）
中国国民经济核算年鉴—2005

北京统计年鉴—2005
天津统计年鉴—2005
河北经济年鉴—2005
山西统计年鉴—2005
内蒙古统计年鉴—2005
辽宁统计年鉴—2005
吉林统计年鉴—2005
黑龙江统计年鉴—2005
上海统计年鉴—2005
江苏统计年鉴—2005
浙江统计年鉴—2005
安徽统计年鉴—2005
福建统计年鉴—2005
江西统计年鉴—2005
山东统计年鉴—2005
河南统计年鉴—2005
湖北统计年鉴—2005
湖南统计年鉴—2005
广东统计年鉴—2005
广西统计年鉴—2005
海南统计年鉴—2005
重庆统计年鉴—2005
四川统计年鉴—2005
贵州统计年鉴—2005
云南统计年鉴—2005
西藏统计年鉴—2005
陕西统计年鉴—2005
甘肃年鉴—2005
青海统计年鉴—2005
宁夏统计年鉴—2005
新疆统计年鉴—2005
新疆生产建设兵团统计年鉴—2005
石家庄统计年鉴—2005
唐山统计年鉴—2005
邯郸统计年鉴—2005
呼和浩特经济统计年鉴—2005
鄂尔多斯市统计年鉴—2005
包头统计年鉴—2005
赤峰统计年鉴—2005
沈阳年鉴—2005
大连统计年鉴—2005
鞍山统计年鉴—2005
长春统计年鉴—2005
吉林市社会经济统计年鉴—2005
四平统计年鉴—2005
延吉统计年鉴—2005
哈尔滨统计年鉴—2005
齐齐哈尔经济统计年鉴—2005
黑龙江垦区统计年鉴—2005
上海浦东新区统计年鉴—2005
南京统计年鉴—2005
苏州统计年鉴—2005
无锡统计年鉴—2005
常州统计年鉴—2005
徐州统计年鉴—2005
南通统计年鉴—2005
盐城统计年鉴—2005
镇江统计年鉴—2005
江阴统计年鉴—2005
杭州统计年鉴—2005
宁波统计年鉴—2005
绍兴统计年鉴—2005
台州统计年鉴—2005
舟山统计年鉴—2005
温州统计年鉴—2005
金华统计年鉴—2005
嘉兴统计年鉴—2005
安庆经济统计年鉴—2005
福州统计年鉴—2005
福州年鉴—2005
厦门经济特区年鉴—2005
福州经济技术开发区年鉴—2005
南昌经济社会统计年鉴—2005
九江经济统计年鉴—2005
济南统计年鉴—2005
青岛统计年鉴—2005
潍坊统计年鉴—2005
淄博统计年鉴—2005
郑州统计年鉴—2005
洛阳统计年鉴—2005
三门峡统计年鉴—2005
南阳经济统计年鉴—2005
武汉统计年鉴—2005
宜昌统计年鉴—2005
十堰统计年鉴—2005
荆州统计年鉴—2005
长沙统计年鉴—2005
广州统计年鉴—2005
东莞统计年鉴—2005
惠州统计年鉴—2005
深圳统计年鉴—2005
南宁统计年鉴—2005
桂林经济社会统计年鉴—2005
柳州经济统计年鉴—2005
来宾统计年鉴—2005
河池地区经济社会统计年鉴—2005
海口统计年鉴—2005
成都统计年鉴—2005
贵阳统计年鉴—2005
昆明统计年鉴—2005
西安统计年鉴—2005
兰州年鉴—2005
西宁统计年鉴—2005
银川统计年鉴—2005
乌鲁木齐统计年鉴—2005
巴音郭楞统计年鉴—2005
吐鲁番统计年鉴—2005